SECRET SHOW

CLIVE BARKER

SECRET SHOW

ROMAN

traduit de l'anglais par Jean-Daniel Brèque

Albin Michel

Édition originale anglaise :
THE GREAT AND SECRET SHOW
© 1989, Clive Barker

Traduction française :
© Éditions Albin Michel S.A., 1991
22, rue Huyghens, 75014 Paris

ISBN : 2-226-05588-6

Le souvenir, la prophétie et le fantasme — le passé,
l'avenir et le moment de rêve
entre eux — ne forment qu'un seul pays, ne vivant
qu'une seule et immortelle journée.

Savoir ceci, c'est la Sagesse.

L'utiliser, c'est l'Art.

PREMIÈRE PARTIE

Le Messager

I

Homer ouvrit la porte.

— Entre, Randolph.

Jaffe détestait la façon vaguement méprisante dont il disait *Randolph,* comme s'il connaissait tous les crimes que Jaffe avait jamais commis, depuis le tout premier, le plus bénin.

— Qu'est-ce que tu fais ? dit Homer en voyant Jaffe traîner. Le boulot t'attend. Plus vite tu l'auras commencé, plus vite je t'en aurai trouvé un autre.

Randolph pénétra dans la vaste pièce. Ses murs étaient peints des mêmes couleurs, jaune bilieux et gris métallique, que tous les autres bureaux et tous les autres couloirs du Bureau de Poste Central d'Omaha. Ils n'étaient cependant pas entièrement visibles. Le courrier s'empilait de tous côtés sur plus de deux mètres de hauteur. Sacs, sacoches, boîtes et cartons de courrier se déversaient sur le sol de béton froid.

— Des lettres mortes, dit Homer. Des trucs que même cette bonne vieille U.S. Mail n'arrive pas à distribuer. Ça vaut le coup d'œil, hein ?

Jaffe était abasourdi, mais il prit soin de n'en rien montrer. Il prenait soin de ne rien montrer du tout, surtout à des petits malins comme Homer.

— Tout ceci est à toi, Randolph, dit son supérieur. Ton petit coin de paradis.

— Qu'est-ce que je suis censé en faire ? dit Jaffe.

— Le trier. Ouvrir les lettres et vérifier qu'il n'y a rien d'important dedans, pour éviter qu'on jette de l'argent dans l'incinérateur.

— Il y a de l'argent là-dedans ?

— Dans certaines lettres, dit Homer avec un rictus. Peut-être. Mais la plupart d'entre elles sont bonnes pour la poubelle. Des trucs dont les gens ne veulent pas et qu'ils réintroduisent dans le circuit. Certains plis ont été mal adressés et ont fait le tour du pays avant d'atterrir dans le Nebraska. Ne me demande pas pourquoi, mais chaque fois qu'on ne sait pas quoi faire de cette merde, on l'envoie à Omaha.

— C'est le centre du pays, fit remarquer Jaffe. La Porte de l'Ouest. Ou de l'Est. Ça dépend de l'endroit où on se place.

— C'est pas le centre exact, rétorqua Homer. Mais on se retrouve quand même avec ces saloperies sur les bras. Et il faut que ça soit trié. A la main. Par *toi*.

— Tout ça? dit Jaffe.

Ce qu'il avait devant lui représentait deux, trois, quatre semaines de travail.

— Tout ça, dit Homer sans tenter de dissimuler sa satisfaction. Tout ça est à toi. Tu ne tarderas pas à te faire la main. Si tu trouves une enveloppe avec le cachet du gouvernement, mets-là dans la pile à brûler. Pas la peine de l'ouvrir. Qu'ils aillent se faire foutre, hein? Mais ouvre toutes les autres. On ne sait jamais ce qu'on va trouver. (Il eut un sourire de conspirateur.) Et ce qu'on trouve, on le *partage*, dit-il.

Cela faisait seulement neuf jours que Jaffe travaillait pour l'U.S. Mail, mais c'était amplement suffisant pour se rendre compte que les postiers interceptaient nombre de lettres. Ils ouvraient les paquets à coups de rasoir pour examiner leur contenu, ils encaissaient les chèques, ils se gaussaient des lettres d'amour.

— Je viendrai régulièrement ici pour jeter un coup d'œil, avertit Homer. Alors ne t'avise pas de me cacher quoi que ce soit. J'ai du flair. Je sais reconnaître les enveloppes qui contiennent du fric et je sais aussi reconnaître les voleurs. Tu m'entends? J'ai un sixième sens. Alors ne t'avise pas de faire le malin, mon pote, ça ne nous plaît pas, à moi et aux copains. Et tu veux faire partie de l'équipe, pas vrai? (Il posa sa lourde patte sur l'épaule de Jaffe.) On partage tout, d'accord?

— J'ai compris, dit Jaffe.

— Bien, répondit Homer. Par conséquent (il ouvrit les bras pour embrasser le spectacle des sacs empilés)... tout ceci est à toi.

Il renifla, sourit, et prit congé.

Faire partie de l'équipe, pensa Jaffe tandis que la porte se refermait avec un cliquetis, il n'y réussirait jamais. Mais il n'allait certes pas le dire à Homer. Il laisserait l'autre jouer au petit chef; lui jouerait à l'esclave consentant. Mais au fond de son cœur? Au fond de son cœur, il avait d'autres plans, d'autres ambitions. Le problème, c'était qu'il n'était pas plus près de réaliser ses ambitions qu'il ne l'avait été à vingt ans. Il avait à

présent trente-sept ans, presque trente-huit. Pas le genre
d'homme sur lequel s'attardent les regards féminins. Pas exactement le genre de personnage que les foules trouvent charismatique. Menacé par la calvitie tout comme son père l'avait été.
Chauve à quarante ans, fort probablement. Chauve, célibataire,
et avec seulement quelques sous en poche parce qu'il n'avait
jamais pu s'accrocher à un boulot plus d'un an, dix-huit mois au
maximum, il n'avait jamais réussi à s'extraire de la piétaille.

Il s'efforça de ne pas trop penser à cela, car lorsque ça lui
arrivait, il était pris du désir de faire le mal, et il était le plus
souvent sa propre victime. Ce serait si facile. Un canon de
revolver dans sa bouche pour lui chatouiller le fond de la gorge.
Qu'on en finisse. Aucun message. Aucune explication. Et qu'aurait-il écrit, de toute façon ? *Si je me suis tué, c'est parce que je n'ai pas
réussi à devenir le Maître du Monde ?* Ridicule.

Mais... c'était ce qu'il avait voulu. Il n'avait jamais su
comment y parvenir, n'avait jamais recueilli le moindre indice,
mais telle était l'ambition qui le tenaillait depuis toujours.
D'autres étaient bien partis de rien pour arriver aux sommets,
n'est-ce pas ? Messies, présidents, vedettes de cinéma. Ils
s'étaient extraits de la fange comme les poissons l'avaient fait
lorsqu'ils avaient décidé d'aller faire un tour à terre. Ils s'étaient
laissé pousser des jambes, avaient respiré de l'air, étaient devenus
des êtres supérieurs. Si ces foutus poissons y avaient réussi,
pourquoi pas lui ? Mais il fallait faire vite. Avant qu'il ait
quarante ans. Avant qu'il ne soit chauve. Avant qu'il ne soit
mort, disparu, oublié de tous, sauf de ceux qui se souviendraient
d'un connard anonyme qui avait passé trois semaines de l'hiver
1969 dans une pièce pleine de lettres mortes, à ouvrir du courrier
orphelin en quête de billets de un dollar. Tu parles d'une
épitaphe.

Il s'assit et contempla la tâche qui l'attendait par monceaux.

— Va te faire foutre, dit-il.

Il pensait à Homer. Il pensait au volume de merde qui se
dressait devant lui. Mais il pensait surtout à lui-même.

Ce fut d'abord une corvée. L'enfer, jour après jour, quand il
fouillait les sacs.

Les piles de courrier ne semblaient pas diminuer. En fait, elles
furent alimentées à plusieurs reprises par un Homer ricanant,
suivi des péons chargés de sacoches surnuméraires.

Jaffe sépara d'abord les enveloppes intéressantes (les plus grosses ; celles qui faisaient du bruit ; celles qui étaient parfumées) de celles qui ne l'étaient pas ; puis le courrier privé du courrier officiel, et les gribouillis des étiquettes dorées. Une fois ces décisions prises, il se mit à ouvrir les enveloppes, avec ses doigts durant la première semaine, jusqu'à ce qu'ils attrapent des cals, ensuite avec un couteau de poche qu'il avait acheté spécialement dans ce but, fouillant leur contenu comme un pêcheur en quête de perles, ne trouvant rien la plupart du temps, trouvant parfois, comme Homer l'avait promis, de l'argent ou un chèque, qu'il déclarait scrupuleusement à son patron.

— Tu te débrouilles bien, dit Homer au bout de la deuxième semaine. Tu te débrouilles vraiment bien. Peut-être que je devrais te mettre sur ce boulot à plein temps.

Randolph avait envie de lui dire d'aller se faire foutre, mais il avait trop souvent dit ça à des patrons qui l'avaient viré dans la minute qui avait suivi, et il ne pouvait pas se permettre de perdre ce boulot : pas avec son loyer à payer et son studio à chauffer, ce qui lui coûtait une fortune en cet hiver constamment enneigé. De plus, quelque chose était en train de lui arriver tandis qu'il passait des heures en solitaire dans la Salle des Lettres Mortes, quelque chose qu'il commença à apprécier vers la fin de la troisième semaine et à comprendre vers la fin de la cinquième.

Il était assis au carrefour de l'Amérique.

Homer avait raison. La ville d'Omaha (Nebraska) n'était pas le centre géographique des USA, mais en ce qui concernait les Postes, elle aurait parfaitement bien pu l'être.

Les lignes de communication se croisaient, se recroisaient, et finissaient par abandonner leurs orphelins ici, car personne ne voulait d'eux dans les autres États. Ces lettres étaient allées d'une côte à l'autre, en quête de quelqu'un pour les ouvrir, sans jamais trouver preneur. Finalement, elles avaient échoué devant lui : Randolph Ernest Jaffe, un minable presque chauve qui n'avait jamais formulé ses ambitions ni exprimé sa rage, dont le petit couteau les ouvrait, dont les petits yeux les parcouraient, et qui — assis à ce carrefour — commençait à découvrir le visage caché de la nation.

Il y avait des lettres d'amour, des lettres de haine, des demandes de rançon, des suppliques, des feuilles de papier sur lesquelles des hommes avaient tracé le contour de leur érection, des cartes de la Saint-Valentin décorées de poils pubiens, des lettres de chantage émanant d'épouses, de journalistes, de prostituées, d'avocats et de sénateurs, des publicités bidon et des notes de suicidés, des romans égarés, des chaînes, des curriculum vitae, des cadeaux jamais livrés, des missives envoyées au hasard comme des bouteilles à la mer, dans l'espoir de trouver une aide quelconque, des poèmes, des menaces et des recettes de cuisine. Tant et tant de lettres. Mais cette foule ne représentait que la partie émergée de l'iceberg. Bien que les lettres d'amour l'aient parfois fait transpirer, et bien qu'il se soit parfois demandé, en lisant les demandes de rançon restées sans réponse, si leurs expéditeurs avaient exécuté leurs otages, les histoires d'amour et de mort qu'elles lui racontaient ne le touchaient que fugitivement. Il existait une autre histoire, bien plus persuasive et bien plus émouvante, qu'il lui était plus difficile de formuler.

Assis au carrefour, il commença à comprendre que l'Amérique avait une vie secrète ; une vie qu'il n'avait jamais entrevue auparavant. Il connaissait tout de l'amour et de la mort. L'amour et la mort étaient les clichés suprêmes ; les obsessions jumelles des chansonnettes et des feuilletons télé. Mais il existait une autre vie que lui laissait entr'apercevoir une lettre sur quarante, sur cinquante, sur cent, et qu'une lettre sur mille exposait avec une franchise de dément. Lorsque cet exposé était franc, il ne disait pas toute la vérité, mais c'était un début, et chaque correspondant avait sa propre façon insensée de dire ce qui était presque indicible.

Cela se résumait à la constatation suivante : le monde n'était pas tel qu'il semblait être. Loin de là. Des forces (gouvernementales, religieuses, médicales) conspiraient pour réduire au silence ceux qui avaient une idée plus que vague de ce fait, mais elles ne pouvaient pas les étouffer ou les incarcérer jusqu'au dernier. Il y avait des hommes et des femmes qui se glissaient entre les mailles du filet, en dépit de l'immensité de celui-ci ; qui trouvaient des chemins détournés où leurs poursuivants se perdaient, des havres où ils étaient nourris et désaltérés par leurs frères visionnaires, prêts à égarer les chiens qui reniflaient leur piste. Ces gens-là ne faisaient pas confiance à Ma Bell, aussi n'utilisaient-ils pas le téléphone. Ils n'osaient pas se rassembler en groupes de plus de deux personnes, de peur d'attirer l'attention sur eux. Mais ils *écrivaient*. Il semblait parfois qu'ils étaient *obligés* d'écrire, comme si les secrets qu'ils abritaient étaient trop brûlants et devaient à tout prix sortir de leur esprit. Parfois, c'était parce qu'ils savaient que les chasseurs étaient sur leurs talons et qu'ils n'auraient aucune autre chance de décrire le monde tel qu'il était avant d'être capturés, drogués et enfermés. Parfois, on percevait même une joie subversive dans leurs gribouillis, qu'ils glissaient dans une enveloppe à l'adresse délibérément vague dans l'espoir qu'elle parvienne par hasard à un innocent dont elle bouleverse-rait tous les préjugés. Certaines de ces missives étaient de longs monologues délirants, d'autres des descriptions précises, voire même cliniques, de la méthode à utiliser pour retourner le monde sens dessus dessous grâce à la magie sexuelle ou à l'ingestion de certains champignons. Certaines utilisaient l'imagerie absurde des journaux à sensation pour occulter un autre message. Elles parlaient d'OVNI et de cultes de zombies ; donnaient des nouvelles d'évangélistes vénusiens et de médiums qui communi-quaient avec les morts par l'entremise de la télévision. Mais après avoir passé quelques semaines à étudier ces lettres (et c'était une *étude*; il était pareil à un homme enfermé dans l'ultime biblio-thèque), Jaffe commença à soulever le voile d'absurdités qui dissimulait la réalité cachée. Il déchiffra le code ; du moins assez pour avoir envie d'en savoir davantage. Au lieu d'être irrité lorsque Homer ouvrait la porte chaque jour pour lui apporter une demi-douzaine de sacoches supplémentaires, il accueillait avec joie les lettres qui s'ajoutaient à ses piles. Plus il aurait de lettres, plus il aurait d'indices ; plus il aurait d'indices, plus grand serait son espoir de parvenir à la solution du mystère. A mesure que les semaines devenaient des mois et que l'hiver se faisait plus clément, il acquit la conviction qu'il n'y avait pas plusieurs mystères mais *un seul*. Les correspondants dont les lettres parlaient du Voile et de la façon de l'écarter avançaient, chacun à leur manière, vers la révélation ; chacun d'eux avait sa méthode et ses métaphores spécifiques ; mais quelque part dans cette cacophonie, un hymne luttait pour être entonné.

Cet hymne ne parlait pas d'amour. Du moins pas au sens où l'entendaient les âmes sentimentales. Ni de mort, tel que ce terme était perçu par les esprits prosaïques. Cet hymne parlait — dans le désordre — des poissons, et de la mer (parfois de la Mer des Mers) ; des trois façons de nager dans ses eaux ; des rêves (on abordait souvent le sujet des rêves) ; et d'une île que Platon avait baptisée l'Atlantide tout en sachant qu'il s'agissait d'un autre endroit. Il parlait de la fin du Monde, et il parlait aussi de son commencement. Et il parlait de l'art.

Ou plutôt de *l'Art*.

De tous les codes, ce fut sur celui-ci qu'il se cassa le plus souvent la tête, dessinant de nouvelles rides sur son front. On parlait de l'Art de bien des façons. *Le Grand Œuvre ultime. Le Fruit défendu. Le Désespoir de De Vinci* ou *Le Doigt dans le Gâteau* ou *La Joie du Chercheur de Cul*. Il y avait de nombreuses façons de le décrire, mais il n'y avait qu'un seul Art. Et (en voilà un mystère) aucun *Artiste*.

— Alors, est-ce que tu te plais ici ? lui dit Homer un beau jour de mai.

Jaffe leva les yeux de son travail. Il y avait des lettres éparpillées tout autour de lui. Sa peau, qui n'avait jamais été très hâlée, était aussi pâle et marquée que les feuilles qu'il tenait dans sa main.

— Oui, dit-il à Homer sans même daigner le regarder. Est-ce que vous avez d'autres lettres pour moi ?

Homer ne répondit pas tout de suite.

— Qu'est-ce que tu caches, Jaffe ? dit-il finalement.

— Cacher ? Je ne cache rien.

— Tu planques des trucs que tu devrais partager avec nous.

— Non, dit Jaffe.

Il avait pris soin d'obéir scrupuleusement au premier commandement d'Homer : tout ce qui était trouvé dans les lettres mortes devait être partagé. L'argent, les magazines de cul, les bijoux à bon marché sur lesquels il lui arrivait parfois de tomber ; tout allait à Homer, qui procédait à la répartition du butin.

— Je vous ai tout donné, dit-il. Je le jure.

Homer le regarda avec un scepticisme affiché.

— Tu passes toutes tes journées dans ce foutu trou, dit-il. Tu ne parles jamais aux autres. Tu ne vas jamais boire un coup avec eux. Tu n'aimes pas notre parfum, Randolph ? C'est ça ? (Il n'attendit pas de réponse.) Ou bien es-tu tout simplement un *voleur* ?

— Je ne suis pas un voleur, dit Jaffe. Vérifiez vous-même. (Il se leva, les mains tendues, une lettre dans chacune d'elles.) Fouillez-moi.

— Je ne veux pas te toucher, foutre non, fut la réponse d'Homer. Pour qui tu me prends, pour un pédé ?

Ses yeux restaient fixés sur Jaffe. Après une courte pause, il reprit :

— Je vais envoyer quelqu'un d'autre te remplacer ici. Tu es resté cinq mois à ce poste. Ça suffit. Je vais te muter.

— Je ne veux pas...

— Quoi ?

— Je veux dire... enfin, je me plais bien ici. Vraiment. J'aime ce travail.

— Ouais, dit Homer, de toute évidence toujours soupçonneux. Eh bien, à partir de lundi, tu iras bosser ailleurs.

— Pourquoi ?

— Parce que je l'ai décidé ! Si ça ne te plaît pas, trouve-toi un autre boulot.

— Je travaille bien, n'est-ce pas ? dit Jaffe.

Homer lui tournait déjà le dos.

— Ça sent ici, dit-il en sortant. Ça sent vraiment mauvais.

Les lectures de Randolph lui avaient permis d'apprendre un mot qu'il n'avait jamais rencontré jusque-là : synchronicité. Il avait dû acheter un dictionnaire pour en trouver le sens, et avait découvert ce que cela voulait dire : parfois, les événements coïncidaient. Vu la façon dont les correspondants utilisaient ce mot, il y avait quelque chose de significatif, de mystérieux, voire même de miraculeux, dans la manière dont une circonstance entrait en collision avec une autre, comme s'il existait un motif caché juste hors de portée de l'œil humain.

Une telle collision se produisit le jour où Homer lâcha sa bombe, une rencontre d'événements qui devait tout changer. Moins d'une heure après le départ d'Homer, Jaffe ouvrait avec son couteau de poche à la lame bien émoussée une enveloppe apparemment plus lourde que la moyenne. Un petit médaillon en tomba. Il alla heurter le sol de béton : un doux son de carillon. Jaffe le ramassa, les doigts tremblants — ils n'avaient cessé de trembler depuis le départ d'Homer. Aucune chaîne n'était attachée au médaillon, et aucun anneau n'était présent pour en accueillir une. En fait, il n'était pas assez beau pour qu'une femme accepte d'en parer sa gorge comme elle l'aurait fait d'un bijou, et bien qu'il fût en forme de croix, un examen plus détaillé révéla qu'il n'avait rien de chrétien. Ses quatre branches étaient de longueur égale, sa largeur totale ne dépassant pas quatre centimètres. A leur intersection se trouvait une forme humaine, ni mâle ni femelle, aux bras tendus comme ceux d'un crucifié, mais sans qu'aucun clou fût visible. Sur chaque branche se trouvaient des motifs abstraits, dont le plus éloigné du centre était un cercle. Le visage était dessiné avec une grande simplicité. Il arborait, pensa Jaffe, le plus subtil des *sourires*.

Il n'était pas expert en métallurgie, mais il était évident à ses yeux que cet objet n'était ni en or ni en argent. Même si on l'avait nettoyé de sa poussière, il n'aurait sûrement pas été très brillant. Mais il y avait néanmoins en lui quelque chose d'irrésistiblement attirant. En le regardant, Jaffe ressentit une impression qu'il éprouvait le matin au réveil, après un rêve particulièrement intense dont il ne parvenait pas à se rappeler les détails. Cet objet était chargé de signification, mais il ne savait pas laquelle. Les sceaux que la forme humaine touchait des mains, de la tête et des pieds, lui étaient-ils familiers parce qu'il les avait aperçus dans une des lettres qu'il avait lues ? Il en avait parcouru des milliers et des milliers durant les vingt dernières semaines, et nombre d'entre elles contenaient des dessins, parfois obscènes, souvent indéchiffrables. Il avait discrètement évacué du Bureau de Poste celles qu'il avait jugées les plus intéressantes, afin de les étudier le soir. Elles étaient rangées sous le lit dans son studio. Peut-être déchiffrerait-il le code onirique du médaillon en les examinant soigneusement.

Ce jour-là, il décida de déjeuner avec le reste des employés, pensant qu'il était souhaitable d'irriter Homer le moins possible. Ce fut une erreur. En compagnie de ces braves gars en train de parler des actualités qu'il n'écoutait plus depuis des mois, de la qualité du steak qu'ils avaient mangé la veille, de la séance de baise dont ils avaient été gratifiés ou frustrés après le steak, et de ce que l'été allait leur apporter, il eut l'impression d'être un étranger. Ils le savaient, eux aussi. Ils lui tournaient le dos pour converser, baissant parfois le ton pour évoquer son air bizarre, ses yeux de dément. Plus ils le tenaient à l'écart, plus il se sentait heureux d'être tenu à l'écart, parce qu'ils *savaient*, même des crétins comme eux *savaient*, qu'il était différent d'eux. Peut-être même avaient-ils un peu peur.

A une heure et demie, il ne parvint pas à se résoudre à retourner dans la Salle des Lettres Mortes. Le médaillon et ses signes mystérieux lui brûlaient la poche. Il fallait qu'il retourne chez lui et qu'il fouille dans sa bibliothèque épistolaire privée, *tout de suite*. Ce qu'il fit, sans gaspiller son souffle à informer Homer de son départ.

La journée était chaude et ensoleillée. Il tira les rideaux pour se protéger de l'invasion de la lumière, alluma sa lampe à abat-jour jaune, et là, en proie à la fièvre, il se mit à étudier, punaisant les lettres illustrées aux murs nus et, lorsque les murs furent recouverts, les étalant sur le lit, sur la table, sur la chaise et sur le plancher. Puis il alla de feuille en feuille, de signe en signe, en quête de quelque chose qui aurait ressemblé au médaillon qu'il tenait dans sa main. Et la même pensée continuait de ramper dans son esprit : il savait qu'il existait un Art, mais pas d'Artiste, une pratique, mais pas de pratiquant, et peut-être que cet homme, c'était *lui*.

Cette pensée n'eut pas à ramper très longtemps. Moins d'une heure plus tard, elle occupait la place d'honneur dans son crâne. Ce n'était pas par hasard que ce médaillon lui était tombé entre les mains. Il était venu jusqu'à lui pour le récompenser de ses patientes études et pour l'aider à nouer les fils de son enquête, afin qu'il puisse éclaircir le mystère qui le tourmentait. La plupart des symboles dessinés sur les lettres n'avaient aucun intérêt, mais il y en avait beaucoup, trop pour que ce fût une coïncidence, qui renvoyaient aux images figurant sur la croix. On n'en voyait jamais plus de deux sur la même feuille, et la plupart d'entre eux n'étaient que des interprétations grossières, car, contrairement à lui, aucun des correspondants n'avait eu la solution en main, mais ils avaient tous déchiffré une partie du puzzle, et les observations qu'ils avaient rédigées sur elle, sous forme de haïkus, d'obscénités ou de formules alchimiques, lui permirent d'appréhender le système dissimulé par les symboles.

Un terme apparaissait régulièrement dans les lettres les plus intelligentes : le *Banc*. Il l'avait rencontré à plusieurs reprises lors de ses lectures, sans y réfléchir outre mesure. On parlait beaucoup d'évolution dans les lettres, et il avait cru que ce terme relevait du vocabulaire spécialisé. A présent, il comprenait son erreur. Le Banc était un culte, ou une sorte d'Église, et son symbole était l'objet qu'il tenait au creux de sa main. Quant au rapport que le Banc entretenait avec l'Art, il était loin d'être clair, mais Jaffe se doutait depuis longtemps qu'il n'y avait qu'*un seul* mystère, *un seul* voyage, et ce soupçon était à présent confirmé ; avec le médaillon en guise de carte, il savait qu'il finirait par trouver le chemin qui conduisait du Banc à l'Art.

En attendant, il avait des préoccupations plus urgentes. En repensant à la tribu de ses collègues, Homer à leur tête, il eut un frisson à l'idée que l'un de ses membres puisse partager le secret qu'il venait de découvrir. Ils n'avaient certes aucune chance de déchiffrer le code qui y conduisait : ils étaient trop stupides. Mais Homer était assez soupçonneux pour pouvoir remonter une partie de la piste, et l'idée que quiconque — et en particulier ce crétin d'Homer — souille cette terre sacrée lui était insupportable. Il n'y avait qu'une seule façon de prévenir un tel désastre.

Il devait agir vite et détruire tous les indices susceptibles de mettre Homer sur la bonne route. Il garderait le médaillon, bien sûr : cet objet lui avait été confié par des puissances supérieures qu'il verrait un jour face à face. Il garderait également les vingt ou trente lettres qui contenaient les informations les plus intéressantes sur le Banc; les autres (trois cents et quelques) devaient être brûlées. Quant à la collection de lettres qu'il avait amassée dans la Salle des Lettres Mortes, elles iraient elles aussi à l'incinérateur. Toutes. Cela lui prendrait du temps, mais c'était nécessaire, et le plus tôt serait le mieux. Il fit une sélection des lettres qui se trouvaient dans son studio, empaqueta celles qu'il n'avait pas besoin de garder, et prit la direction du Bureau de Tri Postal.

On était à présent en fin d'après-midi, et il avança à contre-courant de la circulation humaine, pénétrant dans le Bureau par la porte de service afin d'éviter Homer, bien qu'il connût assez bien les horaires de l'autre pour savoir qu'il avait arrêté sa pointeuse à cinq heures et demie pile et savourait déjà une bière dans un bar quelconque. L'incinérateur était une machine antique, suante et cliquetante, entretenue par une antiquité également suante et cliquetante nommée Miller, avec qui Jaffe n'avait jamais échangé un seul mot, Miller étant sourd comme un pot. Il fallut quelque temps à Jaffe pour lui expliquer qu'il aurait besoin de l'incinérateur pendant une heure ou deux pour y détruire des documents, à commencer par le paquet qu'il avait ramené de chez lui et qu'il jeta immédiatement dans les flammes. Puis il monta dans la Salle des Lettres Mortes.

Homer n'était pas allé savourer une bière. Il attendait, assis sur la chaise de Jaffe, sous une ampoule nue, examinant les piles de lettres autour de lui.

— Alors, quelle est l'anarque? dit-il dès que Jaffe eut franchi le seuil.

Il était inutile de feindre l'innocence, Jaffe le savait. Les mois qu'il avait consacrés à l'étude avaient gravé son savoir sur son visage. Désormais, il ne pouvait plus passer pour un naïf. Et — en fin de compte — il ne le voulait pas.

— Aucune *arnaque*, dit-il à Homer en affichant le mépris que lui inspiraient ses soupçons puérils. Je n'ai rien volé que tu aies désiré avoir. Ou que tu aies pu utiliser.

— J'en serai le seul juge, connard, dit Homer en jetant les lettres qu'il était en train d'examiner au milieu des autres tas. Je veux savoir ce que tu trafiques ici. A part te branler.

Jaffe ferma la porte. Il ne s'en était jamais rendu compte auparavant, mais les vibrations de l'incinérateur traversaient les murs et imprégnaient la pièce. Tout ici frémissait faiblement. Les sacoches, les enveloppes, les mots sur les pages pliées dedans. Et la chaise sur laquelle Homer était assis. Et le couteau, le couteau de poche, gisant sur le sol à côté de la chaise sur laquelle Homer était assis. Toute la salle bougeait, très légèrement, comme si le sol s'était mis à trembler. Comme si le monde allait basculer.

Peut-être était-ce le cas. Pourquoi pas? Inutile de prétendre que le *statu* était toujours *quo*. Il était sur la voie qui menait à un trône. Il ne savait pas quel était ce trône ni où il se trouvait, mais il devait réduire au silence les autres prétendants, et vite. Personne ne le retrouverait. Personne ne l'accuserait, ne le jugerait, ne le condamnerait à mort. Il était sa propre loi à présent.

— Il faut que je t'explique la vraie nature de cette *arnaque*, dit-il à Homer sur un ton presque insolent.

— Ouais, dit Homer en retroussant les lèvres. Vas-y donc.

— Eh bien, c'est très simple...

Il se dirigea vers Homer, vers la chaise, et vers le couteau à côté de la chaise. La célérité de sa démarche rendit Homer quelque peu nerveux, mais il resta assis.

— ... j'ai découvert un secret, continua Jaffe.

— Hein?

— Tu veux savoir ce que c'est?

Homer se levait à présent, le regard aussi tremblant que le reste de la pièce. Tout le reste, excepté Jaffe. Tout frisson avait disparu de ses mains, de ses tripes et de sa tête. Il était ferme dans un monde en pleine mouvance.

— Je ne sais pas ce que tu trafiques, dit Homer. Mais je n'aime pas ça.

— Je ne t'en veux pas, dit Jaffe.

Il ne regardait plus le couteau. Ce n'était plus nécessaire. Il pouvait le sentir.

— Mais c'est ton boulot de savoir, n'est-ce pas? continua Jaffe. De savoir ce qui se passe ici.

Homer recula de plusieurs pas, s'éloignant de la chaise. Il ne roulait plus des mécaniques, à présent. Il trébuchait, comme si le sol se dérobait sous ses pieds.

— J'étais assis au centre du monde, dit Jaffe. Cette petite pièce... c'est ici que tout se passe.

— C'est vrai?

— Foutrement vrai.

Homer eut un petit sourire nerveux. Il jeta un regard en direction de la porte.

— Tu veux partir ? dit Jaffe.

— Ouais. (Il regarda sa montre sans la voir.) Faut que je file. J'étais seulement venu pour...

— Tu as peur de moi, dit Jaffe. Et tu as raison. Je ne suis plus l'homme que j'étais.

— C'est vrai ?

— Tu l'as déjà dit.

Homer regarda à nouveau en direction de la porte. Elle était à cinq pas de lui ; quatre s'il courait. Il avait couvert la moitié de cette distance lorsque Jaffe ramassa le couteau. Il avait empoigné le loquet lorsqu'il entendit l'autre s'approcher derrière lui.

Il jeta un regard par-dessus son épaule, et le couteau plongea droit dans son œil. Cela n'avait rien d'un accident. C'était la synchronicité en œuvre. Son œil était brillant, le couteau était brillant. Les deux éclats entrèrent en collision et, l'instant d'après, il hurlait en tombant le long de la porte, suivi par Randolph cherchant à reprendre le couteau planté dans sa tête.

Le rugissement de l'incinérateur augmenta d'intensité. Le dos tourné aux sacoches, Jaffe sentait les enveloppes blotties les unes contre les autres, les mots secoués sur les pages, composant un glorieux poème. Sang, disait-il ; comme une mer ; ses pensées pareilles à des caillots dans cette mer, sombres, coagulées, surchauffées.

Il tendit la main vers le manche du couteau et l'agrippa. Jamais de sa vie il n'avait fait couler le sang ; il n'avait jamais écrasé un seul insecte, du moins intentionnellement. Mais à présent, son poing refermé sur le manche chaud et humide lui semblait merveilleux. Une prophétie ; une preuve.

Souriant, il retira le couteau de l'orbite d'Homer, et avant que sa victime n'ait pu glisser jusqu'au sol, l'enfonça dans sa gorge jusqu'à la garde. Cette fois-ci, il n'en resta pas là. Il retira la lame dès qu'elle eut étouffé les cris d'Homer, et il le poignarda en pleine poitrine. Il y avait des os à cet endroit, et il peina pour enfoncer son arme, mais il était soudain très fort. Homer hoqueta, et du sang jaillit de sa bouche et de sa gorge entaillée. Jaffe retira le couteau. Il ne décocha pas d'autre coup. Au lieu de cela, il essuya la lame sur son mouchoir et se détourna du corps pour réfléchir à ce qu'il allait faire. S'il essayait de jeter les sacs de courrier dans l'incinérateur, il risquait d'être découvert, et en dépit de la joie sublime que lui avait procurée la mort de ce crétin, il était conscient du danger qu'il y avait à être découvert. Mieux valait amener l'incinérateur *ici*. Après tout, le feu était un festin mobile. Il lui suffisait de trouver une flamme, et Homer en avait une. Il se retourna vers le cadavre flasque et fouilla ses poches en quête d'une boîte d'allumettes. Il en trouva une, la prit, et se dirigea vers les sacs.

La tristesse s'empara de lui comme il se préparait à mettre le feu aux lettres mortes. Il avait passé tant de semaines ici, en proie à une sorte de délire, enivré de mystères. Il lui fallait dire adieu à tout ça. Désormais — Homer mort, les lettres brûlées —, il était un fugitif, un homme sans passé, en quête d'un Art dont il ne connaissait rien mais qu'il désirait pratiquer plus que tout.

Il se mit à froisser quelques feuilles, afin de fournir un hors-d'œuvre aux flammes. Le feu s'alimenterait de lui-même une fois allumé, il n'en doutait pas : il n'y avait rien dans cette pièce — papier, tissu, chair — qui ne fût combustible. Après avoir façonné trois tas de papier, il craqua une allumette. La flamme était brillante et, en la regardant, il se rendit compte à quel point il détestait tout ce qui était brillant. Les ténèbres étaient tellement plus intéressantes ; pleines de secrets, pleines de menaces. Il enflamma les piles de papier et regarda le feu grandir en force. Puis il battit en retraite jusqu'à la porte.

Homer était affaissé contre elle, bien sûr, saignant en trois endroits, et sa masse ne fut pas facile à bouger, mais Jaffe consacra toutes ses forces à cette tâche, son ombre projetée sur le mur par le feu de joie qui faisait rage derrière lui. Il ne lui fallut que trente secondes pour déplacer le cadavre, mais la chaleur crût de façon exponentielle durant ce temps, si bien que, lorsqu'il se retourna une dernière fois vers la pièce, elle était tout entière la proie des flammes, envahie par un vent créé par la chaleur qui attisait encore l'incendie.

Ce fut seulement lorsqu'il débarrassa son studio de toute trace de sa présence — effaçant ce qui avait identifié Randolph Ernest Jaffe — qu'il regretta d'avoir fait ce qu'il avait fait. Pas d'avoir allumé un incendie — cet acte lui avait été dicté par la sagesse —, mais d'avoir laissé le corps d'Homer dans la pièce afin qu'il soit consumé en même temps que les lettres mortes. Il aurait dû concevoir une vengeance plus élaborée, comprit-il. Il aurait dû découper son corps en pièces, empaqueter celles-ci — langue, yeux, testicules, tripes, peau, crâne, divisés à l'infini — et les introduire dans le circuit avec des adresses gribouillées et insensées, afin que le hasard (ou la synchronicité) puisse désigner la porte où échouerait la chair d'Homer. Le postier posté. Il se promit de ne pas négliger à l'avenir des possibilités aussi ironiques.

Il ne lui fallut pas longtemps pour nettoyer son studio. Il n'avait que peu d'affaires, et la plupart d'entre elles ne signifiaient pas grand-chose pour lui. En dernière analyse, c'était à peine s'il existait. Il se résumait à quelques dollars, à quelques photographies, à quelques vêtements. Rien qui ne puisse être fourré dans une mallette sans laisser assez de place pour une encyclopédie en dix volumes.

A minuit, cette mallette à la main, il se préparait à quitter Omaha, prêt pour un voyage qui pouvait le conduire dans n'importe quelle direction. Porte de l'Est, Porte de l'Ouest. Il ne se souciait pas de savoir de quel côté il prendrait la route, du moment que cette route le conduisait à l'Art.

II

Jaffe avait eu une vie médiocre. Né à moins d'une centaine de kilomètres d'Omaha, c'était là qu'il avait été éduqué, là qu'il avait enterré ses parents, là qu'il avait par deux fois fait la cour à une femme et échoué à la conduire à l'autel. Il était sorti de l'État à quelques reprises, et il avait même envisagé (après sa seconde tentative maritale infructueuse) de se retirer à Orlando, où vivait sa sœur, mais celle-ci l'avait persuadé de n'en rien faire, prétextant qu'il n'aimerait ni les gens ni le soleil. Il était donc resté à Omaha, perdant souvent son travail pour en chercher un autre, ne s'engageant jamais très longtemps envers quoi que ce soit ni qui que ce soit, ce qui lui était bien rendu.

Mais lors de sa longue retraite dans la Salle des Lettres Mortes, il avait goûté à des horizons dont il n'avait jamais soupçonné l'existence, et cela lui avait donné de l'appétit pour les grands espaces. Quand il n'avait vu au-dehors que le soleil, la banlieue et Mickey Mouse, il n'en avait eu strictement rien à foutre. Pourquoi se soucier de partir en quête de telles banalités ? Mais à présent, il était plus avisé. Il y avait des mystères à élucider, des pouvoirs à prendre, et quand il serait Maître du Monde, il anéantirait les banlieues (et le soleil s'il le pouvait) et transformerait l'univers en ténèbres ardentes où l'homme serait enfin capable de connaître les secrets de son âme.

On avait beaucoup parlé de *carrefours* dans les lettres, et il avait longtemps pris cette image au sens littéral, pensant qu'à Omaha il se trouvait probablement *sur* ce carrefour et que c'était là qu'il recevrait la connaissance de l'Art. Mais une fois sorti de la ville, il vit à quel point il s'était trompé. Quand les correspondants parlaient de carrefour, ils n'entendaient pas par là le croisement d'une route avec une autre. Ils parlaient de lieux où se croisaient différents états de l'être, où l'humain rencontrait le non-humain dans un contact dont chacun ressortait transformé. Dans le flux et l'agitation de ces lieux existait un espoir de révélation.

Il n'avait pas beaucoup d'argent, bien sûr, mais cela ne semblait pas important. Durant les semaines qui suivirent son départ du lieu du crime, tout ce qu'il désirait vint à lui, tout simplement. Il n'avait qu'à lever le pouce pour qu'une voiture s'arrête devant lui. Lorsque son conducteur lui demandait dans quelle direction il allait, Jaffe lui répondait qu'il irait aussi loin que possible, et c'était exactement là où le chauffeur le conduisait. On aurait dit qu'il était béni des dieux. Quand il trébuchait, il y avait toujours quelqu'un pour le rattraper. Quand il avait faim, il y avait toujours quelqu'un pour le nourrir.

Ce fut une femme de l'Illinois, qui l'avait pris en stop pour lui demander ensuite s'il souhaitait passer la nuit avec elle, qui lui confirma qu'il était bien béni.

— Tu as vu quelque chose d'extraordinaire, n'est-ce pas ? lui murmura-t-elle au cœur de la nuit. Ça se lit dans tes yeux. C'est à cause de tes yeux que je t'ai pris en stop.

— Et que tu m'as offert ça ? dit-il en caressant son entrejambe du doigt.

— Oui. Ça aussi, dit-elle. Qu'est-ce que tu as vu ?

— Je n'en ai pas vu assez, répondit-il.

— Tu vas encore me faire l'amour ?

— Non.

De temps en temps, allant d'État en État, il aperçut des bribes que les lettres lui avaient appris à reconnaître. Il vit des secrets se montrer fugitivement à lui, n'osant agir ainsi que parce qu'*il* passait par là et parce qu'ils voyaient en lui un homme en route vers le pouvoir. Dans le Kentucky, il vit par hasard le cadavre d'un adolescent que l'on venait de repêcher dans une rivière, le corps gisant sur l'herbe, les bras écartés, les doigts écartés, tandis qu'une femme hurlait et sanglotait près de lui. Les yeux du garçon étaient grands ouverts ; les boutons de sa braguette également. Observant la scène de près, seul témoin à ne pas être chassé par la police (encore ses yeux), il prit quelques instants pour savourer la façon dont le garçon était disposé, comme la forme humaine sur le médaillon, et il eut à moitié envie de se jeter dans la rivière pour le simple plaisir de se noyer. Dans l'Idaho, il rencontra un homme qui avait perdu un bras dans un accident d'automobile, et comme ils discutaient devant un verre, cet homme lui expliqua qu'il éprouvait encore des sensations dans son membre perdu, que les médecins considéraient comme un fantôme de son système nerveux mais qu'il savait être une partie de son corps astral, toujours complet sur un autre plan de l'existence. Il dit qu'il se branlait régulièrement avec sa main perdue et proposa d'en faire la démonstration. C'était vrai. Plus tard, l'homme dit :

— Tu vois dans le noir, n'est-ce pas ?

Jaffe n'y avait pas réfléchi, mais à présent que son attention était attirée sur ce fait, il semblait bien que ce fût exact.

— Comment as-tu appris à faire ça ?

— Je ne l'ai pas appris.

— Tes yeux astraux, peut-être.

— Peut-être.

— Tu veux que je te fasse une autre pipe ?

— Non.

Il rassemblait des expériences, une à une, traversant la vie des autres et les quittant obsédés, morts ou en sanglots. Il satisfit le moindre de ses caprices, allant là où son instinct le conduisait, sachant que la vie secrète viendrait à sa rencontre dès l'instant de son arrivée.

Les forces de la loi ne semblaient pas lancées à sa poursuite. Peut-être n'avait-on jamais retrouvé le corps d'Homer dans le bâtiment en ruine, ou dans le cas contraire, la police avait dû supposer que ce n'était qu'une victime du sinistre. Quelle qu'en fût la raison, il n'y avait personne à ses trousses. Il alla où il voulait et fit ce qu'il désirait, jusqu'à ce qu'il éprouve un trop-plein de désirs satisfaits et d'appétits assouvis, et l'heure fut venue pour lui de sauter dans le précipice.

Il atterrit dans un motel infesté de cafards à Los Alamos (Nouveau-Mexique), s'enferma dans sa chambre avec deux bouteilles de vodka, se déshabilla, tira les rideaux pour se protéger du jour, et laissa aller son esprit. Cela faisait quarante-huit heures qu'il n'avait pas mangé, non pas parce qu'il n'avait pas d'argent — il en avait — mais parce qu'il appréciait la griserie qui en résultait. Privé de nourriture et fouetté par la vodka, il sentit ses pensées se déchaîner, se dévorant et se déféquant mutuellement, tour à tour barbares et baroques. Les cafards surgirent des ténèbres et se mirent à parcourir son corps gisant sur le sol. Il les laissa aller et venir, versant de la vodka sur son bas-ventre lorsqu'ils se mirent à grouiller à cet endroit et le firent bander, ce qui le distrayait. Il ne souhaitait que penser. Flotter et penser.

Il avait eu tout ce qu'il désirait sur le plan physique ; il s'était senti froid et chaud, sexy et asexué, baisé et baiseur. Il ne voulait plus de cela, plus jamais : du moins pas en tant que Randolph Jaffe. Il existait une autre façon d'être, un autre lieu géométrique des sensations, où le sexe et le meurtre, la peine et la faim, tout pouvait redevenir intéressant, mais il connaîtrait seulement cet état après être passé au-delà de sa présente condition ; après être devenu un Artiste ; après avoir refait le monde.

Juste avant l'aube, alors que les cafards eux-mêmes s'engourdissaient, il perçut l'invitation.

Un grand calme était en lui. Son cœur battait lentement et régulièrement. Sa vessie se vida toute seule, comme celle d'un bébé. Il n'avait ni trop chaud ni trop froid. N'était ni trop endormi ni trop éveillé. Et à ce carrefour — qui n'était pas le premier et ne serait pas le dernier —, quelque chose lui tirailla les tripes et l'appela.

Il se leva aussitôt, s'habilla, prit la bouteille de vodka pleine qui lui restait, et sortit marcher. L'invitation ne déserta pas ses entrailles. Elle continua de le tirailler alors que la nuit s'éloignait et que le soleil commençait à poindre. Il était venu les pieds nus. Ses pieds saignaient, mais son corps ne l'intéressait pas outre mesure, et il chassa cet inconfort grâce à quelques gorgées de vodka. A midi, une fois la bouteille vide, il était au milieu du désert, marchant dans la direction d'où venait l'appel, à peine conscient de ses pieds en mouvement. Il n'y avait aucune pensée dans sa tête à présent, excepté l'Art et la façon de l'obtenir, et même cette ambition n'apparaissait que pour disparaître aussitôt après.

Le désert fit de même, finalement. A l'approche du soir, il arriva en un lieu où même les faits les plus simples — le sol sous ses pieds, le ciel qui s'assombrissait au-dessus de sa tête — étaient empreints de doute. Il n'était même pas sûr d'être en train de marcher. L'absence de toutes choses était agréable, mais elle ne dura pas. L'invitation avait dû le conduire ailleurs sans qu'il soit même conscient de son appel, car la nuit qu'il venait de quitter devint soudain le jour, et il se retrouva — à nouveau vivant, à nouveau Randolph Ernest Jaffe — dans un désert encore plus nu que celui qu'il venait de quitter. Ici, c'était le matin. Le soleil n'était pas encore haut mais réchauffait déjà l'air, le ciel était parfaitement dégagé.

Il sentait à présent la douleur, et la nausée, mais l'appel lui tirait irrésistiblement les tripes. Il dut avancer bien que son corps fût à présent une ruine. Plus tard, il se rappela avoir traversé une ville, et avoir aperçu une tour de métal dressée au milieu de la désolation. Mais ce fut seulement lorsque le voyage prit fin, près d'une hutte de pierre toute simple dont la porte s'ouvrit devant lui, comme les derniers vestiges de ses forces l'abandonnaient. Il tomba sur le seuil.

III

La porte était fermée lorsqu'il revint à lui, mais son esprit était grand ouvert. De l'autre côté d'un feu mourant était assis un vieil homme aux traits empreints de chagrin et d'une certaine stupidité, pareils à ceux d'un clown venant d'effacer un maquillage porté durant cinquante ans, aux pores larges et graisseux, aux rares cheveux longs et gris. De temps en temps, alors que Jaffe accumulait l'énergie nécessaire pour prendre la parole, le vieillard soulevait une de ses fesses et lâchait un vent sonore.

— Tu as trouvé le chemin, dit-il finalement. Je croyais que tu allais mourir avant d'y réussir. C'est arrivé à beaucoup de gens. Il faut une réelle volonté pour réussir.

— Le chemin qui mène *où ?* demanda péniblement Jaffe.

— Nous sommes dans une Boucle. Une boucle dans le temps, contenant quelques minutes. C'est moi qui l'ai nouée, pour me servir de refuge. Il n'y a qu'ici que je suis en sécurité.

— Qui êtes-vous ?

— Mon nom est Kissoon.

— Faites-vous partie du Banc ?

Le visage parut surpris derrière le feu.

— Tu en sais beaucoup.

— Non. Pas vraiment. Rien que des bribes.

— Très peu de gens connaissent l'existence du Banc.

— J'en connais plusieurs, dit Jaffe.

— Vraiment ? dit Kissoon d'une voix qui se faisait plus dure. J'aimerais bien connaître leurs noms.

— J'ai reçu des lettres d'eux..., dit Jaffe.

Mais il hésita en se rendant compte qu'il ne savait plus où il les avait laissés, ces précieux indices qui lui avaient fait traverser l'enfer et le ciel.

— Des lettres de qui ? dit Kissoon.

— Des gens qui savaient... qui avaient *deviné*... au sujet de l'Art.

— Vraiment ? Et que disaient-ils à ce propos ?

Jaffe secoua la tête.

— Je n'ai pas encore réussi à tout comprendre, dit-il. Mais je pense qu'il y a une mer...

— En effet, dit Kissoon. Et tu aimerais bien savoir où elle est, et comment la trouver, et comment avoir un pouvoir sur elle.

— Oui. J'aimerais bien.

— Et en échange de cette éducation? dit Kissoon. Qu'est-ce que tu m'offres?

— Je n'ai rien.

— Laisse-moi en juger, dit Kissoon en levant les yeux vers le toit de la hutte, comme s'il avait perçu quelque chose dans les volutes de fumée qui s'amassaient là-haut.

— D'accord, dit Jaffe. Vous pouvez prendre tout ce que vous voulez. Si j'ai quelque chose que vous voulez.

— Cela me paraît juste.

— J'ai besoin de savoir. Je veux l'Art.

— Bien sûr. Bien sûr.

— J'ai eu mon content de la vie, dit Jaffe.

Les yeux de Kissoon se posèrent à nouveau sur lui.

— Vraiment? J'en doute.

— Je veux... je veux... (Quoi donc? pensa-t-il. Qu'est-ce que tu veux?) *Des explications,* dit-il.

— Eh bien, par où commencer?

— La mer, dit Jaffe.

— Ah, la mer.

— Où est-elle?

— As-tu jamais été amoureux? répondit Kissoon.

— Oui. Je le pense.

— Alors, tu es allé deux fois à Quiddity. La première fois que tu as dormi hors des entrailles de ta mère. Puis durant la première nuit que tu as passée aux côtés de la femme que tu as aimée. Ou de l'homme, peut-être? (Il rit.) Peu importe.

— Quiddity est la mer.

— Quiddity est la mer. Et sur cette mer se trouve un groupe d'îles, que l'on appelle l'Ephéméride.

— Je veux aller là-bas, souffla Jaffe.

— Tu iras. Tu iras une autre fois.

— Quand?

— La dernière nuit de ta vie. C'est tout ce qui nous est accordé. Trois plongées dans l'océan onirique. Moins, et nous deviendrions fous. Plus...

— Et?

— Et nous ne serions pas humains.

— Et l'Art ?

— Ah, eh bien... les opinions diffèrent sur ce point.

— Est-ce que vous l'avez ?

— *L'avoir ?*

— Cet Art. Est-ce que vous l'avez ? Est-ce que vous pouvez le faire ? Est-ce que vous pouvez m'apprendre ?

— Peut-être.

— Vous êtes l'un des membres du Banc, dit Jaffe. Vous l'avez donc forcément, exact ?

— *L'un* des membres ? Je suis le dernier. Je suis le seul.

— Alors, partagez-le avec moi. Je veux être capable de changer le monde.

— Une ambition bien *modeste*.

— Arrêtez de vous foutre de moi ! dit Jaffe, qui soupçonnait de plus en plus l'autre de le prendre pour un imbécile. Je ne partirai pas d'ici les mains vides, Kissoon. Si j'obtiens l'Art, je peux entrer dans Quiddity, pas vrai ? C'est comme ça que ça marche.

— D'où tiens-tu tes informations ?

— *Ce n'est pas vrai ?*

— Si. Et je répète : d'où tiens-tu tes informations ?

— Je suis capable d'interpréter les indices. C'est ce que je suis en train de faire en ce moment. (Il sourit tandis que les pièces du puzzle s'assemblaient dans sa tête.) Quiddity est en quelque sorte *derrière* le monde, n'est-ce pas ? Et l'Art permet de traverser la barrière pour se retrouver là-bas quand on veut. Le Doigt dans le Gâteau.

— Hein ?

— C'est ainsi que quelqu'un l'a appelé. Le Doigt dans le Gâteau.

— Pourquoi se contenter d'un seul doigt ? fit remarquer Kissoon.

— Exact ! Pourquoi pas mon bras tout entier ?

L'expression de Kissoon était presque admirative.

— Quel dommage que tu ne puisses pas être plus *évolué,* dit-il. Alors, peut-être aurais-je pu partager tout ceci avec toi.

— Qu'est-ce que vous racontez ?

— Je dis que tu ressembles trop à un singe. Jamais je ne pourrai te donner les secrets contenus dans ma tête. Ils sont trop puissants, trop dangereux. Tu ne saurais pas quoi en faire. Tu finirais par souiller Quiddity avec ton ambition puérile. Et Quiddity doit être préservé.

— Je vous l'ai dit... je ne partirai pas d'ici les mains vides. Vous pouvez me prendre tout ce que vous voulez. Tout ce que j'ai. Mais enseignez-moi.

— Tu me donnerais ton corps ? dit Kissoon. Tu ferais ça ?

— Quoi ?

— C'est tout ce que tu as à me proposer. Veux-tu me le donner ?

Cette réponse déconcerta grandement Jaffe.

— Vous voulez baiser ? dit-il.

— Seigneur, non.

— Quoi, alors ? Je ne comprends pas.

— La chair et le sang. Le calice. Je veux occuper ton corps.

Jaffe observa Kissoon qui l'observait.

— Eh bien ? dit le vieillard.

— Vous ne pouvez pas vous insinuer dans ma peau, dit Jaffe.

— Bien sûr que si, dès qu'elle sera vide d'occupant.

— Je ne vous crois pas.

— Jaffe, s'il y a quelqu'un, entre *tous* les hommes, qui ne devrait jamais dire *Je ne crois pas,* c'est bien toi. L'extraordinaire est la norme. Il existe des boucles dans le temps. Nous sommes à l'intérieur de l'une d'elles. Il y a dans nos esprits des armées qui attendent de se mettre en marche. Et des soleils dans nos ventres et des vagins dans les cieux. Des appels extorqués dans chaque condition...

— Des appels ?

— Pétitions ! Invocations ! *La magie, la magie !* Elle est partout. Et tu as raison. Quiddity *est* la source, et l'Art est la clé et la serrure. Et tu penses que j'aurais des difficultés à enfiler ta peau. N'as-tu donc *rien* appris ?

— Supposons que j'accepte.

— Supposons.

— Que m'arrivera-t-il si je quitte mon corps ?

— Tu resteras ici. Sous forme d'esprit. Cet endroit n'est pas terrible, mais il en vaut un autre. Je finirai par revenir. Et ta chair et ton sang t'appartiendront à nouveau.

— Pourquoi donc voulez-vous mon corps ? dit Jaffe. Il est complètement déglingué.

— Ça ne regarde que *moi,* répliqua Kissoon.

— Je dois savoir.

— Et je choisis de ne t'en rien dire. Si tu veux l'Art, alors tu fais ce que je te dis. Tu n'as pas le choix.

Les manières du vieillard — son petit sourire arrogant, ses

haussements d'épaules, la façon qu'il avait de garder les yeux mi-clos comme s'il eût gâché sa vision en regardant son hôte — tout ceci rappelait Homer à Jaffe. Ils auraient pu constituer un duo de music-hall ; le crétin prolétaire et le vieux bouc malicieux. Lorsqu'il pensait à Homer, il était inévitable qu'il pense au couteau enfoui dans sa poche. Combien de fois aurait-il besoin de taillader la carcasse étique de Kissoon avant que la douleur le contraigne à parler ? Serait-il obligé de couper les doigts du vieillard, phalange par phalange ? En ce cas, il était prêt. Peut-être lui couperait-il les oreilles. Peut-être lui arracherait-il les yeux. Quoi qu'il arrive, il irait jusqu'au bout. Il était trop tard pour se montrer délicat, beaucoup trop tard.

Il glissa une main dans sa poche, autour du manche.

Kissoon perçut son geste.

— Tu ne comprends rien, n'est-ce pas ? dit-il, les yeux roulant soudain de droite à gauche, comme s'il effectuait une lecture rapide de l'air qui le séparait de Jaffe.

— J'en comprends plus que tu ne le penses, dit Jaffe. Je comprends que je ne suis pas assez *pur* pour toi. Je ne suis pas — comment as-tu dit ? — *évolué*. Ouais, évolué.

— J'ai dit que tu étais un singe.

— Ouais, en effet.

— J'ai insulté le singe.

Jaffe resserra son étreinte sur le couteau. Il commença à se relever.

— Tu *n'oseras* pas, dit Kissoon.

— Prononcer le mot *oser* devant moi, c'est comme agiter un chiffon rouge devant un taureau, dit Jaffe en se levant, pris de vertige sous l'effort. J'ai vu des choses... J'ai fait des choses... (Il entreprit de sortir le couteau de sa poche.) Vous ne me faites pas peur.

Les yeux de Kissoon interrompirent leur lecture pour se poser sur la lame. Il n'y avait aucune surprise sur son visage, contrairement à ce qui était arrivé à Homer ; mais il y avait de la peur. Un léger frisson de plaisir parcourut Jaffe lorsqu'il aperçut cette expression.

Kissoon commença à se lever. Il était beaucoup plus petit que Jaffe et presque difforme, chacun des angles de son corps était légèrement décalé, comme si tous ses os et toutes ses articulations avaient jadis été brisés et redressés à la hâte.

— Tu ne dois pas faire couler le sang, dit-il. Pas dans une

Boucle. C'est une des règles imposées par l'invocation de la Boucle : ne jamais faire couler le sang.

— Faiblard, dit Jaffe en faisant le tour du feu pour s'approcher de sa victime.

— C'est la vérité, dit Kissoon en gratifiant Jaffe du plus étrange et du plus contrefait des sourires. Je me fais un point d'honneur de ne jamais mentir.

— J'ai passé un an à travailler dans un abattoir, dit Jaffe. A Omaha (Nebraska). La Porte de l'Ouest. J'ai travaillé durant un an à découper la viande. Je suis un expert.

Kissoon était terrifié à présent. Il était adossé au mur de la hutte, les bras écartés à la recherche d'un point d'appui, et Jaffe lui trouva des ressemblances avec une héroïne de film muet. Ses yeux n'étaient plus mi-clos, mais grands ouverts et mouillés. On pouvait en dire autant de sa bouche, grande ouverte et mouillée. Il n'arrivait même plus à proférer des menaces ; il se contentait de trembler.

Jaffe tendit une main et la passa autour de la gorge flasque du vieillard. Il affermit sa prise, sentant ses doigts plonger dans la chair. Puis il leva l'autre main, qui tenait le couteau émoussé, jusqu'au coin de l'œil gauche de Kissoon. Le souffle du vieil homme sentait aussi mauvais qu'un pet de malade Jaffe ne voulait pas le respirer, mais il n'avait pas le choix, et dès qu'il l'inhala, il comprit qu'il s'était fait baiser. Ce souffle était plus que de l'air ranci. Il y avait autre chose là-dedans, quelque chose qui était expulsé du corps de Kissoon et qui s'insinuait dans le sien — ou du moins tentait de le faire. Jaffe lâcha le cou flasque et recula d'un pas.

— *Salaud !* dit-il, toussant et recrachant le souffle avant qu'il ne l'ait envahi.

Kissoon ne daigna pas reconnaître sa faute.

— As-tu renoncé à me tuer ? dit-il. Suis-je absous ?

C'était lui qui avançait à présent ; c'était Jaffe qui battait en retraite.

— Ne vous approchez pas de moi ! dit Jaffe.

— Je ne suis qu'un vieil homme !

— J'ai senti votre souffle ! cria Jaffe en se frappant le torse du poing. Vous avez essayé d'entrer en moi !

— Non, protesta Kissoon.

— N'essayez pas de me mentir. Je l'ai senti !

Il le sentait encore. Un poids dans ses poumons là où il n'y en avait jamais eu. Il recula en direction de la porte, sachant que s'il restait ici, ce salaud finirait par avoir le dessus.

— Ne pars pas, dit Kissoon. N'ouvre pas la porte.

— Il y a d'autres façons de parvenir à l'Art, dit Jaffe.

— Non, dit Kissoon. Il n'y a plus que moi. Tous les autres sont morts. Personne ne peut t'aider excepté moi.

Il essaya de lui sortir son petit sourire, inclinant son corps ravagé devant lui, mais son humilité était aussi feinte que la peur qu'il avait naguère manifestée. Une ruse pour garder sa victime à portée de la main, pour s'emparer de sa chair et de son sang. Jaffe n'allait pas se laisser avoir une seconde fois. Il essaya de bloquer les séductions de Kissoon à l'aide de ses souvenirs. Les plaisirs qu'il avait pris, et qu'il prendrait encore s'il réussissait à sortir vivant de ce piège. La femme de l'Illinois, le manchot du Kentucky, la caresse des cafards. Ces réminiscences empêchèrent Kissoon de mettre le grappin sur lui. Il tendit la main derrière lui et saisit le loquet.

— N'ouvre pas ça, dit Kissoon.

— Je fous le camp d'ici.

— J'ai commis une erreur. Je suis désolé. Je t'ai sous-estimé. Nous pouvons sûrement parvenir à un accord. Je te dirai tout ce que tu veux savoir. Je t'enseignerai l'Art. Moi-même, je n'ai pas ce talent. Pas dans la Boucle. Mais *tu* pourrais l'avoir. Tu pourrais l'emporter avec toi. Là-bas. Dans le monde. Le bras dans le gâteau ! Mais *reste. Reste,* Jaffe. Ça fait trop longtemps que je suis tout seul ici. J'ai besoin de compagnie. De quelqu'un à qui tout expliquer. Avec qui tout partager.

Jaffe tourna le loquet. A ce moment-là, il sentit la terre frémir sous ses pieds, et une clarté fugitive sembla apparaître derrière la porte. Elle paraissait trop livide pour être celle du jour, mais tel était sans doute le cas, car seul le soleil l'attendait lorsqu'il posa un pied au-dehors.

— *Ne me quitte pas !*

Il entendit le cri poussé par Kissoon, et sentit simultanément l'homme s'accrocher à ses entrailles comme il l'avait fait pour l'amener ici. Mais son emprise était loin d'être aussi forte qu'elle l'avait été. Ou bien Kissoon avait consommé trop d'énergie en tentant d'insuffler son esprit dans le corps de Jaffe, ou alors sa colère l'affaiblissait. Quoi qu'il en soit, son emprise n'était pas irrésistible, et plus Jaffe s'éloignait de lui, plus elle se faisait faible.

Arrivé à une centaine de mètres de la hutte, il jeta un coup d'œil derrière lui et crut voir une tache de ténèbre ramper sur le sol dans sa direction, comme une corde noire en train de se dérouler. Il ne s'attarda pas pour découvrir quel nouveau tour le vieux salaud était en train de lui jouer, mais se mit à courir, rebroussant chemin jusqu'à ce qu'il aperçoive la tour d'acier. Sa présence suggérait qu'on avait tenté jadis de peupler cette désolation depuis longtemps abandonnée. Plus loin, au bout d'une pénible heure de marche, l'attendait une nouvelle preuve de cette entreprise. La ville qu'il se rappelait vaguement avoir traversée à l'aller, les rues vides non seulement de gens et de véhicules, mais aussi de tout signe distinctif, quel qu'il soit, pareille à un décor de cinéma attendant d'être aménagé en vue d'un tournage.

Huit cents mètres plus loin, une agitation dans l'air lui signala qu'il avait atteint le périmètre de la Boucle. Il affronta cette confusion avec détermination, traversant une zone de désorientation vertigineuse dans laquelle il n'était même pas sûr d'être en train de marcher, puis soudain, il fut de l'autre côté, retrouvant une nuit calme et étoilée.

Quarante-huit heures plus tard, ivre mort dans une ruelle de Santa Fe, il prit deux décisions d'une importance considérable. La première : conserver la barbe qui avait poussé sur ses joues durant les dernières semaines, pour lui rappeler sa quête. La deuxième : consacrer toutes les ressources de son esprit, toute la connaissance qu'il avait rassemblée sur la vie occulte de l'Amérique, tout le pouvoir que lui conféraient ses yeux astraux, à chercher à entrer en possession de l'Art (que Kissoon aille se faire foutre ; que le Banc aille se faire foutre), et ne montrer au monde un visage glabre que lorsqu'il aurait atteint son but.

IV

Il ne lui fut pas facile de tenir ces deux promesses. Le pouvoir qui l'habitait lui permettait de goûter tant de plaisirs tout simples ; des plaisirs auxquels il se força à renoncer, de peur d'épuiser ses maigres forces avant d'avoir pu les accroître.

Sa première priorité était de trouver un compagnon ; quelqu'un qui l'assisterait dans sa quête. Deux mois d'enquête s'écoulèrent avant qu'il ne trouve un homme dont le nom et la réputation convenaient parfaitement à ce rôle. Cet homme était Richard Wesley Fletcher, qui — jusqu'à sa récente disgrâce — avait été un des esprits les plus révolutionnaires et les plus couronnés dans le domaine des sciences de l'évolution ; le responsable de plusieurs unités de recherche à Boston et à Washington ; un théoricien dont la moindre remarque était scrutée par ses pairs dans l'espoir d'y trouver un indice de sa prochaine révélation. Mais la drogue avait terni son génie. La mescaline et ses dérivés avaient causé sa chute, à la grande satisfaction de nombre de ses collègues, qui ne cachèrent plus le mépris qu'il leur inspirait une fois que son honteux secret fut percé à jour. Article après article, Jaffe retrouvait le même ton mesquin et réjoui sous la plume des universitaires qui accablaient le *wonder boy* déchu, qualifiant ses théories de grotesques et sa moralité de répréhensible. Jaffe se souciait comme d'une guigne de la moralité de Fletcher. C'étaient ses théories qui l'intriguaient, car elles recoupaient par endroits ses propres ambitions. Au cours de ses recherches, Fletcher avait tenté d'isoler et de synthétiser en laboratoire la force vitale qui poussait l'organisme à évoluer. Tout comme Jaffe, il croyait que le paradis pouvait être volé.

Il lui fallut faire preuve de persévérance pour trouver le savant, mais c'était une qualité que Jaffe avait en abondance, et il finit par le localiser dans le Maine. Le génie avait souffert de son désespoir et il était au bord de l'effondrement mental. Jaffe se montra prudent. Il ne lui fit aucune proposition, mais obtint sa reconnaissance en lui fournissant des drogues d'une qualité que les finances de Fletcher ne lui permettaient plus de se procurer depuis longtemps. Ce fut seulement lorsqu'il eut gagné la confiance du drogué qu'il se mit à faire des remarques voilées sur les études de Fletcher. Celui-ci se montra d'abord peu clair sur le sujet, mais Jaffe attisa doucement les braises de son obsession jusqu'à ce que son feu se soit ranimé. Fletcher se montra alors fort prolixe sur la question. Il pensait avoir presque réussi par deux fois à isoler ce qu'il appelait le *Nonce,* le messager. Mais il n'avait jamais pu parvenir au dernier stade du processus. Jaffe lui offrit ses propres observations sur le sujet, inspirées de ses lectures dans le domaine de l'occultisme. Ils effectuaient tous les deux la même quête, suggéra-t-il avec gentillesse. Bien que Jaffe utilisât le vocabulaire des anciens — des alchimistes et des magiciens — et Fletcher le langage de la science, ils étaient animés par le même désir de bousculer l'évolution ; de faire progresser la chair, et peut-être l'esprit, par des moyens artificiels. Fletcher traita tout d'abord ces insinuations par le mépris, mais il perçut peu à peu leur valeur, acceptant finalement les facilités que lui proposait Jaffe afin qu'il puisse reprendre ses recherches. Cette fois-ci, promit Jaffe, Fletcher ne travaillerait plus dans une serre académique, n'aurait plus besoin de justifier constamment ses travaux afin d'obtenir des subventions. Il garantit à son génie camé qu'il travaillerait dans un lieu éloigné des curieux. Quand le Nonce serait isolé et quand son miracle serait reproduit, Fletcher sortirait du néant pour confondre ses critiques. C'était une offre à laquelle aucun obsédé n'aurait pu résister.

Onze mois plus tard, Richard Wesley Fletcher se tenait au sommet d'une falaise de granit dominant l'océan Pacifique et se maudissait d'avoir succombé aux tentations de Jaffe. Derrière lui, dans la Mission de Santa Catrina où il avait travaillé pendant presque un an, le Grand Œuvre (comme Jaffe aimait à l'appeler) était accompli. Le Nonce était une réalité. Il existait sûrement peu d'endroits moins appropriés à des travaux que le monde aurait jugés impies qu'une mission jésuite abandonnée, mais cette entreprise avait été placée dès le début sous le signe du paradoxe.

D'abord, la relation existant entre Jaffe et lui-même. Ensuite, le mélange de disciplines qui avait rendu possible le Grand Œuvre. Et finalement, le fait que, en ce moment qui aurait dû être celui de son triomphe, il était sur le point de détruire le Nonce avant qu'il ne tombe entre les mains de l'homme même qui avait financé sa création.

Les mêmes éléments qui avaient présidé à sa création présidaient à présent à sa destruction : système, obsession et douleur. Fletcher connaissait trop bien les ambiguïtés de la matière pour croire en la possibilité de l'annihilation de quoi que ce soit. On ne pouvait pas *dé*-découvrir une chose. Mais vu l'importance des altérations que Raul et lui allaient infliger aux preuves de leur réussite, il croyait sincèrement que personne ne pourrait reconstituer l'expérience qu'il avait effectuée ici, dans ce coin perdu de la Basse Californie. Lui et le garçon (il lui était encore difficile de voir en Raul un garçon) devaient se conduire en parfaits cambrioleurs, pillant leur propre maison pour en ôter toute trace d'eux-mêmes. Quand ils auraient brûlé toutes les notes et démoli tout l'équipement, il faudrait que le Nonce semble n'avoir jamais existé. A ce moment-là seulement, il conduirait le garçon, qui était encore en train d'attiser le feu devant la Mission, jusqu'à cette falaise et, main dans la main, ils plongeraient dans le vide. La chute serait longue, et les récifs assez acérés pour les tuer. Le reflux emporterait leur sang et leurs corps dans le Pacifique. L'eau et le feu auraient accompli leur œuvre.

Ce qui n'empêcherait nullement un autre chercheur de découvrir le Nonce à son tour ; mais la combinaison de disciplines et de circonstances qui avait rendu cette découverte possible était très spécifique. Pour l'amour de l'humanité, Fletcher espérait qu'elle ne serait pas reproduite avant de nombreuses années. Il avait de bonnes raisons de l'espérer. Sans l'alliance des principes occultes que Jaffe maîtrisait de façon à moitié intuitive et de sa propre méthodologie scientifique, le miracle ne serait jamais arrivé, et voyait-on souvent les hommes de science rencontrer les hommes de magie (ceux que Jaffe appelait les faiseurs d'invocations) et tenter de faire la synthèse de leurs arts ? Heureusement que non. Il y avait trop de choses dangereuses à découvrir. Les occultistes dont Jaffe avait déchiffré les codes en savaient bien plus sur la nature des choses que Fletcher ne l'aurait jamais soupçonné. Derrière leurs métaphores, leurs histoires de Bain de la Renaissance, de Progéniture d'or née de pères de plomb, se cachait l'ambition qui l'avait animé toute sa vie durant. Trouver des moyens artificiels pour faire avancer l'évolution : conduire l'humain au-delà de lui-même. *Obscurum per obscurius, ignotum per ignotius*, conseillaient-ils. Que ce qui est obscur soit expliqué par ce qui est plus obscur encore, ce qui est inconnu par ce qui est plus inconnu encore. Ils savaient ce qu'ils disaient. Grâce à sa science conjuguée à la leur, Fletcher avait résolu le problème. Il avait synthétisé un fluide capable de porter la bonne nouvelle de l'évolution dans n'importe quel organisme vivant, conduisant (du moins le croyait-il) la plus humble des cellules vers une condition supérieure. Il l'avait appelé le *Nonce :* le messager. A présent, il se rendait compte que ce nom était mal choisi. Ce n'était pas un messager des dieux, mais le dieu lui-même. Il était doué de sa propre vie. Il était animé par sa propre énergie et par sa propre ambition. Fletcher *devait* le détruire, avant qu'il ne commence à réécrire la Genèse, avec Randolph Jaffe dans le rôle d'Adam.

— Père ?

Raul venait d'apparaître derrière lui. Le garçon s'était une nouvelle fois défait de ses vêtements. Après des années de nudité, il était encore incapable de s'habituer à cette contrainte. Et il avait encore employé ce foutu mot.

— Je ne suis pas ton père, lui rappela Fletcher. Je ne l'ai jamais été et je ne le serai jamais. Tu ne peux pas t'enfoncer ça dans la tête ?

Raul l'écouta, comme d'habitude. Il était difficile de lire quoi que ce soit dans ses yeux dénués de sclérotique, mais son regard franc ne manquait jamais d'attendrir Fletcher.

— Que veux-tu ? dit-il, plus doucement.

— Le feu, répondit le garçon.

— Eh bien ?

— Le vent, père..., commença-t-il.

Le vent venait de se lever sur l'océan. Lorsque Fletcher suivit Raul devant la Mission, là où ils avaient installé le bûcher du Nonce, il découvrit ses notes éparpillées, loin d'être consumées pour la plupart.

— *Bon sang,* dit Fletcher, irrité autant par sa propre inattention que par celle du garçon. Je te l'ai pourtant dit : ne mets pas trop de papier en même temps.

Il agrippa le bras de Raul, qui était couvert d'une fourrure soyeuse tout comme le reste de son corps. Il sentit une odeur de roussi, le feu ayant dû prendre brusquement et surprendre le garçon. Raul avait dû faire preuve d'un courage considérable pour vaincre la peur primale que lui inspirait le feu, il le savait. Le garçon avait agi pour l'amour de son *père.* Personne d'autre n'aurait pu lui inspirer une telle dévotion. Contrit, Fletcher passa un bras autour des épaules de Raul. Le garçon s'accrocha à lui, tout comme il l'avait fait dans sa précédente incarnation, enfouissant son visage dans l'odeur de l'humanité.

— Nous ferions mieux de les laisser s'envoler, dit Fletcher.

Il regarda une nouvelle bourrasque arracher les feuilles de papier au feu et les disperser comme les pages d'un calendrier, jours de douleur et jours d'inspiration. Même si l'on retrouvait une ou deux d'entre elles, ce qui était improbable dans une région aussi désertée, personne ne pourrait jamais les interpréter. Seule son obsession le poussait à effacer complètement l'ardoise, et n'aurait-il pas dû être plus avisé, puisque cette même obsession était une des qualités qui avaient causé cette tragédie et ce gaspillage?

Le garçon se dégagea de l'étreinte de Fletcher et se retourna vers le feu.

— Non, Raul..., dit-il, ... laisse tomber... laisse-les partir...

Le garçon choisit de ne pas l'entendre; une manie qu'il avait toujours eue, avant même les changements que le Nonce avait suscités en lui. Combien de fois Fletcher avait-il appelé le singe qu'avait été Raul pour constater que l'animal l'ignorait volontairement? C'était en grande partie cette perversité même qui avait encouragé Fletcher à tester le Grand Œuvre sur lui : un murmure d'humanité dans cet esprit simiesque, que le Nonce avait transformé en cri.

Raul ne tentait cependant pas de rassembler les papiers épars. Son petit corps était tendu, sa tête levée vers le ciel. Il reniflait l'air.

— Qu'y a-t-il? dit Fletcher. Tu sens quelqu'un?

— Oui.

— Où?

— Derrière la colline.

Fletcher savait qu'il était inutile de mettre en doute l'affirmation de Raul. Le fait que lui-même n'entende et ne sente rien témoignait seulement de la décadence de ses sens. Et il était également inutile de demander de quelle direction arrivait leur visiteur. Une seule et unique route menait à la Mission. Tracer ce chemin étroit dans un territoire aussi inhospitalier, puis sur une pente aussi raide, avait sans doute eu raison du masochisme des Jésuites. Ils avaient bâti une route, puis la Mission, et ensuite, n'ayant sans doute pas trouvé Dieu en ce lieu élevé, ils avaient évacué l'édifice. Si leurs fantômes venaient à dériver jusqu'ici, pensa Fletcher, ils y trouveraient à présent une déité dans trois fioles de fluide bleu. Et l'homme qui approchait également. Ce ne pouvait être que Jaffe. Personne d'autre n'était au courant de leur présence.

— Bon sang, dit Fletcher. Pourquoi maintenant ? Pourquoi maintenant ?

C'était une question stupide. Si Jaffe avait choisi de venir maintenant, c'était parce qu'il savait que l'on conspirait contre son Grand Œuvre. Il était capable de maintenir sa présence dans un endroit d'où il était absent ; un écho espion de sa personne. Fletcher ne savait pas comment il y parvenait. Une des *invocations* de Jaffe, sans doute. Le genre de tour de passe-passe mental que Fletcher aurait jadis trouvé ridicule, tout comme bien d'autres choses. Il faudrait plusieurs minutes à Jaffe pour arriver au sommet de la colline, mais ce délai n'était en aucune façon suffisant pour que Fletcher et le garçon en aient fini avec leur labeur.

Il ne pouvait accomplir que deux tâches s'il se montrait efficace. Toutes deux étaient vitales. Premièrement, tuer et faire disparaître Raul, car un esprit savant et curieux serait capable de percevoir la nature du Nonce grâce à son organisme transformé. Deuxièmemement, détruire les trois fioles qui se trouvaient à l'intérieur de la mission.

Ce fut là qu'il retourna, traversant le chaos qu'il avait joyeusement créé dans l'édifice. Raul le suivit, avançant pieds nus au milieu des instruments et des meubles également fracassés, jusqu'à ce qu'ils atteignent le saint des saints. Cette pièce était la seule à ne pas avoir été envahie par les accessoires du Grand Œuvre. Une cellule toute simple, meublée en tout et pour tout d'un bureau, d'une chaise et d'une antique chaîne stéréo. La chaise était placée devant la fenêtre qui dominait l'océan. Durant les premiers jours qui avaient suivi la transmutation réussie de Raul, avant que le triomphe de Fletcher ait été gâché par la prise de conscience du but du Nonce et des conséquences de sa création, l'homme et le garçon s'étaient assis là ensemble pour observer le ciel et écouter Mozart. Tous les mystères ne faisaient que renvoyer à la musique, avait dit Fletcher lors d'une de ses premières leçons. De la musique avant toute chose.

Il n'y aurait plus de sublime Mozart à présent ; plus de contemplation du ciel ; plus de pédagogie affectueuse. Ne restait que le temps d'un coup de feu. Fletcher ouvrit un tiroir et prit le revolver rangé à côté de la mescaline.

— Nous allons mourir ? dit Raul.

Il savait que ça allait arriver. Mais pas aussi vite.

— Oui.

— Nous devrions aller dehors, dit le garçon. Au bord de la falaise.

— Non. Nous n'avons pas le temps. J'ai... j'ai du travail à faire avant de te rejoindre.

— Mais tu avais dit ensemble.

— Je sais.

— Tu avais *promis* ensemble.

— *Seigneur, Raul !* J'ai dit : *je sais !* Mais je ne peux rien y faire. Il arrive. Et s'il s'empare de toi, mort ou vif, il va se servir de toi. Il te découpera en morceaux. Il saura comment le Nonce œuvre en toi !

Ses paroles étaient dites pour effrayer, et elles y réussirent. Raul eut un sanglot, son visage se noua de terreur. Il recula d'un pas comme Fletcher levait son arme.

— Je te rejoindrai bientôt, dit Fletcher. Je le jure. Dès que je le pourrai.

— S'il te plaît, père...

— *Je ne suis pas ton père ! Une bonne fois pour toutes, je ne suis le père de personne !*

Ce coup de colère lui fit perdre toute autorité sur Raul. Avant que Fletcher ait pu le viser, le garçon avait filé. Il tira néanmoins, au jugé, atteignant le mur, puis il se lança à sa poursuite, tirant une deuxième fois. Mais le garçon avait conservé toute son agilité simiesque. Il avait traversé le laboratoire et regagné l'extérieur avant qu'un troisième coup de feu ait pu être tiré. Disparu sous le soleil.

Fletcher jeta son arme au loin. Suivre Raul lui aurait fait perdre un temps précieux. Mieux valait employer les minutes qui lui restaient à disposer du Nonce. Il n'avait qu'une quantité minime de cette substance, mais assez cependant pour causer un chaos évolutionnaire dans tout organisme qu'elle viendrait à souiller. Il avait passé plusieurs jours et plusieurs nuits à élaborer son plan, à chercher la façon la moins dangereuse de s'en débarrasser. Il savait qu'il ne pouvait pas se contenter de la verser n'importe où. Qu'accomplirait-elle si elle pénétrait dans la terre ? Son meilleur espoir — son *seul* espoir, en fait —, avait-il décidé, était de la jeter dans le Pacifique. Cette idée lui semblait agréablement satisfaisante. La longue ascension de son espèce jusqu'au barreau de l'échelle qu'elle occupait aujourd'hui avait commencé dans l'océan, et c'était là — au milieu des myriades de configurations des animaux marins — qu'il avait observé le désir qu'avaient certaines créatures de devenir autre chose. Une énigme à laquelle les trois fioles de Nonce apportaient une solution. Il allait à présent restituer cette réponse à l'élément même qui l'avait inspirée. Le Nonce se transformerait littéralement en gouttes d'eau dans l'océan, et ses pouvoirs seraient si dilués qu'ils en deviendraient négligeables.

Il se dirigea vers l'étagère où étaient rangées les trois fioles. Dieu dans trois bouteilles, un bleu laiteux comme un ciel de Piero della Francesca. Il y avait des remous dans le distillat, comme si le liquide avait façonné ses propres marées internes. Et s'il savait que Fletcher approchait, connaissait-il également ses intentions ? Il savait si peu de chose sur ce qu'il avait créé. Peut-être le Nonce pouvait-il lire dans son esprit.

Il fit halte, l'homme de science qu'il était s'avérant incapable de résister à la fascination suscitée par un tel phénomène. Il savait que la liqueur était puissante, mais le fait qu'elle possède le talent d'autofermentation qu'elle manifestait à présent — qu'elle soit même douée d'une forme primitive de propulsion, semblait-il ; *elle grimpait le long de la paroi interne de la fiole* — le stupéfiait. Sa résolution chancela. Avait-il vraiment le droit de cacher ce miracle aux yeux du monde ? Son appétit était-il vraiment si malsain ? Tout ce que voulait le Nonce, c'était accélérer l'ascension des choses. Transformer les écailles en fourrure. Transformer la fourrure en chair. Transformer la chair, peut-être, en esprit. Une bien belle idée.

Puis il se rappela Randolph Jaffe, d'Omaha (Nebraska), ancien boucher et ancien décacheteur de lettres mortes ; collectionneur des secrets des autres. Un tel homme utiliserait-il le Nonce à bon escient ? Dans les mains d'un être doux et aimant, le Grand Œuvre pourrait donner naissance à une papauté universelle, dans laquelle tous les êtres vivants toucheraient du doigt le sens de leur Création Mais Jaffe n'était ni aimant ni doux. C'était un voleur de révélations, un magicien qui ne se souciait pas de comprendre les principes de son art, ne recherchant que la puissance.

Étant donné ce fait, la question n'était pas *avait-il le droit de disposer de ce miracle ?* mais plutôt *comment osait-il hésiter ?*

Il s'avança vers les fioles, animé par une conviction nouvelle. Le Nonce savait qu'il lui voulait du mal. Il réagit par une frénésie d'activité, grimpant les murailles de verre le plus haut possible, luttant pour se libérer de sa prison.

Alors que Fletcher tendait la main pour s'emparer des fioles, il comprit quelles étaient ses véritables intentions. Le Nonce ne désirait pas seulement s'échapper. Il voulait accomplir ses merveilles sur la chair même qui tramait sa fin.

Il voulait recréer son Créateur.

Cette prise de conscience fut trop tardive pour qu'il en tire les conséquences. Avant qu'il n'ait pu retirer sa main tendue, ou se protéger, l'une des fioles se brisa. Fletcher sentit le verre lui entailler la paume et le Nonce l'asperger. Il s'éloigna de lui en trébuchant, portant sa main à son visage. Il s'y trouvait plusieurs coupures, dont l'une particulièrement large, au milieu de sa paume, exactement comme si un clou lui avait transpercé la main. La douleur lui donna le vertige, mais vertige et douleur ne durèrent qu'un moment. La sensation qui s'empara ensuite de lui était tout à fait différente. Ce n'était même pas une sensation. Cette description était bien trop triviale. Un peu comme s'il avait eu un accès direct à Mozart ; une musique qui négligeait ses oreilles pour parvenir directement à son âme. A présent qu'il l'entendait, il ne serait plus jamais le même.

V

Randolph avait aperçu la fumée monter de la Mission alors qu'il franchissait le premier lacet de la longue route qui menait au sommet de la colline, et cela avait suffi pour confirmer les soupçons qui le rongeaient depuis plusieurs jours : le génie qu'il avait embauché se révoltait. Il changea de vitesse, maudissant la poussière qui glissait en nuages poudrés derrière les roues de sa Jeep, le forçant à avancer à une allure d'escargot. Jusqu'à aujourd'hui, Fletcher et lui avaient estimé que le Grand Œuvre devait être accompli loin de la civilisation, même s'il lui avait fallu considérablement user de sa persuasion pour installer un laboratoire aussi sophistiqué dans un endroit aussi reculé. Mais il lui était désormais facile de faire preuve de persuasion. Le voyage que Jaffe avait effectué dans la Boucle avait attisé le feu de son regard. La femme de l'Illinois, dont il n'avait jamais su le nom, lui avait dit : *Tu as vu quelque chose d'extraordinaire, n'est-ce pas ?* et c'était plus vrai que jamais. Il avait vu un endroit hors du temps, et lui-même dans cet endroit, poussé au-delà de toute raison par son appétit pour l'Art. Les gens le savaient, tout en étant incapables de le formuler. Ils le voyaient dans ses yeux et, poussés par la peur ou par l'émerveillement, ils faisaient ce qu'il leur disait de faire.

Mais, dès le début, Fletcher avait été une exception à cette règle. Ses peccadilles et son désespoir avaient fait de lui un homme malléable ; pourtant, il avait encore sa propre volonté. A quatre reprises, il avait rejeté les propositions de Jaffe, refusé de sortir de sa retraite et de reprendre ses expériences, bien que Jaffe lui eût chaque fois rappelé à quel point il avait eu de la peine à retrouver le génie égaré, et à quel point il souhaitait que tous deux travaillent ensemble. Il avait adouci chacune de ses quatre tentatives en lui apportant une faible quantité de mescaline, lui en promettant davantage, et promettant également de lui fournir tout l'équipement requis s'il se laissait convaincre de reprendre ses recherches. Les lectures de Jaffe lui avaient appris que les théories radicales de Fletcher lui permettraient de contourner le système qui se dressait entre l'Art et lui. Le chemin qui menait à Quiddity était parsemé d'embûches conçues par des gourous élitistes ou par des chamans déments comme Kissoon afin d'empêcher les esprits qu'ils estimaient de bas étage de parvenir au saint des saints. Ce n'était pas nouveau. Mais avec l'aide de Fletcher, il pourrait faire un croc-en-jambe aux gourous ; accéder au pouvoir dans leur dos. Le Grand Œuvre le ferait évoluer jusqu'à le rendre supérieur à ces sages auto-proclamés, et l'Art chanterait dans ses doigts.

Après avoir aménagé le laboratoire suivant les instructions de Fletcher, et après lui avoir fait part de quelques idées glanées dans les lettres mortes, Jaffe avait laissé le maestro tranquille, lui envoyant du matériel (des étoiles de mer, des oursins ; de la mescaline ; un singe) quand c'était nécessaire, mais ne lui rendant visite qu'une fois par mois. Il avait chaque fois passé vingt-quatre heures avec Fletcher, à boire et à répéter les derniers potins universitaires, que Jaffe avait captés par le téléphone arabe afin de nourrir la curiosité de Fletcher. Au bout de onze visites, sentant que les recherches effectuées dans la Mission approchaient de leur conclusion, il s'était mis à venir plus souvent. Il avait été un peu plus mal reçu à chaque fois. Fletcher était même allé un jour jusqu'à essayer de l'empêcher d'entrer dans la Mission, ce qui avait donné lieu à une lutte aussi brève qu'inégale. Fletcher n'avait rien d'un boxeur. Son corps voûté et sous-alimenté était celui d'un homme penché sur ses études depuis l'adolescence. Vaincu, il avait été obligé de laisser entrer Jaffe. Celui-ci avait découvert le singe, transformé par le distillat de Fletcher, le Nonce, en un enfant laid mais indiscutablement humain. Même à ce moment-là, à l'instant de son triomphe, Jaffe avait perçu chez Fletcher les signes avant-coureurs de la dépression à laquelle il avait dû finalement succomber. Leur réussite le mettait mal à l'aise. Mais Jaffe était trop foutrement content pour prendre cet avertissement au sérieux. Il avait suggéré de prendre lui-même une dose de Nonce, tout de suite. Fletcher le lui avait déconseillé ; avait affirmé qu'il lui faudrait étudier le composé durant plusieurs mois avant de laisser Jaffe courir ce risque. Le Nonce était encore trop volatil, argua-t-il. Il voulait étudier ses effets sur l'organisme du garçon avant de faire une nouvelle expérience. Et s'il s'avérait fatal pour l'enfant au bout d'une semaine ? Ou d'un jour ? Cet argument suffit à refroidir l'enthousiasme de Jaffe pour quelque temps. Il laissa Fletcher effectuer ses expériences, revenant le voir toutes les semaines, un peu plus conscient à chaque visite de la désintégration de Fletcher mais supposant qu'il serait trop fier de son chef-d'œuvre pour tenter de le détruire.

A présent, alors que des volées de notes calcinées planaient dans sa direction, il se maudissait pour sa crédulité. Il descendit de la Jeep et traversa le feu dispersé pour se diriger vers la Mission. Cet endroit avait toujours eu quelque chose d'apocalyptique. La terre, si sèche et si sablonneuse qu'il n'y poussait que quelques yuccas étiques ; la Mission, perchée si près de la falaise qu'elle finirait sûrement par être engloutie par le Pacifique ; les oiseaux tropicaux qui survolaient la scène en criant.

Aujourd'hui, il n'y avait qu'un vol de mots. Les murs de la Mission étaient tachés de fumée là où le feu les avait léchés. La terre était couverte de cendres, encore moins fertiles que le sable. Plus rien n'était pareil.

Il appela Fletcher en franchissant le seuil, sentant l'anxiété qui l'avait insidieusement envahi se transformer en peur, non pas pour lui-même mais pour le Grand Œuvre. Il se félicita d'être venu armé. Si Fletcher avait fini par sombrer dans la folie, il serait peut-être contraint d'utiliser la force pour lui arracher la formule du Nonce. Cela ne serait pas la première fois qu'il partirait en quête de savoir avec une arme dans la poche. C'était parfois nécessaire.

L'intérieur de l'édifice était en ruine ; des instruments valant plusieurs centaines de milliers de dollars — que Jaffe avait obtenus par la force ou par la séduction d'universitaires prêts à tout pourvu qu'il cesse de les regarder — impitoyablement détruits ; des tables ravagées d'un seul geste du bras. On avait ouvert toutes les fenêtres et le vent chaud et salé venu du Pacifique soufflait dans tout le bâtiment. Jaffe s'avança dans les décombres en direction de la pièce préférée de Fletcher, celle qu'il avait appelée (un jour où il était défoncé à la mescaline) le bouchon du trou creusé dans son cœur.

Il était là, vivant, assis sur sa chaise devant la fenêtre grande ouverte, fixant le soleil du regard : l'acte même qui l'avait rendu aveugle de l'œil droit. Il était vêtu comme à son habitude d'une chemise miteuse et d'un pantalon trop grand ; son visage se présentait suivant le même profil pincé et mal rasé ; sa queue-de-cheval grise (sa seule concession à la vanité) était en place. Même sa posture — les mains sur le giron, le corps affaissé — était familière à Jaffe. Et cependant, il y avait quelque chose de subtilement décalé dans cette scène, assez pour que Jaffe reste sur le seuil et refuse de pénétrer dans la cellule. On aurait dit que Fletcher était *trop* lui-même. Cette image de lui était trop parfaite : le contemplateur, en train de regarder le soleil, chacun de ses pores et de ses boutons exigeant une attention complète de la part des rétines douloureuses de Jaffe, comme si son portrait avait été peint par une centaine de miniaturistes, chacun ayant eu à rendre un centimètre carré de leur sujet à l'aide d'un pinceau à un poil leur permettant de restituer le moindre détail nauséeux. Le reste de la pièce — les murs, la fenêtre, même la chaise sur laquelle Fletcher était assis — paraissait flou, incapable de faire face à la *réalité* trop bien rendue de cet homme.

Jaffe ferma les yeux pour ne pas voir le portrait. Ses sens en étaient saturés. Il en avait la nausée. Dans les ténèbres, il entendit la voix de Fletcher, aussi peu musicale que jamais.

— Mauvaise nouvelle, dit-il tout doucement.

— Pourquoi ? dit Jaffe sans rouvrir les yeux.

Même les yeux fermés, il savait que ce prodige lui parlait sans se servir de sa langue ni de ses lèvres.

— Partez, dit Fletcher. Et *oui*.

— Oui quoi ?

— Vous avez raison. Je n'ai plus besoin de ma gorge.

— Je n'ai pas dit...

— C'est inutile, Jaffe. Je suis dans votre tête. C'est là-dedans, Jaffe. Pire que je le croyais. Vous devez partir...

Le volume baissa, mais ses paroles étaient encore présentes. Jaffe essaya de les saisir, mais la plupart d'entre elles lui échappèrent. Quelque chose comme *devenons-nous le ciel ?*, n'est-ce pas ? Oui, c'était ce qu'il avait dit :

— ... *devenons-nous le ciel ?*

— Qu'est-ce que vous racontez ? dit Jaffe.

— Ouvrez les yeux, répondit Fletcher.

— Ça me rend malade de vous regarder.

— C'est réciproque. Mais cependant... vous devriez ouvrir les yeux. Voir le miracle à l'œuvre.

— Quel miracle ?

— Regardez.

Il fit ce que lui demandait Fletcher. La scène était exactement telle qu'elle l'était lorsqu'il avait fermé les yeux. La grande fenêtre ; l'homme assis devant elle. Exactement la même.

— Le Nonce est en moi, annonça Fletcher dans la tête de Jaffe.

Son visage ne bougeait absolument pas. Pas le moindre frémissement des lèvres ; pas le moindre battement de cil. Rien que le même terrible caractère *achevé*.

— Vous voulez dire que vous l'avez expérimenté sur vous-même ? dit Jaffe. Après tout ce que vous m'aviez dit ?

— Ça change tout, Jaffe. C'est un coup de fouet sur le dos du monde.

— Vous l'avez pris ! C'est moi qui devais le prendre !

— Je ne l'ai pas pris. C'est lui qui m'a pris. Il est doué de sa propre vie, Jaffe. Je voulais le détruire, mais il m'en a empêché.

— Et d'abord, pourquoi le détruire ? C'est le Grand Œuvre.

— Parce qu'il n'opère pas de la façon dont je l'ai cru. La chair ne l'intéresse pas, Jaffe, sauf en tant qu'accessoire. C'est avec l'esprit qu'il joue. La pensée lui sert d'inspiration, et après, tout peut arriver. Il fait de nous ce que nous espérons être, ou ce que nous craignons être. Ou les deux. Peut-être les deux.

— Vous n'avez pas changé, fit remarquer Jaffe. Votre voix est la même.

— Mais je parle dans votre tête, lui rappela Fletcher. Ai-je jamais fait ça auparavant ?

— La télépathie fait donc partie de l'avenir de l'espèce, répondit Jaffe. Ça n'a rien de surprenant. Vous n'avez fait qu'accélérer le processus. Un bond de quelques milliers d'années.

— Serai-je le ciel ? répéta Fletcher. C'est ce que je veux être.

— Alors, soyez-le, dit Jaffe. J'ai plus d'ambition que ça.

— Oui. Oui, en effet, là est le problème. C'est pour ça que j'ai essayé de vous empêcher de mettre la main sur le Nonce. L'empêcher de vous utiliser. Mais il m'a distrait. J'ai vu la fenêtre ouverte et je n'ai pas pu m'en éloigner. Le Nonce m'a rendu rêveur. M'a forcé à m'asseoir et à me demander : serai-je... serai-je le ciel ?

— Il vous a empêché de me trahir, dit Jaffe. Il veut qu'on l'utilise, voilà tout.

— Mmmm.

— Alors, où est le reste ? Vous n'avez pas tout pris.

— Non, dit Fletcher. (Le pouvoir de mentir lui avait été enlevé.) Mais je vous en prie, *non*...

— Où ? dit Jaffe en s'avançant dans la pièce. Vous l'avez sur vous ?

Il sentit une myriade de pinceaux minuscules effleurer sa peau, comme s'il venait de pénétrer dans un nuage de moucherons invisibles. Cette sensation aurait dû l'avertir de ne pas s'attaquer à Fletcher, mais il désirait trop ardemment le Nonce pour en tenir compte. Il posa ses doigts sur l'épaule de l'autre. A ce contact, sa silhouette sembla s'éparpiller, et une nuée de poussière — grise, rouge et blanche — s'abattit sur lui comme une tempête de pollen.

Jaffe entendit le génie éclater de rire dans sa tête, et il sut que ce rire n'était pas né de la moquerie mais de l'extase que Fletcher ressentait à l'idée de se libérer de cette peau de poussière terne qui l'avait enveloppé depuis la naissance, le recouvrant au point d'étouffer son éclat presque jusqu'au dernier atome. Lorsque la poussière se dispersa, Fletcher était assis sur sa chaise, comme auparavant. Mais à présent, il était incandescent.

— Je suis trop brillant ? dit-il. Excusez-moi.

Il baissa sa flamme.

— Je veux ça moi aussi ! dit Jaffe. Je le veux tout de suite.

— Je sais, répondit Fletcher. Je peux goûter votre désir. Ce n'est pas beau, Jaffe, pas beau du tout. Vous êtes dangereux. Jusqu'ici, je n'avais pas vraiment compris à quel point vous êtes dangereux. Je peux lire en vous comme dans un livre. Lire votre passé. (Il s'interrompit quelques instants, puis poussa un long gémissement douloureux.) Vous avez tué un homme, dit-il.

— Il le méritait.

— Il était sur votre chemin. Et cet autre que je vois... *Kissoon*, n'est-ce pas ? Est-il mort, lui aussi ?

— Non.

— Mais vous auriez aimé le tuer ? Je peux goûter la haine qui est en vous.

— Oui, je l'aurais tué si j'en avais eu l'occasion, dit Jaffe en souriant.

— Et moi aussi, je pense, dit Fletcher. Est-ce un couteau dans votre poche, demanda-t-il, ou bien êtes-vous tout simplement content de me voir ?

— Je veux le Nonce, dit Jaffe. Je le veux et *il me* veut...

Il fit demi-tour. Fletcher le rappela.

— Il accomplit son œuvre sur l'esprit, Jaffe. Peut-être sur l'âme. Vous ne comprenez pas ? Il n'y a rien *dehors* qui ne soit né *dedans*. Rien de réel qui n'ait été d'abord *rêvé*. Moi ? Je n'ai jamais voulu de mon corps, sauf en tant que véhicule. Je n'ai jamais vraiment rien voulu, excepté être le ciel. Mais *vous*, Jaffe. *Vous !* Votre esprit est plein de merde. Pensez-y. Pensez à ce que le Nonce va pouvoir *magnifier*. Je vous en supplie...

La prière qui résonnait dans le crâne de Jaffe le força à faire halte, et il se retourna vers le portrait. Celui-ci avait quitté sa chaise, bien qu'à en juger par l'expression de Fletcher, ce lui fût un vrai supplice de s'arracher à cette vue.

— Je vous en supplie, répéta-t-il. Ne le laissez pas se servir de vous.

Fletcher tendit une main vers l'épaule de Jaffe, mais celui-ci battit en retraite pour éviter ce contact, pénétrant dans le laboratoire. Ses yeux se posèrent presque immédiatement sur l'étagère et sur les deux fioles, dont le contenu bouillonnait derrière les parois de verre.

— Merveilleux, dit Jaffe.

Il s'avança vers elles et le Nonce bondit dans les fioles à son approche, comme un chien impatient de lécher le visage de son maître. Ce témoignage d'adoration était un démenti flagrant aux craintes de Fletcher. Dans cet échange, c'était lui, Randolph Jaffe, l'utilisateur. Le Nonce, l'utilisé.

Fletcher continuait à lancer des avertissements dans sa tête :

— Toute la cruauté qui est en vous, Jaffe, toute la peur, toute la stupidité, toute la couardise. Elles vont vous refaçonner. Êtes-vous prêt à subir une chose pareille ? Je ne le crois pas. Cela vous en montrerait trop.

— *Trop,* cela n'existe pas, dit Jaffe, ignorant les protestations de l'autre et tendant la main vers la fiole la plus proche.

Le Nonce ne pouvait plus attendre. Il brisa la fiole et bondit à la rencontre de sa peau. Jaffe fut instantanément envahi par la connaissance (et par la terreur), le Nonce lui transmettant son message par simple contact. Au moment même où Jaffe se rendait compte que Fletcher avait raison, il devint impuissant à corriger son erreur.

Le Nonce ne se souciait guère de changer l'ordre de ses cellules. Si cela se produisait, ce ne serait que la conséquence d'une altération plus profonde. Il considérait son anatomie comme un cul-de-sac. Il ne remarquerait même pas les améliorations mineures qu'il pourrait apporter à son organisme. Le Nonce n'allait pas perdre du temps à rendre ses articulations plus sophistiquées ou à débarrasser ses entrailles de leurs rouages superflus. C'était un évangéliste et non un esthéticien. L'esprit était sa cible. Un esprit qui utilisait ce corps pour sa satisfaction, même lorsque cette satisfaction était nuisible à ce véhicule. Un esprit qui était la source de son appétit de transformation, ainsi que le plus ardent et le plus imaginatif de ses agents.

Jaffe voulait appeler à l'aide, mais le Nonce avait déjà pris le contrôle de son cortex et il fut incapable de prononcer un seul mot. Une prière n'aurait guère été plus plausible. Le Nonce était Dieu. Naguère dans une bouteille ; à présent dans son corps. Il ne pouvait même pas mourir, bien que son organisme fût si violemment secoué qu'il semblait sur le point d'exploser. Le Nonce interdisait tout ce qui ne participait pas de son œuvre. Sa merveilleuse œuvre de perfectionnement.

Le premier acte du Nonce fut de mettre la mémoire de Jaffe en marche arrière, de faire défiler sa vie à reculons depuis l'instant où il l'avait touché, perçant chaque événement jusqu'à ce qu'il plonge dans les eaux des entrailles de sa mère. On lui accorda un instant de douloureuse nostalgie pour cet endroit — calme, sécurité —, puis sa vie le saisit à nouveau pour lui faire faire le voyage de retour, tout le long de sa médiocre existence à Omaha. Dès le début de sa vie consciente, il y avait eu tant de rage en lui. Contre les petits et les puissants ; contre les bons élèves et les séducteurs, ceux qui avaient toutes les filles et toutes les bonnes notes. Il ressentit à nouveau cette rage, mais de façon plus intense : comme une cellule cancéreuse grossissant en un clin d'œil pour le distordre. Il vit ses parents disparaître, se vit incapable de s'accrocher à eux, ou de les pleurer après leur départ, mais toujours saisi par la rage, ne sachant ni pourquoi ils avaient vécu ni pourquoi ils s'étaient souciés de le mettre au monde. Il tomba de nouveau amoureux, par deux fois. Fut par deux fois repoussé. Nourrit sa douleur, en décora les cicatrices, laissa sa rage grossir encore. Et entre ces échecs remarquables, le poids perpétuel des emplois qu'il n'arrivait pas à garder, de ces gens qui oubliaient son nom d'un jour à l'autre, des Noëls qui succédaient aux Noëls en ne marquant que le passage des ans. Échouant toujours à comprendre *pourquoi* il avait été créé — pourquoi *on* était créé, alors que tout n'était qu'illusion et tromperie, tout finissait dans le néant.

Puis, la pièce au carrefour, emplie de Lettres Mortes, et soudain, sa rage trouvait des échos d'une côte à l'autre, des gens déments et confus comme lui qui poignardaient leur confusion et espéraient trouver un sens à ses saignements. Certains y avaient réussi. Ils avaient jeté à bas des mystères, même si ce n'était que de façon fugitive. Et il en avait la preuve. Des signes et des codes ; le Médaillon du Banc qui était tombé entre ses mains. Un instant plus tard, son couteau était enfoui dans l'œil d'Homer, et il était parti, porteur de maigres indices, pour un voyage qui l'avait conduit, un peu plus puissant à chaque pas, à Los Alamos, à la Boucle, et finalement, à la Mission de Santa Catrina.

Et il ne savait toujours pas pourquoi il avait été créé, mais il en avait assez accumulé durant ses quatre décennies d'existence pour que le Nonce lui donne une réponse temporaire. Pour l'amour de la rage. Pour l'amour de la vengeance. Pour posséder le pouvoir et pour utiliser le pouvoir.

Il flotta brièvement au-dessus de la scène et se vit gisant sur le sol, recroquevillé au milieu des morceaux de verre, agrippant son crâne comme pour l'empêcher d'exploser. Fletcher entra dans son champ de vision. Il semblait haranguer son corps, mais Jaffe n'entendait pas ses paroles. Sans aucun doute un discours vertueux sur la précarité de toute entreprise humaine. Soudain, il se précipita vers son corps, les bras levés, et laissa retomber ses poings sur lui. Il s'éparpilla, tout comme le portrait à la fenêtre. Jaffe hurla lorsque son esprit disloqué fut revendiqué par la substance sur le sol, attiré par son anatomie nonciée.

Il ouvrit les yeux et regarda l'homme qui s'était défait de sa croûte, percevant Fletcher avec une compréhension nouvelle.

Dès le début, ils avaient formé une association malaisée, dont les principes fondamentaux les avaient tous deux confondus. Mais à présent, Jaffe percevait clairement son mécanisme. Chacun d'eux était la Némésis de l'autre. Il n'existait pas sur terre deux entités aussi parfaitement opposées. Fletcher aimait la lumière comme seul pouvait l'aimer un homme terrifié par l'ignorance ; regarder le soleil en face lui avait fait perdre un œil. Lui-même n'était plus Randolph Jaffe, mais le *Jaff*, le seul et unique, amoureux des ténèbres où la rage qui l'animait avait trouvé sa provende et son expression. Les ténèbres où venait le sommeil, et où commençait le voyage vers l'océan onirique au-delà du sommeil. L'éducation du Nonce avait certes été doulou-reuse, mais elle lui avait rappelé ce qu'il était. Elle avait fait plus que le lui rappeler, elle l'avait *magnifié* grâce au miroir de sa propre histoire. Il n'était pas *dans* les ténèbres, il était *des* ténèbres, à présent capable d'utiliser l'Art. Sa main le déman-geait déjà. Et avec cette démangeaison lui vint la connaissance qui lui permettrait d'arracher le voile et de pénétrer dans Quiddity. Il n'avait pas besoin d'un rituel. Il n'avait besoin ni d'invocations ni de sacrifices. Il était une âme évoluée. Nul ne pouvait s'opposer à son désir, et il avait du désir en abondance.

Mais en atteignant ce nouvel état de son moi, il avait accidentellement créé une force qui, s'il ne l'éliminait pas tout de suite, s'opposerait à lui tout le long du chemin. Il se releva, n'ayant nullement besoin d'entendre un défi de la bouche de Fletcher pour savoir que l'inimitié qui régnait entre eux était parfaitement comprise des deux parties. Il lisait de la révulsion dans la flamme qui brûlait derrière l'œil de son ennemi. Fletcher, le génie *sauvage* *, le drogué, le sentimental, avait été dissous et reconstruit : brillant, rêveur, sans joie. Quelques minutes plus tôt, il avait été prêt à s'asseoir à la fenêtre, à rêver d'être le ciel, jusqu'à ce que le rêve ou la mort fasse son œuvre. Mais plus maintenant.

— Je vois tout, annonça-t-il, choisissant d'utiliser ses cordes vocales à présent qu'ils étaient égaux et opposés. Tu m'as tenté afin de pouvoir être transformé, de voler la révélation.

— Et c'est ce que je *ferai,* répondit le Jaff. Je suis déjà arrivé à mi-chemin.

— Quiddity n'acceptera jamais d'accueillir quelqu'un comme toi.

— Quiddity n'aura pas le choix, répondit le Jaff. A présent, je suis inévitable.

Il leva les mains. Des gouttes de pouvoir, pareilles à de minuscules perles, en transpirèrent.

— Tu vois ? dit-il. Je suis un Artiste.

— Tu n'en seras pas un avant d'avoir utilisé l'Art.

— Et qui va donc m'en empêcher ? *Toi ?*

— Je n'ai pas le choix. C'est moi le responsable

— Comment ? Je t'ai déjà battu. Je recommencerai.

— J'invoquerai des visions pour t'affronter.

— Tu peux toujours essayer.

Une question vint à l'esprit du Jaff alors qu'il prononçait ces mots, et Fletcher se mit à y répondre avant même qu'il l'ait formulée.

— Pourquoi ai-je touché ton corps ? Je ne sais pas. Il l'exigeait de moi. Je n'ai cessé d'essayer de le faire taire, mais il continuait de m'appeler.

Il marqua une pause, puis dit :

— Peut-être que les contraires s'attirent, même dans l'état où nous sommes à présent.

— Alors, plus tôt tu seras mort, mieux ça vaudra, dit le Jaff, qui bondit pour déchirer la gorge de son ennemi.

---

* En français dans le texte. *(N.d.T.)*

Dans les ténèbres qui rampaient depuis le Pacifique pour recouvrir la Mission, Raul entendit le fracas de la bataille qui commençait. Des échos dans son organisme noncié lui avaient appris que le distillat était à l'œuvre entre les murs de l'édifice. Son père, Fletcher, avait quitté sa propre vie pour devenir quelque chose de nouveau. Ainsi que l'autre homme, celui dont il s'était toujours méfié, même lorsque des mots comme *le mal* n'étaient que des bruits émis par un palais humain. Il les comprenait à présent ; ou du moins les associait avec la réaction animale que lui inspirait Jaffe : la révulsion. Cet homme était malade jusqu'au cœur, comme un fruit empli de pourriture. A en juger par les bruits violents en provenance de l'édifice, Fletcher avait décidé d'affronter cette corruption. La brève et douce époque qu'il avait vécue avec son père était terminée. Il n'y aurait plus de leçons de civilité ; plus d'heures passées devant la fenêtre à écouter « le sublime Mozart » et à regarder les nuages changer de forme.

Alors que les premières étoiles apparaissaient, tout bruit cessa dans la Mission. Raul attendit, espérant que Jaffe avait été détruit mais craignant que son père n'ait lui aussi disparu. Au bout d'une heure, frigorifié, il décida de s'aventurer à l'intérieur. Où qu'ils soient partis — au Ciel ou en Enfer —, il ne pourrait pas les suivre. La meilleure chose qu'il avait à faire était d'enfiler ses vêtements, qu'il avait toujours détesté porter (ils l'irritaient et l'enfermaient), mais qui lui rappelleraient à présent les enseignements de son maître. Il les porterait toujours, afin de ne pas oublier le Bon Fletcher.

Arrivé sur le seuil, il se rendit compte que la Mission n'avait pas été évacuée. Fletcher était toujours là. Son ennemi aussi. Tous deux possédaient encore des corps qui ressemblaient à leurs moi antérieurs, mais un changement était intervenu en eux. Des formes flottaient au-dessus de leurs têtes : un enfant à la tête hypertrophiée, couleur de fumée, au-dessus de Jaffe ; un nuage, avec le soleil quelque part dans ses volutes, au-dessus de Fletcher. Les deux hommes se tenaient à la gorge et aux yeux. Leurs corps subtils étaient également entremêlés. De force parfaitement égale, aucun ne pouvait l'emporter sur l'autre.

L'entrée de Raul brisa cette impasse. Fletcher se tourna vers lui, son œil valide se posa sur le garçon, et à cet instant, Jaffe saisit sa chance, jetant son ennemi à l'autre bout de la pièce.

— *Dehors !* cria Fletcher. *Va-t'en !*

Raul s'exécuta, s'enfuit loin de la Mission en zigzaguant entre les feux mourants, sentant le sol trembler sous ses pieds nus comme de nouvelles furies se déchaînaient derrière lui. Trois secondes de répit lui furent accordées, durant lesquelles il eut le temps de se mettre à l'abri derrière la colline, puis les murs de la Mission — qui avaient été bâtis pour durer jusqu'à la fin de toute foi — explosèrent dans un fracas d'énergie. Il ne se protégea pas les yeux. Au lieu de cela, il observa, apercevant la forme de Jaffe et celle du Bon Fletcher, pouvoirs jumeaux entrelacés dans le même vent, qui montèrent au-dessus de l'explosion, passèrent au-dessus de sa tête et s'envolèrent dans la nuit.

Le souffle de la déflagration avait dispersé les feux. Des centaines de foyers brûlaient à présent autour de la Mission. Son toit avait presque totalement disparu. Ses murs étaient couverts de blessures béantes.

Déjà solitaire, Raul retourna en traînant le pas vers le seul refuge qu'il connaissait.

VI

Une guerre ravagea l'Amérique cette année-là, peut-être la plus farouche et certainement la plus étrange que l'on ait jamais livrée sur son sol ou sous son sol. Presque personne n'en parla, car presque personne ne la remarqua. Il est vrai que ses conséquences (qui étaient nombreuses et souvent traumatisantes) ressemblaient si peu aux effets d'une bataille qu'elles étaient constamment mal interprétées. Mais cette guerre-là était sans précédent. Même les plus cinglés des prophètes, ceux qui prédisaient l'Harmaguédon chaque année, ne savaient pas comment traduire les secousses qui agitaient les entrailles de l'Amérique. Ils savaient qu'il se passait quelque chose de grave, et si Jaffe s'était encore trouvé dans la Salle des Lettres Mortes du Bureau de Poste d'Omaha, il aurait découvert quantité de théories et de suppositions en provenance de tous les coins du pays. Cependant, aucun des correspondants — même ceux qui avaient des notions confuses relatives au Banc et à l'Art — ne s'approcha de la vérité.

Non seulement cette lutte était sans précédent, mais sa nature évolua au fil des semaines. En quittant la Mission de Santa Catrina, les deux adversaires n'avaient qu'une idée rudimentaire de leur nouvelle condition et des pouvoirs qu'elle leur conférait. Ils eurent cependant tôt fait d'explorer ces pouvoirs et d'apprendre à les exploiter, les exigences du conflit décuplant leur capacité d'invention. Tout comme il l'avait promis, Fletcher créa une armée à partir des fantasmes des hommes et des femmes qu'il rencontra lors de cette course poursuite, ne laissant jamais à Jaffe le temps de se concentrer et d'utiliser l'Art auquel il avait accès. Il baptisa ces soldats visionnaires les *hallucigenias*, du nom d'une espèce énigmatique dont il ne restait plus que des fossiles datant de cinq cent trente millions d'années. Une famille qui, tout comme les fantasmes ayant reçu ce nom, n'avait aucun antécédent. La durée de vie de ces soldats était à peine plus élevée que celle d'un papillon. Ils avaient vite fait de perdre leurs caractéristiques pour devenir vagues et fumeux. Mais pour fragiles qu'ils fussent, ils remportèrent plusieurs victoires sur le Jaff et sur ses légions, les *teratas,* peurs primales que le Jaff avait le pouvoir de susciter chez ses victimes et de solidifier momentanément. Les *teratas* n'étaient pas moins éphémères que leurs ennemis. En cela, comme en tout, le Jaff et le Bon Fletcher étaient de force égale.

Et la guerre progressa, feintes et contre-feintes, mouvements en tenaille et avancées rapides, chaque armée ayant pour but de massacrer le général de l'autre. Cette guerre ne fut pas très appréciée par le monde naturel. Peurs et fantasmes n'étaient pas censés s'incarner ainsi. L'esprit était leur arène. A présent, ils étaient *solides* et leur lutte faisait rage dans l'Arizona et dans le Colorado, dans le Kansas et dans l'Illinois, bouleversant l'ordre des choses sur son passage. Les récoltes furent lentes à se montrer, préférant rester dans la terre plutôt que de se risquer dans une atmosphère empestée de créatures défiant les lois de la nature. Les oiseaux migrateurs, évitant les routes infestées de nuages hantés, arrivèrent à leur destination avec un certain retard, ou s'égarèrent et périrent. Dans chaque État, les bestiaux paniqués, percevant l'étendue du conflit impitoyable qui se livrait autour d'eux, furent atteints d'une folie meurtrière. Les étalons s'attaquèrent aux vaches et aux rochers, s'étripèrent en cherchant à monter des voitures. Les chats et les chiens retournèrent à l'état sauvage, un crime qui leur valut d'être abattus ou gazés. Dans les rivières paisibles, les poissons cherchèrent à gagner la terre ferme, sentant des ambitions dans l'air, périssant en proie à leurs aspirations.

Précédé par la peur et suivi par le chaos, le conflit finit par se localiser dans le Wyoming, où les deux armées, dont la force était trop égale pour que la guerre puisse s'achever, s'affrontèrent sans parvenir à une issue décisive. Ce fut la fin du commencement, ou presque. La quantité d'énergie que le Jaff et le Bon Fletcher avaient dépensée pour créer et pour diriger ces deux armées (ni l'un ni l'autre n'étaient des seigneurs de la guerre ; ce n'étaient que deux hommes qui se détestaient mutuellement) les avait effroyablement diminués. Au bord de l'effondrement, ils conti- nuèrent de s'affronter comme deux boxeurs complètement sonnés qui persistent à se battre parce qu'ils ne connaissent aucun autre sport. Aucun d'eux ne serait satisfait tant que l'autre ne serait pas mort.

La nuit du 16 juillet, le Jaff s'enfuit du champ de bataille, désertant ce qui restait de son armée pour foncer vers le sud-ouest. Sa destination était la Basse Californie. Sachant que la guerre qu'il livrait à Fletcher ne pouvait être gagnée dans de telles conditions, il voulait s'emparer de la troisième fiole de Nonce, comptant sur elle pour renforcer son pouvoir fort diminué.

Tout harassé qu'il fût, Fletcher se lança à sa poursuite. Deux nuits plus tard, faisant preuve d'une agilité qui n'aurait pas manqué d'impressionner son bien-aimé Raul, il rattrapa le Jaff dans l'Utah.

Là, ils se livrèrent à un affrontement aussi brutal que peu concluant. Animés par une volonté de détruire l'autre qui avait depuis longtemps dépassé le problème de l'Art et de sa possession pour devenir quelque chose d'aussi intime et d'aussi ardent que l'amour, ils luttèrent durant cinq nuits. Encore une fois, aucun d'eux ne triompha. Ils se meurtrirent et se déchirèrent, ténèbres contre lumière, jusqu'à perdre presque toute cohérence. Lorsque le vent les saisit, ils n'avaient plus la force de lui résister. Ils utilisèrent le peu d'énergie qui leur restait à s'empêcher mutuellement de voler vers la Mission et vers la provende qui les attendait là-bas. Le vent les emporta au-dessus de la frontière de la Californie, leur faisant perdre un peu plus d'altitude à chaque kilomètre. Ils prirent la direction sud-sud-ouest, passant au-dessus de Fresno et de Bakersfield, jusqu'à ce que — le vendredi 27 juillet 1971, désormais incapables de voler — ils tombent dans le Comté de Ventura, dans une forêt située non loin d'une ville nommée Palomo Grove, durant une petite tempête qui ne fit même pas clignoter les projecteurs mouvants et les panneaux illuminés d'Hollywood tout proche.

DEUXIÈME PARTIE

La Ligue des Vierges

1

Les filles allèrent deux fois dans l'eau. La première fois, ce fut le lendemain du jour où une tempête avait éclaté au-dessus du Comté de Ventura, faisant tomber en une nuit sur la petite ville de Palomo Grove plus d'eau que ses habitants ne se seraient raisonnablement attendu à en voir en une année. Cette mousson n'avait cependant pas adouci la chaleur. Caressée par une faible brise en provenance du désert, la ville cuisait à une température de plus de quarante degrés. Les enfants qui s'étaient épuisés à jouer dans la chaleur durant toute la matinée passèrent l'après-midi enfermés. Les chiens maudirent leur fourrure; les oiseaux refusèrent de chanter. Les vieillards se mirent au lit. Vêtus de leur seule sueur, les amants adultères firent de même. Les infortunés devant accomplir une tâche qu'ils ne pouvaient pas repousser au soir (Dieu veuille que la température consente alors à baisser) se mirent au travail, les yeux fixés sur le trottoir, et chaque pas leur était une épreuve, chaque souffle rendait leurs poumons poisseux.

Mais les quatre filles avaient l'habitude de la chaleur; à leur âge, on avait la chaleur dans le sang. A elles quatre, elles avaient passé soixante-dix ans sur cette planète, soixante et onze à partir du mardi suivant, lorsque Arleen fêterait son dix-neuvième anniversaire. Ce jour-là, elle sentait son âge; ces quelques mois décisifs qui la séparaient de Joyce, sa meilleure amie, et encore plus de Carolyn et de Trudi, dont les dix-sept ans lui semblaient infiniment éloignés de la maturité qui était la sienne. Aujourd'hui, elle avait beaucoup à dire au sujet de l'expérience, tandis qu'elles traversaient les rues désertées de Palomo Grove. C'était agréable d'être dehors par un jour pareil, car aucun des hommes de la ville dont les épouses faisaient désormais chambre à part — elles les connaissaient tous de nom — ne viendrait les reluquer; et aucune des amies de leurs mères ne viendrait écouter leur bavardage sexuel. Elles erraient, pareilles à des Amazones en short, à travers une ville terrassée par un feu invisible qui consumait l'air et transformait les briques en mirages, mais qui ne tuait pas. Il se contentait de forcer les citoyens à se terrer devant leurs frigos ouverts.

— Tu l'aimes ? demanda Joyce à Arleen.

Son aînée lui répondit du tac au tac.

— Foutre non, dit-elle. Il y a des moments où tu es vraiment *idiote*.

— Je croyais... cette façon que tu as de parler de lui.

— Que veux-tu dire : *cette façon ?*

— Quand tu parles de ses yeux et du reste.

— Randy a de jolis yeux, concéda Arleen. Mais Marty aussi, et Jim, et Adam...

— Oh, *arrête*, dit Trudi avec plus qu'une trace d'irritation dans la voix. Tu es une vraie traînée.

— Sûrement pas.

— Alors arrête de citer des noms comme ça. Nous savons toutes que les garçons t'adorent. Et nous savons toutes pourquoi.

Arleen lui jeta un regard que l'autre ne vit pas, car elles portaient toutes des lunettes de soleil, Carolyn exceptée. Elles firent quelques mètres en silence.

— Est-ce que quelqu'un veut un Coca ? dit Carolyn. Ou une glace ?

Elles étaient arrivées en bas de la colline. Le centre commercial était devant elles, les tentant avec l'air conditionné de ses boutiques.

— Oui, dit Trudi. Je viens avec toi. (Elle se tourna vers Arleen.) Tu veux quelque chose ?

— Non.

— Tu boudes ?

— Non.

— Tant mieux, dit Trudi. Il fait trop chaud pour se disputer.

Les deux filles se dirigèrent vers l'épicerie Marvin, laissant Arleen et Joyce au coin de la rue.

— Je suis désolée..., dit Joyce.

— Pourquoi ?

— Parce que je t'ai posé des questions au sujet de Randy... Je croyais que peut-être... tu sais... peut-être que c'était sérieux.

— Les gars du Grove ne valent pas un clou, murmura Arleen. Il me tarde d'être partie.

— Où iras-tu ? A Los Angeles ?

Arleen fit glisser ses lunettes de soleil sur son nez et scruta Joyce du regard.

— Pourquoi voudrais-je aller là-bas? dit-elle. Je ne suis pas bête au point d'aller faire la queue comme les autres. Non. J'irai à New York. Il vaut mieux étudier là-bas. Et ensuite travailler à Broadway. Si on me veut, il faudra venir me chercher.

— Qui ça?

— *Joyce*, dit Arleen en feignant d'être exaspérée. Hollywood!

— Oh. Oui. Hollywood.

Elle salua d'un hochement de tête appréciateur les projets élaborés par Arleen. Il n'existait rien d'aussi cohérent dans sa propre tête. Mais c'était facile pour Arleen. Elle était belle comme Miss Californie, possédait des cheveux blonds, des yeux bleus et un sourire envié qui était capable de mettre les membres du sexe opposé sur les genoux. Et comme si ces avantages ne suffisaient pas, sa mère était une ancienne actrice et la traitait déjà comme une star.

Joyce avait bien moins de chance. Pas de mère pour lui ouvrir la voie, pas de charme pour lui faire traverser les moments difficiles. Elle ne pouvait même pas boire un Coca sans susciter une éruption de boutons. « Vous avez la peau sensible, lui disait constamment le Docteur Briskman, ça vous passera avec l'âge. » Mais la transformation promise lui faisait penser à la fin du monde dont le Révérend parlait le dimanche; sans cesse retardée. Avec ma chance, pensa Joyce, le jour où je perdrai enfin mon acné pour gagner de vrais seins sera le jour où le Révérend aura enfin raison. Je me réveillerai, parfaite, j'ouvrirai les rideaux et le Grove aura disparu. Je ne pourrai jamais embrasser Randy Krentzman.

C'était en fait pour cette raison qu'elle avait interrogé Arleen avec autant d'insistance. Randy était présent dans toutes les pensées de Joyce — enfin, dans une pensée sur deux — bien qu'elle ne l'ait rencontré que trois fois et ne lui ait parlé que deux. Elle était en compagnie d'Arleen lors de leur première rencontre, et Randy l'avait à peine regardée lorsqu'on la lui avait présentée, aussi n'avait-elle rien dit. La deuxième fois, elle n'avait eu aucune concurrence, mais son bonjour amical n'avait suscité qu'un « Qui es-tu? » distrait. Elle avait insisté; lui avait rappelé son identité; lui avait même dit où elle vivait. La troisième fois (« Re-bonjour », avait-elle dit. « Je te connais? » avait-il répondu), elle lui avait récité sans honte tous les détails la concernant; lui avait même demandé, poussée par une soudaine bouffée d'optimisme, s'il était Mormon. Erreur tactique, avait-elle décidé par la suite. La prochaine fois, elle s'inspirerait d'Arleen et traiterait le garçon comme si sa présence était à peine supportable ; ne le regarderait jamais ; ne sourirait que si c'était absolument nécessaire. Puis, au moment où elle ferait mine de partir, le regarderait droit dans les yeux et ronronnerait quelque chose de vaguement obscène. La loi des messages contradictoires. Ça marchait pour Arleen, alors pourquoi pas pour elle ? Et à présent que la grande beauté avait exprimé toute l'indifférence que lui inspirait l'idole de Joyce, celle-ci avait une bribe d'espoir. Si Arleen s'était sérieusement intéressée à l'affection de Randy, Joyce aurait été capable de courir voir le Révérend Meuse pour lui demander d'avancer la date de l'Apocalypse.

Elle ôta ses lunettes et plissa les yeux pour regarder le ciel blanc et brûlant, se demandant vaguement si l'Apocalypse était déjà en marche. Cette journée était étrange.

— Tu ne devrais pas faire ça, dit Carolyn en sortant de chez Marvin, suivie de Trudi. Le soleil va te brûler les yeux.

— Sûrement pas.

— Sûrement que si, répondit Carolyn, qui avait toujours des informations indésirables à leur communiquer. Ta rétine est une lentille. Comme dans un appareil photo. Elle se règle et...

— D'accord, dit Joyce en tournant ses yeux vers la terre ferme. Je te crois.

Des taches de couleur dansèrent pendant quelques instants derrière ses paupières, la désorientant.

— Où on va maintenant ? dit Trudi.

— Je rentre chez moi, dit Arleen. Je suis fatiguée.

— Pas moi, dit Trudi avec entrain. Je ne vais pas rentrer chez moi. Je m'emmerde là-bas.

— Eh bien, ça ne sert à rien de rester plantées au milieu du centre, dit Carolyn. On s'emmerde autant ici que chez nous. Et si on reste au soleil, on va rôtir.

Elle avait déjà l'air bien cuite. Elle était plus grosse que ses amies d'une bonne dizaine de kilos, et son poids, ajouté à sa peau de rouquine qui ne bronzait jamais, aurait dû la pousser à s'abriter. Mais elle semblait indifférente à cet inconfort, tout comme elle était indifférente à tout stimulus excepté celui du goût. En novembre, toute la famille Hotchkiss s'était retrouvée dans un carambolage sur l'autoroute. Carolyn avait rampé hors de la voiture, légèrement commotionnée, pour être retrouvée par la police un peu plus loin, une barre Hershey à demi mâchée dans chaque main. Il y avait plus de chocolat que de sang sur son visage, et elle avait crié au meurtre — du moins le prétendait la rumeur — lorsqu'un des flics avait tenté de la faire renoncer à son goûter. On ne découvrit que plus tard qu'elle avait six côtes cassées.

— Alors, où on va ? dit Trudi, retournant à la question brûlante du jour. Avec cette chaleur : *où ?*

— On va se promener un peu, dit Joyce. Peut-être aller faire un tour dans les bois. Il fera plus frais là-bas. (Elle jeta un regard à Arleen.) Tu viens ?

Arleen laissa ses compagnes suspendues à ses lèvres durant dix secondes. Finalement, elle acquiesça.

— On n'a rien de mieux à faire, dit-elle.

2

Même les plus petites villes se structurent à la façon des grandes. C'est-à-dire par ségrégation. Les Blancs et les Noirs, les hétéros et les homos, les riches et les moins riches, les moins riches et les pauvres. Palomo Grove, dont la population en cette année 1971 n'était que de mille deux cents habitants, ne faisait pas exception à la règle. Bâtie sur les flancs d'une colline en pente douce, la ville avait été conçue comme l'incarnation des principes les plus démocratiques, chacun de ses citoyens étant censé avoir accès à son centre vital, le centre commercial. Celui-ci se trouvait au creux de Sunrise Hill, que l'on appelait tout simplement la Colline, et quatre villages — Stillbrook, Deerdell, Laureltree et Windbluff — rayonnaient à partir de ce moyeu central, leurs artères principales dirigées vers les quatre points cardinaux. Mais l'idéalisme des urbanistes s'était arrêté là. Par la suite, des différences subtiles dans la topographie des quatre villages leur avaient conféré à chacun un caractère fort différent. Windbluff, qui se trouvait sur le flanc sud-ouest de la Colline, offrait la meilleure vue et ses propriétés étaient les plus chères. Le tiers supérieur de la Colline était dominé par une demi-douzaine de résidences somptueuses, dont les toits étaient à peine visibles derrière une végétation luxuriante. Au-dessous de cet Olympe se trouvaient les Cinq Croissants, des rues incurvées en demi-cercle, qui abritaient les demeures les plus désirables — si on ne pouvait pas se permettre de vivre tout en haut.

Par contraste : Deerdell. Bâti en terrain plat et flanqué d'une forêt mal entretenue, ce quartier du Grove s'était rapidement déprécié. Là, les maisons étaient dépourvues de piscines et avaient besoin d'être repeintes. Ce lieu était pour certains un refuge chic. Même en 1971, il se trouvait quelques artistes pour vivre à Deerdell ; cette communauté ne cesserait de croître par la suite. Mais s'il y avait un coin du Grove où les automobilistes craignaient pour leur carrosserie, c'était bien là.

Entre ces deux extrêmes sociaux et géographiques se trouvaient Stillbrook et Laureltree, celui-ci étant un peu plus recherché que celui-là car plusieurs de ses rues étaient situées sur le second flanc de la Colline, et leur largeur et leur valeur augmentaient à mesure que l'on montait leurs lacets.

Aucun des membres du quatuor ne résidait à Deerdell. Arleen habitait Emerson Street, le deuxième Croissant en termes d'altitude, Joyce et Carolyn vivaient à un bloc de distance dans Steeple Chase Drive (Stillbrook Village), et Trudi demeurait dans Laureltree. C'était un peu une aventure pour elles que d'arpenter les rues de la partie est du Grove, où leurs parents mettaient rarement les pieds, sinon jamais. Même s'ils s'étaient égarés par ici, ils n'étaient sûrement jamais allés là où les filles se rendaient à présent : dans les bois.

— Il ne fait pas plus frais, se plaignit Arleen au bout de quelques minutes. En fait, c'est pire.

Elle avait raison. Bien que les frondaisons protègent leurs têtes du soleil, la chaleur se frayait néanmoins un chemin entre les branches. Prise au piège, elle emplissait l'air humide de vapeur.

— Ça fait des années que je ne suis pas venue ici, dit Trudi en agitant un bouquet de brindilles pour éloigner un nuage d'insectes. Je venais me promener ici avec mon frère.

— Comment va-t-il ? demanda Joyce.

— Il est toujours à l'hôpital. Il n'en sortira jamais. Toute la famille le sait, mais personne n'ose le dire. Ça me rend malade.

Sam Katz était sain de corps et d'esprit quand il avait été mobilisé pour partir au Viêt-nam. Durant son troisième mois de service, une mine avait détruit tout ça, tuant deux de ses camarades et le blessant grièvement. Son retour au pays s'était déroulé dans un climat de malaise. Les notables du Grove, en rang par deux pour accueillir le héros mutilé, avaient parlé d'héroïsme et de sacrifice ; on avait beaucoup bu ; on avait caché ses larmes. Durant toute la cérémonie, Sam Katz était resté assis, impassible, ne s'opposant pas aux événements mais se détachant d'eux, comme si son esprit était encore en train de passer en revue l'instant où sa jeunesse avait été réduite en pièces. Quelques semaines plus tard, il était retourné à l'hôpital. Bien que sa mère ait affirmé à tous que c'était pour se faire opérer de la colonne vertébrale, ses mois d'absence étaient devenus des années, et Sam n'était jamais revenu. Tout le monde devinait pourquoi, mais personne ne voulait l'admettre. Les blessures physiques de Sam avaient guéri de façon satisfaisante. Mais son esprit s'était révélé moins résistant. Le détachement dont il avait fait preuve lors de la fête donnée en l'honneur de son retour avait tourné à la catatonie.

Toutes les autres filles avaient connu Sam, bien que la différence d'âge entre Trudi et son frère ait suffi pour qu'elles le considèrent presque comme appartenant à une autre espèce. Non seulement c'était un *mâle*, ce qui était déjà étrange, mais en plus il était vieux. Une fois la puberté passée, cependant, l'avance des années s'était faite plus rapide. Elles voyaient leurs vingt-cinq ans s'approcher : encore assez loin, mais déjà visibles. Et elles prenaient conscience de la façon dont la vie de Sam avait été gâchée avec une acuité dont auraient été incapables des gamines de onze ans. De tristes souvenirs les réduisirent quelque temps au silence. Elles avançaient dans la chaleur, côte à côte, et si leurs bras se frôlaient parfois, leurs esprits suivaient des routes différentes. Trudi se revoyait, enfant, en train de jouer avec Sam dans ces fourrés. C'était un frère aîné indulgent, lui treize ans, elle sept ans, et il lui permettait de le suivre partout. Un an plus tard, prévenu par ses glandes que les filles et les sœurs n'appartenaient pas à la même race, il cessa de l'inviter à jouer à la guerre. Elle avait porté le deuil de son absence ; répétition d'un deuil qui devait la frapper avec encore plus de force quelques années plus tard. Elle voyait son visage en esprit à présent, surimpression bizarre du garçon qu'il avait été et de l'homme qu'il était ; de ce qu'avait été sa vie et de ce qu'était sa mort. Cela lui faisait mal.

Carolyn n'avait pas souvent mal, du moins lorsqu'elle était éveillée. Et aujourd'hui — mis à part le fait qu'elle regrettait de ne pas avoir acheté une seconde glace —, rien. La nuit, c'était autre chose. Elle faisait des cauchemars ; rêvait de séismes. Palomo Grove se recroquevillait comme une chaise pliante pour disparaître dans les profondeurs de la terre. Elle était punie parce qu'elle en savait trop, lui avait dit son père. Elle avait hérité de lui son ardente curiosité et — entendant parler de la Faille de San Andreas — l'avait appliquée à une étude de la terre qu'elle foulait. On ne pouvait pas se fier à sa solidité. Sous leurs pieds, avait-elle découvert, le sol grouillait de fissures susceptibles de s'élargir à n'importe quel moment, tout comme elles le feraient entre Santa Barbara et Los Angeles et tout le long de la côte Ouest, avalant la région tout entière. C'était en avalant qu'elle tenait ses angoisses à distance : une sorte de magie sympathique. Si elle était grosse, c'était parce que la croûte terrestre était mince ; une excuse irréfutable pour sa gloutonnerie.

Arleen jeta un regard vers la Grosse. Ça ne faisait pas de mal de cultiver la compagnie des filles moins attirantes, lui avait un jour appris sa mère. Même loin des yeux du public, l'ex-star Kate Farrell s'entourait encore de femmes quelconques, en compagnie desquelles sa beauté était deux fois plus visible. Mais pour Arleen, surtout un jour comme celui-ci, le prix à payer semblait trop élevé. Même si elles flattaient sa beauté, elle n'aimait pas vraiment ses compagnes. Elle les aurait naguère considérées comme ses meilleures amies. A présent, elles ne faisaient que lui rappeler une existence qu'il lui tardait de fuir. Mais comment aurait-elle pu passer le temps en attendant sa libération ? Même les joies que lui procurait son miroir finissaient par la lasser. Plus tôt je serai loin d'ici, pensa-t-elle, et plus tôt je serai heureuse.

Si elle avait pu lire dans l'esprit d'Arleen, Joyce aurait applaudi ces sentiments. Mais elle était absorbée par sa quête de la meilleure façon d'arranger une rencontre accidentelle avec Randy. Si elle posait des questions à Arleen sur ses habitudes, l'autre devinerait son but, et elle était assez égoïste pour vouloir gâcher les chances de Joyce bien qu'elle ne s'intéressât nullement au garçon. Joyce était fine psychologue et elle savait Arleen parfaitement capable d'une telle perversité. Mais qui était-elle pour condamner la perversité ? Elle courait après un mec qui avait par trois fois démontré l'indifférence qu'elle lui inspirait. Pourquoi ne pas tout simplement l'oublier et s'épargner le chagrin d'être rejetée ? Parce que l'amour n'était pas comme ça. Il vous forçait à nier l'évidence, même si celle-ci était flagrante.

Elle eut un soupir parfaitement audible.

— Ça ne va pas ? voulut savoir Carolyn.

— Oh... la chaleur, répondit Joyce.

— C'est quelqu'un qu'on connaît ? dit Trudi.

Avant que Joyce n'ait pu élaborer une réplique suffisamment cinglante, elle aperçut quelque chose qui luisait à travers les arbres.

— De l'eau, dit-elle.

Carolyn l'avait vue, elle aussi. Son éclat la fit cligner des yeux.

— Beaucoup d'eau, dit-elle.

— Je ne savais pas qu'il y avait un étang par ici, remarqua Joyce en se tournant vers Trudi.

— Il n'y en avait pas, fut sa réponse. Du moins, pas que je m'en souvienne.

— Eh bien, maintenant, il y en a un, dit Carolyn.

Elle était déjà en train de se frayer un chemin à travers les broussailles sans se soucier des obstacles qui la ralentissaient. Sa masse eut vite fait d'ouvrir la voie aux autres.

— On dirait bien qu'on va se rafraîchir, après tout, dit Trudi en se précipitant à sa suite.

C'était bien un étang, large d'une quinzaine de mètres, dont la surface placide était parsemée d'arbres à demi engloutis et d'îlots de broussaille.

— De l'eau de pluie, dit Carolyn. On est tout à fait en bas de la Colline. Elle a dû s'accumuler ici après la tempête.

— Ça fait beaucoup d'eau, dit Joyce. Il est vraiment tombé tout ça la nuit dernière ?

— D'où viendrait cette eau sinon ? dit Carolyn.

— On s'en fout, dit Trudi. Elle a l'air fraîche.

Elle passa devant Carolyn et alla au bord de l'eau. Le sol se faisait plus mouvant à chacun de ses pas et ses sandales furent bientôt couvertes de boue. Mais l'eau, lorsqu'elle y entra, tint toutes ses promesses : elle était glacée et rafraîchissante. La jeune fille s'accroupit et plongea une main dans l'étang, s'aspergeant le visage d'eau.

— A ta place, je m'abstiendrais, l'avertit Carolyn. Cette eau est probablement pleine de produits chimiques.

— Ce n'est que de l'eau de pluie, répondit Trudi. Que peut-on imaginer de plus propre ?

Carolyn haussa les épaules.

— Fais ce que tu veux, dit-elle.

— Je me demande si c'est profond ? dit Joyce. On peut nager là-dedans, à votre avis ?

— Je ne pense pas, répondit Carolyn.

— On ne le saura pas avant d'avoir essayé, dit Trudi.

Elle s'avança dans l'eau. Elle aperçut de l'herbe et des fleurs sous ses pieds ; noyées à présent. Le sol était meuble et des nuages de boue naissaient sur son passage, mais elle marcha jusqu'à ce que l'ourlet de son short soit trempé.

L'eau était glacée. Elle lui donnait la chair de poule. Mais cela était préférable à la sueur qui collait son chemisier à ses seins et à son échine. Elle se retourna vers le rivage.

— Ça fait du bien, dit-elle. J'y vais.

— Comme ça ? dit Arleen.

— Bien sûr que non.

Trudi rebroussa chemin vers le trio, ôtant les pans de son chemisier de son short. L'air qui montait des eaux vint lui caresser la peau, suscitant en elle un *frisson** bienvenu. Elle ne portait rien dessous et se serait d'ordinaire montrée plus pudique, même en compagnie de ses amies, mais l'étang était trop attirant pour de tels atermoiements.

— Qui vient avec moi ? demanda-t-elle en reprenant pied sur la berge.

— Moi, dit Joyce, qui fit mine d'ôter ses tennis.

— Je crois qu'on devrait garder nos souliers, dit Trudi. On ne sait pas ce qu'il y a là-dessous.

— Ce n'est que de l'herbe, dit Joyce. (Elle s'assit et s'attaqua à ses lacets, un large sourire aux lèvres.) C'est génial, ajouta-t-elle.

Arleen observait avec mépris ces démonstrations d'enthousiasme.

— Vous ne venez pas avec nous ? dit Trudi.

— Non, dit Arleen.

— Tu as peur que ton mascara se mette à couler ? répondit Joyce, dont le sourire s'élargit encore.

— Personne ne nous verra, dit Trudi avant qu'une dispute ne se déclenche. Carolyn ? Tu viens ?

La jeune fille haussa les épaules.

— Je ne sais pas nager, dit-elle.

— Ce n'est pas assez profond pour qu'on ait besoin de nager.

— Tu n'en sais rien, fit remarquer Carolyn. Tu n'as marché que quelques mètres.

— Alors, reste près du bord. Tu ne risqueras rien.

— Trudi a raison, dit Joyce, qui sentait que Carolyn hésitait à montrer sa graisse autant qu'elle hésitait à nager. Qui pourrait nous voir ?

Alors qu'elle ôtait son short, il lui vint à l'idée qu'un nombre indéfini de voyeurs pouvaient être dissimulés dans les buissons, mais qui s'en souciait ? Le Révérend ne disait-il pas toujours que la vie était courte ? Mieux valait donc ne pas en gaspiller un seul instant. Elle se débarrassa de son slip et se précipita dans l'eau.

---

* En français dans le texte. *(N.d.T.)*

William Witt connaissait chacune des baigneuses par leur nom. En fait, il connaissait le nom de toutes les femmes de moins de quarante ans du Grove, ainsi que leur domicile et la fenêtre de leur chambre ; un prodige mnémotechnique dont il ne se vantait jamais auprès de ses camarades de classe, de peur de le voir rendu public. Bien qu'il ne vît rien de répréhensible au fait de regarder par les fenêtres, il savait néanmoins que cet acte faisait l'objet d'une réprobation unanime. Et pourtant, il était né avec des yeux, n'est-ce pas ? Pourquoi ne s'en servirait-il pas ? Quel mal y avait-il à *regarder* ? Ça n'avait aucun rapport avec le vol, le mensonge ou le meurtre. Il ne faisait qu'utiliser les yeux que Dieu lui avait donnés, et il ne voyait pas ce qu'il y avait de criminel à cela.

Il s'accroupit derrière les arbres, à cinq ou six mètres de la berge et à une douzaine de mètres des filles, et les regarda se déshabiller. Il vit qu'Arleen Farrell se tenait à l'écart et se sentit frustré. La voir nue serait un exploit que même lui ne pourrait garder secret. C'était la plus belle fille de Palomo Grove : mince, blonde et boudeuse, comme les stars étaient censées l'être. Les deux autres, Trudi Katz et Joyce McGuire, étaient déjà dans l'eau, aussi dirigea-t-il son attention vers Carolyn Hotchkiss, qui était présentement en train d'enlever son soutien-gorge. Ses seins étaient lourds et roses, et il sentit son pénis durcir à leur vue. Il continua de les regarder même lorsqu'elle ôta son short et son slip. Il n'arrivait pas à comprendre pourquoi les autres garçons — il avait dix ans — étaient tellement fascinés par le ventre des filles ; cette partie de leur corps lui paraissait bien moins excitante que leur poitrine, laquelle variait de fille en fille, tout comme le nez ou les hanches. Le reste, cette partie dont il n'aimait aucun des noms de baptême, lui semblait dépourvue de tout intérêt : une touffe de poils avec une fente enfouie en son milieu. Qu'est-ce que ça avait de si extraordinaire ?

Il regarda Carolyn pénétrer dans l'eau, étouffant de justesse un gloussement de plaisir lorsqu'elle réagit à la température dans un sursaut qui fit frémir sa chair comme de la gelée.

— Viens ! C'est génial ! dit la fille Katz.

Rassemblant son courage, Carolyn fit quelques pas dans l'eau.

Et à présent — William n'en croyait pas sa chance —, voilà qu'Arleen ôtait sa casquette et déboutonnait son chemisier. Elle allait les rejoindre, après tout. Il oublia les autres et braqua ses yeux sur Miss Californie. Dès qu'il avait compris ce que les filles — qu'il suivait depuis une heure sans qu'elles se soient doutées de rien — avaient l'intention de faire, son cœur s'était mis à battre si fort qu'il avait cru se trouver mal. Il sentit le rythme de ses battements s'accélérer à la perspective de voir les seins d'Arleen. Rien — même pas la peur de la mort — n'aurait pu l'obliger à détourner les yeux. Il se mit au défi de mémoriser le moindre de ses mouvements, afin de rendre son récit vraisemblable quand il le raconterait aux incrédules.

Elle prenait tout son temps. S'il ne s'était pas su invisible, il aurait pu la croire consciente de son public, vu la façon aguicheuse avec laquelle elle procédait. Sa poitrine se révéla décevante. Ses seins étaient moins gros que ceux de Carolyn et leurs mamelons étaient moins gros et moins sombres que ceux de Joyce. Mais, lorsqu'elle glissa hors de son bermuda en jean et de son slip, l'impression d'ensemble se révéla merveilleuse. Il était presque pris de panique en la voyant. Il claquait des dents comme s'il avait la grippe. Son visage était en feu, ses entrailles semblaient s'entrechoquer. Bien plus tard, William dirait à son analyste qu'à ce moment-là, il avait pour la première fois de sa vie pris conscience de son état de mortel. En fait, ce sentiment était uniquement rétrospectif. Toute idée de mort était absente de son esprit en cet instant. Et cependant, la vue de la nudité d'Arleen et sa condition de témoin invisible gravèrent ce moment dans son esprit de façon indélébile. Les événements qui allaient survenir lui feraient regretter temporairement d'avoir joué au voyeur (il vivrait dans la crainte de ce souvenir, en fait), mais lorsque, au bout de plusieurs années, sa terreur se serait atténuée, il retournerait à l'image d'Arleen Farrell pénétrant dans l'eau de cet étang inattendu comme s'il s'agissait d'une icône.

Ce ne fut pas à ce moment-là qu'il sut qu'il allait mourir un jour ; mais ce fut peut-être la première fois qu'il comprit que la mort ne serait pas si grave si une telle beauté venait l'escorter en chemin.

L'étang était séduisant, son étreinte fraîche mais rassurante. Il n'y avait pas de courant comme à la plage. Ni marée pour vous battre le dos ni sel pour vous piquer les yeux. C'était comme si on avait créé une piscine exprès pour elles quatre ; un endroit idyllique auquel aucun autre habitant du Grove n'avait accès.

Trudi était la meilleure nageuse du quatuor, et ce fut elle qui s'éloigna de la berge avec le plus de vigueur, découvrant en chemin que, contrairement à son attente, l'eau était de plus en plus profonde. Elle avait dû s'accumuler dans une dépression naturelle, se dit la jeune fille, peut-être même en un lieu où s'était jadis trouvé un petit lac, bien qu'elle ne se rappelât pas en avoir jamais aperçu un lors de ses promenades avec Sam. L'herbe avait à présent disparu sous ses orteils, qui frôlaient de la roche nue.

— Ne va pas trop loin, cria Joyce.

Elle se retourna. Le rivage était plus éloigné qu'elle ne l'aurait cru, et la pellicule d'eau qui couvrait ses yeux transformait ses amies en trois taches roses, une blonde et deux brunes, à moitié immergées dans le doux élément où elle-même était plongée. Il leur serait malheureusement impossible de conserver l'exclusivité de ce morceau d'Eden. Arleen en parlerait forcément à quel-qu'un. Le soir venu, le secret serait percé. Le lendemain, ce serait la foule. Elles feraient mieux d'en profiter le plus possible. A cette idée, elle se mit à nager vers le centre de l'étang.

A une dizaine de mètres de là, faisant la planche sur une eau qui lui serait à peine arrivée au nombril, Joyce regardait Arleen aller jusqu'au bord de l'étang et se baisser pour s'asperger le ventre et les seins. Un spasme d'envie la traversa devant la beauté de son amie. Pas étonnant que les Randy Krentzman de ce monde deviennent gagas en la voyant. Elle se surprit à se demander quel effet ça ferait de caresser les cheveux d'Arleen, comme un garçon, ou d'embrasser ses seins, ou ses lèvres. Cette idée la posséda avec une telle force et une telle soudaineté qu'elle perdit l'équilibre et but la tasse en tentant de se redresser. Ceci fait, elle tourna le dos à Arleen et nagea vers les eaux profondes à grand renfort d'éclaboussements.

Devant elle, Trudi criait quelque chose.

— Qu'est-ce que tu dis ? cria Joyce en réponse, ralentissant l'allure afin de mieux l'entendre.

Trudi était rieuse.

— C'est chaud ! dit-elle en battant des bras. C'est *chaud* ici !

— Tu rigoles ?

— Viens voir ! répondit Trudi.

Joyce se mit à nager dans sa direction, mais Trudi se détournait déjà d'elle pour répondre à l'appel de la chaleur. Joyce ne put résister à l'envie de jeter un regard à Arleen. Elle avait enfin consenti à rejoindre les autres baigneuses, s'immergeant jusqu'à ce que ses longs cheveux blonds s'étalent autour de son cou comme un collier d'or, puis nageant à une allure régulière vers le centre de l'étang. Joyce ressentit quelque chose qui ressemblait à de la peur à l'idée de la proximité d'Arleen. Elle souhaita une compagnie moins trouble.

— Carolyn ! héla-t-elle. Tu viens ?

Carolyn secoua la tête.

— C'est plus chaud par ici, promit Joyce.

— Je ne te crois pas.

— Mais si ! cria Trudi. C'est formidable !

Carolyn sembla s'incliner, et elle se mit à nager dans sa direction.

Trudi parcourut quelques mètres supplémentaires. L'eau ne devenait pas plus chaude, mais elle devenait plus *agitée*, bouillonnant autour d'elle comme un jacuzzi. Soudain inquiète, elle essaya de toucher le fond, mais le sol avait disparu sous ses pieds. A quelques mètres derrière elle, l'eau était profonde d'à peine un mètre trente ; à présent, ses orteils ne touchaient même plus la terre ferme. Le sol avait dû s'incliner violemment, à peu près au même endroit où était apparu le courant chaud. Encouragée par l'idée que trois brasses la ramèneraient en lieu sûr, elle plongea la tête sous l'eau.

En dépit d'une légère myopie, elle y voyait parfaitement de près et l'eau était fort claire. Elle distinguait son corps jusqu'aux pieds en train de battre. Plus bas, les ténèbres absolues. Le sol avait tout simplement disparu. Le choc lui fit pousser un hoquet. Elle avala de l'eau par le nez. Crachant et agitant les bras, elle leva la tête pour avaler une goulée d'air.

Joyce criait dans sa direction.

— *Trudi ? Qu'est-ce qu'il y a ? Trudi ?*

Elle essaya de formuler un avertissement, mais une terreur primale s'était emparée d'elle : elle ne pouvait que foncer en direction du rivage, et sa panique ne faisait qu'intensifier la frénésie de l'eau qui l'entourait. *Les ténèbres au fond, et quelque chose de chaud qui veut me faire couler.*

Depuis sa cachette sur la berge, William Witt vit la jeune fille se débattre. La panique qu'elle manifestait fit disparaître son érection. Il se passait quelque chose de bizarre dans l'étang. Il vit des flèches apparaître à la surface de l'eau et encercler Trudi Katz, comme si des poissons venaient de remonter à l'air libre. Certaines d'entre elles se dirigèrent vers les autres filles. Il n'osa pas pousser un cri. S'il les avertissait, elles sauraient qu'il les avait espionnées. Il ne pouvait qu'observer le déroulement des événements, empli d'une inquiétude grandissante.

Ce fut au tour de Joyce de sentir la chaleur. Elle courut sur sa peau ainsi qu'à l'intérieur de son corps, comme un verre de cognac dégusté à Noël caressant ses entrailles. Cette sensation lui fit oublier la frénésie de Trudi, et même sa propre situation. Elle observa avec un léger détachement l'eau percée de flèches et les bulles qui montaient à la surface tout autour d'elle, éclatant aussi lentement que de la lave épaisse. Même lorsqu'elle essaya sans y parvenir de toucher le fond, l'idée qu'elle pourrait se noyer ne fit que l'effleurer. Il existait en elle des sensations plus importantes. La première : l'air qui émanait des bulles autour d'elle était le souffle de l'étang, et l'embrasser signifiait embrasser l'étang. La seconde : Arleen allait bientôt se retrouver près d'elle, le collier d'or de ses cheveux flottant dans son sillage. Séduite par le plaisir que lui procurait cette eau chaude, elle ne refoula pas les pensées qu'elle avait chassées de son esprit à peine quelques instants plus tôt. Et les voilà, Arleen et elle, couchées sur la même masse d'eau douce, de plus en plus proches, tandis que l'élément qui les séparait faisait aller et venir l'écho du moindre de leurs mouvements. Peut-être qu'elles allaient se dissoudre dans l'eau, que leurs corps allaient devenir fluides et se mêler à l'étang. Arleen et elle, une seule substance, délivrée de toute nécessité de honte ; au-delà du sexe, au sein d'une singularité extatique.

Cette éventualité était trop exquise pour être retardée ne fût-ce qu'un instant. Elle leva les bras au-dessus de sa tête et se laissa couler. Le charme de l'étang, en dépit de sa puissance, ne parvint cependant pas à discipliner la panique animale qui monta en elle lorsque les eaux se refermèrent au-dessus de sa tête. Elle commença à se débattre, se tendant vers la surface comme pour lui arracher une poignée d'air.

Arleen et Trudi virent Joyce sombrer. Arleen se précipita aussitôt à son aide, criant tout en nageant. L'eau qui l'entourait était aussi agitée qu'elle. Les bulles montaient de toutes parts. Elle sentit leur passage, comme si des mains avaient frôlé son ventre, ses seins et son entrejambe. Sous leur caresse, le même détachement onirique qui avait surpris Joyce, et qui avait à présent calmé la panique de Trudi, s'empara d'elle. Il n'y avait cependant aucun objet de désir pour la faire couler. Trudi invoquait pour cela l'image de Randy Krentzman (encore lui), mais le séducteur d'Arleen était un amalgame de visages célèbres. Les pommettes de James Dean, les yeux de Frank Sinatra, le rictus de Marlon Brando. Elle succomba à ce patchwork sans faire preuve de plus de résistance que Joyce ou que Trudi. Elle leva les bras et laissa les eaux l'engloutir.

En sécurité, là où elle avait pied, Carolyn observait avec consternation le comportement de ses amies. En voyant Joyce couler, elle avait supposé que quelque chose sous l'eau l'avait emportée. Mais le comportement d'Arleen et de Trudi infirmait cette hypothèse. Elle les avait vues clairement *se rendre*. Et il ne s'agissait pas d'un simple suicide. Arleen était encore assez près d'elle pour qu'elle ait perçu une expression de plaisir sur son visage si beau. Elle avait même *souri !* Souri, puis coulé sans réagir.

Ces trois jeunes filles étaient les seules amies de Carolyn. Elle n'allait pas les regarder se noyer sans rien faire. Bien que l'eau soit un peu plus agitée à chaque instant là où elles avaient disparu, elle se mit à nager dans leur direction, essayant d'imiter un chien qui aurait suivi quelques leçons de crawl. Les lois naturelles étaient de son côté, elle le savait. La graisse flotte. Mais cette pensée ne fut guère réconfortante lorsqu'elle sentit le sol se dérober sous ses pieds. Le fond de l'étang avait disparu. Elle nageait au-dessus d'une fissure qui avait apparemment englouti les autres.

Devant elle, un bras jaillit des eaux. Désespérée, elle nagea vers lui. Se tendit vers lui ; le saisit ; l'étreignit. Lorsqu'elle l'attrapa, cependant, l'eau se mit à bouillonner furieusement autour d'elle. Elle poussa un cri d'horreur. Puis la main qu'elle avait saisie l'agrippa farouchement et l'entraîna vers les profondeurs.

Le monde s'éteignit comme une chandelle que l'on souffle. Ses sens la désertèrent. Si elle tenait toujours les doigts de quelqu'un, elle ne pouvait plus les sentir. Elle ne pouvait pas non plus voir quoi que ce soit dans la pénombre boueuse, bien que ses yeux soient grands ouverts. Elle eut vaguement conscience que son corps était en train de se noyer ; que sa bouche ouverte laissait entrer l'eau dans ses poumons, que son dernier souffle la quittait. Mais son esprit avait renoncé à cette croûte de chair dont il avait été l'otage et s'en détachait. Elle vit cette chair à présent : pas avec ses yeux physiques (ils étaient toujours dans sa tête, en train de rouler), mais avec ceux de son esprit. Un tonneau de graisse, qui coulait en tournant grotesquement sur lui-même. Sa fin ne lui inspirait aucun sentiment, excepté peut-être du dégoût à la vue de ses paquets de cellulite et de l'absurde manque d'élégance de sa détresse. Un peu plus loin dans l'eau, les autres résistaient encore. Leurs mouvements frénétiques étaient eux aussi purement instinctifs, présumait-elle. Leurs esprits, tout comme le sien, avaient déjà flotté hors de leurs têtes et observaient le spectacle avec la même indifférence. Bien sûr, leurs corps étaient plus séduisants que le sien et peut-être leur était-il plus pénible de le perdre. Mais la résistance était, en fin de compte, un gaspillage d'efforts. Elles allaient toutes mourir très bientôt, ici, au milieu de cet étang né d'un orage d'été. Pourquoi ?

Au moment où elle se posait cette question, son regard désincarné lui en fournit la réponse. Il y avait quelque chose dans les ténèbres, sous son esprit flottant. Elle ne le voyait pas, mais elle le sentait. Un pouvoir — non, *deux pouvoirs* — dont le souffle était les bulles qui avaient éclaté autour d'elles et dont les bras étaient les courants qui les avaient transformées en cadavres par la séduction. Elle se retourna vers son corps, qui luttait toujours pour trouver de l'air. Ses jambes pédalaient frénétiquement dans l'eau. Entre elles, son con vierge. Elle eut une brève pincée de douleur à la pensée de ces plaisirs qu'elle n'avait jamais couru le risque de poursuivre et qu'elle ne connaîtrait à présent jamais. Comme elle avait été stupide de placer sa fierté au-dessus de ses sens. Son petit ego lui semblait à présent une absurdité. Elle aurait dû exiger le passage à l'acte de tous les hommes qui l'avaient regardée à deux fois et insister jusqu'à ce que l'un d'eux finisse par accepter. Tout cet assemblage de nerfs, de conduits et d'ovaires, qui allait périr sans jamais avoir été utilisé. Ce gaspillage était le seul élément authentiquement tragique de ce qui lui arrivait.

Son regard se posa de nouveau sur les ténèbres de la fissure. Les forces jumelles qu'elle avait senties là-bas continuaient de s'approcher. Elle les distinguait à présent ; des formes vagues, comme des taches dans l'eau. L'une d'elles était brillante ; ou du moins plus brillante que l'autre. Mais c'était la seule différence entre elles. Si elles étaient douées de traits, ceux-ci étaient trop flous pour être visibles, et le reste — membres et torse — se perdait dans le banc de bulles sombres qui montaient des profondeurs avec elles. Elles étaient cependant incapables de dissimuler leur but. Son esprit ne l'appréhendait que trop facilement. Elles émergeaient de la fissure pour revendiquer la chair dont ses pensées étaient heureusement déconnectées. Qu'ils s'emparent de ce butin, pensa-t-elle. Ce corps n'avait été qu'un fardeau pour elle, et elle était heureuse d'en être débarrassée. Les pouvoirs qui montaient dans les eaux n'avaient aucune juridiction sur ses pensées ; ils ne souhaitaient pas en avoir. La chair était leur seule ambition ; et chacun d'eux désirait le quatuor tout entier. Sinon, pourquoi se seraient-ils affrontés ainsi, tache brillante et tache sombre entremêlées comme deux serpents alors qu'elles montaient pour venir emporter les corps vers le fond ?

Elle s'était prématurément crue libre. Lorsque les premiers tentacules spirituels emmêlés touchèrent son pied, ses précieux instants de libération prirent fin. Elle fut rappelée à l'intérieur de son crâne, dont la porte se referma derrière elle avec un craquement. Elle vit avec ses yeux et non plus avec son esprit ; douleur et panique remplacèrent son doux détachement. Elle vit les esprits en lutte l'envelopper de leurs formes sinueuses. Elle n'était qu'un morceau de viande qu'ils se disputaient et cherchaient à posséder. La raison de ce désir lui échappait complètement. Dans quelques secondes, elle serait morte. Peu lui importait de savoir lequel hériterait de son corps, le brillant ou le moins brillant. Tous deux, s'ils désiraient son sexe (même à la fin, elle sentit leur investigation pousser jusque-là), n'éveilleraient aucune joie en elle, ni chez les autres. Elles étaient perdues ; toutes les quatre.

Alors même que la dernière bulle de souffle s'échappait de sa gorge, un rayon de soleil lui accrocha l'œil. Se pouvait-il qu'elle remonte à la surface ? Avaient-ils considéré son corps comme superflu et laissé sa graisse flotter ? Elle saisit sa chance, pour minime qu'elle fût, et se tendit vers la surface. Un nouveau banc de bulles monta avec elle, paraissant presque la soulever vers l'air libre. Celui-ci était plus proche à chaque instant. Si elle parvenait à garder conscience le temps d'un seul battement de cœur, peut-être pourrait-elle survivre.

Dieu l'aimait ! Son visage émergea, crachant l'eau et buvant l'air. Ses membres étaient engourdis, mais les forces qui avaient tant insisté pour vouloir la noyer la maintenaient à présent à flot. Après avoir inspiré et expiré trois ou quatre fois, elle se rendit compte que les autres avaient également été libérées. Elles hoquetaient et s'agitaient autour d'elle. Joyce nageait déjà vers le rivage, traînant Trudi derrière elle. Arleen entreprit de les suivre. La terre ferme n'était qu'à quelques mètres. En dépit de ses bras et de ses jambes à peine en état de fonctionner, Carolyn couvrit cette distance, et elles purent bientôt se mettre debout toutes les quatre. Le corps secoué de sanglots, elles avancèrent en trébuchant vers la berge sèche et accueillante. Elles regardaient sans arrêt derrière elles, de peur que leurs agresseurs n'aient décidé de se lancer à leur poursuite. Mais le milieu de l'étang était à présent totalement placide.

Avant qu'elles aient atteint le rivage, Arleen fut saisie par l'hystérie. Elle se mit à hurler et à frissonner. Personne n'alla la réconforter. Les autres filles avaient à peine assez de forces pour mettre un pied devant l'autre, sans parler de calmer leur amie. Elle dépassa Trudi et Joyce pour être la première à fouler l'herbe, se laissa tomber sur le sol là où elle avait posé ses vêtements et tenta d'enfiler son chemisier, ses sanglots redoublant d'intensité comme elle ne parvenait pas à en trouver les manches. Après avoir parcouru un mètre sur la berge, Trudi tomba à genoux et vomit. Carolyn s'écarta d'elle, sachant qu'elle ferait de même rien qu'en sentant l'odeur de ses vomissures. Ce fut en pure perte. Le bruit de ses hoquets s'avéra être un stimulus suffisant. Elle sentit son estomac se retourner ; puis elle se mit à peindre l'herbe couleur de bile et de glace.

Bien que la scène dont il était le témoin soit passée de l'érotique au terrifiant et du terrifiant au nauséabond, William Witt n'arrivait pas à détourner les yeux. Il se rappellerait jusqu'à son dernier jour la vision des quatre filles émergeant des profondeurs où il les avait crues noyées, remontant avec tant de force qu'il avait vu leurs seins tressauter.

Les eaux qui avaient failli les engloutir étaient à présent tranquilles. Pas un seul rond ne bougeait ; pas une seule bulle n'éclatait. Et cependant, comment aurait-il pu croire que ce qui était arrivé devant lui n'était qu'un accident ? Il y avait quelque chose de *vivant* dans l'étang. Le fait qu'il n'ait vu que les conséquences de sa présence — les filles qui se débattaient, qui hurlaient — et non la chose elle-même le secoua jusqu'aux tripes. Et il ne pourrait pas non plus interroger les filles sur la nature de leur agresseur. Il était seul avec ce qu'il avait vu.

Pour la première fois de sa vie, le rôle de voyeur qu'il s'était donné dans l'existence pesa lourdement sur ses épaules. Il se promit de ne plus jamais espionner qui que ce soit. C'était une promesse qu'il devait tenir pendant une journée entière avant de la rompre.

Quant à cet événement-ci, il en avait assez. Il ne voyait plus des filles gisant dans l'herbe que les contours de leurs hanches et de leurs fesses. Une fois leurs vomissements achevés, il n'entendait plus que leurs sanglots.

Il s'éclipsa aussi discrètement qu'il le put.

Joyce l'entendit partir. Elle s'assit sur l'herbe.

— Quelqu'un nous a vues, dit-elle.

Elle étudia les broussailles inondées de soleil, et elles bougèrent à nouveau. Rien que le vent jouant avec les feuilles.

Arleen avait fini par enfiler sa blouse. Elle s'assit, les bras serrés autour du corps.

— Je veux mourir, dit-elle.

— Non, lui dit Trudi. Nous venons juste d'échapper à ça.

Joyce leva les mains vers son visage. Les larmes dont elle croyait avoir triomphé se remirent à couler de plus belle.

— Au nom de Dieu, que s'est-il passé ? dit-elle. Je croyais que ce n'était que... de l'eau de pluie.

Ce fut Carolyn qui lui donna une réponse, d'une voix neutre mais tremblante.

— Il y a des grottes partout sous la ville, dit-elle. Elles ont dû se remplir d'eau pendant l'orage. Nous avons nagé au-dessus de l'entrée d'une de ces grottes.

— C'était si noir, dit Trudi. Tu as regardé en bas ?

— Il y avait autre chose, dit Arleen. A part les ténèbres. Quelque chose dans l'eau.

A ces mots, les sanglots de Joyce redoublèrent d'intensité.

— Je n'ai rien *vu*, dit Carolyn. Mais je l'ai senti. (Elle regarda Trudi.) Nous avons toutes senti la même chose, n'est-ce pas ?

— Non, répondit Trudi en secouant la tête. Ce n'étaient que des courants venus de la grotte.

— Ça a essayé de me noyer, dit Arleen.

— Ce n'étaient que des courants, répéta Trudi. Ça m'est déjà arrivé, à la plage. Le reflux. Il m'a coupé les jambes.

— Tu ne crois pas ce que tu dis, affirma Arleen. Pourquoi donc mentir ? Nous savons toutes ce que nous avons senti.

Trudi lui lança un regard dur.

— Et qu'est-ce que c'était ? dit-elle. Exactement ?

Arleen secoua la tête. Avec ses cheveux plaqués sur son crâne et son mascara dégoulinant sur ses joues, elle n'avait plus rien de la Reine de Beauté à laquelle elle avait ressemblé dix minutes plus tôt.

— Tout ce que je sais, c'est que ce n'était pas un courant, dit-elle. J'ai vu des formes. Deux formes. Pas des poissons. Ça n'avait aucun rapport avec les poissons.

Elle quitta Trudi des yeux pour regarder entre ses jambes.

— Je les ai senties me toucher, dit-elle en frissonnant. Me toucher *à l'intérieur*.

— Tais-toi ! cria soudain Joyce. Ne dis pas ça.

— C'est vrai, n'est-ce pas ? insista Arleen. *N'est-ce pas ?*

Elle leva de nouveau les yeux. D'abord vers Joyce, puis vers Carolyn ; finalement vers Trudi, qui hocha la tête.

— Ce qu'il y a là-dedans nous désirait parce que nous sommes des femmes.

Les sanglots de Joyce atteignirent de nouveaux sommets.

— La ferme, aboya Trudi. Nous avons besoin de réfléchir.

— De réfléchir à quoi ? dit Carolyn.

— A ce que nous allons raconter, pour commencer, répondit Trudi.

— On dira qu'on est allées nager..., commença Carolyn.

— Et ensuite ?

— ... qu'on est allées nager et que...

— Que quelque chose nous a attaquées ? A essayé d'entrer en nous ? Quelque chose d'inhumain ?

— Oui, dit Carolyn. C'est la vérité.

— Ne sois pas si stupide, dit Trudi. On va se moquer de nous.

— Mais c'est quand même *vrai*, insista Carolyn.

— Tu crois que ça fait une différence ? On dira que nous avons été idiotes d'aller nager là-dedans. Puis on dira qu'on avait nos règles ou une connerie de ce genre.

— Elle a raison, dit Arleen.

Mais Carolyn s'accrocha à sa conviction.

— Supposez que quelqu'un d'autre vienne ici ? dit-elle. Et que la même chose lui arrive. Ou qu'il se noie. Supposez qu'il se noie. Alors, nous serions responsables.

— Si ce n'est que de l'eau de pluie, l'étang aura disparu dans quelques jours. Si nous disons quoi que ce soit, toute la ville ne parlera plus que de nous. Nous n'y survivrons jamais. Ça gâchera le reste de notre existence.

— Ne joue pas à l'actrice, dit Trudi. Personne ne fera rien tant que nous ne serons pas d'accord toutes les quatre. D'accord ? D'accord, Joyce ? (Joyce émit un sanglot étouffé en guise d'assentiment.) Carolyn ?

— Si vous voulez, fut sa réponse.

— Il faut qu'on se mette d'accord sur ce qu'on va dire.

— On ne dira rien, répondit Arleen.

— Rien ? dit Joyce. Tu nous as regardées ?

— Ne jamais s'expliquer. Ne jamais s'excuser, murmura Trudi.

— Hein ?

— C'est ce que mon père dit tout le temps. (L'idée qu'il

s'agissait là d'une philosophie familiale sembla la rasséréner.) Ne jamais s'expliquer...

— On avait entendu, dit Carolyn.

— Donc, c'est d'accord, continua Arleen.

Elle se redressa et ramassa ses vêtements éparpillés.

— On n'en parle à personne.

On n'entendit aucun murmure de contestation. Suivant l'exemple d'Arleen, elles entreprirent toutes de se rhabiller, puis se dirigèrent vers la route, laissant l'étang à ses secrets et à ses silences.

Tout d'abord, rien ne se passa. Elles n'eurent même pas de cauchemars, toutes quatre ne ressentant qu'une agréable langueur, peut-être parce qu'elles avaient frôlé la mort et avaient survécu. Elles dissimulèrent leurs blessures, reprirent le fil de leur existence et gardèrent leur secret.

En un sens, le secret se garda lui-même. Arleen, qui avait été la première à manifester son horreur devant le caractère intime de l'agression, vint à retirer un étrange *plaisir* de ce souvenir, un plaisir qu'elle n'osait confesser à personne, même pas à ses trois amies. En fait, les quatre jeunes filles ne se parlaient pratiquement plus. Elles n'en avaient pas besoin. La même conviction étrange les animait toutes : elles avaient été *choisies,* et ce d'une façon extraordinaire. Seule Trudi, qui avait toujours été attirée par le messianisme, aurait pu donner un nom à ce qu'elle ressentait. Quant à Arleen, ce sentiment ne fit que confirmer l'opinion qu'elle avait d'elle-même : c'était une créature au charme unique qui n'avait pas à obéir aux règles en vigueur pour le reste du monde. Carolyn en retira une nouvelle assurance, vague écho de la révélation qu'elle avait reçue à l'approche de la mort : chaque heure durant laquelle elle n'assouvissait pas ses appétits était une heure gâchée. Les conclusions de Joyce étaient bien plus simples. La mort lui avait été épargnée pour qu'elle se donne à Randy Krentzman.

Elle ne perdit pas de temps à l'informer de sa passion. Le lendemain même de l'incident de l'étang, elle alla directement à la maison des Krentzman, située dans Stillbrook, et dit de but en blanc au jeune homme qu'elle l'aimait et qu'elle avait l'intention de coucher avec lui. Il n'éclata pas de rire, mais se contenta de la regarder, interloqué, et de lui demander, quelque peu honteux, s'ils se connaissaient. Lorsqu'il l'avait ainsi oubliée par le passé, cela avait failli lui briser le cœur. Mais quelque chose avait changé en elle. Elle n'était plus aussi fragile. « Oui, lui dit-elle, tu me *connais*. On s'est déjà rencontrés plusieurs fois. Mais je me fous de savoir si tu te souviens de moi ou non. Je t'aime et je veux que tu me fasses l'amour. » Il continua de la regarder durant ce discours, puis dit : « C'est une blague, hein ? » A quoi elle répondit que ça n'avait *rien* d'une blague, qu'elle parlait sérieusement, et étant donné qu'il faisait chaud et que la maison était vide, le moment n'était-il pas bien choisi pour passer à l'acte ?

L'étonnement de Randy Krentzman n'avait pas étouffé sa libido. Il ne comprenait pas pourquoi cette fille s'offrait à lui gratuitement, mais une telle occasion était trop rare pour qu'il fasse la fine bouche. Aussi accepta-t-il, du ton de celui à qui on fait de telles propositions tous les jours. Ils restèrent ensemble durant tout l'après-midi, passant à l'acte non pas une fois mais trois. Elle partit à six heures et quart et rentra chez elle avec la satisfaction du devoir accompli. Ce n'était pas de l'amour. Randy était stupide, égoïste et piètre amant. Mais peut-être avait-il fait entrer la vie en elle, ou du moins contribué pour une cuillerée de liquide à l'alchimie de son ventre, et c'était tout ce qu'elle avait désiré de lui. Pas un seul instant ces nouvelles priorités ne furent remises en question. L'objectif de la fécondité était parfaitement clair dans son esprit. Quant au reste de la vie, le passé, l'avenir et le présent, tout n'était que flou.

Le lendemain matin, après avoir dormi plus profondément qu'elle ne l'avait fait depuis des années, elle l'appela et lui suggéra de remettre ça durant l'après-midi. « J'ai été si bon que ça ? » s'enquit-il. Elle lui dit qu'il avait été plus que bon ; que c'était un véritable étalon ; que sa bite était la huitième merveille du monde. Il réagit avec autant d'enthousiasme à ses flatteries qu'à sa proposition.

Ce fut peut-être elle qui eut le plus de chance dans le choix de son partenaire. Randy était certes vaniteux et stupide, mais il était inoffensif, et tendre en dépit de sa maladresse. La pulsion qui poussa Joyce dans son lit œuvra avec une égale vigueur sur Arleen, Trudi et Carolyn, et leur fit connaître des étreintes moins conventionnelles.

Carolyn fit des avances à un nommé Edgar Lott, un quinquagénaire qui avait emménagé dans sa rue l'année précédente. Aucun de ses voisins ne s'était lié d'amitié avec lui. C'était un solitaire qui n'avait que ses deux bassets pour toute compagnie. L'absence de tout visiteur féminin dans sa maison et le soin qu'il mettait à s'habiller (cravate, pochette et chaussettes de couleurs pastel assorties) lui avaient donné une réputation d'homosexuel. Mais en dépit de sa naïveté en matière de copulation, Carolyn le connaissait bien mieux que ses aînés. Elle l'avait plusieurs fois surpris en train de la regarder et, avec le recul, s'était rendu compte que son salut était souvent plus qu'amical. L'interceptant alors qu'il emmenait ses bassets faire leur promenade matinale, elle se mit à discuter avec lui, puis — lorsque les chiens eurent marqué leur territoire pour la journée — lui demanda si elle pouvait l'accompagner chez lui. Il devait lui avouer par la suite que ses intentions avaient été parfaitement honorables et que, si elle ne s'était pas jetée sur lui pour exiger ses dévotions sur la table de la cuisine, il ne l'aurait même pas touchée. Mais comment aurait-il pu refuser une telle proposition ?

Malgré leur différence d'âge et d'anatomie, ils s'accouplèrent avec une furie hors du commun, ce qui déclencha une crise de jalousie chez les bassets, qui se mirent à aboyer et à se poursuivre jusqu'à l'épuisement. Après leur première étreinte, il lui avoua qu'il n'avait pas touché une femme depuis la mort de son épouse, qui était survenue six ans plus tôt et qui l'avait fait sombrer dans l'alcoolisme. Elle aussi, dit-il, était du genre plantureux. A l'évocation de ses formes, il banda à nouveau. Ils se remirent à l'ouvrage. Cette fois-ci, les chiens dormaient.

Ils formèrent tout d'abord un couple bien assorti. Aucun d'eux n'hésitait quand le moment venait de se déshabiller, aucun d'eux ne perdait du temps à louer la beauté de l'autre, ce qui aurait été ridicule ; aucun d'eux ne prétendait que c'était pour toujours. Ils étaient ensemble pour accomplir ce pour quoi la nature avait créé leurs corps, sans se soucier des détails. Pas de dîner aux chandelles pour eux. Chaque jour, elle allait rendre visite à Mr Lott, comme elle l'appelait devant ses parents, et le visage de l'homme s'enfouissait entre ses seins dès que la porte se refermait.

Edgar croyait à peine à sa chance. Qu'il l'ait ainsi séduite était déjà extraordinaire (même durant sa jeunesse, aucune femme ne lui avait fait ce compliment) ; qu'elle ne cesse de revenir à lui, incapable de le lâcher avant que l'acte soit accompli jusqu'au bout, voilà qui tenait du miracle. Il ne fut donc pas surpris lorsque, au bout de deux semaines et quatre jours, elle cessa de venir le voir. Un peu attristé, mais pas surpris. Après une semaine d'absence, il la vit dans la rue et lui demanda poliment s'ils ne pourraient pas reprendre leurs galipettes — fin de citation. Elle le regarda d'un air étrange, puis lui répondit par la négative. Il ne lui demanda aucune explication, mais elle lui en donna cependant une. « Je n'ai plus besoin de vous », lui dit-elle d'un air enjoué, et elle se tapota le ventre. Il retourna dans sa maison qui sentait le renfermé, et ce fut seulement à son troisième verre de bourbon qu'il comprit la signification de ses paroles et de son geste. Du coup, il en but un quatrième, puis un cinquième, et eut vite fait de retrouver ses errements anciens. Bien qu'il ait essayé de tenir les sentiments à l'écart de leur liaison, il comprit — à présent que la grosse fille était partie — qu'elle lui avait brisé le cœur.

Arleen ne rencontra pas ce genre de problème. La route qu'elle choisit, poussée par le même ordre muet que les trois autres, la conduisit auprès du genre d'hommes qui n'ont pas le cœur sur la main mais sur le bras, tatoué à l'encre bleue. Comme pour Joyce, tout avait commencé pour elle le lendemain de sa noyade manquée. Elle avait enfilé ses plus beaux habits, pris la voiture de sa mère et avait roulé jusqu'à Eclipse Point, une petite plage située au nord de Zuma et réputée pour ses bars et pour ses motards. Les habitants du lieu ne furent guère surpris de voir débarquer une gosse de riche parmi eux. Ce genre de créatures descendaient parfois de leurs somptueuses maisons pour venir goûter aux bas-fonds, ou pour se faire goûter par eux. En général, deux heures leur suffisaient, après lesquelles elles battaient en retraite vers le prolétarisme sécurisant de leur chauffeur.

Le Point avait vu en son temps pas mal de célébrités venues savourer sa fange incognito. Jimmy Dean était un habitué du lieu durant ses périodes les plus échevelées, cendrier humain en quête d'un fumeur. Un des bars abritait une table de billard consacrée au souvenir de Jayne Mansfield, qui avait soi-disant exécuté sur son tapis un acte qu'on n'évoquait qu'avec des murmures de révérence. Sur le plancher d'un autre était gravée la silhouette d'une femme qui avait prétendu être Veronica Lake et qui était tombée là, ivre morte. Arleen suivit donc des sentiers battus pour aller du luxueux au sordide, jetant son dévolu sur un bar qu'elle choisit uniquement en raison de son nom : The Slick *. Contrairement à celles qui l'avaient précédée, elle n'avait cependant pas besoin d'alcool pour la pousser au stupre. Elle s'offrit à tous, tout simplement. Nombreux étaient les preneurs, et elle ne fit aucune distinction entre eux. Tous ceux qui cherchaient finissaient par trouver.

Elle revint à la charge le lendemain soir, puis le surlendemain, les yeux braqués sur ses amants comme sur une drogue. Tous ne profitèrent pas de l'occasion. Après le premier soir, certains la regardèrent avec méfiance, soupçonnant une telle largesse d'être

---

* *Slick :* superficiellement brillant, rusé, plein de bagout. (*N.d.T.*)

motivée par la folie ou par la maladie. D'autres se découvrirent soudain pleins d'une galanterie insoupçonnée et tentèrent de la faire changer d'avis avant que la file de ses soupirants ne vienne à inclure les membres les plus minables de la meute. Mais leurs interventions ne furent accueillies que par de violentes protestations de sa part. Ils renoncèrent donc. Certains d'entre eux rejoignirent même la file.

Carolyn et Joyce réussirent à garder le secret sur leurs liaisons, mais le comportement d'Arleen ne pouvait pas passer indéfiniment inaperçu. Après l'avoir vue durant une semaine disparaître tous les soirs et revenir tous les matins — ne répondant aux questions sur son emploi du temps que par un regard intrigué, comme si elle-même n'était pas sûre de ce qu'elle avait fait —, son père, Lawrence Farrell, décida de la suivre. Il se flattait d'être un père libéral, mais si sa princesse était tombée sous la coupe de gens peu recommandables — des joueurs de football, peut-être, ou des hippies —, sans doute serait-il alors obligé de lui faire la leçon. Une fois qu'elle fut sortie du Grove, Arleen accéléra l'allure et il fut obligé de garder le pied au plancher pour ne pas la perdre de vue. Ce qui lui arriva néanmoins à deux kilomètres de la plage. Il dut passer une heure à fouiller les parkings avant de retrouver la voiture de sa femme, garée devant *The Slick*. La réputation de ce bar était parvenue même à ses oreilles aux bouchons libéraux. Il entra dans l'établissement, craignant pour sa veste et pour son portefeuille. L'ambiance était fort agitée ; un groupe d'hommes, des animaux ventripotents aux cheveux longs, s'étaient rassemblés en cercle autour d'un spectacle qui se donnait au fond du bar. Il n'y avait aucun signe d'Arleen. Heureux de s'être trompé (probablement était-elle en train de se promener sur la plage et de contempler la marée), il était sur le point de faire demi-tour lorsque quelqu'un se mit à scander le nom de sa princesse.

— *Arleen ! Arleen !*

Il se retourna. Regardait-elle le spectacle, elle aussi ? Il se fraya un chemin à travers la foule des spectateurs. Là, au centre du cercle, il découvrit sa belle enfant. Un homme versait de la bière dans sa bouche tandis qu'un autre accomplissait avec elle cet acte que, comme tous les pères, il répugnait à penser que sa fille fût capable d'accomplir, sauf — en rêve — avec lui. Elle ressemblait à sa mère, gisant ainsi sous cet homme ; ou plutôt à ce que sa mère avait été il y avait si longtemps, quand elle avait été capable de jouir. Sinueuse et souriante, folle de l'homme qui la montait,

Lawrence hurla le nom d'Arleen et s'avança pour arracher la brute à sa besogne. Quelqu'un lui dit d'attendre son tour. Il donna un coup de poing à l'homme, l'envoyant valser dans la foule, dont plusieurs membres avaient ouvert leur braguette, déjà prêts. Le type recracha une gorgée de sang et se rua sur Lawrence, qui ne cessa de protester tandis qu'on le tabassait, hurlant que c'était sa fille, sa fille... *mon Dieu, sa fille*. Il ne renonça à protester que lorsque sa bouche fut incapable d'articuler un seul mot, et tenta même de ramper jusqu'à Arleen pour lui faire prendre conscience de ses actes grâce à quelques gifles bien senties. Mais ses admirateurs le traînèrent hors du bar et l'abandonnèrent au bord de la route. Il resta là quelque temps, jusqu'à ce qu'il ait pu rassembler assez d'énergie pour se relever. Il retourna vers sa voiture en trébuchant et attendit durant plusieurs heures, éclatant parfois en sanglots, jusqu'à ce qu'Arleen ressorte.

Elle sembla totalement indifférente à ses bleus et à sa chemise ensanglantée. Lorsqu'il lui dit qu'il avait vu ce qu'elle avait fait, elle pencha légèrement la tête, comme si elle ne comprenait pas tout a fait ce qu'il racontait. Il lui ordonna de monter dans sa voiture. Elle s'exécuta sans résister. Ils rentrèrent à la maison en silence.

Le sujet ne fut pas abordé ce jour-là. Elle resta dans sa chambre et écouta la radio pendant que Lawrence parla de la fermeture éventuelle du *Slick* avec son avocat, de l'arrestation de ses agresseurs avec les flics, et de son échec en tant que parent avec son psychanalyste. Elle repartit en début de soirée, du moins essaya-t-elle. Il l'intercepta dans l'allée et la crise que l'on avait remise à plus tard la nuit précédente éclata enfin. Elle ne cessait de le regarder avec des yeux vitreux. Cette indifférence le rendit furieux. Elle refusa de rentrer lorsqu'il le lui demanda, refusa également de lui exposer les raisons de son comportement. L'inquiétude de Lawrence se transforma en colère, sa voix gagnant en décibels et son vocabulaire en venin, si bien qu'il finit par la traiter de pute à haute voix, faisant frémir les rideaux tout le long du Croissant. Finalement, aveuglé par des larmes d'incompréhension, il la frappa, et la situation aurait tourné au drame sans l'intervention de Kate. Arleen n'attendit pas la suite des événements. Voyant que son père enragé était maîtrisé par sa mère, elle s'enfuit et se rendit à la plage en auto-stop.

Il y eut une descente de police au bar cette nuit-là. Vingt et une personnes furent arrêtées, la plupart pour possession de drogues douces, et *The Slick* fut fermé. Lorsque les policiers arrivèrent sur les lieux, la princesse de Lawrence Farrell était en train de se donner en spectacle comme elle l'avait fait durant toute la semaine qui avait précédé. Même les malhabiles tentatives de corruption de Lawrence ne purent empêcher un tel scoop de figurer dans la presse. L'histoire fit des gorges chaudes tout le long de la côte. Arleen fut envoyée à l'hôpital pour un examen médical approfondi. On découvrit qu'elle était atteinte de deux maladies sexuellement transmissibles, qu'elle était infestée de morpions et qu'elle souffrait du genre de lésions rendues inévitables par ses exploits. Mais au moins n'était-elle pas enceinte. Lawrence et Kathleen Farrell remercièrent le Seigneur pour Sa bonté.

Le récit des expéditions d'Arleen au *Slick* eut pour conséquence un retour en force de l'autorité parentale dans toute la ville. Même dans le quartier est du Grove, on voyait beaucoup moins d'enfants dans les rues après la tombée de la nuit. Les amours illicites devinrent hasardeuses. Même Trudi, la dernière des quatre, fut bientôt contrainte de renoncer à son partenaire, bien qu'elle ait trouvé une couverture parfaite pour ses activités : la religion. Elle avait eu l'intelligence de séduire un nommé Ralph Contreras, un homme de sang mêlé qui travaillait comme jardinier pour l'Église luthérienne du Prince de la Paix, située dans Laureltree, et qui était affligé d'un bégaiement aux proportions épiques qui le rendait pratiquement incapable de parler. C'était ainsi qu'elle le préférait. Il lui fournissait le service qu'elle attendait de lui et il fermait sa gueule. Tout bien considéré, c'était l'amant idéal. Elle ne se souciait guère de sa technique, assez mécanique pour tout dire. Ce n'était à ses yeux qu'un fonctionnaire. Lorsqu'il aurait accompli son devoir — et Trudi en serait informée par son corps le moment venu —, elle cesserait de penser à lui. C'était du moins ce qu'elle se disait.

Quoi qu'il en soit, leurs liaisons à toutes les trois (Trudi incluse) allaient bientôt entrer dans le domaine public à cause des indiscrétions d'Arleen. Bien qu'il ait pu paraître facile à Trudi d'oublier sa romance avec Ralph le Muet, Palomo Grove ne devait jamais l'oublier.

2

Les articles traitant de la scandaleuse vie secrète de la belle Arleen Farrell furent aussi explicites que le permirent les avocats des journaux qui les publièrent, mais on laissa à la rumeur publique le soin de fournir les détails. On vendit au prix fort des photographies censées représenter l'orgie, mais elles étaient si floues qu'il était difficile de prouver leur authenticité. Le reste de la famille Farrell — Lawrence, Kate, Jocelyn et Craig — se retrouva sous les feux des projecteurs. Les habitants du Grove se mirent à fréquenter le Croissant et vinrent reluquer la maison de la honte. Craig fut obligé de quitter l'école, ses camarades de classe le torturant sans merci en quête de détails sordides sur sa sœur ; Kate augmenta ses doses de tranquillisants, devenant incapable de prononcer correctement tout mot de plus de deux syllabes. Mais le pire était encore à venir. Trois jours après qu'Arleen eut été arrachée à l'antre des motards, le *Chronicle* publia une interview de l'une des infirmières d'Arleen. On apprit ainsi que la fille Farrell passait le plus clair de son temps dans un état de frénésie sexuelle, ne cessant de proférer des obscénités que pour éclater en sanglots sous l'effet de la frustration. Cette information était en elle-même assez juteuse. Mais, continuait l'article, l'état de la patiente n'était pas seulement la conséquence d'une libido exacerbée. Arleen Farrell se croyait possédée.

Le récit qu'elle faisait était complexe et bizarre. En compagnie de trois de ses amies, elle était allée se baigner dans un étang situé non loin de Palomo Grove, et les trois jeunes filles avaient été attaquées par quelque chose qui les avait toutes pénétrées. Cette entité avait exigé d'Arleen et — présumait-on — de ses amies baigneuses qu'elles se fassent engrosser par qui leur plairait. D'où ses aventures au *Slick*. Le Diable qui dormait dans ses entrailles avait tout simplement cherché un père putatif parmi la racaille.

Cet article était présenté sans la moindre ironie ; le texte de la soi-disant confession d'Arleen était déjà assez absurde pour que le rédacteur se dispense de l'enjoliver. Il fallait être aveugle ou illettré pour ne pas voir dans ces révélations l'effet de la drogue ou de la vanité d'Arleen. Personne ne crut à la véracité de ses dires, bien entendu, excepté les familles des amies qui avaient accompagné la jeune fille le samedi 28 juillet. Bien qu'elle n'ait pas mentionné les noms de Joyce, de Carolyn et de Trudi, tout le monde savait qu'elles étaient les meilleures amies du monde. Tous ceux qui connaissaient vaguement Arleen savaient lesquelles de ses amies elle avait incorporées dans ses fantasmes satanistes.

Il devint rapidement évident que les jeunes filles devaient être protégées des répercussions entraînées par les déclarations ridicules d'Arleen. Chez les McGuire, les Katz et les Hotchkiss, se déroula en gros la même conversation.

— Veux-tu quitter le Grove quelque temps, jusqu'à ce que cette affaire se soit tassée ? demandèrent les parents.

Ce à quoi l'enfant répondit :

— Non, ça va. Je ne me suis jamais sentie aussi bien.

— Tu es sûre que tout cela ne te contrarie pas, ma chérie ?

— Est-ce que j'ai l'air d'être contrariée ?

— Non.

— Alors, je ne suis pas contrariée.

Comme ces enfants sont équilibrées, pensèrent les parents, comme elles gardent la tête froide devant la démence de leur amie ; ne devrions-nous pas être fiers d'elles ?

Et durant quelques semaines, elles furent des filles modèles, supportant le fardeau de leur situation avec un aplomb admirable. Puis cette image de perfection commença à se détériorer à mesure que leur comportement apparaissait comme de plus en plus étrange. Ce fut un processus subtil, qui n'aurait pas été repérable aussi vite si les parents n'avaient pas veillé sur leurs bébés avec autant de soin. Ils remarquèrent tout d'abord que leurs rejetons avaient des horaires bizarres : elles dormaient à midi et, à minuit, faisaient les cent pas dans leur chambre. Elles avaient des envies. Carolyn, que l'on n'avait jamais vue refuser quoi que ce soit de comestible, fut prise d'une haine pathologique pour certains types de nourriture, en particulier les fruits de mer. Les jeunes filles perdirent toute apparence de sérénité. Leur humeur passait subitement du mutisme à la logorrhée, du froid au larmoyant. Betty Katz fut la première à suggérer que sa fille aille voir le médecin de famille. Trudi n'émit aucune objection. Elle ne sembla pas non plus surprise lorsque le Docteur Gottlieb la déclara en parfaite santé ; et enceinte.

Ce fut ensuite au tour des parents de Carolyn de décider qu'une enquête médicale était nécessaire pour élucider le comportement mystérieux de leur rejeton. Le résultat fut identique, le médecin consulté déclarant en outre que, si leur fille avait l'intention de mener sa grossesse à son terme, il lui était vivement conseillé de perdre une quinzaine de kilos.

S'il subsistait encore un espoir d'attribuer ces diagnostics convergents au seul hasard, cet espoir fut brisé par la troisième et dernière preuve. Les parents de Joyce McGuire étaient les moins enclins à soupçonner la complicité de leur enfant dans ce scandale, mais ils finirent eux aussi par la faire examiner. Comme Carolyn et Trudi, elle était en parfaite santé. Comme elles, elle était enceinte. Le récit d'Arleen Farrell devait être reconsidéré. Etait-il possible qu'il y ait un fond de vérité dans son délire insane ?

Les parents se rencontrèrent et en discutèrent. Ils élaborèrent ensemble la seule explication sensée des événements. De toute évidence, les quatre jeunes filles avaient fait un pacte. Elles avaient décidé — pour une raison connue d'elles seules — d'avoir un enfant. Trois d'entre elles y avaient réussi. Arleen avait échoué, et cet échec avait fait sombrer dans la dépression nerveuse cette fille notoirement instable. Ils avaient à présent trois problèmes à résoudre. Premièrement : identifier les pères et les poursuivre en justice pour avoir abusé de leurs filles. Deuxièmement : interrompre les grossesses aussi vite que possible et dans les meilleures conditions. Troisièmement : garder le silence sur toute l'affaire afin que les trois familles ne connaissent pas le sort des Farrell, que les vertueux habitants du Grove traitaient désormais comme des parias.

Ils échouèrent sur toute la ligne. En ce qui concernait les pères, tout simplement parce que les trois filles refusèrent de désigner les coupables, même sous la contrainte parentale. En ce qui concernait les avortements, parce que leurs enfants refusèrent de renoncer à ce qu'elles avaient obtenu au prix de tant de sueur. Et finalement, ils échouèrent à garder secrète toute cette navrante affaire tout simplement parce que le scandale a horreur de l'obscurité et parce qu'il suffit d'une secrétaire médicale indiscrète pour envoyer les journalistes sur la piste d'une nouvelle preuve de délinquance.

La nouvelle éclata deux jours après la réunion des parents, et Palomo Grove — qui avait été secouée, sinon anéantie, par les révélations d'Arleen — reçut un coup presque mortel. Le Récit de la Belle Folle avait fait la joie des amateurs d'OVNI et de panacées au cancer, mais son effet était essentiellement éphémère. Ces nouveaux développements, quant à eux, touchaient des nerfs bien plus sensibles. Voilà quatre familles dont l'existence respectable et au-dessus de tout reproche était brisée par un pacte signé par leurs propres filles. Une secte quelconque était-elle impliquée ? voulut savoir la presse. Le père anonyme pouvait-il être *le même homme,* un séducteur de jeunes filles dont l'identité mystérieuse donnait libre cours à toutes les spéculations ? Et que dire de la fille Farrell, qui avait été la première à attirer l'attention sur ce que l'on appelait désormais *la Ligue des Vierges ?* Avait-elle été amenée à de telles extrémités parce que, comme le *Chronicle* fut le premier à le révéler, elle était en fait stérile ? Ou bien les trois autres allaient-elles à leur tour lâcher la bride à leurs excès ? C'était une histoire que l'on pouvait exploiter indéfiniment. Tous les éléments étaient présents : du sexe, une possession, des familles dans le chaos, une petite ville grouillante de mesquinerie, du sexe, de la folie et du sexe. Et de plus, elle ne pouvait que s'améliorer avec le temps.

A mesure que les grossesses progressaient, la presse pouvait les suivre. Et avec un peu de chance, les avènements seraient pleins de surprises. Les enfants seraient des triplés, ils seraient noirs, ils seraient mort-nés.

Oh, que de possibilités !

III

L e silence régnait dans l'œil du cyclone; le silence et le calme. Les jeunes filles entendaient bien les hurlements et les accusations proférés par leurs parents, par la presse et par leurs pairs, mais elles n'en étaient guère affectées. Le processus qui s'était mis en œuvre dans l'étang continua son déroulement inévitable, et elles le laissèrent modeler leurs esprits tout comme il avait modelé leurs corps. Elles étaient aussi tranquilles que l'étang; leur surface était si placide que la plus violente des attaques ne parvenait pas à la faire frémir.

Elles ne cherchèrent pas non plus à se voir durant cette période difficile. L'intérêt qu'elles éprouvaient les unes pour les autres, et pour le monde extérieur en général, approcha du zéro absolu. Elles ne souhaitaient que rester chez elles et s'arrondir doucement tandis que la controverse faisait rage autour d'elles. Celle-ci, pour prometteuse qu'elle ait paru, s'étiola également au fil des mois, l'attention du public étant attirée par de nouveaux scandales. Mais l'équilibre du Grove avait souffert des dommages irréparables. La Ligue des Vierges avait infligé à la ville une célébrité qu'elle trouvait regrettable mais dont elle était résolue à profiter. Cet automne, le Grove reçut plus de visiteurs qu'il n'en avait jamais vus de toute son existence, des gens prêts à se vanter d'avoir visité *cet* endroit : la Ville des Dingues; la ville où les filles faisaient de l'œil à tout ce qui bougeait si le Diable le leur ordonnait.

Il y eut d'autres changements dans la ville, moins visibles que les bars pleins à craquer et le centre commercial envahi par la foule. Derrière les portes closes de leurs maisons, les enfants du Grove durent batailler pour conserver leurs privilèges, car leurs parents, plus particulièrement ceux des jeunes filles, leur refusaient des libertés considérées jusque-là comme acquises. Ces querelles domestiques ébranlèrent de nombreux foyers et en brisèrent carrément certains. La consommation d'alcool monta en flèche; l'épicerie Marvin fit des affaires en or aux mois d'octobre et de novembre, la demande en alcools forts atteignant des sommets pendant la période de Noël, durant laquelle, outre les festivités habituelles, plusieurs cas d'ivrognerie, d'adultère, de violences conjugales et d'exhibitionnisme transformèrent Palomo Grove en paradis pour pécheurs.

Une fois les vacances passées et leurs blessures pansées, plusieurs familles décidèrent de quitter définitivement le Grove, et on assista à une réorganisation subtile de la structure sociale de la ville, plusieurs propriétés naguère considérées comme désirables — telles les maisons des Croissants (désormais souillées par la présence des Farrell) — perdant sensiblement de leur valeur pour être acquises par des individus qui n'auraient jamais cru pouvoir vivre dans ce quartier avant l'été précédent.

Que de conséquences pour une bataille en eaux troubles !

Cette bataille ne s'était pas déroulée sans témoin, bien sûr. L'art du secret que sa courte existence de voyeur avait enseigné à William Witt se révéla inestimable à mesure de la progression des événements. Plus d'une fois il faillit confesser ce qu'il avait vu à l'étang, mais il résista à cette tentation, sachant que la brève célébrité dont il jouirait serait accompagnée de suspicion et d'un probable châtiment. De plus, il y avait de grandes chances pour qu'on ne le croie pas. Il conserva cependant ce souvenir au chaud dans sa tête en se rendant régulièrement sur les lieux du drame. En fait, il y retourna dès le lendemain du jour fatidique, afin de voir s'il ne pourrait pas apercevoir les occupants de l'étang. Mais l'eau battait déjà en retraite. Son niveau avait baissé d'un bon tiers en une seule nuit. Au bout d'une semaine, l'étang avait disparu, révélant une fissure qui conduisait de toute évidence vers les cavernes situées au-dessous de la ville.

Il n'était pas le seul visiteur en ce lieu. Une fois qu'Arleen se fut libérée du fardeau des événements survenus durant cet après-midi, d'innombrables touristes partirent en quête de l'endroit où ils s'étaient déroulés. Les plus observateurs parmi eux eurent vite fait de le repérer : l'eau avait laissé l'herbe jaunie et maculée de boue séchée. Un ou deux d'entre eux tentèrent même d'accéder aux cavernes, mais la fissure dissimulait un précipice raide dont les parois n'offraient aucune prise visible. Après quelques jours de célébrité, le lieu fut abandonné à lui-même et aux visites solitaires de William. En dépit de sa peur, ce dernier ressentait une étrange satisfaction en se rendant là. Une impression de

complicité avec les cavernes et leur secret, sans parler du *frisson* *
érotique qui le saisissait lorsqu'il se plaçait à l'endroit où il était
ce jour-là et imaginait à nouveau la nudité des baigneuses.

Le sort des jeunes filles ne l'intéressait guère. Il lisait de temps
en temps un article qui leur était consacré, et il entendait parler
d'elles, mais pour William, loin des yeux était synonyme de loin
du cœur. Il existait des spectacles bien plus agréables. La ville,
plongée dans le désarroi, en offrait des quantités à son œil
d'espion : séductions machinales et servilités abjectes ; fureurs ;
corrections ; adieux sanguinolents. Un jour, pensa-t-il, j'écrirai
tout ce que j'ai vu. Cela s'appellera *Le Livre de Witt*, et quand il
sera publié, tous ceux qui sont dedans sauront que leurs secrets
m'appartiennent.

Lorsqu'il lui arrivait de penser à l'état présent des jeunes filles,
c'était sur Arleen qu'il s'attardait, tout simplement parce qu'elle
se trouvait dans un hôpital où il ne pouvait pas la voir même s'il
l'avait voulu, et comme tous les voyeurs, son impuissance était
pour lui un aiguillon. Elle avait perdu la boule, avait-on dit, et
personne ne savait pourquoi. Elle voulait que les hommes
viennent à elle tout le temps, et elle voulait un bébé comme les
autres, mais elle ne pouvait pas, et c'était pour ça qu'elle était
folle. Toute curiosité le déserta cependant lorsqu'il entendit
quelqu'un rapporter que la jeune fille avait perdu tout son
charme.

« Elle a l'air à moitié morte, lui dit-on. Droguée et morte. »

Après, ce fut comme si Arleen Farrell n'avait jamais existé,
excepté comme une vision merveilleuse, effeuillée sur la berge
d'un étang argenté. Quant à ce que l'étang lui avait fait, il le
chassa complètement de son esprit.

Malheureusement, les entrailles des trois autres membres du
quatuor ne pouvaient *pas* chasser ainsi l'expérience et ses
conséquences, sinon sous la forme d'une réalité vagissante, et la
deuxième phase de l'humiliation de Palomo Grove commença le
2 avril, date à laquelle accoucha la première de celles qui
formaient la Ligue des Vierges.

Howard Ralph Katz naquit à 3 h 46 du matin, et l'accouche-
ment de sa mère de dix-huit ans se fit par césarienne. Il était frêle
et ne pesait qu'un kilo huit cent soixante-dix grammes lorsqu'il

---

* En français dans le texte. *(N.d.T.)*

vit la lumière de la salle d'opération. Tous s'accordèrent pour
penser que l'enfant ressemblait à sa mère, ce dont ses grands-
parents furent reconnaissants, n'ayant aucune idée de l'identité
de son père. Howard avait les yeux noirs de Trudi, et son crâne
était orné dès la naissance d'une touffe de cheveux bruns. Tout
comme sa mère, qui était aussi née prématurément, il dut lutter
pour chaque souffle durant les six premiers jours de son
existence, après quoi il prit rapidement des forces. Le 19 avril,
Trudi ramena son fils à Palomo Grove, décidée à l'élever dans
l'endroit qu'elle connaissait le mieux.

Quinze jours après que Howard Katz eut vu la lumière du
jour, la deuxième vierge de la Ligue accoucha. Cette fois-ci, la
presse eut quelque chose de plus consistant qu'un nourrisson
malingre à se mettre sous la dent. Joyce McGuire donna
naissance à des jumeaux, un de chaque sexe, nés à une minute
d'intervalle sans la moindre complication. Elle les baptisa Jo-
Beth et Tommy-Ray, ayant choisi ces noms (bien qu'elle ne dût
jamais l'avouer, et ce jusqu'à la fin de ses jours) parce que ses
enfants avaient deux pères : l'un étant Randy Krentzman, l'autre
étant dans l'étang. Trois, si elle comptait leur Père qui était aux
cieux, bien que celui-ci l'ait sans doute déjà reniée en faveur
d'âmes moins difficiles.

Un peu plus d'une semaine après la naissance des jumeaux
McGuire, Carolyn accoucha elle aussi de jumeaux, un garçon et
une fille, mais le garçon était mort-né. La fille, qui était de stature
robuste, fut baptisée Linda. Avec sa naissance, la saga de la
Ligue des Vierges semblait avoir atteint sa conclusion naturelle.
L'enterrement de l'enfant de Carolyn attira du monde, mais les
quatre familles furent néanmoins laissées tranquilles. Trop
tranquilles, en fait. Leurs amis cessèrent de leur rendre visite ;
leurs connaissances affirmèrent ne jamais les avoir connues.
L'histoire de la Ligue des Vierges avait souillé le renom de
Palomo Grove, et en dépit du profit que la ville avait retiré de ce
scandale, tout le monde désirait à présent oublier ce déplorable
incident.

Attristée par cet ostracisme général, la famille Katz décida de
quitter le Grove pour retourner à Chicago, la ville natale d'Alan
Katz. Leur maison fut achetée fin juin par un nouveau venu en
ville qui fit une bonne affaire et hérita simultanément d'une
excellente propriété et d'une réputation déjà faite. Quinze jours
plus tard, la famille Katz était partie.

Leur départ fut bien minuté. S'ils s'étaient attardés quelques

jours, ils auraient été pris dans les remous de l'ultime tragédie de
la saga de la Ligue des Vierges. Le soir du 26 juillet, les parents
Hotchkiss décidèrent de sortir, laissant Carolyn toute seule à la
maison avec son bébé Linda. Ils s'attardèrent plus qu'ils ne
l'avaient escompté, et il était bien après minuit — on était par
conséquent le 27 — lorsqu'ils rentrèrent. Carolyn avait célébré
l'anniversaire de sa baignade en étouffant sa fille et en mettant fin
à ses propres jours. Elle avait laissé une note qui expliquait, avec
le même détachement dont elle faisait jadis preuve pour parler de
la Faille de San Andreas, que le récit d'Arleen était exact. Elles
étaient allées nager. Elles *avaient* été attaquées. Elle ne savait
toujours pas par quoi, mais depuis ce jour-là, elle avait senti une
présence en elle, et dans son enfant, et cette présence était
maléfique. C'était pour ça qu'elle avait étouffé Linda. C'était pour
ça qu'elle allait s'ouvrir les veines. *Ne me jugez pas trop sévèrement,*
demandait-elle. *Jamais je n'ai voulu faire du mal à quiconque.*

Cette note fut interprétée par les parents de la façon suivante :
les filles avaient effectivement été attaquées et violées par
quelqu'un, et pour une raison connue d'elles seules, elles avaient
gardée secrète l'identité du ou des coupables. Carolyn étant
morte, Arleen étant folle et Trudi étant partie à Chicago, il n'y
avait plus que Joyce McGuire pour dire la vérité, toute la vérité
et rien que la vérité, et apporter enfin la conclusion de la saga de
la Ligue des Vierges.

Elle s'y refusa tout d'abord. Elle ne se rappelait rien de cette
journée, prétendit-elle. Le traumatisme avait effacé tout souvenir
de son esprit. Ni Hotchkiss ni Farrell ne furent cependant
satisfaits par cette réponse. Ils continuèrent d'insister, par
l'intermédiaire du père de Joyce. Dick McGuire était un homme
faible, physiquement et spirituellement, et son Église ne lui
apportait aucun soutien, se rangeant avec les non-Mormons
contre sa fille. La vérité devait être dite.

Finalement, soucieuse d'éviter de nouveaux tracas à son père,
Joyce raconta tout. Ce fut une scène fort étrange. Les six parents,
plus le Pasteur John, chef spirituel de la communauté mormone
de Palomo Grove et des environs, étaient assis dans la salle à
manger des McGuire et écoutaient la jeune fille maigre et pâle
dont les mains allaient d'un berceau à l'autre, raconter à ses
enfants leur conception en guise de berceuse. Elle avertit tout
d'abord son public que ce qu'elle allait lui dire n'allait pas lui
plaire. Puis elle justifia cette mise en garde en lui narrant les
événements par le menu. La promenade ; l'étang ; la baignade ;

les choses qui s'étaient disputé leurs corps dans les eaux ; leur fuite ; sa passion pour Randy Krentzman — dont la famille avait été une des premières à quitter le Grove quelques mois plus tôt, sans doute parce qu'il s'était discrètement confessé ; le désir qu'elle avait partagé avec ses amies de se faire mettre enceinte le plus vite possible...

— C'est donc Randy Krentzman le père de tous ces bébés ? demanda le père de Carolyn.

— Lui ? dit-elle. Il en était incapable.

— Qui donc, alors ?

— Tu as promis de tout nous dire, lui rappela le Pasteur.

— C'est ce que je fais, répondit-elle. Je vous dis tout ce que je sais. C'est Randy Krentzman que j'avais choisi. Nous savons tous comment Arleen a procédé. Je suis sûre que Carolyn a trouvé quelqu'un d'autre. Et Trudi aussi. Les pères n'avaient aucune importance, voyez-vous. Ce n'étaient que des hommes.

— Prétends-tu que le Diable est en toi, mon enfant ? demanda le Pasteur.

— Non.

— Dans les enfants, alors ?

— Non. Non. (Elle tenait les deux berceaux à présent, un de chaque main.) Jo-Beth et Tommy-Ray ne sont pas possédés. Du moins pas comme vous l'entendez. Ils ne sont pas les enfants de Randy, tout simplement. Peut-être auront-ils un peu de sa beauté... (Elle se permit un petit sourire.) J'aimerais bien, dit-elle. Il était si beau. Mais l'esprit qui les a conçus est dans l'étang.

— Il n'y a pas d'étang, fit remarquer le père d'Arleen.

— Il y en avait un ce jour-là. Et peut-être y en aura-t-il encore un, s'il pleut assez fort.

— Pas si je m'en occupe.

Qu'il ait cru ou non le récit de Joyce, Farrell tint parole. Hotchkiss et lui eurent vite fait d'organiser une collecte afin de sceller l'entrée de la caverne. La plupart des citoyens de Palomo Grove lui signèrent un chèque tout simplement pour se débarrasser de lui. Depuis que sa princesse avait perdu l'esprit, Farrell avait tout l'entregent d'une bombe à retardement.

En octobre, presque quinze mois après que les filles furent allées dans l'eau pour la première fois, la fissure fut comblée avec

du béton. Elles devaient y retourner, mais pas avant plusieurs
années.

En attendant, les enfants de Palomo Grove pourraient jouer en
paix.

TROISIÈME PARTIE

Esprits libres

I

que l'apparence de la réalité. Une fiction pouvait la formener. Mais l'apparence de la réalité. Une fiction pouvait la formener.

Parmi les centaines de magazines et de films érotiques que William Witt avait achetés durant dix-sept ans, d'abord par correspondance et ensuite lors de virées à Los Angeles conçues expressément dans ce but, ses préférés étaient ceux dans lesquels il lui était permis d'entr'apercevoir la vie par-delà les images. Le reflet du photographe — et de son équipement — apparaissait parfois dans un miroir derrière les acteurs. La main d'un technicien ou d'un assistant — engagé pour maintenir les vedettes en érection entre deux prises — était parfois visible au bord de l'image, tel le membre d'un amant exilé du lit un instant plus tôt.

Des erreurs aussi flagrantes étaient relativement rares. Plus fréquents — et plus révélateurs aux yeux de William — étaient les signes de la réalité qui sous-tendait la scène dont il était le témoin. Par exemple lorsqu'un acteur, se voyant offrir une multitude de péchés et ne sachant quel trou il devait honorer, jetait un regard hors champ pour recevoir ses instructions ; ou lorsqu'une jambe s'écartait vivement parce que le pouvoir résidant derrière l'objectif avait hurlé qu'elle lui cachait le champ de bataille.

C'était durant ces instants où s'effritait la fiction qui l'excitait — et qui n'était pas tout à fait une fiction, le *hard* étant le *hard* et ne pouvant être simulé — que William Witt avait l'impression de mieux comprendre Palomo Grove. Il existait une autre vie sou-jacente à celle de la ville, une vie qui ordonnait son existence quotidienne avec une telle abnégation que lui seul avait conscience de sa présence. Et il lui arrivait quand même de l'oublier parfois. Des mois s'écoulaient durant lesquels il se consacrait à son agence immobilière et oubliait cette main cachée. Puis, comme dans ses films pornos, il *apercevait* quelque chose. Peut-être une lueur dans l'œil d'un des citoyens les plus âgés, ou bien une fissure dans la rue, ou de l'eau courant sur la Colline depuis une pelouse trop arrosée. Ces détails suffisaient à lui rappeler l'étang et la Ligue, et à lui faire prendre conscience que l'apparence de la ville était une fiction (pas tout à fait une fiction, la chair étant la chair et ne pouvant être simulée) et qu'il était un des interprètes de son étrange histoire.

Depuis que l'on avait scellé les cavernes, cette histoire s'était déroulée sans que survienne un seul drame de l'amplitude de celui de la Ligue. En dépit de ses stigmates, le Grove avait prospéré, et Witt avec lui. A mesure que Los Angeles augmentait de taille et d'influence, les villes de la Vallée de la Simi, le Grove parmi elles, étaient devenues les cités-dortoirs de la métropole. Le marché immobilier avait connu une forte croissance à la fin des années soixante-dix, à peu près au moment où William s'était établi. Il avait à nouveau progressé, en particulier dans le quartier de Windbluff, lorsque plusieurs vedettes de second plan avaient acquis des maisons sur la Colline, conférant au lieu un chic qu'il n'avait jamais connu. La plus somptueuse de ces demeures, un palais avec une vue superbe sur la ville et sur la vallée, fut achetée par le comique Buddy Vance, dont le show télévisé était à l'époque en tête de tous les sondages, toutes chaînes confondues. Un peu plus bas, Raymond Cobb, un acteur de westerns, acheta une maison pour la démolir et pour se construire un énorme ranch, flanqué d'une piscine en forme d'étoile de shérif. Entre la maison de Vance et celle de Cobb se trouvait une propriété entièrement dissimulée par les arbres où habitait Helena Davis, une star du film muet qui avait été en son temps la principale source de potins d'Hollywood. Âgée à présent de plus de soixante-dix ans, elle vivait en recluse, ce qui ne faisait qu'alimenter les rumeurs dans le Grove chaque fois qu'un jeune homme — toujours grand, toujours blond — apparaissait en ville et se présentait comme un ami de Miss Davis. Leur présence avait valu à cette maison son surnom d'Antre du Péché.

Il existait d'autres articles importés de Los Angeles. Un club d'aérobic s'ouvrit dans le centre commercial et ne tarda pas à être saturé d'inscriptions. La mode des restaurants Szechwan entraîna l'ouverture de deux établissements de ce type, tous deux assez fréquentés pour survivre à la concurrence. Les boutiques de stylistes proliférèrent, offrant à leurs clients des meubles Art déco, Naïf américain et tout simplement kitsch. L'espace commercial était si recherché que le centre gagna un nouvel étage. Des boutiques qui n'auraient jamais prospéré dans le Grove quelques années plus tôt étaient à présent indispensables.

Fournitures pour piscines, soin des ongles et du bronzage, école de karaté.

De temps en temps, dans la salle d'attente d'un pédicure, ou pendant que les enfants se choisissaient un chinchilla parmi les trois espèces proposées par la boutique d'animaux, on entendait un nouveau venu mentionner une vague rumeur au sujet de la ville. Ne s'était-il pas passé quelque chose ici, il y avait longtemps ? Si un citoyen de vieille souche se trouvait à proximité, la conversation avait vite fait de s'orienter vers un territoire moins dangereux. Bien qu'une génération ait grandi depuis les tristement célèbres événements, les indigènes — comme ils aimaient eux-mêmes à s'appeler — pensaient qu'il valait mieux oublier la Ligue des Vierges.

Certains citoyens ne parviendraient cependant jamais à l'oublier. William était du nombre, bien sûr. Quant aux autres, il suivait de loin l'évolution de leur existence. Joyce McGuire, une femme discrète et intensément religieuse, qui avait élevé Tommy-Ray et Jo-Beth sans l'aide d'un mari. Ses parents étaient partis en Floride quelques années plus tôt, laissant leur maison à leur fille et à leurs petits-enfants. On ne la voyait que rarement mettre le nez dehors. Hotchkiss, que sa femme avait abandonné au profit d'un avocat de San Diego de dix-sept ans son aîné, et qui ne semblait pas s'être remis de cette désertion. Les Farrell, qui avaient déménagé pour aller habiter à Thousand Oaks, et découvrir que leur réputation les avait suivis là-bas. Ils s'étaient finalement établis en Louisiane, emmenant Arleen avec eux. Celle-ci n'avait jamais vraiment guéri. D'après ce que William avait entendu, c'était une semaine faste que celle où elle prononçait plus d'une dizaine de mots. Jocelyn Farrell, sa sœur cadette, s'était mariée et était revenue vivre à Blue Spruce. Il la voyait de temps en temps, quand elle venait en ville rendre visite à des amis. Ces familles faisaient encore partie de l'histoire du Grove ; cependant, bien que William connût tous leurs membres de vue — les McGuire, Jim Hotchkiss, et même Jocelyn Farrell —, il ne leur arrivait jamais d'échanger un seul mot.

Ils n'en avaient pas besoin. Tous savaient ce qu'ils savaient.

Et le sachant, vivaient dans l'attente.

II

1

Le jeune homme était virtuellement monochrome : ses cheveux mi-longs étaient noirs, ses yeux sombres derrière les verres ronds de ses lunettes, sa peau trop blanche pour être celle d'un Californien. Ses dents étaient encore plus blanches, bien qu'il ne sourît que rarement. Il ne parlait pas tellement non plus, d'ailleurs. En groupe, il bégayait.

Même la Pontiac décapotable qu'il gara devant le centre commercial était blanche, bien que les hivers de Chicago aient rouillé sa carrosserie par la neige et le sel. Cette voiture lui avait permis de traverser le pays, mais ça n'avait pas été sans mal. Bientôt, il serait obligé de la conduire dans un endroit isolé afin de la détruire. En attendant, si quelqu'un voulait savoir si un étranger se trouvait à Palomo Grove, il lui suffirait de jeter un coup d'œil aux automobiles garées dans la ville.

Ou à lui-même, en fait. Il se sentait désespérément déplacé dans son pantalon de velours et dans son blouson fatigué — les bras trop longs, le reste trop étroit, comme tous les blousons qu'il avait jamais achetés. Cette ville était de celles où votre valeur se mesurait à la marque de vos tennis. Il ne portait pas de tennis ; il était chaussé de bottines en cuir noir, qu'il porterait tous les jours jusqu'à ce qu'elles tombent en morceaux, achetant ensuite une paire identique. Déplacé ou non, il était venu ici pour une bonne raison, et plus tôt il en aurait fini, mieux il se sentirait.

Tout d'abord, il devait s'orienter. Il sélectionna une boutique *Frozen Yoghurt*, la moins fréquentée du lot, et entra. L'accueil qu'on lui réserva de l'autre côté du comptoir fut si chaleureux qu'il pensa presque qu'on l'avait reconnu.

— Salut ! Que puis-je faire pour vous ?

— Je suis... nouveau ici, dit-il. (Quelle phrase stupide, pensa-t-il.) Je veux dire, y a-t-il un endroit... n'importe lequel, où je pourrais acheter une carte ?

— Une carte de la Californie ?

— Non. De Palomo Grove.

Mieux valait parler par phrases courtes. Ainsi, il bégayait moins. Derrière le comptoir, le sourire s'élargit.

— Pas besoin de carte. Cette ville n'est pas assez grande.

— D'accord. Vous connaissez un hôtel ?

— Bien sûr. Facile. Il y en a un tout près d'ici. Ou il y a le nouvel hôtel dans Stillbrook Village.

— Lequel est le moins cher ?

— Le Terrace. C'est à deux minutes d'ici en voiture, derrière le centre.

— Parfait.

Le sourire qu'on lui rendit disait : « *Tout* est parfait ici. » Il n'avait guère de mal à le croire. Les voitures briquées luisaient dans le parking ; les pancartes qui le guidèrent vers l'arrière du centre commercial étincelaient ; la façade du motel — ornée d'un nouveau panneau : *Bienvenue à Palomo Grove, Havre de Prospérité* — était peinte de couleurs aussi vives que celles d'un dessin animé. Une fois dans sa chambre, il fut soulagé de pouvoir baisser le rideau pour se protéger du jour, et il décida de se tapir là quelque temps.

La dernière partie du trajet l'avait épuisé, aussi se requinqua-t-il grâce à quelques exercices et à une bonne douche. La machine (ainsi appelait-il son corps) était restée trop longtemps assise au volant ; elle avait besoin de se dérouiller. Il s'échauffa en faisant une série de *katas* pendant dix minutes, dansant un ballet de coups de poing et de coups de pied, puis savourant son cocktail préféré de coups de pied chassés et de coups de pied fouettés. Comme d'habitude, ce qui réchauffait ses muscles réchauffait également son esprit. Quand il en arriva aux exercices d'assouplissement, il était prêt à affronter la moitié de Palomo Grove pour obtenir la réponse à la question qu'il était venu ici pour poser.

A savoir : qui est Howard Katz ? *Moi* était une réponse qui ne lui suffisait plus. *Moi* n'était que la machine. Il avait besoin d'informations complémentaires.

C'était Wendy qui lui avait posé cette question, lors de cette longue nuit de débat qui s'était conclue par le départ définitif de son amante.

— Je t'aime bien, Howie, avait-elle dit. Mais je ne peux pas t'aimer tout court. Et tu sais pourquoi ? Parce que je ne te connais pas.

— Tu sais ce que je suis ? avait répondu Howie. Un homme avec un trou au milieu.

— Tu t'exprimes de façon bizarre.

— Je me sens bizarre.

Bizarre, mais exact. Là où les autres avaient quelque chose pour les définir — ambitions, opinions, religions —, il n'avait que cette pitoyable incertitude. Ceux qui l'aimaient — Wendy, Richie, Lem — étaient patients avec lui. Ils attendaient qu'il ait fini de bafouiller pour écouter ce qu'il avait à dire et semblaient trouver quelque intérêt à ses remarques. (« Tu es mon fou béni », lui avait déclaré Lem ; une phrase sur laquelle Howie méditait encore.) Mais pour le reste du monde, il n'était que Katz le gaffeur. On ne le provoquait pas ouvertement — il était trop fort pour qu'on ose l'affronter à mains nues, même si on était plus lourd que lui —, mais il savait ce qu'on disait quand il avait le dos tourné, et cela revenait toujours à la même chose : il y a une pièce qui manque chez Katz.

Il n'avait pas pu supporter de voir Wendy renoncer à lui. Trop blessé pour se montrer au grand jour, il avait médité sur leur conversation pendant une bonne semaine. La solution lui était soudain apparue. S'il existait un endroit sur terre où il comprendrait le pourquoi et le comment de son existence, c'était sûrement la ville où il était né.

Il leva le rideau et regarda la lumière. Elle était perlée ; l'air embaumait. Il ne comprenait pas pourquoi sa mère avait quitté ce lieu superbe pour les hivers glacés et les étés étouffants de Chicago. A présent qu'elle était morte (brusquement, dans son sommeil), il devrait résoudre ce mystère tout seul ; et peut-être pourrait-il combler le trou qui hantait la machine.

Juste au moment où elle arrivait dans l'entrée, Maman l'appela depuis sa chambre, toujours au bon moment, comme d'habitude.

— Jo-Beth ? Tu es là ? Jo-Beth ?

Toujours cette même inflexion dans sa voix, semblant la mettre en garde : « Sois gentille avec moi dès maintenant, car peut-être ne serai-je plus là demain. Ni même dans une heure. »

— Tu es encore là, ma chérie ?

— Tu le sais bien, Maman.

— Puis-je te parler ?

— Je vais être en retard.

— Rien qu'une minute. S'il te plaît. Une toute petite minute.

— J'arrive. Ne t'énerve pas. J'arrive.

Jo-Beth commença à monter l'escalier. Combien de fois par jour empruntait-elle ce chemin ? Sa vie se comptait au nombre de marches qu'elle montait et descendait, montait et descendait.

— Qu'y a-t-il, Maman ?

Joyce McGuire reposait dans sa position habituelle : sur le canapé à côté de la fenêtre ouverte, un oreiller sous la tête. Elle n'avait pas l'air malade ; mais elle l'était la plupart du temps. Des spécialistes venaient régulièrement l'examiner, puis ils lui présentaient leur note et s'en allaient en haussant les épaules. Aucune affection physique, disaient-ils. Le cœur sain, les poumons sains, l'échine saine. C'est entre les oreilles que ça ne va pas. Mais c'était un diagnostic que Maman ne souhaitait pas entendre. Maman avait jadis connu une fille qui était devenue folle, qui avait dû aller à l'hôpital et qui n'en était jamais ressortie. En conséquence, elle redoutait la folie plus que tout. Ce mot-là était interdit de séjour chez elle.

— Tu veux bien demander au Pasteur de venir ? dit Joyce. Peut-être qu'il pourra venir ce soir.

— Il est très occupé, Maman.

— Pas assez pour ne pas venir, dit Joyce.

Elle était dans sa trente-neuvième année, mais elle se comportait comme une femme deux fois plus âgée. La lenteur avec laquelle elle levait sa tête au-dessus de l'oreiller, comme si chaque centimètre était une victoire sur la pesanteur ; les papillonnements de ses mains et de ses cils ; ce perpétuel soupir dans sa voix. Elle jouait les tuberculeuses de cinéma et refusait de renoncer à ce rôle malgré l'opinion des médecins. Elle adoptait la tenue appropriée, tout en pastels d'hôpital ; elle laissait pousser ses cheveux bruns, ne se souciant ni de les couper ni de les coiffer. Elle ne portait aucune trace de maquillage, ce qui accentuait encore l'impression d'avoir devant soi une femme au bord de l'abîme. Tout bien considéré, Jo-Beth était soulagée de savoir que Maman ne sortait plus. Les mauvaises langues s'en seraient donné à cœur joie. Mais confinée ainsi dans sa maison, elle ne cessait d'appeler sa fille dans sa chambre. Monter et descendre, monter et descendre.

Lorsque l'irritation de Jo-Beth la conduisait au bord des hurlements, comme en ce moment précis, elle se rappelait que sa mère avait de bonnes raisons de vivre retirée du monde. La vie n'était pas facile pour une mère célibataire élevant ses enfants toute seule, surtout dans une ville aussi potinière que le Grove. La censure et l'humiliation lui donnaient bien le droit d'être malade.

— Je demanderai au Pasteur John de venir, dit Jo-Beth. Maintenant, écoute, Maman, il faut que j'y aille.

— Je sais, ma chérie, je sais.

Jo-Beth retourna vers la porte, mais sa mère la rappela.

— Pas de baiser ? dit-elle.

— Maman...

— Tu n'oublies jamais de m'embrasser.

Obéissante, Jo-Beth retourna près de la fenêtre et embrassa sa mère sur la joue.

— Fais attention à toi, dit Joyce.

— Ça va.

— Je n'aime pas savoir que tu travailles aussi tard.

— On n'est pas à New York, Maman.

Les yeux de Joyce se tournèrent vers la fenêtre, à travers laquelle elle regardait passer le monde.

— Aucune différence, dit-elle d'une voix à présent grave. Il n'existe aucun endroit vraiment sûr.

C'était un discours familier. Jo-Beth l'avait entendu depuis son enfance, dans une version ou une autre. Le monde considéré comme une Vallée de la Mort, hanté par des visages capables d'un mal indicible. Tel était le principal réconfort que le Pasteur John apportait à Maman. Ils s'accordaient pour dire que le Diable était présent dans ce monde ; dans Palomo Grove.

— A demain matin, dit Jo-Beth.

— Je t'aime, ma chérie.

— Moi aussi, je t'aime, Maman.

Jo-Beth referma la porte et commença à descendre.

— Elle dort ?

Tommy-Ray était en bas de l'escalier.

— Non. Elle ne dort pas.

— Merde.

— Tu devrais aller la voir.

— Je sais. Mais elle va m'engueuler au sujet de ce qui s'est passé mercredi.

— Tu étais ivre, dit Jo-Beth. Elle a dit que tu avais bu du whisky. C'est vrai ?

— A ton avis ? Si j'avais été élevé comme un gosse normal, avec de l'alcool à la maison, ça ne me monterait pas à la tête comme ça.

— C'est donc sa faute si tu t'es bourré ?

— *Toi aussi,* tu ne peux pas me sentir, hein ? Merde. Personne ne peut me sentir.

Jo-Beth sourit et étreignit son frère.

— Non, Tommy, c'est faux. Tout le monde te trouve formidable, et tu le sais.

— Toi aussi ?

— Moi aussi.

Elle l'embrassa doucement, puis alla se regarder dans un miroir.

— Jolis comme une image, dit-il en se plaçant à côté d'elle. Tous les deux.

— Ton ego, dit-elle. Ça va de mal en pis.

— C'est pour ça que tu m'aimes, dit-il en contemplant leurs reflets jumeaux. Est-ce que je te ressemble de plus en plus ou est-ce que c'est toi qui me ressembles de plus en plus ?

— Ni l'un ni l'autre.

— Tu as déjà vu deux visages aussi semblables ?

Elle sourit. Il y avait entre eux une ressemblance extraordinaire. La délicatesse de l'ossature de Tommy-Ray répondait à la finesse de la sienne, et tous deux étaient également idolâtrés. Elle n'aimait rien tant que de marcher main dans la main avec son frère, sachant qu'elle avait auprès d'elle un compagnon aussi séduisant qu'aurait pu le souhaiter une fille, et sachant qu'il pensait la même chose à son sujet. Même au milieu des beautés artificielles de la jetée de Venice, ils faisaient tourner les têtes.

Mais ces derniers mois, ils avaient cessé de sortir ensemble. Elle travaillait de longues heures au Steak House, et il hantait les plages en compagnie de ses copains : Sean, Andy et les autres. Le contact de son frère lui manquait.

— Tu ne t'es pas sentie bizarre ces derniers jours ? lui demanda-t-il tout à trac.

— Comment ça, bizarre ?

— Je ne sais pas. C'est sans doute moi. Mais j'ai l'impression que la fin de tout approche.

— C'est presque l'été. Tout va bientôt commencer.

— Ouais, je sais... mais Andy est parti à la fac, qu'il aille se faire foutre. Sean a sa copine à L.A., et il la garde pour lui. Je ne sais pas. Je me retrouve ici à attendre, et je ne sais pas ce que j'attends.

— Alors arrête.

— Arrête quoi ?

— D'attendre. Fiche le camp quelque part.

— C'est ce que je veux faire. Mais... (Il étudia le visage de sa sœur dans le miroir.) C'est vrai? Tu ne te sens pas... étrange?

Elle lui rendit son regard, ne sachant pas si elle devait lui parler de ses rêves, au cours desquels elle était emportée par la marée tandis que sa vie lui faisait des signes d'adieu depuis le rivage. Mais à qui parler de cela, sinon à Tommy, qu'elle aimait et estimait plus que quiconque?

— D'accord, je l'avoue, dit-elle, je sens quelque chose, moi aussi.

— Quoi donc?

Elle haussa les épaules.

— Je ne sais pas. Peut-être que j'attends, moi aussi.

— Tu sais ce que tu attends?

— Non.

— Moi non plus.

— On fait vraiment un beau couple, hein?

En roulant vers le centre, elle se repassa mentalement sa conversation avec Tommy. Comme d'habitude, il avait formulé les sentiments qu'ils partageaient. Ces dernières semaines avaient été chargées d'attente. Il allait bientôt arriver quelque chose. Ses rêves le savaient. Ses os le savaient. Elle espérait seulement que ça ne tarderait pas, car elle était sur le point — Maman, le Grove, son boulot au Steak House — de perdre son calme. A présent, la course était engagée entre la mèche de sa patience et le quelque chose qui s'annonçait à l'horizon. Si ce quelque chose (quelle que soit sa nature, même la plus improbable) n'était pas arrivé avant la fin de l'été, pensa-t-elle, alors elle irait elle-même à sa recherche.

2

On ne semblait guère aimer la marche dans cette ville, remarqua Howie. Il s'était promené durant trois quarts d'heure sur le flanc de la Colline et il n'avait croisé que cinq piétons, tous traînant des enfants ou des chiens pour justifier leur errance. En dépit de sa brièveté, ce voyage le conduisit à un point de vue depuis lequel il put examiner la structure de la ville. En outre, il éveilla son appétit.

Du bœuf pour les desperados, pensa-t-il, et il choisit le Steak House Butrick parmi les restaurants du centre. La salle n'était pas très grande, et à peine à moitié pleine. Il s'assit à une table près de la fenêtre, ouvrit son exemplaire fatigué de *Siddharta* de Herman Hesse et continua de se battre avec le texte en allemand. Ce livre avait appartenu à sa mère, qui n'avait cessé de le lire et de le relire — mais il ne se rappelait pas l'avoir entendue prononcer un seul mot de ce langage qu'elle semblait si bien connaître. Lui-même l'ignorait totalement. La lecture de ce livre était pour lui une sorte de bégaiement mental ; il luttait pour en appréhender le sens, le perdant de vue aussitôt qu'il avait réussi à le saisir.

— Vous voulez boire quelque chose ? lui demanda la serveuse.

Il allait dire : « Un Coca » lorsque sa vie changea.

Jo-Beth franchit le seuil de chez Butrick comme elle l'avait fait trois soirs par semaine durant les sept derniers mois, mais on aurait dit que chacun de ces soirs n'avait été qu'une répétition en vue de celui-ci ; son visage qui pivote ; son regard qui croise celui du jeune homme assis à la table n° 5. Elle le détailla en un seul coup d'œil. Sa bouche était à moitié ouverte. Il portait des lunettes à monture d'or. Il y avait un livre dans sa main. Elle ne connaissait pas, *ne pouvait pas* connaître le nom de son propriétaire. Elle n'avait jamais posé les yeux sur lui auparavant. Il la regardait pourtant avec la même expression qu'elle savait figurer sur son propre visage.

Voir ce visage, pensa-t-il, c'était comme naître. Comme si on émergeait d'un endroit sûr pour plonger dans une aventure à vous couper le souffle. Il n'existait rien de plus beau au monde que la douce courbe de ses lèvres lorsqu'elle lui sourit.

Et voilà qu'elle lui souriait, comme une allumeuse. Ça suffit, se dit-elle, regarde ailleurs ! Il va te prendre pour une folle à le regarder comme ça. Mais il te regarde, lui aussi, n'est-ce pas ?

Je continuerai de regarder... tant qu'*elle* continuera... tant qu'il continuera...

— *Jo-Beth !*

L'appel venait de la cuisine. Elle cligna des yeux.

— Vous avez dit un Coca ? lui demanda la serveuse.

Jo-Beth regarda en direction de la cuisine — Murray l'appelait, il fallait qu'elle y aille —, puis en direction du jeune homme au livre. Il avait toujours les yeux fixés sur elle.

— Oui, le vit-elle dire.

Ce mot lui était destiné, elle le savait. *Oui, vas-y,* disait-il, *je serai encore là tout à l'heure.*

Elle acquiesça et s'en fut.

Cette rencontre n'avait pris en tout que cinq secondes, mais elle les laissa tremblants tous les deux.

Dans la cuisine, Murray jouait au martyr, comme d'habitude.

— Où étais-tu fourrée ?

— Je n'ai que deux minutes de retard, Murray.

— Dix à ma montre. Il y a une table de trois personnes dans le coin. C'est ton secteur.

— J'enfile mon tablier.

— Dépêche-toi.

Howie guettait la porte de la cuisine, ayant oublié *Siddharta.* Lorsqu'elle en émergea, elle ne regarda pas dans sa direction, mais alla servir une table à l'autre bout du restaurant. Il ne ressentit aucune peine en se voyant ignoré. Ils s'étaient parfaitement compris lors de cet échange de regards. Il attendrait toute la nuit si c'était nécessaire, et toute la journée de demain s'il le fallait, jusqu'à ce qu'elle ait fini son travail et le regarde à nouveau.

Dans les ténèbres au-dessous de Palomo Grove, les deux êtres qui avaient inspiré l'existence de ces enfants s'affrontaient toujours comme ils l'avaient fait lors de leur chute, aucun d'eux ne voulant courir le risque de relâcher l'autre. Même lorsqu'ils étaient montés pour aller toucher les baigneuses, ils étaient montés ensemble, tels deux frères siamois. Ce jour-là, Fletcher n'avait pas compris tout de suite les intentions du Jaff. Il avait cru que l'autre comptait invoquer ses horribles *teratas* de l'esprit des filles. Mais sa malice avait conçu un plan plus ambitieux. Il souhaitait concevoir des enfants et, en dépit du caractère sordide de cet acte, Fletcher avait été obligé de faire de même. Il n'était pas fier de cette agression. Lorsqu'ils avaient eu vent de ses conséquences, sa honte s'était encore accrue. Jadis, assis près d'une fenêtre en compagnie de Raul, il avait rêvé qu'il devenait le ciel. Au lieu de cela, la guerre qu'il livrait au Jaff avait fait de lui le fléau des innocents, dont il avait ruiné l'avenir par ses actes. Le Jaff avait été grandement réjoui par la détresse de Fletcher. Tandis que s'écoulaient des années de ténèbres, Fletcher avait maintes fois senti les pensées de son ennemi se diriger vers les enfants qu'ils avaient conçus, et se demander lequel serait le premier à venir au secours de son père.

Le temps n'avait plus la même signification pour eux depuis le Nonce. Ils ne connaissaient ni la faim ni le sommeil. Ensevelis ensemble comme deux amants, ils attendaient dans le roc. Ils entendaient parfois des voix en provenance de la surface, dont les échos résonnaient dans les corridors creusés par les mouvements subtils mais perpétuels de la terre. Mais ces bribes ne leur donnaient aucun indice sur l'évolution de leurs enfants, avec lesquels ils entretenaient un lien mental au mieux ténu. Du moins jusqu'à ce soir-là.

Ce soir-là, leurs rejetons s'étaient rencontrés, et leur contact était soudain fort clair, comme si leurs enfants avaient compris certains aspects de leur propre nature en découvrant leur parfait contraire, ouvrant ainsi leurs esprits à leurs créateurs. Fletcher se retrouva dans la tête d'un jeune homme nommé Howard, le fils de Trudi Katz. Il vit l'enfant de son ennemi à travers les yeux du garçon, tout comme le Jaff vit Howie depuis la tête de sa fille.

C'était l'instant qu'ils avaient attendu. Le conflit qui les avait opposés à travers l'Amérique les avait tous deux épuisés. Mais leurs enfants étaient venus au monde pour lutter à leur place ; pour achever la bataille qui était restée sans issue depuis deux décennies. Cette fois-ci, ce serait une lutte à mort.

Du moins l'avaient-ils cru. A présent, pour la première fois de leur vie, Fletcher et le Jaff partageaient la même peine — comme si un seul pieu avait pourfendu leurs deux âmes.

Ce n'était pas la guerre, bon sang. C'était tout sauf la guerre.

— Vous avez perdu l'appétit ? voulut savoir la serveuse.

— On dirait, répondit Howie.

— Vous voulez que je remporte votre assiette ?

— Ouais.

— Vous désirez un dessert ? Un café ?

— Un autre Coca.

— Un Coca.

Jo-Beth était dans la cuisine lorsque Beverly revint avec l'assiette.

— Un si bon steak, quel gaspillage, dit Beverly.

— Comment s'appelle-t-il ? voulut savoir Jo-Beth.

— Tu me prends pour une agence matrimoniale ? Je ne lui ai pas demandé.

— Vas-y.

— Vas-y, toi. Il veut un autre Coca.

— Merci. Tu veux bien t'occuper de ma table ?

— Appelle-moi Cupidon.

Cela faisait une demi-heure que Jo-Beth ne pensait qu'à son travail et évitait de regarder le garçon : c'était amplement suffisant. Elle remplit un verre de Coca et sortit. A sa grande horreur, la table était vide. Elle faillit laisser tomber le verre ; la vue de la chaise inoccupée la rendit physiquement malade. Puis, du coin de l'œil, elle le vit sortir des toilettes et regagner sa table. Il la vit et lui sourit. Elle se dirigea vers la table, ignorant deux appels en chemin. Elle savait déjà quelle était la première question qu'elle lui poserait : elle l'avait su dès le début. Mais ce fut lui qui la posa le premier.

— Est-ce qu'on se connaît ?

Et, bien sûr, elle savait quelle était la réponse.

— Non, dit-elle.

— Mais quand tu... tu... tu... (Il trébuchait sur les mots, les muscles de ses mâchoires travaillaient comme s'il avait mâché du chewing-gum.) ... Tu..., répéta-t-il, ... tu...

— J'ai pensé la même chose.

Elle espérait ne pas l'offenser en achevant sa pensée à sa place. Apparemment non. Il lui sourit et ses traits se détendirent.

— C'est étrange, dit-elle. Tu n'es pas du Grove, n'est-ce pas ?

— Non. De Chicago.

— Ce n'est pas la porte à côté.

— Mais je suis né ici.

— Vraiment ?

— Je m'appelle Howard Katz. Howie.

— Moi, c'est Jo-Beth...

— A quelle heure tu auras fini de travailler ?

— Vers onze heures. Tu as bien fait de venir ce soir. Je ne travaille que le lundi, le mercredi et le vendredi. Si tu étais venu demain, tu m'aurais manquée.

— On aurait fini par se trouver, dit-il, et l'assurance de cette déclaration donna envie de pleurer à Jo-Beth.

— Il faut que je retourne travailler, lui dit-elle.

— Je t'attendrai, répondit-il.

A onze heures dix, ils sortirent ensemble de chez Butrick. La nuit était chaude. Pas la moindre brise agréable, mais une humidité pesante.

— Pourquoi es-tu venu au Grove ? lui demanda-t-elle tandis qu'ils se dirigeaient vers sa voiture.

— Pour te rencontrer.

Elle rit.

— Pourquoi pas ? dit-il.

— D'accord. Dans ce cas, pourquoi es-tu parti ?

— Ma mère a déménagé à Chicago alors que j'avais à peine quelques semaines. Elle ne m'a jamais beaucoup parlé de sa ville natale. Quand elle en parlait, on aurait dit que c'était l'enfer. Je suppose que je voulais voir par moi-même. Peut-être la comprendre et me comprendre un peu mieux.

— Elle est toujours à Chicago ?

— Elle est morte. Ça fait deux ans.

— C'est triste. Et ton père ?

— Je n'en ai pas. Enfin... je veux dire... c'est... c'est... (Il commença à bégayer, lutta, l'emporta.) Je ne l'ai jamais connu, dit-il.

— De plus en plus bizarre.

— Pourquoi ?

— C'est la même chose pour moi. Je ne sais pas qui est mon père, moi non plus.

— Ça n'a pas grande importance, n'est-ce pas ?

— Dans le temps, si. Moins aujourd'hui. J'ai un frère jumeau, tu vois ? Tommy-Ray. Il a toujours été à mes côtés. Il faut que tu rencontres Tommy. Tu l'adoreras. Tout le monde l'adore.

— Et toi aussi. Je parie que tout... tout... tout le monde t'adore, toi aussi.

— Ce qui veut dire ?

— Tu es belle. Je vais être en concurrence avec la moitié des mecs du Comté de Ventura, pas vrai ?

— Non.

— Je ne te crois pas.

— Oh, ils peuvent regarder. Mais pas toucher.

— Moi y compris ?

Elle fit halte.

— Je ne te connais pas, Howie. Enfin, je te connais sans te connaître. Quand je t'ai vu au Steak House, je t'ai reconnu. Sauf que je ne suis jamais allée à Chicago et tu n'es jamais venu au Grove depuis... (Soudain, elle fronça les sourcils.) Que âge as-tu ? demanda-t-elle.

— J'ai eu dix-huit ans en avril.

Son front se plissa un peu plus.

— Qu'est-ce qu'il y a ? dit-il.

— Moi aussi.

— Hein ?

— Dix-huit ans en avril dernier. Le quatorze.

— Je suis du deux.

— C'est de plus en plus étrange, tu ne crois pas ? Moi qui pense te connaître. Toi qui penses la même chose.

— Ça te met mal à l'aise.

— C'est si évident que ça ?

— Oui. Je n'ai jamais vu... vu... Je n'ai jamais vu un visage si... transparent. Ça me donne envie de l'embrasser.

Dans le roc, les esprits se convulsèrent. Chacune des paroles de séduction qu'ils avaient entendues avait remué le couteau dans la plaie. Mais ils étaient impuissants à prévenir ce dialogue. Ils ne pouvaient que se tapir dans la tête de leurs enfants et écouter.

— Embrasse-moi, dit-elle.

Ils frissonnèrent.

Howie posa ses mains sur le visage de Jo-Beth.

... Ils frissonnèrent jusqu'à ce que le sol tremble autour d'eux...

Elle fit un demi-pas vers lui et posa ses lèvres souriantes sur les siennes.

... Jusqu'à ce que des fissures s'ouvrent dans le béton qui les avait scellés dix-huit ans auparavant. Assez ! crièrent-ils aux oreilles de leurs enfants. Assez ! Assez !

— Tu n'as pas senti quelque chose ? dit-il.

Elle rit.

— Si, dit-elle. Je crois bien que la terre a tremblé.

III

1

Les filles allèrent deux fois dans l'eau.

La seconde fois, ce fut le lendemain du jour où Howard Katz rencontra Jo-Beth McGuire. La matinée était ensoleillée, l'humidité du soir précédent ayant été emportée par un vent qui promettait déjà de rafraîchir l'après-midi.

Buddy Vance avait de nouveau dormi seul dans le lit qu'il avait fait faire pour trois personnes. Trois dans un lit, avait-il dit — et ce mot était malheureusement devenu une citation —, c'était le paradis des cochons. Deux, c'était le mariage ; et l'enfer. Il avait suffisamment vécu pour savoir que cette dernière situation ne lui convenait guère, mais cette matinée aurait été encore plus belle s'il avait su qu'une femme l'attendait dans son lit, même si c'était la sienne. Sa liaison avec Ellen s'était avérée trop perverse pour durer ; il ne devait pas tarder à la renvoyer. En attendant, un lit vide facilitait grandement la mise en route de ses activités matinales. Personne n'étant là pour conférer de la séduction à son matelas, il ne lui était guère difficile d'enfiler son jogging et de descendre en courant la route de la Colline.

Buddy avait cinquante-quatre ans. Lorsqu'il courait, il avait l'impression d'en avoir le double. Mais ces derniers temps, ses contemporains avaient trop tendance à tomber comme des mouches, le dernier en date étant Stanley Goldhammer, son ex-imprésario, et ils mouraient tous des excès auxquels lui-même était encore accroché. Les cigares, l'alcool, la drogue. De tous ses vices, le beau sexe était encore le plus sain, mais même ce plaisir-là devait être consommé avec modération. Il ne pouvait plus faire l'amour durant toute la nuit, comme il en avait été capable à trente ans. Récemment, lors de quelques occasions traumatisantes, il n'avait même pas été capable de baiser. C'était cet échec qui l'avait conduit chez son médecin, exigeant une panacée, quel qu'en soit le prix.

— Ça n'existe pas, avait dit Tharp.

Il soignait Buddy depuis sa période de gloire, lorsque *The Buddy Vance Show* pulvérisait les indices d'écoute chaque soir, lorsque les blagues qu'il racontait à vingt heures étaient sur toutes les lèvres de l'Amérique dès le lendemain matin. Tharp connaissait sous toutes les coutures celui qu'on avait jadis appelé l'homme le plus drôle du monde.

— Tu fais du mal à ton corps, Buddy, tu lui fais du mal chaque jour. Et tu prétends ne pas vouloir mourir. Tu prétends faire un show à Las Vegas le jour de tes cent ans.

— Exact.

— Vu ta condition présente, je te donne encore dix ans. Si tu as de la chance. Tu es trop gros, tu es trop stressé. J'ai vu des cadavres en meilleure santé.

— C'est moi le comique ici, Lou.

— Ouais, et c'est moi qui remplis les certificats de décès. Commence à prendre soin de toi, pour l'amour de Dieu, ou tu vas finir comme Stanley.

— Tu crois que je ne le sais pas ?

— Oh, si, tu le sais, Bud. Tu le sais.

Tharp se leva et fit le tour de son bureau pour s'approcher de Buddy. Sur le mur étaient accrochées des photos dédicacées des stars qu'il avait conseillées et soignées. Tant de grands noms. La plupart morts ; en majorité, hélas, prématurément. La gloire avait son prix.

— Je suis content que tu aies décidé de réagir. Si tu parles vraiment sérieusement...

— Je suis venu te voir, non ? C'est pas du sérieux, ça, bordel ? Tu sais bien que j'ai horreur de parler de cette saleté. Je n'ai jamais fait une blague sur la mort, Lou. Tu le sais, non ? Pas une seule fois. N'importe quoi d'autre. *N'importe quoi.* Mais pas ça !

— Tôt ou tard, il faut bien lui faire face.

— Je choisis tard.

— D'accord, je vais te préparer un programme de remise en forme. Régime ; exercice ; le grand jeu. Mais laisse-moi te dire une chose, Buddy : ça ne sera pas agréable à lire !

— J'ai lu quelque part que le rire prolongeait la vie.

— Si tu as lu quelque part que les comiques étaient éternels, je te montrerai une épitaphe en forme de calembour.

— Ouais. Quand est-ce que je commence ?

— Aujourd'hui. Jette ton whisky et ta coke à la poubelle, et essaye de te servir de ta piscine de temps en temps.

— Elle a besoin d'être nettoyée.

— Alors fais-la nettoyer.

C'était la partie la plus facile. Dès son retour, Buddy demanda à Ellen d'appeler le service de nettoiement et une équipe débarqua le lendemain. Le programme de remise en forme fut plus difficile à mettre en route, ainsi que Tharp l'avait dit, mais chaque fois que sa volonté fléchissait, il pensait à la gueule qu'il découvrait le matin dans son miroir, et à la bite qui n'était visible que lorsqu'il rentrait le ventre jusqu'à se faire mal. Quand sa vanité était impuissante à le secouer, il pensait à la mort, mais seulement en dernier recours.

Il s'était toujours levé tôt, ce n'était donc pas une corvée pour lui que de se lever aux aurores pour son jogging matinal. Les trottoirs étaient déserts, et il lui arrivait souvent — comme aujourd'hui — de descendre le long de la Colline, de traverser le quartier est et de s'enfoncer dans les bois, là où le sol martyrisait moins ses semelles que le béton et où ses halètements étaient rythmés par le chant des oiseaux. Ces jours-là, il se contentait d'un aller simple ; il demandait à José Luis de conduire sa limousine en bas de la Colline et de l'attendre à la sortie du bois, avec des serviettes et du thé glacé. Puis ils regagnaient Coney Eye (ainsi avait-il baptisé sa propriété) de la façon la plus commode : en voiture. La santé était une chose ; le masochisme, du moins en public, une autre.

Le jogging raffermissait ses abdominaux, mais il avait d'autres avantages. Buddy avait une heure à sa disposition pour débattre intérieurement de ses problèmes. Aujourd'hui, impossible de penser à autre chose qu'à Rochelle. Le divorce serait prononcé définitivement cette semaine, et son sixième mariage appartiendrait à l'histoire. Sur les six, celui-ci était classé numéro deux en termes de brièveté. Son mariage avec Shashi n'avait duré que quarante-deux jours, s'achevant par un coup de feu qui avait bien failli lui emporter les couilles : le coup était passé si près qu'il avait des sueurs froides chaque fois qu'il y repensait. Il n'avait certes pas passé plus d'un mois en compagnie de Rochelle sur les douze qu'avait duré leur mariage. Après leur lune de miel, pleine de surprises, elle était retournée à Fort Worth pour calculer sa pension alimentaire. Leur union avait été une erreur dès le début. Il aurait dû s'en rendre compte la première fois qu'elle n'avait pas ri en écoutant ses gags, qui était d'ailleurs — coïncidence — la première fois qu'elle *écoutait* ses gags. Mais de toutes ses femmes, Elizabeth comprise, c'était la plus séduisante. Peut-être avait-elle un visage de pierre, mais celui qui l'avait sculptée était un génie.

Il pensait à son visage alors qu'il quittait le trottoir pour

s'engager dans les bois. Peut-être devrait-il l'appeler ; lui demander de revenir à Coney pour une dernière tentative. Il avait déjà
agi ainsi, avec Diane, et les deux mois qu'ils avaient passés
ensemble avaient été la meilleure période de leur vie commune,
juste avant que les vieilles rancunes ne refassent surface. Mais
Diane était une femme, et Rochelle en était une autre. Il était
inutile de tenter de déduire un comportement féminin à partir
d'un autre. Toutes les femmes étaient différentes, et c'était ça qui
faisait leur gloire. Par comparaison, les hommes étaient bien
ternes : le corps maladroit et l'esprit à sens unique. Lors de sa
prochaine réincarnation, il voulait être une lesbienne.

Il entendit des rires dans le lointain ; le gloussement caractéristique des adolescentes. Un bruit fort étrange si tôt dans la
journée. Il cessa de courir et tendit l'oreille, mais l'air était
soudain devenu vide de tout bruit, y compris celui du chant des
oiseaux. Il n'entendait que des sons internes : les labeurs de son
organisme. Avait-il imaginé ces rires ? C'était parfaitement
possible, étant donné la tournure de ses pensées. Mais, alors qu'il
se préparait à faire demi-tour et à laisser le bosquet à son silence,
les gloussements se firent à nouveau entendre, accompagnés par
un changement presque hallucinatoire de la scène qui l'entourait.
Le bruit sembla animer toute la forêt. Il anima les feuilles, il
rendit le soleil plus brillant. Et bien plus : il changea la *direction*
même de ses rayons. Dans le silence, la lumière avait été pâle, sa
source encore basse à l'est. Dès le surgissement des rires, elle
acquit l'éclat de midi, se déversa sur les feuilles tournées vers le
ciel.

Buddy ne se demanda pas s'il devait ou non croire ses yeux : il
se contenta d'enregistrer l'expérience, fasciné comme il l'aurait
été devant la beauté féminine. Ce fut seulement lorsqu'il entendit
un troisième éclat de rire qu'il localisa sa provenance et se mit à
courir vers lui dans une lumière toujours vacillante.

Au bout de quelques mètres, il perçut un mouvement entre les
arbres. De la peau nue. Une fille en train d'ôter ses sous-
vêtements. Derrière elle se trouvait une autre fille, blonde et
d'une beauté extraordinaire, en train de faire de même. Il savait
instinctivement qu'elles n'étaient pas tout à fait réelles, mais il
s'avança néanmoins avec précaution, de peur de les effaroucher.
Pouvait-on effaroucher des illusions ? Il ne voulait pas en courir le
risque ; pas lorsque le spectacle était aussi charmant. La blonde
fut la dernière à se déshabiller. Il y en avait trois autres, qui
barbotaient déjà dans un étang à la lisière de la solidité. Son eau

mouvante aspergea de lumière le visage de la blonde — *Arleen ;* les autres la nommèrent ainsi en criant vers le rivage. Progressant d'arbre en arbre, il arriva à moins de trois mètres de la berge. Arleen avait à présent de l'eau jusqu'aux cuisses. Elle se pencha pour en prendre dans ses mains et en asperger son corps, mais le liquide était virtuellement invisible. Les autres filles, qui nageaient dans des eaux plus profondes, semblaient flotter dans l'air.

Des fantômes, pensa-t-il vaguement ; ce sont des fantômes. Je suis en train d'épier le passé, qui se déroule à nouveau devant moi. Cette pensée le fit sortir de sa cachette. Si sa supposition était correcte, elles risquaient de disparaître à tout moment et il voulait boire leur gloire à pleines gorgées avant qu'elles ne se soient évanouies.

Il n'y avait aucune trace des vêtements qu'elles avaient abandonnés dans l'herbe, là où il se trouvait à présent, ni aucun signe — lorsque l'une d'elles regardait en direction du rivage — qu'elles l'aient aperçu.

— Ne va pas trop loin ! cria l'une d'elles à sa compagne.

Ce conseil fut ignoré. La fille s'éloignait de la berge, ses jambes s'écartant et se refermant, s'écartant et se refermant. Il n'avait jamais connu d'expérience plus érotique depuis ses rêves d'adolescent : observer ces créatures suspendues dans l'air étincelant, le bas de leur corps légèrement brouillé par l'élément qui les portait, pas assez toutefois pour l'empêcher de jouir du moindre détail de leur anatomie.

— C'est chaud ! hurla l'aventurière qui nageait loin de lui. C'est *chaud* ici !

— Tu rigoles ?

— Viens voir !

Ses paroles firent naître une nouvelle ambition dans l'esprit de Buddy. Il en avait tant *vu*. Oserait-il à présent *toucher ?* Si elles ne pouvaient pas le voir — ce qui était le cas de toute évidence —, quel mal y aurait-il à s'approcher et à leur caresser l'échine du doigt ?

L'eau ne fit aucun bruit lorsqu'il pénétra dans l'étang ; et il ne sentit aucun contact sur ses chevilles et sur ses mollets lorsqu'il s'avança. Arleen flottait cependant sur quelque chose. Elle était immobile sur la surface de l'étang, les cheveux étalés autour de sa tête, puis se mit à nager doucement, s'éloignant de lui. Il se lança à sa poursuite, nullement freiné par l'eau et, en quelques secondes, réduisit de moitié la distance qui le séparait de la fille.

Ses bras étaient tendus, ses yeux fixés sur les roseurs de sa vulve alors qu'elle s'éloignait doucement de lui.

L'aventurière s'était mise à crier, mais il ignora son agitation. Il ne pensait qu'à toucher Arleen. A poser la main sur elle sans qu'elle proteste, se contentant de nager tandis qu'il prenait son plaisir. Dans sa hâte, il trébucha sur quelque chose. Les bras toujours tendus vers la jeune fille, il tomba face contre terre. Le choc lui fit reprendre conscience et il comprit la nature des cris qui montaient des eaux profondes. Ce n'était plus des cris de joie, mais des cris d'alarme. Il leva la tête. Les deux nageuses les plus éloignées se débattaient dans l'air, le visage tourné vers le ciel.

— Oh mon Dieu! dit-il.

Elles étaient en train de se noyer. Des fantômes, avait-il pensé quelques instants plus tôt, sans réfléchir à ce qu'impliquait ce mot. L'écœurante vérité lui apparaissait à présent. Les baigneuses avaient péri dans ces eaux. Il avait reluqué des mortes.

Révolté par ses actes, il voulut battre en retraite, mais un sens perverti du devoir le contraignit à observer cette tragédie.

Les quatre filles étaient à présent prisonnières du même tourbillon, elles se débattaient dans l'air, le visage cramoisi en quête de souffle. Comment était-ce possible? On aurait dit qu'elles se noyaient dans un mètre d'eau. Un courant était-il venu les saisir? Cela semblait peu probable, dans des eaux si peu profondes et apparemment si calmes.

— Les aider..., se surprit-il à dire. Pourquoi personne ne vient-il les aider?

Comme si lui-même avait pu les secourir, il se dirigea vers elles. Arleen était la plus proche. Toute beauté avait disparu de son visage. Celui-ci était déformé par le désespoir et par la terreur. Soudain, ses yeux écarquillés semblèrent apercevoir quelque chose dans l'eau au-dessous d'elle. Elle cessa de se débattre et une expression de défaite totale se dessina sur ses traits. Elle renonçait à la vie.

— *Non,* murmura Buddy.

Il leva les bras vers elle, comme s'il avait pu l'arracher du passé et la ramener à la vie. A l'instant même où sa chair touchait celle de la jeune fille, il sut que cette initiative leur serait fatale à tous les deux. Ses regrets arrivèrent cependant trop tard. Le sol trembla sous eux. Il baissa les yeux et vit qu'il n'y avait là qu'une mince couche de terre et de rares touffes d'herbe. Sous la terre, le roc gris; ou était-ce du béton? Oui! Du béton! On avait rebouché un trou dans le sol, mais le sceau se fracturait sous ses yeux, et les fissures s'élargissaient déjà dans le béton.

Il regarda en direction de la berge de l'étang, en direction de la terre ferme, mais un mètre plus loin, une crevasse s'était déjà ouverte entre lui et la sécurité, dans laquelle s'engouffra un bloc de béton. Un air glacé monta des profondeurs.

Il se retourna vers les nageuses, mais le mirage était devenu flou. Comme il disparaissait, il vit la même expression se peindre sur les quatre visages : les yeux roulés révélant la sclérotique, les bouches grandes ouvertes pour boire la mort. Elles n'avaient pas péri dans un mètre d'eau, comprit-il alors. Elles étaient venues nager au-dessus d'un gouffre, et celui-ci les avait englouties tout comme il l'engloutissait à présent : elles avaient été terrassées par les eaux, et lui par des spectres.

Il se mit à hurler pour appeler à l'aide tandis que le sol se faisait de plus en plus menaçant, le béton s'effritant sous ses pieds. Peut-être qu'un autre jogger matinal l'entendrait et viendrait à son secours. Mais vite ; il fallait faire vite.

De qui se moquait-il ? Lui, le comique. Personne n'allait venir. Il allait mourir. Bordel de merde, il allait mourir.

La crevasse qui le séparait de la terre ferme s'était considérablement élargie, mais sauter était sa seule chance de salut. Il devait être rapide, agir avant que le béton sur lequel il se tenait ne glisse dans l'abîme, l'emportant avec lui. C'était maintenant ou jamais.

Il sauta. Et ce fut un joli saut. Quelques centimètres de plus, et il aurait été sauvé. Mais ces quelques centimètres lui manquèrent. Il chercha à agripper l'air, ayant manqué sa cible, et tomba.

A un instant donné, le soleil brillait encore sur son crâne. L'instant d'après, les ténèbres, les ténèbres glacées, et il plongeait en elles en compagnie de quelques blocs de béton. Il les entendit craquer contre le roc en chemin ; puis il comprit que c'était *lui* qui produisait ce bruit. C'étaient ses os et son dos qu'il entendait craquer dans sa chute. Dans sa chute incessante.

2

Pour Howie, la journée commença plus tôt qu'elle ne commençait d'habitude après une nuit aussi brève, mais une fois qu'il se fut levé et eut entamé ses exercices, il fut heureux d'être réveillé. C'était un crime de rester au lit par une si belle journée. Il s'acheta un soda au distributeur automatique et s'assit près de la fenêtre, contemplant le ciel et réfléchissant à ce que cette journée allait lui apporter.

Menteur ! il ne pensait pas à la journée. Mais à Jo-Beth ; rien qu'à Jo-Beth. Ses yeux, son sourire, sa voix, sa peau, son odeur, ses secrets. Il regardait le ciel et ne voyait qu'elle, en était obsédé.

C'était une grande première pour lui. Il n'avait jamais éprouvé d'émotion aussi forte que celle qui le possédait à présent. A deux reprises durant la nuit, il s'était réveillé en sursaut, couvert de sueur. Il ne se souvenait pas des rêves qui avaient causé son réveil, mais elle y figurait certainement. Comment le contraire serait-il possible ? Il fallait qu'il aille la retrouver. Chaque heure passée hors de sa présence était une heure gâchée ; chaque instant où il ne la voyait pas était un instant de cécité ; chaque instant où il ne la touchait pas, un instant de paralysie.

Lorsqu'ils s'étaient quittés la veille, elle lui avait dit qu'elle travaillait chez Butrick le soir et dans une librairie durant la journée. Vu la taille du centre commercial, il ne serait guère difficile de localiser son lieu de travail. Il acheta un paquet de biscuits pour remplir le trou que son abstinence de la veille avait laissé dans son estomac. L'autre trou, celui qu'il était venu combler ici, était loin de ses pensées. Il erra le long des boutiques, en quête de *la sienne*. Il la trouva, entre une boutique d'animaux et le bureau d'une agence immobilière. Comme la plupart des magasins, celui-ci était encore fermé et n'ouvrirait que dans trois quarts d'heure, à en croire le panneau accroché à sa porte. Il s'assit au soleil de plus en plus chaud, mangea et attendit.

Dès l'instant où elle ouvrit les yeux, son instinct lui ordonna d'oublier son travail et de partir à la recherche de Howie. Les événements du soir précédent n'avaient cessé de passer et de repasser dans ses rêves, subtilement transformés chaque fois comme s'ils provenaient d'une autre réalité, sélection de quelques rencontres choisies parmi une infinité de variations. Mais entre toutes ces possibilités, il lui était impossible d'en concevoir une où il n'aurait pas figuré. Il l'avait toujours attendue, dès son premier souffle ; ses cellules en avaient la certitude. Pour une raison encore inconnue, Howie et elle étaient destinés à être ensemble.

Elle savait pertinemment que, si une de ses amies lui avait confessé de tels sentiments, elle les aurait poliment considérés comme grotesques. Ce qui ne voulait pas dire qu'il ne lui était jamais arrivé de se languir de quelqu'un, bien sûr ; ni de mettre la radio plus fort lorsqu'on passait certaine chanson d'amour. Mais tout en l'écoutant, elle avait su que de telles rengaines n'étaient conçues que pour la distraire d'une réalité dépourvue de toute mélodie. Elle-même était la parfaite victime de cette réalité, jour après jour. Sa mère, vivant comme une prisonnière — de la maison autant que du passé —, parlant, les jours où elle avait assez de volonté pour parler, des espoirs qu'elle avait entretenus et des amies avec lesquelles elle les avait partagés. Jusqu'à aujourd'hui, ce triste spectacle avait étouffé les ambitions romantiques de Jo-Beth, toutes ses ambitions en fait.

Mais ce qui s'était passé entre elle et le garçon de Chicago ne s'achèverait pas comme s'était achevée la grande aventure sentimentale de sa mère, qui avait été abandonnée par un homme qu'elle méprisait tellement que son nom n'était jamais prononcé. Si toutes les leçons de catéchisme qu'elle avait consciencieusement suivies lui avaient appris une chose, c'était que la révélation survenait au moment où on l'attendait le moins. Pour Joseph Smith, dans une ferme de Palmyra (New York), où un ange lui avait révélé le Livre des Mormons. Pourquoi pas elle, alors, dans des circonstances également peu prometteuses ? Entrer dans le Steak House Butrick ; marcher dans un parking avec un homme qui lui était à la fois connu et inconnu ?

Tommy-Ray était dans la cuisine, et il lui lança un regard aussi noir que le café qu'il était en train de préparer. Il semblait avoir dormi tout habillé.

— Tu es rentré tard ? dit-elle.

— Comme toi.

— Pas vraiment, dit-elle. J'étais à la maison avant minuit.

— Mais tu n'as pas dormi.

— J'ai mal dormi.

— Tu étais réveillée. Je t'ai entendue.

C'était peu probable, elle le savait. Leurs chambres se trouvaient aux extrémités opposées de la maison, et même s'il se rendait aux toilettes, il ne parvenait jamais à portée de voix de sa sœur.

— Et alors ? dit-il.

— Et alors quoi ?

— Parle-moi.

— Tommy ? (Le comportement agité de son frère la troublait.) Qu'est-ce qui t'arrive ?

— Je t'ai entendue, répéta-t-il. Je n'ai pas arrêté de t'entendre, toute la nuit. Il t'est arrivé quelque chose hier soir. N'est-ce pas ?

Il ne pouvait pas être au courant pour Howie. Seule Beverly avait une idée de ce qui s'était passé au Steak House, et elle n'aurait pas eu le temps de commencer à répandre des rumeurs, même si elle l'avait voulu, ce qui était douteux. Elle-même avait des secrets qu'elle ne souhaitait pas voir rendus publics. De plus, qu'y avait-il à raconter ? Qu'elle avait fait de l'œil à un client ? Qu'elle l'avait embrassé dans le parking ? En quoi cela regardait-il Tommy-Ray ?

— Il s'est passé quelque chose hier soir, dit-il. J'ai senti une sorte de *changement*. Mais si c'était ce que nous attendions... il ne s'est rien passé pour moi. Il s'est donc passé quelque chose pour toi, Jo-Beth. Quoi que ce soit, quelque chose est arrivé pour toi.

— Tu veux bien me servir un peu de café ?

— Réponds-moi.

— Que veux-tu que je te réponde ?

— Que s'est-il passé ?

— Rien.

— Tu mens, fit-il remarquer, plus étonné qu'accusateur. Pourquoi tu me mens ?

C'était une question raisonnable. Elle n'avait pas honte de Howie, ni de ce qu'elle ressentait à son égard. Elle avait partagé chaque victoire et chaque défaite de ses dix-huit ans avec Tommy-Ray. Il n'irait jamais répéter ses secrets à Maman ou au Pasteur John. Mais les regards qu'il lui jetait étaient étranges ; elle n'arrivait pas à les déchiffrer. Et cette histoire comme quoi il l'avait entendue toute la nuit. Avait-il écouté à sa porte ?

— Il faut que j'aille à la librairie, dit-elle. Sinon, je vais être en retard.

— Je t'accompagne, dit-il.

— Pourquoi faire ?

— Je veux que tu m'emmènes là-bas, c'est tout.

— Tommy...

Il lui sourit.

— Tu n'as pas envie d'emmener ton frère en voiture ? dit-il.

Comme elle hochait la tête en signe d'assentiment, se laissant berner par ce numéro, elle vit le sourire disparaître des lèvres de son frère.

— Nous devons nous faire confiance l'un à l'autre, dit-il lorsque la voiture eut démarré. Comme nous l'avons toujours fait.

— Je sais.

— Parce que nous sommes *forts* ensemble, pas vrai ? (Il regardait par la fenêtre, les yeux vitreux.) Et en ce moment, j'ai besoin de me sentir fort.

— Tu as surtout besoin de sommeil. Tu ne veux pas que je te ramène à la maison ? Peu importe si j'arrive en retard.

Il secoua la tête.

— Je déteste cette maison, dit-il.

— Quelle idée.

— C'est vrai. Nous la détestons tous les deux. Elle me donne des cauchemars.

— Ce n'est pas la maison, Tommy.

— Si. La maison, et Maman, et cette foutue ville ! Regarde-la ! (Il entra soudain dans une colère furieuse.) Regarde ce tas de merde ! Tu n'as jamais eu envie de réduire tout ce bordel en pièces ? (Ses cris étaient rendus encore plus énervants par l'étroitesse de l'habitacle.) Je sais que tu en as envie, toi aussi, dit-il en la regardant de ses yeux fous. Ne me mens pas, petite sœur.

— Je ne suis pas ta petite sœur, Tommy, dit-elle.

— Je suis plus âgé que toi de trente-cinq secondes, dit-il. (Ils avaient toujours plaisanté de ce fait. A présent, il l'utilisait comme une arme.) Trente-cinq secondes de plus dans ce tas de merde.

— Arrête de dire des bêtises, dit-elle en freinant soudain. Je ne t'écoute plus. Tu peux descendre et faire la route à pied.

— Tu veux que je me mette à hurler dans les rues ? dit-il. D'accord. Ne crois pas que je vais hésiter. Je vais hurler jusqu'à ce que leurs foutues maisons s'écroulent !

— Tu te conduis comme un con, dit-elle.

— Eh bien, voilà un mot qui ne franchit pas souvent les lèvres de ma petite sœur, dit-il, satisfait de lui-même. Il y a quelque chose qui cloche chez *nous deux* ce matin.

Il avait raison. La colère de son frère l'avait enflammée comme jamais elle ne s'était laissé enflammer auparavant. Ils étaient jumeaux, et semblables de bien des façons, mais c'était lui le plus ouvertement rebelle des deux. Elle avait joué le rôle de la fille soumise, dissimulant le mépris que lui inspirait l'hypocrisie du Grove parce que Maman, qui avait été la victime de la ville, avait encore besoin de son approbation. Mais il lui était souvent arrivé d'envier le mépris franchement affiché par Tommy-Ray, de vouloir elle aussi cracher sur les convenances comme le faisait son frère, qui savait qu'on lui pardonnerait au prix d'un sourire. Il avait eu la vie facile durant toutes ces années. Sa tirade contre la ville n'était que du narcissisme ; il était amoureux de son image de rebelle. Et tout ceci gâchait une matinée dont elle aurait souhaité jouir.

— On en reparlera ce soir, Tommy, dit-elle.

— Vraiment ?

— Je viens de te le dire.

— Il faut qu'on s'aide l'un l'autre.

— Je sais.

— Surtout en ce moment.

Il était soudain assagi, comme si toute sa colère l'avait quitté en un seul souffle, et avec elle toute son énergie.

— J'ai peur, dit-il tout doucement.

— Tu n'as aucune raison d'avoir peur, Tommy. Tu es fatigué, c'est tout. Tu devrais rentrer et dormir un peu.

— Ouais.

Ils étaient arrivés devant le centre. Elle ne prit pas la peine de garer la voiture.

— Prends-la, dit-elle. Lois me déposera ce soir.

Alors qu'elle se préparait à descendre, il lui agrippa le bras, la serrant si fort qu'elle en eut mal.

— *Tommy...*, dit-elle.

— Tu parles sérieusement ? Il n'y a aucune raison d'avoir peur ?

— Non.

Il se pencha sur elle pour l'embrasser.

— J'ai confiance en toi, dit-il.

Ses lèvres étaient tout près de celles de sa sœur. Elle ne voyait que son visage ; sa main lui serrait le bras comme s'il la possédait.

— Ça suffit, Tommy, dit-elle en dégageant son bras. Rentre à la maison.

Elle descendit de voiture, claquant la portière plutôt que la refermant, refusant délibérément de le regarder.

— Jo-Beth.

Devant elle, Howie. Son estomac fit un bond lorsqu'elle le vit. Derrière elle, elle entendit un coup de klaxon, et elle découvrit en se retournant que Tommy-Ray n'avait pas fait démarrer la voiture et que celle-ci empêchait plusieurs véhicules de passer. Il la regardait fixement ; agrippait la poignée de la portière ; descendait. Les klaxons résonnèrent de plus belle. Quelqu'un lui cria de dégager le passage, mais il l'ignora. Toute son attention était braquée sur Jo-Beth. Il était trop tard pour qu'elle fasse signe à Howie de s'éloigner. A en juger par l'expression de Tommy-Ray, il avait tout compris en apercevant le sourire de bienvenue qui se dessinait sur les lèvres de Howie.

Elle se tourna vers ce dernier, envahie par le désespoir.

— Eh bien, regardez-moi ça, dit Tommy-Ray derrière elle.

C'était plus que du désespoir ; c'était de la terreur.

— Howie..., commença-t-elle.

— Bon Dieu, comme j'ai été stupide, continua Tommy-Ray.

Elle tenta de sourire en se retournant vers lui.

— Tommy, dit-elle, je te présente Howie.

Jamais elle n'avait vu sur le visage de son frère une expression comme celle qui l'habitait à présent ; jamais elle n'avait cru ces traits adorés capables d'une telle méchanceté.

— *Howie ?* dit-il. Comme dans *Howard ?*

Elle hocha la tête, jetant un regard vers Howie.

— Je te présente mon frère, dit-elle. Mon frère jumeau. Howie, voici Tommy-Ray.

Les deux hommes s'avancèrent l'un vers l'autre pour se serrer la main, entrant simultanément dans son champ de vision. Le soleil les éclairait avec le même éclat, mais celui-ci n'était guère flatteur pour Tommy-Ray, en dépit de son teint bronzé. Il avait l'air malade sous son vernis de santé ; ses yeux étaient ternes, sa peau était trop étirée sur ses joues et sur ses tempes. Il a l'air mort, se surprit-elle à penser. Tommy-Ray a l'air mort.

Bien que Howie ait tendu la main vers lui, Tommy-Ray l'ignora, se tournant soudain vers sa sœur.

— A plus tard, dit-il, tout doucement.

Son murmure fut presque étouffé par le vacarme de protestations qui montait derrière lui, mais elle perçut clairement la menace qu'il contenait. Ayant parlé, il lui tourna le dos et remonta dans la voiture. Elle ne pouvait pas voir le sourire apaisant qu'il arborait, mais elle pouvait l'imaginer. Le *golden boy* levant les bras en signe de reddition feinte, sachant que ses adversaires n'ont aucune chance.

— Qu'est-ce que ça veut dire ? demanda Howie.

— Je ne sais pas exactement. Il est bizarre depuis...

Elle allait dire « depuis hier », mais le cancer qu'elle avait aperçu dans sa beauté quelques instants plus tôt y avait sans doute toujours été présent, bien qu'elle — ainsi que le reste du monde — ait été trop éblouie pour le reconnaître.

— Tu crois qu'il a besoin d'aide ? demanda Howie.

— Je pense qu'il vaut mieux le laisser partir.

— Jo-Beth! héla quelqu'un.

Une femme âgée d'une quarantaine d'années se dirigeait vers eux d'un bon pas, ses traits et sa mise si simples qu'ils en devenaient sévères.

— C'était Tommy-Ray? dit-elle en s'approchant.

— Oui.

— Il ne s'arrête plus pour me dire bonjour. (Elle avait fait halte à un mètre de Howie et le regardait d'un air légèrement étonné.) Tu viens au magasin, Jo-Beth? dit-elle sans quitter Howie des yeux. Nous sommes déjà en retard.

— J'arrive.

— Est-ce que ton *ami* nous accompagne? demanda la femme en insistant.

— Oh oui... Excusez-moi... Howie... voici Lois Knapp.

— *Madame* Knapp, dit la femme, comme si son statut de femme mariée était un talisman destiné à la protéger des inconnus.

— Lois... voici Howie Katz.

— Katz? répliqua Mrs Knapp. Katz? (Elle cessa de regarder Howie pour examiner sa montre.) Cinq minutes de retard, dit-elle.

— Aucune importance, dit Jo-Beth. Nous n'avons jamais de client avant midi.

Mrs Knapp parut choquée de cette indiscrétion.

— Il ne faut pas prendre l'œuvre du Seigneur à la légère, fit-elle remarquer. Dépêchez-vous, je vous prie.

Puis elle s'en fut.

— C'est une marrante, commenta Howie.

— Elle n'est pas aussi méchante qu'elle en a l'air.

— Ça serait difficile.

— Je ferais mieux d'y aller.

— Pourquoi? dit Howie. La journée est si belle. On pourrait aller faire un tour. Profiter du beau temps.

— Demain sera aussi une belle journée, et après-demain, et le jour suivant. On est en Californie, Howie.

— Allez, viens avec moi.

— Laisse-moi d'abord faire la paix avec Lois. Je ne veux pas être sur la liste noire de tout le monde. Ça ferait de la peine à Maman.

— Alors quand?

— Quand quoi?

— Quand est-ce que tu seras libre ?

— Tu ne renonces jamais, n'est-ce pas ?

— Non.

— Je dirai à Lois que je dois rentrer chez moi pour m'occuper de Tommy-Ray cet après-midi. Je lui dirai qu'il est malade. Ce n'est qu'un demi-mensonge. Puis j'irai te retrouver au motel. D'accord ?

— Promis ?

— Promis. (Elle fit mine de s'en aller, puis dit :) Qu'est-ce qui ne va pas ?

— Tu ne veux pas m'em... m'embrasser... m'embrasser en public, hein ?

— Certainement pas.

— Et en privé ?

Elle recula et, sans y croire, lui fit signe de se taire.

— Dis-moi oui.

— Howie.

— Dis-moi oui.

— Oui.

— Tu vois ? C'est facile comme tout.

En fin de matinée, alors que Lois et Jo-Beth sirotaient un verre d'eau glacée dans la boutique déserte, la libraire dit :

— Howard Katz.

— Oui ? dit Jo-Beth, se préparant à entendre un sermon sur les relations des jeunes filles avec les personnes du sexe opposé.

— Je n'arrivais pas à me souvenir où j'avais entendu ce nom.

— Et vous vous souvenez à présent ?

— Une femme qui habitait le Grove. Il y a bien longtemps.

Ceci dit, Lois s'activa à essuyer le comptoir avec une serviette. Son silence ainsi que la concentration avec laquelle elle effectuait cette tâche indiquaient qu'elle était prête à changer de sujet si Jo-Beth n'y voyait pas d'inconvénient. Elle s'était pourtant sentie obligée d'aborder le problème. Pourquoi ?

— C'était une de vos amies ? demanda Jo-Beth.

— Non.

— Une amie de Maman, alors ?

— Oui, dit Lois, essuyant encore le comptoir à présent sec. Oui, c'était une amie de ta maman.

Soudain, tout devint clair.

— Une des quatre, dit Jo-Beth. C'était une des quatre.

— Je crois bien, oui.

— Et elle a eu des enfants ?

— Je ne me rappelle plus, tu sais.

Ce genre de réponse était le seul mensonge qu'une femme aussi scrupuleuse que Lois était capable de proférer. Jo-Beth décida d'insister.

— Vous vous rappelez, dit-elle. Racontez-moi, s'il vous plaît.

— Oui. Je crois bien que je me rappelle. Elle a eu un petit garçon.

— Howard.

Lois acquiesça.

— Vous en êtes sûre ? dit Jo-Beth.

— Oui. J'en suis sûre.

C'était à présent au tour de Jo-Beth de rester silencieuse, tandis qu'elle essayait d'examiner les événements de ces derniers jours à la lumière de cette découverte. Qu'avaient donc en commun ses rêves, l'apparition de Howie, la maladie de Tommy-Ray, et l'histoire — dont elle connaissait dix versions différentes — de cette baignade qui s'était achevée dans la mort, dans la folie et dans la conception ?

Peut-être Maman le savait-elle.

3

José Luis, le chauffeur de Buddy Vance, attendit son patron au point de rendez-vous pendant cinquante minutes avant de décider qu'il avait dû rentrer tout seul à la maison. Il contacta Coney grâce au téléphone de la voiture. Ellen était là, mais pas le patron. Ils débattirent de la marche à suivre et se mirent d'accord sur un plan d'action : José Luis attendrait dix minutes de plus, puis rentrerait en voiture en suivant la route que le patron avait probablement prise.

Il ne s'y trouvait pas. Et il n'était pas non plus rentré avant son chauffeur. Ils débattirent à nouveau des options qui s'offraient à eux, José Luis évitant avec tact d'évoquer la plus probable : il avait sans doute rencontré une femme en chemin. Après avoir passé seize ans au service de Mr Vance, il savait que les talents de séducteur de son patron frôlaient le surnaturel. Il reviendrait à la maison quand il aurait accompli son tour de magie.

Buddy ne ressentait aucune douleur. Il était reconnaissant de ce fait, mais pas assez stupide pour ignorer sa signification. Son corps était tellement chamboulé que son esprit avait tout simplement eu une overdose de souffrance et avait débranché les prises.

Les ténèbres qui l'enveloppaient étaient dénuées de toute qualité ; elles ne faisaient que le rendre aveugle. Ou peut-être ses yeux étaient-ils inopérants ; arrachés à sa tête lors de sa chute. Quelle qu'en soit la raison, privé de vue et de toute sensation, il flottait, et tout en flottant, calculait. Primo, le temps qu'il faudrait à José Luis pour se rendre compte que son patron ne rentrerait pas à la maison : deux heures au bas mot. Il ne serait pas difficile de suivre la route qu'il avait empruntée dans les bois ; et une fois qu'on aurait découvert la fissure, la gravité de sa situation serait évidente. On descendrait à sa recherche vers midi. En milieu d'après-midi, on le remonterait à la surface pour soigner ses os.

Peut-être était-il déjà midi.

Le seul moyen pour lui d'estimer le passage du temps était de compter les battements de son cœur, qu'il entendait résonner dans sa tête. Il se mit à compter. S'il parvenait à évaluer la durée d'une minute, il pourrait s'en servir comme référence et, au bout de soixante, il saurait qu'il avait survécu une heure. Mais à peine avait-il commencé à compter que sa tête entreprit un tout autre calcul.

Combien de temps ai-je vécu ? pensa-t-il. Pas respiré, pas existé, mais bien *vécu ?* Cinquante-quatre années depuis ma naissance : combien de semaines cela faisait-il ? Combien d'heures ? Mieux valait compter année par année ; c'était plus facile. Une année représente trois cent soixante jours, à quelques jours près. Supposons qu'il ait dormi un tiers de ce temps. Cent vingt jours dans les bras de Morphée. Oh ! Seigneur, les instants le fuyaient déjà. Une demi-heure par jour passée aux cabinets, ou à vider sa vessie. Ça faisait sept jours et demi de plus par an, rien qu'à cette sale besogne. Et se raser, et se doucher, dix jours de plus ; et manger, trente ou quarante de plus ; et tout ça multiplié par cinquante-quatre ans...

Il se mit à sangloter. Faites-moi sortir de là, murmura-t-il, je vous en prie, mon Dieu, faites-moi sortir de là, et je vivrai comme je n'ai jamais vécu, je ferai de chaque heure, de chaque minute (même en dormant, même en chiant) une minute passée à essayer de comprendre, afin de ne plus être aussi perdu la prochaine fois que les ténèbres viendront.

A onze heures, José Luis prit la voiture et descendit la Colline afin de voir s'il ne retrouvait pas le patron quelque part dans les rues. Il fit chou blanc et se rendit au *Food Stop,* un restaurant du centre commercial où on avait baptisé un sandwich en l'honneur de Mr Vance (il consistait surtout en viande, ce qui était plutôt flatteur), puis chez le disquaire, où le patron allait fréquemment acheter pour un millier de dollars de marchandise. Alors qu'il interrogeait Ryder, le propriétaire de la boutique, un client entra, annonça à la cantonade qu'il y avait un sérieux remue-ménage dans le quartier est, et demanda si quelqu'un avait été abattu.

Lorsque José Luis arriva à l'endroit indiqué, la route était bloquée par un flic solitaire qui détournait la circulation.

— On ne passe pas, dit-il à José Luis. La route est barrée.

— Que s'est-il passé? Sur qui on a tiré?

— On n'a tiré sur personne. Il y a une fissure dans la chaussée.

José Luis était descendu de voiture et scrutait les bois derrière le flic.

— Mon patron, dit-il sans qu'il fût nécessaire de nommer le propriétaire de la limousine. Il est venu faire du jogging par ici ce matin.

— Et alors?

— Et alors il n'est pas encore revenu.

— Oh merde! Vous feriez mieux de me suivre.

Ils s'engagèrent dans les bois, dont le silence n'était rompu que par des messages sporadiques et à peine cohérents émis par la radio du flic, qui les ignorait tous, et débouchèrent finalement dans une clairière. Plusieurs policiers en uniforme installaient des barrières sur son pourtour afin d'empêcher quiconque de fouler le terrain sur lequel José Luis était à présent conduit. Le sol était fissuré sous ses pieds, et les fissures s'élargissaient à mesure que le flic s'avançait vers son chef, lequel était plongé dans la contemplation du sol. José Luis sut ce qu'il allait trouver là bien avant d'arriver à destination. La fissure dans la chaussée et celles qu'il avait enjambées en chemin étaient les conséquences d'un phénomène plus grave : une crevasse de trois bons mètres de large qui s'ouvrait sur des ténèbres dévorantes.

— Qu'est-ce qu'il veut, celui-là? demanda le chef en désignant José Luis de l'index. On a dit qu'il ne fallait pas ébruiter ça.

— Buddy Vance, dit le flic.

— Et alors ?

— Il a disparu, dit José Luis.

— Il est allé faire du jogging..., expliqua le flic.

— Laisse-le raconter son histoire, coupa le chef.

— C'est par ici qu'il vient faire son jogging tous les matins. Mais aujourd'hui, il n'est pas revenu.

— Buddy Vance ? dit le chef. Le comique ?

— Ouais.

Le chef quitta José Luis des yeux pour se tourner vers le trou.

— Oh mon Dieu, dit-il.

— C'est très profond ? demanda José Luis.

— Hein ?

— Cette crevasse.

— Ce n'est pas une crevasse. C'est un abîme, bordel. J'ai laissé tomber une pierre dedans il y a dix minutes. J'attends encore qu'elle arrive au fond.

Buddy prit lentement conscience de sa solitude, comme si un souvenir était remonté des profondeurs de son cerveau. En fait, il crut d'abord que *c'était* un souvenir, une tempête de sable qui l'avait surpris en Égypte, lors de sa troisième lune de miel. Mais contrairement à ce qui s'était passé à l'époque, il était bel et bien perdu cette fois-ci, sans guide pour le faire sortir de ce maesltröm. Et ce n'était pas du sable qui venait piquer ses yeux et leur rendre la vue, ce n'était pas le vent qui venait battre ses oreilles et leur rendre l'ouïe. C'était un tout autre pouvoir, bien moins naturel qu'une tempête et pris au piège dans cette cheminée de pierre comme jamais tempête n'aurait pu l'être. Il vit pour la première fois le trou dans lequel il était tombé, s'étirant au-dessus de lui vers un ciel ensoleillé si lointain qu'il était impuissant à le rassurer. Quels que soient les fantômes qui hantaient cet endroit, et qui se créaient à présent devant lui dans un tourbillon, ils étaient sûrement issus d'une époque où l'évolution de sa propre espèce était à peine esquissée. Des choses d'une simplicité stupéfiante ; la puissance de la glace et la puissance du feu.

Il ne se trompait pas de beaucoup ; et pourtant, il se trompait complètement. Les formes qui émergeaient des ténèbres non loin de l'endroit où il gisait ressemblèrent l'espace d'un instant à des hommes comme lui, pour devenir l'instant d'après des énergies à l'état pur, enveloppées l'une autour de l'autre tels des serpents en guerre ouverte, champions envoyés par leurs tribus respectives afin d'étrangler leur adversaire. Cette vision éveilla ses nerfs en même temps que ses sens. La douleur qui lui avait été jusque-là épargnée s'insinua dans sa conscience, tel un filet d'eau devenu un courant, puis un véritable déluge. Il avait l'impression d'être couché sur un lit de couteaux, dont les pointes se glissaient entre ses vertèbres pour venir percer ses entrailles.

Trop faible pour gémir, il dut se contenter d'assister en témoin muet de souffrance au spectacle qui se déroulait devant lui, et d'espérer que le salut ou la mort ne tarderait pas à le délivrer de son supplice. Mieux valait la mort, pensa-t-il. Un salaud païen comme lui n'avait aucun espoir de rédemption, à moins que les livres saints ne se soient trompés et que les fornicateurs, les ivrognes et les blasphémateurs ne soient dignes du paradis. Mieux valait la mort, en finir tout de suite. La plaisanterie s'arrêtait là.

Je veux mourir, pensa-t-il.

Comme il formulait cette intention, une des entités qui s'affrontaient devant lui se tourna dans sa direction. Il aperçut un visage au sein de la tempête. Un visage barbu, à la chair tellement gonflée d'émotion que le corps qui le supportait semblait être celui d'un nain, celui d'un fœtus : le crâne hypertrophié, les yeux immenses. La terreur qu'il ressentit lorsque ces yeux se posèrent sur lui pâlit devant celle qui l'envahit lorsque l'un des bras de l'entité se tendit vers lui. Il souhaita pouvoir ramper dans une faille afin d'échapper au contact des doigts de cet esprit, mais son corps était insensible aux supplices comme aux menaces.

— *Je suis le Jaff,* dit l'entité barbue. *Donne-moi ton esprit. Je veux des teratas.*

Lorsque ses doigts frôlèrent le visage de Buddy, celui-ci sentit une giclée du pouvoir, blanc comme l'éclair, la cocaïne ou le sperme, traverser sa tête et tout le reste de son anatomie. Au même instant, il se rendit compte qu'il avait commis une erreur. Sa chair meurtrie et ses os brisés n'étaient pas ses seules possessions. En dépit de son immoralité, il y avait en lui quelque chose que le Jaff convoitait; un élément de son être dont cette force envahissante espérait tirer profit. Il avait appelé ça des *teratas.* Buddy n'avait aucune idée de ce que signifiait ce mot. Mais il ne comprit que trop bien la terreur qui s'empara de lui lorsque l'esprit le pénétra. Son contact *était* un éclair, calcinant son moi essentiel sur son chemin. Et une drogue également, faisant danser les images de cette invasion dans son esprit. Et du sperme ? Ça aussi, car sinon, comment cette vie qu'il n'avait jamais eue, cette créature née du viol de sa moelle par le Jaff, aurait-elle pu surgir de lui ?

Il l'aperçut alors qu'elle s'éloignait. Elle était pâle et primitive. Pas de visage, mais des pattes grêles par douzaines. Pas d'esprit non plus, sinon pour faire les quatre volontés du Jaff. Le visage barbu éclata de rire en la voyant. Écartant ses doigts de Buddy, l'esprit laissa son autre bras se détacher du cou de son ennemi et, chevauchant le terata, monta le long de la cheminée pour se diriger vers le soleil.

Son adversaire s'effondra contre le mur de la caverne. Buddy pouvait le voir de l'endroit où il gisait. Il ressemblait moins à un guerrier que son ennemi, et semblait en conséquence plus marqué par leur lutte. Son corps était meurtri, son expression à la fois épuisée et distraite. Il leva les yeux vers la cheminée.

— *Jaffe !* appela-t-il.

Son cri chassa la poussière des aspérités que Buddy avait heurtées dans sa chute. Il ne reçut aucune réponse. L'homme se tourna vers Buddy en plissant les yeux.

— Je suis Fletcher, dit-il d'une voix douce. (Il se dirigea vers Buddy, laissant derrière lui un sillage de lumière subtile.) Oubliez votre douleur.

Buddy fit de violents efforts pour dire : « Aidez-moi », mais c'était inutile. La proximité même de Fletcher suffisait à soulager son supplice.

— Imaginez avec moi, dit Fletcher. Votre souhait le plus cher.

Mourir, pensa Buddy.

L'esprit entendit cette réplique muette.

— Non, dit-il. N'imaginez pas la mort. Je vous en prie, n'imaginez pas la mort. Je ne peux pas m'armer de cela.

Vous armer ? pensa Buddy.

— Contre le Jaff.

Qui êtes-vous, tous les deux ?

— Jadis des hommes. Aujourd'hui des esprits. Pour toujours des ennemis. Vous devez m'aider. J'ai besoin des derniers vestiges de votre esprit, sinon c'est nu que j'irai à la guerre.

Désolé, j'ai déjà donné, pensa Buddy. *Vous l'avez vu prendre. Et, au fait, qu'est-ce que c'était que ce truc ?*

— Le terata ? Vos terreurs primales solidifiées. Il le chevauche pour regagner le monde. (Fletcher leva de nouveau les yeux vers la cheminée.) Mais il ne pourra pas encore parvenir à la surface. Le jour est trop brillant pour lui.

Il fait encore jour ?

— Oui.

Comment le savez-vous ?

— Les mécanismes du ciel m'habitent encore, même ici. Je voulais devenir le ciel, Vance. Au lieu de cela, j'ai vécu dans les ténèbres durant deux décennies, pris à la gorge par le Jaff. A présent, notre guerre va se dérouler à la surface, et j'ai besoin d'armées pour les opposer à celles qu'il a cueillies dans votre tête.

Il ne reste plus rien, dit Buddy en pensée. *Je suis fini.*

— Quiddity doit être préservé, dit Fletcher.

Quiddity ?

— L'océan onirique. Peut-être verrez-vous son île en mourant. C'est un spectacle merveilleux ; je vous envie d'être libre de quitter ce monde.

Le Ciel, vous voulez dire ? pensa Buddy. *C'est du Ciel que vous parlez ? Dans ce cas, je n'ai aucune chance.*

— Le Ciel n'est qu'une des nombreuses histoires que l'on raconte sur les rivages de l'Éphéméride. Il y en a des centaines, et vous les connaîtrez toutes. N'ayez donc pas peur. Et donnez-moi un peu de votre esprit, afin que Quiddity puisse être préservé.

Préservé de qui ?

— Du Jaff, bien sûr.

Buddy n'avait jamais été un grand rêveur. Son sommeil, quand il n'était dû ni à la drogue ni à l'alcool, était celui d'un homme qui vivait chaque jour jusqu'à l'épuisement. Après un show, ou une séance de baise, ou les deux, il plongeait dans le sommeil comme s'il s'agissait d'une répétition en vue de l'oubli final qui l'appelait à présent. La peur du néant aiguillonnant son dos fracassé, il lutta pour trouver un sens aux paroles de Fletcher. Un océan ; un rivage ; un endroit peuplé d'histoires, où le Ciel n'était qu'une possibilité parmi une infinité d'autres ? Comment avait-il pu vivre sans jamais connaître ce lieu ?

— Vous l'avez connu, lui dit Fletcher. Vous avez par deux fois nagé dans les eaux de Quiddity. La nuit qui a suivi le jour de votre naissance, et la première nuit où vous avez dormi aux côtés de la personne que vous avez le plus aimée durant votre vie. Qui était-ce, Buddy ? Il y a eu tant de femmes, n'est-ce pas ? Laquelle était la plus importante à vos yeux ? Oh... mais bien sûr. En fin de compte, il n'y en a eu qu'une. N'ai-je pas raison ? Votre mère.

Comment diable savez-vous ça ?!

— Disons que c'est un coup de chance...

Menteur !

— D'accord, je fouille un peu dans vos pensées, je l'avoue. Pardonnez-moi cette intrusion. J'ai besoin d'aide, Buddy, sinon le Jaff m'aura vaincu. Ce n'est pas souhaitable.

Non, en effet.

— Imaginez pour moi. Donnez-moi autre chose que le regret en guise d'allié. Qui sont vos héros ?

Mes héros ?

— Visualisez-les pour moi.

Des comiques ! Tous.

— Une armée de comiques ? Pourquoi pas ?

Cette idée fit sourire Buddy. Pourquoi pas, en effet ? N'y avait-il pas eu un temps où il avait cru que son art pourrait nettoyer le monde de ses maléfices ? Peut-être qu'une armée de fous bénis pourrait réussir grâce au rire là où les bombes avaient échoué. Une vision si douce et si ridicule. Des comiques sur le champ de bataille, en train de montrer leur cul aux fusils et de bombarder les généraux avec des tartes à la crème ; de la chair à canon hilare, confondant les politiciens avec des calembours et signant des traités de paix avec de l'encre à pois.

Son sourire se transforma en rire.

— Continuez de penser ainsi, dit Fletcher en plongeant dans l'esprit de Buddy.

Son rire était douloureux. Même le contact des doigts de Fletcher était impuissant à soulager les spasmes de douleur que ce rire déclenchait dans l'organisme de Buddy.

— Ne mourez pas ! dit Fletcher. Pas encore ! Pour l'amour de Quiddity, pas encore !

Mais il ne lui servait à rien de crier. Le rire et la douleur s'étaient emparés de Buddy de la tête aux pieds. Le visage inondé de larmes, il regarda l'esprit qui planait au-dessus de lui.

Désolé, pensa-t-il. *Je n'arrive pas à tenir. Je ne veux pas...*

Le rire le secoua.

... Vous n'auriez pas dû me demander de me souvenir.

— Rien qu'un instant ! dit Fletcher. C'est tout ce dont j'ai besoin.

Trop tard. La vie le quitta, laissant dans les mains de Fletcher des vapeurs trop fragiles pour s'opposer au Jaff.

— Damnation ! hurla Fletcher.

Il hurla après le cadavre comme il avait hurlé (il y avait si

longtemps) après Jaffe alors que celui-ci gisait sur le sol de la
Mission de Santa Catrina. Cette fois-ci, ce cadavre était définitivement privé de toute vie. Buddy avait disparu. Son visage était
empreint d'une expression à la fois comique et tragique, ce qui
n'était que justice. Il avait vécu toute sa vie sous le signe de ces
deux muses. Et en mourant, il avait fait don à Palomo Grove d'un
avenir bourgeonnant de contradictions.

4

Durant les jours qu'allait connaître le Grove, le temps allait jouer
de nombreux tours, mais aucun ne serait aussi frustrant pour ses
victimes que la durée qui s'écoula entre le moment où Howie
quitta Jo-Beth et celui où il devait la revoir. Les minutes se
prolongeaient pour devenir des heures ; les heures semblaient
assez longues pour engendrer une génération. Il fit de son mieux
pour se distraire en partant à la recherche de la maison de sa
mère. Après tout, telle était l'ambition qui l'avait conduit ici :
apprendre à mieux connaître sa nature en examinant les racines
de son arbre généalogique. Jusque-là, bien sûr, il n'avait réussi
qu'à accumuler les confusions. Il ne s'était pas cru capable du
sentiment qu'il avait ressenti la veille — et qu'il ressentait à
présent avec encore plus de force. Cette impression irrationnelle
que tout allait pour le mieux dans le meilleur des mondes et que
tout irait bien désormais. La façon bizarre dont le temps se
déroulait ne parvenait pas à triompher de son optimisme : ce
n'était qu'un jeu auquel la vérité jouait avec lui afin de confirmer
l'autorité absolue de ses sentiments.

Et à ce tour s'en ajouta un autre, encore plus subtil. Lorsqu'il
arriva devant la maison où avait vécu sa mère, ce fut pour la
découvrir totalement inchangée, comme par une intervention
surnaturelle, exactement identique aux photos qu'il en avait
vues. Il se planta au milieu de la chaussée et la contempla. Il n'y
avait aucune circulation dans la rue ; ni sur les trottoirs. Ce coin
du Grove flottait dans une langueur matinale, et il eut presque
l'impression que sa mère allait apparaître à la fenêtre, retombée
en enfance, et le regarder. Cette idée ne lui serait jamais venue à
l'esprit s'il n'y avait pas eu les événements de la veille. La façon
miraculeuse dont ils s'étaient reconnus lorsque leurs regards
s'étaient croisés — l'impression qu'il avait eue (qu'il avait
encore) que sa rencontre avec Jo-Beth était une joie qui l'avait

toujours *attendu* quelque part — avait conduit son esprit à créer des hypothèses qu'il n'avait jamais osé créer auparavant, et cette possibilité (un endroit où son moi le plus profond avait soutiré l'existence de Jo-Beth et l'imminence de sa venue) l'aurait complètement dépassé vingt-quatre heures plus tôt. De nouveau, une boucle. Les mystères de leur rencontre l'avaient conduit dans des royaumes de supposition qui allaient de l'amour à la physique, et de la philosophie à l'amour, d'une façon telle qu'il était désormais impossible de distinguer l'art de la science.

Et en fait, l'impression de mystère qu'il ressentait devant la maison de sa mère était également indissociable du mystère de cette jeune fille. Maison, mère et rencontre ne formaient qu'une seule histoire extraordinaire. Et lui, le facteur commun.

Il décida de ne pas aller frapper à la porte (que pouvait-il apprendre de plus de cet endroit, après tout?), et il allait rebrousser chemin lorsque son instinct le retint et lui souffla de monter la pente douce de la rue jusqu'à son sommet. Là, il fut surpris de découvrir une vue panoramique du Grove, donnant sur l'est, au-delà du centre commercial et jusqu'à la lisière de la ville qui se fondait dans une végétation solide. Ou presque solide ; çà et là, le feuillage présentait des trous, et une foule semblait s'être rassemblée dans l'un d'eux. Des lampes à arc avaient été disposées en cercle afin d'éclairer un spectacle qui restait invisible à ses yeux. Était-on en train de tourner un film là-bas ? Il avait passé la matinée dans un tel état de vertige mental qu'il n'avait presque rien remarqué de ce qui l'entourait ; il aurait presque pu croiser toutes les stars ayant jamais remporté un oscar sans s'en rendre compte.

Alors qu'il contemplait le panorama, il entendit quelque chose murmurer à son oreille. Il regarda autour de lui. La rue était déserte. Il n'y avait aucune brise, même au sommet de la colline de sa mère, pour porter ce bruit jusqu'à lui. Mais il se fit de nouveau entendre ; un bruit si proche de son oreille qu'il semblait presque provenir de l'intérieur de son crâne. C'était une voix douce. Elle ne prononçait que deux syllabes réunies dans un collier de son.

... *ardhowardhowardhow*...

Il n'y avait pas besoin d'un doctorat en logique pour associer ce mystère avec ce qui se passait dans les bois. Il ne pouvait guère prétendre comprendre les processus à l'œuvre en lui et autour de lui. Le Grove était de toute évidence régi par ses propres lois, et il avait déjà tiré trop de profit de ses énigmes pour tourner le dos à

de futures aventures. Si une envie de steak pouvait le conduire à
l'amour de sa vie, que gagnerait-il en poursuivant un murmure ?

Il n'eut aucune difficulté à descendre jusqu'au bois. En
chemin, il eut l'impression bizarre que toute la ville *conduisait* en
ce lieu ; que le flanc de la colline était une assiette inclinée dont le
contenu risquait à tout moment de glisser dans les mâchoires de
la terre. Cette impression fut renforcée lorsqu'il atteignit le bois et
demanda ce qui se passait. Personne ne semblait disposé à le lui
dire, mais un gamin finit par lui déclarer d'une voix haut
perchée :

— Il y a un trou dans le sol et il l'a avalé tout entier.

— Avalé qui ? voulut savoir Howie.

Ce ne fut pas le petit garçon qui lui répondit, mais la femme
qui l'accompagnait.

— Buddy Vance, dit-elle.

Howie n'en fut pas plus avancé, et son ignorance dut se lire sur
son visage, car la femme lui donna aussitôt des informations
complémentaires.

— C'est une vedette de la télé, dit-elle. Un comique. Mon
mari l'adore.

— On ne l'a pas remonté ? demanda-t-il.

— Pas encore.

— Ça fait rien, pépia le gamin. De toute manière, il est mort.

— C'est vrai ? dit Howie.

— Sûr, lui répondit la femme.

La scène lui apparut soudain sous un jour nouveau. Cette foule
ne s'était pas rassemblée pour voir un homme arraché à la mort.
Elle était là pour apercevoir le cadavre que l'on embarquerait
dans l'ambulance. Ses membres voulaient seulement pouvoir
dire : « J'étais là quand on l'a remonté. Je l'ai vu sous le drap. »
La morbidité qu'ils manifestaient, surtout en un jour si riche de
possibilités, le révolta. Celui qui avait prononcé son nom, qui que
ce fût, s'était tu ; ou dans le cas contraire, sa voix était étouffée
par la rumeur de la foule. Il ne lui servait à rien de rester ici alors
qu'il avait des yeux à contempler et des lèvres à embrasser.
Tournant le dos aux arbres, et à celui qui l'avait appelé en ce lieu,
il se dirigea vers le motel pour y attendre l'arrivée de Jo-Beth.

IV

Abernethy était la seule personne à appeler Grillo par son prénom. Pour Saralyn, depuis le jour de leur rencontre jusqu'à la nuit de leur séparation, il avait toujours été Grillo ; pour chacun de ses collègues et de ses amis, idem. Pour ses ennemis (et quel journaliste, en particulier un journaliste tombé en disgrâce, ne se faisait jamais d'ennemis ?), il était parfois Ce Connard de Grillo, ou Grillo le Vertueux, mais toujours Grillo.

Seul Abernethy osait lui dire :

— Nathan.

— Qu'est-ce que vous voulez ?

Grillo venait tout juste de sortir de la douche, mais le son de la voix d'Abernethy suffisait à lui donner l'envie de recommencer à se récurer.

— Qu'est-ce que vous faites chez vous ?

— Je travaille, mentit Grillo, qui s'était couché fort tard. Cette histoire de pollution, vous vous rappelez ?

— Laissez tomber. Il est arrivé quelque chose et je veux que vous filiez sur les lieux. Vous vous souvenez de Buddy Vance, le comique ? Il a disparu.

— Quand ?

— Ce matin.

— Où ça ?

— Palomo Grove. Vous connaissez ?

— C'est un nom sur l'autoroute.

— On est en train d'essayer de le retrouver. Il est midi. Combien de temps il vous faut pour aller là-bas ?

— Une heure. Une heure et demie à tout casser. Pourquoi cet intérêt soudain ?

— Vous êtes trop jeune pour vous souvenir du *Buddy Vance Show*.

— J'ai vu des rediffusions.

— Laissez-moi vous dire une chose, Nathan, mon garçon (Abernethy n'irritait jamais autant Grillo que lorsqu'il se montrait paternel avec lui), il fut un temps où le *Buddy Vance Show* vidait tous les bars de ce pays. C'était un grand homme et un grand Américain.

— Vous voulez des larmes, alors ?

— Foutre non. Je veux tout savoir sur ses mariages et sur sa cirrhose, et je veux aussi savoir pourquoi il s'est retrouvé dans le Comté de Ventura alors qu'il avait l'habitude de parcourir Burbank avec une limousine de trois blocs de long.

— En d'autres termes, toute la merde.

— Il y a eu des affaires de drogue, Nathan, dit Abernethy. (Grillo n'avait aucune peine à visualiser son expression de sincérité feinte.) Et nos lecteurs doivent tout savoir.

— Ils veulent la merde, et vous aussi, dit Grillo.

— C'est comme ça, dit Abernethy. Contentez-vous de vous grouiller le cul.

— On ne sait même pas où il est ? Et s'il était parti en vacances ?

— Oh ! on sait très bien où il est, dit Abernethy. On va essayer de remonter son corps dans les prochaines heures.

— Le remonter ? Vous voulez dire qu'il s'est noyé ?

— Non, il est tombé dans un trou.

Ces comiques, pensa Grillo. N'importe quoi pour faire rire.

Sauf que ce n'était pas drôle. Lorsque Grillo avait rejoint la joyeuse équipe d'Abernethy, après la débâcle de Boston, il s'était dit qu'il prenait des vacances après s'être fait un nom dans le journalisme d'investigation, et après s'être fait prendre à son propre jeu. L'idée de travailler pour un petit torchon à sensation comme le *County Reporter* lui avait semblé amusante. Abernethy était un bouffon hypocrite, un chrétien récemment reconverti pour lequel le pardon était un mot de cinq lettres. Les reportages qu'il confiait à Grillo étaient faciles à couvrir et encore plus faciles à rédiger, les lecteurs du *Reporter* n'exigeant qu'une chose de leur organe de presse favori : qu'il attise leur envie. Ils voulaient lire des histoires de tragédie accablant les puissants ; le revers de la gloire. Abernethy connaissait parfaitement sa congrégation. Il avait même utilisé sa propre biographie pour se dédouaner, narrant sa conversion dans ses éditoriaux, racontant comment il était passé de l'état d'alcoolique à celui de fondamentaliste. Sobre et Ivre du Seigneur, ainsi aimait-il à se décrire. Cette sainte sanction l'autorisait à remuer la boue dans ses colonnes avec un sourire béat et elle autorisait ses lecteurs à s'y vautrer sans honte. Ils lisaient des histoires consacrées au salaire du péché. Que pouvait-il y avoir de plus chrétien ?

Pour Grillo, cela faisait longtemps que la plaisanterie avait tourné à l'aigre. Il avait constamment envie de dire à Abernethy d'aller se faire foutre, mais où trouverait-il un boulot — lui, le grand reporter dupé — sinon dans un canard aussi minable que le *County Reporter ?* Il avait envisagé d'embrasser une autre profession, mais il n'en avait ni le désir ni les aptitudes. Aussi loin que remontaient ses souvenirs, il avait toujours voulu raconter le monde à lui-même. Il y avait dans cette fonction quelque chose *d'essentiel.* Il ne s'imaginait dans aucun autre rôle. Le monde ne se connaissait que médiocrement. Il avait besoin qu'on lui raconte quotidiennement l'histoire de sa vie, sinon comment ses erreurs lui auraient-elles été profitables ? C'était une de ces erreurs dont Grillo avait fait ses manchettes — une histoire de corruption au Sénat —, pour découvrir ensuite (ses tripes se nouaient encore à ce souvenir) qu'il avait servi de pion aux adversaires politiques de sa cible et que son statut de procureur-journaliste avait été utilisé pour souiller des innocents. Il s'était excusé publiquement, s'était prosterné et avait démissionné. L'affaire avait été bien vite oubliée, et de nouvelles manchettes n'avaient pas tardé à remplacer les siennes. Les politiciens, tout comme les cafards et les scorpions, grouilleraient encore lorsque les missiles auraient anéanti la civilisation. Mais les journalistes étaient fragiles. Une erreur de calcul, et adieu la crédibilité. Il s'était enfui vers l'ouest jusqu'à ce qu'il arrive devant le Pacifique. Il avait envisagé de se jeter dedans, mais avait finalement choisi de travailler pour Abernethy. Cela ressemblait de plus en plus à une erreur.

Regarde le bon côté des choses, se disait-il chaque jour, tu ne peux pas tomber plus bas.

Le Grove le surprit. Il avait toutes les caractéristiques d'une ville créée sur le papier — le centre commercial en son milieu, les quatre villages aux points cardinaux, l'*ordre* obsessionnel de ses rues —, mais la diversité des styles architecturaux de ses maisons était la bienvenue, et — peut-être parce qu'il était en partie édifié sur une colline — il semblait receler un secret en son sein.

Si le bois avait jamais eu ses propres secrets, ils avaient été piétinés par les touristes venus assister à l'exhumation. Grillo produisit sa carte professionnelle et posa quelques questions à un des flics en poste près de la barrière. Non, il était peu probable que l'on remonte bientôt le corps ; on ne l'avait pas encore localisé. Et Grillo ne pouvait pas non plus interviewer les responsables de l'opération. Revenez plus tard, lui suggéra-t-on. Ce conseil semblait avisé. Il n'y avait guère d'activité autour de la fissure. Quelques treuils étaient bien posés par terre çà et là, mais personne ne semblait s'en servir. Il décida de courir le risque de quitter les lieux afin de donner quelques coups de téléphone. Il retrouva le chemin du centre et localisa une cabine publique. Il appela d'abord Abernethy, pour lui faire savoir qu'il était arrivé et pour lui demander s'il avait déjà envoyé un photographe. Abernethy n'était pas à son bureau. Grillo lui laissa un message. Il eut plus de chance avec son second appel. Le répondeur commença à transmettre son message familier — « Salut. Ici Tesla et Butch. Si vous voulez parler au chien, je suis sortie. Si c'est Butch que vous voulez... » —, pour être interrompu par Tesla.

— Allô.

— Ici Grillo.

— Grillo ? Ferme-la, Butch ! Désolé, Grillo, il essaye de... (Le téléphone tomba, il y eut un bref vacarme, puis Tesla reprit le combiné, essoufflée.) Sale bête. Pourquoi je l'ai accepté chez moi, Grillo ?

— C'était le seul mâle prêt à vivre avec toi.

— Va te faire foutre.

— C'est ce que tu m'as dit.

— J'ai dit ça, moi ?

— Oui.

— J'avais oublié ! J'ai eu de bonnes nouvelles, Grillo. J'ai signé un contrat pour un de mes scénarios. Tu te souviens de cette histoire de naufragé que j'ai écrite l'année dernière ? Ils veulent que je la réécrive. Dans l'espace.

— Tu vas le faire ?

— Pourquoi pas ? Il faut qu'un de mes scénarios soit produit. Personne n'acceptera mes projets sérieux si je n'ai pas écrit avant un film à succès. Au diable l'Art, je vais être si putassière qu'ils vont tous jouir dans leur froc. Et je t'arrête tout de suite : ne commence pas à me parler d'intégrité artistique. Il faut bouffer.

— Je sais, je sais.

— Alors, dit-elle, quoi de neuf ?

Il aurait pu lui donner beaucoup de réponses : toute une litanie. Il aurait pu lui dire que son coiffeur, une poignée de cheveux blonds dans la main, lui avait appris en souriant qu'il avait un début de tonsure sur le crâne. Ou que ce matin, en se regardant dans la glace, il avait décidé que ses traits anémiques et longilignes, qu'il avait toujours espéré voir devenir héroïques et mélancoliques avec l'âge, étaient tout simplement lugubres. Ou qu'il ne cessait de rêver qu'il se trouvait dans un ascenseur, coincé entre deux étages en compagnie d'Abernethy et d'une chèvre qu'Abernethy lui disait d'embrasser. Mais il garda sa biographie pour lui-même et se contenta de dire :

— J'ai besoin d'aide.

— Normal.

— Que sais-tu de Buddy Vance ?

— Il est au fond d'un trou. On en a parlé à la télé.

— Quelle est l'histoire de sa vie ?

— C'est pour Abernethy, exact ?

— Exact.

— Rien que la merde, donc.

— Tu as tout compris.

— Eh bien, les comiques ne sont pas mon fort. Je n'ai étudié que les Bombes Sexuelles pour mon diplôme. Mais j'ai regardé ma doc quand j'ai appris la nouvelle. Marié six fois ; notamment avec une fille de dix-sept ans. Ça a duré quarante-deux jours. Sa deuxième femme est morte d'une overdose...

Comme Grillo l'avait espéré, Tesla connaissait par cœur la Vie et les Exploits Sordides de Buddy Vance (de son vrai nom Valentino, incroyable mais vrai). Sa passion pour les femmes, les substances illicites et la gloire ; ses séries télé ; ses films ; sa disgrâce.

— Tu peux en tirer un papier bien senti, Grillo.

— Merci mille fois.

— Si je t'aime, c'est parce que je te fais mal. Ou bien est-ce le contraire ?

— Très drôle. A propos : il l'était ?

— Il était quoi ?

— Drôle.

— Vance ? Je suppose, à sa façon. Tu ne l'as jamais vu ?

— Peut-être que si. Je ne me souviens pas de son numéro.

— Il avait un visage en caoutchouc. On éclatait de rire rien qu'en le regardant. Et une personnalité bizarre. Mi-débile, mi-visqueux.

— Comment se fait-il qu'il ait eu autant de succès auprès des femmes ?

— Tu veux la merde?

— Bien sûr.

— Un appendice énorme.

— Tu me charries, là?

— La plus grosse bite de la télévision. Je tiens ça d'une source digne de foi.

— Qui ça?

— *S'il te plaît,* Grillo, dit Tesla, horrifiée. Est-ce que je suis du genre à papoter?

Grillo éclata de rire.

— Merci pour ces informations. Je te dois un dîner.

— Adjugé. Ce soir.

— Je serai sans doute encore ici.

— Je viendrai te chercher.

— Peut-être demain, si je suis encore là. Je te rappellerai.

— Si tu ne le fais pas, tu es mort.

— J'ai dit que je te rappellerais; je le ferai. Retourne au Robinson de l'Espace.

— Ne fais pas de bêtises. Et, Grillo...

— Oui?

Elle raccrocha avant de répondre, gagnant pour la troisième fois consécutive au jeu de « Qui raccrochera au nez de qui » auquel ils jouaient depuis le soir où Grillo, poussé aux larmes par l'alcool, lui avait confessé qu'il détestait les scènes d'adieux.

V

1

— Maman ?

Elle était assise près de la fenêtre, comme d'habitude.

— Le Pasteur John n'est pas venu hier soir, Jo-Beth. Est-ce que tu l'as appelé, comme promis ? (Elle déchiffra aisément l'expression de sa fille.) Tu ne l'as pas fait, dit-elle. Comment as-tu pu oublier une chose pareille ?

— Je suis désolée, Maman.

— Tu sais à quel point j'ai besoin de lui. Et j'ai de bonnes raisons, Jo-Beth. Je sais que tu ne le penses pas, mais c'est vrai.

— Non. Je te crois. Je l'appellerai plus tard. Mais d'abord... il faut que je te parle.

— Pourquoi n'es-tu pas au magasin ? dit Joyce. As-tu pris un congé de maladie ? J'ai entendu Tommy-Ray...

— Maman, écoute-moi. Il faut que je te pose une question très importante.

Joyce avait déjà l'air troublée.

— Je ne peux pas parler pour l'instant, dit-elle. Je veux voir le Pasteur.

— Il viendra plus tard. D'abord, je veux que tu me parles d'une de tes amies.

Joyce ne disait rien, mais son visage était la fragilité même. Jo-Beth l'avait déjà vue adopter cette expression, trop souvent pour s'y laisser encore prendre.

— J'ai rencontré un homme hier soir, Maman, dit-elle, résolue à être franche. Il s'appelle Howard Katz. Sa mère s'appelait Trudi Katz.

Joyce jeta bas son masque de délicatesse. L'expression qu'il révéla était étrangement satisfaite.

— Ne l'avais-je pas dit ? murmura-t-elle pour elle-même en tournant de nouveau sa tête vers la fenêtre.

— N'avais-tu pas dit quoi ?

— Comment ont-ils pu croire que c'était fini ? Comment ont ils pu croire que c'était bien fini ?

— Explique-toi, Maman.

— Ce n'était pas un accident. Nous savions toutes que ce n'était pas un accident. Ils avaient leurs raisons.

— Qui avait ses raisons ?

— J'ai besoin du Pasteur.

— Maman : *qui* avait ses raisons ?

Joyce se leva sans répondre.

— Où est-il ? dit-elle d'une voix soudain tout à fait audible. (Elle se dirigea vers la porte.) Il faut que je le voie.

— D'accord, Maman ! D'accord ! Calme-toi.

Arrivée sur le seuil, elle se retourna vers Jo-Beth. Les larmes perlaient à ses yeux.

— Tu ne dois pas t'approcher du fils de Trudi, dit-elle. Tu m'entends ? Tu ne dois pas le voir, tu ne dois pas lui parler, tu ne dois même pas *penser* à lui. Promets-le-moi.

— Je ne peux pas te promettre ça. C'est ridicule.

— Tu n'as *rien* fait avec lui, n'est-ce pas ?

— Que veux-tu dire ?

— Oh ! mon Dieu, tu l'as fait.

— Je n'ai rien fait.

— Ne me mens pas ! ordonna Maman en serrant les poings. Il faut que tu pries, Jo-Beth.

— Je ne veux pas prier. Je suis venue te voir parce que j'avais besoin de ton aide, c'est tout. Je n'ai pas besoin de prières.

— Il est déjà entré en toi. Tu ne m'as jamais parlé comme ça avant.

— Je ne me suis jamais *sentie* comme ça avant ! répondit-elle.

Les larmes étaient dangereusement proches ; peur et colère mêlées. Il était inutile d'écouter Maman, elle ne lui offrirait que des appels à la prière. Jo-Beth se dirigea vers la porte, adoptant un pas assez rapide pour avertir Maman qu'elle ne pourrait pas l'empêcher de partir. Elle ne rencontra aucune résistance. Maman s'écarta et la laissa passer, mais elle l'appela aussitôt qu'elle commença à descendre les marches.

— Jo-Beth, reviens ! Je suis malade, Jo-Beth ! Jo-Beth ! Jo-Beth !

Howie ouvrit la porte pour découvrir sa beauté en pleurs.

— Qu'est-ce qui ne va pas ? dit-il en la faisant entrer

Elle porta les mains à son visage et sanglota. Il l'enveloppa dans ses bras.

— Allons, allons, dit-il. Ce n'est sûrement pas grave.

Les sanglots de Jo-Beth perdirent peu à peu de leur intensité, puis elle se dégagea et resta immobile au milieu de la chambre, l'air misérable, essuyant ses joues avec le dos de sa main.

— Je suis désolée, dit-elle.

— Que s'est-il passé ?

— C'est une longue histoire. Elle commence il y a longtemps. Avec ta mère et la mienne.

— Elles se connaissaient ?

Elle acquiesça.

— C'étaient les meilleures amies du monde.

— C'était donc écrit dans les étoiles, dit-il en souriant.

— Je ne pense pas que Maman voie les choses sous cet angle.

— Pourquoi pas ? Le fils de sa meilleure amie...

— Est-ce que ta mère t'a dit pourquoi elle avait quitté le Grove ?

— Parce qu'elle n'était pas mariée.

— Maman non plus.

— Peut-être qu'elle était plus résistante que ma...

— Non, je veux dire : c'est peut-être davantage qu'une coïncidence. Durant toute ma vie, j'ai entendu des rumeurs au sujet de ce qui est arrivé avant ma naissance. Au sujet de Maman et de ses amies.

— Je ne suis pas au courant.

— Je ne connais que des bribes. Elles étaient quatre en tout. Ta mère ; la mienne ; une fille nommée Carolyn Hotchkiss, dont le père vit toujours à Palomo Grove ; et une autre. J'ai oublié son nom. Arleen quelque chose. Elles ont été agressées. Violées, je crois.

Le sourire de Howie avait disparu depuis un bon moment.

— Ma mère ? dit-il à voix basse. Pourquoi n'a-t-elle jamais rien dit ?

— Quelle mère irait dire à son fils qu'il a été conçu à la suite de ça ?

— Oh ! mon Dieu, dit Howie. Violée...

— Peut-être que je me trompe, dit Jo-Beth en levant les yeux vers Howie.

Son visage était noué, comme s'il venait d'être giflé.

— J'ai toujours vécu avec ces rumeurs, Howie. Je les ai vues rendre Maman à moitié folle. Elle parle tout le temps du Diable. J'étais terrifiée quand elle me disait que Satan avait l'œil sur moi. Je priais pour devenir invisible, afin qu'il ne puisse plus me voir.

Howie ôta ses lunettes et les jeta sur le lit.

— Je ne t'ai jamais dit pourquoi j'étais venu ici, n'est-ce pas ? demanda-t-il. Je pense... je pense... pense que le moment est venu. Si je suis venu ici, c'est parce que je n'ai pas la moindre idée de qui je suis ni de ce que je suis. Je voulais découvrir le Grove et découvrir pourquoi il avait chassé ma mère.

— Tu dois regretter d'être venu, à présent.

— Non. Si je n'étais pas venu ici, je ne t'aurais jamais rencontrée. Je ne serais... serais... serais pas tombé amoureux...

— De quelqu'un qui est probablement ta propre *sœur* ?

L'expression du jeune homme se détendit.

— Non, dit-il. Je ne peux pas le croire.

— Je t'ai reconnu dès l'instant où je suis entrée chez Butrick. Et tu m'as reconnue. Pourquoi ?

— Le coup de foudre.

— Si seulement c'était vrai.

— C'est ce que je ressens. C'est ce que tu ressens, toi aussi. Je le sais. Tu me l'as dit.

— C'était avant.

— Je t'aime, Jo-Beth.

— Tu ne peux pas m'aimer. Tu ne me connais pas.

— Si ! Et je ne vais pas renoncer à toi à cause de ces rumeurs. Nous ne savons même pas si tout ceci est vrai. (Sa véhémence avait fait disparaître toute trace de bégaiement.) Peut-être que ce ne sont que des mensonges, n'est-ce pas ?

— C'est possible, concéda-t-elle. Mais pourquoi aurait-on inventé une histoire pareille ? Pourquoi ni ta mère ni la mienne ne nous ont jamais dit qui étaient nos pères ?

— Nous le saurons.

— Comment ?

— Demande à ta mère.

— J'ai déjà essayé.

— Et ?

— Elle m'a dit de ne pas m'approcher de toi. De ne même pas penser à toi...

Ses larmes s'étaient taries lors de son récit. Lorsqu'elle pensa de nouveau à sa mère, elles se remirent à couler.

— Mais je ne peux pas m'en empêcher, n'est-ce pas ? dit-elle, cherchant de l'aide auprès de la source même qu'on lui avait interdite.

En la regardant, Howie regretta de ne pas être le fou béni que Lem avait toujours vu en lui. Avoir la liberté d'action que l'on permettait seulement aux idiots, aux animaux et aux nourrissons ; pouvoir la lécher et la boire sans être chassé d'une gifle. Il ne pouvait pas écarter la possibilité qu'elle fût bel et bien sa sœur, mais sa libido ignorait les tabous.

— Je pense que je ferais mieux d'y aller, dit-elle, comme si elle avait senti sa chaleur. Maman veut voir le Pasteur.

— Si elle dit quelques prières, peut-être que je m'en irai, c'est ça ?

— Ce n'est pas juste.

— Reste un peu, s'il te plaît, cajola-t-il. On n'a pas besoin de parler. On n'a pas besoin de faire quoi que ce soit. Mais reste.

— Je suis fatiguée.

— Eh bien, on dormira.

Il tendit la main et caressa doucement son visage.

— Aucun de nous deux n'a bien dormi la nuit dernière, dit-il.

Elle soupira et hocha la tête.

— Peut-être que tout s'éclaircira si on laisse faire.

— Je l'espère.

Il s'excusa et alla dans la salle de bains pour vider sa vessie. Lorsqu'il revint, elle avait ôté ses souliers et s'était étendue sur le lit.

— Il y a de la place pour deux ? dit-il.

Elle murmura que oui. Il s'allongea auprès d'elle, essayant de ne pas penser à ce qu'il avait espéré faire avec elle entre ces draps.

Elle soupira de nouveau.

— Tout ira bien, dit-il. Dors.

2

La majorité des personnes qui s'étaient rassemblées pour assister à l'ultime représentation de Buddy Vance s'étaient éclipsées lorsque Grillo retourna dans le bois. Elles avaient apparemment décidé que ça ne valait pas la peine d'attendre. Une fois les badauds dispersés, les flics qui gardaient les barrières avaient relâché leur surveillance. Grillo enjamba une corde et s'approcha du policier qui semblait superviser les opérations. Il se présenta à lui, l'informa de sa fonction et entreprit de lui poser quelques questions.

— Je ne peux pas vous dire grand-chose, lui répondit l'homme. On a quatre gars qui vont bientôt descendre, mais Dieu sait combien de temps il nous faudra pour remonter le corps. On ne l'a pas encore trouvé. Et Hotchkiss nous a dit qu'il y avait plein de rivières là-dessous. Peut-être que le cadavre est déjà descendu jusqu'au Pacifique, pour ce qu'on en sait.

— Allez-vous travailler durant la nuit ?

— Apparemment, on y sera obligés. (Il consulta sa montre.) Il nous reste peut-être quatre heures avant la tombée de la nuit. Ensuite, on n'aura plus que la lueur des lampes.

— Quelqu'un a-t-il déjà exploré ces cavernes ? demanda Grillo. En existe-t-il une carte ?

— Pas à ma connaissance. Vous feriez mieux d'aller demander à Hotchkiss. C'est le type en noir, là-bas.

Grillo se présenta une nouvelle fois. Hotchkiss était un individu de haute taille à l'air sinistre, avec la chair flasque de celui qui a perdu une quantité substantielle de graisse.

— A ce qu'on m'a dit, vous êtes un expert en matière de cavernes, dit Grillo.

— Seulement par défaut, répondit Hotchkiss. Personne n'en sait plus que moi, c'est tout. (Ses yeux ne se posèrent pas un seul instant sur Grillo, ils fouillaient sans cesse l'espace en quête d'un point d'ancrage.) Ce qui est en dessous de nous... les gens n'y pensent pas souvent.

— Et vous si ?

— Ouais.

— Vous avez étudié cet endroit ?

— Strictement en amateur, expliqua Hotchkiss. Certains sujets vous passionnent tellement qu'ils ne vous lâchent plus. C'est ce qui m'est arrivé.

— Êtes-vous descendu vous-même là-dedans ?

Hotchkiss, violant ses règles de conduite, dévisagea Grillo pendant deux bonnes secondes avant de dire :

— Jusqu'à ce matin, ces cavernes étaient *scellées*, Mr Grillo. C'est moi-même qui les ai fait sceller, il y a bien longtemps. Elles représentaient — elles *représentent* — un danger pour les innocents.

Les innocents, nota Grillo. Étrange vocabulaire.

— Le policier que j'ai interrogé..

— Spilmont.

— Oui. Il m'a dit qu'il y avait des rivières là-dessous.

— Il y a tout un *monde* là-dessous, Mr Grillo, un monde dont nous ne connaissons presque rien. Et il change tout le temps.

Bien sûr qu'il y a des rivières, mais il y a aussi plein d'autres choses. Des espèces entières qui n'ont jamais vu le soleil.

— Ça n'a pas l'air très marrant.

— Elles s'en accommodent, dit Hotchkiss. Comme nous tous. Elles vivent avec leurs limites. Nous vivons tous au-dessus d'une faille, après tout, une faille qui pourrait s'ouvrir à n'importe quel moment. Nous nous en accommodons.

— J'essaie de ne pas y penser.

— C'est votre droit.

— Et vous?

Hotchkiss eut un petit sourire pincé, qui s'accompagna d'un plissement des yeux.

— Il y a quelques années, j'ai envisagé de quitter le Grove. Cette ville évoque en moi des... des associations d'idées désagréables.

— Mais vous êtes resté.

— J'ai découvert qu'elle représentait la somme de mes... *accommodations*, répondit-il. Quand cette ville disparaîtra, je disparaîtrai avec elle.

— *Quand?*

— Palomo Grove a été édifiée sur une terre instable. Le sol semble bien solide sous nos pieds, mais il bouge sans cesse.

— La ville tout entière pourrait donc connaître le sort de Buddy Vance? C'est ça que vous voulez dire?

— Vous pouvez me citer tant que vous n'indiquez pas mon nom.

— Ça me convient parfaitement.

— Vous avez eu ce que vous vouliez?

— C'est plus que suffisant.

— Impossible, remarqua Hotchkiss. Avec les mauvaises nouvelles, on n'en a jamais assez. Excusez-moi, voulez-vous?

Une agitation soudaine s'était emparée des forces de police rassemblées autour de la fissure. Ayant offert à Grillo une conclusion qui aurait fait l'envie de n'importe quel comique, Hotchkiss s'éloigna pour assister à l'ascension de Buddy Vance.

Étendu dans sa chambre, Tommy-Ray suait. Il avait fui le soleil, fermé les fenêtres et tiré les rideaux. Ainsi scellée, la chambre s'était transformée en fournaise, mais il trouvait apaisantes la chaleur et la pénombre. En leur sein, il se sentait moins seul, moins vulnérable, que dans l'atmosphère brillante et immaculée du Grove. Ici, il pouvait sentir ses propres fluides en train de suinter de ses pores ; son propre souffle ranci en train de monter de sa gorge et de retomber sur son visage. Si Jo-Beth l'avait trompé, alors il lui faudrait chercher une nouvelle compagnie, et par qui commencer sinon par lui-même ?

Il l'avait entendue rentrer à la maison en début d'après-midi et se disputer avec Maman, mais n'avait pas essayé d'écouter les paroles qu'elles avaient échangées. Si son amourette pathétique tombait déjà en pièces — et quelle autre raison aurait-elle eu de pleurer dans les escaliers ? —, alors c'était bien de sa faute. Il avait plus important à faire.

Étendu dans la chaleur, il sentit son esprit hanté par les plus étranges images qui fussent. Elles montaient toutes des ténèbres absolues que sa chambre n'aurait jamais pu espérer reproduire. Peut-être était-ce pour cela qu'elles étaient encore incomplètes ? Fragments d'un dessein qu'il voulait passionnément appréhender mais qui glissait toujours de ses doigts. En elles, il y avait du sang ; il y avait un roc ; il y avait une créature pâle et fugace qui lui retournait les tripes. Et il y avait un homme qu'il ne pouvait pas distinguer mais qui, s'il transpirait assez, finirait par lui apparaître clairement.

Lorsque cela se produirait, son attente aurait pris fin.

Il y eut d'abord un cri d'alarme depuis la fissure. Les personnes rassemblées autour du trou, y compris Spilmont et Hotchkiss, commencèrent à remonter les hommes, mais ce qui était en train de se passer sous terre, quoi que ce fût, était trop violent pour être maîtrisé depuis la surface. Le flic le plus proche de la crevasse poussa un cri lorsque la corde qu'il tenait se resserra soudain autour de sa main gantée, le tirant vers le gouffre comme un poisson accroché à un hameçon. Ce fut Spilmont qui le sauva, le saisissant par-derrière et le maintenant en place assez longtemps pour qu'il puisse se défaire de ses gants. Lorsque tous deux tombèrent à la renverse sur le sol, les cris venus des profondeurs se multiplièrent, tandis que les hommes restés à la surface y allaient de leurs propres avertissements.

— *Ça s'ouvre !* hurla quelqu'un. *Seigneur, ça s'ouvre !*

Grillo était un lâche jusqu'au moment où il reniflait un scoop ; il était alors prêt à affronter n'importe quoi. Il écarta Hotchkiss et un flic afin de mieux voir ce qui se passait. Personne ne l'arrêta ; tous ne pensaient qu'à leur propre sécurité. Un nuage de poussière montait de la fissure de plus en plus large, aveuglant les hommes qui tenaient les cordes dont dépendait la survie des secouristes. Sous ses yeux, l'un de ceux-ci fut tiré vers la crevasse, de laquelle montaient des cris suggérant un véritable massacre. Il y ajouta le sien lorsque la terre se transforma en poussière sous ses talons. Au milieu de cette confusion, quelqu'un passa en courant près de Grillo pour tenter de secourir l'infortuné, mais trop tard. La corde se tendit. Il disparut à la vue, laissant son sauveteur frustré la face contre terre, au bord de la lézarde. Grillo fit trois pas en direction du survivant, distinguant à peine le sol ou l'absence de sol sous ses pieds. Il sentait cependant les tremblements qui le secouaient et qui se propageaient le long de ses jambes et de son échine, semant le chaos dans ses pensées. L'instinct suffit à la tâche. Les jambes écartées pour garder l'équilibre, il tendit la main vers l'homme à terre. C'était Hotchkiss, le visage ensanglanté par le choc, les yeux égarés. Grillo hurla son nom. L'homme réagit en agrippant le bras que lui tendait Grillo, et à ce moment-là, le sol s'ouvrit autour d'eux.

Couchés côte à côte sur le lit du motel, ni Jo-Beth ni Howie ne se réveillèrent, mais tous deux hoquetèrent et frissonnèrent comme des amants sauvés de la noyade. Tous deux avaient fait des rêves marins. Avaient rêvé d'un océan sombre qui les emportait tous les deux vers un endroit merveilleux. Mais leur voyage avait été interrompu. Quelque chose avait surgi sous leurs moi oniriques pour les agripper, les arrachant à ce flux lénifiant pour les conduire au fond d'une cheminée de roc et de douleur. Des hommes hurlaient tout autour d'eux en tombant vers la mort, suivis par des cordes pareilles à des serpents obéissants.

Au milieu de cette confusion, ils s'entendirent s'appeler l'un l'autre en sanglotant, mais toute réunion leur fut refusée, car leur chute s'interrompit et ils furent saisis par une vague ascendante. Elle était glacée ; un torrent d'eau issu d'une rivière qui n'avait jamais vu le soleil mais qui remontait à présent le gouffre, emportant avec elle les morts, les rêveurs et les autres occupants de ce cauchemar. Les murailles devinrent floues et ils montèrent à la rencontre du soleil.

Grillo et Hotchkiss étaient à quatre mètres de la fissure lorsque survint l'éruption d'eau, dont la violence suffit à les jeter à terre en même temps qu'ils étaient arrosés par une pluie glacée. Hotchkiss reprit aussitôt ses sens. Il saisit le bras de Grillo et hurla :

— Regardez !

Il y avait quelque chose de *vivant* dans ce geyser. Grillo l'aperçut l'espace du plus bref des instants — une forme, ou *des formes* qui lui semblèrent humaines mais qui laissèrent derrière elles une image rémanente tout à fait différente, comme s'il venait d'assister à un feu d'artifice. Il s'ébroua pour chasser cette image et regarda de nouveau. Mais quoi qu'il ait vu, cela avait disparu.

— Il faut fiche le camp d'ici ! cria Hotchkiss.

Le sol se craquelait encore. Ils se relevèrent à grand-peine, leurs pieds glissant dans la boue en quête d'un point d'appui, et coururent à l'aveuglette à travers la pluie et la poussière, sachant qu'ils avaient atteint le périmètre seulement lorsqu'ils s'entravèrent dans les cordes. Un des secouristes, la main à moitié arrachée, gisait là où le geyser initial l'avait déposé. Derrière la corde et le corps, à l'abri des arbres, se trouvaient Spilmont et plusieurs flics. A cet endroit, la pluie tombait avec moins de violence, tambourinant sur les frondaisons comme une ondée estivale, tandis que, derrière eux, la tempête issue de la terre continuait de rugir.

Baignant dans sa propre sueur, Tommy-Ray contemplait le plafond et riait. Il n'avait jamais vu de vagues aussi belles depuis l'été qu'il avait passé à Topanga, deux ans plus tôt, durant lequel une marée anormale avait fait naître des rouleaux magnifiques. Andy, Sean et lui les avaient chevauchés pendant des heures, grisés de vitesse.

— Je suis prêt, dit-il en essuyant l'eau salée qui emplissait ses yeux. Je suis prêt et consentant. Venez me chercher, qui que vous soyez.

Howie avait l'air mort, gisant sur le lit, le corps noué, les dents serrées, les yeux fermés. Jo-Beth se recula, posant une main sur sa bouche pour étouffer sa panique, ses mots — *Mon Dieu, pardonnez-moi* — se transformant en sanglots. Ils avaient mal agi en se couchant ainsi sur le même lit. C'était un crime contre le Seigneur que de rêver ce qu'elle avait rêvé (lui, nu à côté d'elle sur un océan tiède, leurs cheveux entremêlés comme elle aurait voulu que leurs corps le soient), et qu'avait donc apporté ce rêve ? Un cataclysme ! Le sang, le roc, et cette terrible pluie qui l'avait tué dans son sommeil.

Mon Dieu, pardonnez-moi...

Il ouvrit les yeux si brusquement que la prière la déserta. En lieu et place, son nom.

— Howie ? Tu es vivant ?

Il dénoua ses membres, tendant la main pour récupérer ses lunettes sur la table de chevet. Il les mit. Le visage choqué de Jo-Beth cessa d'être flou à ses yeux.

— Tu l'as rêvé, toi aussi, dit-il.

— Ce n'était pas comme dans un rêve. C'était réel. (Elle tremblait de la tête aux pieds.) Howie, qu'avons-nous fait ?

— Rien, dit-il en toussant pour s'éclaircir la gorge. Nous n'avons rien fait.

— Maman avait raison. Je n'aurais pas dû...

— Arrête, dit-il en se levant avec souplesse. Nous n'avons rien fait de mal.

— Qu'est-ce que c'était, alors ? dit-elle.

— Un mauvais rêve.

— Dans nos deux têtes ?

— Peut-être que ce n'était pas le même, dit-il, espérant la calmer.

— Je flottais, tu étais à côté de moi. Puis j'étais sous terre. Des hommes hurlaient...

— D'accord..., dit-il.

— *C'était* le même.

— Oui.

— Tu vois ? dit-elle. Ce qui se passe entre nous... c'est mal. Peut-être que c'est l'œuvre du Diable.

— Tu ne crois pas ce que tu dis.

— Je ne sais plus ce que je crois, dit-elle. (Il s'avança, mais elle le tint à distance d'un geste.) Non, Howie. Ce n'est pas bien. Nous ne devrions pas nous toucher. (Elle se dirigea vers la porte.) Il faut que je parte.

— C'est... c'est... c'est... absurde, dit-il.

Son bégaiement fut cependant impuissant à la retenir. Elle tripotait déjà la chaîne de sécurité qu'il avait mise en place après son arrivée.

— Je m'en occupe, dit-il, s'approchant d'elle pour ouvrir la porte.

En guise de paroles réconfortantes, elle garda le silence, ne le rompant que pour lui dire :

— Adieu.

— Tu ne nous a pas laissé le temps de réfléchir à tout ça.

— J'ai peur, Howie, dit-elle. Tu as raison, je ne crois pas que le Diable soit derrière tout ça. Mais si ce n'est pas lui, alors qui est-ce ? As-tu une réponse à me donner ?

Elle était à peine capable de maîtriser son émotion ; elle ne cessait d'inspirer comme si elle essayait d'avaler l'air, sans y parvenir. Le spectacle de sa détresse donna à Howie l'envie de l'étreindre, mais ce qui avait été envisageable la veille était désormais interdit.

— Non, lui dit-il. Aucune réponse.

Cette réplique donna à Jo-Beth le signal du départ. Howie la regarda en comptant jusqu'à cinq, se mettant au défi de la laisser partir, sachant que ce qui se passait entre eux était plus chargé de signification que tout ce dont il avait fait l'expérience durant les dix-huit ans pendant lesquels il avait respiré l'air de cette planète. A cinq, il referma la porte.

QUATRIÈME PARTIE

Scènes primales

I

Grillo n'avait jamais entendu Abernethy aussi heureux. Il faillit pousser un glapissement lorsque le journaliste lui apprit que l'histoire de Buddy Vance avait tourné au cataclysme et qu'il avait assisté à tout son déroulement.

— Commencez à écrire! dit-il. Prenez une chambre en ville — faites-moi envoyer la note — et commencez à écrire! Je vous garde la une!

Si Abernethy croyait exciter Grillo avec de tels clichés, il se trompait lourdement. L'incident de la caverne l'avait laissé tout engourdi. Mais cette idée de prendre une chambre était la bienvenue. Il s'était séché dans les toilettes du bar où Hotchkiss et lui avaient fait enregistrer leur déposition auprès de Spilmont, mais il se sentait encore sale et épuisé.

— Et ce type, ce Hotchkiss? dit Abernethy. Qu'est-ce qu'on peut en tirer?

— Je ne sais pas.

— Trouvez-le. Et rassemblez des informations supplémentaires sur Vance. Vous êtes déjà allé chez lui?

— Laissez-moi un peu de temps.

— Vous êtes sur place, dit Abernethy. C'est votre papier. Faites-le.

Il se vengea d'Abernethy, de façon quelque peu mesquine, en choisissant la plus onéreuse des chambres proposées par l'hôtel Palomo, dans Stillbrook Village, commandant du champagne et un hamburger bleu, et gratifiant le garçon d'un pourboire si élevé qu'il lui demanda s'il ne s'était pas trompé. L'alcool eut vite fait de le griser; c'était dans de telles circonstances qu'il préférait parler à Tesla. Elle n'était pas chez elle. Il lui laissa un message et l'informa du lieu où il se trouvait. Puis il chercha Hotchkiss dans l'annuaire et l'appela. Il avait écouté son compagnon d'infortune lorsque celui-ci avait fait sa déposition à Spilmont. Il n'avait fait aucune mention de la forme qu'ils avaient aperçue en train de jaillir de la fissure. Grillo avait également passé ce détail sous silence, et l'absence de curiosité manifestée par Spilmont suggérait que personne d'autre ne s'était trouvé assez près pour assister au spectacle. Il voulait comparer ses impressions avec celles de Hotchkiss, mais il fit chou blanc. Ou bien il ne se trouvait pas chez lui, ou alors il avait décidé de ne pas répondre au téléphone.

Cette source d'information étant inaccessible, il dirigea son attention sur la demeure de Vance. Il était presque neuf heures du soir, mais ça ne lui ferait aucun mal de monter en haut de la Colline pour contempler la maison du mort. Peut-être même parviendrait-il à y pénétrer, si le champagne ne lui avait pas paralysé la langue. D'une certaine façon, l'heure était bien choisie. Ce matin, Vance avait créé l'événement dans le Grove. Ses proches, s'ils étaient attirés par les projecteurs — rares sont ceux que la gloire laisse froids —, auraient pu se permettre de laisser mariner les journalistes avant de choisir l'élu. Mais à présent, le décès de Vance avait laissé la place à une nouvelle tragédie bien plus grave. Grillo risquait donc de découvrir une famille plus bavarde qu'elle ne l'aurait été à midi.

Il choisit de se rendre chez Vance à pied et le regretta aussitôt. La pente de la Colline était plus raide qu'elle ne l'avait semblé vue d'en bas, et chichement éclairée de surcroît. Mais il y avait des compensations. Il avait la rue pour lui tout seul et pouvait quitter le trottoir pour marcher au milieu de la chaussée, admirant les étoiles à mesure qu'elles apparaissaient au-dessus de sa tête. La résidence de Vance ne fut pas difficile à localiser. La route s'arrêtait devant son portail. Après Coney Eye, il n'y avait que le ciel.

L'entrée principale n'était pas gardée, mais elle était verrouillée. Une entrée de service lui permit toutefois d'accéder à un sentier qui serpentait entre des colonnes de conifères indisciplinés, alternativement éclairés par des projecteurs verts, rouges et jaunes, pour aboutir devant la maison proprement dite. Celle-ci était immense et complètement idiosyncrasique ; un palace qui défiait toutes les conceptions esthétiques du Grove. Aucune ressemblance avec les autres styles architecturaux exhibés en ville : méditerranéen, ranch, espagnol, pseudo-Tudor, Colonial moderne. L'édifice évoquait irrésistiblement une baraque foraine, sa façade était peinte des mêmes couleurs primaires qui éclairaient les arbres, ses fenêtres étaient entourées de guirlandes de lumières à présent éteintes. Grillo comprit que Coney Eye

était un petit morceau de Coney Island * : un hommage rendu
par Vance à la fête foraine. Il y avait de la lumière à l'intérieur. Il
frappa à la porte, conscient d'être examiné par des caméras de
surveillance. Une femme d'origine orientale — vietnamienne,
peut-être — lui ouvrit la porte et l'informa que Mrs Vance se
trouvait effectivement dans la résidence. S'il voulait bien attendre
dans l'entrée, lui dit-elle, elle allait voir si Madame consentait à
le recevoir. Grillo la remercia et attendit, pendant que la femme
se rendait au premier étage.

A l'intérieur comme à l'extérieur, un temple de l'amusement.
Chaque centimètre carré de l'entrée était couvert d'affiches
vantant toutes sortes d'attractions foraines : des publicités violemment bariolées pour des Tunnels de l'Amour, des Trains-
Fantômes, des Manèges, des Monstres, des Lutteurs, des Filles,
des Valses, des Plongeons et des Diseuses de Bonne Aventure.
Leur exécution était en général fort grossière, travail de peintres
conscients d'être au service du commerce et de produire des
œuvres sans grand mérite. Un examen plus détaillé n'était guère
flatteur pour ces images ; leur assurance bariolée était conçue
pour être perçue au milieu d'une foule plutôt qu'à la lumière
d'une galerie d'art. Vance n'avait pas été aveugle à ce fait. En
disposant tous ces tableaux côte à côte sur tous les murs, il
incitait l'œil à aller sans cesse de l'un à l'autre, l'empêchant de
s'attarder sur les détails. Cette exposition, pour vulgaire qu'elle
fût, arracha un sourire à Grillo, tout comme Vance l'avait
certainement souhaité, un sourire qui disparut de ses lèvres
lorsque Rochelle Vance apparut en haut de l'escalier et se mit à
descendre les marches.

Il n'avait jamais vu de sa vie un visage aussi exempt de
défauts. A chaque pas qu'elle faisait vers lui, il s'attendait à
trouver des compromis dans sa perfection, mais il n'y en avait
aucun. Elle était de sang antillais, devina-t-il, vu le dessin plein
de finesse de ses traits sombres. Ses cheveux étaient tirés en
arrière, faisant ressortir le dôme de son front et la symétrie de ses
arcades sourcilières. Elle ne portait pas de bijoux et était vêtue de
la plus simple des robes noires.

— Mr Grillo, dit-elle, je suis la veuve de Buddy.

Aucun mot, en dépit de la couleur de sa robe, n'aurait pu être

* Île située non loin de New York, sur laquelle se trouve un gigantesque parc
d'attraction. *(N.d.T.)*

moins approprié. Cette femme-là ne venait pas de quitter un oreiller inondé de larmes.

— Que puis-je faire pour vous ? demanda-t-elle.

— Je suis journaliste...

— C'est ce que m'a dit Ellen.

— Je voulais vous poser quelques questions au sujet de votre mari.

— Il est tard.

— J'ai passé la majeure partie de mon après-midi dans le bois.

— Ah oui, dit-elle. Vous êtes *ce* monsieur Grillo.

— Je vous demande pardon ?

— Un des policiers... (Elle se tourna vers Ellen.) Comment s'appelle-t-il ?

— Spilmont.

— Spilmont. Il est venu ici pour me dire ce qui s'était passé. Il m'a parlé de votre héroïsme.

— Ce n'était pas grand-chose.

— Assez pour que vous méritiez une nuit de repos, je pense, dit-elle. Plutôt que de vous remettre au travail.

— J'aimerais quand même vous poser quelques questions.

— Oui. Eh bien, entrez.

Ellen ouvrit une porte située à gauche de l'entrée. Tout en précédant Grillo, Rochelle lui dicta ses règles de conduite.

— Je ferai de mon mieux pour répondre à vos questions, tant que vous vous limiterez à la vie professionnelle de Buddy. (Elle n'avait aucun accent. Une éducation européenne, peut-être ?) Je ne sais rien au sujet de ses autres épouses, alors ne vous donnez pas la peine de m'interroger là-dessus. Et je ne souhaite pas parler de ses diverses dépendances. Désirez-vous une tasse de café ?

— Un café serait le bienvenu, dit Grillo, conscient d'être en train de faire ce qu'il faisait si souvent lors d'une interview : saisir le ton de la personne interviewée.

— Un café pour Mr Grillo, Ellen, dit Rochelle en priant son invité de s'asseoir. Et de l'eau pour moi.

La pièce où ils se trouvaient faisait toute la longueur de la maison et était haute de deux niveaux, le second étant une galerie qui faisait le tour des quatre murs. Ceux-ci, comme les murs de l'entrée, étaient une cacophonie de couleurs. Invitations, séductions et mises en garde se disputaient l'attention du spectateur. « *Le Grand Huit le Plus Vertigineux du Monde !* » promettait modestement l'une d'elles ; « *Vous vous amuserez jusqu'à l'Épuisement,* annonçait une autre, *et ce n'est que le Début !* »

— Ce n'est qu'une partie de la collection de Buddy, dit Rochelle. Il y en a une autre à New York. Je pense que c'est la plus importante collection privée de ce type.

— Je ne savais pas qu'on pouvait collectionner ce genre de trucs.

— Buddy appelait ça de l'authentique art américain. Peut-être avait-il raison, ce qui en dit long sur...

Elle laissa sa phrase inachevée, manifestant clairement le dégoût que lui inspirait ce défilé criard. Son expression, marquant comme elle le faisait un visage si exempt de défauts dans son dessin, avait une force déconcertante.

— Vous allez disperser cette collection, je suppose, dit Grillo.

— Cela dépendra du testament, dit-elle. Peut-être ne m'appartiendra-t-il pas de la vendre.

— Vous n'y êtes pas attachée ?

— Je pense que cette question rentre dans la catégorie « vie privée », dit-elle.

— Oui. Vous avez sans doute raison.

— Mais je suis sûre que l'obsession de Buddy était relativement inoffensive.

Elle se leva et actionna un interrupteur situé entre deux panneaux d'une façade de train-fantôme. Des lumières multicolores éclairèrent le balcon, qui était séparé de la pièce où ils se trouvaient par une paroi de verre.

— Laissez-moi vous montrer, dit-elle.

Traversant la pièce, elle pénétra dans un fouillis de couleurs. Des éléments trop grands pour être exposés dans la maison avaient été rassemblés là. Un visage sculpté, haut de quatre mètres environ, dont la gueule béante aux dents taillées en pointe avait servi d'entrée à une chenille. Une affiche vantant Le Mur de la Mort en lettres de lumière. Un bas-relief représentant une locomotive grandeur nature conduite par des squelettes et semblant jaillir d'un tunnel.

— Mon Dieu ! ne put que dire Grillo.

— Vous savez maintenant pourquoi je l'ai quitté, dit Rochelle.

— Je ne m'en étais pas rendu compte, répondit Grillo. Vous ne viviez pas ici ?

— J'ai essayé, dit-elle. Mais regardez cet endroit. C'est comme si on se trouvait à l'intérieur de l'esprit de Buddy. Il aimait laisser sa marque sur tout. Sur *tous*. Il n'y avait pas de place pour moi ici. Pas si je n'étais pas prête à jouer le jeu comme il l'entendait.

Elle contempla la gueule gigantesque.

— C'est laid, dit-elle. Vous ne trouvez pas ?

— Je ne suis pas expert en 'a matière, dit Grillo.

— Ça ne vous dégoûte pas ?

— Ça risque de me donner une gueule de bois.

— Il me disait tout le temps que je n'avais aucun sens de l'humour, dit-elle. Parce que je ne trouvais pas ses... trucs amusants. En fait, je ne le trouvais pas amusant, lui non plus. En tant qu'amant, oui... il était merveilleux. Mais drôle ? Non.

— Êtes-vous en train de me parler à titre confidentiel ? demanda Grillo.

— Si je vous dis que oui, en tiendrez-vous compte ? J'ai suffisamment souffert de la publicité durant mon existence pour savoir que vous vous foutez royalement de ma vie privée.

— Mais vous êtes quand même en train de m'en parler.

Elle quitta la gueule des yeux pour le regarder.

— Oui, dit-elle. (Il y eut une pause. Puis elle déclara :) J'ai froid.

Elle regagna le salon. Ellen était en train de servir le café.

— Laissez, dit Rochelle. Je vais m'en occuper.

La Vietnamienne s'attarda sur le seuil quelques instants de plus que ne l'exigeait son statut de domestique, puis elle s'en fut.

— Voilà donc l'histoire de la vie de Buddy Vance, dit Rochelle. Des femmes, de l'argent, et une fête foraine. Rien de bien neuf là-dedans, j'en ai peur.

— Pensez-vous qu'il ait eu une prémonition de ce qui allait lui arriver ? demanda Grillo comme ils se rasseyaient.

— De sa mort ? J'en doute. Il n'était pas exactement attiré par ce genre de sujet. De la crème ?

— Oui, je vous prie. Et un sucre.

— Servez-vous. Est-ce le genre d'histoire que vos lecteurs souhaiteraient lire ? Que Buddy avait vu sa mort en rêve ?

— On a vu arriver des choses plus étranges, dit Grillo, repensant malgré lui à la fissure et à ce qui s'en était échappé.

— Je ne le pense pas, répondit Rochelle. Je ne vois plus guère de signes de miracles. Plus maintenant. (Elle éteignit la lumière au-dehors.) Quand j'étais enfant, mon grand-père m'a appris à influencer les autres.

— Comment ?

— Par la seule force de ma pensée. C'était quelque chose qu'il avait fait toute sa vie, et il m'a transmis son don. C'était facile. Je pouvais forcer les autres enfants à laisser tomber leurs glaces. Les faire rire sans qu'ils sachent pourquoi : je n'avais aucune difficulté à y parvenir. Il y avait des miracles en ce temps-là. Au coin de la rue. Mais j'ai perdu ce don. Nous le perdons tous. Tout change, tout empire.

— Votre vie n'est sûrement pas aussi misérable, dit Grillo. Je sais que vous êtes triste après...

— Au diable ma tristesse, dit-elle soudain. Il est mort, et je suis là pour attendre de voir qui rira le dernier.

— Le testament?

— Le testament. Ses femmes. Les salauds qui vont surgir de partout. Il a enfin réussi à me faire embarquer dans un de ses manèges. (Ses mots étaient riches d'émotion, mais elle parlait cependant d'une voix posée.) Vous pouvez rentrer chez vous et transformer tout cela en prose impérissable.

— Je vais rester en ville, dit Grillo. Jusqu'à ce qu'on ait retrouvé le corps de votre mari.

— On ne le retrouvera pas, répondit Rochelle. Les recherches ont été abandonnées.

— Quoi?

— C'est ce que Spilmont est venu m'expliquer. Ils ont déjà perdu cinq hommes. Apparemment, ils n'ont que de faibles chances de le retrouver, de toute façon. Le jeu n'en vaut pas la chandelle.

— Cela vous trouble-t-il?

— De ne pas avoir de corps à enterrer? Non, pas vraiment. Il vaut mieux qu'on se souvienne de son visage souriant plutôt que de son corps remonté d'un trou. Vous voyez, votre histoire s'arrête là. Sans doute y aura-t-il une cérémonie commémorative à Hollywood. Le reste, comme on dit, appartient à l'histoire de la télévision.

Elle se leva, lui annonçant que l'interview avait pris fin. Grillo avait encore une foule de questions à lui poser, la plupart relatives au sujet qu'elle s'était déclarée prête à aborder : la vie professionnelle du défunt. Tesla ne pourrait pas répondre à toutes ses interrogations, il le savait. Plutôt que de continuer à tourmenter la veuve Vance, il renonça à ses questions. Elle lui avait fait plus de révélations qu'il n'aurait osé en espérer.

— Merci de m'avoir reçu, dit-il en lui serrant la main. (Ses doigts étaient aussi minces que des brindilles.) Vous avez été fort aimable.

— Ellen va vous reconduire, dit-elle.

— Merci.

La jeune femme l'attendait dans l'entrée. En ouvrant la porte, elle toucha le bras de Grillo. Il la regarda. Elle lui fit signe de faire silence et glissa un bout de papier dans sa main. Sans qu'ils aient échangé un seul mot, il fut reconduit au-dehors et la porte se referma sur lui.

Il attendit d'être hors de vue des caméras avant de regarder le bout de papier. Il y figurait le nom de la femme — Ellen Nguyen — et une adresse dans Deerdell Village. Buddy Vance resterait peut-être enterré, mais son histoire cherchait à remonter à la surface. L'expérience de Grillo lui avait appris que les choses se produisaient souvent ainsi. Il croyait dur comme fer que rien, absolument *rien,* ne pouvait rester secret, quelle que soit la puissance des forces dont l'intérêt résidait dans le silence. Les conspirateurs pouvaient conspirer, les truands pouvaient tenter d'étouffer, mais la vérité, ou une approximation raisonnable de la vérité, finissait tôt ou tard par se montrer, le plus souvent de la plus improbable des façons. C'étaient rarement les faits bruts qui révélaient la vie derrière la vie. C'étaient les rumeurs, les graffiti, les bandes dessinées et les chansons d'amour. C'étaient les conversations des ivrognes et les confidences des amants, c'étaient les messages griffonnés dans les toilettes publiques.

L'art souterrain, telles les formes qu'il avait aperçues dans le geyser, montant vers le monde pour le transformer.

II

Jo-Beth était allongée sur son lit, dans l'obscurité, et observait la brise gonfler les rideaux pour les emporter ensuite dans la nuit. Elle était allée parler à Maman dès son retour et lui avait dit que plus jamais elle ne reverrait Howie. Cette promesse avait été fort hâtive, mais elle doutait que Maman l'ait seulement entendue. Elle avait l'air distraite et ne cessait d'arpenter sa chambre, se tordant les mains et murmurant des prières. Ces dernières rappelèrent à Jo-Beth qu'elle avait promis de téléphoner au Pasteur et n'en avait rien fait. Faisant de son mieux pour se ressaisir, elle descendit au rez-de-chaussée et appela l'église. Le Pasteur John n'était cependant pas disponible. Il était parti réconforter Angelie Datlow, dont le mari Bruce avait péri lors de la tentative de sauvetage de Buddy Vance. Ce fut ainsi que Jo-Beth prit connaissance de cette tragédie. Elle coupa court à la conversation et raccrocha en tremblant. Elle n'avait pas besoin qu'on lui décrive en détail la façon dont avaient péri les sauveteurs. Elle avait tout vu, ainsi que Howie. Leur rêve partagé avait été en fait un reportage en direct de la crevasse où Datlow et ses collègues avaient trouvé la mort.

Elle s'assit dans la cuisine, où le bourdonnement du réfrigérateur était accompagné par la musique en sourdine des oiseaux et des insectes du jardin, et essaya de donner un sens à ce qui n'en avait pas. Peut-être lui avait-on inculqué une vision exagérément optimiste du monde, mais elle avait toujours cru jusqu'ici que les choses au-delà de sa compréhension pouvaient lui être expliquées par ses proches. D'ordinaire, cette idée la réconfortait. A présent, elle avait des doutes. Si elle racontait à l'une des habituées de l'église — qui composaient la majorité de ses connaissances — ce qui lui était arrivé au motel (rêve d'eau, rêve de mort), on lui ressortirait le raisonnement habituel de Maman : ceci était l'œuvre du Diable. Lorsqu'elle avait dit ça à Howie, il lui avait rétorqué qu'elle ne croyait pas ce qu'elle disait, et il avait eu raison. C'était ridicule. Et si ceci était ridicule, que dire de tout ce qu'on lui avait enseigné ?

Incapable d'ordonner ses pensées confuses, et trop fatiguée pour les réduire au silence, elle monta dans sa chambre pour s'étendre. Elle ne désirait nullement dormir si tôt après les traumatismes de son dernier somme, mais la fatigue eut raison de sa résistance. Une suite de scènes en noir et blanc, éclairées par une lumière perlée, défila devant elle comme elle sombrait dans le sommeil. Howie au Steak House ; Howie devant le centre, face à face avec Tommy-Ray ; son visage sur l'oreiller, lorsqu'elle l'avait cru mort. Puis la séquence se rompit, tel un collier dont les perles s'éparpillent. Elle fut engloutie par le sommeil.

L'horloge affichait huit heures trente-cinq quand elle se réveilla. La maison était plongée dans le silence. Elle se leva, se déplaçant le plus silencieusement possible afin de ne pas alerter Maman. Elle descendit se préparer un sandwich, qu'elle remonta manger dans sa chambre, où — une fois le sandwich avalé — elle gisait à présent, contemplant le vent en train de jouer avec les rideaux.

La lumière du soir avait été aussi douce que de la crème d'abricot, mais elle avait disparu à présent. Les ténèbres étaient imminentes. Elle sentait leur approche — annulant les distances, faisant taire la vie —, et cela l'emplissait d'une détresse qu'elle n'avait jamais connue. Dans des maisons toutes proches, des familles prenaient déjà le deuil. Des femmes sans mari, des enfants sans père, affrontant leur première nuit de chagrin. Dans d'autres, des tristesses oubliées refaisaient soudain surface ; on les étudiait ; on pleurait sur elles. Elle avait désormais la sienne propre, qui l'englobait dans cette peine plus vaste. Le deuil l'avait touchée, et les ténèbres — qui prenaient tant au monde et lui rendaient si peu — ne seraient plus jamais les mêmes.

Tommy-Ray fut réveillé par un bruit à la fenêtre. Il se redressa sur sa couche. La journée s'était déroulée fébrilement. Plus d'une douzaine d'heures s'étaient écoulées depuis le matin, mais qu'avait-il fait durant ce temps-là ? Dormir, transpirer, et attendre un signe.

Était-ce ce signe qu'il entendait à présent : la fenêtre en train de tressauter comme une mâchoire de vieillard ? Il rejeta ses couvertures. A un moment donné, il s'était dévêtu, ne gardant que son slip. Le corps qu'il aperçut dans le miroir était luisant et élancé ; pareil à un serpent florissant. Distrait par l'admiration que lui inspirait son reflet, il trébucha, et, en tentant de se relever, se rendit compte qu'il avait perdu tout contrôle sur la pièce. Celle-ci lui était soudain devenue étrangère — tout comme lui-même lui était étranger. Le plancher était incliné comme il ne l'avait jamais été ; l'armoire avait rétréci à la taille d'une valise, à moins que lui-même n'ait grotesquement grandi. En proie à la nausée, il chercha quelque chose de solide à quoi se raccrocher : la porte. Mais sa main ou la chambre elle-même le trahirent, et ce fut la fenêtre qu'il agrippa. Il se releva et resta immobile, s'accrochant au bois jusqu'à ce que son malaise soit passé. Durant cette attente, il sentit les vibrations quasi imperceptibles du châssis se transmettre à ses phalanges, à son poignet et à son bras, puis de ses épaules à son épine dorsale. Leur course déclencha une gigue dans sa moelle, une danse absurde qui prit toute sa signification lorsqu'elle grimpa le long de ses vertèbres cervicales pour atteindre son crâne. Là, les vibrations, qui n'avaient été qu'un charabia lorsqu'elles avaient traversé le verre, devinrent à nouveau un son : une boucle incessante de cliquetis et de craquements qui résonna à son esprit comme un appel.

Il n'avait pas besoin de l'entendre deux fois. Lâchant la fenêtre, il se tourna précautionneusement vers la porte. Ses pieds heurtèrent les vêtements dont il s'était défait pendant son sommeil. Il ramassa son tee-shirt et son jeans, pensant vaguement qu'il devait s'habiller avant de sortir, mais se contentant de traîner ses vêtements derrière lui tandis qu'il descendait l'escalier pour pénétrer dans les ténèbres qui régnaient derrière la maison.

Le jardin était vaste et chaotique, négligé depuis de nombreuses années. La barrière s'était effondrée sans jamais être réparée, et les arbustes plantés pour abriter le jardin de la rue avaient crû pour devenir une muraille végétale. Ce fut vers cette petite jungle qu'il se dirigea, attiré par le compteur-geiger dans son crâne, dont les cliquetis se faisaient plus forts à chacun de ses pas.

Jo-Beth se redressa sur sa couche, les mâchoires douloureuses. Elle tâta son visage avec hésitation. Sa chair paraissait tendre, comme meurtrie. Elle se leva et alla en silence jusqu'à la salle de bains. La porte de la chambre de Tommy-Ray était ouverte, remarqua-t-elle, alors qu'elle était fermée tout à l'heure. S'il était là, elle ne pouvait pas le voir. Les rideaux étaient tirés, la pièce noire comme un four.

Un bref examen de son visage dans la glace suffit à la rassurer : ses larmes avaient laissé des traces, mais sinon, elle n'avait rien. Une douleur continuait cependant de sourdre dans ses dents, et rampait jusqu'à sa nuque. Elle n'avait jamais rien senti de pareil. La pression n'était pas constante mais plutôt rythmée, comme un pouls qui ne serait pas issu de son cœur mais qui aurait trouvé sa source hors de son corps.

— Ça suffit, murmura-t-elle en serrant les dents.

Mais cette percussion était incontrôlable. Elle resserra son étau sur sa tête, comme pour en extirper la moindre de ses pensées.

En désespoir de cause, elle se surprit à invoquer Howie ; une image de rire et de lumière qu'elle dressait contre les assauts de ce battement débile venu des ténèbres. C'était une image interdite — une image qu'elle avait promis à Maman de ne plus contempler —, mais c'était la seule arme à sa disposition. Si elle ne se défendait pas, ce battement réduirait ses pensées en bouillie à force d'insistance ; la ferait se mouvoir à son rythme et à lui seul.

Howie...

Surgissant du passé proche, il lui sourit. Elle s'accrocha à l'éclat de son souvenir et se pencha sur le lavabo pour s'asperger le visage d'eau froide. L'eau et le souvenir triomphèrent de l'assaillant. D'une démarche hésitante, elle sortit de la salle de bains et se dirigea vers la chambre de Tommy-Ray. Quelle que fût cette maladie, elle l'avait sûrement affecté lui aussi. Depuis leur plus tendre enfance, ils avaient ensemble attrapé les mêmes virus et en avaient souffert ensemble. Peut-être que cette étrange et nouvelle affliction s'était attaquée à lui en premier et que son comportement au centre commercial en était la conséquence. Cette idée lui rendit l'espoir. S'il était malade, il pouvait être guéri. Tous deux guériraient ensemble.

Ses soupçons furent confirmés lorsqu'elle franchit le seuil. Une odeur de maladie imprégnait la chambre ; une odeur rance, et une chaleur insupportable.

— Tommy-Ray ? Tu es là ?

Elle ouvrit la porte en grand pour mieux éclairer l'intérieur de la pièce. Celle-ci était vide, le lit couvert d'une masse de draps, le tapis froissé comme s'il avait dansé la tarentelle dessus. Elle alla jusqu'à la fenêtre, dans l'intention de l'ouvrir, mais s'immobilisa après avoir écarté les rideaux. Le spectacle qui se présenta à elle suffit à lui faire dévaler les marches quatre à quatre en hurlant le nom de Tommy-Ray. Elle l'avait vu avancer en titubant dans le jardin, éclairé par le néon de la cuisine, traînant son jeans derrière lui.

Le bosquet situé au bout du jardin était mouvant; et le vent n'était pas le seul à agiter son feuillage.

— *Mon fils*, dit l'homme dans les arbres. *Enfin, nous nous rencontrons.*

Tommy-Ray ne distinguait pas clairement celui qui l'avait appelé, mais c'était bien lui, sans le moindre doute. Le vacarme s'atténua dans sa tête lorsqu'il l'aperçut.

— *Approche-toi*, ordonna-t-il.

Les accents de sa voix et la façon dont il se dissimulait évoquaient l'inconnu qui vous offre des bonbons. Ce *mon fils* ne devait pas être pris au pied de la lettre, n'est-ce pas? Et pourtant, ne serait-ce pas extraordinaire? Après avoir renoncé à tout espoir de rencontrer cet homme, après avoir supporté les moqueries des autres enfants et gaspillé tant d'heures à essayer de l'imaginer, voir enfin son père perdu, qui l'avait appelé en usant d'un code connu des seuls pères et de leurs fils. Extraordinaire, tout bonnement extraordinaire.

— *Où est ma fille?* dit l'homme. *Où est Jo-Beth?*

— Je crois qu'elle est dans la maison.

— *Va me la chercher, veux-tu?*

— Dans une minute.

— *Tout de suite.*

— Je veux te voir d'abord. Je veux être sûr que ce n'est pas un tour.

L'inconnu éclata de rire.

— *J'entends déjà ma voix dans la tienne*, dit-il. *On m'a joué des tours, à moi aussi. Ça nous a rendus prudents, n'est-ce pas?*

— Oui.

— *Bien sûr que tu dois me voir*, dit-il en émergeant des arbres. *Je suis ton père. Je suis le Jaff.*

Alors que Jo-Beth arrivait en bas de l'escalier, elle entendit Maman l'appeler depuis sa chambre.

— Jo-Beth? Que se passe-t-il?

— Ce n'est rien, Maman.

— Viens ici! Quelque chose d'horrible... pendant que je dormais...

— Un instant, Maman. Reste dans ton lit.

— Horrible...

— Je reviens tout de suite. Reste où tu es.

Il était là, en chair et en os : le père dont Tommy-Ray avait rêvé un millier de fois depuis qu'il s'était rendu compte que les autres garçons avaient un second parent, un parent dont ils partageaient le sexe, qui connaissait les secrets des hommes et qui les transmettait à ses fils. Il lui était parfois arrivé de fantasmer qu'il était le bâtard d'une star et qu'un jour viendrait où une limousine glisserait dans sa rue, où un sourire célèbre en descendrait et lui dirait les mots exacts que venait de lui dire le Jaff. Mais cet homme était bien plus qu'une star de cinéma. Il ne payait pas de mine, mais il avait en commun avec les visages idolâtrés par le monde une autorité stupéfiante, comme s'il était inutile qu'il fasse la démonstration de ses pouvoirs. D'où venait cette autorité, Tommy-Ray n'en savait encore rien, mais ses signes étaient parfaitement visibles.

— *Je suis ton père*, répéta le Jaff. *Me crois-tu ?*

— Oui, dit-il, je te crois.

— *Et tu m'obéiras comme un fils aimant ?*

— Oui.

— *Bien*, dit le Jaff, *alors, s'il te plaît, va chercher ma fille. Je l'ai appelée, mais elle refuse de venir. Tu sais pourquoi...*

— Non.

— *Réfléchis.*

Tommy-Ray s'exécuta, mais aucune réponse ne lui vint à l'esprit.

— *Mon ennemi l'a touchée*, dit le Jaff.

Katz, pensa Tommy-Ray : il veut parler de ce connard de Katz.

— *Je t'ai conçu, ainsi que Jo-Beth, pour que vous deveniez mes agents. Mon ennemi a agi de même. Il a fait un enfant.*

— Katz n'est pas ton ennemi ? dit Tommy-Ray, tentant de se faire une idée de la situation. C'est le fils de ton ennemi ?

— *Et à présent, il a touché ta sœur. C'est ce qui l'empêche de venir à moi. Cette souillure.*

— Pas pour longtemps.

Ce disant, Tommy-Ray fit demi-tour et se mit à courir vers la maison, appelant Jo-Beth d'une voix enjouée.

Elle l'entendit depuis l'intérieur et fut rassurée. Il ne semblait nullement souffrir. Il était à la porte du jardin lorsqu'elle entra dans la cuisine, les bras écartés, appuyé au chambranle, souriant. Trempé de sueur et presque nu, il semblait venir tout droit de la plage.

— C'est merveilleux, dit-il avec un large sourire.

— Quoi donc?

— Dehors. Suis-moi.

Chacune des veines de son corps semblait jaillir fièrement de sa peau. La lueur qui éclairait ses yeux rendit Jo-Beth méfiante. Son sourire ne fit que renforcer les soupçons qui la troublaient.

— Je n'irai nulle part, Tommy..., dit-elle.

— Pourquoi résistes-tu? demanda-t-il en inclinant la tête. Ce n'est pas parce que l'autre t'a touchée que tu as cessé de lui appartenir.

— Qu'est-ce que tu racontes?

— *Katz*. Je sais ce qu'il a fait. N'aie pas honte. Tu es pardonnée. Mais tu dois aller en personne t'excuser auprès de lui.

— Pardonnée? dit-elle, levant la voix et encourageant ainsi son mal de crâne à de nouveaux excès. Rien ne te donne le droit de me pardonner, espèce de crétin! Surtout toi...

— Pas moi, dit Tommy-Ray sans cesser de sourire. Notre père...

— Quoi?

— ... Qui est là-dehors...

Elle secoua la tête. Sa migraine empirait.

— Suis-moi. Il est dans le jardin. (Il lâcha le chambranle et traversa la cuisine pour se diriger vers elle.) Je sais que ça fait mal, dit-il. Mais le Jaff te soignera.

— Ne t'approche pas de moi!

— C'est *moi*, Jo-Beth. C'est Tommy-Ray. Tu n'as aucune raison d'avoir peur.

— Oh si! Je ne sais pas pourquoi, mais si.

— Tu le crois uniquement parce que tu as été *souillée* par Katz, dit-il. Je ne ferai rien qui puisse te faire mal, tu le sais. Nous avons les mêmes sentiments, n'est-ce pas? Ce qui te fait mal me fait mal. Je n'aime pas avoir mal. (Il rit.) Je suis peut-être bizarre, mais pas à ce point.

En dépit des doutes qui la taraudaient, ce dernier argument emporta la décision, car ce qu'il disait était pure vérité. Ils avaient partagé la même matrice durant neuf mois; ils étaient les deux moitiés d'un même œuf. Il ne lui voulait aucun mal.

— S'il te plaît, viens, dit-il en tendant la main.

Elle la prit. Son mal de tête s'atténua aussitôt, ce dont elle fut reconnaissante. Remplaçant le vacarme, un murmure : son nom.

— *Jo-Beth*.

— Oui ? dit-elle.

— Ce n'est pas moi, dit Tommy-Ray. C'est le Jaff. Il t'appelle.

— *Jo-Beth*.

— Où est-il ?

Tommy-Ray désigna les arbres du doigt. Ils étaient soudain fort éloignés de la maison ; presque au fond du jardin. Elle ne sut pas comment elle était arrivée si vite auprès d'eux, mais le vent qui avait joué avec les rideaux la tenait à présent, la poussant en avant, semblait-il, en direction du bosquet. Tommy-Ray laissa échapper sa main.

— *Vas-y*, l'entendit-elle dire, *c'est ce que nous attendons depuis si longtemps...*

Elle hésita. Il y avait dans la façon dont les arbres se mouvaient, dont leur feuillage murmurait, quelque chose qui lui rappelait des visions désagréables ; un nuage en forme de champignon, peut-être ; ou du sang dans de l'eau. Mais la voix qui venait la cajoler était profonde et rassurante, et le visage — à présent visible — dont elle était issue l'émouvait. S'il existait un homme qu'elle dût appeler du nom de père, celui-ci semblait un bon choix. Elle aimait sa barbe et son front plissé. Elle aimait la délicieuse précision avec laquelle ses lèvres façonnaient les mots qu'elles prononçaient.

— *Je suis le Jaff*, dit-il. *Ton père*.

— Vraiment ?

— *Vraiment*.

— Pourquoi viens-tu ici ce soir ? Après tout ce temps ?

— *Approche-toi. Je vais te le dire*.

Elle allait faire un nouveau pas vers lui lorsqu'elle entendit un cri venant de la maison.

— Ne le laisse pas te toucher !

C'était Maman, et sa voix avait atteint un volume que Jo-Beth ne l'aurait jamais crue capable d'atteindre. Ce cri la figea sur place. Elle pivota sur elle-même. Tommy-Ray se trouvait juste derrière elle. Plus loin, marchant pieds nus sur la pelouse, la chemise de nuit en bataille, Maman.

— Jo-Beth, éloigne-toi de lui ! dit-elle.

— Maman ?

— Eloigne-toi de lui !

Cela faisait presque cinq ans que Maman n'avait pas mis les

pieds hors de la maison ; plus d'une fois, durant cette période, elle avait dit qu'elle n'en sortirait plus jamais. Et pourtant elle était là, une expression d'alarme sur le visage, émettant des ordres plutôt que des prières.

— Venez ici, tous les deux !

Tommy-Ray se tourna pour faire face à sa mère.

— Rentre, dit-il. Ceci ne te regarde pas.

Maman ralentit l'allure.

— Tu ne *sais* pas, mon fils, dit-elle. Tu ne pourras jamais comprendre.

— C'est notre père, répondit Tommy-Ray. Il est revenu à la maison. Tu devrais être reconnaissante.

— De *ça ?* dit Maman, les yeux exorbités. C'est ça qui m'a brisé le cœur. Et c'est ça qui brisera le vôtre si vous le laissez faire. (Elle se trouvait à présent à un mètre de Tommy-Ray.) Ne le laisse pas faire, dit-elle doucement en tendant une main vers son visage. Ne le laisse pas nous faire mal.

Tommy-Ray écarta violemment la main de sa mère.

— Je t'ai prévenue, dit-il. Ceci ne te regarde pas !

La réaction de Maman fut instantanée. Elle fit un pas vers Tommy-Ray et le frappa au visage ; une gifle sonore dont les échos résonnèrent jusque dans la maison.

— *Imbécile !* hurla-t-elle. *Tu ne sais donc pas reconnaître le mal quand tu le vois ?*

— Je sais reconnaître une dingue quand j'en vois une, répliqua Tommy-Ray dans un crachat. Toutes tes prières et toutes tes histoires de Diable... Tu me rends malade ! Tu as toujours essayé de me gâcher la vie. Et maintenant, tu veux gâcher ceci. Eh bien, pas question ! Papa est revenu ! Alors va te faire foutre !

Sa colère semblait amuser l'homme dans les arbres ; Jo-Beth entendit un rire venant de sa direction. Elle lui jeta un regard. Apparemment, il ne s'y était pas attendu, car il avait laissé glisser le masque qu'il portait. Le visage qu'elle avait trouvé si paternel s'était enflé ; à moins que ce ne fût ce qu'il dissimulait. Ses yeux et son front s'étaient élargis ; son menton barbu et sa bouche, qu'elle avait trouvée si belle, étaient presque effacés. Là où s'était trouvé son père, il n'y avait plus qu'un monstrueux enfant. Elle poussa un cri en le découvrant.

Aussitôt, le bosquet qui les entourait s'agita avec frénésie. Les branches se fouettèrent les unes les autres comme des flagellants, arrachant l'écorce des arbres et déchiquetant leur feuillage, dans des mouvements si violents qu'elle était sûre qu'ils allaient se déraciner et se jeter sur elle.

— Maman! dit-elle en se retournant vers la maison.

— Où vas-tu? dit Tommy-Ray.

— Ce n'est pas notre père! dit-elle. C'est un sale tour! Regarde! C'est un horrible tour!

Ou bien Tommy-Ray ne voyait rien et ne se souciait pas de voir, ou alors il subissait tellement l'influence du Jaff qu'il voyait seulement ce que le Jaff voulait qu'il voie.

— Reste avec moi! dit-il en agrippant le bras de Jo-Beth. Avec *nous!*

Elle lutta pour se dégager de son étreinte, mais celle-ci était trop forte. Ce fut Maman qui intervint, d'un coup de poing qui fit lâcher prise à Tommy-Ray. Avant qu'il n'ait pu la ressaisir, Jo-Beth se mit à courir vers la maison. L'ouragan de feuilles la suivit sur la pelouse, ainsi que Maman, dont elle saisit la main dans sa fuite.

— Ferme la porte! Ferme la porte! dit Maman dès qu'elles furent rentrées.

Elle s'exécuta. A peine avait-elle tourné la clé que Maman lui ordonnait de la suivre.

— Où ça? dit Jo-Beth.

— Dans ma chambre. Je sais comment l'arrêter. Dépêche-toi!

La pièce embaumait le parfum de Maman et le lin éventé, mais pour une fois, sa familiarité était réconfortante. La sécurité qu'elle leur offrait était plus discutable. Jo-Beth entendit la porte de la cuisine se fracasser, et ce bruit fut suivi par un véritable vacarme, comme si on jetait contre les murs tout le contenu du réfrigérateur. Le silence s'ensuivit.

— Est-ce que tu cherches la clé? demanda Jo-Beth en voyant Maman fouiller sous son oreiller. Je crois qu'elle est dans la serrure, de l'autre côté.

— Alors attrape-la! dit Maman. Et fais vite!

Il y eut un craquement de l'autre côté de la porte, et Jo-Beth hésita à l'ouvrir. Mais si la porte n'était pas verrouillée, elles n'auraient aucun moyen de défense. Maman avait parlé d'arrêter le Jaff, mais si ce n'était pas la clé qu'elle cherchait, c'était son livre de prières, et les prières étaient impuissantes à arrêter quoi que ce soit. Les gens mouraient tout le temps avec une supplique aux lèvres. Elle n'avait pas le choix, et elle ouvrit la porte.

Son regard se dirigea vers les marches. Le Jaff était là, fœtus barbu, ses yeux immenses fixés sur elle. Sa bouche minuscule s'étira dans un sourire. Elle saisit la clé alors qu'il se remettait à monter.

— *Nous sommes là*, dit-il.

La clé refusait de sortir de la serrure. Jo-Beth la secoua et elle se libéra soudain, glissant hors de la serrure et de ses doigts. Le Jaff était à trois marches du palier. Il ne se pressait pas. Elle s'accroupit pour ramasser la clé, se rendant compte pour la première fois depuis qu'elle était rentrée dans la maison que la percussion qui l'avait alertée de sa présence se faisait à nouveau entendre. Le vacarme résultant semait la confusion dans ses pensées. Pourquoi se baissait-elle ? Que cherchait-elle ? Elle s'en souvint en apercevant la clé. Elle la saisit (le Jaff était sur le palier), se releva, battit en retraite, ferma la porte et la verrouilla.

— Il est là ! dit-elle à Maman en lui jetant un regard.

— Bien sûr, dit Maman.

Elle avait trouvé ce qu'elle cherchait. Ce n'était pas un livre de prières, c'était un couteau, un couteau de cuisine à la lame longue de vingt centimètres qui avait disparu peu de temps auparavant.

— Maman ?

— Je savais qu'il viendrait. Je suis prête.

— Tu ne peux pas l'affronter avec ça, dit-elle. Il n'est même pas humain. N'est-ce pas ?

Les yeux de Maman se posèrent sur la porte.

— Parle-moi, Maman.

— Je ne sais pas ce qu'il est, dit-elle. J'ai essayé d'y réfléchir... toutes ces années. Peut-être est-ce le Diable. Peut-être pas. (Elle se retourna vers Jo-Beth.) Cela fait si longtemps que j'ai peur, dit-elle. Et à présent, il est là, et tout semble si simple.

— Alors explique-moi, dit Jo-Beth. Parce que je ne comprends rien. Qui est-il ? Qu'a-t-il fait à Tommy-Ray ?

— Il a dit la vérité, dit Maman. En quelque sorte. *C'est* ton père. Où plutôt un de tes pères.

— Tu crois que j'en ai besoin de plusieurs ?

— Il a fait de moi une catin. Il m'a rendue à moitié folle en faisant naître en moi des désirs dont je ne voulais pas. L'homme qui a couché avec moi est ton père, mais ceci... (de la pointe de son couteau, elle désigna la porte, derrière laquelle montait un bruit de tapotement)... ceci est ce qui t'a vraiment conçue.

Je t'entends, dit le Jaff. *Haut et clair.*

— Écarte-toi, dit Maman en se dirigeant vers la porte.

Jo-Beth essaya de la repousser, mais elle ignora son geste. Et avec raison. Ce n'était pas la porte qui l'intéressait, mais sa fille.

Elle saisit Jo-Beth par le bras et l'attira contre elle, lui mettant le couteau sous la gorge.

— Je vais la tuer, dit-elle à la chose sur le palier. Dieu m'en soit témoin, je n'hésiterai pas à le faire. Si tu essayes d'entrer ici, ta fille est morte.

Elle tenait Jo-Beth avec autant de force que Tommy-Ray quelques minutes plus tôt. Celui-ci avait traité sa mère de dingue. Ou bien sa performance présente était digne d'un oscar, ou alors il avait eu raison. Dans les deux cas, Jo-Beth était perdue.

Le Jaff toquait de nouveau à la porte.

— *Ma fille ?* dit-il.

— Réponds-lui, ordonna Maman.

— *Ma fille ?*

— ... Oui...

— *Crains-tu pour ta vie ? Réponds-moi franchement. Sois franche avec moi. Car je t'aime et je ne veux pas qu'on te fasse du mal.*

— Elle craint pour sa vie, dit Maman.

— *Laisse-la répondre*, dit le Jaff.

Jo-Beth parla sans la moindre hésitation.

— Oui, dit-elle. Oui. Elle a un couteau et...

— *Ce serait vraiment stupide de ta part de tuer la seule chose qui ait rendu ta vie digne d'être vécue*, dit le Jaff à Maman. *Mais tu en serais capable, n'est-ce pas ?*

— Je ne te laisserai pas t'emparer d'elle, dit Maman.

Il y eut un bref silence de l'autre côté de la porte. Puis le Jaff dit :

— *Très bien...* (Il rit tout doucement.) *Demain est un autre jour.*

Il secoua le loquet une dernière fois, comme pour vérifier que l'accès lui était effectivement interdit. Puis son rire cessa de se faire entendre, pour être remplacé par un bruit grave et guttural qui aurait pu être émis par une chose née dans la douleur, consciente dès son premier souffle qu'elle ne pouvait échapper à sa condition. La détresse qui animait ce bruit était au moins aussi terrifiante que les séductions et les menaces qui l'avaient précédé. Puis il commença à s'estomper.

— Il s'en va, dit Jo-Beth. (Maman tenait toujours le couteau plaqué contre son cou.) Il s'en va, Maman. Lâche-moi.

La cinquième marche de l'escalier grinça par deux fois, confirmant l'hypothèse de Jo-Beth : leurs tortionnaires quittaient bel et bien la maison. Mais trente secondes supplémentaires s'écoulèrent avant que Maman relâche son étreinte sur le bras de

Jo-Beth, et une autre minute avant qu'elle libère définitivement sa fille.

— Il est sorti de la maison, dit-elle. Mais reste encore un peu ici.

— Et Tommy? dit Jo-Beth. Il faut aller le chercher.

Maman secoua la tête.

— Je devais forcément le perdre, dit-elle. C'est inutile.

— Il faut *essayer*, dit Jo-Beth.

Elle ouvrit la porte. De l'autre côté du palier, appuyé contre la balustrade, se trouvait ce qui était sûrement l'œuvre de Tommy-Ray. Quand ils étaient enfants, il avait l'habitude de fabriquer des poupées pour Jo-Beth, des douzaines de poupées de fortune dont la conception reflétait néanmoins son état d'esprit. Elles étaient toujours souriantes. A présent, il avait créé une poupée d'un genre nouveau; un père pour la famille, un père fait de nourriture. Une tête de hamburger, dont ses pouces avaient creusé les yeux; des membres de légumes; un torse qui était une boîte de lait, dont le contenu s'écoulait entre ses jambes, se répandant autour des grains de poivre et des gousses d'ail qu'il avait placés là. Jo-Beth contempla cette sculpture grossière : le visage de viande lui rendit son regard. Pas de sourire cette fois-ci. Même pas de bouche. Rien que deux trous dans le hamburger. Au niveau de son bas-ventre coulait le lait de la virilité qui tachait le tapis. Maman avait raison. Elles avaient perdu Tommy-Ray.

— Tu savais que ce salaud reviendrait, dit-elle.

— Je me doutais qu'il allait revenir, avec le temps. Pas pour moi. Il n'est pas revenu pour moi. Pour lui, je n'étais qu'un ventre, comme nous toutes...

— La Ligue des Vierges, dit Jo-Beth.

— Où as-tu entendu ça?

— Oh, Maman... les gens en parlent depuis ma naissance...

— J'avais tellement honte, dit Maman. (Elle porta une main à son visage; l'autre, qui tenait toujours le couteau, pendait à son côté.) Tellement honte. Je voulais me tuer. Mais le Pasteur m'en a empêchée. Il m'a dit que je devais vivre. Pour le Seigneur. Et pour toi et Tommy-Ray.

— Tu as dû être très forte, dit Jo-Beth en quittant la poupée des yeux pour faire face à sa mère. Je t'aime, Maman. J'ai dit que j'avais peur, je le sais, mais je sais aussi que tu ne m'aurais fait aucun mal.

Maman leva les yeux vers elle, des yeux dont coulait un flot de larmes qui venaient goutter à son menton.

Sans même réfléchir, elle dit :

— Je t'aurais tuée sans hésiter.

III

— Mon ennemi est encore là, dit le Jaff.

Tommy-Ray lui avait fait emprunter un sentier connu des seuls enfants du Grove, qui contournait la Colline et débouchait sur un point de vue vertigineux. Cet endroit était trop rocailleux pour que les amoureux s'y retrouvent et trop instable pour supporter des constructions, mais ceux qui prenaient la peine de grimper jusqu'à lui étaient récompensés par une vue imprenable sur Laureltree et sur Windbluff.

Et ils étaient là, Tommy-Ray et son père, en train de jouir du spectacle. Il n'y avait aucune étoile au-dessus de leurs têtes ; et à peine quelques lumières dans les maisons en bas. Le ciel était étouffé par les nuages ; la ville, par le sommeil. Loin des yeux de tous, le père et le fils parlaient.

— Qui est ton ennemi ? demanda Tommy-Ray. Dis-moi qui il est et je lui couperai la gorge.

— Ça m'étonnerait qu'il se laisse faire.

— Ne sois pas sarcastique, dit Tommy-Ray. Je ne suis pas stupide, tu sais. Je vois bien que tu me traites comme un gamin. Je ne suis pas un gamin.

— Il faudra que tu me le prouves.

— Je te le prouverai. Je n'ai peur de rien.

– Nous verrons bien.

— Est-ce que tu essayes de me faire peur ?

— Non. Seulement de te préparer.

— A quoi ? A ton ennemi ? Dis-moi à quoi il ressemble.

— Il s'appelle Fletcher. Lui et moi étions partenaires, avant ta naissance. Mais il m'a trahi. Ou du moins, il a tenté de le faire

— Quel était votre métier ?

— Ah !

Le Jaff éclata de rire, émettant un bruit que Tommy-Ray avait déjà entendu à plusieurs reprises, et qui lui plaisait de plus en plus. Cet homme était doué du sens de l'humour, même si Tommy-Ray ne comprenait pas toujours — notamment à présent — ce qui le faisait rire.

— Notre *métier*? dit le Jaff. C'était essentiellement la quête du pouvoir. Et d'un certain pouvoir en particulier. Ce pouvoir s'appelle l'Art, et grâce à lui, je serai capable d'envahir les rêves de l'Amérique.

— Tu plaisantes?

— Pas tous les rêves. Seulement les plus importants. Vois-tu, Tommy-Ray, je suis un explorateur.

— Ah ouais?

— Ouais. Mais que reste-t-il à explorer en ce bas monde? Pas grand-chose. Quelques parcelles de désert; la forêt tropicale...

— L'espace, suggéra Tommy-Ray en levant les yeux.

— Ce n'est qu'un désert, et les oasis y sont fort rares, dit le Jaff. Non, le vrai mystère — le *seul* mystère — réside à l'intérieur de nos têtes. Et je vais m'en emparer.

— Quand même pas comme un psychiatre, hein? Tu veux dire que tu peux y *entrer*.

— C'est exact.

— Et l'Art est la clé?

— Encore exact.

— Mais tu as dit que ce n'étaient que des rêves. Tout le monde rêve. Tu peux y arriver n'importe quand, il te suffit de t'endormir.

— La plupart des rêves ne sont que des numéros de jongleurs. Des gens qui ramassent leurs souvenirs et qui essaient de les mettre en ordre. Mais il existe un rêve d'un autre genre, Tommy-Ray. Un rêve qui t'apprend ce que c'est que de naître, de tomber amoureux et de mourir. Un rêve qui explique ce que c'est que *l'être*. Je sais que c'est confus...

— Continue. Je veux savoir.

— Il existe un océan de l'esprit. Il s'appelle Quiddity, dit le Jaff. Et sur cet océan flotte une île qui apparaît au moins à deux reprises dans les rêves de chacun d'entre nous : au commencement et à la fin. Les Grecs ont été les premiers à la découvrir. Platon en a parlé sous forme codée. Il l'appelait l'Atlantide...

Il s'interrompit, distrait de son récit par la substance de celui-ci.

— Tu désires ardemment cet endroit, n'est-ce pas? dit Tommy-Ray.

— Ardemment, en effet, dit le Jaff. Je veux pouvoir nager dans cet océan quand je le souhaite, et me rendre sur le rivage où sont contées les grandes histoires.

— Chouette.

— Hein?

— Ça a l'air chouette.

Le Jaff éclata de rire.

— Ta platitude est rassurante, mon fils. Nous allons bien nous entendre, j'en suis sûr. Tu pourras être mon agent sur le terrain, exact?

— Bien sûr, dit Tommy-Ray en souriant. (Puis :) Qu'est-ce que ça veut dire?

— Je ne peux pas montrer mon visage à n'importe qui, dit le Jaff. Et je n'apprécie guère le jour. Il est... vide de mystères. Mais tu pourras me servir de messager.

— Tu vas rester ici, alors? Je croyais qu'on allait partir.

— Plus tard. Mais d'abord, mon ennemi doit être tué. Il est faible. Il ne tentera pas de quitter le Grove sans protection. Il va lui aussi se mettre à la recherche de son enfant, je suppose.

— Katz?

— C'est exact.

— Il faudrait donc que je tue Katz.

— Cela me semble utile, si l'occasion s'en présente.

— J'y veillerai.

— Mais tu devrais le remercier.

— Pourquoi?

— Sans lui, je serais encore sous terre. J'attendrais encore que Jo-Beth ou toi ayez fini d'assembler les pièces du puzzle et soyez venus me chercher. Ce que Katz et elle ont fait...

— Qu'est-ce qu'ils ont *fait?* Ils ont baisé?

— C'est important pour toi?

— Bien sûr que oui.

— Pour moi aussi. L'idée que l'enfant de Fletcher ait pu *toucher* ta sœur me rend malade. Et d'ailleurs, Fletcher a eu la même réaction. Pour une fois, nous étions d'accord. La question était de savoir lequel de nous deux serait le premier à atteindre la surface, et lequel serait le plus fort une fois parvenu au but.

— C'est *toi.*

— Oui, c'est moi. J'ai un avantage sur Fletcher. Mes soldats, mes *teratas,* sont plus forts lorsque ce sont les mourants qui les suscitent. Buddy Vance m'en a offert un.

— Où est-il?

— Pendant que nous montions jusqu'ici, tu croyais que quelque chose nous suivait, tu te rappelles? Je t'ai dit que c'était un chien. J'ai menti.

— Montre-le-moi.

— Tu risques d'être moins enthousiaste en le voyant.

— Montre-le-moi, Papa. S'il te plaît !

Le Jaff siffla. A ce bruit, les arbres se mirent à bouger derrière lui, identifiant le visage qui avait ravagé le bosquet dans le jardin des McGuire. Cette fois-ci, cependant, le visage se révéla à la vue. On aurait dit une créature rejetée par la mer : un monstre des profondeurs qui serait remonté à la surface après sa mort, pour y être cuit par le soleil et picoré par les mouettes, si bien qu'en atteignant le monde des humains il se serait retrouvé pourvu d'une cinquantaine d'orbites et d'une douzaine de gueules qui auraient écorché sa peau.

— Chouette, dit Tommy-Ray à voix basse. Tu as hérité ça d'un comique ? Ça n'a pas l'air bien drôle.

— Il provient d'un homme à l'article de la mort, dit le Jaff. Un homme seul et terrifié. Cela donne toujours d'excellents spécimens. Je te dirai un jour les endroits que j'ai visités en quête d'âmes perdues pour me procurer des *teratas*. Les choses que j'ai vues. Les épaves que j'ai rencontrées... (Il regarda en direction de la ville.) Mais ici ? dit-il. Où trouverai-je de tels sujets dans cet endroit ?

— Tu veux dire, des mourants ?

— Des gens vulnérables. Des gens qui n'ont aucune mythologie pour les protéger. Des gens terrifiés. Perdus. Fous.

— Tu pourrais commencer par Maman.

— Elle n'est pas folle. Peut-être souhaite-t-elle l'être ; peut-être pense-t-elle qu'il vaudrait mieux qu'elle ait souffert d'hallucinations, mais elle est plus avisée. Et elle s'est protégée. Elle a une foi, même si c'est une foi idiote. Non... J'ai besoin de gens nus, Tommy-Ray. D'hommes et de femmes sans déités. D'hommes et de femmes perdus.

— J'en connais quelques-uns.

Tommy-Ray aurait pu conduire son père dans des centaines de foyers s'il avait pu lire dans l'esprit de ceux qu'il croisait tous les jours. Des gens qui faisaient leurs achats au centre, chargeant leurs caddies de fruits frais et de céréales saines, des gens au teint resplendissant, comme le sien, et aux yeux clairs, comme les siens, qui donnaient toute l'apparence du bonheur et de l'équilibre mental. Peut-être allaient-ils voir de temps en temps un psychanalyste, uniquement pour s'assurer de leur stabilité ; peut-être élevaient-ils de temps en temps la voix avec leurs enfants, peut-être pleuraient-ils chaque fois qu'un nouvel anniversaire venait marquer le passage du temps, mais ils se considéraient en fin de compte comme des âmes en paix. Leurs comptes bancaires étaient plus que bien garnis ; le soleil était chaud la plupart du temps, et lorsqu'il ne l'était pas, ils allumaient un feu dans la cheminée et s'estimaient assez robustes pour résister au froid. Si on leur avait posé la question, ils auraient tous prétendu croire en quelque chose. Mais personne ne la leur posait. Pas ici ; pas maintenant. Le siècle était trop avancé pour qu'on puisse parler de foi sans en être embarrassé, et l'embarras était un traumatisme qu'ils s'efforçaient de tenir à l'écart de leur vie. Mieux valait donc ne pas parler de la foi, ni des divinités qui l'inspiraient, hormis lors d'un mariage, d'un baptême ou d'un enterrement, et seulement par cœur.

Bien. Derrière leurs yeux, leur espoir était malade et parfois même mort. Ils vivaient d'un événement à l'autre, ressentant une subtile terreur dans l'intervalle, emplissant leur existence de distractions destinées à leur faire oublier le vide qui avait remplacé leur curiosité, et poussant un soupir de soulagement lorsque leurs enfants passaient l'âge de leur poser des questions sur le sens de la vie.

Cependant, tous ne dissimulaient pas aussi bien leur peur.

Alors que Ted Elizando avait treize ans, un professeur progressiste avait déclaré à sa classe que les superpuissances détenaient à elles deux assez de missiles pour anéantir la civilisation plusieurs centaines de fois. Cette idée l'avait troublé bien plus qu'elle n'avait semblé troubler ses camarades de classe, aussi avait-il gardé pour lui-même ses cauchemars d'Harmaguédon, craignant les moqueries. Ce stratagème avait été efficace ; pour Ted aussi bien que pour ses camarades. Durant son adolescence, il avait pratiquement oublié ses terreurs. A l'âge de vingt et un ans, jouissant d'un bon travail à Thousand Oaks, il avait épousé Loretta. Ils eurent un enfant l'année suivante. Une nuit, quelques mois après la naissance de leur bébé Dawn, le cauchemar du feu ultime revint le tourmenter. Tremblant, en sueur, Ted se leva et alla voir sa fille. Elle dormait dans son berceau, étendue sur le ventre dans sa position préférée. Il contempla son sommeil pendant une heure ou plus, puis retourna se coucher. Ce phénomène se répéta par la suite presque chaque nuit, devenant aussi prévisible qu'un rituel. Parfois, le bébé se retournait dans son sommeil et ses yeux aux longs cils s'ouvraient doucement. En voyant son père penché sur son berceau, il souriait. Cette veille ne manqua pas d'exercer ses effets sur Ted. Les nuits blanches qu'il passait le privèrent de forces ; il lui fut de plus en plus difficile d'empêcher ses terreurs nocturnes de le tourmenter durant la journée. Elles le visitaient à son bureau, à n'importe quelle heure. Le soleil printanier qui éclairait les papiers posés devant lui devenait un champignon à l'éclat aveuglant qui se déployait sous ses yeux. La moindre brise, même la plus apaisante, apportait jusqu'à lui de lointains hurlements.

Puis, une nuit, alors qu'il montait la garde près du berceau de Dawn, il entendit les missiles arriver. Terrifié, il prit Dawn dans ses bras, tentant de faire cesser ses sanglots. Ses plaintes réveillèrent Loretta, qui rejoignit son mari. Elle le trouva dans la salle à manger, muet de terreur, en train de regarder fixement sa fille, qu'il avait lâchée en découvrant dans ses bras son corps carbonisé, sa peau calcinée, ses bras et ses jambes transformés en brindilles fumantes.

Il fut hospitalisé pendant un mois, puis retourna au Grove, les médecins ayant unanimement estimé que le cocon familial lui offrait les meilleures chances de recouvrer la santé. Un an plus tard, Loretta demanda le divorce pour incompatibilité d'humeur. Elle le quitta, ayant obtenu de surcroît la garde de leur enfant.

Ted recevait très peu de visiteurs ces temps-ci. Après sa dépression, survenue quatre ans auparavant, il avait trouvé du travail dans la boutique d'animaux du centre commercial, un emploi qui n'était guère harassant. Il aimait la compagnie des bêtes, aussi peu douées que lui pour la dissimulation. Il avait l'aspect d'un homme sans foyer vivant sur le fil du rasoir. Tommy-Ray, à qui Maman avait interdit d'avoir un animal chez lui, avait fait pitié à Ted : il lui avait donné libre accès au magasin (l'adolescent remplaçait même Ted lorsqu'il avait une course urgente à faire) et l'avait laissé jouer avec les chiens et avec les serpents. Tommy-Ray connaissait bien Ted et son histoire, bien qu'ils ne fussent pas précisément amis. Il n'était jamais allé chez Ted, par exemple, ce qu'il fit ce soir-là.

— Je t'ai amené quelqu'un, Teddy. Quelqu'un qui veut faire ta connaissance.

— Il est tard.

— Ça ne peut pas attendre. Tu vois, c'est une bonne nouvelle et je n'ai personne avec qui la partager, excepté toi.

— Une bonne nouvelle ?

— Mon papa. Il est revenu à la maison.

— Vraiment ? Eh bien, je suis sincèrement heureux pour toi, Tommy-Ray.

— Tu ne veux pas le voir ?

— Eh bien, je...

— *Bien sûr qu'il veut me voir,* dit le Jaff en sortant de l'ombre et en tendant la main à Ted. *Tous les amis de mon fils sont mes amis.*

En découvrant le pouvoir que Tommy-Ray avait présenté comme étant son père, Teddy recula d'un pas, terrifié. C'était là un cauchemar d'un tout autre genre. Même durant sa période noire, ses mauvais rêves n'avaient jamais débarqué ainsi. Ils s'étaient insinués en lui, sournoisement. Celui-ci parlait, souriait et s'invitait.

— *Je désire quelque chose de vous,* dit le Jaff.

— Que se passe-t-il, Tommy-Ray ? C'est ma maison ici. Tu n'as pas le droit de rentrer ici et de voler ce qui te chante.

— *C'est quelque chose dont vous ne voulez pas,* dit le Jaff en se dirigeant vers Ted, *quelque chose sans lequel vous serez plus heureux.*

Sous le regard stupéfait et impressionné de Tommy-Ray, les yeux de Ted se mirent à rouler dans leurs orbites et il commença à gémir comme s'il était sur le point de vomir. Mais rien ne sortit de lui ; du moins pas de sa bouche. Ce fut de ses pores que le trésor émergea, les pâles fluides de son corps bouillonnant et se coagulant, montant de sa peau, inondant sa chemise et son pantalon.

Tommy-Ray dansait littéralement de joie. On aurait dit quelque grotesque tour de magie. Les gouttes de liquide défiaient la pesanteur, flottaient dans l'air devant Ted, se rejoignant pour former des masses plus importantes, qui se rejoignaient à leur tour les unes les autres, jusqu'à ce que des morceaux de matière solide, pareils à un fromage d'un gris maladif, flottent devant sa poitrine. Et les eaux jaillissaient toujours à l'appel du Jaff, chaque goutte ajoutant sa masse au corps en formation. Celui-ci avait à présent une forme : l'esquisse grossière de la terreur de Ted. Tommy-Ray eut un large sourire en le voyant : ses jambes tressautantes, ses yeux dissymétriques. Pauvre Ted, avoir ce bébé en lui et être incapable d'en accoucher. Comme l'avait dit le Jaff, il serait plus heureux sans lui.

Cette visite ne fut que la première de la nuit, et à chaque fois, une nouvelle bête émergea d'une âme perdue. Elles étaient toutes pâles et vaguement reptiliennes, mais chacune d'elles était néanmoins une création personnelle. Le Jaff trouva le mot juste alors que leur aventure nocturne touchait à sa fin :

— C'est un art, dit-il. Cette extraction. Tu ne penses pas ?

— Ouais. J'aime ça.

— Pas *l'Art,* bien sûr. Mais un écho de l'Art. Tout comme tous les arts, je suppose.

— Où allons-nous maintenant ?

— J'ai besoin de repos. De trouver un endroit frais et ombragé.

— J'en connais quelques-uns.

— Non. Tu dois rentrer chez toi.

— Pourquoi ?

— Parce que je veux que le Grove se réveille demain matin en pensant que le monde est encore tel qu'il était.

— Que vais-je dire à Jo-Beth ?

— Dis-lui que tu ne te souviens de rien. Si elle insiste, excuse-toi.

— Je ne veux pas y aller, dit Tommy-Ray.

— Je sais, dit le Jaff en posant une main sur l'épaule de Tommy. (Il massa ses muscles tout en parlant.) Mais nous ne voulons pas qu'une escouade se lance à ta recherche. Elle risquerait de découvrir des choses que nous souhaitons révéler seulement à *notre* heure !

Tommy-Ray sourit à ces mots.

— Combien de temps ?

— Tu veux voir le Grove retourné sens dessus dessous, n'est-ce pas ?

— Je compte déjà les heures.

Le Jaff éclata de rire.

— Tel père, tel fils, dit-il. Tiens bon, mon garçon. Je reviendrai.

Et, riant toujours, il mena ses bêtes dans les ténèbres.

IV

La fille de ses rêves s'était trompée, pensa Howie en se réveillant : le soleil ne brille pas tous les jours dans l'État de Californie. L'aube était maussade lorsqu'il ouvrit les rideaux ; il n'y avait aucune trace de bleu dans le ciel. Il fit ses exercices par acquit de conscience — se contentant du strict minimum de mouvements. Ils ne réussirent pas à remettre son organisme en forme ; ils ne firent que le couvrir de sueur. Après s'être douché et rasé, il s'habilla et descendit jusqu'au centre.

Il n'avait pas encore formulé les paroles qu'il comptait adresser à Jo-Beth pour la reconquérir. Il savait par expérience que toute tentative de sa part pour planifier un discours à l'avance aurait pour résultat un bégaiement incoercible dès qu'il ouvrirait la bouche. Mieux valait réagir sur le moment. Si elle était toujours décidée à le repousser, il se montrerait insistant. Si elle était contrite, il se montrerait généreux. Seul lui importait de réparer les dégâts subis la veille.

S'il existait une explication à ce qui leur était arrivé au motel, des heures d'intense réflexion ne lui avaient pas permis de la trouver. Il pouvait seulement conclure que, d'une façon indéfinie, leur rêve partagé — dont l'idée ne lui semblait guère difficile à admettre, vu l'intensité de leurs sentiments — avait dérivé suite à l'intervention d'un standard télépathique stupide vers un cauchemar qu'ils n'avaient pas plus mérité qu'ils ne l'avaient compris. C'était une sorte de malentendu astral. Rien à voir avec eux ; mieux valait l'oublier. Avec un peu de bonne volonté de part et d'autre, ils pourraient reprendre leur relation là où ils l'avaient laissée devant le Steak House, lorsque l'air était encore empli de promesses.

Il se dirigea tout droit vers la librairie. Lois — Mrs Knapp — était au comptoir. Si l'on exceptait sa présence, le magasin était désert. Il lui offrit un sourire et un bonjour, puis lui demanda si Jo-Beth était déjà arrivée. Mrs Knapp consulta sa montre avant de l'informer d'une voix glaciale que non, elle n'était pas arrivée, et qu'elle était en retard.

— Je vais l'attendre, alors, dit-il, résolu à ne pas se laisser détourner de son but par le manque d'amabilité de cette femme.

Il se dirigea vers l'étagère la plus proche de la vitrine, où il pourrait en même temps feuilleter quelques livres et guetter l'arrivée de Jo-Beth.

Les livres qui se trouvaient devant lui étaient tous de nature religieuse. L'un d'eux en particulier attira son attention : *L'Histoire du Sauveur*. Sa couverture était illustrée par le dessin d'un homme à genoux devant une lumière aveuglante et légendée par un avertissement selon lequel cet ouvrage contenait le « Plus Grand Message de Notre Époque ». Il se mit à le feuilleter. Ce mince volume — ce n'était guère plus qu'un opuscule — était édité par l'Église de Jésus-Christ des Saints du Dernier Jour et racontait, en dessins et en paragraphes facilement assimilables, l'histoire du Grand Dieu Blanc de l'Amérique des temps anciens. A en juger par ses images, quelle que soit l'incarnation dans laquelle se manifestait le Seigneur — Quetzalcoatl au Mexique, Tonga-Loa, dieu du soleil de l'océan, en Polynésie, Illa-Tici, Kukulean et une douzaine d'autres avatars —, il ressemblait toujours au parfait héros aryen : grand, la peau pâle, le nez aquilin, les yeux bleus. A présent, proclamait l'opuscule, il était de retour en Amérique pour célébrer le millénaire. Cette fois-ci, il serait appelé par son vrai nom : Jésus-Christ.

Howie se dirigea vers une autre étagère, en quête d'un livre plus approprié à son humeur. Des poèmes d'amour, peut-être ; ou un manuel de sexologie appliquée. Mais un rapide examen des titres proposés par la librairie suffit à lui faire comprendre qu'ils étaient tous publiés par le même éditeur ou par une de ses filiales. Il y avait des livres de prières, des recueils de chansons censées inspirer les familles, des volumes épais consacrés à l'édification de Zim, la cité de Dieu sur Terre, ou à la signification du baptême. Parmi eux, un livre racontant en images la vie de Joseph Smith, avec des photographies de sa ferme et du bosquet sacré où il avait apparemment eu une vision. La légende de cette dernière image attira l'attention de Howie.

Je vis deux Personnages, dont l'éclat et la gloire défient toute description, debout dans les airs devant moi. L'un d'eux s'adressa à moi, m'appelant par mon nom, et dit...

— Je viens d'appeler chez Jo-Beth. Ça ne répond pas. Ils ont sans doute été obligés de s'absenter.

Howie leva les yeux.

— C'est dommage, dit-il.

Il ne croyait pas entièrement la libraire. Si celle-ci avait vraiment téléphoné, elle avait vite fait.

— Elle ne viendra probablement pas aujourd'hui, continua Mrs Knapp, refusant de regarder Howie dans les yeux. J'ai conclu un arrangement un peu spécial avec elle. Elle choisit elle-même ses heures de travail.

Il savait que c'était un mensonge. Le matin de la veille, il l'avait entendue morigéner Jo-Beth parce qu'elle était en retard ; ses heures de travail n'avaient rien de hasardeux. Mais Mrs Knapp, cette bonne chrétienne, semblait décidée à le faire sortir de sa boutique. Peut-être l'avait-elle vu ricaner pendant qu'il lisait.

— Ce n'est pas la peine que vous l'attendiez ici, lui dit-elle. Vous risquez de perdre votre journée.

— Je ne fais pas peur aux clients, n'est-ce pas ? dit Howie, la mettant au défi d'afficher ses véritables sentiments.

— Non, dit-elle avec un petit sourire sans joie. Ce n'est pas ce que je veux dire.

Il s'approcha du comptoir. Elle recula involontairement d'un pas, presque comme si elle avait peur de lui.

— Alors, que voulez-vous *dire* exactement ? demanda-t-il, ne parvenant qu'à grand-peine à rester poli. Qu'est-ce qui ne vous plaît pas chez moi ? Mon déodorant ? Ma coupe de cheveux ?

Elle essaya une nouvelle fois de le gratifier de son petit sourire, mais cette fois-ci, en dépit de son expertise en matière d'hypocrisie, elle n'y parvint pas. Au lieu de cela, son visage se tordit.

— Je ne suis pas le Diable, dit Howie. Je ne suis pas venu ici pour faire du mal à quiconque.

Elle n'eut aucune réaction.

— Je suis... n... n... né ici, continua-t-il. A Palomo Grove.

— Je sais, dit-elle.

Eh bien, eh bien, pensa-t-il, en voilà une révélation.

— Que savez-vous d'autre ? lui demanda-t-il, le plus gentiment du monde.

Les yeux de la libraire se dirigèrent vers la porte, et il sut qu'elle priait silencieusement son Grand Dieu Blanc pour que quelqu'un l'ouvre et la sauve de ce satané garçon et de ses questions. Ni Dieu ni ses clients ne l'écoutèrent.

— Que savez-vous sur moi ? insista Howie. Ce n'est sûrement rien de méchant... n'est-ce pas ?

Lois Knapp eut un faible haussement d'épaules.

— Sans doute que non, dit-elle.

— Eh bien quoi ?

— Je connaissais votre mère, dit-elle, s'arrêtant là comme si cette réponse devait le satisfaire.

Il ne réagit pas, mais la laissa meubler le silence tendu avec des informations supplémentaires.

— Je ne la connaissais pas très bien, bien sûr, continua-t-elle. Elle était un peu plus jeune que moi. Mais tout le monde connaissait tout le monde à cette époque. C'était il y a longtemps. Puis, bien sûr, lorsque l'accident est survenu...

— Vous p... p... pouvez le dire, encouragea Howie.

— Dire quoi ?

— Vous appelez ça un accident mais c'était... c'était... c'était un viol, pas vrai ?

A en juger par son expression, jamais elle n'aurait cru entendre ce mot (ou toute autre parole obscène) dans son magasin.

— Je ne m'en souviens pas, dit-elle avec un petit air de défi. Et même si je le pouvais... (Elle s'interrompit, reprit son souffle, puis changea complètement de sujet.) Pourquoi ne retournez-vous pas d'où vous venez ? dit-elle.

— Mais j'y *suis* retourné, lui dit-il. Cette ville est ma ville natale.

— Ce n'est pas ce que je voulais dire, répliqua-t-elle, donnant finalement libre cours à son exaspération. Vous ne voyez donc pas ce qui se passe ? Vous revenez ici et, le même jour, Mr Vance se fait tuer.

— En quoi diable cela me regarde-t-il ? voulut savoir Howie.

Il n'avait guère prêté d'attention aux informations durant ces dernières vingt-quatre heures, mais il savait que l'opération de sauvetage à laquelle il avait assisté la veille avait fini en tragédie. Ce qu'il ne comprenait pas, c'était le lien avec sa présence.

— Ce n'est pas moi qui ai tué Buddy Vance. Et ce n'est certainement pas ma mère non plus.

Acceptant apparemment sa fonction de messagère et désireuse d'y mettre fin le plus vite possible, Lois renonça aux insinuations et s'adressa à lui en termes clairs et directs.

— L'endroit où votre mère a été violée est aussi l'endroit où a péri Mr Vance, dit-elle.

— Exactement le même ? dit Howie.

— Oui, exactement le même, à ce qu'on m'a dit. Je n'ai pas l'intention d'aller vérifier par moi-même. Il y a assez de mal de par le monde sans qu'on aille à sa rencontre.

— Et vous pensez que je suis mêlé à tout ça ?

— Ce n'est pas ce que j'ai dit.

— Non, mais c'est c... c... ce que vous pensez.

— Puisque vous me le demandez : oui.

— Et vous aimeriez que je sorte de votre magasin afin que je cesse d'y répandre mon influence pernicieuse.

— Oui, répondit-elle avec franchise.

Il hocha la tête.

— D'accord, dit-il, je m'en vais. A condition que vous me promettiez de dire à Jo-Beth que je suis passé ici.

Le visage de Mrs Knapp exprimait la répugnance. Mais la peur qu'elle ressentait devant Howie donnait à celui-ci un pouvoir dont il ne pouvait s'empêcher de jouir.

— Ce n'est pas demander grand-chose, n'est-ce pas ? dit-il. Et vous ne raconterez pas de mensonges.

— Non.

— Vous le lui direz ?

— Oui.

— Vous le jurez sur le Grand Dieu Blanc de l'Amérique ? dit-il. Quel est son nom déjà... Quetzalcoatl ? (Elle avait l'air déconcertée.) Peu importe, dit-il. Je m'en vais. Je suis désolé d'avoir nui à votre chiffre d'affaires de ce matin.

Laissant derrière lui une libraire paniquée, il sortit à l'air libre. Durant les vingt minutes qu'il avait passées dans le magasin, la couverture nuageuse s'était dissipée et le soleil commençait à poindre au-dessus de la Colline. Dans quelques minutes, il parviendrait aux mortels qui se trouvaient dans le centre. La fille de ses rêves avait dit vrai, après tout.

V

Grillo fut réveillé en sursaut par le bruit du téléphone, tendit la main, renversa un verre de champagne à moitié plein — le dernier toast de sa cuite de la veille : *A Buddy, qui a quitté ce monde mais pas nos souvenirs* —, jura, agrippa le combiné et le colla contre son oreille.

— Allô ? grommela-t-il.

— Je t'ai réveillé ?

— Tesla ?

— Un homme qui se souvient de mon nom, j'adore ça, dit-elle.

— Quelle heure est-il ?

— Tard. Tu devrais déjà être en train de bosser. Je veux que tu aies fini de trimer pour Abernethy quand j'arriverai.

— Qu'est-ce que tu dis ? Tu viens ici ?

— Tu me dois un dîner, pour tous les potins que je t'ai refilés au sujet de Vance, dit-elle. Alors, trouve-moi un restaurant cher.

— A quelle heure comptes-tu arriver ? lui demanda-t-il.

— Oh, je ne sais pas. Aux environs de...

Il raccrocha sans lui laisser le temps d'achever sa phrase et regarda le téléphone en souriant, l'imaginant en train de le maudire à l'autre bout du fil. Son sourire s'effaça cependant lorsqu'il se leva. Sa tête battait comme un tambour : s'il avait fini ce dernier verre, sans doute n'aurait-il même pas pu se lever. Il appela la réception et commanda du café.

— Désirez-vous un jus de fruit, monsieur ? lui demanda-t-on.

— Non. Rien que du café.

— Des œufs, des croissants...

— Oh Seigneur, non ! Pas d'œufs. Rien. Du café, c'est tout.

L'idée de se mettre à écrire lui répugnait presque autant que l'idée de prendre un petit déjeuner. Il décida donc de contacter la domestique des Vance, Ellen Nguyen, dont l'adresse, mais non le téléphone, se trouvait encore dans sa poche.

Lorsqu'une bonne dose de caféine eut fait démarrer son organisme au quart de tour, il prit sa voiture et roula jusqu'à Deerdell. La maison d'Ellen, constata-t-il en la découvrant, formait un vif contraste avec son lieu de travail haut perché. Elle était petite, terne, et avait grand besoin de réparations. Grillo soupçonnait déjà la teneur qu'allait prendre leur conversation : l'employée frustrée cassant du sucre sur le dos de son patron. De tels informateurs lui avaient parfois été utiles par le passé, parfois ils n'avaient fait que lui raconter des affabulations mesquines. Il ne pensait pas que tel serait le cas aujourd'hui. Peut-être parce qu'Ellen avait une expression vulnérable sur son visage lorsqu'elle l'accueillit et lui servit une nouvelle dose de café ; ou peut-être parce que, chaque fois que son fils l'appelait depuis sa chambre — il avait la grippe, expliqua-t-elle —, elle reprenait ensuite sans s'embrouiller le fil de son histoire ; peut-être, tout simplement, parce que le récit qu'elle lui fit ternissait la réputation de Buddy Vance tout autant que la sienne. Ce dernier point, plus que tous les autres peut-être, convainquit Grillo de la fiabilité de cette source. Ses révélations répartissaient les torts de façon démocratique.

— J'étais sa maîtresse, expliqua-t-elle. Pendant presque cinq ans. Même lorsque Rochelle était à la maison — ce qui n'a pas duré longtemps, bien sûr —, nous trouvions le moyen d'être ensemble. Souvent. Je pense qu'elle l'a toujours su. C'est pour ça qu'elle s'est débarrassée de moi dès qu'elle en a eu l'occasion.

— Vous ne travaillez plus à Coney, alors ?

— Non. Elle n'attendait qu'une excuse pour me chasser, et c'est vous qui la lui avez donnée.

— Moi ? dit Grillo. Comment ?

— Elle a dit que je flirtais avec vous. Ça lui ressemble bien de trouver une pareille raison. (Grillo perçut en elle une profondeur de sentiment — du mépris, cette fois-ci — qui contrastait avec son allure passive.) Elle juge les autres en fonction de ses propres valeurs, continua-t-elle. Et vous savez ce que sont celles-ci.

— Non, dit Grillo avec franchise.

Ellen eut l'air stupéfaite.

— Attendez, dit-elle. Je ne veux pas que Philip entende ça.

Elle se leva et alla jusqu'à la chambre de son fils, lui dit quelques mots que Grillo n'entendit pas, puis ferma la porte et revint pour reprendre son récit.

— Il a déjà appris trop de mots qui ne me plaisent pas depuis qu'il va à l'école. Je veux qu'il ait une chance de rester... comment dire, innocent ? Oui, innocent, ne serait-ce que pour quelque temps. On apprend bien assez vite à connaître les choses laides, n'est-ce pas ?

— Les choses laides ?

— Vous savez : les gens qui vous trompent et qui vous trahissent. Le sexe. La puissance.

— Oh oui, dit Grillo. Ces choses-là finissent toujours par arriver.

— J'étais en train de vous parler de Rochelle, exact ?

— Oui.

— Eh bien, c'est très simple. Avant d'épouser Buddy, c'était une prostituée.

— C'était une *quoi ?*

— Vous m'avez bien entendue. Pourquoi êtes-vous aussi surpris ?

— Je ne sais pas. Elle est si belle. Elle devait avoir d'autres moyens de faire du fric.

— Elle a des habitudes onéreuses, répondit Ellen.

De nouveau ce mépris, mêlé à du dégoût.

— Buddy était-il au courant lorsqu'il l'a épousée ?

— Au courant de quoi ? De ses habitudes ou de ses activités ?

— Les deux.

— Je suis sûre que oui. C'est en partie pour ça qu'il l'a épousée. Vous voyez, il y a beaucoup de perversité dans l'esprit de Buddy. Pardon, je veux dire, il y en *avait.* Je n'arrive pas à accepter le fait qu'il soit mort.

— Ce doit être extrêmement difficile pour vous de parler de lui aussitôt après l'avoir perdu. Je m'excuse de vous imposer cette épreuve.

— J'étais volontaire, n'est-ce pas ? répondit-elle. Je veux que quelqu'un sache tout cela. En fait, je veux que *tout le monde* le sache. C'était *moi* qu'il aimait, Mr Grillo. Moi qu'il aimait vraiment pendant toutes ces années.

— Et je présume que vous l'aimiez ?

— Oh oui, dit-elle doucement. Beaucoup. Il était égoïste, bien sûr, mais tous les hommes sont égoïstes, n'est-ce pas ? (Elle ne laissa pas à Grillo le temps de s'exclure du lot et reprit :) Vous êtes tous élevés dans l'idée que le monde tourne autour de vous. J'ai commis la même erreur avec Philip. Je le vois bien à présent. La différence, avec Buddy, c'est que le monde *tournait* autour de lui, au moins pendant un temps. C'était un des hommes les plus aimés d'Amérique. Tout le monde connaissait son visage, tout le monde connaissait ses blagues par cœur. Et, bien sûr, tout le monde voulait connaître sa vie privée.

— Il a donc pris un risque réel en épousant une femme comme Rochelle ?

— Je dirais que oui, pas vous ? Surtout alors qu'il essayait de s'acheter une conduite et de convaincre une chaîne de le laisser faire une nouvelle émission. Mais il y avait de la perversité en lui, comme je vous l'ai dit. La plupart du temps, on aurait dit qu'il essayait de se détruire lui-même.

— Il aurait dû vous épouser, dit Grillo.

— Il aurait pu plus mal choisir, remarqua-t-elle. Il aurait pu *beaucoup* plus mal choisir.

Cette possibilité déclencha un phénomène qui s'était fait remarquer par son absence pendant qu'elle avait exposé son rôle dans cette histoire. Les larmes perlèrent à ses yeux. Au même instant, le petit garçon l'appela depuis sa chambre. Elle leva une main à sa bouche pour étouffer ses sanglots.

— J'y vais, dit Grillo en se levant. Il s'appelle Philip ?

— Oui, dit-elle.

— Je vais m'occuper de lui, ne vous inquiétez pas.

Il la laissa en train d'essuyer ses larmes avec la paume de ses mains. Il ouvrit la porte de la chambre d'enfant et dit :

— Salut, je suis Grillo.

Le petit garçon, dont le visage affichait la même symétrie solennelle que celui de sa mère, était assis sur son lit, entouré par un amas chaotique de jouets, de crayons de couleur et de feuilles de papier couvertes de gribouillis. Dans un coin de la pièce, la télé diffusait des dessins animés, mais le son était coupé.

— Tu t'appelles Philip, pas vrai ?

— Où est Maman ? voulut savoir l'enfant.

Il ne fit aucun effort pour dissimuler la méfiance que lui inspirait Grillo, levant le cou pour regarder si sa mère ne se trouvait pas derrière lui.

— Elle arrive dans un instant, le rassura Grillo en s'approchant du lit.

Tous les dessins, dont certains avaient glissé de l'édredon pour se répandre sur le sol, semblaient représenter le même personnage obèse. Grillo s'accroupit et ramassa l'un d'eux.

— Qui est-ce ? demanda-t-il.

— Balloon-Man, répondit Philip d'un air grave.

— Est-ce qu'il a un nom ?

— Balloon-Man, lui répondit-il avec quelque impatience.

— Il est à la télé ? demanda Grillo en étudiant la créature absurde et multicolore dessinée sur la feuille.

— Non.

— D'où vient-il, alors ?

— De ma tête, répondit Philip.

— Il est gentil ?

Le petit garçon secoua la tête.

— Il mord, n'est-ce pas ?

— Il ne mord que vous, fut la réponse.

— Ce n'est pas très poli, dit Ellen.

Grillo regarda par-dessus son épaule. Elle avait tenté de dissimuler ses larmes, mais cet effort ne convainquit nullement son fils, lequel lança à Grillo un regard accusateur.

— Ne vous approchez pas trop de lui, dit Ellen à Grillo. Il a été vraiment malade, pas vrai ?

— Je suis guéri maintenant.

— Pas encore. Reste au lit pendant que je raccompagne Mr Grillo.

Ce dernier se releva, posant le portrait parmi les autres images répandues sur le lit.

— Merci de m'avoir montré Balloon-Man, dit-il.

Philip ne répondit rien et retourna à son œuvre en cours, coloriant un nouveau dessin d'écarlate.

— Ce que je vous ai raconté..., dit Ellen une fois qu'ils furent hors de portée de voix de l'enfant..., ce n'est pas toute l'histoire. Il y en a beaucoup plus à dire, croyez-moi. Mais je ne suis pas encore prête à tout vous raconter.

— Quand vous le serez, je serai prêt à vous écouter, dit Grillo. Vous pouvez me joindre à l'hôtel.

— Peut-être que je le ferai. Peut-être pas. Tout ce que je vous dirai ne sera qu'une partie de la vérité, n'est-ce pas ? L'élément le plus important, c'est Buddy, et vous ne serez jamais capable de le réduire à un article. Jamais.

Cette idée ne quitta pas l'esprit de Grillo tandis qu'il traversait Palomo Grove pour regagner son hôtel. C'était une observation toute simple, mais elle n'en était pas moins pertinente. Buddy Vance était effectivement au centre de cette histoire. Sa mort avait été à la fois énigmatique et tragique ; mais plus énigmatique encore, sûrement, était la vie qui l'avait précédée. Il avait rassemblé assez d'indices sur cette vie pour être puissamment intrigué. La collection consacrée à la fête foraine qui ornait les murs de Coney Eye (l'Authentique Art Américain) ; la maîtresse vertueuse qui l'aimait encore, la femme débauchée qui ne l'aimait probablement plus, qui ne l'avait jamais aimé. Même s'il n'y avait pas eu cette mort singulièrement absurde pour conclure l'histoire en beauté, celle-ci était néanmoins fabuleuse. La question n'était pas de savoir *si* elle devait être racontée, mais *comment*.

L'opinion d'Abernethy serait sans équivoque. Il préférerait les suppositions aux faits et la merde à la dignité. Mais il y avait des mystères dans le Grove. Grillo les avait vus, surgissant de la tombe de Buddy Vance ; s'envolant vers le ciel. Il importait à ses yeux de raconter cette histoire avec honnêteté et avec fidélité, car sinon il ne ferait qu'ajouter à la confusion qui régnait en ce lieu, ce qui ne rendrait service à personne.

Chaque chose en son temps ; il devait d'abord coucher sur le papier les faits tels qu'il les avait rassemblés durant les dernières vingt-quatre heures : ceux qu'il tenait de Tesla, de Hotchkiss, de Rochelle et à présent d'Ellen. Ce fut à cette tâche qu'il s'attela dès son retour à l'hôtel, produisant un premier jet de l'Histoire de Buddy Vance, penché sur le petit bureau de sa chambre. Son dos devint peu à peu douloureux et les signes avant-coureurs d'une fièvre firent perler des gouttes de sueur sur son front. Il ne remarqua cependant rien — du moins pas avant d'avoir rédigé une vingtaine de pages de notes. Ce fut seulement à ce moment-là, alors qu'il se levait et s'étirait, qu'il se rendit compte que, si Balloon-Man ne l'avait pas mordu, la grippe de son créateur s'était chargée de le faire.

VI

1

En allant du centre commercial à la maison de Jo-Beth, Howie comprit pourquoi cette dernière avait attribué leurs expériences — en particulier la terreur qu'ils avaient partagée dans le motel — à l'intervention du Diable. Ce n'était guère étonnant, sachant qu'elle travaillait aux côtés d'une femme dévote dans une librairie pleine à craquer de littérature mormone. La conversation qu'il avait eue avec Lois Knapp avait été pénible, mais elle lui avait permis d'apprécier le défi qui lui était lancé comme sans doute rien d'autre n'aurait pu le faire. Il devait convaincre Jo-Beth que leur affection mutuelle ne constituait ni un crime contre Dieu ni un crime contre l'humanité ; et qu'il n'y avait rien de démoniaque en lui. Il n'avait nulle peine à imaginer une plaidoirie moins périlleuse.

Quoi qu'il en soit, il n'eut pas la chance d'exercer ses talents oratoires. Tout d'abord, il échoua lamentablement à se faire ouvrir la porte. Il frappa et sonna pendant cinq bonnes minutes, sachant instinctivement qu'il y avait quelqu'un dans la maison pour lui répondre. Ce fut seulement lorsqu'il se planta au milieu de la chaussée et se mit à hurler en direction des fenêtres closes qu'il entendit le bruit de la chaîne de sécurité que l'on ouvrait, et il retourna sur le perron pour prier la femme qui le regardait à travers l'entrebâillement de la porte, Joyce McGuire sans aucun doute, de le laisser parler à sa fille. Il était d'ordinaire fort populaire auprès des mères. Son bégaiement et ses lunettes lui donnaient l'apparence d'un étudiant sérieux et quelque peu introspectif ; aucun danger de ce côté. Mais Mrs McGuire savait que les apparences étaient trompeuses. Elle lui donna exactement le même conseil que Lois Knapp.

— On ne veut pas de vous ici, lui dit-elle. Retournez chez vous. Laissez-nous tranquilles.

— J'ai besoin de parler à Jo-Beth quelques instants, dit-il. Elle est ici, n'est-ce pas ?

— Oui, elle est ici. Mais elle ne veut pas vous voir.

— J'aimerais qu'elle me le dise elle-même, si ça ne vous dérange pas.

— Oh, vraiment ? dit Mrs McGuire, et, à sa grande surprise, elle lui ouvrit la porte.

Il faisait sombre à l'intérieur de la maison, par contraste avec le perron, mais il vit Jo-Beth debout dans la pénombre, à l'autre bout de l'entrée. Elle était vêtue de noir, comme pour se rendre à un enterrement. Cela la faisait paraître plus pâle encore. Seuls ses yeux reflétaient la lueur venue du perron.

— Dis-lui, ordonna sa mère.

— Jo-Beth ? dit Howie. Je peux te parler ?

— Tu ne dois pas venir ici, dit Jo-Beth à voix basse. (Sa voix était à peine audible. L'air était mort entre eux deux.) C'est dangereux pour nous tous. Tu ne dois plus jamais venir ici.

— Mais il faut que je te parle.

— Ça ne sert à rien, Howie. Il va nous arriver des choses horribles si tu ne t'en vas pas.

— Quel genre de choses ? voulut-il savoir.

Ce ne fut pas elle qui lui répondit, mais sa mère.

— Vous n'êtes pas à blâmer, dit-elle d'une voix à présent exempte de toute hostilité. Personne ne vous blâme. Mais vous devez comprendre, Howard, que ce qui est arrivé à votre mère et à moi-même est loin d'être fini.

— Non, j'ai bien peur de ne pas comprendre, rétorqua-t-il. Je ne comprends rien du tout.

— Peut-être cela vaut-il mieux. Il vaut mieux que vous partiez. Tout de suite.

Elle commença à fermer la porte.

— At... at... at..., commença Howie.

Avant qu'il ait pu dire *Attendez,* il se retrouva avec un panneau de bois à cinq centimètres de son nez.

— Merde, réussit-il à dire — sans le moindre problème.

Il resta comme un con devant la porte close pendant plusieurs secondes, tandis que l'on remettait chaînes et verrous en place de l'autre côté. Il était difficile d'imaginer défaite plus complète. Non seulement Mrs McGuire l'avait envoyé sur les roses, mais de plus Jo-Beth avait ajouté sa voix au chœur. Plutôt que de faire une nouvelle tentative, vouée à l'échec, il laissa le problème en suspens.

Il avait déjà choisi sa destination suivante, avant même de descendre du perron et de regagner la rue.

Quelque part dans les bois, de l'autre côté du Grove, se

trouvait l'endroit où Mrs McGuire, sa mère et le comique avaient
rencontré leur destin. Un endroit marqué par le viol, la mort et
les catastrophes. Peut-être y avait-il là-bas une porte moins facile
à fermer.

— Cela vaut mieux ainsi, dit Maman lorsque le bruit des pas
de Howie se fut finalement estompé.

— Je sais, dit Jo-Beth, les yeux toujours fixés sur la porte
verrouillée.

Maman avait raison. Si les événements de la nuit précédente
— le Jaff apparaissant dans la maison pour enlever Tommy-Ray
— prouvaient une chose, c'était qu'il ne fallait faire confiance à
personne. Elle croyait connaître son frère et elle savait qu'elle
l'aimait, mais il lui avait été enlevé, corps et âme, par une
puissance surgie du passé. Howie lui aussi était surgi du passé ;
du passé de Maman. Quels que fussent les événements qui se
déroulaient à présent dans le Grove, il en faisait partie. Peut-être
en était-il la victime, peut-être les avait-il suscités. Mais, qu'il soit
innocent ou coupable, l'inviter à franchir le seuil de leur maison,
c'était mettre en danger le faible espoir de salut qui leur restait
après l'agression de la nuit dernière.

Ce qui n'empêchait nullement Jo-Beth d'avoir de la peine en
voyant la porte se refermer devant lui. Même à présent, ses doigts
la démangeaient, tellement ils souhaitaient tirer les verrous et
ouvrir la porte en grand ; le rappeler et le serrer contre elle ; lui
dire que tout allait s'arranger entre eux. Où était le *bien*
désormais ? Être ensemble tous les deux, vivre l'aventure que son
cœur avait ardemment désirée durant toute sa vie, embrasser et
aimer ce garçon qui était peut-être son propre frère ? Ou
s'accrocher aux vieilles vertus au sein de ce déluge, même si
chaque vague en emportait une de plus ?

Maman avait une réponse ; la réponse qu'elle offrait toujours
devant l'adversité.

— Nous devons prier, Jo-Beth. Prier pour être délivrées de nos
oppresseurs. *Et alors sera révélé le Pécheur, que le Seigneur consumera
avec l'esprit de Sa bouche, et détruira avec la clarté de Son avènement...*

— Je ne vois aucune clarté, Maman. Je ne pense pas que j'en
aie jamais vu.

— Elle viendra, insista Maman. Tout deviendra clair.

— Je ne le pense pas, dit Jo-Beth.

Elle revit Tommy-Ray, qui était rentré à la maison durant la nuit et lui avait adressé un sourire innocent lorsqu'elle lui avait demandé où était le Jaff, comme si rien ne s'était passé. Était-il un de ces Pêcheurs pour la destruction desquels Maman priait à présent avec ferveur ? Le Seigneur *le* consumerait-il avec l'esprit de Sa bouche ? Elle espéra que cela ne se produirait pas. En fait, elle pria pour que cela ne se produise pas, lorsque Maman et elle s'agenouillèrent pour parler avec Dieu ; pria pour que le Seigneur ne juge pas Tommy-Ray avec trop de sévérité. Ni elle-même, qui voulait suivre le visage apparu sur le perron, qui voulait marcher au soleil et aller où il était allé.

2

Le soleil tapait dur sur les bois, mais, sous les frondaisons, l'atmosphère était celle d'un lieu encore sous le charme de la nuit. Les oiseaux et les petits animaux qui vivaient ici restaient dans leurs nids et dans leurs tanières. La lumière, ou ce qui vivait dans la lumière, les avait réduits au silence. Howie perçut cependant leur attention. Ils observaient le moindre de ses pas, comme s'il avait été un chasseur avançant en leur sein sous une lune trop brillante. Il n'était pas le bienvenu ici. A chacun de ses pas, cependant, il avait un peu plus envie d'aller de l'avant. Un murmure l'avait amené ici la veille ; un murmure qu'il avait plus tard attribué aux tours que lui jouait son esprit. Mais à présent, il ne se trouvait aucune cellule dans son organisme pour douter de l'authenticité de cet appel. Il y avait ici quelqu'un qui voulait le voir ; le rencontrer ; le connaître. Hier, il avait rejeté son appel. Aujourd'hui, il n'en ferait rien.

Une impulsion qui ne provenait pas seulement de son esprit lui fit rejeter la tête en arrière, et le soleil qui traversait le feuillage frappa son visage d'un rayon. Il ne ferma pas les yeux devant son éclat, mais les ouvrit en grand. Cette clarté, et le rythme avec lequel elle frappait ses rétines, semblèrent l'hypnotiser. La plupart du temps, il répugnait à perdre le contrôle de ses processus mentaux. Il ne buvait que lorsqu'il y était entraîné par ses pairs, s'arrêtant dès qu'il sentait qu'il ne contrôlait plus la machine ; les drogues étaient impensables. Mais voilà qu'il accueillait avec joie cette intoxication ; qu'il invitait le soleil à consumer le réel.

Ça marcha. Lorsqu'il regarda la scène qui l'entourait, il était à moitié aveuglé par des couleurs auxquelles aucun brin d'herbe n'aurait jamais pu prétendre. Son esprit envahit rapidement l'espace laissé vacant par le palpable. Soudain, sa vision s'emplissait, débordait d'images qu'il avait dû susciter d'un endroit inconnu de son cortex, car il ne se souvenait nullement de les avoir vécues.

Il vit une fenêtre devant lui, aussi solide — non, *plus* solide — que les arbres entre lesquels il errait. Elle était ouverte, cette fenêtre, et donnait sur le ciel et sur la mer.

Cette vision laissa la place à une autre ; moins paisible cette fois-ci. Des flammes jaillirent autour de lui, au milieu desquelles brûlaient des pages de livres. Il marcha sans crainte à travers les flammes, sachant que ces visions ne pouvaient lui faire aucun mal, en désirant de nouvelles.

Il en reçut une troisième, bien plus étrange que les précédentes. Alors même que les flammes se faisaient plus faibles, des poissons apparurent au milieu des couleurs qui avaient envahi ses yeux, nageant devant lui en bancs arc-en-ciel.

Il éclata de rire devant l'incongruité de ce spectacle et son rire inspira une nouvelle merveille, tandis que les trois hallucinations se synthétisaient, attirant dans leurs motifs les bois qu'il parcourait, jusqu'à ce que les flammes, les poissons, le ciel, la mer et les arbres ne forment qu'une seule mosaïque éclatante.

Les poissons avaient des flammes pour nageoires. Le ciel verdissait et s'épanouissait en bouquets d'étoiles de mer. L'herbe ondoyait comme la marée sous ses pieds ; ou plutôt sous l'esprit qui voyait les pieds, car ses pieds n'étaient soudain plus rien pour lui ; ni ses jambes ni aucune partie de la machine. Au sein de cette mosaïque, il était *esprit* : un caillou arraché au sol, un caillou qui s'envolait.

Une question vint troubler sa joie. S'il n'était qu'esprit, qu'était donc la machine ? Rien du tout ? Une enveloppe à jeter ? À noyer parmi les poissons, à brûler parmi les mots ?

Quelque part en lui naquit la panique.

Je ne me contrôle plus, se dit-il. J'ai perdu mon corps et je ne me contrôle plus. Mon Dieu. Mon Dieu. Mon Dieu !

Chut, murmura-t-on dans sa tête. *Tout va bien.*

Il cessa de marcher ; ou du moins l'espéra.

— Qui est là ? dit-il ; ou du moins l'espéra-t-il.

La mosaïque était toujours présente tout autour de lui, inventant de nouveaux paradoxes à chaque seconde. Il essaya de la fracasser d'un cri ; de quitter cet endroit pour gagner un lieu plus simple.

— Je veux voir ! hurla-t-il.

— *Je suis là !* lui répondit-on. *Howard, je suis là.*

— Arrêtez ça, supplia-t-il.

— *Arrêter quoi ?*

— Les images. Arrêtez les images !

— *N'aie pas peur. C'est le monde réel.*

— Non ! hurla-t-il en réponse. Ce n'est pas vrai ! Ce n'est pas vrai !

Il leva les mains vers son visage dans l'espoir d'occulter cette confusion, mais elles — ses propres *mains* — conspiraient avec l'ennemi.

Là, au centre de ses paumes, se trouvaient ses yeux, qui lui rendaient son regard. C'en était trop. Il poussa un hurlement d'horreur et commença à tomber en avant. Les poissons devinrent plus brillants encore ; les flammes jaillirent ; il les sentait prêtes à le consumer.

Elles disparurent alors qu'il heurtait le sol, comme si quelqu'un avait actionné un interrupteur.

Il resta immobile quelques instants afin de s'assurer que ce n'était pas un nouveau tour, puis, tournant ses paumes vers le ciel pour vérifier qu'elles étaient aveugles, se releva. Il prit néanmoins soin de s'accrocher à une branche basse pour garder le contact avec le monde.

— *Tu me déçois, Howard,* dit celui qui l'avait appelé.

Pour la première fois depuis qu'il avait entendu cette voix, elle avait une source clairement apparente : un point situé à dix mètres de lui, là où les arbres formaient une clairière à l'intérieur de la clairière, au centre de laquelle se trouvait un étang de lumière. Se baignant en elle, un homme avec une queue de cheval et un œil mort. Son œil valide étudiait Howie avec intensité.

— *Peux-tu me voir clairement ?* demanda-t-il.

— Oui, dit Howie. Je vous vois. Qui êtes-vous ?

— *Je m'appelle Fletcher. Et tu es mon fils.*

Howie raffermit son étreinte sur la branche.

— Je suis *quoi ?* dit-il.

Aucun sourire n'éclairait le visage hâve de Fletcher. De toute évidence, sa déclaration, pour grotesque qu'elle fût, n'était pas censée être une plaisanterie. Il émergea du cercle des arbres.

— *Je déteste me cacher,* dit-il. *Surtout à toi. Mais il y a eu tellement d'allées et venues...* (Il gesticula violemment.) *Des allées et venues ! Tout ça pour regarder une exhumation. Tu imagines ça ? Quelle façon idiote de perdre son temps !*

— Avez-vous dit *fils ?* dit Howie.

— *En effet*, dit Fletcher. *Le mot que je préfère ! En haut comme en bas, n'est-ce pas vrai ? Une boule dans le ciel. Deux entre les jambes* *.

— *C'est* une blague, dit Howie.

— *Tu sais bien que non*, dit Fletcher, mortellement sérieux. *Cela fait longtemps que je t'appelle : que le père appelle le fils.*

— Comment êtes-vous entré dans ma tête? voulut savoir Howie.

Fletcher ne se donna pas la peine de répondre à cette question.

— *J'avais besoin que tu descendes pour m'aider*, dit-il. *Mais tu n'as pas cessé de me résister. Je suppose que j'aurais agi de même à ta place. Que j'aurais tourné le dos au buisson ardent. Nous sommes semblables de ce point de vue. Un air de famille.*

— Je ne vous crois pas.

— *Tu aurais dû laisser les visions suivre leur cours. On a fait un beau trip ensemble, n'est-ce pas ? Ça fait un moment que je n'avais pas vu ça. J'ai toujours eu une préférence pour la mescaline, même si elle est à présent démodée, je suppose.*

— Je n'en ai aucune idée, répondit Howie.

— *Tu n'approuves pas.*

— Non.

— *Eh bien, c'est un mauvais début, mais je suppose que ça ne peut que s'améliorer par la suite. Ton père, vois-tu, était accroché à la mescaline. Je désirais tellement ces visions. Tu les aimes, toi aussi. Ou du moins, tu les as aimées pendant quelques instants.*

— Elles m'ont rendu malade.

— *Trop, trop vite, c'est tout. Tu t'y habitueras.*

— Pas question.

— *Mais il faudra que tu apprennes, Howard. Ceci n'était pas un caprice ; c'était une leçon.*

— Une leçon de quoi?

— *De la science de l'être et du devenir. L'alchimie, la biologie et la métaphysique réunies en une seule discipline. Il m'a fallu longtemps pour maîtriser cette science, mais elle a fait de moi l'homme que je suis...* (Fletcher se tapota les lèvres de l'index.) *Ce qui n'est pas très beau à voir, je m'en rends compte. Il y a de meilleures façons de faire la connaissance de sa progéniture, mais je voulais te faire goûter le miracle avant que tu découvres son créateur en chair et en os.*

— Ceci n'est qu'un rêve, dit Howie. J'ai regardé le soleil trop longtemps et ça m'a grillé l'esprit.

* Jeu de mots intraduisible entre *son* (fils) et *sun* (soleil). *(N.d.T.)*

— *J'aime regarder le soleil, moi aussi,* dit Fletcher. *Et, non : ce n'est pas un rêve. Nous sommes tous les deux ici et maintenant, en train de partager nos pensées comme deux personnes civilisées. La vie ne pourrait pas être plus réelle.* (Il ouvrit les bras.) *Approche-toi, Howard. Embrasse-moi.*

— Pas question.

— *De quoi as-tu peur ?*

— Vous n'êtes pas mon père.

— *D'accord,* dit Fletcher. *Je ne suis que l'un d'eux. Il y en avait un autre. Mais, crois-moi, Howard, c'est moi le plus important.*

— Vous racontez des conneries, vous savez ?

— *Pourquoi es-tu si en colère ?* voulut savoir Fletcher. *Est-ce à cause de ton amour sans espoir pour l'enfant du Jaff ? Oublie-la, Howard.*

Howie ôta ses lunettes et regarda Fletcher en plissant les yeux.

— Comment êtes-vous au courant pour Jo-Beth ? dit-il.

— *Tout ce qui est dans ton esprit est dans le mien, mon fils. Du moins depuis que tu es tombé amoureux. Laisse-moi te dire une chose : ça ne me plaît pas plus qu'à toi.*

— Qui a dit que ça ne me plaisait pas ?

— *Je ne suis jamais tombé amoureux de ma vie, mais j'ai un avant-goût de ce que c'est à travers toi, et ce n'est pas très doux.*

— Si vous avez quelque pouvoir sur Jo-Beth...

— *Ce n'est pas ma fille, c'est celle du Jaff. Il est dans sa tête tout comme je suis dans la tienne.*

— C'est un rêve, dit Howie. C'est forcément ça. Un foutu rêve.

— *Essaye donc de te réveiller,* dit Fletcher.

— Hein ?

— *Si c'est un rêve, mon garçon, essaye de te réveiller. Une fois qu'on en aura fini avec ton scepticisme, on pourra enfin se mettre au travail.*

Howie remit ses lunettes, et le visage de Fletcher cessa d'être flou. Tout sourire en était absent.

— *Vas-y,* dit Fletcher. *Fais le tri de tes doutes, car le temps presse. Ceci n'est pas un jeu. Ceci n'est pas un rêve. Ceci est le monde. Et si tu ne m'aides pas, ton amourette à quatre sous ne sera pas la seule chose en danger.*

— Allez vous faire foutre ! dit Howie en agitant le poing dans sa direction. Je peux me réveiller. Regardez-moi !

Rassemblant toutes ses forces, il décocha à l'arbre le plus proche un coup de poing qui fit frémir son feuillage.

Quelques feuilles tombèrent autour de lui. Il frappa de nouveau l'écorce rugueuse. Le deuxième coup de poing lui fit mal, tout comme le premier. Et le troisième aussi, et le quatrième. L'image de Fletcher refusait cependant de s'estom-

per : il restait solide sous la lumière du soleil. Howie cogna une
nouvelle fois sur l'arbre, sentant la peau de ses phalanges se
déchirer et se mettre à saigner. Bien que sa douleur crût à chaque
coup successif, la scène autour de lui ne faisait pas mine de
capituler. Résolu à défier son emprise, il cogna sur le tronc,
encore et encore, comme s'il s'agissait là d'un nouvel exercice
destiné non pas à fortifier la machine mais à la blesser. On n'a
rien sans rien.

— Ce n'est qu'un rêve, se dit-il.

— *Tu ne vas pas te réveiller,* l'avertit Fletcher. *Arrête avant de te
briser quelque chose. Les doigts sont des appendices précieux. Il a fallu
plusieurs éons pour avoir des doigts.*

— Ce n'est qu'un rêve, dit Howie. Rien qu'un rêve.

— *Arrête, veux-tu ?*

Howie n'était cependant pas animé par le seul désir de briser
ce rêve. Sa violence était alimentée par une demi-douzaine
d'autres colères. Il était enragé contre Jo-Beth, contre la mère de
celle-ci, et contre sa propre mère ; contre lui-même et contre son
ignorance, fou béni alors que le reste du monde était si sage et
l'entourait de ses cercles. S'il parvenait à fracasser l'emprise de
ces illusions sur lui, plus jamais il ne serait un fou.

— *Tu vas te briser la main, Howard...*

— Je vais me réveiller.

— *Que feras-tu alors ?*

— Je vais me réveiller.

— *Mais si ta main est brisée, que feras-tu lorsque la fille voudra te
toucher ?*

Il s'arrêta de cogner et regarda Fletcher. La douleur était
soudain insoutenable. Du coin de l'œil, il vit que l'écorce de
l'arbre avait pris une teinte écarlate. Il se sentit pris de nausée.

— Elle ne... veut pas... que je la touche, murmura-t-il. Elle
m'a... fermé sa porte...

Il laissa retomber sa main meurtrie. Le sang en coulait goutte à
goutte, il le savait, mais il ne pouvait pas se forcer à la regarder.
Sur son visage, la sueur s'était soudain transformée en goutte-
lettes d'eau glacée. Ses articulations elles aussi s'étaient liqué-
fiées. En proie au vertige, il écarta sa main palpitante des yeux de
Fletcher (noirs, comme les siens, même l'œil mort) et la leva vers
le soleil.

Un rayon le trouva, traversa les feuilles pour se poser sur son
visage.

— Ce n'est... pas... un rêve, murmura-t-il.

— *Il existe des preuves moins douloureuses,* remarqua Fletcher au milieu du bourdonnement strident qui emplissait sa tête.

— Je vais... vomir..., dit-il. Je ne supporte pas la vue...

— *Je ne t'entends pas, mon fils.*

— Je ne supporte pas la vue... de mon... propre...

— *Sang ?* dit Fletcher.

Howie hocha la tête. Ce fut une erreur. Son cerveau tournoya dans son crâne, brouillant ses connexions. Sa langue acquit la vue, ses oreilles goûtèrent leur cire, ses yeux sentirent le contact de ses paupières humides lorsqu'elles se fermèrent.

— Je suis parti, dit-il, et il s'effondra.

J'ai attendu si longtemps dans le roc avant d'apercevoir la lumière, mon fils. Et maintenant que je suis là, je n'ai pas l'occasion d'en profiter. Ni de profiter de toi. Pas le temps de m'amuser avec toi, comme les pères le font pour profiter de la compagnie de leurs enfants.

Howie gémit. Le monde était tout juste hors de portée. S'il voulait ouvrir les yeux, il serait là, à l'attendre. Mais Fletcher lui conseilla de ménager sa peine.

Je te tiens, dit-il.

C'était vrai. Howie sentit les bras de son père l'envelopper dans les ténèbres, l'enlacer. Ils semblaient immenses. Ou peut-être lui-même avait-il rétréci ; peut-être était-il redevenu un bébé.

Je n'ai jamais eu l'intention d'être père, disait Fletcher. *Ce sont les circonstances qui m'ont obligé à le devenir. Le Jaff a décidé de faire des enfants, vois-tu, de créer ses agents de chair. J'ai été contraint d'agir de même.*

— Jo-Beth ? murmura Howie.

Oui ?

— C'est sa fille, ou la vôtre ?

La sienne, bien sûr. La sienne.

— Donc, nous ne sommes pas... frère et sœur ?

Non, bien sûr que non. Son frère et elle sont issus de lui, tu es issu de moi. C'est pour ça que tu dois m'aider, Howie. Je suis plus faible que lui. Un rêveur. J'ai toujours été un rêveur. Un rêveur drogué. Il est déjà là-bas, en train de lever ses satanés teratas...

— Ses quoi ?

Ses créatures. Son armée. C'est ça qu'il a obtenu du comique : une créature pour l'emporter. Moi ? Je n'ai rien eu. Les mourants n'ont pas beaucoup de fantasmes. Ils n'ont que leur peur à offrir. Il adore la peur.

— Qui est-ce ?

Le Jaff ? Mon ennemi.

— Et vous, qui êtes-vous ?

Son ennemi.

— Ce n'est pas une réponse. Je veux une réponse plus précise que celle-là.

Cela prendrait trop de temps. Nous n'avons pas le temps, Howie.

— Rien que le squelette.

Howie sentit Fletcher sourire dans sa tête.

Oh... je peux t'en donner, des squelettes, dit son père. *Des squelettes d'oiseaux et de poissons. Des choses enfouies dans le sol. Comme des souvenirs. Jusqu'à la cause première.*

— Je suis bête, ou vous racontez n'importe quoi ?

J'ai tant de choses à te dire, et si peu de temps. Peut-être vaut-il mieux que je te montre.

Sa voix était devenue tendue ; Howie perçut de l'anxiété en elle.

— Qu'allez-vous faire ? dit-il.

Je vais ouvrir mon esprit, mon fils.

— Vous avez peur...

Ça va te secouer. Mais je ne connais pas d'autre moyen.

— Je ne pense pas que j'en aie envie.

Trop tard, dit Fletcher.

Howie sentit les bras qui l'enlaçaient relâcher leur étreinte ; se sentit tomber loin de son père. C'était sûrement là le premier de tous les cauchemars : celui de la chute. Mais la pesanteur n'était pas verticale dans ce monde de pensée. Le visage de son père ne s'éloigna pas de lui mais apparut devant lui — de plus en plus large — et il tomba en lui.

A présent, il n'y avait plus de mots pour réduire la pensée : rien que les pensées elles-mêmes, en abondance. Trop nombreuses pour être comprises. Howie eut toutes les peines du monde à ne pas sombrer.

Ne lutte pas, ordonna son père. *N'essaye même pas de nager. Laisse-toi aller. Laisse-toi couler. Viens en moi.*

Je ne serai plus moi-même, rétorqua-t-il. Si je me noie, je ne serai plus moi. Je serai toi. Je ne veux pas être toi.

Cours le risque. Il n'y a pas d'autre moyen.

Je ne veux pas ! Je ne peux pas ! Je dois me... contrôler.

Il commença à se débattre contre les éléments qui l'entouraient. Les idées et les images ne cessaient cependant de pénétrer son esprit. Des pensées se fixaient en lui, et il était présentement incapable de les comprendre.

... Entre ce monde, appelé le Cosme — également appelé l'Argile, également appelé le Helter Incendo — entre ce monde et le Métacosme,

également appelé l'Alibi, également appelé l'Exordium et l'Endroit Solitaire, se trouve un océan appelé Quiddity...

Une image de cet océan apparut dans la tête de Howie, et ce fut un spectacle connu au sein de cette confusion. Il avait flotté là, au cours du bref rêve qu'il avait partagé avec Jo-Beth. Ils avaient été portés par un doux flux, leurs cheveux se mêlant, leurs corps se frôlant. Ses craintes s'apaisèrent lorsqu'il le reconnut. Il écouta les instructions de Fletcher avec plus d'attention.

...et sur cet océan se trouve une île...

Il l'aperçut, dans le lointain.

Elle s'appelle l'Éphéméride...

Un monde si beau, et un lieu si beau. Son sommet était noyé dans les nuages, mais il y avait de la lumière sur ses flancs. Pas la lumière du soleil ; la lumière de l'esprit.

Je veux aller là-bas, pensa Howie. Je veux aller là-bas avec Jo-Beth.

Oublie-la.

Dites-moi ce qu'il y a là-bas. Qu'y a-t-il sur l'Éphéméride ?

Le Grand Show Secret, lui répondirent les pensées de son père, *que nous voyons par trois fois. A notre naissance, à notre mort, et durant la première nuit que nous passons aux côtés de l'amour de notre vie.*

Jo-Beth.

Je te l'ai déjà dit, oublie-la.

Je suis venu ici avec Jo-Beth ! Nous flottions ici, ensemble.

Non.

Si. Ça veut dire que c'est elle, l'amour de ma vie. Vous venez de le dire.

Je t'ai dit de l'oublier.

C'est vrai ! Mon Dieu ! C'est vrai !

Ce que le Jaff a engendré est trop souillé pour être aimé. Trop corrompu.

C'est la plus belle chose que j'aie jamais vue.

Elle t'a rejeté, lui rappela Fletcher.

Alors, je la reconquerrai.

L'image de la jeune fille était claire dans son esprit ; plus claire que l'île à présent, plus claire que l'océan onirique sur lequel elle flottait. Il s'agrippa à son souvenir et, grâce à lui, s'arracha à l'emprise spirituelle de son père. La nausée revint, puis la lumière, éclaboussant le feuillage au-dessus de sa tête.

Il ouvrit les yeux. Fletcher ne le tenait plus, s'il l'avait jamais fait. Howie était allongé sur l'herbe. Son bras était engourdi du coude au poignet, mais sa main semblait avoir doublé de volume. La douleur qui sourdait en elle lui apporta la preuve qu'il ne

rêvait pas. Ainsi que la preuve qu'il venait de se réveiller après
avoir fait un rêve. L'homme à la queue-de-cheval était bien réel ;
cela ne faisait aucun doute. Ce qui tendait à confirmer la véracité
de ses dires. *C'était* son père, pour le meilleur et pour le pire. Il
leva la tête tandis que Fletcher prenait la parole :

— *Tu ne comprends pas à quel point notre situation est désespérée*, dit-
il. *Le Jaff va envahir Quiddity si je ne l'en empêche pas.*

— Je ne veux pas le savoir, dit Howie.

— *Tu as une responsabilité*, déclara son père. *Je ne t'aurais pas
engendré si je n'avais pas pensé que tu pourrais m'aider.*

— Oh, comme c'est touchant, dit Howie. J'ai vraiment
l'impression d'avoir été désiré.

Il entreprit de se relever, évitant de regarder sa main blessée.

— Tu n'aurais pas dû me montrer cette île, Fletcher..., dit-il.
A présent, je sais que ce qu'il y a entre Jo-Beth et moi est quelque
chose d'authentique. Elle n'est pas souillée. Et ce n'est pas ma
sœur. Ça veut dire que je peux la reconquérir.

— *Obéis-moi !* dit Fletcher. *Tu es mon enfant. Tu es censé m'obéir !*

— Si tu veux un esclave, va le chercher ailleurs, dit Howie.
J'ai mieux à faire.

Il tourna le dos à Fletcher, du moins le crut-il jusqu'à ce que
l'homme apparaisse devant lui.

— Comment diable as-tu fait ça ?

— *Je peux faire beaucoup de choses. Des broutilles. Je t'apprendrai.
Mais ne me laisse pas tout seul, Howard.*

— Personne ne m'appelle Howard, dit Howie en levant la
main pour repousser Fletcher.

Il avait momentanément oublié sa blessure : elle lui apparut à
présent. Ses phalanges étaient tuméfiées, ses doigts et le dos de sa
main étaient poisseux de sang. Des brins d'herbe s'y étaient
collés, vert vif sur rouge vif. Fletcher recula d'un pas, écœuré.

— Tu n'aimes pas la vue du sang, toi non plus, hein ? dit
Howie.

Lorsque Fletcher battit en retraite, quelque chose s'altéra dans
son apparence, trop subtilement pour que Howie puisse le
percevoir. Avait-il reculé dans une flaque de lumière pour être
percé par celle-ci ? Ou bien un morceau de ciel prisonnier de son
ventre s'était-il libéré pour monter jusqu'à ses yeux ? Quelle que
fût sa nature, ce phénomène fut bref.

— Je vais passer un marché avec toi, dit Howie.

— *Que veux-tu dire ?*

— Tu me laisses tranquille ; je te laisse...

— *Il n'y a que nous deux, mon fils. Contre le monde entier.*

— Tu es complètement dingue, tu sais ? dit Howie. (Il quitta Fletcher des yeux pour se tourner vers le sentier qu'il avait emprunté pour venir ici.) C'est de toi que je tiens ça. Ces conneries de fou béni ! Eh bien, pas moi ! C'est fini. Il y a des gens qui m'aiment !

— *Je t'aime !* dit Fletcher.

— Menteur.

— *D'accord, eh bien j'apprendrai.*

Howie s'éloigna de lui, tendant son bras ensanglanté.

— *Je peux apprendre !* dit son père derrière lui. *Howard, écoute-moi ! Je peux apprendre !*

Il ne courut pas. Il n'en avait pas la force. Mais il atteignit la route sans s'effondrer, ce qui représentait une victoire de l'esprit sur la matière, tant ses jambes étaient faibles. Il se reposa quelque temps, persuadé que Fletcher n'oserait pas le suivre sur un terrain aussi découvert. Cet homme avait des secrets qu'il voulait dissimuler aux yeux de l'humanité. Tout en se reposant, il élabora un plan. D'abord, retourner au motel et soigner sa main. Ensuite ? Retourner chez Jo-Beth. Il avait de bonnes nouvelles à lui communiquer, et il trouverait un moyen de le faire, même s'il lui fallait attendre toute la nuit avant d'en avoir l'occasion.

Le soleil était chaud et éclatant. L'astre projeta son ombre devant lui comme il se mettait en route. Il garda les yeux fixés sur le trottoir et suivit son empreinte sur le sol, un pas après l'autre, de retour vers la raison.

Dans les bois, derrière lui, Fletcher maudit son inefficacité. Il n'avait jamais été très doué pour la persuasion, sautant des banalités aux visions sans parvenir à trouver le juste milieu : il n'avait aucun des talents pour la vie sociale que la plupart des gens maîtrisaient dès l'âge de dix ans. Il avait échoué à gagner Howard à sa cause par ses arguments raisonnés, et Howard avait résisté aux révélations qui auraient pu lui faire comprendre le danger que courait son père. Et le monde entier de surcroît. Fletcher ne doutait pas un seul instant que le Jaff fût aussi dangereux aujourd'hui qu'il l'avait été à la Mission de Santa Catrina, lorsque le Nonce l'avait *raréfié*. Peut-être plus dangereux encore. Il avait des agents dans le Cosme ; des enfants qui lui obéiraient parce qu'il savait se servir des mots. En ce moment même, Howard courait vers les bras de l'un de ces agents. On pouvait d'ores et déjà le considérer comme perdu. Ce qui ne lui laissait qu'une possibilité : se rendre seul dans le Grove et chercher des gens à partir desquels il pourrait susciter des *hallucigenias*.

Il ne servait à rien de reculer l'échéance. Il disposait de quelques heures avant le crépuscule, le moment où le jour deviendrait ténèbre et où le Jaff acquerrait une supériorité plus affirmée que celle qui était à présent la sienne. Même s'il n'appréciait guère l'idée d'arpenter les rues du Grove au vu et au su de tous, avait-il vraiment le choix? Peut-être trouverait-il quelques rêveurs, même à la lumière du jour.

Il leva la tête vers le ciel et pensa à sa chambre dans la Mission, où il avait passé tant d'heures paisibles en compagnie de Raul, écoutant Mozart et regardant les nuages changer en arrivant de l'océan. Changer, toujours changer. Un flux de formes dans lesquelles ils trouvaient des échos des formes terrestres : un arbre, un chien, un visage humain. Un jour, il rejoindrait ces nuages, quand sa guerre contre le Jaff aurait pris fin. Alors, la tristesse née de la séparation qu'il ressentait à présent — Raul disparu, Howard disparu, tout glissait hors de ses doigts — s'éteindrait.

Seuls les sédentaires connaissaient la douleur. Les protéens vivaient en toutes choses, toujours. Une seule contrée, ne vivant qu'un seul jour immortel.

Oh, être là-haut !

VII

Pour William Witt, le chantre de Palomo Grove, ce matin-là fut celui où le pire de ses cauchemars devint réalité. Il était sorti de sa superbe résidence de Stillbrook — dont la valeur avait augmenté de trente mille dollars depuis qu'il l'avait acquise cinq ans plus tôt, comme il aimait à s'en vanter auprès de ses clients — pour accomplir son travail d'agent immobilier dans la ville qu'il préférait entre toutes. Mais les choses étaient différentes ce matin-là. Si on lui avait demandé de *préciser* sa pensée, il en aurait été incapable, mais son instinct lui disait que son Grove bien-aimé était en train de tomber malade. Il passa la majeure partie de la matinée debout près de la fenêtre de son bureau, qui donnait directement sur le supermarché. Presque tous les habitants du Grove venaient au moins une fois par semaine y faire leurs emplettes; pour nombre d'entre eux, il faisait à la fois fonction de lieu d'approvisionnement et de lieu de rencontre. William se vantait de pouvoir mettre un nom sur quatre-vingt-dix-huit pour cent de ceux qui franchissaient ses portes. C'était lui qui avait trouvé une maison à la majorité d'entre eux; qui avait relogé les jeunes mariés dont les enfants étaient venus rétrécir l'espace vital; qui avait souvent relogé les couples plus âgés dont les enfants avaient quitté le nid; qui avait finalement revendu les maisons dont les occupants étaient décédés. Et il était bien connu de la plupart d'entre eux. On l'appelait par son prénom, on commentait le choix de ses nœuds papillons (ceux-ci étaient son signe distinctif; il en possédait cent onze), on le présentait aux amis en visite.

Mais aujourd'hui, alors qu'il observait la ville à sa fenêtre, ce rituel ne lui procura nulle joie. Était-ce tout simplement à cause de la mort de Buddy Vance et de la tragédie qu'elle avait entraînée que les gens étaient si calmes? Qu'ils ne se saluaient pas en se croisant sur le parking? Ou bien s'étaient-ils réveillés, tout comme lui, avec d'étranges espérances, comme s'il se préparait un événement qu'ils avaient omis d'inscrire sur leur agenda, mais duquel leur absence serait impardonnable?

Incapable d'interpréter ce qu'il voyait et ce qu'il sentait lors de cette observation, il sentit son moral flancher. Il décida de faire une petite tournée d'évaluation. Il devait examiner trois maisons — deux dans Deerdell, une dans Windbluff — et déterminer leur prix de vente. Son anxiété ne faiblit pas alors qu'il se dirigeait vers Deerdell au volant de sa voiture. Le soleil tapait dur sur les trottoirs et sur les pelouses ; l'air frissonnait, prêt à dissoudre la brique et l'ardoise : prêt à emporter son Grove si précieux dans sa totalité.

Les deux propriétés situées dans Deerdell n'étaient pas exactement dans le même état ; toutes deux exigèrent toute son attention lorsqu'il les visita, évaluant leurs avantages et leurs inconvénients. Lorsqu'il en eut fini avec elles et se dirigea vers la maison de Windbluff, il avait été assez distrait de ses craintes pour estimer que sa réaction avait peut-être été exagérée. La tâche qui l'attendait, il le savait, lui procurait un plaisir considérable. La maison de Wild Cherry Glade, juste au-dessous des Croissants, était vaste et désirable. Il rédigeait déjà le boniment qui figurerait dans son *Better Homes Bulletin* en descendant de voiture :

Soyez le Roi de la Colline ! La maison idéale pour votre famille vous attend !

Il prit la clé de la porte d'entrée et ouvrit celle-ci. Suite à des complications juridiques, cette propriété était restée vacante et invendable depuis le printemps ; l'intérieur sentait la poussière et le renfermé. Il aimait bien cette odeur. Les lieux vacants avaient pour lui quelque chose de touchant. Il aimait voir en eux des foyers en attente ; des toiles vierges sur lesquelles les acheteurs allaient peindre leur propre version du paradis. Il fit le tour de la maison, prenant des notes dans chaque pièce, retournant dans sa tête des phrases alléchantes :

Spacieuse et Immaculée. Un Foyer Susceptible de Séduire le Plus Exigeant des Acheteurs. 3 chambres. 2 salles de Bains et 1 Réduit Toilettes, avec Terrasse, Salle de Séjour Classique avec Boiseries, Cuisine Entièrement Équipéee, Patio Abrité...

Vu sa taille et son emplacement, cette maison se vendrait à un bon prix, il le savait. Après avoir fait le tour du rez-de-chaussée, il ouvrit la porte donnant sur le jardin et sortit. Même en bas de la Colline, les maisons étaient fort éloignées les unes des autres. Le jardin était invisible des deux habitations les plus proches. Dans le cas contraire, les occupants de celles-ci se seraient sûrement plaints de son état. L'herbe de la pelouse, qui poussait en touffes desséchées, lui arrivait jusqu'au mollet; les arbres avaient grand besoin d'être taillés. Il traversa la cour inondée de soleil pour aller prendre les mesures de la piscine. Celle-ci n'avait pas été vidée après le décès de Mrs Lloyd, la propriétaire des lieux. Le niveau de l'eau était relativement bas, et sa surface était couverte d'algues plus vertes que l'herbe qui poussait entre les carreaux des rebords. Une odeur âcre s'en dégageait. Plutôt que de s'attarder à mesurer la piscine, il estima ses dimensions au jugé, sachant que son œil entraîné était aussi précis que son mètre pliant. Il était en train de noter ces chiffres lorsqu'un rond se dessina au centre de la piscine et rampa mollement jusqu'à lui. Il s'écarta du bord, se promettant de demander au Service de nettoiement des piscines de venir ici *au plus vite*. Quels que soient les organismes qui grouillaient dans cette fange — champignons ou poissons —, leur période d'occupation pouvait désormais se compter en journées.

L'eau se remit à frémir; des mouvements vifs qui lui rappelèrent un autre jour et une autre étendue d'eau hantée. Il chassa ce souvenir de sa tête — ou du moins tenta de le chasser — et, tournant le dos à la piscine, se dirigea vers la maison. Mais le souvenir était resté trop longtemps tout seul; il insista pour l'accompagner. Il voyait les quatre filles — Carolyn, Truddi, Joyce et Arleen, l'adorable Arleen — aussi clairement que s'il les avait espionnées la veille. Il les vit mentalement en train d'ôter leurs vêtements. Il entendit leurs bavardages; leurs rires.

Il s'immobilisa et se retourna vers la piscine. La soupe était de nouveau calme. Quelle que soit la créature qu'elle avait conçue dans son lit, celle-ci s'était rendormie. Il consulta sa montre. Cela faisait seulement une heure trois quarts qu'il avait quitté son bureau. S'il pressait l'allure et finissait cette maison assez vite, il pourrait filer chez lui en douce et regarder une des vidéocassettes de sa collection. Cette idée, née en partie des souvenirs érotiques suscités par la piscine, lui fit regagner la maison avec un zèle renouvelé. Il ferma la porte du jardin et se dirigea vers l'étage.

Alors qu'il était à mi-hauteur de l'escalier, un bruit venu d'en haut lui fit faire halte.

— Qui est là? demanda-t-il.

Il n'y eut aucune réponse, mais le bruit se fit de nouveau entendre. Il reposa sa question; un dialogue s'instaura entre lui et le bruit. Peut-être y avait-il des enfants dans la maison? L'effraction dans les habitations vacantes avait été à la mode quelques années plus tôt, et ce phénomène s'était de nouveau manifesté ces derniers temps. C'était cependant la première fois qu'il avait l'occasion d'attraper un coupable la main dans le sac.

— Vous descendez ? dit-il d'une voix qu'il s'efforça de rendre aussi grave que possible. Ou bien vous voulez que je monte vous chercher ?

La seule réponse qu'il reçut fut le même cliquetis qu'il avait déjà entendu par deux fois, comme si un petit chien aux griffes mal taillées était en train de courir sur le plancher.

Très bien, pensa William. Il se remit à monter, faisant le plus de bruit possible afin d'intimider les intrus. Il connaissait la plupart des enfants du Grove par leurs noms et par leurs surnoms. Quant à ceux qu'il ne connaissait pas, il pouvait les identifier dans la cour de récréation. Il ferait d'eux un exemple dissuasif pour les futurs délinquants.

Lorsqu'il arriva sur le palier, le silence régnait à l'étage. Le soleil de l'après-midi filtrait à travers une fenêtre, et sa chaleur apaisa les bribes d'angoisse qui l'habitaient encore. Il n'y avait aucun danger ici. Le danger, c'était une allée déserte de L.A., et le bruit d'un couteau raclant la brique derrière lui. On était à Palomo Grove, par un vendredi après-midi ensoleillé.

Comme pour confirmer cette idée, un jouet mécanique passa en trottinant sous la porte verte de la chambre principale ; un mille-pattes long de cinquante centimètres qui foulait le plancher à un rythme saccadé. Il sourit de ce geste. L'enfant envoyait son jouet en émissaire pour signaler sa reddition. Un sourire indulgent aux lèvres, William se baissa pour le ramasser, les yeux posés sur le plancher visible sous la porte.

Son regard se dirigea cependant vers le jouet dès que ses doigts furent entrés en contact avec lui, confirmant ce que ses yeux n'avaient compris que trop tard pour agir : la chose qu'il était en train de ramasser n'avait rien d'un jouet. Sa carapace était molle, tiède et humide sous sa main, ses mouvements péristaltiques étaient répugnants. Il essaya de la lâcher, mais son corps lui adhérait à la peau, commençait à lui ronger la paume. Laissant tomber carnet et crayon, il arracha la créature de sa main et la jeta au loin. Elle tomba sur son dos segmenté, et ses douze pattes se mirent à pédaler comme celles d'une écrevisse retournée. Hoquetant, William recula jusqu'au mur, et une voix venue de derrière la porte lui dit :

— Pas de cérémonie entre nous. Vous êtes le bienvenu ici.

Ce n'était pas un enfant qui parlait, comprit William, mais il avait conclu plusieurs secondes plus tôt que son scénario initial avait péché par optimisme.

— Mr Witt, dit une seconde voix.

Elle était moins grave que la première ; et reconnaissable.

— Tommy-Ray ? dit William, incapable de dissimuler son soulagement. C'est toi, Tommy-Ray ?

— Bien sûr. Entrez donc. Venez faire la connaissance du reste de la bande.

— Qu'est-ce qui se passe ici ? dit William en ouvrant la porte, prenant soin de faire un détour pour éviter la créature qui se débattait toujours.

On avait tiré les rideaux de chintz de Mrs Lloyd pour se protéger du soleil, et par contraste avec la vive lumière qui éclairait le palier, la chambre semblait deux fois plus sombre. Mais il distingua Tommy-Ray McGuire, debout au milieu de la pièce, et derrière lui, assis dans le coin le plus sombre, une autre présence. L'un d'eux avait dû se baigner dans l'eau croupie de la piscine ; une odeur écœurante picota les sinus de William.

— Vous ne devriez pas être ici, gronda-t-il. Vous rendez-vous compte que vous vous êtes introduits dans une propriété privée ? Cette maison...

— Vous n'allez pas cafter, n'est-ce pas ? dit Tommy-Ray.

Il fit un pas en direction de William, occultant complètement son complice.

— Ce n'est pas aussi simple..., commença William.

— Oh si, dit Tommy-Ray d'une voix neutre.

Il fit un nouveau pas en avant, puis un autre, passant sans s'arrêter près de William pour aller violemment refermer la porte. Ce bruit excita le compagnon de Tommy-Ray — ou plutôt, les compagnons de son compagnon, car les yeux de William s'étaient assez accoutumés à l'obscurité pour voir que le corps du barbu effondré dans un coin de la pièce grouillait de créatures semblables au mille-pattes gisant sur le palier. Elles le couvraient comme une armure vivante. Elles rampaient sur son visage, s'attardant sur ses lèvres et sur ses yeux ; elles se rassemblaient autour de son bas-ventre pour le caresser. Elles buvaient à ses aisselles, elles dansaient sur son estomac. Il y en avait tant que la masse de cet homme était le double de celle d'un être humain.

— Seigneur Dieu ! dit William.

— Chouette, hein ? dit Tommy-Ray.

— Vous connaissez Tommy-Ray depuis très longtemps, m'a-t-on dit, déclara le Jaff. Dites-moi tout. Était-il un enfant sage ?

— Qu'est-ce que c'est que ça ? dit William en jetant un regard à Tommy-Ray.

Les yeux de l'adolescent étaient mobiles et luisants.

— C'est mon père, fut sa réponse. C'est le Jaff.

— Nous souhaiterions que vous nous montriez le secret de votre âme, dit le Jaff.

William pensa aussitôt à sa collection privée, bien à l'abri chez lui. Comment cette obscénité en connaissait-elle l'existence ? Tommy-Ray l'avait-il espionné ? Le voyeur victime de voyeurisme ? Il secoua la tête.

— Je n'ai pas de secrets, dit-il doucement.

— C'est probablement vrai, dit Tommy-Ray. Petit con chiant.

— Voilà qui n'est pas aimable, dit le Jaff.

— C'est ce que dit tout le monde, répondit Tommy-Ray. Regarde-le, avec son foutu nœud papillon et son petit sourire.

William se sentit blessé par les paroles de Tommy-Ray. Ce furent elles, bien plus que la vision du Jaff, qui firent trembler ses joues.

— Le petit con le plus chiant de cette foutue ville, dit Tommy-Ray.

A ces mots, le Jaff saisit une des créatures qui rampaient sur son ventre et la jeta sur Tommy-Ray. Il visa juste. La créature, qui avait des queues semblables à des fouets et une tête minuscule, s'accrocha au visage de Tommy-Ray, pressant le ventre contre sa bouche. L'adolescent perdit l'équilibre, et tomba à la renverse en griffant le parasite. Celui-ci se détacha de son visage dans un bruit de baiser assez comique, révélant le large sourire de Tommy-Ray, auquel le rire du Jaff fit aussitôt écho. Sans grande conviction, Tommy-Ray relança la créature en direction de son maître, et elle atterrit à une trentaine de centimètres de William, qui battit en retraite, suscitant l'hilarité du père et du fils.

— Elle ne vous fera pas de mal, dit le Jaff. Sauf si je le souhaite.

Il appela la créature avec laquelle son fils et lui avaient joué ; elle regagna le confort du ventre du Jaff.

— Vous connaissez probablement la plupart de ces gens, dit le Jaff.

— Ouais, murmura Tommy-Ray. Et ils le connaissent bien.

— Celui-ci, par exemple, dit le Jaff en attrapant une bête de la taille d'un chat. Celui-ci vient de cette femme... comment s'appelle-t-elle, Tommy ?

— Je ne m'en souviens pas.

Le Jaff laissa glisser la créature jusqu'à ses pieds. Elle ressemblait à un gros scorpion délavé et semblait plutôt timide ; elle était impatiente de regagner sa cachette.

— La femme aux chiens, Tommy..., dit le Jaff. Mildred quelque chose.

— Duffin, dit William.

— Bien ! Bien ! dit le Jaff en levant un pouce épais dans sa direction. Duffin ! Comme nous les oublions vite ! Duffin !

William connaissait bien Mildred. Il l'avait vue ce matin même — sans sa meute de caniches —, debout sur le parking, regardant dans le vague comme si elle avait oublié pourquoi elle était venue là où elle se trouvait. Il ne voyait vraiment pas quel point commun il y avait entre ce scorpion et elle.

— Vous êtes déconcerté, à ce que je vois, William, dit le Jaff. Vous vous demandez si c'est là le nouvel animal de compagnie de Mildred ? La réponse est non. C'est le secret le plus précieux de Mildred qui s'est incarné. Et c'est ce que je désire de vous, William. Ce qu'il y a au plus profond de vous. Votre secret.

William était un voyeur foncièrement hétérosexuel, mais il perçut aussitôt le sens caché obscène de la requête du Jaff. Lui et Tommy-Ray n'étaient pas père et fils, mais ils baisaient ensemble. Toutes ces histoires de profondeurs et de secrets n'étaient qu'un leurre.

— Je ne veux pas être mêlé à ça, dit-il. Tommy-Ray vous le dira, je n'ai aucune activité bizarre.

— La peur n'a rien de bizarre, dit le Jaff.

— Tout le monde a peur, intervint Tommy-Ray.

— Certaines personnes plus que d'autres. Vous... je pense... plus que la majorité. Laissez-vous faire, William. Vous avez des saletés dans la tête. Je veux simplement m'en emparer et les faire miennes.

Encore ces insinuations. William entendit Tommy-Ray faire un pas dans sa direction.

— Garde tes distances, avertit William.

Ce n'était pas du bluff, et à en juger par le sourire de Tommy-Ray, celui-ci en avait conscience.

— Vous vous sentirez mieux après, dit le Jaff.

— Beaucoup mieux, dit Tommy-Ray.

— Ça ne fait pas de mal. Enfin... peut-être un peu, au début. Mais une fois que toutes ces saletés seront extirpées de vous, vous serez un autre homme.

— Mildred n'était pas la seule, dit Tommy-Ray. Il en a visité plein la nuit dernière.

— Oh que oui !

— Je l'ai guidé, et il m'a suivi.

— J'arrive à sentir certaines personnes, savez-vous ? Je les renifle.

— Louise Doyle... Chris Seapara... Harry O'Connor...

William les connaissait tous.

— ... Gunther Rothbery... Martine Nesbitt...

— Martine avait des choses étonnantes à nous montrer, dit le Jaff. L'une d'elles est dehors. Au frais.

— La piscine ? murmura William.

— Vous l'avez vue ?

William secoua la tête.

— Il faut vraiment que vous la voyiez. Il est important que vous voyiez tout ce que les gens vous ont caché durant toutes ces années. (Cette remarque frappait juste, mais William ne pensait pas que le Jaff savait à quel point.) Vous croyez connaître tous ces gens, continua-t-il, mais ils ont tous des terreurs qu'ils n'ont jamais confessées ; des coins sombres qu'ils dissimulent de leurs sourires. Ces choses... (il leva le bras, auquel était accroché une créature ressemblant à un singe pelé)... vivent dans ces coins sombres. Je me contente de les appeler.

— Martine aussi ? dit William, percevant un vague espoir d'évasion.

— Oh, bien sûr, dit Tommy-Ray. Elle nous a donné un de nos plus beaux spécimens.

— Je les appelle des *teratas,* dit le Jaff. Ce qui signifie : naissance monstrueuse ; un prodige. Que pensez-vous de ça ?

— Je... j'aimerais voir ce que Martine a produit, répondit William.

— Une belle dame, dit le Jaff, avec une énorme saleté dans la tête. Va lui montrer, Tommy-Ray. Ensuite, ramène-le ici.

— D'accord.

Tommy-Ray tourna le loquet mais hésita avant d'ouvrir la porte, comme s'il avait lu les pensées qui s'agitaient dans la tête de William.

— Vous voulez vraiment la voir ? dit l'adolescent.

— Je veux la voir, dit Witt. Martine et moi...

Il laissa sa phrase inachevée. Le Jaff mordit à l'hameçon.

— Vous et cette femme, William ? Ensemble ?

— Une ou deux fois, mentit-il.

Il n'avait jamais touché Martine de sa vie, ni même désiré le faire, mais il espérait que cela justifiait sa curiosité.

Le Jaff semblait convaincu.

— Raison de plus pour voir ce qu'elle vous a caché, dit-il. Emmène-le, Tommy-Ray ! Emmène-le !

Le jeune McGuire s'exécuta, conduisant William au rez-de-chaussée. Il sifflait un air décousu, sa démarche souple et son air distrait démentant le caractère infernal de son compagnon. William fut plus d'une fois tenté de lui demander *pourquoi*, afin de mieux comprendre ce qui était en train d'arriver au Grove. Comment était-il possible que le mal soit aussi décontracté ? Comment des âmes aussi corrompues que celle de Tommy-Ray pouvaient-elles chanter et sautiller, échanger des reparties comme les gens ordinaires ?

— Sinistre, hein ? dit Tommy-Ray tandis que William lui tendait la clé de la porte du jardin.

Il a lu dans mon esprit, pensa William, mais la phrase suivante de Tommy-Ray infirma cette hypothèse.

— Les maisons vides. C'est sinistre. Sauf pour vous, je suppose. Vous avez l'habitude, pas vrai ?

— Je m'y suis fait.

— Le Jaff n'aime pas tellement le soleil, alors je lui ai trouvé cet endroit. Une cachette, en quelque sorte.

Tommy-Ray plissa les yeux pour se protéger du soleil alors qu'ils pénétraient dans le jardin.

— On dirait que je deviens comme lui, remarqua-t-il. J'adorais la plage, vous savez. Topanga, Malibu. Maintenant, ça me rend malade de penser à toute cette... lumière.

Il ouvrit la voie en direction de la piscine, gardant la tête baissée et la langue mobile.

— Ainsi, Martine et vous, vous aviez une liaison, hein ? Ce n'est pas Miss Monde, si vous voyez ce que je veux dire. Et elle avait des trucs sinistres dans sa tête. Vous devriez voir comment ça sort de là... Oh les mecs ! Quel spectacle ! Ils les transpirent, en quelque sorte. Ça sort de tous leurs petits trous...

— De leurs pores.

— Hein ?

— Les petits trous. Des pores.

— Ouais. Chouette.

Ils étaient arrivés près de la piscine. Tommy-Ray s'en approcha, disant :

— Le Jaff a le truc pour les appeler, vous savez ? Avec son

esprit. Moi, je les appelle par leurs noms ; ou par le nom des gens auxquels elles appartenaient. (Tommy-Ray jeta un regard à William, le surprenant en train d'examiner la barrière qui entourait le jardin en quête d'une ouverture.) Ça vous embête, ce que je vous raconte ? dit-il.

— Non. Non... je... non, je ne m'embête pas.

L'adolescent se retourna vers la piscine.

— Martine ? appela-t-il. (La surface des eaux s'agita.) La voilà, dit Tommy-Ray. Vous allez être vraiment impressionné.

— Je n'en doute pas, dit William en faisant un pas vers le bord.

Alors que la créature tapie dans l'eau arrivait à la surface, il tendit les bras et poussa Tommy-Ray dans le creux des reins. L'adolescent hurla et perdit l'équilibre. William aperçut le *terata* dans la piscine — on aurait dit une méduse avec des pattes. Puis Tommy-Ray lui tomba dessus, et le garçon et la bête commencèrent à se débattre. William ne s'attarda pas pour voir qui allait mordre qui. Il se précipita vers la partie la plus mal en point de la barrière, l'enjamba tant bien que mal et s'en fut.

— Tu l'as laissé filer, dit le Jaff lorsque, quelque temps après, Tommy-Ray retourna dans le nid à l'étage. Je ne peux pas compter sur toi, à ce que je vois.

— Il m'a joué un tour.

— Tu ne devrais pas en être aussi surpris. N'as-tu donc encore rien appris ? Les gens ont tous un visage secret. C'est ça qui les rend aussi intéressants.

— J'ai essayé de le poursuivre, mais il était déjà loin. Tu veux que j'aille chez lui ? Tu veux que je le tue, peut-être ?

— Du calme, du calme, dit le Jaff. Nous pouvons le laisser répandre des rumeurs pendant un jour ou deux. De toute façon, qui le croira ? Nous serons obligés d'évacuer cet endroit à la nuit tombée, voilà tout.

— Il y a d'autres maisons vides.

— Nous n'aurons pas besoin d'en chercher une, dit le Jaff. Je nous ai trouvé une résidence permanente la nuit dernière.

— Où ça ?

— Son occupante n'est pas encore prête pour nous, mais ça ne tardera pas.

— Qui ça ?

— Tu verras. En attendant, tu vas partir en voyage.

— D'accord.

— Tu ne seras pas absent très longtemps. Mais il y a un endroit sur la côte où j'ai laissé quelque chose de très important pour moi, il y a très longtemps. Je veux que tu me le ramènes, pendant que je m'occuperai de Fletcher.

— Je veux être là pour voir ça.

— Tu aimes l'idée de la mort, n'est-ce pas ?

Tommy-Ray eut un large sourire.

— Ouais. Mon copain Andy, il avait un chouette tatouage, un crâne, juste ici. (Tommy-Ray désigna sa poitrine.) Juste au-dessus du cœur. Il disait qu'un jour, il irait à Bombora — les rouleaux sont vraiment dangereux là-bas, les vagues retombent tout de suite, tu vois ? —, et qu'il attendrait la dernière vague, et quand il serait vraiment en train de planer, il descendrait de son surf. Comme ça. Voilà. Surfer et mourir.

— Est-ce qu'il l'a fait ? demanda le Jaff. Est-ce qu'il est mort ?

— Mon cul, dit Tommy-Ray avec mépris. Il n'avait pas assez de couilles.

— Mais toi, tu en serais capable.

— Là, tout de suite ? Foutre oui.

— Eh bien, ne sois pas trop pressé. Il va y avoir une grande fête.

— Ah ouais ?

— Oh ouais ! Une fête de première grandeur. Cette ville n'a jamais vu une pareille fête.

— Qui est invité ?

— La moitié d'Hollywood. Et l'autre moitié regrettera de ne pas être venue.

— Et nous ?

— Oh oui, nous y serons. Tu peux en être sûr. Nous serons là, et nous serons prêts.

Enfin, pensa William en arrivant sur le seuil de la maison de Spilmont, dans Peaseblossom Ride, enfin une histoire que je peux raconter. Il avait échappé aux horreurs qui formaient la cour du Jaff avec un récit dont il pouvait se libérer, et qui de plus ferait de lui un héros.

Spilmont faisait partie de ceux que William avait conseillés pour un achat immobilier ; par deux fois, en fait. Ils se connaissaient assez bien pour s'appeler par leurs prénoms.

— Billy ? dit Spilmont en examinant William de la tête aux pieds. Tu n'as pas l'air dans ton assiette.

— Oh que non !

— Entre.

— Oscar, il est arrivé quelque chose d'horrible, dit William en se laissant conduire à l'intérieur. Je n'ai jamais rien vu de pire.

— Assieds-toi. Assieds-toi, dit Spilmont. Judith ? C'est Bill Witt. Qu'est-ce que tu veux, Billy ? Quelque chose à boire ? Bon Dieu, tu trembles comme une feuille.

Judith Spilmont était l'archétype de la femme maternelle, aux hanches larges et à la poitrine plantureuse. Elle sortit de la cuisine et réitéra les remarques de son mari. William demanda un verre d'eau glacée, mais il ne put s'empêcher de commencer son récit avant de l'avoir dans les mains. Il savait parfaitement à quel point son histoire semblerait grotesque. C'était un conte que l'on devait raconter autour d'un feu de camp, pas en plein jour, et pas à un auditeur dont les gamins hurlaient en batifolant autour du tuyau d'arrosage, juste derrière la fenêtre. Mais Spilmont l'écouta avec attention, faisant sortir sa femme de la pièce dès qu'elle eut apporté le verre d'eau demandé. William lui fit un compte rendu circonstancié, allant jusqu'à citer les noms de ceux que le Jaff avait touchés la nuit précédente, expliquant de temps en temps qu'il était conscient du ridicule de ses dires mais qu'il affirmait leur véracité. Ce fut par l'observation suivante qu'il acheva son récit :

— Je sais que ça a l'air dingue, dit-il.

— C'est une drôle d'histoire, oui, répondit Spilmont. Si quelqu'un d'autre que toi me l'avait racontée, j'aurais été moins disposé à l'écouter. Mais, merde, Bill... Tommy-Ray McGuire ? C'est un brave garçon.

— Je suis prêt à t'accompagner là-bas, dit William. Tant qu'on y va armés.

— Non, tu n'es pas en état d'y retourner.

— Il ne faut pas que tu y ailles tout seul, dit William.

— Hé, mon vieux, tu as devant toi un homme qui adore ses enfants. Tu crois que je ferais d'eux des orphelins ? (Spilmont éclata de rire.) Écoute, rentre chez toi. Restes-y. Je te rappellerai dès que j'aurai des nouvelles. D'accord ?

— D'accord.

— Tu es sûr que tu es en état de conduire ? Je pourrais demander à quelqu'un...

— Je suis bien arrivé jusqu'ici.

— Entendu.

— Je me sens bien.

— En attendant, garde tout ça pour toi, Bill, d'accord ? Je ne veux pas que les maniaques de la gâchette s'en mêlent.

— Non. Bien sûr. Je comprends.

Spilmont regarda William vider son verre d'eau glacée, puis l'escorta jusqu'à la porte, lui serra la main et agita le bras pour lui dire au revoir. William obéit à ses instructions. Il alla tout droit chez lui, appela Valérie et lui dit qu'il ne reviendrait pas au bureau, ferma portes et fenêtres, se déshabilla, vomit, se doucha et s'installa près du téléphone pour attendre de nouvelles informations relatives à la dépravation qui avait débarqué dans Palomo Grove.

VIII

Soudain recru de fatigue, Grillo s'était couché vers trois heures et quart après avoir prié la standardiste de ne lui transmettre aucun appel jusqu'à nouvel ordre. Ce fut par conséquent un coup à la porte qui le réveilla. Il s'assit sur sa couche, et sa tête était si légère qu'elle faillit décoller.

— Votre commande, dit une voix féminine.

— Je n'ai rien commandé, répondit-il avant de comprendre et d'ajouter : Tesla ?

C'était bien Tesla, superbe dans son habituelle tenue flamboyante. Grillo avait compris depuis longtemps qu'un certain génie était nécessaire pour transformer, grâce à quelques vêtements et à quelques bijoux, le grotesque en charmant et le bon goût en kitsch. Tesla réussissait à passer d'un extrême à l'autre sans effort apparent. Aujourd'hui, elle était vêtue d'une chemise d'homme, trop large pour ses formes minces et graciles, d'un médaillon mexicain à bon marché arborant un portrait de la Madone, d'un pantalon bleu moulant, de chaussures à hauts talons (grâce auxquels elle parvenait péniblement à la hauteur des épaules de Grillo), et d'une paire de boucles d'oreilles en forme de serpents tapies dans ses cheveux roux dont elle avait teints quelques mèches en blond ; quelques mèches seulement car, comme elle l'expliquait, les blondes s'amusaient davantage mais il aurait été exagéré de rire à tue-tête.

— Tu dormais, dit-elle.

— Ouaip.

— Désolée.

— Il faut que j'aille pisser.

— Vas-y. Vas-y.

— Tu veux bien demander si on m'a appelé ? hurla-t-il lorsqu'il vit son reflet dans la glace.

Il avait l'air lamentable, pensa-t-il : comme le poète sous-alimenté qu'il avait renoncé à être la première fois qu'il avait eu faim. Ce fut seulement lorsqu'il tituba au-dessus de la cuvette, une main tenant sa bite — qui ne lui avait jamais semblé aussi lointaine, et aussi petite — et l'autre accrochée au chambranle de la porte pour ne pas s'effondrer, qu'il admit qu'il se sentait vraiment mal en point.

— Tu ferais mieux de ne pas t'approcher de moi, dit-il à Tesla lorsqu'il regagna la chambre en vacillant. Je crois que j'ai attrapé la grippe.

— Alors, retourne au lit. Qui te l'a refilée ?

— Un gamin.

— Abernethy a appelé, l'informa Tesla. Ainsi qu'une femme du nom d'Ellen.

— Son gamin.

— Qui être femme ?

— Elle gentille femme. Elle laissé message ?

— Elle a besoin de te parler et c'est urgent. Elle n'a pas donné son numéro.

— Je ne pense pas qu'elle ait le téléphone, dit Grillo. Il faut que je lui parle. Elle travaillait pour Vance.

— Un scandale ?

— Ouais. (Ses dents s'étaient mises à claquer.) Merde, dit-il. J'ai l'impression d'être en feu.

— Peut-être que je devrais te ramener à L.A.

— Pas question. Il y a un scoop ici, Tesla.

— Il y a des scoops partout. Abernethy n'a qu'à envoyer quelqu'un d'autre.

— Il se passe quelque chose *d'étrange* ici, dit Grillo. Quelque chose que je ne comprends pas. (Il s'assit, sentant sa tête tambouriner.) Tu sais que j'étais sur place quand les types qui cherchaient le corps de Vance se sont fait tuer ?

— Non. Que s'est-il passé ?

— En dépit de ce qu'on a raconté à la télé, ce n'était pas dû à l'explosion d'une conduite souterraine. Ou du moins, pas seulement à *ça*. D'abord, j'ai entendu des cris bien avant l'éruption. Je crois bien qu'ils étaient en train de hurler des *prières* en bas, Tesla. Des prières. Et puis il y a eu ce foutu geyser. De l'eau, de la fumée, de la poussière. Des corps. Et autre chose. Non : *deux* autres choses. Qui surgissaient du sol, profitant de la confusion.

— En grimpant ?

— En volant.

Tesla le regarda longuement, impitoyable.

— Je le jure, Tesla, dit Grillo. Peut-être que c'étaient des hommes... peut-être pas. Ça ressemblait davantage à... je ne sais pas... à des *énergies,* peut-être. Et pas la peine de me le demander : j'étais sobre.

— Tu es le seul à avoir vu ça ?

— Non. Il y avait un type du nom de Hotchkiss avec moi. Je pense qu'il a à peu près tout vu, lui aussi. Mais il ne répond pas au téléphone quand je l'appelle.

— Tu te rends bien compte que tu parles comme un dingue ?

— Eh bien, ça confirme ce que tu as toujours pensé, pas vrai ? Un type qui travaille pour Abernethy, qui couvre de boue les gens riches et célèbres...

— Qui ne tombe pas amoureux de moi.

— Qui ne tombe pas amoureux de toi.

— Fou à lier.

— Dément.

— Écoute, Grillo, je suis une infirmière nulle, alors ne t'attends pas à de la sympathie de ma part. Mais si tu veux que je te donne un coup de main pendant que tu as la crève, dis-moi ce que je dois faire.

— Tu pourrais aller voir Ellen. Dis-lui que son gamin m'a refilé la grippe. Qu'elle se sente un peu coupable. Il y a une histoire là-dessous, et je n'en ai que des bribes pour l'instant.

— Je retrouve mon Grillo. Malade, oui ; honteux, jamais.

L'après-midi touchait à sa fin lorsque Tesla se mit en route pour aller chez Ellen Nguyen, refusant de prendre sa voiture bien que Grillo l'eût avertie que sa promenade serait fort longue. Une brise s'était levée et elle l'escorta lors de sa traversée de la ville. C'était le genre de communauté où elle aurait bien situé un thriller ; l'histoire d'un homme avec une bombe atomique dans sa valise, par exemple. Ça avait déjà été fait, bien sûr, mais elle avait trouvé une façon originale de raconter cette histoire. Plutôt que d'écrire une parabole sur le mal, elle en écrirait une sur l'apathie. Les citoyens choisiraient de ne pas croire ce qu'on leur disait ; ils se contenteraient de vaquer à leurs occupations quotidiennes avec une expression de joyeuse indifférence. Et l'héroïne essaierait de forcer ces gens à prendre conscience du danger, en vain, et à la fin du film, elle se ferait chasser de la ville par une bande de citoyens furieux qu'elle ait ainsi remué la boue, et à ce moment précis, le sol se mettrait à trembler et la bombe exploserait. Fondu. Fin. Bien sûr, un tel film ne serait sûrement jamais tourné, mais elle avait un talent indéniable pour écrire des scénarios qui ne voyaient jamais l'écran. Les histoires ne cessaient pas de lui venir, cependant. Elle était incapable d'arriver dans un endroit inconnu ou de voir des visages inconnus sans chercher à en retirer une fiction. Elle n'analysait guère les histoires créées par son esprit à partir d'un lieu donné ou d'une personne donnée, sauf lorsque — comme maintenant, par exemple — le résultat de son analyse était d'une évidence criante. Ses tripes lui affirmaient sans ambages que Palomo Grove était une ville qui finirait un jour par exploser.

Son sens de l'orientation était infaillible. Elle trouva la maison Nguyen sans avoir une seule fois à rebrousser chemin. La femme qui apparut sur le seuil semblait si délicate que Tesla n'osa pas élever la voix au-dessus du murmure, et encore moins essayer d'obtenir de sa part une preuve d'indiscrétion. Elle se contenta d'énoncer les faits en toute simplicité : elle venait de la part de Grillo parce que celui-ci avait attrapé la grippe.

— Ne vous inquiétez pas, il survivra, dit-elle en voyant l'air peiné d'Ellen. Je suis simplement venue vous expliquer pourquoi il ne pouvait pas venir vous voir.

— Entrez, je vous en prie, dit Ellen.

Tesla résista. Elle n'était pas d'humeur à supporter une âme aussi fragile. Mais la femme refusa de se laisser persuader.

— Je ne peux pas parler ici, dit-elle en fermant la porte. Et je ne peux pas laisser Philip tout seul trop longtemps. Je n'ai plus le téléphone. J'ai dû aller chez mon voisin pour appeler Mr Grillo. Voulez-vous lui transmettre un message ?

— Bien sûr, dit Tesla.

Si c'est une lettre d'amour, pensa-t-elle, je la fous à la poubelle. La Nguyen était le type de femme que préférait Grillo, elle le savait. Douce, féminine, discrète. Bref, tout le contraire d'elle-même.

L'enfant contagieux était assis sur le canapé.

— Mr Grillo a la grippe, lui dit sa mère. Pourquoi ne lui envoies-tu pas un de tes dessins pour l'aider à guérir ?

L'enfant se dirigea lentement vers sa chambre, donnant à Ellen une chance de passer son message.

— Voulez-vous lui dire que les choses ont changé à Coney ? dit Ellen.

— Les choses ont changé à Coney, répéta Tesla. Qu'est-ce que ça veut dire exactement ?

— Il va y avoir une fête en souvenir de Buddy, chez lui.

Mr Grillo comprendra. Rochelle, sa femme, a envoyé le chauffeur ici. Pour me demander de venir l'aider.

— Qu'est-ce que Grillo est censé faire ?

— Je veux savoir s'il aura besoin d'une invitation.

— A mon avis, vous pouvez considérer que la réponse est oui.
Quand est-ce que ça se passe ?

— Demain soir.

— C'est bientôt.

— Les gens viendront pour Buddy, dit Ellen. Tout le monde
l'aimait bien.

— Le veinard, fit remarquer Tesla. Donc, si Grillo a besoin de
vous, il peut vous contacter chez Vance ?

— Non. Il ne faut pas qu'il appelle là-bas. Dites-lui de laisser
un message chez mon voisin, Mr Fulmer. C'est lui qui gardera
Philip.

— Fulmer. D'accord. Compris.

Il n'y avait pas grand-chose à ajouter. Tesla accepta un dessin
du petit malade, qu'elle devait transmettre à Grillo avec les vœux
de prompt rétablissement adressés par la mère et par le fils, puis
elle s'en retourna, inventant des histoires en chemin.

IX

— William?

C'était Spilmont, enfin. A l'autre bout du fil, les enfants ne riaient plus dans le fond. Le soir était tombé, et une fois le soleil disparu, l'eau qui arrosait la pelouse aurait été une source de froid plutôt que de plaisir.

— Je n'ai pas beaucoup de temps, dit-il. J'ai assez perdu de temps cet après-midi.

— Quoi? dit William. (Il avait passé l'après-midi dans un état d'attente fébrile.) Raconte-moi.

— Je suis allé dans Wild Cherry Glade dès que tu es parti.

— Et alors?

— Et alors, rien, mon vieux. Zéro pointé. La maison était déserte et j'avais l'air d'un con, cherchant à l'investir comme s'il y avait je ne sais quoi dedans. C'est sans doute ce que tu voulais, hein?

— Non, Oscar. Tu te trompes.

— Une fois suffit, mon vieux. On peut me faire ce genre de blague une fois, d'accord? Je ne veux pas qu'on dise que je n'ai aucun sens de l'humour.

— Ce n'était pas une blague.

— Tu m'as vraiment fait marcher pendant un moment, tu sais? Tu devrais écrire des livres, pas vendre des maisons.

— La maison était vide? Il n'y avait aucune trace d'eux? Tu as regardé dans la piscine?

— Laisse tomber! dit Spilmont. Ouais, tout était vide. La piscine; la maison; le garage. Tout.

— Alors, ils ont fichu le camp. Ils sont partis avant que tu arrives. Mais je ne vois pas comment ils ont fait. Tommy-Ray a dit que le Jaff n'aimait pas...

— *Ça suffit!* dit Spilmont. Il y a assez de dingues dans cette ville sans que tu aies besoin de te joindre à eux. Reprends-toi, tu veux? Et n'essaie pas de raconter ces bobards à mes hommes, Witt. Ils sont prévenus, tu piges? Comme je te l'ai dit : une fois suffit!

Spilmont raccrocha sans dire au revoir à William, le laissant écouter la tonalité pendant trente bonnes secondes avant de lâcher le combiné.

— Qui l'eût cru ? dit le Jaff en caressant sa nouvelle recrue. La peur se terre dans les endroits les plus improbables.

— Je veux le tenir, dit Tommy-Ray.

— Il est à toi, dit le Jaff en laissant le jeune homme lui prendre le *terata*. Ce qui est à moi est à toi.

— Il ne ressemble pas beaucoup à Spilmont.

— Oh, mais si, dit le Jaff. Jamais on n'a fait portrait plus fidèle de cet homme. Ceci est sa racine. Son cœur. C'est la peur d'un homme qui fait de lui ce qu'il est.

— C'est vrai ?

— Ce qui marche dehors ce soir en s'appelant Spilmont n'est que la carcasse. Le résidu.

Tout en parlant, il se dirigea vers la fenêtre et écarta les rideaux. Les *teratas* qui lui avaient prodigué leurs caresses lorsque William était venu leur rendre visite marchaient sur ses talons. Il leur fit signe de s'écarter. Ils obéirent respectueusement, mais revinrent grouiller dans son ombre lorsqu'il fit demi-tour.

— Le soleil est presque couché, dit-il. Il faut que nous y allions. Fletcher est déjà dans le Grove.

— Ah oui ?

— Oh oui. Il est apparu en milieu d'après-midi.

— Comment le sais-tu ?

— Il est impossible de détester quelqu'un comme je déteste Fletcher sans savoir où il se trouve et ce qu'il fait.

— On va le tuer, alors ?

— Quand nous aurons assez d'assassins, dit le Jaff. Je ne veux plus d'erreurs comme Mr Witt.

— Je vais d'abord aller chercher Jo-Beth.

— Pourquoi faire ? dit le Jaff. Nous n'avons pas besoin d'elle.

Tommy-Ray jeta le *terata* de Spilmont à terre.

— *J'ai* besoin d'elle, dit-il.

— C'est purement platonique, bien sûr.

— Qu'est-ce que ça veut dire ?

— C'est de l'ironie, Tommy-Ray. Ce que je veux dire, c'est : tu désires son corps.

Tommy-Ray médita là-dessus pendant quelques instants. Puis il dit :

— Peut-être.

— Sois honnête.

— Je ne sais pas ce que je veux mais je sais foutrement ce que je ne veux *pas*. Je ne veux pas que ce connard de Katz la touche. Elle est ma *famille*, pas vrai ? Tu m'as dit que c'était important.

Le Jaff acquiesça.

— Tu es très persuasif, dit-il.

— Alors, on va la chercher ? dit Tommy-Ray.

— Si c'est si important, répondit son père. Oui, on va aller la chercher.

En découvrant Palomo Grove, Fletcher avait failli se laisser envahir par le désespoir. Il avait traversé nombre de villes comme celle-ci lors de la guerre qui l'avait opposé au Jaff ; des communautés planifiées qui jouissaient de toutes les commodités sauf de celle des sentiments ; des endroits qui semblaient respirer la vie mais qui en étaient en fait presque totalement dépourvus. Par deux fois, pris au piège dans de tels vides, il avait bien failli être annihilé par son ennemi. Bien qu'au-delà de la superstition, il se surprit néanmoins à se demander si la troisième fois lui serait fatale.

Le Jaff avait déjà établi sa tête de pont ici, Fletcher n'en avait aucun doute. Il ne lui serait pas difficile d'y trouver les âmes faibles et sans défense qu'il aimait tourmenter. Mais pour Fletcher, dont les *hallucigenias* naissaient de vies oniriques riches et fertiles, cette ville, flétrie par le confort et par la suffisance, n'offrait que peu d'espoirs de subsistance. Il aurait eu plus de chances dans un ghetto ou dans un asile, où l'on vivait toujours au bord du gouffre, que dans cette désolation bien arrosée. Mais il n'avait pas le choix. Sans agent humain pour lui indiquer la voie, il était obligé d'aller au sein de ces gens comme un chien, reniflant en quête de rêveurs. Il en trouva quelques-uns dans le centre commercial, mais il ne put rien retirer d'eux lorsqu'il tenta d'engager la conversation. Bien qu'il fît de son mieux pour préserver un semblant de normalité, cela faisait trop longtemps qu'il n'était plus humain. Les gens qu'il aborda le regardèrent de façon bizarre, comme si son numéro n'était pas assez accompli et comme s'ils pouvaient discerner le Nonce en lui. Ils battirent en retraite en le voyant. Un ou deux d'entre eux s'attardèrent près de lui. Une vieille femme qui resta un peu à l'écart et qui se contenta de sourire chaque fois qu'il regarda dans sa direction ;

deux enfants qui cessèrent de contempler la vitrine du marchand d'animaux pour venir le regarder fixement, jusqu'à ce que leur mère les rappelle dans ses jupes. La récolte fut aussi maigre que Fletcher l'avait redouté. Si le Jaff avait pu choisir personnellement leur ultime champ de bataille, il n'aurait pas pu mieux trouver. Si la guerre qui les opposait devait prendre fin à Palomo Grove — et Fletcher savait dans ses tripes que l'un d'eux périrait ici —, le Jaff en serait sûrement le vainqueur.

Lorsque le soir tomba et que le centre se vida, il le quitta à son tour, errant dans les rues désertées. Il n'y avait aucun piéton. Même pas un homme promenant son chien. Il savait pourquoi. La sphère humaine, en dépit de son absence volontaire de sensibilité, ne pouvait pas entièrement bloquer la présence de forces surnaturelles en son sein. Les habitants du Grove, tout en étant incapables de formuler leur anxiété, savaient que leur ville était hantée cette nuit-là, et ils se réfugiaient devant leurs postes de télévision. Fletcher voyait les écrans luire dans toutes les maisons, le volume du son réglé à une amplitude anormale, comme pour étouffer le chant des sirènes nocturnes. Bercés par les animateurs de jeux et par les princesses de feuilleton, les petits esprits du Grove plongeaient dans un sommeil innocent, laissant la créature qui aurait pu les préserver de l'extinction errer dans les rues, seule.

X

1

Alors que le crépuscule faisait place à la nuit, Howie, de son poste d'observation situé au coin de la rue, vit un homme, dont il apprendrait plus tard qu'il s'agissait du Pasteur, apparaître devant la maison des McGuire, annoncer son arrivée à travers la porte close, et — après une pause durant laquelle les serrures s'ouvrirent et les verrous se débloquèrent — être admis au sein du sanctuaire. Une diversion pareille ne se présenterait plus ce soir-là, soupçonnait-il. C'était l'occasion rêvée pour tromper la vigilance de la mère et entrer en contact avec la fille. Il traversa la rue après avoir regardé à droite et à gauche pour vérifier que personne ne s'y trouvait. Cette précaution était inutile. La rue était étonnamment calme. C'était des maisons que montait le vacarme : le volume des télévisions était si fort qu'il avait reconnu neuf chaînes différentes durant son attente ; il avait fredonné les indicatifs des feuilletons et ri des répliques cinglantes des acteurs. Ce fut donc sans être vu de quiconque qu'il se glissa jusqu'à la barrière, l'enjamba et se dirigea vers la cour située derrière la maison. Lorsqu'il y parvint, on alluma la lumière dans la cuisine. Il s'écarta de la fenêtre. Ce n'était cependant pas Mrs McGuire qui venait d'entrer, mais Jo-Beth, préparant en fille obéissante un dîner pour l'invité de sa mère. Il l'observa, fasciné. Accomplissant une tâche banale, vêtue d'une robe noire toute simple, éclairée par la lueur crue du néon, elle était néanmoins la plus belle chose qu'il ait jamais vue. Lorsqu'elle s'approcha de la fenêtre, allant jusqu'à l'évier pour y rincer des tomates, il sortit de sa cachette. Elle perçut un mouvement et leva les yeux. Il porta vivement un doigt à sa bouche pour lui enjoindre de se taire. Elle agita la main pour lui ordonner de s'écarter, le visage empreint de panique. Il lui obéit juste à temps : sa mère venait d'apparaître sur le seuil de la cuisine. Elles échangèrent quelques paroles, que Howie ne put entendre, puis Mrs McGuire retourna au salon. Jo-Beth regarda par-dessus son épaule pour vérifier que sa mère était partie, puis se dirigea vers la porte donnant sur la cour et l'ouvrit avec un luxe de précaution. Elle refusa cependant de laisser entrer le jeune homme. Au lieu de cela, elle passa la tête dans l'entrebâillement et murmura :

— Tu ne devrais pas être ici.

— Eh bien, j'y suis, dit-il. Et tu en es heureuse.

— Non.

— Tu devrais l'être. J'ai des nouvelles. De très bonnes nouvelles. Viens.

— Je ne peux pas, murmura-t-elle. Parle moins fort.

— Il faut qu'on se parle. C'est une question de vie ou de mort. Non... c'est encore plus important que la vie ou que la mort.

— Qu'est-ce que tu t'es fait ? dit-elle. Regarde ta main.

Il n'avait guère fait d'effort pour soigner sa blessure, trop délicat pour ôter les échardes de sa chair.

— Ça fait partie de mes nouvelles, dit-il. Si tu ne veux pas sortir, laisse-moi entrer.

— Je ne peux pas.

— *Je t'en prie*. Laisse-moi entrer.

Est-ce que ce fut sa blessure ou bien ses mots qui la convainquirent ? Quoi qu'il en soit, elle lui ouvrit la porte. Il fit mine de la prendre dans ses bras, mais elle secoua la tête avec une expression de terreur si intense qu'il recula.

— Monte à l'étage, dit-elle, renonçant à murmurer et se contentant de remuer les lèvres.

— Où ça ? rétorqua-t-il.

— Deuxième porte à gauche, dit-elle, obligée d'élever la voix pour lui donner ses instructions. Ma chambre. Porte rose. Attends que je leur aie apporté le repas.

Il désirait ardemment l'embrasser, mais la laissa à ses préparatifs. Jetant un regard dans sa direction, elle se dirigea vers le salon. Howie entendit le visiteur lui souhaiter la bienvenue, et décida que le moment était venu pour lui de sortir de la cuisine. Il y eut un instant de danger durant lequel — visible à la porte du salon — il hésita avant de repérer l'escalier. Puis il gravit les marches, espérant que les bruits de leur conversation couvriraient ceux de ses pas. Tel fut apparemment le cas. Il ne perçut aucun changement dans le rythme du dialogue. Il arriva devant la porte rose et se réfugia derrière elle sans incident.

La chambre de Jo-Beth ! Il n'avait pas osé espérer se retrouver un jour ici, au milieu de toutes ces couleurs pastel, observant l'endroit où elle dormait, la serviette qu'elle utilisait quand elle se douchait, les sous-vêtements qu'elle portait. Lorsque, finalement, elle monta l'escalier pour le rejoindre, il eut l'impression d'être un voleur surpris la main dans le sac. Elle perçut l'embarras qui était le sien, une rougeur maladive qui les empêcha de se regarder dans les yeux.

— C'est le bazar ici, dit-elle à voix basse.

— Ce n'est pas grave, dit-il. Tu ne t'attendais pas à ma visite.

— Non. (Elle n'alla pas vers lui pour l'étreindre. Elle ne daigna même pas lui sourire.) Si Maman savait que tu es ici, elle deviendrait folle. Elle avait raison de dire qu'il y avait des choses horribles dans le Grove — depuis le début. L'une d'elles est venue ici hier soir, Howie. Elle est venue nous chercher, Tommy-Ray et moi.

— Le Jaff?

— Tu es au courant?

— Quelque chose est venu me chercher, moi aussi. Ou plutôt, quelque chose m'a *appelé*. Son nom est Fletcher. Il dit qu'il est mon père.

— Est-ce que tu le crois?

— Oui, dit Howie. Je le crois.

Les yeux de Jo-Beth étaient envahis par les larmes.

— Ne pleure pas, dit-il. Tu ne vois pas ce que ça signifie? Nous ne sommes pas frère et sœur. Notre sentiment n'est pas impur.

— C'est notre rencontre qui a *causé* tout ceci, dit-elle. Tu ne comprends donc pas? Si nous ne nous étions pas rencontrés...

— Mais nous l'avons fait.

— Si nous ne nous étions pas rencontrés, ils ne seraient jamais sortis de l'endroit d'où ils viennent.

— Est-ce qu'il ne vaut mieux pas que nous sachions la vérité à leur sujet — à *notre* sujet? Je n'en ai rien à foutre de leur guéguerre. Et je ne les laisserai pas nous séparer.

Il s'approcha d'elle et la prit par la main avec sa main valide. Elle ne lui résista pas, mais le laissa doucement l'attirer contre lui.

— Nous devons quitter Palomo Grove, dit-il. Et partir ensemble. Aller là où ils ne nous retrouveront pas.

— Et Maman? Tommy-Ray est perdu, Howie. C'est elle-même qui l'a dit. Il ne reste plus que moi pour veiller sur elle.

— Et à quoi ça servira si le Jaff te capture, toi aussi? répliqua Howie. Si nous partons tout de suite, nos pères n'auront plus aucune raison de s'affronter.

— Ils ne se battent pas seulement à cause de nous, lui rappela Jo-Beth.

— Non, tu as raison, concéda-t-il, se souvenant de ce qu'il avait appris de Fletcher. Ils se battent à cause de cet endroit nommé Quiddity. (Il raffermit son étreinte sur la main de la jeune fille.) Nous sommes allés là-bas, toi et moi. Ou presque. Je veux terminer ce voyage...

— Je ne comprends pas.

— Tu comprendras. Lorsque nous retournerons là-bas, nous connaîtrons la nature de ce voyage. Ce sera comme un rêve éveillé. (Il s'aperçut subitement qu'il n'avait pas bégayé une seule fois lors de leur conversation.) Nous sommes censés nous détester, tu sais ? C'était leur plan — à Fletcher et au Jaff —, faire la guerre par notre intermédiaire. Mais nous n'allons pas le suivre.

Pour la première fois, elle sourit :

— Non, dit-elle.

— Promis ?

— Promis.

— Je t'aime, Jo-Beth.

— Howie...

— Trop tard pour m'arrêter. Je l'ai dit.

Soudain, elle l'embrassa, un petit baiser doux et piquant qu'il aspira contre sa bouche avant qu'elle ait pu le lui reprendre, ouvrant le sceau de ses lèvres d'un coup de langue, une langue qui aurait été capable de percer un coffre-fort si sa saveur y avait été mise sous clé. Elle se pressa contre lui avec une force à la mesure de celle du garçon, et leurs dents se touchèrent, leurs langues jouèrent à cache-cache.

La main gauche de Jo-Beth, qui avait été passée autour de la taille de Howie, s'empara de la main blessée et l'attira vers son corps. En dépit de l'obstacle du tissu, en dépit de ses doigts gourds, il sentit la douceur du sein. Il entreprit de défaire maladroitement les boutons de la robe, réussissant à glisser sa main dans l'ouverture afin que leurs chairs entrent en contact. Elle sourit au creux de ses lèvres et sa main, ayant guidé celle de Howie là où elle était la bienvenue, alla jusqu'à son blue-jean. La trique qu'il avait arborée dès qu'il l'avait aperçue avait été vaincue par son anxiété. Mais le contact de la main de Jo-Beth et les baisers qu'ils échangeaient — qui n'étaient plus à présent qu'une confusion de bouches — eurent vite fait de la ressusciter.

— Je veux être nu, dit-il.

Elle ôta ses lèvres de celles du garçon.

— Avec eux en bas? dit-elle.

— Ils sont occupés, non?

— Ils parlent pendant des heures.

— Nous aurons besoin de plusieurs heures, murmura-t-il.

— Est-ce que tu as un moyen de... protection?

— On n'a pas besoin d'aller jusqu'au bout. Je veux seulement que nous puissions nous toucher comme il faut. Peau contre peau.

Elle avait l'air dubitative lorsqu'elle s'écarta de lui, mais ses actes infirmèrent son expression et elle entreprit de déboutonner sa robe. Il commença à ôter son blouson et son tee-shirt; puis aborda la tâche malaisée consistant à déboucler sa ceinture avec une seule main. Elle vint à son aide, accomplissant cette tâche pour lui.

— On étouffe ici, dit-il. Je peux ouvrir la fenêtre?

— Maman les a toutes fermées. Au cas où le Diable entrerait.

— Il est déjà entré, railla Howie.

Elle leva les yeux vers lui; sa robe était entrouverte, ses seins nus.

— Ne dis pas ça, dit-elle.

Instinctivement, elle couvrit sa nudité de ses mains.

— Tu ne penses pas que je suis le Diable, dit-il. (Puis :) N'est-ce pas?

— Je ne sais pas si quelque chose qui a l'air aussi... aussi...

— Dis-le.

— ... aussi *interdit*... peut être bon pour mon âme, répondit-elle avec un sérieux inébranlable.

— Tu verras, dit-il en se dirigeant vers elle. Je te le promets. Tu verras.

— Je pense qu'il faudrait que je parle à Jo-Beth, dit le Pasteur John.

Il avait renoncé à tenter de calmer Mrs McGuire, laquelle délirait sur la bête qui l'avait violée il y avait plusieurs années et qui était revenue pour lui voler son fils. Pontifier dans l'abstrait était une chose (cela attirait vers lui nombre de dévotes), mais lorsque la conversation tournait à la démence, il avait l'habitude de battre en retraite avec le plus de diplomatie possible. De toute évidence, Mrs McGuire était au bord de la dépression nerveuse. Il avait besoin de lui trouver un chaperon, car sinon elle finirait par inventer toutes sortes d'absurdités dangereuses. Ça s'était déjà vu. Il ne serait pas le premier homme de Dieu à être la victime d'une femme d'âge mur.

— Je ne veux pas que Jo-Beth se tourmente davantage à ce sujet. La créature qui l'a conçue en moi...

— Son père était un homme, Mrs McGuire.

— Je le sais, dit-elle, consciente du ton condescendant de sa voix. Mais les gens sont faits de chair *et* d'esprit.

— Bien entendu.

— L'homme a créé sa chair. Mais qui a créé son esprit ?

— Dieu, répondit-il, soulagé de regagner un terrain familier. Et Il a également créé sa chair, par l'intermédiaire de l'homme que vous avez choisi. *Sois donc parfaite, comme est parfait ton Père dans le Ciel.*

— Ce n'était pas Dieu, répondit Joyce. Je le sais. Le Jaff n'a rien d'un dieu. Vous devriez le voir. Vous vous en rendriez compte.

— S'il existe, alors il est humain, Mrs McGuire. Et je pense que je devrais parler de sa visite avec Jo-Beth. Si visite il y a eu.

— Il est venu ici ! dit-elle, de plus en plus agitée.

Il se leva pour détacher la main de la folle de sa manche.

— Je suis sûr que Jo-Beth aura des choses intéressantes à me communiquer..., dit-il en reculant d'un pas. Pourquoi n'irais-je pas la chercher ?

— Vous ne me croyez pas, dit Joyce.

Elle était à présent au bord des hurlements ; et des larmes.

— Bien sûr que si ! Mais je pense vraiment... laissez-moi parler avec Jo-Beth. Est-ce qu'elle est en haut ? Je crois bien que oui. *Jo-Beth !* Tu es là ? *Jo-Beth ?*

— Qu'est-ce qu'il veut ? dit Jo-Beth en interrompant leur baiser.

— Ignore-le, dit Howie.

— Et s'il venait me chercher ici ?

Elle se redressa sur le lit et posa les pieds par terre, guettant le bruit des pas du Pasteur dans l'escalier. Howie colla son visage contre son dos, passant les bras sous ceux de la jeune fille — sa main laissa un sillage de sueur — et caressant doucement ses seins. Elle poussa un petit soupir presque douloureux.

— Il ne faut pas..., murmura-t-elle.

— Il n'oserait pas entrer.

— Je l'entends.

— Non.

— Si, siffla-t-elle.

Nouvel appel venu d'en bas :

— Jo-Beth ! J'aimerais te parler. Et ta mère aussi.

— Il faut que je me rhabille, dit-elle.

Elle se baissa pour ramasser ses vêtements. Une idée plaisamment perverse traversa l'esprit de Howie tandis qu'il la regardait : il aimerait que, dans sa hâte, elle enfile *son* slip plutôt que la culotte qu'elle venait d'ôter, et vice versa. Enfoncer sa bite dans un espace que son con avait sanctifié, parfumé, mouillé, la maintiendrait dans l'état qui était le sien — si dure qu'elle lui faisait mal — jusqu'au Jugement Dernier.

Et n'aurait-elle pas l'air sexy, sa fente à peine dissimulée par la fente de son slip ? La prochaine fois, se promit-il. Désormais, il n'aurait plus aucune hésitation. Elle avait laissé entrer le desperado dans son lit. Même s'ils n'avaient rien fait de plus qu'allonger leur corps côte à côte, cette invitation avait tout changé entre eux. Bien qu'il lui fût frustrant de la voir se rhabiller si tôt après qu'ils se fussent déshabillés, le fait qu'ils aient été nus ensemble serait un souvenir réconfortant.

Il attrapa son jeans et son tee-shirt et se mit à les enfiler, observant Jo-Beth qui l'observait en train de vêtir la machine.

Il attrapa cette pensée au vol et l'altéra. La masse d'os et de muscles qu'il occupait n'était pas une machine. C'était un corps, et il était frêle. Sa main lui faisait mal ; sa trique lui faisait mal ; son cœur lui faisait mal, ou du moins une sensation de lourdeur dans sa poitrine lui donnait mal au cœur. Il était trop tendre pour être une machine ; et trop aimé.

Elle cessa de bouger pendant un instant pour regarder par la fenêtre.

— Tu as entendu ? dit-elle.

— Non. Quoi donc ?

— Quelqu'un qui appelle.

— Le Pasteur ?

Elle secoua la tête, se rendant compte que la voix qu'elle avait entendue (qu'elle entendait encore) ne provenait pas de l'extérieur de la maison, ni de l'intérieur de la chambre, mais de sa tête.

— Le Jaff, dit-elle.

Assoiffé par ses protestations, le Pasteur John alla jusqu'à l'évier, attrapa un gobelet, fit couler l'eau jusqu'à ce qu'elle soit bien fraîche, emplit le verre et but. Il était presque dix heures. L'heure était venue de mettre fin à cette visite, qu'il ait vu la fille ou non. Il avait assez parlé des ténèbres que recélait l'âme humaine pour la semaine. Lorsqu'il vida le fond de son verre, il leva les yeux et aperçut son reflet dans la vitre. Alors que son regard appréciateur s'attardait sur lui, quelque chose bougea dans la nuit au-dehors. Il posa le gobelet dans l'évier. Le verre se mit à rouler sur son bord.

— Pasteur ?

Joyce McGuire venait d'apparaître derrière lui.

— Tout va bien, dit-il.

Il ne savait pas qui il souhaitait apaiser. Les fantasmes débiles de cette femme l'avaient troublé. Il regarda de nouveau en direction de la fenêtre.

— J'ai cru voir quelque chose dans la cour, dit-il. Mais il n'y a rien...

Là ! Là ! Une masse pâle et confuse se dirigeait vers la maison.

— Non, dit-il.

— Non quoi ?

— Non, tout ne va pas bien, répondit-il en reculant d'un pas, s'écartant de l'évier. Tout ne va pas bien du tout.

— Il est revenu, dit Joyce.

La dernière chose qu'il souhaitait était de lui répondre par l'affirmative, aussi garda-t-il le silence, se contentant de reculer à nouveau d'un pas, de deux pas, secouant la tête en signe de dénégation. La chose perçut sa défiance, il la vit en train de la percevoir. Impatiente d'anéantir son espoir, elle émergea soudain des ombres et afficha franchement sa présence.

— Dieu tout-puissant, dit-il. *Qu'est-ce que c'est que ça ?*

Derrière lui, il entendit Mrs McGuire se mettre à prier. Ce n'était pas une prière toute faite (qui aurait pu écrire une prière susceptible d'anticiper *ceci ?*), mais un salmigondis de suppliques.

— Jésus aide-nous ! Seigneur aide-nous ! Protège-nous de Satan ! Protège-nous du mal et de ses suppôts !

— *Écoute !* dit Jo-Beth. C'est Maman.

— J'ai entendu.

— Il se passe quelque chose de grave !

Alors qu'elle traversait la chambre, Howie la rattrapa, s'interposant entre la porte et elle.

— Elle prie, c'est tout.

— Elle n'a jamais prié comme ça.

— Embrasse-moi.

— *Howie ?*

— Si elle prie, elle est occupée. Si elle est occupée, elle peut attendre. Je n'ai aucune prière, Jo-Beth. Je n'ai que toi. (Ce flot de paroles le stupéfia alors même qu'il émergeait de ses lèvres.) Embrasse-moi, Jo-Beth.

Alors qu'elle se penchait pour le faire, une fenêtre éclata en morceaux au rez-de-chaussée, et l'invité de Maman poussa un cri qui donna à Jo-Beth la force d'écarter Howie et d'ouvrir la porte en grand.

— Maman ! hurla-t-elle. Maman !

Il arrive à l'homme de se tromper. Comme il est né dans l'ignorance, c'est même inévitable. Mais périr dans l'ignorance, et périr brutalement, voilà qui est injuste. Le visage ensanglanté et le crâne plein de telles récriminations, le Pasteur John rampa sur le sol de la cuisine, fuyant la fenêtre fracassée — et ce qui l'avait fracassée — aussi vite que le lui permettaient ses membres tremblants. Comment avait-il pu se retrouver dans une situation aussi désespérée ? Sa vie n'était pas entièrement exempte de blâme, mais ses péchés étaient après tout fort véniels et il avait rempli ses obligations envers le Seigneur. Il avait consolé la veuve et l'orphelin affligés, conformément aux enseignements de l'Évangile, il avait fait de son mieux pour se préserver des souillures du monde. Et pourtant, les démons étaient là. Il les entendait, même les yeux clos. Leurs myriades de pattes couraient à grand bruit sur l'évier et sur les assiettes empilées à côté de lui. Il entendait leurs corps moites claquer mollement sur le carrelage tandis qu'ils déferlaient sur le sol, les entendait envahir la cuisine, encouragés par la silhouette qu'il avait entrevue au dehors (Le Jaff ! Le Jaff !) et qui avait été couverte par eux de la tête aux pieds, tel un apiculteur trop amoureux de son essaim.

Mrs McGuire avait cessé de prier. Peut-être était-elle morte ; leur première victime. Et peut-être, les démons étant satisfaits, lui-même serait-il épargné. C'était là une prière qui valait la peine d'être formulée. *Je vous en prie, Seigneur*, murmura-t-il en s'efforçant de se faire tout petit. *Je vous en prie, Seigneur, rendez-les*

aveugles, rendez-les sourds, faites que Vous seul entendiez ma supplique et
que Vous seul me voyiez de votre œil clément. Dans les siècles des siècles...

Sa requête fut interrompue par un coup à la porte, et par la
voix aiguë de Tommy-Ray, l'enfant prodigue.

— Maman ? Tu m'entends ? Maman ? Laisse-moi entrer,
veux-tu ? Laisse-moi entrer, et je te jure que je les empêcherai de
passer. Je te le jure. Mais laisse-moi entrer.

Le Pasteur John entendit Mrs McGuire pousser un sanglot en
guise de réponse, un sanglot qui devint brusquement un hurlement. Elle était bien vivante ; et furieuse.

— *Comment oses-tu ?* glapit-elle. *Comment oses-tu ?*

Elle hurlait si fort qu'il en ouvrit les yeux. Le flot de démons
avait cessé de couler de la fenêtre. Mais ce flot n'avait pas pour
autant cessé d'ondoyer. Les antennes s'agitaient, les pattes
frémissaient dans l'attente de nouvelles instructions, les yeux
pédonculés vibraient. Les membres de cette congrégation ne
ressemblaient à rien de connu ; et pourtant, il les connaissait. Il
n'osait pas se demander où il les avait connus, ni comment.

— Ouvre la porte, Maman, répéta Tommy-Ray. Il faut que je
voie Jo-Beth.

— Laisse-nous tranquilles.

— Il faut que je la voie, et tu ne vas pas m'en empêcher, rugit
Tommy-Ray.

Cette exigence fut suivie par un bruit de bois qui se brise, et il
entreprit d'enfoncer la porte à coups de pied. La serrure et les
deux verrous sautèrent. Il y eut une pause de quelques instants.
Puis il ouvrit doucement la porte. Ses yeux avaient un éclat
vicieux ; un éclat que le Pasteur John avait déjà vu dans les yeux
des agonisants. Une sorte de lumière intérieure éclairait ceux-ci.
Jusqu'à présent, il avait pris cette lumière pour de la béatitude.
C'était une erreur qu'il ne commettrait plus. Le regard de
Tommy-Ray se dirigea d'abord vers sa mère, qui s'était dressée
devant la porte de la cuisine pour lui barrer le chemin, puis vers
son invité.

— De la visite, Maman ? dit-il.

Le Pasteur John trembla de plus belle.

— Vous avez de l'influence sur elle, lui dit Tommy-Ray. Elle
vous écoute. Dites-lui de me donner Jo-Beth, voulez-vous ? Ça
sera plus facile pour tout le monde.

Le Pasteur se tourna vers Joyce McGuire.

— Obéissez, dit-il sans hésiter. Obéissez, ou nous sommes
tous morts.

— Tu vois, Maman? renchérit Tommy-Ray. Le conseil du saint homme. Il sait reconnaître sa défaite. Dis-lui de descendre, Maman, ou je vais me mettre en colère, et les amis de Papa aussi. *Appelle-la!*

— C'est inutile.

Tommy-Ray sourit en entendant la voix de sa sœur, et la combinaison de ses yeux luisants et de son sourire ravageur était assez glaçante pour donner des leçons à un iceberg.

— Te voilà, dit-il.

Elle était debout sur le seuil, derrière sa mère.

— Tu es prête? lui demanda-t-il poliment, évoquant de façon frappante un adolescent invitant sa petite amie à un premier rendez-vous.

— Il faut que tu me promettes de laisser Maman tranquille, dit Jo-Beth.

— Bien entendu, dit Tommy-Ray, semblant lui reprocher cette accusation implicite. Je ne veux pas faire de mal à Maman. Tu le sais bien.

— Si tu la laisses tranquille... je te suis.

A mi-hauteur de l'escalier, Howie entendit Jo-Beth conclure ce marché et fit *non* en silence. Il ne voyait pas les horreurs que Tommy-Ray avait amenées avec lui, mais il les entendait, et les bruits qu'elles produisaient étaient de ceux qui peuplaient les cauchemars : halètements et reniflements. Il ne donna pas le temps à son imagination d'illustrer cette bande sonore; il découvrirait la vérité bien assez tôt. Au lieu de cela, il descendit une nouvelle marche, s'efforçant de trouver un moyen d'empêcher Tommy-Ray d'enlever Jo-Beth. Sa concentration était telle qu'il échoua à interpréter les bruits en provenance de la cuisine. Lorsqu'il arriva en bas de l'escalier, il avait cependant élaboré un plan. Celui-ci était fort simple. Il allait semer une panique suffisante pour que Jo-Beth et sa mère aient un espoir d'échapper à leur sort. Si, par-dessus le marché, il réussissait à porter un coup décisif à Tommy-Ray, il s'estimerait satisfait; ce marché-ci était honnête.

L'esprit animé de telles intentions, il inspira et entra dans la cuisine.

Jo-Beth ne s'y trouvait pas. Ni Tommy-Ray; ni les horreurs qui l'avaient accompagné. La porte était ouverte sur la nuit et, effondrée devant elle, le visage sur le seuil, se trouvait Mrs McGuire les bras tendus comme si son dernier geste conscient avait été de vouloir étreindre ses enfants. Howie se dirigea vers elle, ses pieds nus foulant un carrelage visqueux.

— Elle est morte ? demanda une voix blanche.

Howie se retourna. Le Pasteur John s'était glissé entre le mur et le réfrigérateur dans un effort désespéré pour protéger son cul bien nourri.

— Non, dit Howie en retournant gentiment Mrs McGuire. Et ce n'est pas grâce à vous.

— Qu'aurais-je pu faire ?

— Vous le savez mieux que moi. Je croyais que ce genre de truc relevait de votre compétence.

Il fit un pas vers la porte.

— N'y allez pas, mon garçon, dit le Pasteur, restez avec moi.

— Ils ont emporté Jo-Beth.

— Si j'ai bien entendu, elle leur appartenait déjà à moitié. Ce sont les enfants du Diable, Tommy-Ray et elle.

Tu ne penses pas que je suis le Diable ? lui avait demandé Howie, à peine une demi-heure plus tôt. Et à présent, c'était elle qui était damnée ; et de la bouche de son propre prêtre, pas moins. Cela signifiait-il donc qu'ils étaient tous deux souillés ? A moins que ce ne soit pas une question de péché et d'innocence ? de ténèbres et de lumière ? Ne se trouvaient-ils pas *entre* ces deux extrêmes, dans un espace réservé aux amants ?

Ces pensées traversèrent son esprit dans un éclair, mais elles suffirent à lui donner assez d'énergie pour franchir le seuil et aller à la rencontre de ce que recelait la nuit.

— Tuez-les tous ! cria l'homme de Dieu derrière lui. Il n'y a pas une seule âme pure parmi eux ! *Tuez-les tous !*

Ce sentiment mit Howie en rage, mais il ne parvint à trouver aucune repartie adéquate.

— *Allez vous faire foutre !* cria-t-il en guise de mot d'esprit.

Puis il partit à la recherche de Jo-Beth.

2

La lumière en provenance de la cuisine lui permit de se faire une idée de la topographie de la cour. Il aperçut une rangée d'arbres formant son périmètre et une pelouse mal entretenue occupant l'espace entre ces arbres et l'endroit où il se trouvait. A l'extérieur comme à l'intérieur, aucun signe du frère, de la sœur ou de la force qui avait jeté son dévolu sur eux. Sachant qu'il n'avait aucun espoir de surprendre l'ennemi, vu qu'il avait émergé d'un endroit éclairé avec un juron aux lèvres, il s'avança en criant le nom de Jo-Beth, espérant qu'elle aurait assez de souffle pour lui répondre. Aucune réponse ne vint. Rien qu'un chœur d'aboiements en réaction à ses cris. Allez-y, les chiens, pensa-t-il. Faites remuer vos maîtres. Ce n'était pas le moment de rester assis devant la télé à regarder des spectacles débiles. Un autre spectacle se déroulait au cœur de la nuit. Les mystères foulaient le sol; la terre s'ouvrait pour dégorger des merveilles. C'était un Grand Show Secret et il se tenait cette nuit, dans les rues de Palomo Grove.

Le vent qui avait apporté les aboiements jusqu'à lui agita les branches des arbres. Leurs sifflements empêchèrent Howie d'entendre la rumeur de l'armée jusqu'à ce qu'il se soit éloigné de la maison. Puis il perçut un chœur de claquements et de grondements derrière lui. Il pivota sur lui-même. Le mur qui entourait la porte qu'il venait de franchir était une masse solide de créatures vivantes. Le toit, qui était en pente au-dessus de la cuisine, était également occupé. Là grouillaient des formes plus larges, qui couraient sur les ardoises et émettaient des bruits de gorge. Elles étaient trop haut perchées pour être éclairées; rien que des silhouettes se découpant sur un ciel sans étoiles. Ni Jo-Beth ni Tommy-Ray ne se trouvaient parmi elles. Il n'y avait dans cette masse aucune silhouette approchant l'humain.

Howie allait détourner les yeux lorsqu'il entendit la voix de Tommy-Ray derrière lui.

— Je parie que tu n'as jamais rien vu de pareil, Katz, dit-il.

— Bien sûr que non, dit Howie, s'efforçant à la politesse en sentant la pointe d'un couteau dans le creux de ses reins.

— Retourne-toi donc, mais très lentement, dit Tommy-Ray. Le Jaff voudrait te dire un mot.

— Beaucoup plus qu'un mot, dit une seconde voix.

Celle-ci était basse — à peine plus audible que le vent dans les frondaisons —, mais chaque syllabe était prononcée d'une façon exquise, musicale.

— Mon fils pense que nous devrions vous tuer, Katz. Il dit qu'il sent l'odeur de sa sœur sur vous. Dieu sait que, à mon avis, les frères ne sont pas censés connaître l'odeur de leur sœur, mais je suppose que je suis un peu vieux jeu. Le millénaire est trop avancé pour qu'on se soucie encore de détails comme l'inceste. Vous avez sans aucun doute une idée sur la question.

Howie s'était retourné, et il voyait le Jaff qui se trouvait quelques mètres derrière Tommy-Ray. Après tout ce que Fletcher lui avait dit au sujet de cet homme, il s'était attendu à découvrir un seigneur de la guerre. Mais l'ennemi de son père n'avait pas grand-chose d'impressionnant. Il ressemblait à un patricien depuis peu sur la mauvaise pente. Une barbe indisciplinée recouvrant des traits empreints d'autorité ; l'allure d'un homme ayant peine à dissimuler une profonde lassitude. L'un des *teratas* était pendu à sa poitrine ; une chose écorchée et famélique, bien plus inquiétante que le Jaff lui-même.

— Vous disiez, Katz ?

— Je n'ai rien dit.

— Vous disiez que la passion de Tommy-Ray pour sa sœur était contre nature. Ou bien pensez-vous que nous sommes *tous* contre nature ? Vous. Moi. Eux. Je suppose que nous aurions tous fini sur les bûchers de Salem. Quoi qu'il en soit... il aimerait beaucoup vous faire du mal. Il parle sans cesse de castration.

Comme si ces mots avaient été un signal, Tommy-Ray abaissa son couteau de quelques centimètres vers le bas-ventre de Howie.

— Dis-lui, demanda le Jaff. Dis-lui comme ça te plairait de le découper.

Tommy-Ray eut un large sourire.

— Laisse-moi le faire, dit-il.

— Vous voyez ? dit le Jaff. J'ai besoin de toute mon autorité parentale pour le contenir. Voici ce que je vais faire, Katz. Je vais vous accorder un petit avantage. Je vais vous relâcher et voir si le rejeton de Fletcher est l'égal du mien. Vous n'avez jamais connu votre père avant le Nonce. Mieux vaut espérer qu'il courait vite, hein ? (Le sourire de Tommy-Ray se transforma en rire ; la pointe du couteau érafla le tissu du jeans de Howie.) Et pour que vous ne vous ennuyiez pas...

A ces mots, Tommy-Ray saisit Howie et le fit pivoter sur lui-même, tirant sur le tee-shirt de son captif et le découpant sur toute sa longueur. Il y eut une pause de quelques instants, durant laquelle l'air nocturne rafraîchit la peau de Howie. Puis quelque chose lui toucha le dos. Les doigts de Tommy-Ray, humides de salive, courant à droite et à gauche de l'échine de Howie, suivant le tracé de ses côtes. Howie frissonna et se cambra pour échapper à ce contact. Mais les points de friction se multiplièrent jusqu'à ce qu'il y en ait trop pour qu'ils soient causés par des doigts ; une douzaine ou plus d'appendices de chaque côté, agrippant ses muscles avec tant de force que sa peau se déchira.

Howie jeta un regard par-dessus son épaule, juste à temps pour voir une patte blanche, arachnéenne, couverte d'épines, dont l'extrémité s'enfonçait dans sa chair. Il poussa un cri et fit un bond, la révulsion l'emportant sur la peur que lui inspirait le couteau de Tommy-Ray. Le Jaff était en train de l'observer. Ses mains étaient vides. La chose qu'il avait tenue contre lui était à présent accrochée au dos de Howie. Celui-ci sentit un abdomen froid se coller à ses vertèbres ; des mandibules fouiller sa nuque.

— *Ôtez-moi ça !* dit-il au Jaff. *Ôtez-moi ça, bordel !*

Tommy-Ray applaudit au spectacle de Howie en train de tourner sur lui-même comme un chien à la queue infestée de puces.

— Vas-y, mec, vas-y ! glapit-il.

— A votre place, je m'abstiendrais, dit le Jaff.

Avant que Howie n'ait eu le temps de se demander pourquoi, il obtint sa réponse. La créature lui mordit le cou. Il poussa un cri et tomba à genoux. Sa douleur fit naître un chœur de murmures et de claquements sur le mur et sur le toit. Terrassé par la souffrance, Howie se tourna vers le Jaff. Le patricien avait tombé le masque ; la tête de fœtus qu'il dissimulait était immense et étincelante. Il n'eut qu'un instant pour l'apercevoir, puis les sanglots de Jo-Beth attirèrent son regard vers les arbres, au sein desquels la retenait Tommy-Ray. Cette vision (ses yeux en larmes, sa bouche grande ouverte) fut elle aussi horriblement brève. Puis la douleur à son cou le força à fermer les yeux, et lorsqu'il les rouvrit, frère, sœur et père mort-né avaient disparu.

Il se releva. L'armée du Jaff était en mouvement. Les soldats accrochés en bas du mur se laissaient tomber sur le sol, suivis par ceux qui s'étaient trouvés plus haut, à une allure telle que la pelouse fut bientôt recouverte par trois ou quatre couches de créatures. Certaines d'entre elles se dégagèrent de la mêlée et se dirigèrent vers Howie avec les moyens de locomotion qui étaient à leur disposition. Les créatures les plus grandes quittaient à présent le toit pour se joindre aux autres. Le répit que lui avait accordé le Jaff diminuait un peu plus à chaque seconde, aussi Howie se mit-il à courir en direction de la rue.

Fletcher ne percevait que trop bien la terreur et la répulsion ressenties par le garçon, mais il s'efforçait de les chasser de son esprit. Howie avait renié son père pour partir à la recherche du rejeton du Jaff, aveuglé sans aucun doute par les apparences. S'il souffrait à présent des conséquences de son erreur, alors c'était à lui seul de porter ce fardeau. S'il survivait, peut-être grandirait-il en sagesse. Dans le cas contraire, sa vie — il avait renoncé à un but dès l'instant où il avait tourné le dos à son créateur — prendrait fin de façon aussi misérable que celle de Fletcher, et ce ne serait que justice.

Pensées sévères que celles-ci, mais Fletcher s'efforçait de s'accrocher à elles, invoquant l'image du reflet de son fils chaque fois qu'il ressentait sa douleur. Ce fut cependant insuffisant. En dépit des efforts qu'il faisait pour occulter les terreurs éprouvées par Howie, celles-ci exigeaient d'être entendues, et il n'eut d'autre choix que de les écouter. En un sens, elles complétaient à merveille cette nuit de désespoir et devaient être étreintes. Son fils et lui étaient deux pièces complémentaires dans un puzzle d'échec.

Il appela le garçon :

Howardhowardhowardhow...

comme il l'avait appelé lorsqu'il avait émergé du roc.

Howardhowardhowardhow...

Il transmit son message suivant un rythme régulier, tel un phare planté en haut d'une falaise. Espérant que son fils n'était pas trop affaibli pour l'entendre, il dirigea toute son attention sur la partie en cours. La victoire du Jaff était en vue, mais il avait un dernier gambit à sa disposition, une manœuvre bien trop tentante à ses yeux, si ardent était son désir de transformation. Comme il avait été tourmenté durant toutes ces années, moralement obligé de demeurer sur ce plan d'existence dans l'espoir de pouvoir vaincre le mal dont il avait favorisé la création, alors que pas une heure ne s'écoulait sans que son esprit ne rêve d'envol. Il désirait tellement être libéré de ce monde et de ses absurdités ; se détacher de son anatomie et aspirer, ainsi que Schiller l'avait dit de toute forme d'art, à la condition de la musique. Le moment était-il venu d'obéir à cet instinct ? Durant ses derniers instants de vie en tant que Fletcher, pouvait-il espérer arracher un fragment de victoire à une défaite apparemment inévitable ? En ce cas, il avait intérêt à bien réfléchir à la fois à la méthode et au lieu. Il n'y aurait pas de seconde représentation pour la tribu qui occupait Palomo Grove. Si le chaman qu'elle avait rejeté périssait dans l'indifférence, alors bien plus qu'une centaine d'âmes seraient en péril.

Il avait essayé de ne pas penser aux conséquences d'un triomphe du Jaff, sachant que le sentiment de sa propre responsabilité risquait de le terrasser. Mais à présent, alors qu'approchait leur ultime confrontation, il s'était forcé à les envisager. Si le Jaff s'emparait de l'Art et gagnait l'accès à Quiddity, que se passerait-il ?

Tout d'abord, un être non purifié par la rigueur de l'ascèse tiendrait en son pouvoir un lieu réservé aux êtres purifiés. Fletcher ne comprenait pas entièrement la nature de Quiddity (peut-être aucun humain n'en était-il capable), mais il était sûr que le Jaff, qui avait utilisé le Nonce pour contourner ses limites, ne pourrait que ravager cet endroit. L'océan onirique et son île (*ses îles* peut-être ; il avait entendu le Jaff parler d'un archipel) étaient visités par les humains lors de trois moments cruciaux de leur existence, caractérisés par l'innocence, l'amour et l'imminence de la mort. Sur les berges de l'Éphéméride, ils se mêlaient brièvement aux absolus ; voyaient des spectacles et écoutaient des histoires qui les préservaient de la folie inhérente à la vie. Là se trouvaient une structure et un but ; là se trouvait un aperçu de continuité ; là se trouvait le Show, le Grand Show Secret, dont la poésie et les rites n'étaient que des mémentos. Si cette île devenait le terrain de jeux du Jaff, les dommages seraient incalculables. Ce qui était secret deviendrait banal ; ce qui était sanctifié serait bafoué ; et une espèce que seuls ses voyages oniriques préservaient de la démence se retrouverait sans espoir de guérison.

Une autre peur tenaillait Fletcher, moins accessible à l'analyse car moins cohérente. Elle trouvait son origine dans le récit que lui avait fait le Jaff lorsqu'il avait débarqué à Washington et lui avait offert une subvention pour résoudre l'énigme du Nonce. Il existait, avait-il dit, un homme nommé Kissoon : un chaman qui connaissait l'existence de l'Art et de ses pouvoirs, et que le Jaff avait finalement trouvé dans un endroit qu'il prétendait être une boucle temporelle. Fletcher avait écouté ce récit sans trop y croire, mais les événements qui avaient suivi avaient atteint de tels sommets dans l'incroyable que l'idée de la Boucle de Kissoon lui semblait à présent banale. Quel rôle avait joué ce chaman en tentant de pousser le Jaff à l'assassiner ? Fletcher ne pouvait pas le savoir, mais son instinct lui disait qu'il n'en avait pas fini avec lui. Kissoon était le dernier survivant du Banc ; un ordre d'êtres humains exaltés qui avaient préservé l'Art des griffes du Jaff et de celles de ses semblables depuis que l'homo sapiens avait appris à rêver. Pourquoi avait-il permis à Jaffe, dont l'ambition avait sans doute toujours été évidente, d'accéder à sa Boucle ? Pourquoi était-il allé se cacher là ? Et qu'était-il arrivé aux autres membres du Banc ?

Il était à présent trop tard pour chercher les réponses à ces questions ; mais il voulait qu'un autre que lui les ait présentes à l'esprit. Il voulait faire une dernière tentative pour franchir le fossé qui le séparait de la chair de sa chair. Si Howard ne souhaitait pas profiter de ses observations, alors elles sombreraient dans le néant lorsque Fletcher tirerait sa révérence.

Ce qui le ramenait au sinistre problème présent ; la méthode et le lieu. Ce devait être un coup de théâtre ; un dernier acte spectaculaire qui forcerait les habitants de Palomo Grove à renoncer à leurs télévisions pour sortir dans la rue, les yeux écarquillés. Après avoir soupesé les possibilités qui se présentaient à lui, il arrêta son choix et, sans cesser d'appeler son fils à lui, se dirigea vers le lieu de son ultime libération.

Howie avait entendu l'appel de Fletcher alors qu'il fuyait devant l'armée du Jaff, mais la vague de panique qui déferlait sur lui l'avait empêché de localiser l'endroit d'où il était émis. Il courait à l'aveuglette, les *teratas* sur ses talons. Ce fut seulement lorsqu'il estima avoir pris assez d'avance pour pouvoir souffler que ses sens perçurent l'appel avec assez de clarté pour qu'il puisse se diriger vers lui. Lorsqu'il se remit à courir, ce fut à une vitesse dont il ne se serait jamais cru capable ; et en dépit de la douleur qui labourait ses poumons, il réussit à trouver assez de souffle pour répondre à Fletcher en quelques mots.

— Je t'entends, dit-il tout en courant, je t'entends. *Père...* je t'entends.

XI

1

Tesla avait dit vrai. C'était une infirmière nulle ; mais un garde-chiourme efficace. Dès que Grillo se réveilla, elle lui déclara sans ambages que seul un martyr accepterait de souffrir dans un lit inconnu et que ce rôle ne lui allait que trop bien. Il ne lui restait plus, s'il souhaitait éviter les clichés, qu'à la laisser le ramener à Los Angeles afin de déposer sa carcasse enfiévrée dans les plis rassurants de ses draps sales.

— Je ne veux pas partir d'ici, protesta-t-il.

— A quoi ça sert de rester, sinon à gonfler ta note de frais ?

— C'est un bon début.

— Ne sois pas mesquin, Grillo.

— Je suis malade. J'ai le droit d'être mesquin. De plus, c'est ici qu'est mon scoop.

— Tu seras plus à l'aise chez toi pour écrire, plutôt que de t'apitoyer sur ton sort dans une mare de sueur.

— Peut-être que tu as raison.

— Oh... le grand homme ferait-il des concessions ?

— Je vais partir vingt-quatre heures. Essayer de me remettre.

— Tu sais que tu as l'air d'un gamin de treize ans ? dit Tesla d'une voix attendrie. Je ne t'avais jamais vu dans cet état. C'est assez sexy. J'aime quand tu es vulnérable.

— C'est maintenant qu'elle me le dit.

— Tout ça, c'est du passé. Il fut un temps où j'aurais donné mon bras droit pour toi...

— Et aujourd'hui ?

— Aujourd'hui, je me contenterai de te ramener chez toi.

Le Grove aurait pu être le plateau d'un film post-catastrophe, pensa Tesla en roulant vers l'autoroute ; de tous côtés, les rues étaient désertes. Malgré ce que Grillo lui avait raconté sur ce qu'il avait vu ou cru voir, elle s'en allait sans en avoir eu ne fût-ce qu'un aperçu.

Minute. Quarante mètres devant la voiture, un jeune homme franchit le coin de rue en trébuchant et se précipita vers la chaussée. Arrivé sur le trottoir opposé, ses jambes le trahirent. Il tomba, et il semblait avoir des difficultés à se relever. Il était trop loin et trop mal éclairé pour qu'elle puisse se faire une idée exacte de son état, mais il était de toute évidence blessé. Son corps avait quelque chose de contrefait ; une bosse ou une enflure. Elle roula dans sa direction. A ses côtés, Grillo, à qui elle avait ordonné de dormir jusqu'à ce qu'ils arrivent à destination, ouvrit les yeux.

— On est déjà arrivés ?

— Ce type..., dit-elle en désignant le bossu d'un mouvement du menton. Regarde-le. Il a l'air encore plus malade que toi.

Du coin de l'œil, elle vit Grillo se redresser vivement sur son siège et scruter la scène au-delà du pare-brise.

— Il y a quelque chose sur son dos, murmura-t-il.

— Je ne vois rien.

Elle immobilisa la voiture à quelques mètres de l'endroit où le jeune homme cherchait encore à se relever ; et ne cessait de retomber. Grillo avait raison. Il portait effectivement quelque chose.

— C'est un sac à dos, dit-elle.

— Non, Tesla, dit Grillo. (Il tendit la main vers la poignée de la portière.) C'est vivant. Quoi que ce soit, c'est vivant.

— Reste ici, lui dit-elle.

— Tu plaisantes ?

Comme il poussait la portière — cet effort suffit à lui faire tourner la tête —, il aperçut Tesla en train de fouiller dans la boîte à gants.

— Tu as perdu quelque chose ?

— Quand Yvonne s'est fait tuer..., grogna-t-elle en fouillant dans la masse d'objets divers,... j'ai juré de ne plus jamais sortir sans arme.

— Qu'est-ce que tu racontes ?

Elle sortit un revolver de sa cachette.

— Et j'ai tenu parole.

— Tu sais te servir de ce truc ?

— Hélas, oui, dit-elle, et elle descendit de voiture.

Grillo fit mine de la suivre. A ce moment-là, la voiture se mit à reculer sur la rue en pente douce. Il se jeta au-dessus du siège pour bloquer le frein à main, une action assez violente pour lui faire tournoyer la tête. Lorsqu'il entreprit de se redresser, il se crut en plein trip : totalement désorienté.

A quelques mètres de l'endroit où Grillo s'accrochait à la portière, attendant de redescendre, Tesla était presque arrivée près de l'adolescent. Celui-ci tentait toujours de se relever. Elle lui dit de tenir bon, les secours arrivaient, mais elle ne reçut en guise de réponse qu'un regard paniqué. Et avec raison. Grillo ne s'était pas trompé. Ce qu'elle avait pris pour un sac à dos était effectivement *vivant*. C'était un animal d'une espèce (ou de plusieurs) indéterminée. Il chatoyait tout en battant le jeune homme.

— Qu'est-ce que c'est que ce truc ? dit-elle.

Cette fois-ci, il lui répondit ; une mise en garde enveloppée de gémissements.

— Éloignez... vous..., entendit-elle, ils... me poursuivent...

Elle jeta un regard en direction de Grillo, toujours accroché à la portière, claquant des dents. Aucun secours à espérer de ce côté-là, et la situation du garçon semblait empirer. A chaque mouvement des pattes du parasite — et il y avait tellement de pattes ; et de jointures ; et d'yeux —, son visage se nouait.

— ... Fuyez..., grogna-t-il dans sa direction..., je vous en prie... au nom de Dieu... ils arrivent.

Il s'était péniblement retourné pour regarder derrière lui. Elle suivit son regard de supplicié, se tournant vers la rue dont il avait émergé. Là, elle vit ses poursuivants. Et en les voyant, regretta de ne pas avoir suivi son conseil avant d'avoir croisé son regard, et il lui fut désormais impossible de jouer au Pharisien. Le sort de ce jeune homme était à présent le sien. Elle ne pouvait pas lui tourner le dos. Ses yeux — experts en la réalité des choses — tentèrent de rejeter ce qu'ils voyaient en train de courir dans la rue, mais cela leur fut impossible. Inutile d'essayer de nier cette horreur. Elle était là, dans toute son absurdité : une marée pâle et murmurante qui rampait dans leur direction.

— Grillo ! hurla-t-elle. Remonte dans la voiture !

L'armée blafarde l'entendit et prit de la vitesse.

— La voiture, Grillo, remonte dans la voiture, bordel !

Elle le vit attraper la portière avec maladresse, contrôlant à peine ses réactions. Les créatures les plus petites, qui se trouvaient à l'avant-garde de la marée, trottinaient déjà vers le véhicule, laissant leurs grands frères s'occuper du garçon. Il y en avait assez, plus qu'assez, pour les démembrer tous les trois, et pour anéantir la voiture. En dépit de leur multiplicité (il n'y en avait pas deux pareilles, semblait-il), chacune d'elles était animée de la même intention impitoyable. C'étaient des destructeurs.

Elle se pencha sur le garçon et l'attrapa par le bras, faisant de son mieux pour éviter les pattes griffues de la créature. Elle vit que celle-ci était trop intimement accrochée à sa victime pour qu'elle essaie de l'en détacher. Toute tentative dans ce sens ne ferait que provoquer des représailles.

— Levez-vous, dit-elle à l'adolescent. On va s'en sortir.

— Partez, murmura-t-il.

Il était complètement épuisé.

— Non, dit-elle. On part *tous les deux*. Ne jouez pas au héros. Tous les deux.

Elle jeta un coup d'œil vers la voiture. Grillo était en train de refermer la portière alors même que l'avant-garde fonçait sur le véhicule, bondissant sur son toit et sur son capot. L'une des créatures, de la taille d'un babouin, entreprit de défoncer le pare-brise. Les autres se mirent à tirer sur les poignées et à insérer leurs griffes entre les vitres et leurs joints.

— C'est moi qu'ils veulent, dit l'adolescent.

— Est-ce qu'ils vont nous suivre si on s'en va ? dit Tesla.

Il acquiesça. Elle le remit debout et passa son bras droit (sa main était salement amochée, vit-elle) autour de son épaule, puis elle tira dans la masse qui s'approchait — la balle frappa une des créatures les plus grosses, mais ne ralentit nullement son allure — avant de lui tourner le dos pour se diriger vers la voiture.

Le jeune homme avait un chemin à lui indiquer.

— En bas de la Colline, dit-il.

— Pourquoi ?

— Le centre commercial...

De nouveau :

— Pourquoi ?

— Mon père... est là-bas.

Elle ne discuta pas. Elle espérait seulement que son père, qui qu'il soit, pourrait leur venir en aide, car s'ils réussissaient à semer cette armée, ils ne seraient pas en état de se défendre en fin de course.

Alors qu'elle franchissait un coin de rue, obéissant aux instructions marmonnées par l'adolescent, elle entendit le pare-brise de la voiture se fracasser.

Non loin de l'endroit où venait de se dérouler ce drame, le Jaff et Tommy-Ray, Jo-Beth sur leurs talons, regardèrent Grillo manipuler maladroitement la clé de contact, réussir — après quelque effort — à faire démarrer le moteur, et s'éloigner sur les chapeaux de roues, faisant choir du capot le *terata* qui avait fracassé le pare-brise.

— Salaud, dit Tommy-Ray.

— Ce n'est pas grave, dit le Jaff. Nous en trouverons plein d'autres là où nous avons trouvé celui-ci. Attends la soirée de demain. La récolte sera bonne.

La créature n'était pas tout à fait morte; elle laissa échapper un faible gémissement.

— Qu'est-ce qu'on en fait? demanda Tommy-Ray.

— Laisse-le là.

— Tu parles d'un hérisson écrasé, répondit le garçon. On va le remarquer.

— Il ne survivra pas à la nuit, répliqua le Jaff. Quand les charognards en auront fini avec lui, personne ne saura ce que c'était.

— Quelle bête serait capable de manger *ça?* demanda Tommy-Ray.

— N'importe quelle bête affamée, fut la réponse du Jaff. Et on en trouve toujours qui ont assez faim. Pas vrai, Jo-Beth?

La jeune fille ne dit rien. Elle avait renoncé à pleurer comme à parler. Elle se contentait de regarder son frère, le visage empreint de confusion et de pitié.

— Où va Katz? se demanda le Jaff à haute voix.

— Il descend au centre commercial, l'informa Tommy-Ray.

— Fletcher l'appelle.

— Ah ouais?

— Comme je l'espérais. Là où va le fils, nous trouverons le père.

— Sauf si les *teratas* l'attrapent.

— Ils n'en feront rien. Ils connaissent leurs instructions.

— Et la femme qui est avec lui?

— N'est-ce pas parfait? Quelle bonne Samaritaine. Elle va mourir, bien sûr, mais quelle belle façon de mourir, le cœur empli de bonnes intentions et content de l'être.

Cette remarque suscita une réaction de la part de la jeune fille.

— Il n'y a donc rien qui vous touche? dit-elle.

Le Jaff l'étudia.

— Trop de choses, dit-il. Trop de choses me touchent. L'expression de ton visage. L'expression du sien. (Il jeta un regard à Tommy-Ray, qui eut un large sourire, puis se retourna vers Jo-Beth.) Tout ce que je veux, c'est y voir clair. Au-delà des sentiments, voir les *raisons*.

— Et c'est comme ça que vous y parviendrez ? En tuant Howie ? En détruisant le Grove ?

— Tommy-Ray a appris à le comprendre, à sa façon. Tu y arriveras aussi si tu me laisses le temps de t'expliquer. C'est une longue histoire. Mais fais-moi confiance quand je te dis que Fletcher est notre ennemi, ainsi que son fils. Ils me tueraient s'ils le pouvaient...

— Pas Howie.

— Oh si ! C'est le fils de son père, même s'il ne le sait pas. Il y a un trophée à remporter, Jo-Beth. Ce trophée s'appelle l'Art. Et quand je l'aurai, je le partagerai...

— Je ne veux rien de vous.

— Je te montrerai une île...

— Non.

— ... et un rivage...

Il se dirigea vers elle, lui caressant la joue. Ses paroles l'apaisèrent. Ce n'était pas une tête de fœtus qu'elle voyait devant elle, mais un visage qui avait connu des épreuves ; que ces épreuves avaient labouré et dans lequel elles avaient peut-être planté quelque sagesse.

— Plus tard, dit-il. Nous aurons tout le temps de parler. Sur cette île, le jour est éternel.

2

— Pourquoi ne nous rattrapent-ils pas ? dit Tesla à Howie.

Par deux fois, l'armée de leurs poursuivants avait semblé sur le point de les rejoindre et de les engloutir, et elle avait par deux fois ralenti l'allure, au moment même où elle allait pouvoir réaliser son ambition. Tesla soupçonnait de plus en plus cette poursuite d'être chorégraphiée. Et si tel était le cas, s'inquiéta-t-elle, par qui ? Et quelle était l'intention du chorégraphe ?

L'adolescent — il lui avait dit se nommer Howie plusieurs rues auparavant — était un peu plus lourd à chaque mètre. La dernière ligne droite avant le centre commercial apparaissait aux yeux de Tesla comme un parcours du combattant digne des Marines. Où était Grillo à présent qu'elle avait besoin de lui ? Égaré dans le labyrinthe de croissants et de culs-de-sac qui rendait la ville si difficile à traverser ? Ou anéanti par les créatures qui avaient donné l'assaut à la voiture ?

Ni l'un ni l'autre. Persuadé que Tesla était assez intelligente pour tenir la horde à distance le temps qu'il aille chercher de l'aide, il roulait comme un sauvage, s'arrêtant d'abord devant une cabine téléphonique, puis devant une maison dont il avait trouvé l'adresse dans l'annuaire. Ses dents ne cessaient de claquer, il avait l'impression que ses jambes étaient en plomb, mais ses processus mentaux lui paraissaient encore clairs, bien qu'il eût conscience — souvenir de la période qui avait suivi sa disgrâce et qu'il avait passée dans un état d'abrutissement éthylique plus ou moins permanent — qu'une telle clarté n'était peut-être qu'illusoire. Combien de papiers avait-il écrit sous influence, les trouvant lucides sur le moment pour s'apercevoir une fois sobre qu'ils étaient dignes de *Finnegans Wake*? Peut-être que sa situation présente était identique et qu'il avait perdu un temps précieux en ne frappant pas à la première porte venue pour trouver du secours. Son instinct lui disait qu'il n'en aurait obtenu aucun. L'apparition d'un individu mal rasé parlant de monstres n'aurait entraîné que la fermeture rapide de toute porte, excepté celle de Hotchkiss.

Celui-ci était chez lui, et il ne dormait pas.

— Grillo? Bon Dieu, qu'est-ce qui vous est arrivé?

Hotchkiss n'avait lui-même aucune raison d'être fier; il paraissait aussi mal fichu que Grillo. Il y avait une bière dans sa main et l'éclat de plusieurs autres dans ses yeux.

— Suivez-moi, dit Grillo, je vous expliquerai en chemin.

— Où ça?

— Vous avez un flingue?

— J'ai un revolver, ouais.

— Prenez-le.

— Un instant, il faut que...

— Pas de temps à perdre, dit Grillo. Je ne sais pas par où ils sont partis et nous...

— Écoutez, dit Hotchkiss.

— Quoi?

— Des alarmes. J'entends des alarmes.

Elles avaient commencé à retentir dans le supermarché dès que Fletcher s'était mis à casser les vitres. Elles sonnaient dans l'épicerie Marvin, tout aussi fort, ainsi que dans la boutique d'animaux — leur vacarme atténué par les cris des bêtes réveillées en sursaut. Il encouragea leur chœur. Plus tôt le Grove sortirait de sa léthargie, mieux cela vaudrait, et il savait que donner l'assaut à son cœur commercial était pour lui le meilleur moyen de parvenir à ses fins. Une fois son appel lancé, il pilla deux magasins en quête d'accessoires. Il lui fallait minuter à la perfection le drame qu'il avait préparé s'il voulait toucher l'esprit de ses spectateurs. S'il échouait, au moins n'aurait-il pas à contempler les conséquences de son échec. Il avait trop souvent connu la peine au cours de sa vie, et trop peu d'amis pour l'aider à la supporter. Entre tous, c'était peut-être Raul qui avait été le plus proche de lui. Où était-il à présent ? Mort, probablement, son fantôme hantant les ruines de la Mission de Santa Catrina.

Fletcher fit brusquement halte en repensant à cet endroit. *Et le Nonce ?* Était-il possible que les restes du Grand Œuvre, comme aimait à l'appeler Jaffe, se trouvent encore au bord de la falaise ? Si tel était le cas, et si un innocent venait à les trouver par hasard, toute cette histoire navrante se répéterait. Le martyre volontaire qu'il orchestrait présentement n'aurait plus aucune valeur. C'était une autre tâche qu'il devrait confier à Howard, avant qu'ils ne se séparent à jamais.

Les alarmes ne sonnaient jamais très longtemps dans le Grove ; et sûrement pas en aussi grand nombre simultanément. Leur cacophonie flotta à travers la ville, du périmètre boisé de Deerdell à la maison de la veuve Vance, en haut de la Colline. Bien qu'il fût trop tôt pour que les adultes du Grove se soient endormis, la plupart d'entre eux — qu'ils aient été ou non touchés par le Jaff — se sentaient étrangement troublés. Ils parlaient par murmures à leurs partenaires, quand ils leur parlaient ; ils restaient immobiles sur le seuil de leur maison, ou au milieu de leur salle à manger, ayant oublié pourquoi ils avaient quitté le confort de leur fauteuil. Si on leur avait demandé leur nom, nombreux étaient ceux qui auraient hésité avant de répondre.

Mais les alarmes revendiquaient toute leur attention, leur confirmant ce que leur instinct animal savait depuis l'aube : les choses ne tournaient pas rond ; ce n'était pas normal, pas rationnel. Le seul abri sûr se trouvait derrière une porte verrouillée, à double tour.

Tous ne furent cependant pas aussi passifs. Certains écartèrent leurs rideaux pour voir si leurs voisins étaient dans la rue ; d'autres allèrent jusqu'à la porte d'entrée (leurs maris ou leurs femmes les rappelèrent, leur disant qu'il était inutile de sortir ; qu'il n'y avait rien au-dehors qu'ils ne puissent voir à la télévision). Il suffit cependant qu'un seul individu s'aventure à l'extérieur pour que d'autres le suivent.

— Astucieux, dit le Jaff.

— Qu'est-ce qu'il mijote ? voulut savoir Tommy-Ray. Pourquoi tout ce bruit ?

— Il veut que les gens voient les *teratas,* dit le Jaff. Peut-être espère-t-il qu'ils vont prendre les armes pour nous renverser. Il a déjà essayé ce coup-là.

— Quand ?

— Lorsque nous traversions l'Amérique. Il n'y a pas eu de révolution alors, et il n'y en aura pas aujourd'hui. Les gens n'ont pas de foi ; ils n'ont pas de rêves. Et il a besoin de ces deux éléments. C'est une tentative désespérée. Il est vaincu et il le sait. (Il se tourna vers Jo-Beth.) Tu seras heureuse de savoir que je viens d'ordonner à ma meute de cesser de harceler Katz. A présent, nous savons où se trouve Fletcher. Et il est là où va aller son fils.

— Ils ont cessé de nous suivre, dit Tesla.

La horde s'était effectivement arrêtée.

— Qu'est-ce que ça veut dire ?

Son fardeau ne répondit pas. Il pouvait à peine lever la tête. Mais quand il le fit, ce fut pour se tourner vers le supermarché, qui faisait partie des boutiques du centre dont les vitres avaient été fracassées.

— On va au marché ? dit-elle.

Il grogna.

— Comme vous voudrez.

A l'intérieur du magasin, Fletcher leva la tête. Le garçon était à portée de vue. Il n'était pas seul. Une femme le soutenait, le portant à moitié pour traverser le parking en direction des monceaux de verre brisé. Fletcher quitta ses préparatifs et se dirigea vers la vitrine.

— Howard ? appela-t-il.

Ce fut Tesla qui leva les yeux vers lui ; Howie ne gaspilla pas ses précieuses réserves d'énergie. L'homme qu'elle vit émerger du magasin ne ressemblait pas à un vandale. Il ne ressemblait pas non plus au père du garçon ; d'un autre côté, elle avait toujours été nulle en matière de ressemblance familiale. C'était un individu grand et émacié qui, à en juger par sa démarche hésitante, était en aussi mauvais état que son rejeton. Elle vit que ses vêtements étaient trempés. Ses sinus agressés identifièrent l'odeur de l'essence. Il en laissait un sillage sur son passage. Brusquement, elle redouta que la poursuite ne les ait jetés dans les bras d'un dément.

— Ne vous approchez pas, dit-elle.

— Je dois parler à Howard, avant l'arrivée du Jaff.

— Du qui ?

— Vous l'avez conduit ici. Lui et son armée.

— Je ne pouvais pas faire autrement. Howie est vraiment mal en point. Cette chose sur son dos...

— Laissez-moi voir...

— Pas de feu, avertit Tesla, ou je fous le camp.

— Je comprends, dit l'homme.

Il leva ses paumes vers le ciel comme un magicien désireux de prouver l'absence de tout truc. Tesla hocha la tête et le laissa s'approcher.

— Étendez-le, dit l'homme.

Elle s'exécuta, ses muscles bourdonnant de gratitude. Howie n'était pas plus tôt allongé sur le sol que son père saisissait le parasite des deux mains. La créature se mit aussitôt à se débattre, resserrant son étreinte sur sa victime. A peine conscient, Howie se mit à hoqueter pour respirer.

— Ce truc est en train de le tuer ! hurla Tesla.

— Attrapez sa tête !

— *Quoi ?*

— Vous m'avez bien entendu ! Sa tête. Attrapez-la !

Elle regarda l'homme, puis la bête, puis Howie. Trois battements de cœur. Au quatrième, elle saisit la bête. Ses mandibules étaient enfoncées dans la nuque de Howie, mais elles la lâchèrent assez longtemps pour mordre la main de Tesla. A cet instant, l'homme imbibé d'essence tira. Le corps et la bête se séparèrent.

— *Lâchez-la !* hurla l'homme.

Elle n'eut pas besoin d'encouragements supplémentaires et dégagea sa main, sacrifiant quelques onces de chair aux mandibules de la bête. Le père de Howie jeta celle-ci dans le supermarché, où elle alla heurter une pyramide de boîtes de conserve qui l'ensevelirent aussitôt.

Tesla étudia sa main. Il y avait un trou en plein centre de sa paume. Elle n'était pas la seule à s'intéresser à cette blessure.

— Vous avez un voyage à faire, dit l'homme.

— Vous êtes chiromancien ou quoi?

— Je voulais que le garçon le fasse pour moi, mais je le vois à présent... c'est vous qui êtes venue à sa place.

— Hé, j'ai fait tout ce que je pouvais, mec, dit Tesla.

— Mon nom est Fletcher et, je vous en supplie, ne m'abandonnez pas à présent. Cette blessure me rappelle la première morsure que m'a infligée le Nonce... (Il lui montra la paume de sa main, où se trouvait effectivement une cicatrice, tout comme si on lui avait enfoncé un clou à cet endroit.) J'ai beaucoup de choses à vous raconter. Howie a résisté à tous mes efforts. Vous n'en ferez rien. Je sais que vous n'en ferez rien. Vous faites partie de cette histoire. Vous étiez née pour être ici, maintenant, avec moi.

— Je ne comprends rien à ce que vous dites.

— Vous analyserez demain. Aujourd'hui, *agissez*. Aidez-moi. Il nous reste très peu de temps.

— Il faut que je vous prévienne, dit Grillo à Hotchkiss en roulant vers le centre, ce que nous avons vu sortir du sol n'était que le commencement. Cette nuit, il y a dans les rues du Grove des créatures comme je n'en ai jamais vu.

Il ralentit pour laisser traverser deux citoyens qui se dirigeaient à pied vers la source de l'appel. Ils n'étaient pas seuls. Il y en avait d'autres pour converger vers le centre commercial, comme s'ils allaient à la foire.

— Dites-leur de rentrer chez eux, dit Grillo.

Il se pencha et hurla un avertissement. Ni ses appels ni ceux de Hotchkiss ne furent entendus.

— S'ils voient ce que j'ai vu, dit Grillo, ça va être la panique.

— Peut-être que ça leur fera du bien, dit Hotchkiss avec amertume. Ça fait des années qu'ils me prennent pour un fou, parce que j'ai fait sceller les cavernes. Parce que j'ai dit que la mort de Carolyn était un *meurtre*...

— Je ne vous suis pas.

— Ma fille, Carolyn...

— Que lui est-il arrivé?

— Une autre fois, Grillo. Quand vous aurez le loisir de pleurer.

Ils étaient arrivés sur le parking du centre. Trente ou quarante citoyens du Grove s'y étaient déjà rassemblés, certains errant dans le bâtiment pour examiner les dommages infligés aux magasins, et d'autres restant immobiles et écoutant les alarmes comme s'il s'était agi d'une musique céleste. Grillo et Hotchkiss descendirent de voiture et se dirigèrent vers le supermarché.

— Ça sent l'essence, dit Grillo.

Hotchkiss acquiesça.

— Il faudrait faire évacuer les lieux, dit-il.

Levant l'arme et la voix, il mit en place une forme primitive de contrôle de la foule. Ses tentatives attirèrent l'attention d'un petit homme chauve.

— Hotchkiss, c'est vous qui commandez ?

— Pas si *vous* voulez commander, Marvin.

— Où est Spilmont ? Les autorités devraient être ici. Toute ma vitrine a été fracassée.

— Je suis sûr que la police est en route, dit Hotchkiss.

— C'est du vandalisme, continua Marvin. Des jeunes voyous de L.A. qui sont venus d'amuser.

— Je ne le pense pas, dit Grillo.

L'odeur d'essence lui faisait tourner la tête.

— Et qui diable êtes-vous ? demanda Marvin d'une voix suraiguë.

Avant que Grillo ait pu lui répondre, les cris d'une autre personne vinrent se joindre aux leurs.

— Il y a quelqu'un là-dedans !

Grillo se tourna vers le supermarché. Ses yeux brouillés confirmèrent cette information. Il y avait effectivement des silhouettes qui se mouvaient dans la pénombre du magasin. Il se dirigea vers la porte, foula des bris de verre épars, et une des silhouettes devint clairement visible.

— Tesla ?

Elle l'entendit ; leva les yeux ; cria.

— Ne t'approche pas, Grillo !

— Qu'est-ce qui se passe ?

— Ne t'approche pas.

Il ignora sa mise en garde, s'engouffrant dans le trou de la porte vitrée. Le garçon qu'elle avait sauvé gisait torse nu, le visage sur le carreau. Derrière lui, un homme que Grillo connaissait sans le connaître. Il ne pouvait mettre aucun nom sur son visage mais reconnaissait instinctivement sa présence. Il ne lui fallut que quelques instants pour comprendre pourquoi. C'était une des entités qui s'étaient échappées de la fissure.

— Hotchkiss ! hurla-t-il. Venez ici !

— Ça suffit comme ça, dit Tesla. Ne laisse personne nous approcher.

— *Nous !* dit Grillo. Depuis quand c'est nous ?

— Il s'appelle Fletcher, dit Tesla comme pour répondre à la première question posée par l'esprit de Grillo. Le garçon, c'est Howard Katz. (A la troisième question :) Ils sont père et fils. (Et la quatrième ?) Tout va sauter, Grillo, et je ne partirai pas avant la fin.

Hotchkiss était aux côtés de Grillo.

— Bon Dieu de merde, souffla-t-il.

— Les cavernes, exact ?

— Exact.

— Est-ce qu'on peut emporter le garçon ? dit Grillo.

Tesla acquiesça.

— Mais faites vite, dit-elle. Ou c'est fini pour nous tous.

Elle avait quitté Grillo des yeux pour se tourner vers le parking, ou vers la nuit au-delà. On attendait encore quelqu'un pour faire la fête. L'autre spectre, sans aucun doute.

Grillo et Hotchkiss saisirent le garçon et le relevèrent.

— Attendez.

Fletcher se dirigea vers le trio, l'odeur d'essence se faisant plus intense à son approche. Il émanait cependant plus que des vapeurs de cet homme. Quelque chose qui ressemblait à un faible choc électrique traversa Grillo lorsque l'autre tendit la main vers son fils, et le contact s'établit dans les trois organismes. Son esprit prit momentanément son essor, oubliant la fragilité de son corps, dans un espace où les rêves étaient accrochés comme les étoiles de minuit. Cet espace disparut aussi soudainement, presque brutalement, comme Fletcher éloignait sa main du visage de son fils. Grillo se tourna vers Hotchkiss. Vu l'expression de son visage, il avait partagé cette brève splendeur. Ses yeux s'étaient emplis de larmes.

— Que va-t-il se passer ? dit Grillo en se retournant vers Tesla.

— Fletcher nous quitte.

— Pourquoi ? Pour où ?

— Nulle part et partout, dit Tesla.

— Comment le sais-tu ?

— *Parce que je lui ai dit,* fut la réponse de Fletcher. *Quiddity doit être préservé.*

Il regarda Grillo, et il y eut sur son visage le murmure ténu d'un sourire.

— *Prenez mon fils, messieurs,* dit-il. *Éloignez-le de la ligne de tir.*

— Quoi ?

— Allez-vous-en, Grillo, dit Tesla. Quoi qu'il arrive à présent, c'est ainsi qu'il l'aura voulu.

Ils s'exécutèrent, faisant passer Howie par le trou de la porte vitrée, Hotchkiss précédant Grillo pour prendre le corps du garçon, qui était à présent aussi flasque qu'un cadavre. Au moment où Grillo le lui abandonnait, il entendit Tesla prendre la parole derrière lui.

Elle se contenta de dire :

— Le Jaff.

L'autre évadé, l'ennemi de Fletcher, se tenait debout à l'extrémité du parking. La foule, dont la population avait quintuplé, s'était écartée sans attendre d'en recevoir l'ordre, dessinant un couloir entre les deux adversaires. Le Jaff n'était pas venu seul. Derrière lui se trouvaient deux spécimens parfaits de beauté californienne dont Grillo ignorait les noms. Hotchkiss les connaissait.

— Jo-Beth et Tommy-Ray, dit-il.

En entendant un de ces noms, ou les deux, Howie leva la tête.

— Où ça ? murmura-t-il, mais ses yeux les trouvèrent avant qu'on ait eu le temps de lui répondre. Lâchez-moi, dit-il en luttant pour se dégager de l'étreinte de Hotchkiss. Ils vont la tuer si on ne les arrête pas. Vous ne comprenez pas, ils vont la tuer.

— Il y a plus que ta petite amie en jeu, dit Tesla, laissant Grillo se demander à nouveau comment elle avait fait pour en apprendre autant, et si vite.

Fletcher, sa source d'informations, sortait à présent du marché, passant devant eux — Tesla, Grillo, Howie et Hotchkiss — pour se placer à l'autre bout du couloir humain qui donnait sur le Jaff.

Ce fut le Jaff qui parla le premier :

— *Qu'est-ce que ça veut dire ?* demanda-t-il. *Ton cinéma a réveillé la moitié de la ville.*

— *La moitié que tu n'as pas empoisonnée,* rétorqua Fletcher.

— *Ne creuse pas ton tombeau avec tes paroles. Supplie-moi un petit peu. Dis-moi que tu me donneras tes couilles si je te laisse la vie.*

— *Ça n'a jamais représenté grand-chose pour moi.*

— *Tes couilles ?*

— *La vie.*

— *Tu avais de l'ambition,* dit le Jaff en s'avançant très lentement vers Fletcher. *Ne le nie pas.*

— *Pas comme la tienne.*

— *Exact. La mienne avait de l'ampleur.*

— *Tu ne dois pas t'emparer de l'Art.*

Le Jaff leva la main et frotta son pouce contre son index, comme s'il se préparait à compter de l'argent.

— *Trop tard. Je le sens déjà entre mes doigts,* dit-il.

— *D'accord,* répondit Fletcher. *Si tu veux que je te supplie, je te supplierai. Quiddity doit être préservé. Je te supplie de ne pas y toucher.*

— *Tu n'as rien compris, n'est-ce pas ?* dit le Jaff.

Il avait fait halte à quelque distance de Fletcher. Le jeune homme s'avança derrière lui, amenant sa sœur.

— *La chair de ma chair,* dit le Jaff en désignant ses enfants, *ferait n'importe quoi pour moi. N'est-ce pas vrai, Tommy-Ray ?*

L'adolescent eut un large sourire.

— *N'importe quoi.*

Fascinée par le dialogue des deux hommes, Tesla vit que Howie s'était libéré de Hotchkiss seulement lorsqu'il se tourna vers elle pour murmurer :

— Revolver.

Elle avait gardé son arme sur elle en sortant du supermarché. Elle la glissa à contrecœur dans la main meurtrie de Howie.

— Il va la tuer, murmura Howie.

— C'est sa fille, chuchota Tesla en réponse.

— Vous croyez qu'il s'en soucie ?

Elle se retourna vers le Jaff et comprit le point de vue du garçon. Quels que soient les changements que le Grand Œuvre de Fletcher (il l'avait appelé le Nonce) avait fait subir au Jaff, ils l'avaient conduit au bord de la démence. En dépit du peu de temps dont elle avait disposé pour absorber les visions que Fletcher avait partagées avec elle, et bien qu'elle ne comprît que vaguement les complexités de l'Art, de Quiddity, du Cosme et du Métacosme, elle en savait assez pour être sûre qu'un tel pouvoir, dans les mains d'une telle entité, ne pourrait que servir un mal incommensurable.

— *Tu as perdu, Fletcher,* dit le Jaff. *Ton enfant et toi n'avez pas ce qu'il faut pour être... modernes.* (Il sourit.) *Ces deux-là, d'un autre côté, sont à l'avant-garde. Tout est expérience. Pas vrai ?*

Tommy-Ray avait posé la main sur l'épaule de Jo-Beth ; à

présent, elle descendait vers son sein. Quelqu'un protesta faiblement dans la foule, mais il se tut lorsque le Jaff regarda dans sa direction. Jo-Beth s'écarta de son frère, mais Tommy-Ray n'était pas disposé à renoncer à elle. Il l'attira contre lui, penchant la tête vers la sienne.

Un coup de feu coupa court au baiser, la balle labourant l'asphalte aux pieds de Tommy-Ray.

— Lâche-la, dit Howie.

Sa voix n'était pas forte, mais elle était audible.

Tommy-Ray s'exécuta, regardant Howie d'un air légèrement étonné. Il sortit un couteau de la poche arrière de son pantalon. La foule avait perçu l'imminence d'un combat sanglant. Certains de ses membres se reculèrent, surtout ceux qui étaient accompagnés d'enfants. La plupart restèrent.

Derrière Fletcher, Grillo se pencha vers Hotchkiss et lui murmura :

— Vous pouvez l'emmener loin d'ici ?

— Le gamin ?

— Non. Le Jaff.

— Pas la peine d'essayer, chuchota Tesla. Ça ne l'arrêtera pas.

— Qu'est-ce qui l'arrêtera, alors ?

— Dieu seul le sait.

— Tu vas m'abattre de sang-froid devant tous ces gens ? dit Tommy-Ray à Howie. Vas-y, tu n'oseras pas. Bute-moi. Je n'ai pas peur. J'aime la mort, et la mort m'aime. Appuie sur la détente, Katz. Si tu as des couilles.

Tout en parlant, il s'avança lentement vers Howie, lequel parvenait à peine à rester debout. Mais il gardait son arme braquée sur Tommy-Ray.

Ce fut le Jaff qui mit fin à cette impasse en saisissant Jo-Beth. Son étreinte arracha un cri à la jeune fille. Howie regarda dans sa direction et son adversaire le chargea, couteau levé. Tommy-Ray n'eut qu'à pousser Howie pour le faire tomber à terre. Le revolver s'envola loin de sa main. Tommy-Ray donna un violent coup de pied entre les jambes de sa victime, puis se jeta sur elle.

— *Ne le tue pas !* ordonna le Jaff.

Il relâcha Jo-Beth et s'avança vers Fletcher. Des doigts dont il avait prétendu qu'ils pouvaient déjà sentir l'Art suintèrent des perles de pouvoir ectoplasmique qui explosèrent dans l'air. Il était arrivé près des deux adolescents et semblait sur le point d'intervenir, mais il se contenta de leur jeter un coup d'œil dédaigneux, comme s'il s'agissait de deux chiens en train de se battre, puis les dépassa pour continuer son avance vers Fletcher.

— On ferait mieux de reculer, murmura Tesla à Grillo et à Hotchkiss. Nous ne pouvons plus rien faire à présent.

La preuve de cette affirmation survint quelques secondes plus tard, lorsque Fletcher plongea une main dans sa poche pour en ressortir une pochette d'allumettes aux armes de l'*Épicerie Marvin*. Ce qui allait suivre ne pouvait qu'être évident aux yeux des spectateurs. Ils avaient senti l'essence. Ils connaissaient la source de cette odeur. Et à présent, les allumettes. Une immolation était imminente. Mais il n'y eut pas de nouvelle retraite dans leurs rangs. Bien qu'aucun d'eux n'ait compris le dialogue des deux protagonistes, rares étaient les membres de cette foule à ne pas savoir dans leurs tripes qu'ils assistaient à des événements aux conséquences cruciales. Comment auraient-ils pu détourner les yeux alors que, pour la première fois, ils avaient une chance d'espionner les dieux ?

Fletcher ouvrit la pochette ; en ôta une allumette. Il allait la craquer lorsque des dards de pouvoir surgirent des mains du Jaff pour fondre sur lui. Ils frappèrent les doigts de Fletcher comme autant de balles, leur violence arrachant pochette et allumette de ses mains.

— *Ne perds pas ton temps en tours futiles*, dit le Jaff. *Tu sais bien que le feu ne me fera aucun mal. Ni à toi, à moins que tu ne le souhaites. Et si tu désires l'extinction, alors tu n'as qu'à demander.*

Cette fois-ci, il apporta son poison à Fletcher plutôt que de le laisser jaillir de ses mains. Il s'approcha de son ennemi et le toucha. Un frisson parcourut Fletcher. Avec une lenteur de supplicié, il tourna la tête vers Tesla. Celle-ci vit tant de vulnérabilité dans ses yeux ; il s'était ouvert afin de jouer la fin de partie qu'il avait conçue, et la malice du Jaff jouissait d'un accès direct à son essence. La supplique qui se lisait dans son expression était dénuée de toute ambiguïté. Un message de chaos se répandait dans son organisme, né du contact du Jaff. La seule façon dont il souhaitait s'en libérer était par la mort.

Elle n'avait pas d'allumettes, mais Hotchkiss avait son revolver. Sans un mot, elle le lui arracha des mains. Ce mouvement attira l'attention du Jaff et, l'espace d'un instant de terreur glacée, elle croisa son regard fou — vit une tête spectrale enfler autour de ses yeux ; un autre Jaff dissimulé derrière le premier.

Puis elle visa le sol entre les pieds de Fletcher et tira. Il n'y eut aucune étincelle, contrairement à ce qu'elle avait espéré. Elle visa de nouveau, vidant sa tête de toute pensée excepté la volonté d'ignition. Elle avait déjà conçu des feux. Sur la page, pour embraser l'esprit. A présent, un feu pour la chair.

Elle expira lentement par la bouche, comme elle le faisait chaque matin en s'installant devant sa machine à écrire, et appuya sur la détente.

Elle crut voir le feu naître avant qu'il ne le fasse Comme une tempête éclatante ; l'étincelle en étant l'éclair annonciateur. Autour de Fletcher, l'air devint jaune vif. Puis il s'enflamma.

La chaleur fut soudaine et intense. Elle lâcha le revolver et courut jusqu'à un endroit d'où elle pourrait mieux observer ce qui se passait. Fletcher accrocha son regard au milieu de la conflagration, et il y avait dans son expression une douceur qu'elle garderait en elle durant toutes les aventures que le futur lui avait réservées afin de lui rappeler à quel point elle comprenait mal le fonctionnement du monde. Que le feu puisse faire jouir un homme ; qu'il lui apporte du profit, qu'il le fasse fructifier, voilà une leçon qu'aucune maîtresse d'école n'aurait pu lui enseigner. Mais le fait était là, né de sa propre main.

Elle vit le Jaff s'écarter des flammes en haussant les épaules, méprisant. Le feu avait pris au bout de ses doigts, là où ils avaient touché Fletcher. Il les éteignit comme autant de bougies. Derrière lui, Howie et Tommy-Ray s'éloignaient des flammes, remettant leur conflit à plus tard. Ces scènes ne retinrent cependant son attention que l'espace d'un battement de cœur, et elle se retourna vers le spectacle de Fletcher embrasé. Durant ce bref intervalle de temps, son statut avait changé. Le feu, qui faisait rage autour de lui comme un pilier, ne le consumait pas mais le *transformait*, en un processus dont les résidus étaient des éclairs de brillance.

La façon dont le Jaff réagit à ces lumières — à savoir : battre en retraite devant elle comme un chien enragé devant un seau d'eau — lui donna un indice sur leur nature. Elles étaient à Fletcher ce que les perles qui lui avaient arraché les allumettes étaient au Jaff : l'expression de quelque pouvoir essentiel. Le Jaff les détestait. Leur éclat rendait clairement visible le visage qui était tapi derrière son visage. Cette vision, et celle du changement miraculeux de Fletcher, la firent s'approcher du feu plus qu'il n'était raisonnable. Elle sentit ses cheveux roussir. Mais elle était trop intriguée pour reculer. Ceci était son œuvre, après tout. Elle était le créateur. Comme le premier singe à avoir nourri une flamme, transformant ainsi la tribu.

Ceci, comprit-elle, était l'espoir de Fletcher : transformer la tribu. Il ne s'agissait pas simplement d'un spectacle. Les étincelles brûlantes qui jaillissaient du corps de Fletcher portaient en elles les intentions de leur géniteur. Elles sortirent de la colonne de feu, pareilles à des graines étincelantes, traversant l'air en quête d'une terre fertile. Les citoyens de Palomo Grove étaient cette terre, et les lucioles les trouvèrent en train de les attendre. Ce qui lui parut miraculeux, c'est que personne ne chercha à s'enfuir. Peut-être les récentes scènes de violence avaient-elles effrayé les gens au cœur fragile. Les autres étaient prêts à accueillir cette magie, et certains sortirent des rangs pour aller au-devant des lumières, comme des communiants marchant vers l'autel. Les enfants furent les premiers, attrapant les graines et prouvant ainsi qu'elles étaient inoffensives. La lumière explosa entre leurs mains ouvertes, ou devant leurs visages accueillants, un écho de feu éclairant brièvement leurs yeux. Les parents de ces aventuriers furent ensuite touchés. Certains, une fois frappés, hélèrent leurs époux ou leurs épouses : « Ce n'est rien. Ça ne fait pas mal. Ce n'est que de... la lumière ! »

C'était plus que cela et Tesla le savait. C'était Fletcher. Et en se donnant de cette façon, il avait assuré la détérioration graduelle de son être physique. Sa poitrine, ses mains et son bas-ventre avaient déjà presque disparu, sa tête et son cou étaient attachés à ses épaules, et ses épaules à son bassin, par des filaments de matière poussiéreuse qui étaient en proie au moindre caprice des flammes. Sous les yeux de Tesla, ces ultimes éléments se brisèrent pour se transformer en lumière. Un hymne enfantin résonna dans son esprit. Elle chanta *Jésus veut que je devienne un rayon de soleil*. Une vieille chanson pour une ère nouvelle.

Le premier acte de cette ère parvenait déjà à sa conclusion. Le moi de Fletcher était presque usé, son visage dévoré aux yeux et à la bouche, son crâne se fragmentait, son cerveau se liquéfiait pour devenir lumière et s'envolait de son écrin comme un pissenlit emporté au vent du mois d'août.

Avec son départ, les restes de Fletcher disparurent tout simplement dans le feu. Privées de carburant, les flammes s'éteignirent. Il n'y eut pas de braises ; pas de cendres ; même pas de fumée. A un instant donné, l'éclat, la chaleur et les merveilles. L'instant suivant, plus rien.

Elle avait été trop occupée à regarder Fletcher pour compter combien de témoins avaient été touchés par sa lumière. Beaucoup, certainement. Tous, probablement. Peut-être était-ce leur nombre qui avait dissuadé le Jaff de tenter des représailles. Une

armée l'attendait dans la nuit, après tout. Mais il choisit de ne
pas l'appeler. Au lieu de cela, il s'en fut le plus discrètement
possible. Tommy-Ray l'accompagna. Pas Jo-Beth. Howie s'était
placé à ses côtés durant la dissolution de Fletcher, l'arme au
poing. Tommy-Ray ne put que lui adresser quelques menaces
incohérentes, avant de s'enfuir sur les pas de son père.

Telle fut, dans son essence, la dernière performance du
Chaman Fletcher. Il y aurait des répercussions, bien sûr, mais
pas avant que les receveurs de sa lumière n'aient absorbé son don
grâce à quelques heures de sommeil. Il existait cependant
quelques conséquences plus immédiates. Pour Grillo et pour
Hotchkiss, la satisfaction de savoir que leurs sens ne les avaient
pas trompés devant les cavernes ; pour Jo-Beth et pour Howie,
des retrouvailles après des événements qui les avaient conduits
aux portes de la mort ; et pour Tesla, la conscience du fardeau de
responsabilité que Fletcher lui avait transmis avant son départ.
  Ce fut le Grove lui-même, cependant, qui avait le plus souffert
de la magie de cette nuit. Ses rues avaient vu des horreurs. Ses
citoyens avaient été touchés par des esprits.
  Bientôt, la guerre.

CINQUIÈME PARTIE

Esclaves et amants

1

N'importe quel alcoolique aurait reconnu le comportement du Grove le lendemain matin. C'était comme celui d'un homme qui avait pris une cuite, et qui devait se lever tôt et prétendre qu'il ne s'était rien passé d'extraordinaire. Il passait quelques minutes sous une douche froide pour forcer son organisme à se réveiller, prenait un petit déjeuner composé de café noir et d'Alka-Seltzer, puis sortait en adoptant une démarche plus décidée qu'à son habitude et le sourire figé d'une actrice venant de perdre un Oscar. On entendait beaucoup de « Bonjour » et de « Comment allez-vous ? », on voyait beaucoup de voisins se saluer avec entrain en prenant le volant de leur voiture, on entendait beaucoup de transistors émettant leur bulletin météo (soleil ! soleil ! soleil !) par les fenêtres grandes ouvertes afin de prouver qu'il n'y avait pas de secrets dans *cette* maison. Un étranger débarquant dans le Grove ce matin-là aurait pensé que la ville passait une audition pour le rôle de cité américaine idéale. Cette atmosphère de bonhomie forcée vous retournait l'estomac.

Dans le centre commercial, où il était difficile d'ignorer les traces de la nuit dionysienne, on parlait de tout sauf de la vérité. Quelqu'un prétendait que les *Hell's Angels* étaient descendus de L.A. pour semer la panique. Cette explication gagna en crédibilité au fil des répétitions. Certains prétendirent avoir entendu leurs motos. Quelques-uns allèrent même jusqu'à affirmer qu'ils les avaient vus, embellissant cette fable collective en sachant que personne n'oserait douter de leur témoignage. En milieu de matinée, tous les débris de verre avaient été balayés et toutes les vitres brisées masquées par des planches. A midi, on en avait commandé des neuves. A deux heures, elles étaient installées. Jamais depuis l'époque de la Ligue des Vierges le Grove n'avait fait preuve d'autant de détermination dans sa quête d'équilibre ; ni d'autant d'hypocrisie. Car derrière les portes closes, dans les salles de bains, dans les chambres et dans les salons, c'était une tout autre histoire. Là, on jetait bas son sourire, on renonçait à sa démarche décidée pour se mettre à faire les cent pas, on pleurait, on avalait des pilules que l'on avait arrachées aux tiroirs avec la passion d'un chercheur d'or. Là, on se confessait à soi-même — jamais à sa compagne ou à son compagnon, ni même à son chien — que quelque chose clochait et que rien ne serait jamais plus comme avant. Là, on essayait de se rappeler des histoires entendues lors de l'enfance — ces vieux contes grotesques que la honte des adultes avait presque chassés de leur mémoire — dans l'espoir de contrer les peurs présentes. Certains essayèrent de boire pour lutter contre leur angoisse. Certains essayèrent de manger. Certains envisagèrent de rentrer dans les ordres.

Tout bien considéré, ce fut une journée foutrement étrange.

Moins étrange, peut-être, pour ceux qui devaient jongler avec des faits bruts, même si ces faits contredisaient de façon flagrante ce qui, la veille, aurait passé pour la réalité. Pour ceux-là, possédés par la certitude de l'existence de monstres et de divinités lâchés dans le Grove, la question n'était pas : « Est-ce vrai ? » mais plutôt : « Qu'est-ce que ça signifie ? »

En guise de réponse, William Witt haussa les épaules en signe de résignation. Il lui était impossible de comprendre les horreurs qui l'avaient terrorisé dans la maison de Wild Cherry Glade. La conversation qu'il avait eue par la suite avec Spilmont, lequel avait considéré son récit comme une fable, l'avait rendu para-noïaque. Ou bien il existait une conspiration destinée à garder secrètes les machinations du Jaff, ou alors lui-même, William Witt, était en train de perdre l'esprit. Et ces deux hypothèses n'étaient pas incompatibles, ce qui était doublement angoissant. Face à une constatation aussi amère, il était resté enfermé chez lui, ne sortant que la veille au soir pour aller faire un tour au centre. Il était arrivé fort tard et ne se souvenait guère de ce qui s'était produit, mais il se rappelait être rentré chez lui et avoir passé une nuit d'orgie par vidéocassettes interposées. En général, il était assez parcimonieux dans l'organisation de ses séances pornos, préférant sélectionner un ou deux films plutôt que de s'en taper une douzaine d'affilée. Mais la séance de la nuit dernière avait tourné au marathon. Le matin venu, alors que ses voisins les Robinson emmenaient leurs enfants au terrain de jeux, il était toujours assis devant sa télévision, les rideaux tirés, un village de cannettes aux pieds, à regarder encore et encore. Il avait organisé sa collection avec la précision d'un bibliothécaire d'élite, en dressant un catalogue à plusieurs entrées. Il connaissait les pseudos de toutes les vedettes de ces films moites ; il connaissait la taille de leurs seins et celle de leur bite ; l'histoire de leurs débuts ; leurs spécialités. Il connaissait par cœur tous les scénarios, en dépit de leur indigence ; ses scènes préférées étaient mémorisées jusqu'au dernier râle et jusqu'à la dernière éjaculation.

Mais ce jour-là, leur parade échoua à l'exciter. Il alla de film en film comme un drogué parmi une foule de dealers, en quête d'une came que personne ne pouvait lui fournir, jusqu'à ce que les cassettes s'empilent à côté de son poste. Couples, trios, oralité, analité, urolagnie, bondage, discipline, scènes lesbiennes, scènes de gode, scènes de viol et scènes de romance — il les visionna toutes, mais aucune ne lui procura l'extase qu'il cherchait. Sa quête devint une quête de son propre moi. Ce qui me fera bander *sera* moi, pensait-il vaguement.

Sa situation était désespérée. C'était la première fois de sa vie — si l'on excepte sa rencontre avec la Ligue — que le voyeurisme échouait à l'exciter. La première fois qu'il désirait que les acteurs partagent sa réalité comme il partageait la leur. Il n'avait jamais eu de scrupules à les faire disparaître dès qu'il avait craché sa purée ; avait même éprouvé un certain mépris pour leur charme une fois que celui-ci avait cessé de s'exercer. A présent, il portait leur deuil, comme s'ils étaient des amants qu'il avait perdus avant de les connaître vraiment, dont il avait reluqué chaque orifice mais dont l'intimité lui avait été refusée.

Cependant, peu de temps après l'aurore, alors que son moral était plus bas que jamais, une étrange pensée lui traversa l'esprit : peut-être qu'il *pourrait* les amener à lui ; susciter leur existence par la seule force de son désir. Les rêves pouvaient devenir réels. C'était un prodige que les artistes accomplissaient tout le temps, et tout homme n'avait-il pas un peu d'art en lui ? Ce fut cette pensée, à peine formulée, qui le poussa à continuer de regarder l'écran, visionnant *Les dernières bourres de Pompéi*, *Née pour la baise* et *Secrets d'une prison de femmes* ; des films qu'il connaissait aussi bien que sa propre histoire mais qui, contrairement à celle-ci, pouvaient peut-être encore vivre au présent.

Il ne fut pas le seul citoyen du Grove à être visité par de telles pensées, même si les siennes étaient les plus ouvertement érotiques. La même idée — il était possible de susciter par la

seule force de l'esprit une ou des personnes précieuses et
essentielles, et de s'en faire des compagnons — vint à tous les
membres de la foule qui s'était rassemblée au centre la veille au
soir. Vedettes de feuilleton, présentateurs de jeux télévisés,
parents perdus ou décédés, épouses divorcées, enfants disparus,
personnages de bandes dessinées : il y avait autant de noms que
d'esprits pour les appeler.

Pour certains, comme pour William Witt, le visage du désir
acquit une telle force (tantôt de par leurs obsessions, tantôt de
par le regret ou l'envie) que, dès l'aube du lendemain, il y avait
déjà des coins de leur chambre où l'air s'était épaissi en prévision
d'un miracle.

Dans la chambre de Shuna Melkin, la fille de Christine et de
Larry Melkin, une reine du rock — morte d'une overdose
plusieurs années auparavant, mais néanmoins la seule idole de
Shuna —, faisait connaître sa présence grâce à une chanson si
subtile que Shuna aurait pu la prendre pour la brise si elle n'avait
pas reconnu sa mélodie.

Dans le loft d'Ossie Larton montaient des grattements qu'il
savait être produits par l'enfantement du loup-garou qui avait été
son compagnon secret depuis qu'il avait appris l'existence
imaginaire de telles créatures. Ce loup-garou s'appelait Eugene,
un nom qu'Ossie — lorsqu'il avait créé son compagnon à l'âge
tendre de six ans — avait trouvé approprié pour un homme dont
la fourrure se mettait à pousser sous les rayons de la pleine lune.

En ce qui concernait Karen Conroy, les trois acteurs principaux de son film préféré, *L'amour connaît ton nom,* un film
sentimental peu connu qui l'avait fait pleurer durant six jours
d'affilée lors d'un lointain voyage à Paris, se manifestaient sous la
forme d'un délicat parfum européen dans son salon.

Ainsi de suite, et cætera.

A midi, ce jour-là, pas un seul des membres de la foule n'était
épargné par l'impression — que nombre d'entre eux ignoraient
ou négligeaient, bien sûr — d'avoir un visiteur inattendu dans
son domicile. La population de Palomo Grove, qui s'était accrue
d'une centaine d'horreurs après l'intervention du Jaff, allait
s'accroître de nouveau.

2

— Tu as déjà avoué que tu n'as pas compris ce qui s'est passé
hier soir...

— Ce n'est pas une question d'aveu, Grillo.

— D'accord. Ne nous disputons pas. Pourquoi finit-on toujours par gueuler, tous les deux ?

— On ne gueule pas.

— D'accord. On ne gueule pas. Je te demande seulement d'envisager la possibilité que cette course qu'il t'a demandé de faire...

— Cette *course* ?

— *Là*, c'est toi qui gueules. *Réfléchis* une minute, c'est tout ce que je te demande. Ce voyage est peut-être le dernier que tu feras.

— J'accepte cette possibilité.

— Alors, laisse-moi venir avec toi. Tu n'es jamais allée au sud de Tijuana.

— Toi non plus.

— C'est dur...

— Écoute, j'ai vendu des films d'art et d'essai à des types qui n'avaient pas tout compris dans *Dumbo*. Si c'est dur, ça me connaît. Si tu veux faire quelque chose de vraiment utile, reste ici et remets-toi.

— Je me sens déjà bien. Je ne me suis jamais senti aussi bien.

— J'ai besoin que tu restes ici, Grillo. Que tu *observes*. Ce n'est pas fini, loin de là.

— Qu'est-ce que je suis censé guetter ? demanda Grillo, avouant sa défaite en cessant toute discussion.

— Tu as toujours su percevoir le sens caché des choses. Quand le Jaff lancera son attaque, même si c'est en douceur, tu le verras. Au fait, tu as vu Ellen hier soir ? Elle était dans la foule, avec son gamin. Tu pourrais commencer par aller voir comment *elle* se sent le jour d'après...

Le souci que Grillo se faisait pour elle ne lui semblait pas déplacé, et elle aurait pris plaisir à sa compagnie durant le voyage qu'elle allait faire. Mais pour des raisons qu'il lui aurait été impossible de formuler sans le vexer, ce dont elle s'abstint par conséquent, sa présence aurait représenté une intrusion et un risque qu'elle ne pouvait pas courir, autant dans l'intérêt de Grillo que dans celui de la tâche qui l'attendait. Un des derniers actes de Fletcher avait été de la choisir pour se rendre à la Mission ; il lui avait même dit que ce voyage était en quelque sorte prédestiné. Il n'y avait pas si longtemps, elle aurait traité un tel mysticisme par le mépris ; mais après les événements de la veille, elle était bien obligée d'avoir l'esprit ouvert. On ne se moquait pas impunément du monde de mystères qu'elle avait traité avec tant de légèreté dans ses scénarios d'horreur et de science-fiction. Il était venu à sa rencontre, l'avait trouvée, et l'avait jetée — avec son cynisme et le reste — parmi ses cieux et ses enfers. Ceux-ci ayant la forme de l'armée du Jaff, et ceux-là la forme de la transformation de Fletcher : la chair devenant lumière.

Devenue l'agent du mort sur cette terre, elle se sentait curieusement détendue en dépit des dangers qui l'attendaient. Elle n'avait plus besoin d'entretenir son cynisme; n'avait plus besoin de compartimenter son esprit en catégories de réel (solidité, sensibilité) et d'imaginaire (évanescence, insignifiance). Si elle se retrouvait — *quand* elle se retrouverait — devant sa machine à écrire, elle réécrirait de fond en comble ses scénarios ironiques, désormais emplie de foi en ses histoires, non pas parce que le fantastique était absolument vrai, mais parce que la réalité ne l'était jamais.

Elle quitta le Grove en milieu de matinée, choisissant une route qui la ferait passer devant le centre, où la restauration du *statu quo* allait bon train. En roulant vite, elle aurait franchi la frontière au crépuscule; et elle serait arrivée à la Mission de Santa Catrina, ou — si les espoirs de Fletcher étaient fondés — sur le terrain vague où elle s'était dressée, bien avant l'aube.

Obéissant aux instructions de son père, Tommy-Ray était discrètement retourné au centre durant la nuit, longtemps après que la foule se fut dispersée. A ce moment-là, la police était arrivée, mais il n'eut aucune difficulté à accomplir sa mission, à savoir récupérer le *terata* qu'il avait fixé de ses propres mains à la chair de Katz. Le Jaff ne souhaitait pas seulement empêcher la police de trouver cette créature. Celle-ci n'était pas morte et, une fois revenue dans les mains de son créateur, elle régurgita tout ce qu'elle avait vu et entendu, le Jaff posant les mains sur sa poitrine comme un guérisseur et extirpant un compte rendu de son organisme.

Lorsqu'il eut entendu ce qu'il avait besoin d'entendre, il tua le messager.

— *Eh bien...,* dit-il à Tommy-Ray, *...tu vas apparemment partir en voyage plus tôt que je ne l'avais escompté.*

— Et Jo-Beth? C'est ce salaud de Katz qui l'a.

— *Nous avons gaspillé nos efforts en essayant de la gagner à notre cause. Elle nous a reniés. Nous ne perdrons plus de temps. Qu'elle tente sa chance dans le maelström.*

— Mais...

— *Ça suffit*, dit le Jaff. *Ton obsession à son endroit est vraiment grotesque. Et ne boude pas! On a trop longtemps cédé à tes caprices. Tu penses que ton beau sourire te permet de tout obtenir. Eh bien, tu n'arriveras pas à obtenir ta sœur.*

— Tu te trompes. Et je te le prouverai.

— *Pas maintenant. Tu as un voyage à faire.*

— D'abord, Jo-Beth, dit Tommy-Ray.

Il fit mine de s'écarter de son père. Mais la main du Jaff se posa sur son épaule avant qu'il ait pu faire un seul pas. Ce contact fit pousser un cri à Tommy-Ray.

— *Ferme ta gueule!*

— Tu me fais mal!

— *C'est exprès!*

— Non... tu me fais *vraiment* mal. Arrête.

— *Tu es aimé de la mort, pas vrai, mon fils?*

Tommy-Ray sentait ses jambes vaciller. Le liquide coula de sa bite, de son nez et de ses yeux.

— *Je ne pense pas que tu sois à moitié aussi viril que tu le prétends*, lui dit le Jaff. *Même pas à moitié aussi viril.*

— Je suis navré... arrête de me faire mal, je t'en prie...

— *Je ne pense pas qu'un homme passe tout son temps à renifler sa sœur. Et un homme ne parle pas de la mort comme tu le fais s'il doit se mettre à ramper dès qu'il a un peu mal.*

— D'accord! D'accord! J'ai pigé! Mais arrête, veux-tu? *Arrête!*

Le Jaff le relâcha. Il tomba à terre.

— *La nuit a été dure pour nous deux*, dit son père. *On nous a volé quelque chose à tous les deux... toi, ta sœur... moi, la satisfaction de détruire Fletcher. Mais l'avenir s'annonce bien. Fais-moi confiance.*

Il se baissa pour ramasser Tommy-Ray. Celui-ci tiqua en voyant les doigts posés sur son épaule. Mais cette fois-ci, ce contact se révéla bénin; apaisant même.

— *Il y a un endroit où je veux que tu ailles pour moi*, dit le Jaff. *Il s'appelle la Mission de Santa Catrina...*

II

Ce fut seulement lorsque Fletcher eut disparu de sa vie que Howie se rendit compte du nombre de questions qu'il avait laissées sans réponses ; du nombre de problèmes que seul son père aurait pu l'aider à résoudre. Ceux-ci et celles-là ne le tourmentèrent guère durant la nuit. Il dormit trop profondément. Mais le lendemain matin, il regretta amèrement d'avoir refusé les enseignements de Fletcher. Il ne restait plus à Jo-Beth et à lui-même qu'à essayer de reconstituer cette histoire dans laquelle tous deux jouaient apparemment un rôle vital à partir de quelques maigres indices, notamment le témoignage de la mère de Jo-Beth.

L'invasion de la nuit précédente avait profondément transformé Joyce McGuire. Après avoir passé des années à tenter de triompher du mal qui s'était introduit chez elle, l'échec qu'elle avait rencontré l'avait en quelque sorte libérée. Le pire était arrivé : que lui restait-il à redouter ? Elle avait vu son enfer personnel prendre forme devant elle, et avait survécu. L'intervention divine — sous la forme du Pasteur — avait été inefficace. C'était Howie qui était parti à la recherche de sa fille et qui la lui avait finalement ramenée — aussi éprouvée et meurtrie que lui. Elle lui avait ouvert les portes de sa maison ; avait même insisté pour qu'il y passe la nuit. Le lendemain matin, elle s'affaira dans son foyer avec l'allure d'une femme à qui on venait d'apprendre que la tumeur décelée dans son corps était bénigne et qu'elle avait encore une espérance de vie de quelques années.

Lorsque, en début d'après-midi, tous trois s'assirent pour discuter de la situation, il ne fallut que quelques minutes pour la convaincre de se libérer du fardeau de son passé, et les histoires se bousculèrent dans sa bouche. Parfois, surtout quand elle parlait d'Arleen, de Carolyn et de Trudi, elle se mettait à pleurer, mais à mesure que les événements qu'elle rapportait se faisaient plus tragiques, elle les narrait avec de moins de moins de passion. Il lui arrivait parfois de revenir sur certain détail qu'elle avait omis, de louer certaine personne qui l'avait aidée durant cette période difficile, pendant laquelle elle élevait seule Jo-Beth et Tommy-Ray tout en sachant qu'on la considérait comme la traînée qui avait survécu.

— Le nombre de fois où j'ai pensé à quitter le Grove..., dit-elle. Comme Trudi.

— Je ne pense pas que cela lui ait épargné le chagrin, dit Howie. Elle a toujours été malheureuse.

— Ce n'est pas ainsi que je me souviens d'elle. Elle était toujours amoureuse de quelqu'un.

— Savez-vous... de qui elle était amoureuse avant de m'avoir ?

— Me demandez-vous si je sais qui est votre père ?

— Oui.

— J'ai mon idée là-dessus. Votre second prénom est le même que le sien. Ralph Contreras. C'était le jardinier de l'Église Luthérienne. Il nous regardait tout le temps quand on rentrait de l'école. Tous les jours. Votre mère était très mignonne, vous savez. Pas à la manière d'une vedette de cinéma, comme l'était Arleen, mais avec des yeux si noirs... vous avez ses yeux... des yeux si liquides. Je crois que c'est elle que Ralph préférait. Mais il ne disait pas grand-chose. Il était affligé d'un horrible bégaiement.

Howie sourit à ces mots.

— Alors, *c'était* lui. J'en ai hérité.

— Je n'ai rien remarqué.

— Je sais, c'est étrange. Il a disparu. Comme si le fait d'avoir rencontré Fletcher m'en avait débarrassé. Dites-moi, est-ce que Ralph habite toujours au Grove ?

— Non. Il est parti avant même votre naissance. Il a probablement pensé qu'on allait le lyncher. Votre mère était une fille blanche de la classe moyenne, et lui...

Elle s'interrompit en voyant l'expression de Howie.

— Et lui ? dit-il.

— ... c'était un Mexicain.

Howie hocha la tête.

— On en apprend tous les jours, pas vrai ? dit-il, affectant de prendre à la légère cette révélation qui le bouleversait.

— Quoi qu'il en soit, c'est pour ça qu'il est parti, reprit Joyce. Si votre mère avait donné son nom, je suis sûre qu'il aurait été accusé de viol. Mais ce n'était pas un viol. Nous étions *poussées*, toutes les quatre, poussées par ce que le Diable avait mis en nous.

— Ce n'était pas le Diable, Maman, dit Jo-Beth.

— C'est ce que tu dis, répliqua-t-elle avec un soupir. (Toute son énergie sembla la déserter alors qu'elle retrouvait son vocabulaire d'antan.) Et peut-être as-tu raison. Mais je suis trop vieille pour changer ma façon de penser.

— Trop vieille ? dit Howie. Qu'est-ce que vous racontez ? Ce que vous avez fait hier soir était extraordinaire.

Joyce tendit la main vers Howie et lui caressa la joue.

— Laissez-moi croire ce que je crois. Ce ne sont que des mots, Howard. Le Jaff pour vous. Le Diable pour moi.

— Et Tommy-Ray et moi, qu'est-ce que ça fait de nous ? dit Jo-Beth. C'est le Jaff qui nous a créés.

— Je me suis souvent posé la question, dit Joyce. Quand vous étiez très jeunes, je vous observais constamment, j'attendais que le mal qui vous habitait se manifeste. Le mal était en Tommy-Ray. Son créateur me l'a pris. Peut-être que mes prières t'ont sauvée, Jo-Beth. Tu es allée à l'église avec moi. Tu as étudié. Tu as eu foi en Notre Seigneur.

— Tu penses donc que Tommy-Ray est perdu ? demanda Jo-Beth.

Maman attendit quelques instants avant de répondre, mais lorsqu'elle répondit, il fut évident que ce n'était pas l'incertitude qui avait motivé son attente.

— Oui, dit-elle. Il est parti.

— Je ne le crois pas, dit Jo-Beth.

— Même après sa conduite d'hier soir ? intervint Howie.

— Il ne sait pas ce qu'il fait. Le Jaff le manipule, Howie. Je le connais mieux que si c'était mon frère...

— Ce qui veut dire ?

— C'est mon frère jumeau. Je ressens ce qu'il ressent.

— Il y a du mal en lui, dit Maman.

— Alors il y a du mal en moi aussi, répliqua Jo-Beth. (Elle se leva.) Il y a trois jours, tu l'adorais. Aujourd'hui, tu dis qu'il est parti. Tu as laissé le Jaff s'emparer de lui. Je ne vais pas renoncer à lui comme ça.

Ceci dit, elle quitta la pièce.

— Peut-être qu'elle a raison, dit doucement Joyce.

— Tommy-Ray peut être sauvé ? dit Howie.

— Non. Peut-être que le Diable est aussi en elle.

Howie retrouva Jo-Beth dans la cour, le visage tourné vers le ciel, les yeux clos. Elle lui jeta un regard vif.

— Tu penses que Maman a raison, dit-elle. Que Tommy-Ray est perdu.

— Non. Pas si tu crois qu'on peut encore le toucher. Le ramener.

— Ne dis pas ça pour me faire plaisir, Howie. Si tu n'es pas dans mon camp, je veux que tu le dises franchement.

Il posa une main sur son épaule.

— Écoute, dit-il, si j'avais cru ce que ta mère me disait, je ne serais pas revenu, n'est-ce pas ? C'est *moi,* tu te rappelles ? La persistance faite homme. Si tu penses que nous pouvons briser l'emprise du Jaff sur Tommy-Ray, alors c'est ce qu'on va faire. Mais ne me demande pas de le trouver sympathique.

Elle se tourna vers lui, écartant de son visage ses cheveux saisis par la brise.

— Je n'aurais jamais cru que je te prendrais un jour dans mes bras au milieu du jardin de ta mère, dit Howie.

— Les miracles, ça arrive.

— Non, dit-il. Les miracles, ça se *fait*. Tu en es un, moi aussi, le soleil aussi, et nous trois réunis ici, c'est le plus grand miracle de tous.

III

Après le départ de Tesla, le premier geste de Grillo fut de téléphoner à Abernethy. Dire ou ne pas dire n'était qu'un des dilemmes qui se présentaient à lui. Maintenant plus que jamais, le vrai problème était de savoir *comment*. Il n'avait jamais eu l'instinct d'un romancier. Dans ses articles, il s'efforçait d'adopter un style simple et factuel. Pas de syntaxe torturée ; pas de vocabulaire alambiqué. Son mentor n'était pas un journaliste mais Jonathan Swift, l'auteur des *Voyages de Gulliver*, un satiriste si soucieux de clarté qu'il lisait ses œuvres à ses serviteurs afin de s'assurer que son style n'obscurcissait pas son propos. Grillo se référait constamment à son modèle. Ce qui était parfait lorsqu'il avait à écrire un article sur la drogue ou sur les sans-domicile-fixe de Los Angeles. Les faits parlaient d'eux-mêmes.

Mais cette histoire-ci — des cavernes jusqu'à l'immolation de Fletcher — lui posait un problème plus épineux. Comment pouvait-il rapporter ce qu'il avait vu la nuit précédente sans rapporter aussi ce qu'il avait *ressenti* ?

Il eut avec Abernethy un dialogue volontairement ambigu. Inutile d'essayer de prétendre qu'il ne s'était rien passé au Grove cette nuit. Toutes les télévisions locales avaient déjà parlé de vandalisme — même si cette affaire ne faisait pas les gros titres. Abernethy était au courant.

— Vous étiez sur place, Grillo ?

— Après coup. Seulement après coup. J'ai entendu les alarmes et...

— Et ?

— Pas grand-chose à raconter. Quelques vitrines brisées.

— Des *Hell's Angels* en bordée.

— C'est ce que vous avez entendu dire ?

— Ce que j'ai entendu dire ? Bon Dieu, c'est vous le reporter, Grillo, pas moi. Qu'est-ce qu'il vous faut ? Un coup de coke ? Un coup de scotch ? Une visite de votre foutue Mude ?

— Muse.

— Mude, Muse ; qu'est-ce qu'on en a à foutre ? Contentez-vous de me pondre un article qui plaira à mes lecteurs. Il y a sûrement eu des blessés...

— Je ne pense pas.

— Alors, inventez-en.

— J'ai bien quelque chose...

— Quoi ? *Quoi ?*

— Un truc dont personne n'a encore parlé, je le parierais.

— Ça a intérêt à être bon, Grillo. C'est votre boulot qui est en jeu, bordel.

— On va donner une fête chez Vance. Pour célébrer son décès.

— D'accord. Allez faire un tour là-bas. Je veux tout savoir sur lui et sur ses amis. Ce type était une ordure. Les amis des ordures sont aussi des ordures. Je veux tous les noms et tous les détails.

— On dirait parfois que vous avez vu trop de films, Abernethy.

— Ce qui veut dire ?

— Laissez tomber.

Une image s'attarda un long moment dans l'esprit de Grillo après qu'il eut raccroché : Abernethy passant des nuits entières à répéter des bouts de dialogues issus de films sur le journalisme, peaufinant son rôle de rédac-chef cynique et impitoyable. Il n'était pas le seul, pensa Grillo. Chaque homme et chaque femme se faisait du cinéma dans la tête, chacun avec son nom en haut de l'affiche. Ellen était la femme bafouée détentrice de terribles secrets. Tesla était la femme extravagante de West Hollywood, égarée dans un monde dont elle ignorait tout. Ces pensées firent naître en lui une question inévitable : qu'était-il ? L'apprenti-journaliste qui tombe sur un scoop ? L'homme intègre harcelé par un système corrompu ? Ni l'un ni l'autre de ces rôles ne lui convenaient comme ils lui auraient convenu lorsqu'il avait débarqué, sortant de sa tanière, pour écrire l'histoire de Buddy Vance. Les événements l'avaient par la suite marginalisé. D'autres, Tesla en particulier, étaient devenus les vraies vedettes.

Tout en se repeignant devant le miroir, il se demanda ce qu'entraînait son statut d'étoile sans firmament. Était-il libre d'embrasser une autre profession ? Ingénieur à la NASA ; jongleur ; amant. Amant, pourquoi pas ? Amant d'Ellen Nguyen ? Ça sonnait bien.

Elle mit longtemps à venir lui ouvrir et, quand elle arriva sur le seuil, elle mit apparemment plusieurs secondes à reconnaître Grillo. Il allait lui rappeler son nom lorsqu'un sourire se dessina sur son visage, et elle dit :

— Je vous en prie... entrez. Êtes-vous guéri de votre grippe ?

— Je me sens encore un peu faible.

— Je crois que je l'ai attrapée, moi aussi..., dit-elle en refermant la porte. Quand je me suis réveillée, je me sentais... je ne sais pas...

Les rideaux étaient toujours tirés. La maison semblait encore plus petite que dans les souvenirs de Grillo.

— Voulez-vous un peu de café ? dit-elle.

— Oui. Merci.

Elle disparut dans la cuisine, abandonnant Grillo au milieu d'une pièce dont tous les meubles croulaient sous les revues, les jouets et le linge à repasser. Ce fut seulement lorsqu'il se dégagea un espace pour s'asseoir qu'il s'aperçut qu'il avait un public. Philip était debout sur le seuil du couloir qui donnait sur sa chambre. Sa virée au centre commercial avait été prématurée. Il paraissait encore faible.

— Salut, dit Grillo. Comment ça va ?

A sa grande surprise, le petit garçon lui sourit ; un sourire franc et rayonnant.

— Vous avez vu ? dit-il.

— Vu quoi ?

— Au centre, continua Philip. Vous *avez* vu. Je le sais. Les belles lumières.

— Oui, je les ai vues.

— J'ai tout raconté à Balloon-Man. C'est comme ça que je sais que je n'ai pas rêvé.

Toujours souriant, il se dirigea vers Grillo.

— J'ai bien reçu ton dessin, lui dit celui-ci. Merci.

— J'en ai plus besoin, dit Philip.

— Pourquoi donc ?

— Philip. (Ellen était revenue avec du café.) N'embête pas Mr Grillo.

— Il ne m'embête pas, dit Grillo. (Il se tourna de nouveau vers Philip.) Peut-être qu'on parlera de Balloon-Man un peu plus tard, lui dit-il.

— Peut-être, répondit le garçonnet, comme si cela ne dépendait que de la bonne conduite de Grillo. Je m'en vais maintenant, annonça-t-il à sa mère.

— Bien sûr, mon chéri.

— Je lui dis bonjour de votre part ? demanda Philip à Grillo.

— Je t'en prie, dit Grillo, ne sachant pas exactement ce que voulait dire le petit garçon. Ça me ferait plaisir.

Satisfait, Philip repartit vers sa chambre.

Ellen s'affairait à leur dégager de l'espace pour s'asseoir. Elle travaillait en tournant le dos à Grillo. Son peignoir de style kimono lui collait à la peau. Ses fesses étaient fort lourdes pour une femme de sa taille. Lorsqu'elle se retourna, la ceinture de son peignoir s'était relâchée. Les plis du vêtement s'ouvraient sur sa poitrine. Sa peau était sombre et polie. Elle perçut son regard appréciateur lorsqu'elle lui tendit une tasse de café, mais ne fit aucune tentative pour resserrer sa ceinture. A chacun de ses mouvements, l'entrebâillement de tissu tentait un peu plus les yeux de Grillo.

— Je suis heureuse que vous soyez venu, dit-elle une fois qu'ils furent assis. Je me suis fait du souci quand votre amie...

— Tesla.

— Tesla. Quand Tesla m'a dit que vous étiez malade. Je me suis sentie responsable. (Elle sirota une gorgée de café, sursautant lorsque le liquide lui toucha la langue.) Il est brûlant, dit-elle.

— Philip m'a dit que vous étiez au centre hier soir.

— Vous aussi, répondit-elle. Savez-vous s'il y a eu des blessés ? Tout ce verre brisé.

— Seulement Fletcher, dit Grillo.

— Je ne crois pas le connaître.

— C'est l'homme qui a brûlé.

— Quelqu'un a brûlé ? dit-elle. Oh mon Dieu, c'est horrible.

— Vous l'avez sûrement vu.

— Non, répondit-elle. Nous n'avons vu que le verre.

— Et les lumières. Philip m'a parlé des lumières.

— Oui, dit-elle, de toute évidence intriguée. Il m'a dit la même chose. Vous savez, je ne me rappelle rien du tout. Est-ce important ?

— Le plus important, c'est que vous alliez bien, tous les deux, dit-il, dissimulant sa confusion par une platitude.

— Oh, nous allons très bien, dit-elle en le regardant droit dans les yeux, le visage soudain exempt de tout étonnement. Je suis fatiguée, mais je me sens bien.

Elle se pencha pour poser sa tasse sur la table, et cette fois-ci, son peignoir s'entrouvrit suffisamment pour que Grillo aperçoive ses seins. Elle savait exactement ce qu'elle faisait, il n'en avait pas le moindre doute.

— Avez-vous des nouvelles de chez Vance ? demanda-t-il, retirant une satisfaction indéniable de parler affaires tout en pensant sexe.

— Je suis censée y aller, dit Ellen.

— Quand a lieu la soirée ?

— Demain. C'est un peu tôt, mais je pense que les amis de Buddy s'attendaient à ce qu'il y ait une fête en son honneur.

— J'aimerais bien pouvoir entrer.

— Vous voulez écrire un reportage ?

— Bien sûr. Il va y avoir du beau monde, n'est-ce pas ?

— Je le pense.

— Mais ce n'est pas tout. Nous savons tous les deux qu'il se passe quelque chose d'extraordinaire à Palomo Grove. Hier soir, ce n'était pas simplement le centre...

Il laissa sa phrase inachevée en découvrant que l'expression d'Ellen, dès qu'il avait mentionné les événements de la veille, s'était à nouveau faite distraite. Était-ce une amnésie volontaire ou bien un processus naturel de la magie de Fletcher ? Il penchait pour la première hypothèse. Philip, moins résistant aux changements du *statu quo*, n'avait pas ces problèmes de mémoire. Lorsque Grillo se remit à parler de la soirée, Ellen lui accorda de nouveau toute son attention.

— Croyez-vous pouvoir me faire entrer ? demanda-t-il.

— Il faudra être prudent. Rochelle sait à quoi vous ressemblez.

— Vous ne pouvez pas m'inviter officiellement ? En tant que journaliste ?

Elle secoua la tête.

— Il n'y aura *aucun* journaliste, expliqua-t-elle. C'est une soirée strictement privée. Tous les associés de Buddy ne sont pas avides de publicité. Certains d'entre eux en ont eu beaucoup trop, trop tôt. D'autres préféreraient ne pas en avoir du tout. Il fréquentait beaucoup de gens qui... comment disait-il ?... qui jouaient gros jeu. Des mafiosi, à mon avis.

— Raison de plus pour moi d'aller y faire un tour, dit Grillo.

— Eh bien, je ferai mon possible, surtout après vous avoir fait tomber malade. Je pense qu'il y aura assez d'invités pour que vous puissiez vous perdre dans la foule...

— Je vous en serais très reconnaissant.

— Un peu plus de café ?

— Non merci.

Il consulta sa montre sans regarder l'heure.

— Vous n'allez pas partir, dit-elle.

Ce n'était pas une question mais une affirmation. On pouvait en dire autant de sa réponse.

— Non. Pas si vous préférez que je reste.

Sans dire un mot, elle tendit la main et lui caressa le sternum à travers le tissu de sa chemise.

— Je préfère que vous restiez, dit-elle.

Il jeta un regard instinctif en direction de la chambre de Philip.

— Ne vous inquiétez pas, dit-elle. Il peut jouer pendant des heures. (Elle glissa ses doigts entre les boutons de la chemise de Grillo.) Venez au lit avec moi, dit-elle.

Elle se leva et le conduisit jusqu'à sa chambre. Celle-ci, par contraste avec le désordre qui régnait dans le salon, était quasiment spartiate. Elle alla jusqu'à la fenêtre et tira les rideaux à moitié, ce qui donna à la pièce une lueur parcheminée, puis s'assit sur le lit et leva les yeux vers Grillo. Il se pencha sur elle et l'embrassa, glissant une main dans l'entrebâillement de son peignoir et massant doucement son sein. Elle pressa sa main contre la sienne, insistant pour faire l'objet d'un traitement plus sévère. Puis elle l'attira contre elle. Vu leur différence de taille, le menton de Grillo reposait sur son crâne, mais elle transforma ce handicap en avantage érotique, ouvrant sa chemise et lui léchant la poitrine, sa langue laissant un sillage humide d'un mamelon à l'autre. Pas un seul instant elle ne relâcha la pression de sa main sur celle de Grillo. Ses ongles s'enfoncèrent douloureusement dans la peau. Il lutta pour dégager sa main, cherchant à atteindre la ceinture du peignoir, mais elle y arriva avant lui. Il roula sur le lit, et il était sur le point de se déshabiller quand elle saisit sa chemise, toujours avec la même force, et l'obligea à rester allongé à côté d'elle, nichant son visage au creux de son épaule, tandis qu'elle défaisait sa ceinture d'une main, puis ouvrait son peignoir en grand. Elle était nue en dessous. Doublement nue, en fait. Son bas-ventre était complètement rasé.

Puis elle détourna son visage et ferma les yeux. Une main toujours accrochée à la chemise de Grillo, l'autre reposant près de son corps, elle semblait offrir celui-ci comme s'il s'était agi d'un plat somptueux. Grillo posa une main sur son estomac, en faisant courir la paume vers son con, pressant sa peau qui semblait presque brunie à l'œil et au toucher.

Sans ouvrir les yeux, elle murmura :

— Fais tout ce que tu veux.

Cette invitation le désarçonna momentanément. Il était habitué à passer un contrat tacite avec ses partenaires, mais cette femme n'avait cure de telles délicatesses et lui offrait l'entière disposition de son corps. Cela le mettait mal à l'aise. Durant son adolescence, cette passivité lui aurait paru insupportablement érotique. A présent, elle choquait sa sensibilité libérale. Il prononça son nom, espérant qu'elle allait lui donner un signe, mais elle l'ignora. Ce fut seulement lorsqu'il s'assit à nouveau pour ôter sa chemise qu'elle ouvrit les yeux et dit :

— Non. Comme ça, Grillo. Comme ça.

L'expression de son visage et le ton de sa voix trahissaient la rage, et Grillo sentit une même rage l'envahir. Il roula sur elle, lui prenant la tête entre les mains et insinuant sa langue dans la bouche de son amante. Le corps de celle-ci s'arqua au-dessus du matelas, frottant le sien avec tant de force qu'il était sûr qu'elle en retirait autant de douleur que de plaisir.

Dans la pièce qu'ils venaient de quitter, les tasses de café frémirent comme sous l'effet du plus minime des tremblements de terre. La poussière rampa sur la table, troublée par les mouvements d'une chose presque invisible aux épaules voûtées qui émergea du coin le plus sombre de la pièce pour dériver plutôt que marcher vers la porte de la chambre. Sa forme, bien que rudimentaire, était néanmoins assez reconnaissable pour qu'on la prenne pour une ombre, mais elle avait trop peu de substance pour mériter le nom de fantôme. Quelle que fût sa nature, passée ou à venir, elle avait un but même dans sa condition présente. Attirée par la femme dont les rêves lui avaient donné naissance, elle s'approcha de la chambre. Là — l'entrée lui étant refusée —, elle gémit contre la porte, attendant ses instructions.

Philip émergea de son saint des saints et erra dans la cuisine en quête de nourriture. Il ouvrit la boîte à biscuits, chercha quelques gâteaux au chocolat et rebroussa chemin, tenant dans sa main gauche un biscuit pour lui-même et dans sa main droite trois pour son compagnon, dont les premières paroles avaient été :

— J'ai faim.

Grillo leva la tête au-dessus du visage mouillé d'Ellen. Celle-ci ouvrit les yeux.

— Qu'y a-t-il ? dit-elle.

— Il y a quelqu'un derrière la porte.

Elle leva la tête et lui mordit le menton. Ça faisait mal, et il grimaça.

— Ne fais pas ça, dit-il.

Elle mordit plus fort.

— *Ellen...*

— Mords-moi donc, dit-elle.

Il n'eut pas le temps de réprimer un regard étonné. L'apercevant, elle dit :

— Je suis sérieuse, Grillo. (Elle lui plongea un doigt dans la bouche, lui bloquant le menton de la paume de sa main.) Ouvre, dit-elle. Je veux que tu me fasses mal. N'aie pas peur. C'est ce que je veux. Je ne suis pas fragile. Je ne vais pas me briser.

Il se dégagea.

— Fais-le, dit-elle. *Je t'en prie,* fais-le.

— C'est ce que tu veux ?

— Combien de fois faudra-t-il te le dire, Grillo ? *Oui.*

Une fois délogée, sa main était venue lui enserrer la nuque. Il la laissa lui attirer le visage contre le sien et se mit à lui mordiller les lèvres, puis le cou, testant sa résistance. Il n'y en avait aucune. A la place, des gémissements de plaisir dont l'intensité augmentait avec celle de ses morsures. Cette réaction le débarrassa de toute inhibition. Il se mit à descendre le long de son cou et jusqu'à ses seins, et ses gémissements s'amplifièrent, entrecoupés de temps en temps par son nom, l'encourageant. La peau d'Ellen commença à rougir, sous l'effet des morsures mais aussi sous celui du plaisir. Elle s'inonda soudain de sueur. Il posa une main entre ses jambes, l'autre lui maintenant les bras au-dessus de la tête. Son con était moite et il lui engloutit aussitôt les doigts. Il s'était mis à haleter sous l'effort, et sentait sa chemise coller à son dos. En dépit de son inconfort, cette mise en scène l'excitait : le corps d'Ellen totalement vulnérable, le sien prisonnier des boutons et des fermetures Éclair. Sa bite, qui bandait en suivant un angle mal choisi, lui faisait mal, mais cette douleur ne l'en rendait que plus dure, douleur et dureté se nourrissant l'une de l'autre, tout comme il se nourrissait d'elle qui exigeait qu'il lui fasse encore mal, qu'il l'ouvre encore plus. Son con était brûlant autour des doigts enfoncés, ses seins étaient décorés de croissants jumeaux laissés par les dents. Ses mamelons étaient aussi rigides que des pointes de flèche. Il les suça : les mâchonna. Les gémissements d'Ellen devinrent des sanglots syncopés, ses jambes se convulsèrent sous lui, manquant les jeter à bas du lit. Lorsqu'il relâcha son étreinte l'espace d'un instant, la main d'Ellen s'empara de la sienne et l'enfonça plus profondément en elle.

— *Ne t'arrête pas,* dit-elle.

Il adopta le rythme qu'elle lui imposait, puis le redoubla, et elle joua des hanches pour enfoncer ses doigts en elle jusqu'à la garde. Alors qu'il l'observait, il vit sa sueur couler de son visage sur celui d'Ellen. Les yeux fermés, les paupières serrées, elle leva la tête et lui lécha le front et la bouche, le laissant privé de baiser mais couvert de salive.

Finalement, il sentit son corps tout entier se raidir, et elle stoppa net les mouvements de sa main, le souffle court et saccadé. Puis l'étreinte de sa main sur celle de Grillo — qui s'était mise à saigner — se relâcha. Elle laissa retomber sa tête. Elle était soudain aussi molle qu'elle l'avait été lorsqu'elle s'était couchée pour se dévoiler à lui. Il s'écarta d'elle, sentant les battements de son cœur jouer au squash contre les murs de sa poitrine et de son crâne.

Ils restaient étendus dans un temps hors du temps. Il n'aurait pas pu dire si plusieurs secondes ou plusieurs minutes s'étaient écoulées. Ce fut elle qui bougea la première, s'asseyant et s'enveloppant de son peignoir. Ce mouvement fit ouvrir les yeux à Grillo.

Elle renouait sa ceinture, disposait les pans de son peignoir avec des gestes presque pudiques. Il la regarda se diriger vers la porte.

— Attends, dit-il.

L'affaire restait à conclure.

— La prochaine fois, répondit-elle.

— Quoi ?

— Tu as bien entendu. (Sa réponse fut donnée sur le ton d'un ordre.) La prochaine fois.

Il se leva, conscient que son excitation paraissait probablement ridicule aux yeux d'Ellen, mais rendu furieux par son égoïsme. Elle le regarda s'approcher avec un petit sourire.

— Ce n'est qu'un début, lui dit-elle.

Elle frotta les endroits de son cou où il l'avait mordue.

— Et qu'est-ce que je suis censé faire ? demanda Grillo.

Elle ouvrit la porte. Un air frais vint caresser le visage de Grillo.

— Lèche tes doigts, dit-elle.

Ce fut seulement à ce moment-là qu'il se rappela le bruit qu'il avait entendu, et il s'attendit à moitié à découvrir Philip en train de battre en retraite vers sa chambre. Mais il n'y avait que l'air, qui séchait la salive sur son visage pour plaquer dessus un masque étroit de parchemin.

— Café? dit-elle.

Elle n'attendit pas la réponse, mais se dirigea vers la cuisine. Immobile, Grillo la regarda partir. Son corps fatigué par la maladie commençait à réagir aux poussées d'adrénaline qu'il lui avait infligées. Ses extrémités étaient secouées d'un tremblement qui semblait naître dans la moelle de ses os.

Il écouta une série de bruits domestiques : l'eau qui coule, les tasses qu'on rince. Sans réfléchir, il porta ses doigts, qui dégageaient une forte odeur de sexe, à son nez et à ses lèvres.

IV

Jimmy Lamar, le Roi du Gag, descendit de sa limousine devant la maison de Buddy Vance et essaya d'effacer le sourire qui lui ornait le visage. Cela lui était déjà difficile en temps ordinaire, mais aujourd'hui — son vieux partenaire étant mort sans qu'ils aient eu le temps de se pardonner mutuellement leurs excès de langage —, c'était virtuellement impossible. Pour chaque action, une réaction, et Lamar réagissait à la mort par le sourire.

Il avait découvert l'origine de ce sourire lors de ses lectures. Un anthropologue avait avancé la théorie suivant laquelle le sourire était la réaction sophistiquée du singe aux membres indésirables de sa tribu : les animaux faibles ou déséquilibrés. Il disait en substance : *Tu n'es pas indispensable. Fous-moi le camp !* De cette condamnation en forme de rictus était né le rire, acte par lequel l'homme montrait ses dents aux imbéciles professionnels. Le rire était également une manifestation de mépris. Il proclamait que son objet n'avait, lui aussi, rien d'indispensable : un homme dont les grimaces étaient conçues pour le tenir à l'écart.

Lamar ne savait pas si cette théorie aurait résisté à l'analyse, mais il jouait les comiques depuis assez longtemps pour croire en sa plausibilité. Tout comme Buddy, il avait gagné une fortune en faisant l'imbécile. La différence essentielle entre eux, selon lui (et selon nombre de leurs amis communs), c'était que Buddy *était* un imbécile. Ce qui ne signifiait pas que sa mort le laissait indifférent ; bien au contraire. Ils avaient régné en maîtres sur leur public durant quatorze ans, connaissant un succès partagé qui rendait Lamar encore plus attristé par la mort de son ex-partenaire, en dépit du fossé qui avait fini par les séparer.

A cause de ce fossé, Lamar n'avait rencontré qu'une fois la somptueuse Rochelle, et ce par hasard, lors d'un dîner de charité où lui et sa femme Tammy avaient été placés à la table voisine de celle de Buddy et de sa fiancée de l'année. C'était lui-même qui avait utilisé cette description — suscitant des éclats de rire — lors de plusieurs émissions télévisées. Ce soir-là, Lamar avait décidé de se venger de Buddy en imposant sa présence à Rochelle pendant que le jeune marié allait vider sa vessie pleine de champagne. Leur rencontre avait été fort brève — Lamar ayant regagné sa place dès que Buddy l'avait aperçu —, mais elle avait dû faire une forte impression sur Rochelle, car celle-ci l'avait appelé personnellement pour l'inviter à Coney Eye. Il avait convaincu Tammy que la fête serait d'un ennui mortel et était arrivé avec un jour d'avance afin de passer quelque temps avec la jeune veuve.

— Vous avez une mine superbe, lui dit-il en franchissant le seuil de la maison de Buddy.

— Ça pourrait être pire, dit-elle.

Cette réponse ne prit tout son sens qu'une heure plus tard, lorsqu'elle lui apprit que c'était Buddy lui-même qui avait eu l'idée d'organiser une fête en son honneur.

— Il se savait sur le point de mourir, vous voulez dire? demanda Lamar.

— Non. Je veux dire qu'il m'est revenu.

S'il avait été en train de boire, il aurait toussé et craché comme dans un numéro comique, mais il remercia le ciel de n'avoir pas encore touché à son verre lorsqu'il se rendit compte qu'elle était mortellement sérieuse.

— Vous voulez dire... son *esprit?* dit-il.

— Je suppose que c'est le terme approprié. Je ne sais pas. Je ne suis pas croyante, donc je ne sais pas comment expliquer cela.

— Vous portez un crucifix, fit remarquer Lamar.

— Il appartenait à ma mère. C'est la première fois que je le porte.

— Pourquoi aujourd'hui? Avez-vous peur de quelque chose?

Elle sirota la vodka qu'elle s'était servie. Il était encore tôt pour boire un cocktail, mais elle avait besoin de réconfort alcoolisé.

— Peut-être, un peu, dit-elle.

— Où est Buddy? demanda Lamar, impressionné par sa propre impassibilité. Je veux dire... est-ce qu'il est dans la maison?

— Je ne sais pas. Il est venu me voir en plein milieu de la nuit, il m'a dit qu'il voulait que j'organise une fête, puis il est reparti.

— Dès que le chèque est arrivé, pas vrai?

— Ce n'est pas une blague.

— Je suis désolé. Vous avez raison, bien sûr.

— Il a dit qu'il voulait que tout le monde vienne ici pour faire la fête en son honneur.

— Je bois à cette idée, dit Lamar en levant son verre. Où que tu sois, Buddy. *Skol*.

Une fois son toast achevé, il s'excusa et se dirigea vers la salle de bains. Une femme intéressante, pensa-t-il. Complètement dingue, bien sûr, et — à en croire les rumeurs — accrochée à tous les produits chimiques imaginables, mais lui-même n'était pas un saint. Bien installé dans la salle de bains en marbre noir, entouré par une rangée de masques ricanants sortis tout droit d'un train-fantôme, il prit quelques lignes de coke pour se détendre, repensant à la beauté qui l'attendait au rez-de-chaussée. Il allait se la faire ; c'était indiscutable. De préférence dans le lit de Buddy, avec les serviettes de Buddy pour s'essuyer après coup.

Abandonnant le rictus de son reflet, il regagna le palier. Laquelle de ces chambres était celle de Buddy ? se demanda-t-il. Y avait-il des miroirs au plafond, comme dans le bordel de Tucson qu'ils avaient fréquenté dans le temps ? « Un jour, Jimmy, j'aurai une chambre comme celle-ci », avait dit Buddy en remisant sa foutue bite grosse comme un serpent.

Lamar ouvrit une demi-douzaine de portes avant de trouver la chambre du maître des lieux. Comme toutes les autres pièces, elle était décorée d'affiches et d'objets de cirque. Il n'y avait pas de miroir au plafond. Mais le lit était large. Assez grand pour accueillir trois personnes, le chiffre que Buddy préférait entre tous. Alors qu'il se préparait à redescendre, Lamar entendit l'eau couler dans la salle de bains adjacente.

— Rochelle, c'est vous ?

La lumière n'était pas allumée. De toute évidence, on avait oublié de fermer le robinet. Lamar ouvrit la porte.

Buddy prit la parole :

— Pas de lumière, s'il vous plaît.

S'il n'y avait pas eu de coke dans son organisme, Lamar aurait quitté la maison avant que le fantôme ait eu le temps d'ajouter un seul mot, mais la drogue l'avait suffisamment engourdi pour que Buddy ait le temps de le rassurer.

— Elle a dit que tu étais là, souffla Lamar.

— Vous ne l'avez pas cru ?

— Non.

— Qui êtes-vous ?

— Que veux-tu dire : « qui êtes-vous » ? C'est Jimmy, Jimmy Lamar.

— Bien sûr. Entre. Il faut que nous parlions.

— Non... je préfère rester ici.

— Je ne t'entends pas bien.

— Ferme le robinet.

— J'en ai besoin pour pisser.

— Tu pisses ?

— Seulement quand je bois.

— Tu bois ?

— Elle est là et je suis incapable de la toucher : que ferais-tu à ma place ?

— Ouais. Quel gâchis.

— Il va falloir que tu me remplaces, Jimmy.

— Hein ?

— Touche-la. Tu n'es pas pédé, n'est-ce pas ?

— Enfin, tu me connais.

— Bien sûr.

— Le nombre de femmes qu'on a sautées ensemble.

— Nous étions amis.

— Les meilleurs amis du monde. Et tu es vraiment sympa de me laisser baiser Rochelle.

— Elle est à toi. Et en retour...

— Quoi ?

— Je veux que tu sois à nouveau mon ami.

— Buddy. Tu m'as manqué.

— *Tu* m'as manqué, Jimmy.

— Vous aviez raison, dit-il lorsqu'il eut regagné le rez-de-chaussée. Buddy *est* ici.

— Vous l'avez vu.

— Non, mais il m'a parlé. Il veut que nous soyons amis. Lui et moi. Et vous et moi. Des amis très proches.

— Alors, d'accord.

— Pour Buddy.

— Pour Buddy.

A l'étage, le Jaff réfléchit à l'importance de ce pion nouveau et inattendu dans la partie, et la jugea cruciale. Il avait eu l'intention de se faire passer pour Buddy — ce qui n'avait rien de difficile, vu qu'il avait absorbé les pensées de cet homme — uniquement aux yeux de Rochelle. Vêtu de cette forme, il lui avait rendu visite deux nuits auparavant, la trouvant ivre morte dans son lit. Il lui avait été facile de la convaincre qu'il était l'esprit de son mari ; le plus difficile avait été de renoncer à ses droits conjugaux. A présent que le partenaire du comique avait succombé à la même illusion, il avait deux agents dans la maison pour l'assister quand arriveraient les invités.

Après les événements de la nuit précédente, il ne regrettait pas d'avoir eu l'idée d'organiser cette fête. Les manigances de Fletcher l'avaient pris par surprise. En s'autodétruisant, son adversaire avait réussi à planter une écharde de son âme productrice d'*hallucigenias* dans une centaine, peut-être deux centaines d'esprits. En ce moment même, les receveurs créaient leurs divinités personnelles ; et les solidifiaient. L'expérience prouvait que celles-ci n'auraient rien de spécialement barbare ; surtout pas comparées à ses *teratas*. Et, leur créateur n'étant plus là pour leur instiller de l'énergie, elles ne s'attarderaient pas longtemps sur ce plan de l'existence. Mais elles pourraient néanmoins nuire à son plan si soigneusement élaboré. Sans doute aurait-il besoin des créatures qu'il arracherait à ces cœurs hollywoodiens pour empêcher l'héritage de Fletcher de contrecarrer ses desseins.

Bientôt, le voyage qui avait commencé lorsqu'il avait entendu parler de l'Art pour la première fois — il y avait si longtemps qu'il ne se rappelait même plus par qui — allait prendre fin avec son entrée dans Quiddity. Après tant d'années de préparatifs, ce serait presque comme un retour chez soi. Il serait un voleur au Paradis, et donc le Roi du Paradis, étant la seule présence en ce lieu digne de s'emparer de son trône. Il posséderait la vie onirique du monde ; serait tout pour tous *, ne serait jamais jugé.

Il lui restait par conséquent deux jours. D'abord, les vingt-quatre heures qui lui étaient nécessaires pour réaliser son ambition.

Ensuite, le jour de l'Art, le jour où il atteindrait cet endroit où l'aube et le crépuscule, midi et minuit, survenaient au même instant perpétuel.

Et après, il n'y aurait plus que l'éternité.

---

* « Je me suis fait tout pour tous, afin d'en sauver sûrement quelques-uns. » Première Épître de Paul aux Corinthiens, IX-22. *(N.d.T.)*

V

1

En quittant Palomo Grove, Tesla eut l'impression de se réveiller après qu'un sage onirique lui eut enseigné que la vie n'était qu'un rêve. Désormais, elle ne ferait plus aucune différence entre le sens et le non-sens; ne supposerait plus avec arrogance que telle expérience était réelle et telle autre ne l'était pas. Peut-être vivait-elle dans un film, pensa-t-elle tout en roulant. A bien y réfléchir, c'était une bonne idée pour un scénario : l'histoire d'une femme découvrant que toute l'histoire de l'humanité n'était qu'une longue saga familiale, écrite par Gène et Hasard, ce tandem sous-estimé, et suivie par des anges, par des extra-terrestres, et par des spectateurs de Pittsburgh qui s'étaient branchés dessus par accident et ne pouvaient plus s'en passer. Peut-être écrirait-elle cette histoire, une fois que cette aventure serait finie.

Mais elle ne serait jamais finie; plus maintenant. C'était une des conséquences de la nouvelle perception qu'elle avait du monde. Pour le meilleur ou pour le pire, elle passerait le reste de sa vie à attendre le prochain miracle; et, tout en l'attendant, à l'inventer dans ses fictions, afin de pousser le monde et elle-même à rester vigilants.

La route était bonne, du moins jusqu'à Tijuana, et lui permettait de se laisser aller à de telles songeries. Une fois qu'elle eut franchi la frontière, cependant, elle fut obligée de consulter la carte qu'elle avait achetée et de remettre à plus tard synopsis et prophéties. Elle avait appris par cœur les instructions de Fletcher, et celles-ci — avec l'aide de la carte — se révélèrent fiables. N'ayant jamais visité la Basse-Californie, elle fut surprise de la découvrir aussi déserte. Cet environnement n'était pas de ceux où l'homme et ses œuvres pouvaient espérer une quelconque permanence, ce qui l'amena à penser que les ruines de la Mission avaient probablement succombé à l'érosion ou aux vagues du Pacifique, dont le murmure augmentait de volume à mesure que la route qu'elle suivait se rapprochait de la côte.

Elle n'aurait pas pu se tromper plus complètement. Lorsqu'elle arriva au sommet de la colline que lui avait indiquée Fletcher, il fut immédiatement évident à ses yeux que la Missiōn de Santa Catrina était en grande partie intacte. Ce spectacle fit frémir ses entrailles. Encore quelques minutes, et elle atteindrait le site où avait commencé une épopée dont elle ne connaissait encore que des épisodes mineurs. Bethléem aurait peut-être suscité les mêmes sentiments chez un chrétien. Ou Golgotha.

Ce lieu n'était pas peuplé de crânes. Au contraire. Bien que les murs de la Mission n'aient pas été rebâtis — leurs débris étaient encore éparpillés sur une surface importante —, quelqu'un avait de toute évidence protégé l'édifice de dommages supplémentaires. La raison de cette préservation lui apparut lorsqu'elle eut garé sa voiture à une certaine distance du bâtiment et se fut approchée de celui-ci à pied. La Mission, bâtie dans des buts pieux, désertée, puis consacrée à des buts que ses architectes auraient sans nul doute qualifiés d'hérétiques, était de nouveau sanctifiée.

Plus elle s'approchait des murs béants, plus elle rassemblait de preuves. D'abord, les fleurs, bouquets et couronnes posés au milieu des pierres éparses, leurs couleurs étincelantes dans l'air marin.

Ensuite, les petits amas poignants d'objets domestiques — une miche de pain, une cruche, une poignée de porte — qui étaient attachés ensemble par des feuilles de papier couvertes de gribouillis et posés au milieu des fleurs en telle profusion qu'elle ne pouvait pas faire un pas sans piétiner quelque chose. Le soleil descendait vers l'horizon, mais sa lumière d'or sombre ne faisait que renforcer l'aspect hanté de ce lieu. Elle traversa le champ de gravats le plus doucement possible, craignant de déranger ses occupants, humains ou non. S'il y avait des êtres miraculeux dans le Comté de Ventura (des êtres qui marchaient sans honte dans les rues), n'était-il pas probable de trouver des forgeurs de merveilles en ce lieu solitaire ?

Elle n'essaya même pas de deviner quelle pouvait être leur identité ni quelle pouvait être leur forme (s'ils en avaient une). Mais si l'on pouvait déduire quelque chose de l'abondance d'offrandes et de suppliques à ses pieds, c'était que les prières trouvaient ici une réponse.

Les bouquets et les messages déposés devant la Mission étaient émouvants, mais ceux qui se trouvaient à l'intérieur l'étaient encore davantage. Elle passa à travers une brèche dans le mur pour pénétrer au sein d'une foule de portraits silencieux : des photographies par douzaines, et des dessins d'hommes, de femmes et d'enfants accrochés à la pierre, ainsi que des bouts de tissu et des chaussures ; il y avait même des lunettes. Au-dehors, elle avait erré parmi des offrandes. Ici, devina-t-elle, se trouvaient des indices que quelque dieu fin limier était censé renifler. Ils appartenaient à des âmes disparues et on les avait amenés ici dans l'espoir qu'une puissance divine guiderait ces âmes vers la route familière qui leur ferait regagner leur foyer.

Immobile dans la lumière dorée, elle examina cette collection et eut l'impression d'être une intruse. Les objets religieux l'avaient rarement émue, sinon jamais. La certitude rendait leurs sentiments trop convenus, leurs images trop rhétoriques. Mais cette démonstration de foi toute simple touchait en elle un nerf qu'elle avait cru atrophié par son cynisme. Elle se rappela les sentiments qu'elle avait éprouvés la première fois qu'elle était revenue passer Noël en famille après s'être imposé un exil de cinq ans. L'ambiance avait été aussi étouffante qu'elle l'avait imaginé, mais la nuit de Noël, à minuit, en plein milieu de la Cinquième Avenue, une émotion oubliée lui avait coupé le souffle et, en un instant, avait empli ses yeux de larmes : *jadis, elle avait cru*. Cette certitude était montée du plus profond d'elle-même. Elle ne devait rien ni à l'éducation ni à la contrainte. Ses premières larmes avaient témoigné de sa gratitude à l'idée de retrouver la foi ; les suivantes de sa tristesse à l'idée de voir disparaître la foi aussi vite qu'elle était venue, comme un esprit s'enfuyant après l'avoir brièvement traversée.

Cette fois-ci, l'émotion ne prit pas la fuite. Cette fois-ci, elle s'épanouit comme s'épanouissait la couleur du soleil en train de sombrer dans l'océan.

Un bruit au fond des ruines interrompit sa rêverie. Surprise, elle laissa son pouls ralentir un peu avant de demander :

— Qui est là ?

Aucune réponse. Elle s'aventura avec prudence derrière le mur des visages perdus et franchit une porte sans linteau pour pénétrer dans une deuxième pièce. Celle-ci était pourvue de deux fenêtres, pareilles à des yeux creusés dans la brique, à travers lesquelles le soleil couchant projetait deux rayons écarlates. Seul l'instinct justifiait son impression, mais elle était sûre que cet endroit était le plus sacré du temple. Bien qu'il fût dépourvu de toit et que son mur est fût gravement endommagé, ce lieu semblait chargé, comme si des forces s'étaient accumulées en lui avec le passage des ans. Sa fonction, lorsque Fletcher avait occupé la Mission, avait de toute évidence été celle de laboratoire. Il y avait des étagères gisant un peu partout, ainsi que les débris de l'équipement qu'on y avait jadis rangé. On n'avait permis ni aux offrandes ni aux portraits de troubler cet endroit qui semblait *préservé*. Même si le sable s'était rassemblé autour des meubles brisés, et même si l'herbe poussait çà et là, la pièce demeurait telle qu'elle avait été : le témoignage d'un miracle ; ou de sa disparition.

Le gardien du sanctuaire se trouvait dans le coin le plus éloigné de Tesla, derrière les rayons jumeaux issus de la fenêtre. Elle ne le distinguait que vaguement. Voyait seulement qu'il ne portait pas de masque et que ses traits étaient moins grossiers que ceux d'un masque. Rien de ce qu'elle avait ressenti jusque-là ne la poussait à craindre pour sa sécurité. Bien que seule, elle n'était nullement angoissée. Ce lieu était un sanctuaire, pas une arène de violence. De plus, elle était l'émissaire de la déité même qui avait jadis travaillé dans cette pièce. Elle devait s'exprimer avec toute l'autorité que lui conférait son statut.

— Mon nom est Tesla, dit-elle. C'est le Docteur Richard Fletcher qui m'envoie.

Elle vit l'homme réagir à ce nom d'un léger mouvement ascendant de la tête ; puis l'entendit soupirer.

— Fletcher ? dit-il.

— Oui, répondit Tesla. Le connaissez-vous ?

En guise de réponse, on lui posa une autre question, d'une voix où perçait un fort accent espagnol :

— Est-ce que je *vous* connais ?

— Je vous l'ai dit, répliqua Tesla. C'est lui qui m'envoie. Je suis venue faire ce que lui-même m'a demandé de faire.

L'homme s'écarta du mur, suffisamment pour que les rayons de soleil viennent caresser ses traits.

— Il n'a pas pu venir lui-même ? dit-il.

Tesla mit quelques instants avant de répondre. La vision du front bas et du nez épaté de cet homme avait semé la confusion dans ses pensées. Jamais de sa vie elle n'avait vu un visage aussi laid.

— Fletcher n'est plus vivant, dit-elle finalement, partagée entre sa répugnance et son hésitation à prononcer le mot « mort ».

Devant elle, les traits hideux exprimèrent le chagrin, mais il y avait dans leur plasticité quelque chose qui suggérait la caricature de cette émotion.

— J'étais là quand il est parti, dit l'homme. J'attendais son...
retour.

Elle sut qui il était dès qu'il lui eut donné cette information.
Fletcher lui avait dit qu'il restait peut-être en ce lieu un
témoignage vivant du Grand Œuvre.

— Raul ? dit-elle.

Les yeux, profondément enfoncés dans leurs orbites, s'écarquillèrent. On n'en distinguait pas le blanc.

— Vous le *connaissez,* dit-il.

Il fit un nouveau pas dans la lumière, qui éclairait ses traits de
façon si cruelle que Tesla pouvait à peine le regarder. Elle avait
vu sur les écrans de cinéma d'innombrables créatures plus viles
que celle-ci — et, la nuit précédente, avait été agressée par une
bête de cauchemar —, mais les signaux contradictoires que lui
envoyait cet hybride la troublaient plus que tout ce qu'elle avait
pu voir par le passé. Il était si proche de l'humain, et cependant
ses tripes ne s'y trompaient pas. Cette réaction lui enseigna
quelque chose, mais elle ne savait pas exactement quoi. Elle
réserva l'étude de cette leçon pour l'avenir, il y avait plus urgent
à faire.

— Je suis venue détruire ce qui reste du Nonce, dit-elle.

— Pourquoi ?

— Parce que c'est ce que veut Fletcher. Ses ennemis sont
encore de ce monde, même si lui l'a quitté. Il redoute les
conséquences si jamais ils venaient ici et trouvaient ses expériences.

— Mais j'ai attendu..., dit Raul.

— Et vous avez bien fait. Vous avez bien fait de garder cet
endroit.

— Je n'ai pas bougé d'ici. Toutes ces années. Je suis resté là où
mon père m'a créé.

— Comment avez-vous survécu ?

Raul détourna les yeux de Tesla, les plissant pour se protéger
du soleil qui avait presque disparu.

— Les gens s'occupent de moi, dit-il. Ils ne comprennent pas
ce qui s'est passé ici, mais ils savent que j'en fais partie. Les
Dieux sont venus sur cette colline. C'est ce qu'ils croient. Laissez-
moi vous montrer.

Il pivota sur lui-même et conduisit Tesla hors du laboratoire.
Au-delà de la porte se trouvait une autre pièce, presque nue celle-
ci, et munie d'une seule fenêtre. Elle vit que ses murs avaient été

peints ; des fresques dont le style naïf ne faisait qu'exprimer les sentiments passionnés de leur créateur.

— Voici l'histoire de cette nuit, dit Raul, telle qu'ils croient qu'elle s'est déroulée.

Il n'y avait pas plus de lumière ici que dans la pièce qu'ils venaient de quitter, mais la pénombre conférait un certain mystère à ces images.

— Voici la Mission telle qu'elle était, dit Raul, indiquant un dessin presque emblématique de la falaise où ils se trouvaient. Et voici mon père.

Fletcher se tenait debout devant la colline, le visage blanc et farouche sur fond de ténèbres, ses yeux comme deux lunes jumelles. D'étranges formes jaillissaient de sa bouche et de ses oreilles, tournant autour de sa tête comme des satellites.

— Qu'est-ce que c'est ? s'enquit Tesla.

— Ses idées. C'est moi qui les ai dessinées.

— Quelles idées ont donc cet aspect ?

— Des choses venues de la mer, lui répondit-il. Tout vient de la mer. C'est Fletcher qui me l'a dit. Au commencement était la mer. A la fin sera la mer. Et entre...

— Quiddity, dit Tesla.

— Quoi ?

— Il ne vous a pas parlé de Quiddity ?

— Non.

— Là où les humains vont en rêve ?

— Je ne suis pas humain, lui rappela gentiment Raul. Je suis son expérience.

— C'est sûrement cela qui vous rend humain, dit Tesla. N'est-ce pas là la fonction du Nonce ?

— Je ne sais pas, dit simplement Raul. Quoi qu'il en soit, je n'ai pas à le remercier. J'étais plus heureux... quand j'étais un singe. Si j'étais resté un singe, je serais mort à présent.

— Ne parlez pas ainsi, dit Tesla. Fletcher n'aimerait pas savoir que vous êtes plein de regrets.

— Fletcher m'a abandonné, lui rappela Raul. Il m'a appris assez de choses pour que je connaisse mes limites, puis il m'a abandonné.

— Il avait de bonnes raisons. J'ai vu son ennemi, le Jaff. Il faut arrêter cet homme.

— Là..., dit Raul en désignant un détail de la fresque. Voilà Jaffe.

Le portrait était assez fidèle. Tesla reconnut son regard avide, sa tête gonflée. Raul avait-il vu Jaffe dans son état évolué, ou bien ce portrait d'homme en bébé monstrueux était-il une réaction instinctive de sa part ? Elle n'eut pas le temps de le lui demander. Raul l'entraînait déjà hors de la pièce.

— J'ai soif, dit-il. Nous regarderons le reste plus tard.

— Il fera trop sombre.

— Non. Quand le soleil s'est couché, ils viennent allumer les cierges. Venez discuter avec moi quelques minutes. Dites-moi comment mon père est mort.

2

Tommy-Ray se laissa distancer par la femme sur la route de la Mission de Santa Catrina à cause d'un incident qui, bien que mineur, lui révéla une partie de lui-même qu'il apprendrait à bien connaître par la suite. Lorsque, à la tombée du soir, il s'arrêta dans une petite ville située au sud d'Ensenada afin de se désaltérer, il se retrouva dans un bar qui proposait — pour dix malheureux dollars — un spectacle dont on n'avait jamais rêvé à Palomo Grove. L'offre était trop alléchante pour être refusée. Il régla la somme exigée, se fit servir une bière, et on le fit entrer dans une arrière-salle enfumée à peine deux fois plus grande que sa chambre. Le public était composé d'une dizaine d'hommes affalés sur des chaises grinçantes. Ils regardaient une femme en train de copuler avec un gros chien noir. Il ne trouva rien d'excitant dans cette scène. Les autres spectateurs non plus, apparemment ; du moins pas au sens sexuel de ce terme. Ils étaient penchés sur leurs sièges, observant cette exhibition avec une intensité qu'il comprit seulement lorsque la bière accomplit son œuvre sur son organisme fatigué, rétrécissant son champ de vision jusqu'à ce qu'il soit fasciné par le visage de la femme. Peut-être avait-elle jadis été jolie, mais son visage, tout comme son corps, était à présent flétri, et sur ses bras étaient visibles les signes de la dépendance qui l'avait fait descendre aussi bas. Elle titilla le chien avec une expertise née d'une longue expérience, puis se mit à quatre pattes devant lui. L'animal la renifla, puis se mit à l'ouvrage avec nonchalance. Ce fut seulement lorsqu'il l'eut montée que Tommy-Ray comprit pourquoi l'expression de la fille était si fascinante à ses yeux, ainsi sans doute qu'à ceux des autres spectateurs. Elle ressemblait à quelqu'un qui était déjà mort. Cette idée était comme une porte ouverte dans son esprit, lui révélant un endroit jaune et puant ; une bauge. Il avait déjà vu ce regard, pas seulement chez les filles qui peuplaient les pages des revues érotiques, mais aussi chez les célébrités prises au piège par la caméra. Zombies du sexe, zombies de la gloire ; des morts passant pour des vivants. Lorsqu'il se concentra à nouveau sur la scène, le chien avait trouvé son rythme et besognait la fille avec un enthousiasme typiquement canin, laissant couler la salive sur son dos ; et cette fois-ci — en imaginant que la fille était morte —, *c'était* sexy. Plus l'animal était excité, plus lui-même était excité, et plus la femme lui paraissait morte, sentant la bite du chien en elle et les yeux de Tommy-Ray sur elle, et cela devint une course poursuite entre lui et le chien : qui allait jouir le premier ?

Ce fut le chien qui gagna, atteignant un état de frénésie puis stoppant brutalement son va-et-vient. Comme s'il avait reçu un signal convenu d'avance, un des hommes assis au premier rang se leva et alla séparer le couple, dont la partie animale était à présent indifférente à tout ce qui l'entourait. Une fois son partenaire évacué, la femme resta seule sur scène et ramassa des vêtements empilés dont elle s'était sans doute défaite avant l'entrée de Tommy-Ray. Puis elle disparut par la porte où venaient de passer le chien et son maquereau, le visage toujours figé dans la même expression. Le spectacle n'était apparemment pas terminé, car personne ne quitta son siège. Mais Tommy-Ray avait vu tout ce qu'il avait à voir. Il se dirigea vers la porte d'entrée, se frayant un chemin parmi une masse molle de nouveaux spectateurs, et regagna le bar.

Ce fut bien plus tard, alors qu'il approchait de la Mission, qu'il s'aperçut qu'on lui avait fait les poches. Il n'avait pas le temps de faire demi-tour, il le savait ; et cela n'aurait servi à rien. Le pickpocket pouvait être n'importe lequel des hommes qui s'étaient trouvés sur son chemin. De plus, ces dollars perdus l'avaient été judicieusement. Il avait découvert une nouvelle définition de la mort. Même pas nouvelle. Simplement la première et la seule pour lui.

Le soleil s'était couché depuis longtemps lorsqu'il gravit la colline qui conduisait à la Mission, mais une impression de *déjà vu* * l'envahit à l'approche de son but. Voyait-il cet endroit avec les yeux du Jaff ? En tout cas, cette impression lui fut fort utile.

* En français dans le texte. (*N.d.T.*)

Sachant que l'agent de Fletcher l'avait sûrement précédé, il
décida de laisser sa voiture à quelque distance de la colline et de
faire le reste du chemin à pied afin de ne pas donner l'alerte à son
adversaire. En dépit de l'obscurité, il n'avançait pas à l'aveuglette. Ses pieds connaissaient le chemin, même si sa mémoire
l'ignorait.

Il était prêt à recourir à la violence si les circonstances
l'exigeaient. Le Jaff lui avait donné un revolver — aimablement
fourni par une des victimes qu'il avait débarrassées de leurs
teratas —, et l'idée de l'utiliser le séduisait fort. Tout essoufflé
après son ascension, il était à présent en vue de la Mission. La
lune s'était levée derrière lui, couleur de ventre de requin. Sa
lueur maladive éclairait les murs en ruine, ainsi que la peau de
ses mains et de ses bras, et il regretta de ne pas avoir de miroir
pour examiner son visage. Il distinguerait sûrement les os sous la
viande ; le crâne qui luisait comme luisaient ses dents quand il
souriait. Après tout, n'était-ce pas là ce que disait tout sourire ?
« Bonjour, le monde, c'est à ça que je ressemblerai lorsque toutes
mes parties humides auront pourri. »

Le cœur attendri par de telles pensées, il se fraya un chemin
parmi les fleurs fanées pour se diriger vers la Mission.

3

La hutte de Raul se trouvait à cinquante mètres du bâtiment
principal, un édifice primitif que deux personnes suffisaient à
encombrer. Il expliqua à Tesla qu'il était entièrement dépendant
de la générosité des gens du coin, qui lui fournissaient vêtements
et nourriture pour rémunérer son travail de gardien. En dépit de
sa pauvreté, il s'était efforcé d'élever sa hutte au-dessus de la
condition de tanière. On voyait partout les signes de sa sensibilité
délicate. Les bougies disposées sur la table se trouvaient au
milieu d'un cercle de pierres choisies pour leur poli ; la couverture
posée sur sa paillasse avait été décorée avec des plumes d'oiseaux
de mer.

— Je n'ai qu'un seul vice, dit Raul une fois qu'il eut prié Tesla
de prendre place sur l'unique chaise. Je l'ai hérité de mon père.

— Quel est ce vice ?

— Je fume des cigarettes. Une par jour. Vous allez partager
celle d'aujourd'hui avec moi.

— J'ai fumé dans le temps, dit Tesla, mais je ne fume plus.

— Ce soir, vous fumerez, dit Raul, coupant court à toute discussion. Nous fumerons en l'honneur de mon père.

Il alla chercher une petite boîte en étain où il pêcha une cigarette roulée à la main et quelques allumettes. Elle observa son visage tandis qu'il s'affairait à l'allumer. Tout ce qui lui avait paru troublant lorsqu'elle l'avait découvert restait encore troublant. Ses traits n'étaient ni simiesques ni humains, mais le fruit d'un mariage malheureux entre les deux. Et cependant, à tout autre point de vue — sa façon de parler, ses manières, la façon dont il tenait la cigarette entre ses longs doigts bruns —, il était tellement civilisé. Le genre d'homme, en fait, que sa mère aurait aimé la voir épouser, si ce n'avait pas été un singe.

— Fletcher n'est pas parti, vous savez, lui dit-il en lui tendant la cigarette.

Elle la prit avec hésitation, guère impatiente de porter à ses lèvres ce qu'avaient touché celles de Raul. Mais il la regarda fixement, la lueur de la bougie dansant dans ses yeux, jusqu'à ce qu'elle en tire une bouffée, et il sourit de ce plaisir partagé.

— Il est devenu quelque chose, j'en suis sûr, continua-t-il. Quelque chose d'autre.

— Puissiez-vous dire vrai, dit-elle en tirant une autre bouffée.

Ce fut seulement à ce moment-là qu'elle pensa que le tabac qu'on fumait par ici était peut-être un peu plus fort que celui de Los Angeles.

— Qu'est-ce qu'il y a là-dedans ? dit-elle.

— C'est du bon, répondit-il. Vous aimez ?

— Ils vous amènent aussi de l'herbe ?

— Ils la font pousser eux-mêmes, dit Raul d'une voix tout à fait ordinaire.

— Tant mieux pour eux, dit-elle, et elle tira une troisième bouffée avant de lui rendre la cigarette.

Ce truc était vraiment fort. Avant même qu'elle ait conscience de parler, sa bouche était déjà à mi-chemin d'une phrase que son esprit ne savait même pas comment achever.

— ... c'est le genre de nuit que je raconterai à mes gosses... enfin, je n'aurai jamais de gosses... à mes petits-enfants, alors... je leur dirai que je me suis assise en face d'un homme qui avait été un singe... ça ne vous dérange pas que je le leur dise, n'est-ce pas ? Mais c'est la première fois... et nous nous sommes assis et nous avons parlé de son ami... de mon ami... qui avait été un homme...

— Et quand vous leur raconterez cela, dit Raul, que leur raconterez-vous sur vous-même ?

— Sur moi-même ?

— Quelle est *votre* place dans cette trame ? Qu'allez-*vous* devenir ?

Elle réfléchit à ceci.

— Dois-je devenir quelque chose ? demanda-t-elle finalement.

Raul lui passa ce qui restait de la cigarette.

— Toutes choses deviennent. Assis ici, nous devenons.

— Quoi donc ?

— Plus vieux. Plus proches de la mort.

— Oh merde ! Je ne veux pas être plus proche de la mort.

— Pas le choix, dit simplement Raul.

Tesla secoua la tête. Celle-ci continua de bouger longtemps après qu'elle eut cessé de la secouer.

— Je veux comprendre, dit-elle.

— Quelque chose en particulier ?

Elle réfléchit encore, examinant toutes les possibilités, puis se décida pour l'une d'entre elles.

— Tout ? dit-elle.

Il éclata de rire, et son rire était pareil à un carillon. C'est un bon truc, allait-elle lui dire, mais elle se rendit compte qu'il était près de la porte.

— Il y a quelqu'un dans la Mission, dit-il.

— ... venus allumer les cierges, suggéra-t-elle, sentant sa tête précéder son corps lorsqu'elle se lança à la poursuite de Raul.

— Non, lui dit-il en pénétrant dans les ténèbres. Ils ne vont jamais près des cloches.

Elle avait contemplé la flamme de la bougie en méditant sur les questions de Raul, et son image rémanente était gravée sur les ténèbres au cœur desquelles elle trébuchait à présent, un feu follet qui aurait pu la conduire au bord du précipice si elle n'avait pas suivi sa voix. Lorsqu'ils s'approchèrent des murs, il lui dit de rester là où elle était, mais elle l'ignora et continua à le suivre. Les allumeurs de cierges étaient effectivement venus en visite ; leur œuvre projetait sa lumière depuis la chambre des portraits. Bien que l'herbe offerte par Raul ait créé des solutions de continuité dans ses pensées, celles-ci étaient assez cohérentes pour qu'elle redoute de s'être un peu trop attardée et d'avoir mis sa mission en danger. Pourquoi ne s'était-elle pas contentée d'aller chercher le Nonce et de le jeter dans l'océan, comme Fletcher le lui avait demandé ? Son irritation lui donna du courage. Dans la pénombre de la chambre aux fresques, elle réussit à dépasser Raul et fut la première à entrer dans le laboratoire éclairé aux chandelles.

Ce n'étaient pas des chandelles qu'on avait allumées ici, et le visiteur n'était pas un suppliant.

Au centre de la pièce brûlait un petit feu, et un homme — qui lui tournait le dos pour l'instant — fouillait les débris à mains nues. Elle ne s'était pas attendue à le reconnaître lorsqu'il regarda dans sa direction, ce qui était stupide, à bien y réfléchir. Durant ces derniers jours, elle avait appris à connaître la plupart des acteurs de ce drame, sinon par leur nom, du moins de vue. Celui-ci lui était doublement familier. Tommy-Ray McGuire. Il la regarda en face. Dans la parfaite symétrie de ses traits, une petite boule de démence — l'héritage du Jaff — dansait d'un côté et de l'autre, étincelante.

— Salut ! dit-il ; un salut machinal, dénué d'affection. Je me demandais où vous étiez passée. Le Jaff m'avait dit que vous seriez ici.

— Ne touchez pas au Nonce, lui dit-elle. C'est dangereux.

— C'est bien ce que j'espère, dit-il avec un large sourire.

Elle vit qu'il y avait quelque chose dans sa main. Percevant son attention, il leva le bras.

— Ouais, je le tiens, dit-il.

La fiole était exactement telle que Fletcher l'avait décrite.

— Jetez ça, conseilla-t-elle, s'efforçant de rester calme.

— C'est ce que vous alliez faire ? demanda-t-il.

— Oui. Je le jure, *oui*. Ce truc-là est létal.

Elle vit le regard de Tommy-Ray se diriger vers Raul, dont elle entendait le souffle derrière elle. L'adolescent ne semblait nullement soucieux de leur supériorité numérique. En fait, elle se demanda s'il existait une menace susceptible d'effacer le sourire satisfait qui éclairait son visage. Le Nonce, peut-être ? Dieu tout-puissant, quelles possibilités le fluide trouverait-il dans son cœur barbare, les louant et les magnifiant ?

— Détruisez-le, Tommy-Ray, dit-elle, avant qu'il ne vous détruise.

— Pas question, dit-il. C'est bien trop important pour les plans du Jaff.

— Et vous, quand vous aurez fini de lui être utile ? Il se soucie de vous comme d'une guigne.

— C'est mon père et il m'aime, répondit Tommy-Ray avec une certitude qui aurait été touchante chez une âme saine.

Elle se dirigea vers lui, continuant de lui parler.

— Écoutez-moi quelques instants, voulez-vous... ?

Il empocha le Nonce et, dans le même mouvement, plongea la main dans une autre poche. Il en ressortit un revolver.

— Comment avez-vous appelé ce truc ? demanda-t-il en braquant l'arme sur Tesla.

— Le Nonce, dit-elle, ralentissant l'allure sans cesser d'avancer.

— Non. Autre chose. Vous l'avez appelé autrement.

— Létal.

Il sourit.

— Ouais, dit-il d'une voix traînante. Létal. Ça veut dire que ça tue, pas vrai ?

— Oui.

— J'aime ça.

— Non, Tommy...

— Ne me dites pas ce que j'aime, dit-il. J'ai dit que j'aimais létal et je parlais sérieusement.

Elle comprit soudain qu'elle s'était complètement méprise sur cette scène. Si c'était elle qui l'avait écrite, il l'aurait tenue en respect jusqu'à ce qu'il s'enfuie. Mais il avait son propre scénario.

— Je suis *Death Boy*, l'enfant de la mort, dit-il, et il appuya sur la détente.

VI

1

Troublé par ce qui lui était arrivé chez Ellen, Grillo s'était réfugié dans l'écriture, une discipline qui lui apparaissait comme de plus en plus nécessaire à mesure que les ambiguïtés se multipliaient autour de lui. Ce fut tout d'abord facile. Il s'attaqua de front aux faits bruts et les rapporta dans une prose dont Swift aurait été fier. Il extrairait plus tard de ce compte rendu les passages à envoyer à Abernethy. Pour le moment, son devoir était de raconter tout ce dont il se souvenait.

Il avait accompli la moitié de cette tâche lorsqu'il reçut un coup de téléphone de Hotchkiss, qui lui suggéra de passer une heure à boire et à discuter avec lui. Le Grove n'avait que deux bars, expliqua-t-il, et celui de Starky, qui se trouvait dans Deerdell, était le moins bien fréquenté et par conséquent le plus commode. Une heure après cette conversation, ayant couché sur le papier la majeure partie des événements de la soirée précédente, Grillo sortit de l'hôtel et alla retrouver Hotchkiss.

Le bar Starky était pratiquement désert. Un vieil homme assis dans un coin chantonnait doucement, et il y avait au bar deux gamins qui semblaient trop jeunes pour consommer ; sinon, l'endroit était à eux. Néanmoins, Hotchkiss n'éleva pas une seule fois la voix durant toute leur conversation.

— Vous ne savez pas grand-chose de moi, dit-il de but en blanc. Je m'en suis aperçu la nuit dernière. Il est temps que je vous mette au courant.

Il n'eut pas besoin d'encouragements supplémentaires. Son récit fut narré sans la moindre émotion, comme si le fardeau de ses sentiments était si lourd qu'il n'avait plus de larmes à verser. Grillo s'en félicita. Si le conteur était dénué de toute passion, il pouvait se permettre de l'imiter, cherchant entre les lignes du compte rendu de Hotchkiss des détails que l'autre avait pu négliger. Il aborda tout d'abord le rôle de Carolyn dans cette histoire, bien sûr, sans louer ni critiquer sa fille, mais se contentant de la décrire, ainsi que la tragédie qui la lui avait arrachée. Puis il élargit le champ de son récit, y faisant entrer d'autres personnages, commençant par lui brosser un portrait de Trudi Katz, de Joyce McGuire et d'Arleen Farrell, puis lui racontant le sort de chacune d'elles. Grillo s'affairait à compléter pour lui-même le récit de Hotchkiss tout en écoutant ce dernier : créant un arbre généalogique dont les racines étaient issues d'un endroit vers lequel Hotchkiss retournait constamment : sous terre.

— C'est là que se trouvent les réponses, dit-il à plusieurs reprises. Je pense que Fletcher et le Jaff, *qui* qu'ils soient, quelle que soit leur *nature,* sont responsables de ce qui est arrivé à ma Carolyn. Et aux autres filles.

— Ils sont restés dans les cavernes durant tout ce temps ?

— Nous les avons vus en sortir, n'est-ce pas ? dit Hotchkiss. Oui, je pense qu'ils ont attendu là-bas durant toutes ces années. (Il avala une gorgée de scotch.) Après ce qui s'est passé hier soir au centre commercial, je n'ai pas pu dormir. Je suis resté debout toute la nuit à y réfléchir. A essayer de comprendre.

— Et ?

— J'ai décidé de descendre dans les cavernes.

— Pour quoi faire ?

— Ils sont restés enfermés durant toutes ces années, ils ont bien dû faire *quelque chose.* Peut-être ont-ils laissé des indices. Peut-être pouvons-nous trouver une façon de les détruire.

— Fletcher a déjà disparu, lui rappela Grillo.

— Vous croyez ? dit Hotchkiss. Je n'en suis plus si sûr. Les choses ne disparaissent jamais, Grillo. Elles semblent disparaître, mais elles sont toujours là, hors de vue. Dans les esprits. Sous terre. Descendez de quelques mètres, et vous vous retrouvez dans le passé. A chaque pas, un millier d'années.

— Mes souvenirs ne remontent pas aussi loin, railla Grillo.

— Oh que si, dit Hotchkiss, mortellement sérieux. Ils remontent à l'époque où vous étiez une poussière dans l'océan. C'est ça qui nous hante. (Il leva une main.) Ça a l'air solide, n'est-ce pas ? dit-il. Mais c'est surtout de l'eau.

Il sembla lutter pour formuler une autre pensée, mais rien ne vint.

— Les créatures fabriquées par le Jaff semblent sortir de terre, dit Grillo. Vous pensez les retrouver là-bas ?

La réponse de Hotchkiss fut la pensée qu'il avait été incapable d'exprimer quelques instants plus tôt.

— Quand elle est morte..., dit-il. Carolyn, je veux dire...
quand Carolyn est morte, j'ai rêvé qu'elle se dissolvait sous mes
yeux. Elle ne pourrissait pas. Elle se dissolvait. Comme si la mer
me l'avait reprise.

— Vous faites encore ce genre de rêve ?

— Non. Je ne rêve plus aujourd'hui.

— Tout le monde rêve.

— Alors, je ne me permets pas de me rappeler mes rêves, dit
Hotchkiss. Bien... vous me suivez ?

— Pour quoi faire ?

— Pour descendre.

— Vous êtes vraiment décidé ? Je croyais qu'il était virtuellement impossible de descendre dans ces cavernes.

— Eh bien, on mourra en essayant, dit Hotchkiss.

— J'ai une histoire à écrire.

— Laissez-moi vous dire une chose, mon ami, dit Hotchkiss.
Votre histoire est *là-bas*. La seule histoire. Sous nos pieds.

— Il faut que je vous prévienne... je souffre de claustrophobie.

— Vous en serez bientôt débarrassé, répondit Hotchkiss, lui
adressant un sourire dont Grillo regretta qu'il ne fût pas plus
rassurant.

2

Bien que Howie eût vaillamment lutté contre le sommeil durant
tout l'après-midi, il parvenait à peine à garder les yeux ouverts
lorsque vint le soir. Quand il dit à Jo-Beth qu'il voulait retourner
à l'hôtel, Maman intervint, lui affirmant qu'elle se sentirait plus
en sécurité s'il restait à la maison. Elle lui prépara la chambre
d'amis (il avait passé la nuit précédente sur le canapé) et il s'y
retira. Son corps avait considérablement souffert ces derniers
jours. Sa main était encore en piteux état et son dos, bien que les
morsures du *terata* n'aient été que superficielles, lui faisait encore
mal. Rien de tout cela ne l'empêcha de s'endormir rapidement.

Jo-Beth prépara le dîner pour Maman — de la salade, comme
toujours — et pour elle-même, accomplissant cette tâche domestique comme si rien n'avait changé depuis une semaine et,
l'espace de quelques instants, absorbée par son labeur, oublia
toutes les horreurs qu'elle avait vues. Mais l'expression de sa
mère, ou le loquet flambant neuf de la porte du jardin, ravivait
bien vite ses souvenirs. Elle était désormais incapable d'ordonner

ceux-ci : en elle, l'humiliation et la douleur succédaient constamment à l'humiliation et à la douleur. Et le rictus omniprésent du Jaff ; près d'elle, *trop* près d'elle, parfois assez proche pour lui imposer ses visions comme il les avait imposées à Tommy-Ray. De toutes ses peurs, celle qui la tourmentait le plus était l'idée qu'elle ait pu rejoindre les rangs de l'ennemi. Lorsqu'il lui avait expliqué qu'il recherchait les raisons plutôt que les sentiments, elle avait compris. Avait même éprouvé une certaine sympathie. Et cet Art si tentateur, et l'île qu'il voulait lui montrer...

— Jo-Beth ?

— Maman ?

— Est-ce que ça va ?

— Oui. Bien sûr. Oui.

— A quoi pensais-tu ? L'expression de ton visage...

— Rien qu'à... à la nuit dernière.

— Il ne faut plus y penser.

— Et si j'allais faire un tour chez Lois ? discuter avec elle quelques minutes ? Ça ne te dérange pas ?

— Non. Tout ira bien ici. Howard est avec moi.

— Alors, j'y vais.

De tous ses amis du Grove, Lois était celle qui représentait de la façon la plus parfaite la normalité dont sa vie était à présent privée. En dépit de sa rigueur morale, elle était animée par une foi simple et bonne en tout ce qui était bon. Elle voulait essentiellement que le monde soit un monde de paix, où les enfants élevés avec amour élevaient à leur tour leurs enfants. Elle connaissait aussi le mal. Il était représenté par toutes les forces hostiles à cette vision. Les terroristes, les anarchistes, les fous. Jo-Beth savait à présent que ces forces humaines avaient des alliés sur un plan d'existence supérieur. L'un de ces alliés était son père. Il était plus que jamais important qu'elle recherche la compagnie de ceux dont la définition du bien était inébranlable.

Dès qu'elle descendit de voiture, elle entendit des rires venant de la maison de Lois ; un bruit qui était le bienvenu après les heures de terreur et d'angoisse qu'elle avait vécues. Elle frappa à la porte. Le vacarme ne diminua pas d'intensité. C'était la foule, là-dedans.

— *Lois ?* appela-t-elle.

Les bruits d'hilarité étaient tels que son appel et ses coups passèrent inaperçus, aussi alla-t-elle toquer à la fenêtre, appelant de nouveau Lois. On écarta les rideaux et un visage familier apparut, articulant le nom de Jo-Beth. Derrière ce visage, la pièce était pleine à craquer. Lois ouvrit la porte dix secondes plus tard, avec sur le visage une expression si inopportune que Jo-Beth faillit ne pas reconnaître son amie : un sourire de bienvenue. Toutes les lumières de la maison semblaient avoir été allumées ; une marée éblouissante qui déferlait sur le seuil.

— Surprise, dit Lois.

— Oui, j'avais envie de venir vous voir. Mais vous avez... du monde.

— En quelque sorte, répondit Lois. C'est un peu délicat pour l'instant.

Elle jeta un regard vers l'intérieur. Apparemment, elle avait organisé un bal costumé. Un homme déguisé en cow-boy montait l'escalier, les éperons étincelants, croisant un militaire en tenue d'apparat. Un homme habillé en chirurgien, le visage masqué, traversait le couloir au bras d'une femme vêtue de noir. Il était déjà assez bizarre que Lois ait prévu d'organiser une telle soirée sans jamais en parler à Jo-Beth ; Dieu sait qu'elles avaient le temps de bavarder à la librairie. Mais qu'elle ait tout simplement décidé de l'organiser — elle qui était si sévère, si équilibrée —, voilà qui était doublement bizarre.

— Enfin, peu importe, disait Lois. Tu es une amie, après tout. Tu devrais en faire partie, n'est-ce pas ?

« Faire partie de *quoi* ? » Telle était la question qui brûlait les lèvres de Jo-Beth, mais elle n'eut pas le temps de la poser car Lois l'entraînait déjà à l'intérieur en lui prenant le bras avec autorité, et la porte se ferma en claquant derrière elle.

— N'est-ce pas merveilleux ? dit Lois. (Elle rayonnait littéralement.) Les gens sont-ils déjà venus te voir ?

— Les gens ?

— Les Visiteurs.

Jo-Beth se contenta de hocher la tête, ce qui suffit pour déchaîner l'enthousiasme de Lois.

— Les Kritzler, nos voisins, ont reçu des Visiteurs venus de *Mascarade* — tu sais, cette série avec les deux sœurs ?

— Le feuilleton télé ?

— Bien sûr, le feuilleton télé. Et mon Mel... eh bien, tu sais qu'il adore les vieux westerns...

Rien de tout cela n'avait de sens, mais Jo-Beth laissa Lois poursuivre, craignant de poser une question qui révélerait sa condition de profane et la priverait de nouvelles confessions.

— Et moi ? Je suis la plus gâtée, bafouilla Lois. Je suis si gâtée. Tous les gens de *Jour après jour* sont venus. Toute la famille. Alan, Virginia, Benny, Jayne. Ils ont même amené Morgan. Imagine donc ça.

— *D'où* sortent-ils, Lois ?

— Ils sont apparus dans la cuisine, tout simplement. Et bien sûr, ils m'ont tout raconté sur leur famille...

Seul son magasin obsédait autant Lois que *Jour après jour*, l'histoire de la famille préférée de l'Amérique. Avec une régularité d'horloge, elle racontait à Jo-Beth tous les détails de chaque épisode, comme si cette famille avait fait partie de sa propre vie. A présent, elle semblait avoir succombé corps et biens à cette illusion. Elle parlait des Patterson comme s'ils étaient vraiment ses hôtes.

— Ils sont aussi aimables que je le pensais, disait-elle, mais je n'aurais pas cru qu'ils se mêleraient aussi facilement aux gens de *Mascarade*. Tu sais, les Patterson sont des gens si *ordinaires* ; c'est pour ça que je les aime. Ils sont si...

— Lois. Arrêtez.

— Qu'y a-t-il ? demanda-t-elle.

— C'est à vous de me le dire.

— Il n'y a rien. Tout est merveilleux. Les Visiteurs sont là et je n'ai jamais été aussi heureuse.

Elle sourit à un homme au veston bleu pâle qui lui faisait des signes de bienvenue.

— C'est Todd, de *Rira bien qui rira le dernier...*, dit-elle.

Jo-Beth goûtait l'humour télévisuel encore moins que *Jour après jour,* mais cet homme lui était vaguement familier. Ainsi que la fille à qui il montrait des tours de cartes ; et l'homme qui était de toute évidence son rival et qui aurait pu passer — même à cette distance — pour l'animateur du jeu préféré de Maman, *Cache-cache.*

— Que se passe-t-il ici ? dit Jo-Beth. C'est un concours de sosies ou quoi ?

Le sourire de Lois, qui avait été plaqué sur son visage depuis qu'elle avait ouvert la porte à Jo-Beth, glissa légèrement.

— Tu ne me crois pas, dit-elle.

— Vous croire ?

— Au sujet des Patterson.

— Non. Bien sûr que non.

— Mais ils sont venus, Jo-Beth, dit-elle avec une insistance soudaine. J'ai toujours voulu les rencontrer, je suppose, et ils sont *venus*. (Elle prit la main de Jo-Beth, et son sourire rayonna de plus belle.) Tu verras, dit-elle. Et ne t'inquiète pas, quelqu'un viendra pour toi si tu le désires avec assez d'ardeur. C'est pareil dans toute la ville. Pas seulement des gens de la télé. Des gens venus des affiches et des magazines. Des gens si beaux ; si merveilleux. Tu n'as pas besoin d'avoir peur. Ils nous appartiennent. (Elle se rapprocha.) Je ne l'ai jamais vraiment compris avant la nuit dernière. Mais ils ont tout autant besoin de nous, n'est-ce pas ? Peut-être davantage. Aussi ne nous feront-ils aucun mal...

Lois ouvrit la porte de la pièce dans laquelle les rires étaient les plus intenses. Jo-Beth y entra à sa suite. Les lumières qui l'avaient éblouie dans l'entrée étaient encore plus brillantes ici, bien qu'elles n'eussent aucune source apparente. On aurait dit que ceux qui peuplaient cette pièce étaient venus avec leur propre lumière, les cheveux luisants, les yeux et les dents également. Mel se tenait debout près de la cheminée, ventripotent, chauve et fier, observant un salon empli de visage célèbres.

Tout comme l'avait dit Lois, les vedettes avaient débarqué dans Palomo Grove. La famille Patterson — Alan et Virginia, Benny et Jayne ; et même le chien Morgan — occupait le centre de la pièce, en compagnie de plusieurs autres personnages de la série — Mrs Kline, la voisine, la plaie de Virginia ; les Hayward, propriétaires de l'épicerie du coin. Alan Patterson était en grande conversation avec Hester D'Arcy, la malheureuse héroïne de *Mascarade*. La sœur de celle-ci, une bombe sexuelle qui avait empoisonné la moitié de sa famille pour s'emparer de ses richesses incalculables, était en train de faire de l'œil à un acteur de publicités pour slips, qui était venu dans la tenue qui l'avait rendu célèbre : presque nu.

— S'il vous plaît ! dit Lois, élevant la voix pour couvrir le brouhaha des conversations. Votre attention, s'il vous plaît. Je veux vous présenter une de mes amies. Une de mes meilleures amies...

Les visages familiers se tournèrent vers Jo-Beth, comme si celle-ci avait eu sous les yeux une douzaine de couvertures pour revues de télévision. Elle voulait fuir cette folie avant d'être contaminée à son tour, mais Lois la tenait dans une poigne de fer. De plus, cela faisait partie de la démence qui s'était emparée de sa vie. Si elle voulait la comprendre, il lui fallait rester vigilante.

— ... voici Jo-Beth McGuire, dit Lois.

Tout le monde lui sourit ; même le cow-boy.

— On dirait que vous avez besoin de boire quelque chose, dit Mel lorsque Lois eut fait faire à Jo-Beth le tour complet de la pièce.

— Je ne bois pas d'alcool, Mr Knapp.

— Vous semblez quand même en avoir besoin. Je pense que nous devons tous changer nos habitudes à partir de ce soir, ne croyez-vous pas ? Ou après hier soir. (Il jeta un coup d'œil à Lois, dont le rire montait comme un geyser.) Je ne l'ai jamais vue aussi heureuse, dit-il. Et ça me rend heureux.

— Mais savez-vous d'où sortent tous ces gens ? dit Jo-Beth.

Mel haussa les épaules.

— Je n'en ai pas la moindre idée. Suivez-moi, voulez-vous ? Si vous n'avez pas besoin d'un verre, *moi*, j'en ai besoin. Lois s'est toujours refusé ce petit plaisir. Moi, je dis toujours : Dieu ne nous voit pas. Et s'Il nous voit, Il s'en fiche.

Ils se frayèrent un chemin à travers les invités pour regagner l'entrée. Bon nombre de personnes s'étaient rassemblées là afin d'échapper à la cohue du salon, parmi lesquelles plusieurs habitués de l'église : Maeline Mallett ; Al Grigsby ; Ruby Sheppherd. Ils sourirent à Jo-Beth, ne semblant nullement trouver cette réunion anormale. Peut-être avaient-ils amené leurs propres visiteurs ?

— Étiez-vous au centre commercial hier soir ? demanda Jo-Beth tandis que Mel lui servait un verre de jus d'orange.

— Oui, dit-il.

— Et Maeline ? Et Lois ? Et les Kritzler ?

— Je crois bien. J'ai oublié qui se trouvait là-bas, mais oui, je suis sûr que la plupart d'entre eux... vous êtes sûre que vous ne voulez rien de plus *dans* ce jus ?

— Peut-être que si, dit-elle, distraite, s'efforçant de rassembler toutes les pièces du puzzle.

— Excellente idée, dit Mel. Le Seigneur ne nous voit pas, et même s'Il nous voit...

— ... Il s'en fiche.

Elle prit le verre.

— Exact. Il s'en fiche.

Elle but une gorgée ; eut un hoquet.

— Qu'est-ce qu'il y a là-dedans ? dit-elle.

— De la vodka.

— Est-ce que le monde est en train de devenir fou, Mr Knapp ?

— Je le pense. Et de plus, je le préfère comme ça.

Howie se réveilla un peu après dix heures, non parce qu'il était suffisamment reposé mais parce qu'il avait coincé sa main blessée sous son corps en changeant de position. La douleur eut vite fait de lui faire reprendre conscience. Il s'assit et étudia ses phalanges au clair de lune. Ses plaies s'étaient rouvertes. Il s'habilla et alla dans la salle de bains pour les rincer, puis partit en quête d'un bandage. La mère de Jo-Beth lui en fournit un, ainsi que son expérience de secouriste, et lui apprit que Jo-Beth était allée faire un tour chez Lois Knapp.

— Elle est en retard maintenant, dit Maman.

— Il est à peine dix heures et demie.

— Quand même.

— Vous voulez que j'aille la chercher?

— Ça ne vous dérange pas? Vous pouvez prendre la voiture de Tommy-Ray.

— Est-ce que c'est très loin?

— Non.

— Dans ce cas, j'irai à pied.

La chaleur de la nuit et l'absence de monstres sur ses talons lui rappelèrent sa première nuit à Palomo Grove : comment il avait découvert Jo-Beth au Steak House Butrick; comment il lui avait parlé; comment il était tombé amoureux en quelques secondes. Les calamités qui avaient plu par la suite sur le Grove étaient une conséquence directe de cette rencontre. Mais pour significatifs que fussent ses sentiments à l'égard de Jo-Beth, il ne parvenait pas à croire qu'ils soient seuls responsables de cette situation. Se pouvait-il qu'au-delà du conflit qui opposait le Jaff à Fletcher — au-delà de Quiddity et de la lutte pour sa possession — se trouve une bien plus vaste intrigue? Il s'était toujours senti frustré par de tels impondérables; essayer d'imaginer l'infini, par exemple, ou les sensations qu'on éprouvait en touchant le soleil. Ce n'étaient pas les solutions à ces énigmes qui lui procuraient du plaisir, mais les efforts d'imagination qu'il déployait pour tenter de les résoudre. En ce qui concernait le problème présent, la différence résidait dans son propre rôle. Les soleils et l'infini avaient frustré des esprits bien supérieurs au sien. Mais ses sentiments à l'égard de Jo-Beth ne frustraient que lui, et si — comme le lui suggérait un instinct enfoui en lui (l'héritage de Fletcher, peut-être?) — leur rencontre était un épisode bref mais vital dans une longue histoire, alors il ne pouvait pas laisser ces esprits supérieurs réfléchir à sa place. C'était à lui que cette responsabilité incombait, du moins partiellement ; à lui et à Jo-Beth. Comme il regrettait amèrement ce fait. Comme il aurait souhaité avoir le temps de faire sa cour à Jo-Beth, comme n'importe quel jeune homme normal. Faire des plans pour l'avenir sans ressentir sur ses épaules le poids d'un passé inexplicable. Mais cela était impossible, tout comme il était impossible d'effacer ce qui était écrit ou d'annuler ce qui avait été souhaité.

S'il avait souhaité une preuve de cette impossibilité, il n'aurait pas pu mieux trouver que la scène qui l'attendait derrière la porte de la maison de Lois Knapp.

— Il y a quelqu'un qui veut vous voir, Jo-Beth.

Elle se tourna et découvrit l'expression qui avait sans doute été la sienne lorsque, deux heures plus tôt, elle était entrée dans le salon.

— Howie, dit-elle.

— Que se passe-t-il ici ?

— Une fête.

— Ouais, je le vois bien. Mais tous ces acteurs. D'où sortent-ils ? Ils n'habitent pas tous au Grove.

— Ce ne sont pas des acteurs, dit-elle. Ce sont des gens de la télé. Et de quelques films, aussi. Pas beaucoup, mais...

— Attends, attends.

Il s'approcha d'elle.

— Ce sont les amis de Lois ? dit-il.

— Sûrement, dit-elle.

— Ça n'arrête jamais dans cette ville, pas vrai ? On croit avoir tout compris et...

— Mais ce ne sont pas des *acteurs*, Howie.

— Tu viens de dire que c'en étaient.

— Non. J'ai dit que c'était des gens de la télé. Tu as vu la famille Patterson, là-bas ? Ils ont même amené leur chien.

— Morgan, dit Howie. Ma mère regardait tout le temps cette série.

Le chien, un bâtard adorable descendant d'une longue lignée de bâtards adorables, entendit son nom et trottina jusqu'à eux, suivi par Benny, le plus jeune des enfants Patterson.

— Salut, dit le gamin. Moi, c'est Benny.

— Moi, c'est Howie. Et elle...

— Jo-Beth. Ouais, on s'est rencontrés. Tu veux aller jouer à la balle dehors avec moi, Howie ? Je m'ennuie ici.

— Il fait noir dehors.

— Non, dit Benny.

Il désigna à Howie les portes du patio. Elles étaient ouvertes. Tout comme l'avait dit Benny, la nuit était loin d'être noire. On aurait dit que l'étrange luminosité qui irradiait la maison, et qu'il n'avait pas eu le temps d'évoquer avec Jo-Beth, avait débordé sur la cour.

— Tu vois ? dit Benny.

— Je vois.

— Alors, tu viens ?

— Dans une minute.

— Promis ?

— Promis. Au fait, quel est ton vrai nom ?

Le gamin eut l'air déconcerté.

— Benny, dit-il. Je me suis toujours appelé comme ça.

Suivi par le chien, il se dirigea vers la nuit étincelante.

Avant que Howie n'ait pu ordonner les pensées qui se bousculaient dans sa tête, il sentit une main amicale se poser sur son épaule, et une voix joyeuse lui demanda :

— Vous voulez boire quelque chose ?

Howie leva sa main bandée pour s'excuser de ne pas pouvoir serrer celle de son interlocuteur.

— C'est gentil d'être venu. Jo-Beth m'a parlé de vous. Au fait, je suis Mel. Le mari de Lois. Vous avez déjà fait la connaissance de Lois, je crois.

— En effet.

— Je ne sais pas où elle est passée. Je pense qu'un de ces cow-boys est en train de lui faire subir les derniers outrages. (Il leva son verre.) Mieux vaut que ça soit lui plutôt que moi, voilà ce que je dis. (Il feignit de prendre un air honteux.) Qu'est-ce que je raconte ? Je devrais virer ce salaud de chez moi. L'affronter en duel et l'abattre, hein ? (Il sourit.) C'est ça, le Nouvel Ouest, pas vrai ? On n'en a plus rien à foutre. Vous voulez une autre vodka, Jo-Beth ? Vous voulez quelque chose, Howie ?

— Pourquoi pas ?

— C'est drôle, non ? dit Mel. Il faut que ces foutus rêves vous tombent dessus pour que vous compreniez ce que vous êtes. Moi... je suis un lâche. Et je n'aime pas ma femme. (Il se détourna d'eux.) Je ne l'ai jamais aimée, dit-il en titubant. Salope. Foutue salope.

Howie le regarda se fondre dans la foule, puis se tourna de nouveau vers Jo-Beth. Très lentement, il dit :

— Je n'ai pas la moindre idée de ce qui est en train de se passer ici. Et toi ?

— Moi, oui.

— Raconte-moi. En mots d'une syllabe.

— C'est à cause d'hier soir. De ce que ton père a fait.

— Le feu ?

— Ou ce qui en est sorti. Tous ces gens... (Elle les regarda en souriant.) ... Lois, Mel, Ruby, là-bas... ils étaient tous au centre hier soir. Ce qui est sorti de ton père...

— Parle moins fort, veux-tu ? Ils sont tous en train de nous regarder.

— Je ne parle pas fort, Howie, dit-elle. Ne sois pas si parano.

— Je te dis qu'ils nous regardent.

Il sentait l'intensité de leurs regards : des visages qu'il n'avait vus que dans des magazines sur papier glacé, ou sur un écran de télévision, en train de le dévisager avec une expression étrange, presque troublée.

— Laisse-les donc nous regarder, dit-elle. Ils ne nous veulent aucun mal.

— Comment le sais-tu ?

— J'ai passé toute la soirée ici. Ce n'est qu'une fête comme les autres...

— Tu as bu.

— Je n'ai pas le droit de m'amuser de temps en temps ?

— Ce n'est pas ce que j'ai voulu dire. Je veux dire que tu n'es pas en état de juger s'ils sont dangereux ou non.

— Qu'est-ce que tu essaies de faire, Howie ? dit-elle. De garder tous ces gens pour toi ?

— Non. Bien sûr que non.

— Je ne veux pas être une partie du Jaff...

— *Jo-Beth.*

— C'est peut-être mon père. Ça ne veut pas dire que ça me plaît.

Le salon était devenu brusquement silencieux lorsque le nom du Jaff avait été prononcé. A présent, tous les occupants de la pièce — cow-boys, vedettes de soap-opera, gens ordinaires de sitcoms, beautés fatales, etc. — regardaient dans leur direction.

— Oh, merde, dit Howie à voix basse. Tu n'aurais pas dû dire ça. (Il scruta les visages qui les entouraient.) C'étaient une erreur. Elle ne parlait pas sérieusement. Elle n'est pas... elle n'appartient pas... je veux dire, nous sommes ensemble. Elle et moi. Nous sommes ensemble, vous voyez ? Fletcher était mon père, et le sien... ce n'était *pas* lui.

Il avait l'impression d'être prisonnier de sables mouvants. Plus il se débattait, plus il s'enfonçait.

Ce fut un des cow-boys qui parla le premier. Il avait des yeux qu'un journaliste aurait dit bleus comme la glace.

— Vous êtes le fils de Fletcher ?

— Oui... c'est moi.

— Vous savez donc ce que nous devons faire.

Howie comprit soudain la signification des regards qui s'étaient posés sur lui depuis son entrée. Ces créatures — Fletcher les avait appelées des *hallucigenias* — le *connaissaient* ; ou du moins croyaient le connaître. A présent qu'il s'était identifié, le besoin qui se lisait sur leurs visages n'aurait pas pu être plus évident.

— Dites-nous ce que nous devons faire, dit l'une des femmes.

— Nous sommes ici pour servir Fletcher, dit une autre.

— Fletcher est parti, dit Howie.

— Alors pour vous servir. Vous êtes son fils. Que devons-nous faire ici ?

— Voulez-vous que l'enfant du Jaff soit détruite ? dit le cow-boy, tournant ses yeux bleus vers Jo-Beth.

— Seigneur, non !

Il tendit la main pour prendre le bras de Jo-Beth, mais celle-ci avait déjà battu en retraite, se dirigeant lentement vers la porte.

— Reviens, dit-il. Ils ne te feront aucun mal.

A en juger par l'expression de la jeune fille, ses paroles n'étaient guère réconfortantes.

— Jo-Beth..., dit-il, ... je ne les laisserai pas te faire du mal.

Il fit un pas vers elle, mais les créatures de son père n'étaient pas disposées à laisser partir ainsi leur seul guide. Avant qu'il ait pu la rejoindre, il sentit une main agripper sa chemise, puis une autre, et une autre encore, jusqu'à ce qu'il soit entouré par des visages exprimant la supplique et l'adoration.

— *Je ne peux pas vous aider,* cria-t-il. *Laissez-moi tranquille !*

Du coin de l'œil, il vit Jo-Beth se précipiter vers la porte, l'ouvrir et s'éclipser. Il l'appela, mais le vacarme de prières qui montait autour de lui étouffa ses mots jusqu'à la dernière syllabe. Il commença à se frayer un chemin parmi la foule. C'étaient peut-être des rêves, mais ils étaient néanmoins solides ; et chauds ; et, semblait-il, terrifiés. Ils avaient besoin d'un chef, et c'était lui qu'ils avaient élu. Ce n'était pas un rôle qu'il était prêt à accepter, surtout s'il devait le séparer de Jo-Beth.

— Hors de mon chemin, bordel ! ordonna-t-il, jouant des coudes au milieu de ces visages somptueusement éclairés.

La ferveur de ses admirateurs ne décrût pas, mais augmenta proportionnellement à sa résistance. Il dut se baisser et se faufiler entre leurs jambes pour se libérer de leur masse. Ils le suivirent jusque dans l'entrée. La porte était ouverte. Il se rua vers elle comme une star assiégée par ses fans, et il se retrouva au cœur de la nuit avant qu'ils aient pu le rattraper. L'instinct les empêcha de le suivre au-dehors, excepté Benny et le chien Morgan, et le cri du gamin — « Revenez nous voir bientôt ! » — le suivit comme une menace tout le long de la rue.

VII

1

La balle frappa Tesla au flanc, violente comme un coup de poing assené par un champion poids lourd. Elle tomba en arrière, et le visage souriant de Tommy-Ray laissa la place devant ses yeux aux étoiles visibles à travers le toit défoncé. Elles augmentèrent de taille en quelques instants, enflant comme des pustules brillantes et chassant au loin la propreté des ténèbres.

Ce qui se passa ensuite défia toutes ses capacités de compréhension. Elle entendit un bruit, puis un coup de feu, suivi par les cris poussés par les femmes dont Raul lui avait annoncé la venue. Mais elle n'avait pas assez de volonté pour s'intéresser à ce qui se passait sur terre. Le spectacle hideux qui se déroulait au-dessus d'elle revendiquait toute son attention : un ciel grouillant et malade sur le point de l'engloutir dans sa lumière souillée.

Est-ce la mort ? se demanda-t-elle. En ce cas, sa réputation était usurpée. Il y avait une histoire là-dessous, commença-t-elle à penser. L'histoire d'une femme qui...

Cette pensée s'évanouit en même temps qu'elle.

Le deuxième coup de feu qu'elle avait entendu visait Raul, qui avait bondi au-dessus du feu pour se jeter sur l'assassin de Tesla. La balle le rata, mais il sauta de côté pour éviter la suivante, donnant à Tommy-Ray le temps de se précipiter vers la porte par laquelle il était entré, se ruant dans une foule de femmes qu'il dispersa en tirant une quatrième balle au-dessus de leurs têtes. Elles s'enfuirent en poussant des cris aigus, traînant leurs enfants derrière elles. Le Nonce à la main, il se mit à courir vers l'endroit où il avait garé sa voiture. Un coup d'œil par-dessus son épaule lui confirma que le compagnon de la femme — dont les traits contrefaits et la vitesse surhumaine l'avaient déconcerté — ne le poursuivait pas.

Raul posa une main sur la joue de Tesla. Elle était fiévreuse, mais vivante. Il ôta sa chemise et la pressa contre la blessure, la maintenant en place avec la main flasque de la jeune femme. Puis il sortit dans les ténèbres et ordonna aux femmes de quitter leur cachette. Il les connaissait toutes par leur nom. Quant à elles, elles le connaissaient et lui faisaient confiance. Elles accoururent à son appel.

— Veillez sur Tesla, leur ordonna-t-il.

Puis il se lança à la poursuite de Death Boy et de son trophée.

Tommy-Ray était en vue de sa voiture, ou plutôt de sa forme spectrale éclairée par le clair de lune, lorsque son pied glissa brusquement. Tentant de ne lâcher ni son arme ni la fiole, il ne réussit qu'à les laisser toutes deux échapper de ses mains. Il tomba lourdement, face contre terre. Des cailloux acérés s'enfoncèrent dans ses joues, dans son menton et dans ses mains. Lorsqu'il se releva, le sang se mit à couler.

— Mon visage! hurla-t-il, priant Dieu de ne pas avoir endommagé sa beauté.

D'autres mauvaises nouvelles suivirent. Il entendit le bruit du Gros Laid dévalant le flanc de la colline à sa poursuite.

— Tu veux crever, hein? grogna-t-il dans sa direction. Pas de problème. On va s'en occuper. Pas de problème.

Il chercha son revolver à tâtons, mais il était tombé fort loin de lui. La fiole, cependant, était toute proche. Il la ramassa. Et comprit simultanément qu'elle avait perdu sa passivité. Elle était chaude dans sa main ensanglantée. Il y avait un mouvement derrière la paroi de verre. Il serra la fiole plus fort afin de s'assurer qu'elle ne lui glisserait pas à nouveau des mains. Elle réagit instantanément, le fluide se mettant à luire entre ses doigts.

De nombreuses années s'étaient écoulées depuis que le Nonce avait accompli son œuvre sur Fletcher et sur Jaffe. La fiole restante avait été enfouie hors de vue, parmi des pierres trop sacrées pour être retournées. Le Nonce était entré en hibernation; avait oublié son message. Mais il se le rappelait à présent. L'enthousiasme de Tommy-Ray éveilla en lui une vieille ambition.

Tommy-Ray le vit se presser contre les murailles de verre, aussi brillant qu'un couteau, que l'éclair d'un coup de feu. Puis il brisa sa cage et se jeta sur lui, entre ses doigts — à présent écartés pour se protéger de cette attaque —, montant vers son visage déjà blessé.

Le contact du liquide semblait léger — une ondée de chaleur, comme un jet de sperme lorsqu'il se branlait, heurtant son œil et le coin de sa bouche. Mais il le fit tomber à la renverse — les cailloux faisant saigner ses coudes, son cul et son échine. Il essaya de hurler, mais aucun bruit ne sortit de sa bouche. Il essaya d'ouvrir les yeux, comme pour voir où il gisait, mais il n'y parvint pas davantage. Seigneur ! Il ne pouvait même pas respirer. Ses mains, touchées par le Nonce lorsqu'il avait bondi sur lui, étaient plaquées sur son visage, bloquant ses yeux, son nez et sa bouche. Il avait l'impression d'être enfermé dans un cercueil prévu pour une personne deux fois moins grande que lui. Il poussa un nouveau cri derrière le bâillon de sa paume, mais c'était une cause perdue. Quelque part au fond de son crâne, une voix lui dit :

— Laisse-toi aller. C'est ce que tu veux. Pour être Death Boy, il faut d'abord que tu connaisses la mort. Que tu la sentes. Que tu la *souffres*.

Il assimila cette leçon en bon élève, peut-être comme il ne l'avait jamais fait durant sa courte vie. Il cessa de résister à la panique et suivit son flot, le chevauchant comme il aurait chevauché une vague à Zuma, fonçant vers les ténèbres d'un rivage inconnu. Le Nonce l'accompagna. Il le sentit le transformer à chaque seconde, craquant aux extrémités de ses cheveux dressés, imposant un nouveau rythme, le rythme de la mort, entre les battements de son propre cœur.

Soudain, il emplit le Nonce ; ou le Nonce l'emplit ; ou les deux. Ses mains tombèrent de son visage et il respira à nouveau.

Après une demi-douzaine de hoquets, il se rassit et regarda ses paumes. Elles étaient couvertes de sang, venu à la fois de son visage et de leurs propres blessures, mais ce sang laissa la place à une réalité plus insistante. Doué d'une vision d'habitant de nécropole, il vit sa propre chair se décomposer sous ses yeux. Sa peau s'assombrit et s'enfla de gaz, puis se craquela, du pus et de l'eau coulant de ses lésions. Il sourit à cette vision, et sentit son sourire s'étendre des commissures de ses lèvres à ses oreilles comme son visage se déchirait. Il n'exhibait pas seulement les os de son sourire ; les os de ses bras, de ses poignets et de ses doigts apparaissaient à présent, révélés par la décomposition. Sous sa chemise, son cœur et ses poumons se liquéfièrent et leur charogne s'écoula sous lui ; ses couilles furent emportées avec eux ; sa bite flétrie de même.

Et son sourire continua de s'élargir, jusqu'à ce que tous les muscles aient disparu de son visage, et il sourit du sourire de Death Boy, le plus large de tous les sourires.

Cette vision ne dura guère. Elle s'évanouit aussitôt qu'il en eut reçu le don, et il se retrouva à genoux sur les pierres acérées, en train de contempler ses paumes sanglantes.

— Je suis Death Boy, dit-il, et il se releva, se tournant pour faire face au pauvre connard qui aurait la chance d'être le premier à le découvrir ainsi transfiguré.

L'homme s'était immobilisé à quelques mètres de lui.

— Regarde-moi, dit Tommy-Ray. Je suis Death Boy.

Le pauvre con le regardait sans comprendre. Tommy-Ray éclata de rire. Tout désir de tuer l'autre l'avait quitté. Il voulait que ce témoin reste en vie pour affirmer dans les jours à venir : « J'étais là, et c'était incroyable de voir Tommy-Ray McGuire mourir et revivre ensuite. »

Durant quelques instants, il contempla ce qui restait du Nonce — des bouts de verre et quelques gouttes de fluide sur les pierres. Il n'en restait pas assez pour en ramener au Jaff. Mais il lui apporterait quelque chose de mieux. Lui-même, transformé ; purifié de la peur, purifié de la chair. Sans accorder un seul regard au témoin, il fit demi-tour et le laissa à sa confusion.

Bien que la gloire de la décomposition l'ait à présent abandonné, il demeurait en lui une vision subtile — qu'il comprit seulement lorsqu'un caillou attira son regard. Il se baissa pour le ramasser ; un petit cadeau pour Jo-Beth, peut-être. Quand l'objet fut au creux de sa main, il se rendit compte que ce n'était pas une pierre mais un crâne d'oiseau, sale et fendillé. A ses yeux, il étincelait.

La mort brille, pensa-t-il. Quand c'est moi qui la vois, elle brille.

Empochant le crâne, il courut jusqu'à sa voiture et descendit le flanc de la colline en marche arrière jusqu'à ce que la chaussée soit assez large pour qu'il puisse faire un demi-tour. Puis il s'enfuit à une vitesse qui aurait été suicidaire sur une route aussi obscure et aussi sinueuse, si le suicide n'avait pas fait partie de ses nouveaux jouets.

Raul toucha du doigt une des gouttes de Nonce. Des perles liquides montèrent à la rencontre de sa main, tournoyant dans les spirales de ses doigts, puis grimpant le long de sa moelle jusqu'à son poignet et à son avant-bras, avant de disparaître au niveau de son coude. Il sentit, ou imagina qu'il sentait, une reconfiguration subtile prendre place dans ses muscles, comme si sa main, qui n'avait jamais tout à fait perdu ses proportions simiesques, approchait un peu plus de l'humain. Il laissa cette sensation le retarder seulement l'espace d'un instant; l'état de Tesla le préoccupait davantage que le sien.

Alors qu'il se remettait à grimper la colline, l'idée lui vint que les gouttes de Nonce répandues sur le sol étaient peut-être capables de guérir la femme. Si on ne la soignait pas rapidement, elle allait sûrement mourir. Qu'avait-il à perdre en laissant agir le Grand Œuvre?

Réfléchissant à cette idée, il se dirigea vers la Mission, sachant que s'il tentait de toucher la fiole brisée, ce serait lui qui recevrait sa bénédiction. Il fallait porter Tesla jusqu'à l'endroit où étaient répandues ces précieuses gouttes.

Les femmes avaient disposé leurs cierges autour de Tesla. Elle ressemblait déjà à un cadavre. Il se hâta de leur donner ses instructions. Elles l'enveloppèrent dans une couverture et aidèrent Raul à la porter. Elle n'était pas bien lourde. Il l'attrapa par la tête et les épaules et deux femmes la prirent par le bassin et par les jambes, tandis qu'une troisième maintenait en place sur sa blessure la chemise à présent ensanglantée.

Ils avancèrent fort lentement, trébuchant dans l'obscurité, mais Raul, touché par le Nonce à deux reprises, n'eut aucune difficulté à retrouver l'endroit. Qui se ressemble s'assemble. Ordonnant aux femmes de se tenir à l'écart du fluide, il prit Tesla dans ses bras et la posa délicatement par terre, la tête nimbée de gouttes de Nonce. C'était la fiole brisée qui contenait la quantité de fluide la plus importante; une cuillerée tout au plus. Avec une infinie douceur, il tourna la tête de Tesla en direction de la fiole. Sentant la proximité de la jeune femme, le fluide s'était mis à danser comme une nuée de lucioles...

... la lumière empoisonnée qui avait plu sur Tesla lorsqu'elle était tombée sous le coup de feu de Tommy-Ray s'était solidifiée en quelques secondes : était devenue un espace gris dénué de relief dans lequel elle gisait sans avoir la moindre idée de la façon dont elle était arrivée là. Elle ne se souvenait plus de la Mission, ni de Raul ni de Tommy-Ray. Même son propre nom lui échappait. Tout se trouvait au-delà du mur, là où elle ne pouvait pas aller. Où elle n'irait peut-être jamais plus. Cette situation ne lui inspirait aucun sentiment. Sans mémoire, elle n'avait rien à regretter.

Mais quelque chose se mit à gratter le mur de l'autre côté. Elle l'entendit bourdonner tout en s'affairant, tel un amant creusant le mur de sa cellule, résolu à arriver jusqu'à elle. Elle écoutait, attendait, libérée de son oubli et de son indifférence. Son nom fut le premier à lui revenir, perçu au sein du bourdonnement. Puis un souvenir de la douleur que lui avait apportée la balle, et du visage souriant de Tommy-Ray, et de la Mission, et du...

Nonce.

C'était le pouvoir qu'elle était venue chercher et, à présent, il la cherchait à son tour, érodant les murailles des limbes. Fletcher ne lui avait guère donné de détails sur ses pouvoirs métamorphiques, mais elle comprenait néanmoins sa fonction essentielle. Il courait avec tous les témoins qui étaient à sa disposition ; une course contre l'entropie dont la conclusion était incompréhensible à son client / victime, encore moins à son sujet. Était-elle prête à recevoir un tel don ? Il avait fait de Jaffe un mal boursouflé et de Fletcher un saint déconcerté.

Que pouvait-il faire d'elle ?

Au dernier moment, Raul douta du bien-fondé de sa décision et essaya d'arracher Tesla du chemin du Nonce, mais celui-ci bondissait déjà de la fiole brisée en direction de son visage. Elle l'inhala comme un souffle liquide. Autour de sa tête, les autres gouttes s'envolèrent vers son crâne et vers son cou.

Elle hoqueta, son corps réagissant par de violents tremblements à l'intrusion du messager. Puis, tout aussi soudainement, tout spasme cessa d'agiter ses nerfs et ses articulations.

Raul murmura :

— Ne meurs pas. Ne meurs pas.

Il allait poser sa bouche sur la sienne dans une dernière tentative pour la sauver lorsqu'il perçut un mouvement derrière ses paupières closes. Ses yeux roulaient violemment de droite à gauche, scrutant un spectacle qu'elle seule pouvait voir.

— Vivante..., murmura-t-il.

Derrière lui, les femmes — qui avaient assisté à toute la scène sans la comprendre — se mirent à prier et à gémir, soit par gratitude, soit par crainte de ce qu'elles avaient vu. Il n'en savait rien. Mais il ajouta ses propres prières aux leurs, sans savoir lui non plus ce qui le motivait.

2

Soudain, les murs disparurent. Comme un barrage percé en un point minuscule, puis fracassé d'un bout à l'autre par le déluge qu'il contenait.

Elle s'était attendue à retrouver le monde qu'elle avait quitté une fois que le mur aurait été réduit en poussière. Elle s'était trompée. Il n'y avait aucun signe de la Mission, ni de Raul. Au lieu de cela s'étendait un désert éclairé par un soleil qui n'avait pas encore atteint le zénith de sa férocité, ravagé par un vent violent qui l'emporta dès que les murs furent tombés, la soulevant au-dessus du sol. Sa vélocité était terrifiante, mais elle n'avait aucun moyen de ralentir ni de changer de direction, car elle ne possédait ni membres ni corps. Ici, elle était *pensée*; être pur dans un lieu pur.

Puis, devant elle, quelque chose démentit cette impression. Il y avait un signe d'occupation humaine à l'horizon; une ville, plantée au milieu de nulle part. Sa vitesse ne diminua nullement lorsqu'elle s'en approcha. Ceci n'était apparemment pas sa destination, si elle en avait une. Elle pensa qu'elle allait peut-être voyager indéfiniment. Que son état était sans doute celui du mouvement pur; un périple sans but ni conclusion. En traversant la rue principale, elle eut le temps de se rendre compte que la ville, bien que formée de maisons et de magasins solidement bâtis, était dénuée de tout caractère. Sans habitant ni particularité quelconque. Il n'y avait aucune pancarte sur les magasins, aucun panneau au coin des rues; aucun signe de présence humaine, quelle qu'elle fût. Alors même qu'elle enregistrait cette bizarrerie, elle était déjà de l'autre côté de la ville, volant à vive allure au-dessus d'un sol cuit par le soleil. La vision de cette ville, en dépit de sa brièveté, l'avait convaincue de sa solitude absolue. Non seulement son voyage était sans but, mais il s'effectuait sans compagnon. C'était l'Enfer, pensa-t-elle; ou une excellente approximation de l'Enfer.

Elle commença à se demander combien de temps s'écoulerait avant que son esprit horrifié se réfugie dans la démence. Un jour? Une semaine? De telles distinctions avaient-elles seulement un sens en ce lieu? Le soleil se couchait-il pour se lever l'aube venue ? Elle lutta pour tourner son regard vers le ciel, mais le soleil était derrière elle et, n'ayant pas de corps, elle ne projetait aucune ombre sur le sol grâce à laquelle elle aurait pu déterminer sa position, pas plus qu'elle n'avait le pouvoir de se retourner pour l'estimer par elle-même.

Il y avait cependant autre chose à voir, quelque chose de plus curieux que la ville : une tour solitaire, ou plutôt un pylône d'acier, dressé en plein milieu du désert, maintenu par des câbles comme s'il allait s'envoler d'un instant à l'autre. A nouveau, elle l'eut dépassé en quelques secondes. A nouveau, il ne lui apporta aucun réconfort. Mais une fois au-delà de ce pylône, une nouvelle sensation l'envahit insidieusement : elle, les nuages au-dessus d'elle, le sable au-dessous d'elle, tous *fuyaient* quelque chose. Une entité s'était-elle tapie hors de vue dans cette ville vierge, et la chassait-elle maintenant, alertée par la présence d'un être humain ? Elle ne pouvait pas se retourner, elle ne pouvait pas l'entendre, elle ne pouvait même pas sentir la vibration de ses pas dans le sol, annonçant son approche. Mais elle viendrait. Sinon tout de suite, du moins bientôt. Cette entité était impitoyable, inévitable. Et l'instant où Tesla la découvrirait serait son dernier instant.

Puis... un refuge ! Encore assez lointain, mais de plus en plus visible à mesure qu'elle s'en approchait, ce qui semblait être une petite hutte de pierre aux murs peints en blanc. Sa vitesse vertigineuse diminua. Son voyage avait apparemment une destination : ce taudis.

Ses yeux étaient fixés sur cet endroit, en quête de signes d'occupation, mais sa vision périphérique aperçut néanmoins un mouvement à droite de la hutte. Sa vitesse, bien que diminuant, était encore considérable, et son incapacité à examiner la scène dans son intégralité l'empêcha de saisir plus qu'un aperçu de cette silhouette. Mais elle était humaine ; féminine ; vêtue de haillons : Tesla *vit* au moins ceci. Même si la hutte se révélait aussi vide que la ville, elle fut réconfortée — légèrement, certes — de savoir qu'une autre âme errait dans cette désolation. Elle s'efforça de voir à nouveau la femme, mais celle-ci avait disparu. Et elle avait une préoccupation plus urgente : le fait que la hutte était presque sur elle, ou elle sur la hutte, et que sa vitesse était encore assez élevée pour démolir taudis et visiteur au moment de l'impact. Elle se prépara au choc, songeant qu'une mort due à la collision serait préférable à l'interminable voyage qu'elle avait envisagé.

Et puis elle s'immobilisa net ; et devant la porte. En un demi-battement de cœur, elle était passée de trois cents kilomètres à l'heure à zéro.

La porte était close, mais elle sentit quelque chose au-dessus de son épaule (bien que dépourvue de corps, il lui était impossible de ne pas penser à *au-dessus* et à *derrière*) qui entrait à présent dans son champ de vision. C'était sinueux comme un serpent, large comme son poignet, et si sombre que, même en plein soleil, elle ne put distinguer aucun détail de son anatomie. Ça n'avait pas de structure ; pas de tête ; pas d'yeux ; pas de bouche ; pas de doigts. Cela avait cependant de la force. Assez pour pouvoir pousser la porte. Puis cela se retira, la laissant indécise : avait-elle vu toute la bête ou seulement un de ses membres ?

La hutte n'était pas large ; en un coup d'œil, elle l'eut examinée. Les murs de pierre nue, le sol de terre nue. Il n'y avait aucun lit, aucun meuble. Rien qu'un petit feu qui brûlait au centre, et dont la fumée, plutôt que de s'échapper par le trou creusé dans le toit, avait choisi de rester et de polluer l'air qui la séparait du seul occupant de la hutte.

Celui-ci avait l'air aussi vieux que les murs de ce taudis, il était nu et crasseux, et sa peau parcheminée était tendue à craquer sur son squelette d'oiseau. Il avait taillé sa barbe avec un brandon, laissant subsister çà et là des touffes de poils gris. Elle se demanda s'il avait même assez d'intelligence pour faire ce genre de toilette. L'expression de son visage suggérait un esprit en état de catatonie avancée.

Mais elle était à peine entrée qu'il leva les yeux vers elle, la voyant en dépit de son absence totale de substance. Il s'éclaircit la gorge, jetant un crachat dans le feu.

— Ferme la porte, dit-il.

— Vous pouvez me voir ? répondit-elle. Et m'entendre ?

— Bien sûr, répondit-il. Maintenant, ferme la porte.

— Comment vais-je faire ? voulut-elle savoir. Je n'ai pas de... mains. Rien.

— Tu peux y arriver, répondit-il. Imagine-toi, c'est tout.

— Hein ?

— Oh, bordel, ce n'est pourtant pas difficile, non ? Tu t'es assez regardée dans la glace. Visualise ce que tu es. Fais-toi réelle. Vas-y. Fais ça pour moi. (Sa voix se faisait tour à tour cajolante et péremptoire.) Il faut que tu fermes la porte...

— J'essaie.

— Pas assez fort.

Elle observa une pause avant de poser sa question suivante.

— Je suis morte, n'est-ce pas? dit-elle.

— Morte? Non.

— Non?

— Le Nonce t'a préservée. Tu es bien vivante, mais ton corps est resté à la Mission. Je veux qu'il y reste. Nous avons à faire, tous les deux.

Cette bonne nouvelle — elle était vivante, même si sa chair était séparée de son esprit — l'aiguillonna. Elle pensa avec force au corps qu'elle avait failli perdre, ce corps dans lequel elle avait grandi durant une période de trente-deux ans. Il était loin d'être parfait, mais au moins c'était le sien. Pas de silicone; pas de cellulite. Elle aimait ses mains et ses poignets aux attaches fines, ses seins atteints de strabisme — son aréole gauche était deux fois plus grande que la droite —, son con, son cul. Plus que tout, elle aimait son visage, avec ses sourires et les rides qu'ils avaient fait naître.

L'imaginer, là était la difficulté. Visualiser ses parties essentielles et le faire venir en ce lieu où se trouvait déjà son esprit. Le vieil homme l'aidait dans ses efforts, devina-t-elle. Son regard, bien que toujours braqué sur la porte, était dirigé vers l'intérieur. Les tendons de son cou saillaient comme les cordes d'une harpe; sa bouche sans lèvres s'agitait.

Son énergie aida grandement Tesla. Elle se sentit perdre toute légèreté, devenir substantielle, telle une soupe s'épaississant à la chaleur de son imagination. Elle connut un instant de doute, lorsqu'elle se prit à regretter le bonheur d'être une pensée pure, mais elle se rappela alors son visage qui lui souriait lorsqu'elle sortait de la douche. C'était une sensation agréable que de mûrir dans cette chair, d'apprendre à en jouir. Le plaisir tout simple d'un rot bien senti, ou encore d'un pet bien solide : le genre de pet qui faisait honte à Butch. Apprendre à sa langue à reconnaître différentes sortes de vodkas; à ses yeux à goûter Matisse. Elle avait plus à gagner qu'à perdre en ramenant son corps vers son esprit.

— Presque, entendit-elle.

— Je le sens.

— Encore un peu. *Conjure.*

Elle baissa les yeux, consciente d'avoir à présent la liberté de le faire. Ses pieds étaient là, posés sur le seuil, nus. Ainsi que le reste de son corps, qui se solidifiait sous ses yeux. Elle était complètement nue.

— Maintenant..., dit l'homme assis près du feu. Ferme la porte.

Elle se retourna et lui obéit, nullement embarrassée par sa nudité, surtout après avoir fait autant d'efforts pour amener son corps ici. Elle faisait de la gym trois fois par semaine. Elle savait qu'elle avait le ventre plat et les fesses fermes. De plus, son hôte ne se souciait pas de sa propre nudité, pas plus qu'il ne se soucia de lui jeter plus qu'un regard machinal. Si ces yeux avaient jadis été habités par une quelconque salacité, cela faisait longtemps qu'elle s'était atrophiée.

— Bien, dit-il. Je suis Kissoon. Tu es Tesla. Assieds-toi. Parle-moi.

— J'ai beaucoup de questions, lui dit-elle.

— Le contraire m'aurait étonné.

— Je peux les poser ?

— Pose. Mais d'abord, assieds-toi.

Elle s'assit en tailleur de l'autre côté du feu, lui faisant face. Le sol était chaud ; l'air également. En moins de trente secondes, la sueur se mit à couler de ses pores. C'était fort agréable.

— Premièrement..., dit-elle, comment suis-je arrivée ici ? Et où suis-je ?

— Tu es dans le Nouveau-Mexique, répondit Kissoon. Et comment y es-tu arrivée ? Eh bien, c'est une question plus délicate, mais en bref, voici : je vous ai observés — toi et plusieurs autres —, et j'attendais d'avoir l'occasion de conduire l'un de vous ici. La mort que tu as évitée de justesse et l'action du Nonce ont diminué ta résistance au voyage. En fait, tu n'avais pas le choix.

— Que savez-vous sur ce qui est en train de se passer à Palomo Grove ? lui demanda-t-elle.

Il émit un petit bruit sec, comme s'il essayait de rassembler la salive dans sa bouche. Lorsqu'il finit par lui répondre, ce fut d'une voix empreinte de lassitude.

— Oh, Dieu du Ciel, beaucoup trop, dit-il, j'en sais beaucoup trop.

— L'Art, Quiddity... tout ça ?

— Oui, dit-il avec la même voix lasse. Tout ça. C'est à cause de moi que tout a commencé, crétin que je suis. La créature que tu connais sous le nom du Jaff s'est assise là où tu es assise. Ce n'était qu'un homme à l'époque. Randolph Jaffe, impressionnant à sa façon — il fallait qu'il le soit pour qu'il en arrive là —, mais seulement un homme, cependant.

— A-t-il suivi le même chemin que moi ? demanda-t-elle. Je veux dire : était-il à l'article de la mort ?

— Non. Il était seulement plus affamé d'Art que la plupart de ceux qui le recherchent. Il ne s'est pas laissé abuser par les écrans de fumée, par les fausses pistes, par tous les tours qui réussissent à désorienter la plupart des humains. Il a cherché et cherché, jusqu'à ce qu'il m'ait trouvé.

Kissoon regarda Tesla en plissant fortement les yeux, comme s'il cherchait à aiguiser son regard et à pénétrer dans le crâne de son interlocutrice.

— Que dire ? déclara-t-il. Toujours le même problème : que dire ?

— Vous parlez comme Grillo, remarqua-t-elle. L'avez-vous espionné ?

— Une ou deux fois, quand il a croisé mon chemin, dit Kissoon. Mais il n'est pas important. Toi, si. Tu es très importante.

— Qu'est-ce qui vous permet de penser ça ?

— D'abord, tu es ici. Personne n'est venu ici depuis Randolph, et regarde quelles ont été les conséquences de sa venue. Cet endroit n'a rien de normal, Tesla. Je suis sûr que tu l'avais déjà deviné. Ceci est une Boucle — un temps hors du temps — que j'ai créée pour moi-même.

— Hors du temps ? Je ne comprends pas.

— Par où commencer ? dit-il. C'est l'autre question, n'est-ce pas ? D'abord, que dire ? Ensuite, par où commencer ? Enfin. Tu sais ce qu'est l'Art. Ce qu'est Quiddity. Sais-tu aussi ce qu'est le Banc ?

Elle secoua la tête.

— Le Banc est, ou *était,* un des ordres religieux les plus anciens du monde. Une secte minuscule — nous n'étions jamais plus de dix-sept — qui avait un dogme, l'Art, un paradis, Quiddity, et un but : les garder *purs* tous les deux. Ceci est son signe.

Il ramassa un petit objet qui se trouvait sur le sol près de lui et le lança à Tesla. Elle crut tout d'abord qu'il s'agissait d'un crucifix. C'était bien une croix, et un homme figurait en son centre, bras et jambes écartés. Mais un examen plus approfondi démentit cette première impression. D'autres formes étaient gravées sur chaque bras du symbole, apparemment des corruptions ou des développements de la figure centrale.

— Tu me crois ? dit-il.

— Je vous crois.

Elle lui relança le symbole par-dessus le feu.

— Quiddity doit être préservé, à tout prix. Fletcher te l'a sans doute fait comprendre ?

— Il me l'a dit, oui. Faisait-il partie du Banc ?

Kissoon eut une moue méprisante.

— Non, il n'avait pas l'envergure nécessaire. Ce n'était qu'un factotum. Le Jaff l'a engagé pour concevoir un composé chimique : un raccourci sur le chemin de l'Art et sur celui de Quiddity.

— Le Nonce ?

— En effet.

— A-t-il été efficace ?

— Peut-être l'aurait-il été, si Fletcher lui-même n'avait pas été touché par sa création.

— C'est pour ça qu'ils se sont affrontés, dit-elle.

— Oui, répondit Kissoon. Bien sûr. Mais tu le sais déjà. Fletcher a dû te le dire.

— Nous n'avons pas eu beaucoup de temps. Il ne m'a expliqué que des bribes. Ses explications étaient très vagues.

— Ce n'était pas un génie. S'il a découvert le Nonce, c'était grâce à la chance davantage qu'à son talent.

— Vous l'avez rencontré ?

— Je t'ai dit que personne n'était venu ici depuis le Jaff. Je suis seul.

— Non, dit Tesla. Il y avait quelqu'un dehors...

— Tu veux parler du Lix ? Le serpent qui a ouvert la porte ? Ce n'est qu'une de mes créations. Un gribouillis. Bien qu'il ait été agréable de les élever...

— Non. Pas ça, dit-elle. Il y avait une femme dans le désert. Je l'ai vue.

— Oh, vraiment ? dit Kissoon, dont le visage sembla être traversé par une ombre subtile. Une femme ? (Il eut un petit sourire.) Eh bien, pardonne-moi, dit-il. Je *rêve* encore de temps en temps. Et il fut un temps où je pouvais conjurer tout ce que je désirais en le rêvant. Elle était nue ?

— Je ne le pense pas.

— Belle ?

— Je ne me suis pas approchée assez près.

— Oh ! Dommage. Mais cela vaut mieux pour toi. Tu es vulnérable ici, et je ne voudrais pas que tu sois blessée par une maîtresse possessive.

Sa voix s'était faite plus légère, tant et si bien qu'elle semblait presque artificielle.

— Si tu la vois à nouveau, garde tes distances, avertit-il. Ne t'approche surtout pas d'elle.

— Entendu.

— J'espère qu'elle finira par arriver ici. Même si je ne peux pas faire grand-chose. Cette carcasse... (il regarda son corps flétri)... a connu des jours meilleurs. Mais je pourrai regarder. J'aime regarder. Même toi, si je peux me permettre de te le dire.

— Que voulez-vous dire : *même* moi ? dit Tesla.

Kissoon eut un petit rire sec.

— Oui, je m'excuse. C'était un compliment. Toutes ces années à vivre seul. Je ne sais plus vivre en société.

— Vous pourriez sûrement revenir, dit-elle. Vous m'avez bien amenée ici. La circulation ne se fait pas dans les deux sens ?

— Oui et non, dit-il.

— Ce qui veut dire ?

— Ce qui veut dire que je pourrais, mais que je ne peux pas.

— Pourquoi ?

— Je suis le dernier membre du Banc, dit-il. Le dernier protecteur vivant de Quiddity. Les autres ont été assassinés, et toutes les tentatives pour les remplacer ont été infructueuses. M'en veux-tu de rester hors de vue ? D'observer le monde à distance et en sécurité ? Si je meurs sans réussir à rétablir la tradition du Banc, Quiddity se retrouvera sans gardien, et je pense que tu en sais assez pour comprendre quel cataclysme cela causerait. La seule façon que j'ai de regagner le monde et d'entreprendre cette tâche vitale, c'est de prendre une autre forme. Un autre... corps.

— Qui sont ces assassins ? Vous les connaissez ?

De nouveau, cette ombre subtile.

— J'ai des soupçons, répondit-il.

— Mais vous ne parlez pas.

— L'histoire du Banc est pleine de tentatives à l'encontre de son intégrité. J'ai des ennemis humains ; surhumains ; inhumains ; abhumains. Si je commençais à tout t'expliquer, nous n'aurions jamais fini.

— Quelqu'un a-t-il écrit cette histoire ?

— Tu veux dire : peux-tu faire des recherches ? Non. Mais tu peux lire entre les lignes d'autres histoires, et tu trouveras le Banc partout. C'est le secret qui se cache derrière tous les autres secrets. Des religions entières sont nées et ont prospéré uniquement pour détourner l'attention des mystiques, pour les *éloigner* du Banc, de l'Art et des buts de l'Art. Ce n'était pas difficile. Il

est facile d'égarer les gens à condition d'utiliser le leurre
approprié. Promesses de Révélation, de Résurrection du Corps,
ce genre de choses...

— Êtes-vous en train de dire... ?

— Ne m'interromps pas, dit Kissoon. S'il te plaît. Je
commence à trouver mon rythme.

— Pardon, dit Tesla.

Ça ressemble à un boniment, pensa-t-elle. Comme s'il essayait
de me *vendre* toute cette histoire extraordinaire.

— Bien. Comme je disais... tu peux trouver le Banc partout, si
tu sais comment regarder. Et certains y sont parvenus. Au fil des
ans, plusieurs hommes et plusieurs femmes ont réussi, tout
comme Jaff, à voir au-delà des leurres et des écrans de fumée, et
ils n'ont cessé de rassembler les indices, de résoudre les codes, et
les codes à l'intérieur des codes, jusqu'à ce qu'ils s'approchent
tout près de l'Art. A ce moment-là, bien sûr, le Banc était obligé
d'intervenir, en agissant au cas par cas. Parmi ces chercheurs, il y
avait Gurdjieff, Melville, Emily Dickinson ; en ce qui concerne les
échantillons les plus intéressants, nous les avons tout simplement
initiés à une secte très secrète et très sacrée, afin de les préparer à
prendre notre succession quand la mort aurait diminué notre
nombre. Quant aux autres, nous les avons jugés indignes.

— Qu'avez-vous fait d'eux ?

— Nous avons utilisé nos talents pour effacer de leur mémoire
toute trace de leur découverte. Ce qui s'est souvent révélé fatal,
bien sûr. On ne peut pas priver un homme de sa quête de la
connaissance et s'attendre à ce qu'il survive à cette perte, surtout
s'il était parvenu tout près d'une réponse. Je soupçonne un de ces
recalés d'avoir récupéré ses souvenirs...

— Et d'avoir décimé le Banc.

— Cette théorie semble la plus probable. Le coupable est
forcément quelqu'un qui connaît le Banc et ses activités. Ce qui
nous ramène à Randolph Jaffe.

— J'ai du mal à penser à lui en tant que *Randolph,* dit Tesla.
Même en tant qu'humain.

— C'est un être humain, crois-moi. C'est aussi la plus grave
erreur de jugement que j'aie jamais commise. Je lui en ai trop dit.

— Plus que vous ne m'en dites ?

— A présent, la situation est désespérée, dit Kissoon. Si je ne
te dis rien, si tu ne viens pas à mon aide, nous sommes tous
perdus. Mais avec Jaffe... j'ai été stupide. Je voulais que
quelqu'un partage ma solitude, et j'ai très mal choisi. Si les autres

avaient été en vie, ils seraient intervenus, ils m'auraient empêché de prendre une décision aussi grotesque. Ils auraient perçu la corruption qui était en lui. Je n'en ai rien fait. J'étais heureux qu'il m'ait trouvé. Je voulais de la compagnie. Je voulais qu'on m'aide à porter le fardeau de l'Art. Je n'ai fait que créer un fardeau plus lourd encore. Un être doué du pouvoir d'accéder à Quiddity, mais exempt du moindre raffinement spirituel.

— Et il a une armée, en plus.

— Je sais.

— D'où sort-elle ?

— Du même endroit où tout trouve son origine. L'esprit.

— Tout ?

— Tu poses encore des questions.

— Je ne peux pas m'en empêcher.

— Oui, tout. Le monde et toutes ses œuvres ; ses créations et ses destructions ; les dieux, les poux et les seiches. Tout est issu de l'esprit.

— Je ne vous crois pas.

— Tu penses que je m'en soucie ?

— L'esprit ne peut pas tout créer.

— Je n'ai pas parlé de l'esprit *humain*.

— Ah !

— Si tu écoutais plus attentivement, tu ne poserais pas autant de questions.

— Mais vous voulez que je comprenne, sinon vous ne passeriez pas tout ce temps à m'expliquer.

— Du temps hors du temps. Mais oui... oui, je veux que tu comprennes. Vu le sacrifice que tu devras faire, il est important que tu saches pourquoi.

— Quel sacrifice ?

— Je te l'ai dit : je ne peux pas quitter cet endroit dans mon corps. On me trouvera et on me tuera, comme les autres...

Elle frissonna en dépit de la chaleur.

— Je ne vous suis pas très bien, dit-elle.

— Bien sûr que si.

— Vous voulez que je vous fasse sortir d'ici ? Que je porte vos pensées en moi ?

— C'est à peu près ça.

— Ne puis-je pas *agir* en votre nom, tout simplement ? dit-elle. Être votre agent ? Je me débrouille très bien.

— Je n'en doute pas.

— Donnez-moi vos instructions, et je les suivrai.

Kissoon secoua la tête.

— Il y a tant de choses que tu ignores, dit-il. Le tableau est si vaste que je n'ai même pas tenté de le dévoiler. Je doute que ton imagination soit capable de l'assimiler.

— Essayez quand même, dit-elle.

— Tu en es sûre ?

— J'en suis sûre.

— Eh bien, le problème ne réside pas seulement dans le Jaff. Peut-être souillera-t-il Quiddity, mais Quiddity lui survivra.

— Quel est le problème, alors ? dit Tesla. Vous n'arrêtez pas de déblatérer au sujet d'un *sacrifice*. Pour quoi faire ? Si Quiddity est capable de se défendre, *pour quoi faire* ?

— Ne peux-tu tout simplement me faire confiance ?

Elle lui jeta un regard dur. Le feu était près de s'éteindre, mais ses yeux étaient suffisamment accoutumés à la pénombre ambrée. Une partie d'elle-même souhaitait ardemment faire confiance à quelqu'un. Mais elle avait passé la majorité de sa vie adulte à apprendre le danger que représentait une telle attitude. Les hommes, les imprésarios, les directeurs de studio, nombre d'entre eux lui avaient demandé de leur accorder sa confiance par le passé, et elle la leur avait accordée, et elle s'était fait baiser. Il était trop tard pour apprendre à se comporter autrement. Elle était cynique jusqu'à la moelle de ses os. Si elle cessait de l'être, elle cesserait d'être Tesla, et elle aimait bien être Tesla. Il s'ensuivait donc — tout comme la nuit suivait le jour — que le cynisme lui convenait également.

Aussi dit-elle :

— Non. Je suis désolée. Je ne peux pas vous faire confiance. Ne le prenez pas personnellement. J'agirais de même avec n'importe qui. Je veux savoir de quoi il retourne.

— Qu'est-ce que ça veut dire ?

— Je veux la vérité. Sinon, je ne vous donnerai rien.

— Es-tu sûre de pouvoir refuser ? dit Kissoon.

Elle détourna légèrement son visage, le regardant à la façon de ses héroïnes, les lèvres pincées, les yeux accusateurs.

— Ça, c'était une menace, dit-elle.

— On pourrait l'interpréter comme telle, remarqua-t-il.

— Eh bien, allez vous faire foutre...

Il haussa les épaules. Sa passivité — la façon presque indolente dont il regardait Tesla — ne fit qu'enflammer celle-ci.

— Je ne suis pas obligée de rester assise là à vous écouter, vous savez !

— Non ?

— Non ! Vous me cachez quelque chose.

— Maintenant, tu es ridicule.

— Je ne le pense pas.

Elle se leva. Les yeux de Kissoon ne suivirent pas son visage mais s'attardèrent à la hauteur de son bas-ventre. Elle se sentit soudain mal à l'aise de se trouver nue en sa présence. Elle voulait récupérer ses vêtements, qui se trouvaient sans doute encore à la Mission, mêmes sales et sanglants. Si elle devait retourner là-bas, elle ferait mieux de se mettre en route. Elle se tourna vers la porte.

Derrière elle, Kissoon dit :

— Attends, Tesla. Je t'en prie, attends. Je me suis trompé. Je le reconnais ; je me suis trompé. Reviens, veux-tu ?

Le ton de sa voix était apaisant, mais elle y perçut une nuance moins aimable. Il est furieux, pensa-t-elle ; en dépit de tous ses airs de mystique, il est furax. Entendre ainsi le grondement sous le ronronnement était une leçon dans l'art du dialogue. Elle se retourna pour en entendre davantage, à présent incertaine d'arracher la vérité à cet homme. Il lui suffisait d'être menacée une seule fois pour douter.

— Continuez, dit-elle.

— Tu ne veux pas t'asseoir ?

— Exact, dit-elle.

Elle devait faire semblant de ne pas avoir peur, en dépit de la crainte qu'elle ressentait soudain ; devait considérer sa peau comme une tenue adéquate. Reste debout, sois nue et défiante.

— Je ne m'assiérai pas.

— Alors, j'essaierai de t'expliquer le plus rapidement possible, dit-il.

Il avait gommé toute ambiguïté de ses manières, et ce de façon efficace. Il était plein de considération ; d'humilité même.

— Il faut que tu comprennes que je ne dispose pas de tous les faits, dit-il. Mais j'en connais assez, j'espère, pour te convaincre du danger dans lequel nous nous trouvons.

— Qui, *nous* ?

— Les habitants de Cosme.

— Pardon ?

— Fletcher ne te l'a pas expliqué ?

— Non.

Il soupira.

— Pense à Quiddity comme à un océan, dit-il.

— Je pense...

— D'un côté de cet océan se trouve la réalité que nous habitons. Un continent de l'être, si tu veux, dont les limites sont le sommeil et la mort.

— Jusqu'ici, ça va.

— Maintenant... suppose qu'il existe un autre continent, de l'autre côté de l'océan.

— Une autre réalité?

— Oui. Aussi vaste et aussi complexe que la nôtre. Pleine comme elle d'énergies, d'espèces et d'appétits. Mais dominée, tout comme le Cosme, par une espèce en particulier, animée par d'étranges appétits.

— Je n'aime pas la tournure que ça prend.

— Tu voulais la vérité.

— Je n'ai pas dit que je vous croyais.

— Cet autre continent, c'est le Métacosme. Cette espèce, c'est celle des Iad Uroboros. Ils existent.

— Et leurs appétits? dit-elle, sans savoir si elle voulait vraiment les connaître.

— La *pureté*. La *singularité*. La *folie*.

— Tu parles d'une fringale.

— Tu avais raison de m'accuser de ne pas te dire la vérité. Je ne t'en ai dit qu'une partie. Le Banc *montait* la garde sur les rivages de Quiddity afin d'empêcher les ambitions humaines déplacées d'utiliser l'Art; mais il *guettait* également l'océan...

— Dans la crainte d'une invasion?

— C'est ce que nous redoutions. Que nous attendions, peut-être. Ce n'était pas seulement de la paranoïa. Les rêves de mal les plus horribles sont ceux au cours desquels nous sentons les Iad de l'autre côté de Quiddity. Les terreurs les plus profondes, les fantasmes les plus vils qui hantent l'esprit humain sont les échos de *leurs* échos. Tesla, je suis en train de te donner plus de raisons d'être effrayée que tu ne pourrais en entendre d'autres lèvres. Je te dis ce que seules les psychés les plus fortes peuvent entendre.

— Et les bonnes nouvelles dans tout ça? dit Tesla.

— Qui en a jamais promis? Qui a dit qu'il y aurait de *bonnes* nouvelles?

— Jésus-Christ, répondit-elle. Et Bouddha. Mahomet.

— Des fragments de contes, transformés en cultes par le Banc. Des diversions.

— Je ne peux pas le croire.

— Pourquoi pas? Es-tu chrétienne?

— Non.

— Bouddhiste ? Musulmane ? Hindouiste ?

— Non. Non. Non.

— Mais tu insistes quand même pour croire aux bonnes nouvelles, dit Kissoon. C'est commode.

Elle eut l'impression de recevoir une claque en plein visage, une claque assenée par un professeur qui n'aurait cessé d'avoir deux ou trois longueurs d'avance sur elle durant toute leur discussion, menant celle-ci avec brio jusqu'au point où son élève n'aurait pu s'empêcher d'émettre des absurdités. Et il était absurde de s'accrocher à un espoir de Paradis quand on pissait allègrement sur toutes les religions. Mais si elle vacilla ainsi, ce ne fut pas parce que Kissoon venait de marquer un point décisif dans leur débat. Elle avait déjà connu pire en matière d'expérience dialecticienne, et jamais elle ne s'était avouée vaincue. Ce qui la rendait malade, c'était le fait que tout l'édifice de sa défense venait de s'écrouler. Si ce qu'il lui avait dit était vrai, même en partie, si le monde dans lequel elle vivait — le Cosme — était en danger, quel droit avait-elle de placer sa vie au-dessus du secours qu'il exigeait désespérément d'elle ? A supposer même qu'elle puisse sortir de ce temps hors du temps, elle ne pourrait pas revenir au monde sans se demander à chaque instant si, en abandonnant Kissoon, elle n'avait pas privé le Cosme d'une chance de survie. Elle devait rester ; devait se donner à lui, pas parce qu'elle le croyait mais parce qu'elle ne pouvait pas courir le risque de se tromper.

— N'aie pas peur. La situation n'a pas empiré durant les cinq dernières minutes, depuis que tu as cessé de débattre. A présent, tu connais la vérité, tout simplement.

— Ce n'est guère réconfortant, dit-elle.

— Non, répondit-il doucement. Je le vois bien. Et toi, tu dois voir que ce fardeau a été lourd à porter pour un homme seul, et que mon dos se brisera si on ne m'aide pas.

— Je comprends, dit-elle.

Elle s'était écartée du feu pour aller s'adosser au mur de la hutte, l'échine en quête d'un soutien et d'un peu de fraîcheur. Elle contempla le sol, consciente du fait que Kissoon était en train de se lever. Elle ne le regarda pas, mais l'entendit grogner. Puis, une requête.

— J'ai besoin d'occuper ton corps, dit-il. Ce qui veut dire que tu dois l'évacuer, j'en ai peur.

Le feu était quasiment mourant, mais sa fumée se faisait plus épaisse. Elle se pressait contre son crâne, l'empêchant de lever la tête et de regarder son hôte, même si elle l'avait voulu. Elle se mit à trembler. Tout d'abord ses doigts, puis ses genoux. Kissoon continua de parler en s'approchant d'elle. Elle entendait le bruit de ses pieds traînant sur le sol.

— Ça ne fera pas mal, dit-il. Si tu veux bien rester debout et garder les yeux fixés sur le sol...

Une pensée envahit lentement son esprit : rendait-il la fumée plus épaisse afin de l'empêcher de le voir ?

— Ce sera vite fait...

Il parle comme un anesthésiste, pensa-t-elle. Son tremblement se fit plus intense. Plus Kissoon s'approchait, plus la fumée se pressait contre son crâne. A présent, elle était sûre que c'était son œuvre. Il ne voulait pas qu'elle le voie. Pourquoi ? Venait-il à elle armé de couteaux, prêt à extraire son cerveau pour se glisser derrière ses yeux ?

Elle n'avait jamais réussi à résister à la curiosité. Plus il s'approchait, plus elle voulait jeter bas la masse de fumée et le regarder droit dans les yeux. Mais c'était difficile. Son corps était affaibli, comme si son sang s'était transformé en eau de vaisselle. La fumée était pareille à une chape de plomb ; elle la sentait qui encerclait son front. Plus elle résistait, plus la fumée s'alourdissait.

Il ne veut vraiment pas que je le voie, pensa-t-elle, et cette pensée aiguillonna sa passion. Elle s'arc-bouta contre le mur. Il était à présent à moins de deux mètres d'elle. Elle pouvait le sentir ; sa sueur était amère et rance. Pousse, se dit-elle, pousse ! Ce n'est que de la fumée. Il te fait croire que tu es écrasée, mais ce n'est que de la fumée.

— Détends-toi, murmura-t-il.

Le parfait anesthésiste.

Au lieu de quoi elle fit un violent effort pour lever la tête. La chape de plomb s'enfonça dans ses tempes ; son crâne craqua comme sous le poids d'une couronne. Mais sa tête bougea, tremblant en luttant contre le poids. Une fois entamé, ce mouvement fut facile à poursuivre. Elle leva le menton, un centimètre, puis deux, puis trois, levant les yeux au même instant jusqu'à ce qu'elle le regarde face à face.

Debout, il était tordu de partout, sauf en un endroit, chaque articulation de son corps était déformée, décalée, les épaules et le cou, la main et l'avant-bras, la cuisse et la hanche ; un ensemble de zigzags décoré par une unique ligne droite saillant de son bassin. Elle le regarda, consternée.

— Qu'est-ce que ça veut dire ? demanda-t-elle.

— Je n'ai pas pu m'en empêcher, dit-il. Pardon.

— Ah ouais ?

— Quand j'ai dit que je voulais ton corps, je ne voulais pas dire comme ça.

— J'ai déjà entendu ça quelque part.

— Crois-moi, dit-il. Ma chair réagit à la tienne, c'est tout. Pur automatisme. Tu devrais être flattée.

Dans d'autres circonstances, peut-être aurait-elle éclaté de rire. Si elle avait été capable d'ouvrir la porte et de s'en aller, par exemple, si elle n'avait pas été perdue hors du temps, avec un monstre sur le seuil et un désert derrière lui. Chaque fois qu'elle croyait comprendre ce qui se passait ici, les faits venaient aussitôt démentir cette impression. Cet homme était une succession de surprises, toutes désagréables.

Il se tendit vers elle, et ses pupilles étaient immenses, occultant le blanc de ses yeux. Elle pensa à Raul ; comme son regard était beau, en dépit de son visage d'hybride. Il n'y avait nulle beauté ici ; rien qui fût seulement lisible. Nul appétit ; nulle colère. S'il y avait un quelconque sentiment, il était éclipsé.

— Je ne peux pas faire ça, dit-elle.

— Il le faut. Renonce à ce corps. Je dois avoir ce corps, ou alors les Iad vaincront. Est-ce ce que tu souhaites ?

— Non !

— Alors, cesse de résister. Ton esprit sera en sécurité à Trinité.

— *Où ça ?*

Il laissa momentanément percer quelque chose dans ses yeux, un éclat de colère — dirigée contre lui-même, pensa-t-elle.

— *Trinité ?* dit-elle, lançant cette question à seule fin de retarder l'instant où il la toucherait et s'emparerait d'elle. *Qu'est-ce que Trinité ?*

Alors qu'elle posait cette question, plusieurs choses se produisirent simultanément, à une vitesse telle qu'elle ne put les dissocier l'une de l'autre, comprenant cependant le fait central qui les sous-tendait : il avait cessé de dominer la situation dès l'instant où elle lui avait demandé ce qu'était Trinité. D'abord, elle sentit la fumée se dissoudre au-dessus d'elle, cessant de la faire ployer sous son poids. Saisissant sa chance tant qu'il était encore temps, elle tendit la main vers la poignée de la porte. Elle

ne quitta pas Kissoon du regard, cependant, et à l'instant même
de sa libération, le vit transfiguré. Ce fut un bref aperçu, rien de
plus, mais puissant au point d'en être inoubliable. Il lui apparut
le torse couvert de sang, dont les éclaboussures atteignaient
même son visage. Il sut qu'elle le voyait, car ses mains se levèrent
pour dissimuler les taches, mais ses mains et ses bras ruisselaient
également de sang. Était-ce le sien ? Avant qu'elle ait pu chercher
une blessure du regard, il reprit le contrôle de cette vision mais,
tel un jongleur tentant de faire voler trop de boules, il en perdit
une lorsqu'il rattrapa l'autre. Le sang disparut, et il n'apparut
devant elle, à nouveau vierge de toute souillure, que pour
dévoiler un nouveau secret jusque-là refoulé par sa volonté.

Ce secret était bien plus cataclysmique que les taches de sang :
l'onde de choc qu'il émit vint frapper la porte derrière Tesla.
Cette force, trop puissante pour le Lix, même multiple, plongea
Kissoon dans la terreur. Son regard allait de la porte à Tesla, il
avait les bras ballants, et son visage avait perdu toute expression.
Elle sentit que la moindre parcelle de son énergie était consacrée
à une unique tâche : maîtriser la force qui faisait rage sur le seuil.
Les conséquences ne se firent pas attendre : l'emprise qu'il
exerçait sur elle — celle qui lui avait permis de l'amener ici, de la
garder ici — se relâcha complètement. Elle sentit la réalité qu'elle
avait quittée la saisir par la peau du cou et la tirer violemment.
Elle ne tenta même pas de résister. Cette loi était aussi dure que
celle de la pesanteur.

Lorsqu'elle aperçut Kissoon pour la dernière fois, il était à
nouveau souillé de sang, et debout, le visage toujours dénué
d'expression, devant la porte. Puis celle-ci s'ouvrit.

L'espace d'un instant, elle fut persuadée que ce qui avait battu
contre la porte l'attendait sur le seuil pour la dévorer, ainsi que
Kissoon. Elle crut même voir son éclat — si brillant, si aveuglant
— noyer les traits de Kissoon. Mais la volonté de ce dernier en
triompha au dernier moment, et l'éclat s'estompa alors même
que le monde qu'elle avait quitté la reprenait en lui et lui faisait
franchir la porte.

Elle rebroussa chemin dix fois plus vite qu'elle était venue, si
vite qu'elle fut incapable d'interpréter ce qu'elle voyait — la tour
d'acier, la ville — avant d'avoir couvert plusieurs kilomètres.

Cette fois-ci, elle n'était pas seule. Quelqu'un était tout près
d'elle, prononçait son nom.

— Tesla ? Tesla ! Tesla !

Elle connaissait cette voix. C'était Raul.

— Je t'entends, murmura-t-elle.

Une autre réalité, plus sombre, était vaguement visible à ses yeux brouillés par la vitesse. Il s'y trouvait des points de lumière — des flammes de cierge, peut-être — et des visages.

— Tesla !

— J'y suis presque, hoqueta-t-elle. J'y suis presque. J'y suis presque.

Le désert s'estompait à présent ; les ténèbres affirmaient leur supériorité. Elle ouvrit les yeux en grand afin de mieux distinguer Raul. Il y avait un large sourire sur son visage lorsqu'il s'accroupit pour lui souhaiter la bienvenue.

— Tu es revenue, dit-il.

Le désert avait disparu. Ne restait que la nuit. Des cailloux en dessous d'elle, des étoiles au-dessus ; et, comme elle l'avait deviné, des cierges, portés par un cercle de femmes étonnées.

Sous elle, entre le sol et son corps, se trouvaient les vêtements qu'elle avait ôtés lorsqu'elle avait rappelé son corps à elle, le recréant au sein de la Boucle de Kissoon. Elle tendit la main pour toucher le visage de Raul, autant pour s'assurer qu'elle avait bien regagné le monde solide que pour toucher quelqu'un. Ses joues étaient humides.

— Tu as travaillé dur, dit-elle, pensant que c'était de la sueur.

Puis elle se rendit compte de son erreur. Pas de la sueur, pas du tout ; des larmes.

— Oh, pauvre Raul, dit-elle en se redressant pour l'étreindre. Est-ce que j'ai complètement disparu ?

Il se pressa contre elle.

— D'abord, comme du brouillard, dit-il. Ensuite... partie.

— Pourquoi sommes-nous ici ? dit-elle. J'étais dans la Mission quand il m'a tiré dessus.

Pensant au coup de feu, elle baissa les yeux vers l'endroit où la balle l'avait atteinte. Il n'y avait pas de blessure ; même pas de sang.

— Le Nonce, dit-elle. Il m'a guérie.

Ce fait ne passa pas inaperçu auprès des femmes. En voyant sa peau intacte, elles reculèrent en marmonnant des prières.

— Non..., murmura-t-elle, contemplant toujours son corps. Ce n'est pas le Nonce. Ceci est le corps que j'ai *imaginé*.

— Imaginé ? dit Raul.

— Conjuré, répondit-elle, à peine consciente de la confusion de Raul tant elle était absorbée par cette énigme.

L'aréole de son sein gauche, deux fois plus large que l'autre, se trouvait à présent sur son sein droit. Elle ne cessait de les regarder tous les deux en secouant la tête. Ce n'était pas le genre d'erreur qu'elle aurait commise. Lors de son voyage dans la Boucle, aller ou retour, elle avait été inversée. Elle leva les jambes pour les étudier. Les cicatrices — des coups de griffes de Butch — qui avaient orné un de ses mollets marquaient à présent l'autre.

— Je ne comprends pas, dit-elle à Raul.

Ne voyant même pas quelle était la question, il aurait été bien en peine de lui trouver une réponse, aussi se contenta-t-il de hausser les épaules.

— Peu importe, dit-elle, et elle commença à se rhabiller.

Puis, à ce moment-là seulement, elle s'intéressa au sort du Nonce.

— Est-ce que j'ai tout absorbé ? dit-elle.

— Non. L'enfant de la mort l'a emporté.

— Tommy-Ray ? Oh Seigneur ! Maintenant, le Jaff a un super-fils.

— Mais tu as été touchée, dit Raul. Et moi aussi. Il est entré dans ma main. Il est monté jusqu'à mon coude.

— C'est nous contre eux, donc.

Raul secoua la tête.

— Je ne te servirai à rien, dit-il.

— Tu le peux et tu le dois, dit-elle. Il y a tant de questions auxquelles il nous faut répondre. Je n'y arriverai pas toute seule. Tu dois venir avec moi.

L'hésitation de Raul était suffisamment visible pour qu'il se dispense de la formuler à haute voix.

— Je sais que tu as peur. Mais je t'en prie, Raul. C'est toi qui m'as ramenée d'entre les morts...

— Non.

— Tu y as aidé. Tu ne voudrais pas que tes efforts soient gâchés, n'est-ce pas ?

Elle percevait les accents persuasifs de Kissoon dans sa propre voix, et cela ne lui plaisait guère. D'un autre côté, elle n'avait jamais appris autant de choses en si peu de temps que lors de sa rencontre avec Kissoon. Il l'avait marquée sans même poser la main sur elle. Mais si on lui avait demandé s'il s'agissait d'un menteur ou d'un prophète, d'un sauveur ou d'un dément, elle n'aurait pu répondre. Peut-être cette ambiguïté était-elle ce qu'il y avait de plus important dans l'histoire, même si elle était incapable de dire quelle leçon elle en avait retirée.

Ses pensées se tournèrent à nouveau vers Raul et vers son hésitation. L'heure n'était pas à la discussion.

— Tu dois venir, lui dit-elle. Pas question de faire autrement.

— Mais la Mission...

— ... est *vide*, Raul. Le Nonce était le seul trésor qu'elle recelait, et il est parti.

— Il y avait tant de souvenirs, dit-il, signalant son acceptation en employant le passé.

— Il y aura d'autres souvenirs. D'autres jours à chérir, dit-elle. Maintenant... si tu as des adieux à faire, fais-les tout de suite, parce qu'on est déjà partis...

Il acquiesça et s'adressa aux femmes en espagnol. Tesla parlait un peu cette langue ; assez pour confirmer qu'il était bien en train de faire ses adieux. Le laissant à cette tâche, elle se dirigea vers l'endroit où elle avait garé sa voiture.

En chemin, la solution de l'énigme du corps inversé lui apparut, sans même qu'elle ait sérieusement examiné le problème. Dans la hutte de Kissoon, elle s'était imaginée comme elle se *voyait* le plus souvent : dans une glace. Combien de fois, durant sa trentaine d'années d'existence, avait-elle regardé son propre reflet, brossant un portrait où la droite était la gauche et vice versa ?

En revenant de la Boucle, elle était devenue une femme différente, littéralement ; une femme qui n'avait existé jusque-là que comme une image sur du verre. A présent, cette image était de chair et de sang, et elle arpentait le monde. Derrière son visage, l'esprit restait le même, espérait-elle, bien que touché par le Nonce et par sa rencontre avec Kissoon. Des influences guère négligeables, en somme.

Tout bien considéré, elle était une autre histoire. Le présent était le moment idéal pour se raconter au monde.

Demain ne viendrait peut-être jamais.

SIXIÈME PARTIE

Secrets et révélations

I

Tommy-Ray conduisait depuis l'âge de seize ans. La voiture lui avait permis de se libérer de Maman, du Pasteur, du Grove et de tout ce qu'ils représentaient. Il roulait à présent vers l'endroit même dont il avait ardemment souhaité s'évader quelques années plus tôt, gardant constamment le pied sur le champignon. Il voulait arpenter à nouveau le sol du Grove, porteur des nouvelles de son corps, voulait retourner auprès de son père qui lui avait tant appris. Avant la venue du Jaff, la vie ne lui avait offert au mieux qu'un fort vent d'ouest et les vagues de Topanga ; lui, au sommet de la crête, conscient des regards des filles braqués sur lui. Mais il avait toujours su que ce bon temps ne durerait pas. D'un été à l'autre survenaient de nouveaux héros. Il avait été l'un d'eux, supplantant des surfers d'à peine deux ans plus âgés et déjà moins agiles que lui. Des hommes-enfants pareils à lui, qui avaient été la crème des plages l'été précédent et qui appartenaient désormais au passé. Il n'était pas stupide. Il savait qu'il rejoindrait tôt ou tard leurs rangs.

Mais à présent, son ventre et son cerveau étaient animés par un but nouveau. Il avait découvert des idées et des actes dont les crétins de Topanga n'avaient jamais soupçonné l'existence. Et ce en grande partie grâce au Jaff. Mais même son père, en dépit de ses conseils les plus fous, ne l'avait pas préparé à ce qui lui était arrivé à la Mission. Il était à présent un *mythe*. La Mort rentrant chez elle au volant d'une Chevrolet. Il connaissait une musique qui ferait danser les gens jusqu'à l'épuisement. Et quand ils s'effondreraient, quand ils se changeraient en tas de viande, il savait aussi ce qui se passerait. Il avait vu ce spectacle à l'œuvre dans sa propre chair. Il bandait rien que de s'en souvenir.

Mais la fête ne faisait que commencer. A quelque cent cinquante kilomètres au nord de la Mission, il traversa un petit village près duquel se trouvait un cimetière. La lune était encore haute dans le ciel. Sa lumière faisait luire les tombes, délavant les couleurs des fleurs déposées çà et là. Il arrêta sa voiture pour mieux goûter le spectacle. Après tout, ceci était désormais son territoire. C'était chez lui.

S'il avait eu besoin d'une preuve supplémentaire pour lui confirmer que les événements de la Mission n'étaient pas le fruit du délire, il l'obtint lorsqu'il poussa la porte et entra dans le cimetière. Il n'y avait pas de vent pour faire frémir l'herbe, qui poussait parfois à hauteur de ses genoux, là où les tombes n'étaient plus entretenues. Mais il y avait néanmoins du mouvement. Il fit quelques pas de plus et vit des silhouettes humaines se dresser en une douzaine d'endroits. C'étaient les morts. Si leur aspect n'avait pas suffi pour le prouver, la luminescence de leurs corps — qui étaient aussi brillants que l'éclat de l'os qu'il avait trouvé près de sa voiture — les aurait désignés comme des membres de son clan.

Ils savaient qui était venu leur rendre visite. Leurs yeux — ou, dans le cas des plus anciens d'entre eux, leurs *orbites* — restaient posés sur lui comme ils venaient lui rendre hommage. Aucun d'eux ne regarda le sol en chemin, bien qu'il fût quelque peu inégal. Ils connaissaient trop bien ce terrain, savaient où les tombes mal édifiées s'étaient effondrées et où les cercueils étaient remontés à la surface sous l'effet des subtils mouvements de la terre. Leur progression était cependant fort lente. Il n'était pas pressé. Il s'assit sur une tombe qui abritait, à en croire son inscription, une mère et ses sept enfants, et regarda les fantômes venir à lui. Plus ils s'approchaient, plus leur état devenait apparent. Ce n'était pas beau à voir. Un vent soufflait de leur carcasse et distordait leurs formes. Leurs visages étaient soit trop larges, soit trop longs, leurs yeux exorbités, leurs bouches béantes, leurs joues pendantes. Leur laideur rappela à Tommy-Ray un film d'aviation dans lequel les pilotes luttaient contre l'accélération, la différence étant que ceux-ci n'étaient nullement des engagés. Ils souffraient contre leur volonté.

Il ne fut pas le moins du monde troublé par leur difformité; ni par les trous dans leurs corps pitoyables, ni par leurs membres tranchés ou mutilés. Rien ici qu'il n'ait déjà vu dans une bande dessinée, et ce dès l'âge de six ans; ou au train-fantôme. L'horreur était partout, si l'on regardait bien. Sur les cartes-cadeaux des chewing-gum, dans les dessins animés du samedi matin, ou sur les tee-shirts et les pochettes de disques. Il sourit en pensant à cela. Il y avait partout des avant-postes de son empire. Aucun endroit n'était exempt de la marque de Death Boy.

Le plus rapide de ses premiers dévots était un homme qui

semblait être mort jeune, et récemment. Il portait un blue-jean trop grand de deux tailles et un tee-shirt orné d'une main qui ordonnait au monde d'aller se faire foutre. Il portait aussi un chapeau, qu'il ôta lorsqu'il arriva à quelques mètres de Tommy-Ray. La tête qui se trouvait en dessous avait été pratiquement rasée, exhibant ainsi plusieurs longues coupures. Des blessures fatales, sans aucun doute. Il n'en coulait plus aucun sang ; rien que le gémissement du vent qui traversait les tripes de cet homme.

Arrivé à faible distance de Tommy-Ray, il fit halte.

— Est-ce que tu peux parler ? lui demanda Death Boy.

L'homme ouvrit en grand sa bouche déjà fort large et entreprit de lui répondre par des mouvements de gorge. Tommy-Ray se rappela un numéro qu'il avait vu à la télévision, un artiste qui avalait et recrachait des poissons rouges vivants. Bien qu'il ait vu ce spectacle plusieurs années auparavant, il avait frappé son imagination. La vision d'un homme capable de faire fonctionner son organisme à l'envers, de vomir ce qu'il avait dans sa gorge — sûrement pas dans son estomac, aucun poisson, même le plus écailleux, n'aurait pu survivre aux sucs digestifs —, l'avait récompensé du malaise qui l'avait inévitablement saisi. A présent, Fuck-You-Man * accomplissait le même tour, avec des mots en guise de poissons. Ils émergèrent enfin, aussi secs que ses entrailles.

— Oui, entendit-il, je peux parler.

— Sais-tu qui je suis ? demanda Tommy-Ray.

L'homme émit un gémissement.

— Oui ou non ?

— Non.

— Je suis Death Boy, et tu es Fuck-You-Man. Qu'est-ce que tu dis de ça ? On fait un beau couple, hein ?

— Vous êtes venu pour nous, dit le mort.

— Qu'est-ce que tu veux dire ?

— Nous ne sommes pas enterrés. Pas bénis.

— Ça ne me concerne pas, dit Tommy-Ray. Je ne vais enterrer personne. Je suis venu ici parce que c'est mon genre d'endroit maintenant. Je vais être le Roi des Morts.

— Oui ?

— Comptes-y.

* Littéralement : « L'Homme-Va-Te-Faire-Foutre ». *(N.d.T.)*

Une autre âme perdue — une femme aux hanches larges — s'était approchée et avait réussi à émettre quelques mots.

— Vous..., dit-elle, ... vous *brillez*.

— Ah ouais ? dit Tommy-Ray. Ça ne me surprend pas. Tu es brillante, toi aussi. Très brillante.

— Notre place est ensemble, dit la femme.

— Tous, dit un troisième cadavre.

— Vous commencez à piger.

— Sauvez-nous, dit la femme.

— Je l'ai déjà dit à Fuck-You-Man, dit Tommy-Ray, je ne vais enterrer personne.

— Nous vous suivrons, dit la femme.

— Me suivre ? répondit Tommy-Ray.

Un frisson d'excitation lui parcourut l'échine à l'idée de retourner au Grove avec une telle congrégation sur ses talons. Peut-être pourrait-il visiter d'autres endroits en chemin afin d'augmenter ses effectifs.

— Cette idée me plaît, dit-il. Mais comment ?

— Conduisez. Nous suivrons, lui répondit-on.

Tommy-Ray se leva.

— Pourquoi pas ? dit-il, et il se dirigea vers sa voiture.

En chemin, il se surprit à penser : ça va être la fin de tout pour moi...

Et ça lui était égal.

Une fois au volant, il regarda en direction du cimetière. Un vent s'était levé, venu de nulle part, et il vit les compagnons qu'il s'était choisis se *dissoudre* en lui, leurs corps s'effritant comme s'ils étaient faits de sable et s'envolant dans l'air. Des particules de poussière voletèrent sur son visage. Il plissa les yeux pour se protéger, refusant de cesser de voir ce spectacle. Bien que leurs corps fussent en voie de disparition, il entendait encore leurs hurlements. Ils ressemblaient au vent, ou ils *étaient* le vent, annonçant leur présence. Lorsque leur dissolution fut achevée, il se détourna de la tempête et appuya sur l'accélérateur. La voiture bondit en avant, faisant naître un nouveau nuage de poussière qui se joignit aux derviches qui la poursuivaient.

Il avait eu raison de penser qu'il trouverait en chemin d'autres endroits où rassembler des fantômes. *Désormais, j'aurai toujours raison*, pensa-t-il. *La Mort ne se trompe jamais ; jamais, jamais.* Il trouva un deuxième cimetière à moins d'une heure de route du premier, devant le mur duquel un derviche de poussière allait et venait avec impatience, tel un chien en laisse attendant l'arrivée de son maître. L'annonce de sa venue l'avait apparemment précédé. Ces âmes l'attendaient, prêtes à se joindre à la cohue. Il n'eut même pas besoin de ralentir. La tempête de poussière vint à sa rencontre, enveloppant momentanément sa voiture avant de s'élever pour aller rejoindre les âmes qui volaient derrière lui. Tommy-Ray continua de rouler.

Vers l'aube, sa bande de misérables trouva encore de nouveaux adhérents. Il y avait eu une collision à un carrefour durant la nuit. La chaussée était parsemée de verre brisé; de sang; et une des deux voitures — à présent méconnaissable — gisait retournée au bord de la route. Il ralentit pour regarder, ne s'attendant pas à trouver des spectres en ce lieu, mais il entendit néanmoins le gémissement familier du vent et vit deux formes en lambeaux, un homme et une femme, émerger des ténèbres. Ils ne maîtrisaient pas encore leur nouvelle condition. Le vent qui les traversait, ou qui sortait d'eux, menaçait de les faire choir à chacun de leurs pas. Mais ces nouveau-morts, pour ainsi dire, virent leur Seigneur en Tommy-Ray et vinrent à lui, obéissants. Il sourit en les voyant; leurs blessures toutes fraîches (les éclats de verre sur leurs visages, dans leurs yeux) l'excitaient.

Aucune parole ne fut échangée. Lorsqu'ils s'approchèrent, ils semblèrent percevoir un signal lancé par leurs frères dans la mort qui suivaient la voiture de Tommy-Ray, laissèrent leurs corps s'éroder complètement, et rejoignirent le vent.

Tommy-Ray reprit la route, sa légion ainsi enrichie.

Il y eut d'autres rencontres en chemin; elles semblèrent se multiplier à mesure qu'il remontait vers le nord, comme si l'annonce de sa venue parcourait la terre, de cadavre en cadavre, murmures de cimetière, si bien que des spectres de poussière l'attendaient tout le long de la route. Tous n'étaient pas venus se joindre à la fête, loin de là. Certains n'étaient apparemment venus que pour regarder passer le défilé. Il y avait de la peur sur leurs visages lorsqu'ils regardaient Tommy-Ray. Il était à présent devenu la Terreur du train-fantôme, et eux étaient les gogos angoissés. Il y avait une hiérarchie même parmi les morts, semblait-il, et il était trop haut placé pour que nombre d'entre eux soient admis en sa présence; son ambition était trop grande, son appétit trop pervers. Ils préféraient pourrir en paix plutôt que de se lancer dans l'aventure.

Ce fut tôt dans la matinée qu'il arriva dans le bled sans nom où il avait perdu son portefeuille, mais la lumière du jour n'éclairait pas l'armée de poussière qui le suivait telle une tempête. Ceux qui choisissaient de la regarder — et ils étaient rares tant le vent était aveuglant — ne voyaient qu'un nuage d'air sale dans le sillage de sa voiture; et c'était tout.

Il n'était pas venu ici pour recruter des âmes perdues — même s'il ne doutait pas un seul instant que, dans un endroit aussi misérable que celui-ci, la vie était courte, la mort violente, et que nombre de corps ne trouvaient jamais le repos sanctifié. Non, il désirait se venger du pickpocket. Ou, sinon de lui, du moins du bouge où il s'était fait voler. Il n'eut aucun mal à le retrouver. Sa porte n'était pas fermée, contrairement à ce qu'il aurait cru. Et, une fois qu'il eut pénétré dans le bar, il vit que celui-ci n'était pas désert. Les consommateurs de la nuit précédente étaient toujours présents, dans divers états d'effondrement. L'un d'eux gisait face contre terre dans une flaque de vomissures. Deux autres étaient affalés près d'une table. Derrière le bar proprement dit se trouvait un homme dont Tommy-Ray se souvenait vaguement : c'était lui qui avait encaissé le prix d'entrée pour le spectacle. Un homme massif, au visage si souvent tabassé que ses bleus semblaient indélébiles.

— Tu cherches quelqu'un? voulut-il savoir.

Tommy-Ray l'ignora et se dirigea vers la porte donnant sur l'arène où s'était déroulé le numéro de la femme et du chien. La porte était ouverte. La pièce, elle, était vide, les acteurs repartis vers leur lit ou vers leur chenil. Le barman était à un mètre de lui lorsqu'il se retourna.

— Je t'ai posé une question, bordel, dit-il.

Tommy-Ray fut quelque peu surpris par le manque de discernement de cet homme. Ne voyait-il pas qu'il s'adressait à une créature transformée? Ses perceptions étaient-elles aveuglées par trop d'années d'alcoolisme et de zoophilie pour qu'il échoue à reconnaître Death Boy dans son visiteur? L'imbécile.

— Hors de mon chemin, dit Tommy-Ray.

Plutôt que de lui obéir, l'homme l'attrapa par le col de sa chemise.

— T'es déjà venu ici, dit-il.

— Ouais.

— T'as oublié quelque chose, hein?

Il attira Tommy-Ray contre lui jusqu'à ce que leurs nez se touchent. Il avait une haleine de malade.

— A votre place, je laisserais tomber, avertit Tommy-Ray.

L'homme parut fort amusé.

— Tu cherches à te faire arracher les couilles, dit-il. Ou tu veux te joindre à notre troupe ? (Ses yeux s'écarquillèrent à cette idée.) C'est pour ça que tu es venu ? Pour passer une audition ?

— Je vous ai dit..., commença Tommy-Ray.

— Je me fous de ce que tu m'as dit. C'est moi qui parle ici. T'as entendu ? (Il plaqua une de ses énormes mains sur la bouche de Tommy-Ray.) Alors... tu veux me montrer quelque chose, oui ou non ?

L'image de ce que Tommy-Ray avait vu dans l'arrière-salle lui revint à l'esprit comme il regardait son agresseur : la femme, les yeux vitreux ; le chien, les yeux vitreux. Il avait vu la mort ici, la mort en vie. Il ouvrit la bouche sur la paume de l'homme et pressa sa langue contre la peau sale.

L'homme eut un large sourire.

— Ouais ? dit-il.

Il laissa tomber sa main, dégageant le visage de Tommy-Ray.

— Tu as quelque chose à me montrer ? répéta-t-il.

— *Ici...*, murmura Tommy-Ray.

— Hein ?

— *Venez... venez...*

— Qu'est-ce que tu racontes ?

— Ce n'est pas à vous que je parle. *Ici. Venez... ici.*

Son regard alla de l'homme à la porte.

— Commence pas à déconner, morveux, répliqua l'homme. Tu es venu tout seul.

— *Venez !* hurla Tommy-Ray.

— Ferme ta gueule !

— *Venez !*

Le bruit de sa voix rendit l'homme furieux. Il frappa Tommy-Ray au visage, si violemment que l'adolescent lui échappa et tomba par terre. Tommy-Ray ne se releva pas. Il se contenta de regarder fixement la porte et de réitérer son invitation.

— *Venez, s'il vous plaît*, dit-il, plus doucement cette fois.

Était-ce parce qu'il avait *demandé* et non ordonné que la légion lui obéit ? Ou tout simplement parce que ses membres avaient rassemblé leurs forces et étaient à présent prêts à lui venir en aide ? Quoi qu'il en soit, ils se mirent à secouer les portes fermées. Le barman se retourna en grondant. Il était parfaitement évident, même à ses yeux las, que ce n'était pas un vent naturel qui cherchait à entrer. Sa pression était trop rythmée ; ses coups étaient trop forts. Et ses hurlements, oh ! ses hurlements n'avaient rien de commun avec les hurlements de tempête qu'il avait pu entendre. Il se retourna vers Tommy-Ray.

— Qu'est-ce que c'est que ce bordel ? dit-il.

Tommy-Ray resta étendu là où il était tombé et adressa un sourire à l'homme, ce sourire légendaire qui disait : « Pardonnez-moi mes offenses », ce sourire qui ne serait plus jamais le même à présent qu'il était devenu Death Boy.

Meurs, disait désormais ce sourire. *Meurs sous mes yeux. Meurs lentement. Meurs vite. Ça m'est bien égal. Death Boy s'en fiche.*

Comme son sourire s'élargissait, les portes s'ouvrirent, bouts de serrure et échardes de bois volant dans le bar pour précéder l'invasion du vent. Les esprits qui peuplaient cette tempête n'étaient pas visibles à la lumière du jour ; mais ils le devenaient à présent, coagulant leur poussière sous les yeux des témoins. Un des deux hommes assis à la table se réveilla à temps pour voir trois silhouettes se former devant lui de la tête à la ceinture, des volutes de poussière en guise d'entrailles. Il se plaqua contre le mur, et elles se jetèrent sur lui. Tommy-Ray entendit son hurlement mais ne vit pas quel genre de mort on lui offrait. Il n'avait d'yeux que pour les esprits qui se précipitaient sur le barman.

Leurs visages n'exprimaient que l'appétit, vit-il ; comme si le voyage effectué par leur caravane leur avait donné le temps de se simplifier à l'extrême. Il n'était plus aussi facile de les distinguer les uns des autres ; peut-être leur poussière s'était-elle mêlée au sein de la tempête, chacun devenant semblable à son prochain. Ainsi exempts de tout signe distinctif, ils étaient plus horribles qu'ils ne l'avaient jamais été au cimetière. Il frissonna à leur vue, le résidu de l'homme qu'il avait été les redoutant tandis que Death Boy connaissait la plénitude. C'étaient les soldats de son armée : leurs yeux étaient immenses, leurs bouches plus immenses encore, légion hurlante d'appétit et de poussière.

Le barman se mit à parier à haute voix, mais il ne comptait pas seulement sur la prière pour le sauver. Il ramassa Tommy-Ray d'une main, l'attirant contre lui. Puis, se servant de son otage comme d'un bouclier, il ouvrit la porte de l'arène du sexe et s'y engouffra à reculons. Tommy-Ray l'entendait répéter sans arrêt la même chose, le refrain de sa prière, peut-être ? *Santa Dios ! Santa Dios !* Mais paroles et otage furent également impuissants à ralentir l'avance du vent et de sa cargaison de poussière. Ils se ruèrent sur lui, ouvrant la porte en grand.

Tommy-Ray vit leurs bouches s'agrandir encore, puis leurs visages flous fondirent sur les deux hommes. Il ne vit rien de ce qui s'ensuivit. La poussière envahit ses yeux avant qu'il ait eu la chance de les fermer. Mais il sentit l'étreinte du barman se relâcher et, l'instant d'après, un flot de chaleur humide. Le hurlement du vent augmenta aussitôt de volume, devenant un cri d'agonie contre lequel il tenta de protéger ses oreilles, mais il pénétra néanmoins jusque dans son cerveau, lui taraudant le crâne comme une centaine de perceuses.

Lorsqu'il ouvrit les yeux, il était rouge. Torse, bras, jambes, mains : tout rouge. Le barman, source de cette couleur, avait été traîné sur la scène où, la nuit précédente, Tommy-Ray avait contemplé la femme et le chien. Sa tête décollée se trouvait côté cour ; ses bras, les mains jointes en prière, côté jardin ; le reste de son corps se trouvait au centre de la scène, une fontaine jaillissant de son cou.

Tommy-Ray s'efforça de ne pas être malade (il était Death Boy, après tout), mais c'en était trop. Et cependant, se dit-il, à quoi s'était-il attendu en les invivant à franchir le seuil ? Ce n'était pas un cirque qu'il traînait derrière lui. Ce n'était pas sain d'esprit ; ce n'était pas civilisé.

Tremblant, écœuré, humilié, il se releva et regagna le bar à grand-peine. L'œuvre accomplie ici par sa légion était aussi cataclysmique que celle dont il s'était détourné. Les trois occupants du bar avaient été massacrés. Ne jetant qu'un regard machinal à la scène, il traversa le chaos pour se diriger vers la porte.

Les événements survenus dans le bar avaient attiré un public inévitable, même en cette heure matinale. Mais la vélocité du vent — dans lequel son armée spectrale s'était à nouveau dissoute — décourageait les spectateurs, excepté les plus aventureux — enfants et adolescents — de s'approcher de la scène, et même ceux qui osaient le faire soupçonnaient l'air qui hurlait autour d'eux de ne pas être entièrement vide.

Ils regardèrent l'adolescent blond et recouvert de sang sortir du bar et aller jusqu'à sa voiture, mais ne tentèrent pas de l'appréhender. Sentant leur regard, Tommy-Ray prit conscience de sa démarche. Il redressa son dos courbé et avança avec fierté. Quand ils se souviendront de Death Boy, pensa-t-il, qu'ils se souviennent de quelque chose de *terrible*.

En s'éloignant du village, il commença à croire qu'il avait laissé la légion derrière lui ; que ses membres préféraient jouer aux meurtriers plutôt que de le suivre et qu'ils allaient massacrer le reste de la population. Cette désertion ne le chagrina guère. En fait, il leur en était en partie reconnaissant. Les révélations qu'il avait accueillies avec tant de joie la nuit précédente avaient perdu de leurs charmes.

Il était sale et poisseux du sang d'un autre ; il était meurtri suite au traitement que lui avait infligé le barman. Naïf qu'il était, il avait cru que le Nonce l'avait rendu immortel. A quoi servait-il d'être Death Boy, après tout, si la mort était encore son maître ? En prenant conscience de son erreur, il avait approché la mort de plus près qu'il n'osait y penser. Quant à ses sauveurs, sa *légion*... il s'était montré également naïf en pensant qu'il pouvait les contrôler.

Ce n'étaient pas les réfugiés hagards et maladroits qui lui étaient apparus la nuit précédente. S'ils l'avaient jamais été, le fait de se rassembler avait transformé leur nature. A présent, ils étaient létaux et ils auraient fini tôt ou tard par échapper à son contrôle. Mieux valait pour lui qu'il en soit débarrassé.

Il s'arrêta pour essuyer le sang de son visage avant de franchir la frontière, retourna sa chemise ensanglantée pour dissimuler les taches les plus voyantes, puis se remit en route. Lorsqu'il atteignit la frontière, il vit le nuage de poussière dans son rétroviseur et sut que son soulagement avait été prématuré. Si la légion qu'il avait cru perdre avait été retardée par un massacre quelconque, celui-ci était bel et bien accompli. Il appuya sur le champignon, espérant semer les spectres, mais ceux-ci connaissaient son odeur, et ils le suivirent comme une meute de chiens loyaux mais létaux, rattrapant sa voiture jusqu'à ce qu'ils tourbillonnent à nouveau dans son sillage.

Une fois la frontière franchie, le nuage accéléra l'allure, si bien qu'au lieu de le suivre il enveloppait la voiture de toutes parts. Cette manœuvre n'était pas seulement dictée par un désir d'intimité. Les esprits vinrent frapper les vitres et secouer la poignée de la porte avant droite, réussissant finalement à ouvrir celle-ci. Tommy-Ray tendit le bras pour la refermer. A ce moment-là, la tête du barman, qui avait bien souffert lors de son voyage au sein de la tempête, jaillit de la poussière pour atterrir à la place du mort. Puis la portière se referma en claquant, et le nuage prit sa place dans le sillage de la voiture.

L'instinct de Tommy-Ray lui ordonnait de s'arrêter et de jeter le trophée sur la chaussée, mais il savait qu'en agissant ainsi il ne ferait que confirmer sa faiblesse aux yeux de sa légion. Les spectres ne lui avaient pas apporté cette tête dans le seul but de lui plaire, même si c'était là leur motivation apparente. Il y avait une mise en garde là-dessous ; et même une menace. *N'essaie pas de les tromper ou de les trahir,* annonçait ce ballon sanglant et poussiéreux de sa bouche béante, *ou toi et moi deviendrons frères.*

Il prit soin d'obéir à ce messsage muet. Bien qu'il fût encore ostensiblement le chef, la dynamique du groupe venait de se modifier sensiblement. A intervalles réguliers, le nuage accélérait l'allure et se déplaçait le long de la voiture, désignant à son conducteur ses nouveaux membres en puissance ; nombre de ceux-ci l'attendaient dans les endroits les plus improbables : coins de rue sordides et carrefours sans importance (souvent aux carrefours) ; sur le parking d'un motel ; devant une station-service condamnée, où se trouvaient un homme, une femme et un enfant qui l'attendaient comme s'ils avaient su que leur moyen de transport se dirigeait vers eux.

L'importance de la tempête augmenta avec sa population, jusqu'à causer sur son passage des dommages mineurs, chassant des voitures de l'autoroute et démolissant des panneaux routiers. On en parla même à la radio. Tommy-Ray entendit le bulletin d'informations en chemin. On y parlait d'un vent anormal venu de l'océan qui se dirigeait vers le nord, vers le comté de Los Angeles.

En écoutant ceci, il se demanda si quelqu'un entendrait ce bulletin à Palomo Grove. Le Jaff peut-être ; ou Jo-Beth. Il l'espérait. Il espérait qu'ils entendraient et comprendraient la nature de ce qui se dirigeait vers eux. La ville avait vu d'étranges spectacles depuis que son père était sorti du roc, mais rien, sûrement, qui fût l'égal du vent qu'il traînait derrière lui, ou de la poussière vivante qui dansait en lui.

II

Ce fut la faim qui fit sortir William de chez lui le samedi matin. Il s'en alla à contrecœur, tel un participant à une orgie qui aurait soudain pris conscience que sa vessie avait besoin d'être vidée, quittant les lieux non sans regarder derrière lui avec regret. Mais la faim, tout comme l'envie de pisser, ne pouvait pas être ignorée indéfiniment, et William avait eu vite fait d'épuiser les ressources limitées de son réfrigérateur. Comme il travaillait au centre commercial, il ne faisait jamais de réserves, préférant consacrer un quart d'heure chaque jour à se promener dans le supermarché pour acheter tout ce qui le faisait saliver. Mais cela faisait à présent deux jours qu'il n'avait pas fait ses courses, et s'il ne voulait pas mourir de faim au milieu des morceaux appétissants mais immangeables qui s'étaient rassemblés derrière les rideaux tirés de sa maison, il devait aller se chercher quelque chose à manger. C'était plus facile à dire qu'à faire. Son esprit était tellement obsédé par ses compagnons que la tâche toute simple consistant à se rendre présentable en vue d'une sortie en public et à descendre au centre prit les dimensions d'un défi de premier ordre.

Jusqu'à une date récente, sa vie avait été réglée comme du papier à musique. Les chemises de la semaine étaient lavées et repassées le dimanche, rangées dans son armoire à côté des cinq nœuds papillons sélectionnés parmi les cent onze que comptait sa collection en fonction des couleurs des chemises correspondantes ; sa cuisine aurait pu servir au tournage d'un spot publicitaire tellement elle était étincelante ; l'évier sentait le citron ; la machine à laver l'assouplissant au parfum floral ; les toilettes le pin vert.

Mais Babylone avait pris le contrôle de sa maison. La dernière fois qu'il avait vu son plus beau costume, il était sur les épaules de Marcella St John, la célèbre actrice bisexuelle, alors qu'elle était en train de chevaucher une amie. Ses nœuds papillons avaient été réquisitionnés pour servir d'étalons à un concours de la plus longue érection, dont le vainqueur avait été Moses Jasper (dit « Le Tuyau d'Arrosage ») sur un score de dix-sept.

Plutôt que d'essayer de nettoyer ou de récupérer ses possessions, William décida de laisser les fêtards faire la fête. Il fouilla dans les tiroirs de sa commode et y trouva un sweat-shirt et un jeans qu'il n'avait pas portés depuis plusieurs années, les enfila, et se dirigea vers le centre.

A peu près à ce moment-là, Jo-Beth se réveillait avec la plus belle gueule de bois de sa vie. La plus belle car la première.

Elle ne gardait que de vagues souvenirs de la soirée. Elle se rappelait être allée chez Lois, bien sûr, y avoir vu les invités et avoir assisté à l'arrivée de Howie, mais elle ne savait absolument pas comment ça s'était fini. Elle fut prise de vertige en se levant et alla tout droit à la salle de bains. Maman monta à l'étage en l'entendant, et elle l'attendait sur le palier à sa sortie.

— Est-ce que ça va ? demanda-t-elle.

— Non, avoua franchement Jo-Beth. Je suis dans un état lamentable.

— Tu as bu hier soir ?

— Oui, dit-elle.

Il ne servait à rien de le nier.

— Où étais-tu ?

— Chez Lois.

— Il n'y a pas d'alcool chez Lois.

— Il y en avait hier soir. Et bien d'autres choses encore.

— Ne me mens pas, Jo-Beth.

— Je ne mens pas.

— Lois ne laisserait jamais entrer ce poison chez elle.

— Il vaudrait mieux qu'elle te le dise elle-même, dit Jo-Beth, défiant le regard accusateur de sa mère. Il vaudrait mieux qu'on aille lui en parler au magasin, toutes les deux.

— Je ne quitterai pas la maison, lui dit Maman d'une voix sans appel.

— Tu es allée dans le jardin avant-hier soir. Aujourd'hui, tu peux bien monter dans la voiture.

Elle parla à Maman comme jamais elle ne lui avait parlé auparavant, avec dans la voix une nuance de rage, dirigée en partie contre ses accusations de mensonge, et en partie contre elle-même, furieuse qu'elle était de ne pouvoir se rappeler en détail la soirée précédente. Que s'était-il passé entre Howie et elle ? S'étaient-ils disputés ? Elle le pensait. Ils s'étaient bel et bien séparés dans la rue... mais pourquoi ? C'était une raison supplémentaire pour aller parler à Lois.

— Je parle sérieusement, Maman, dit-elle. Nous allons descendre au centre, toutes les deux.

— Non, je ne peux pas... Vraiment, je ne peux pas. Je me sens si mal aujourd'hui.

— Non, ce n'est pas vrai.

— Si. Mon estomac...

— *Non*, Maman ! Ça suffit comme ça ! Tu ne vas pas faire semblant d'être malade jusqu'à la fin de tes jours, tout simplement parce que tu as peur. *Moi* aussi, j'ai peur, Maman.

— Il est bon d'avoir peur.

— Non, ce n'est pas bon. C'est ce que veut le Jaff. C'est ce dont il se nourrit. La peur qui est en nous. Je le sais parce que je l'ai vu à l'œuvre, et c'est horrible.

— Nous pouvons prier. La prière...

— ... ne nous servira plus à rien désormais. Ça n'a pas aidé le Pasteur. Ça ne nous aidera pas.

Elle élevait la voix, ce qui lui faisait tourner la tête, mais elle savait qu'elle devait dire son fait à Maman avant d'être dégrisée et de craindre de l'insulter.

— Tu as toujours dit que c'était dangereux dehors, continuat-elle, regrettant de devoir la blesser mais incapable de refouler le flot de ses sentiments. Eh bien, *c'est* dangereux. Encore plus que tu ne le pensais. Mais *dedans*, Maman... (Elle se frappa la poitrine, désignant son cœur, désignant Howie et Tommy-Ray, et la crainte de les avoir perdus tous les deux.) ... *dedans*, c'est pire. Encore pire. Avoir des choses... *des rêves*... pendant quelques instants... puis se les faire arracher avant qu'on ait pu s'y attacher.

— Ce que tu dis n'a aucun sens, Jo-Beth.

— Lois te racontera, répliqua-t-elle. Je vais t'emmener voir Lois, et ensuite, tu me croiras.

Howie s'assit près de la fenêtre et laissa le soleil sécher la sueur sur sa peau. Son odeur lui était aussi familière que son propre visage dans la glace, plus familière, peut-être, car son visage ne cessait de changer alors que l'odeur de sa sueur restait la même. Il avait besoin du réconfort que lui apportait une telle familiarité, car rien n'était sûr désormais, excepté le fait que rien n'était sûr.

Il n'arrivait pas à démêler l'écheveau de sentiments qui lui nouait les tripes. Ce qui lui avait paru tout simple la veille, quand il avait embrassé Jo-Beth en plein soleil dans le jardin de sa maison, avait cessé d'être simple. Fletcher était peut-être mort, mais il lui avait laissé son héritage dans le Grove, un héritage composé de créatures oniriques qui le considéraient comme un substitut de leur créateur perdu. Il ne pouvait pas endosser ce rôle. Même si ces créatures ne partageaient pas l'opinion de Fletcher au sujet de Jo-Beth, ce qui était sûrement le cas après l'affrontement de la nuit précédente, il était néanmoins incapable de répondre à leur attente. En arrivant ici, il était un desperado, et il était devenu, même brièvement, un amant. A présent, on voulait faire de lui un général ; on exigeait de lui des ordres de route et un plan de bataille. Il ne pouvait fournir ni l'un ni les autres. Et Fletcher n'aurait pas été capable de les diriger, lui non plus. L'armée qu'il avait créée devrait se trouver un chef sorti des rangs, ou alors se disperser.

Il s'était répété si souvent ces arguments qu'il en était presque venu à les croire ; ou plutôt, il avait presque réussi à se convaincre que le fait de *vouloir* les croire ne faisait pas de lui un lâche. Mais ça n'avait pas marché. Il revenait sans cesse au même fait brut : naguère, dans la forêt, Fletcher l'avait averti qu'il devrait choisir entre Jo-Beth et son destin, et il avait refusé de suivre ses conseils. La conséquence de sa désertion — directe ou indirecte, cela n'avait plus d'importance à présent — avait été la mort publique de Fletcher, une dernière tentative désespérée pour offrir un espoir au futur. Et le voilà à présent, fils peu prodigue, qui tournait volontairement le dos au produit de ce sacrifice.

Et pourtant ; et pourtant ; toujours, et pourtant. S'il se rangeait au côté de l'armée de Fletcher, il s'engagerait dans un conflit dans lequel Jo-Beth et lui s'étaient soigneusement efforcés de ne pas être impliqués. Elle se retrouverait dans le camp ennemi, du simple fait de sa naissance.

Ce qu'il désirait le plus ardemment dans cette vie — plus ardemment que les poils pubiens qu'il avait tenté de faire pousser par la force de la volonté à l'âge de onze ans, plus ardemment que la moto qu'il avait volée à quatorze ans, plus ardemment que de voir sa mère revenir d'entre les morts, ne fût-ce que deux minutes, afin de pouvoir lui dire comme il regrettait de l'avoir fait pleurer, plus ardemment, en cet instant, que Jo-Beth —, c'était la *certitude*. Qu'on lui dise quel choix était le bon, quelle façon d'agir était la bonne ; qu'on lui donne le réconfort de savoir que, si ce choix ou cette façon n'étaient pas les bons, il n'en était pas responsable. Mais il n'y avait personne pour lui dire quoi que ce soit. Il devait trouver la solution par lui-même. S'asseoir au soleil, laisser la sueur sécher sur sa peau, et trouver la solution par lui-même.

Le centre commercial n'était pas aussi animé qu'il l'était d'ordinaire un samedi matin, mais William rencontra néanmoins une demi-douzaine de personnes de sa connaissance en se rendant au supermarché. L'une d'entre elles était Valerie, sa secrétaire.

— Est-ce que ça va ? voulut-elle savoir. Je n'ai pas arrêté d'appeler chez vous. Ça ne répond jamais.

— J'ai été malade, dit-il.

— Je n'ai pas pris la peine d'ouvrir le bureau hier. Avec tout ce qui s'est passé avant-hier soir. C'était un vrai foutoir. Roger est allé voir, vous savez, quand l'alarme a retenti.

— Roger ?

Elle le regarda fixement.

— Oui, Roger.

— Oh ! oui ! dit William.

Il ne savait pas s'il s'agissait du mari de Valerie, de son frère ou de son chien, et il ne s'en souciait guère.

— Il a été malade, lui aussi, dit-elle.

— Je crois que vous devriez prendre quelques jours de congé, suggéra William.

— Ce *serait* très gentil de votre part. Il y a beaucoup de gens qui s'en vont en ce moment, vous avez remarqué ? Ils s'en vont, comme ça.

Il lui suggéra poliment de prendre du repos, puis prit congé d'elle.

La musique insipide du supermarché lui rappela ce qu'il avait laissé chez lui : elle ressemblait aux bandes sonores de certains de ses premiers films, un flot de mélodies quelconques sans rapport avec les scènes qu'elles accompagnaient. Ce souvenir lui fit presser le pas le long des rayonnages, et il remplit son caddie en se fiant à son instinct plutôt qu'à une liste préparée à l'avance. Il ne prit pas la peine d'acheter quoi que soit pour ses invités. Ils se contentaient de se nourrir les uns des autres.

Il n'était pas le seul client du magasin à manquer de sens pratique dans ses achats, délaissant les produits de nettoyage, lessive et assimilés en faveur de plats tout prêts et de conserves. Même distrait, il remarqua d'autres citoyens du Grove remplissant leurs caddies ou leur cabas de saletés choisies au hasard, comme si un nouvel élément rassurant dans leur existence avait supplanté les rituels domestiques et culinaires. Il vit sur leurs visages (des visages qu'il avait naguère connus par leurs noms mais dont il ne se souvenait à présent que vaguement) la même expression dissimulatrice dont il avait su son propre visage empreint durant toute sa vie. Ils faisaient leurs achats en prétendant que ce samedi matin n'avait rien de différent, mais désormais, tout était différent. Ils avaient tous des secrets ; ou presque tous. Et ceux qui n'en avaient pas se préparaient à quitter la ville, comme Valerie, ou faisaient semblant de ne rien remarquer, ce qui était, d'une certaine façon, un autre secret.

Lorsqu'il arriva près de la caisse, ajoutant deux poignées de barres de chocolat Hershey à son caddie déjà plein, il vit un visage sur lequel il n'avait pas posé les yeux depuis bien des années : Joyce McGuire. Elle était en compagnie de sa fille, Jo-Beth, bras dessus, bras dessous. S'il les avait jamais vues ensemble, ce devait être avant que Jo-Beth soit devenue une jeune femme. A présent qu'il les voyait côte à côte, leur ressemblance lui coupait le souffle. Il les regarda fixement, incapable de ne pas se souvenir du jour de l'étang et de Joyce lorsqu'elle s'était déshabillée. Sa fille lui était-elle identique aujourd'hui, sous ses vêtements lâches ? se demanda-t-il. Ses petites aréoles sombres, ses longues cuisses bronzées ?

Il s'aperçut soudain qu'il n'était pas le seul client à dévisager les femmes McGuire ; pratiquement tout le monde en faisait autant. Et il ne doutait pas que tous pensaient la même chose : ici, en chair et en os, se trouvait un des premiers indices avant-coureurs de l'apocalypse qui avait envahi le Grove. Dix-huit ans plus tôt, Joyce McGuire avait accouché dans des circonstances qui avaient paru seulement scandaleuses. Aujourd'hui, elle refaisait surface au moment même où les rumeurs les plus grotesques au sujet de la Ligue des Vierges semblaient se révéler fondées. Il y *avait* dans le Grove des présences (parfois tapies sous son sol) qui détenaient un pouvoir sur les êtres inférieurs. Leur influence avait conçu des enfants de chair dans le corps de Joyce McGuire. Était-ce cette même influence qui avait conçu ses rêves ? Eux aussi étaient de chair et nés de l'esprit.

Il se tourna à nouveau vers Joyce et comprit quelque chose qui lui avait toujours échappé jusqu'ici : cette femme et lui (vue et voyeur) étaient associés de façon intime pour l'éternité. Cette prise de conscience ne dura que l'espace d'un instant : elle était trop difficile à assimiler pour s'attarder plus longtemps. Mais elle le poussa à abandonner son caddie et à remonter la queue qui attendait à la caisse, puis à se diriger tout droit vers Joyce McGuire. Celle-ci le vit approcher, et une expression de terreur passa sur son visage. Il lui sourit. Elle essaya de reculer, mais sa fille la tenait fermement par la main.

— Ça va, Maman ? l'entendit-il dire.

— Oui..., dit-il, tendant la main à Joyce. Oui, ça va. Vraiment, ça va. Je suis... si heureux de vous voir.

Cette émotion sincère, exprimée avec autant de simplicité, sembla atténuer l'anxiété qu'elle ressentait ; son front se radoucit. Elle commença même à sourire.

— William Witt, dit-il en lui serrant la main. Vous ne vous souvenez probablement pas de moi, mais...

— Je me souviens de vous, dit-elle.

— J'en suis heureux.

— Tu vois, Maman ? dit Jo-Beth. Ce n'est pas si difficile.

— Ça fait un bout de temps que je ne vous avais pas vue au Grove, dit William.

— J'ai été... indisposée, dit Joyce.

— Et maintenant ?

Elle refusa tout d'abord de répondre. Puis elle dit :

— Je pense que je me sens mieux.

— Ça fait plaisir à entendre.

A ce moment-là, un bruit de sanglots parvint jusqu'à eux depuis les rayonnages. Jo-Beth le perçut avec plus d'acuité que les autres clients : l'étrange tension qui régnait entre sa mère et Mr Witt (qu'elle avait vu chaque matin en allant travailler, mais jamais aussi bizarrement vêtu) accaparait toute leur attention, et toutes les personnes en train de faire la queue semblaient s'efforcer studieusement de ne *rien* remarquer. Elle lâcha le bras de Maman et partit à la recherche de la source de ces pleurs, remontant la piste de rayon en rayon jusqu'à ce qu'elle l'ait trouvée. Ruth Gilford, la secrétaire du médecin traitant de Maman, que Jo-Beth connaissait bien, était immobile devant une étagère pleine de boîtes de céréales, une marque dans la main gauche et une autre dans la main droite, les joues humides de larmes. Son caddie était plein à ras bord de boîtes de céréales, comme si elle avait prélevé un échantillon de chaque marque en remontant le rayon.

— Mrs Gilford? demanda Jo-Beth.

La femme ne cessa pas de sangloter, mais essaya néanmoins de parler, ce qui donna un monologue mouillé et parfois incohérent.

— ... ne sais pas ce qu'il veut..., semblait-elle dire. ... après toutes ces années... ne sais pas ce qu'il veut...

— Puis-je vous aider? dit Jo-Beth. Voulez-vous que je vous ramène chez vous?

En entendant les mots *chez vous,* Ruth se tourna vers Jo-Beth, tentant de fixer sur elle ses yeux brouillés de larmes.

— ... je ne sais pas ce qu'il veut..., répéta-t-elle.

— Qui ça? dit Jo-Beth.

— ... toutes ces années... et il me cache quelque chose...

— Votre mari?

— ... je n'ai rien dit, mais je le savais... je l'ai toujours su... il aime quelqu'un d'autre... et maintenant, elle est dans la maison...

Ses larmes redoublèrent. Jo-Beth alla vers elle et, très gentiment, lui prit les boîtes de céréales des mains, les reposant sur l'étagère. Une fois ses talismans disparus, Ruth Gilford s'accrocha désespérément à Jo-Beth.

— ... aidez-moi..., dit-elle.

— Bien sûr.

— Je ne veux pas rentrer à la maison. Il a quelqu'un là-bas.

— D'accord. Comme vous voudrez.

Elle entreprit d'éloigner la femme du rayon des céréales. Une fois loin de leur influence, son angoisse diminua quelque peu.

— Vous êtes Jo-Beth, n'est-ce pas? réussit-elle à dire.

— C'est ça.

— Voulez-vous m'accompagner jusqu'à ma voiture... je ne pense pas que j'y arriverai toute seule?

— On y va, tout ira bien, la rassura Jo-Beth.

Elle se plaça à droite de Ruth afin de la protéger des regards des clients qui faisaient la queue au cas où ils l'observeraient. Elle en doutait fortement. L'effondrement de Ruth Gilford était un spectacle trop douloureux pour qu'ils le regardent en face; il leur rappellerait avec trop d'acuité les secrets qu'eux-mêmes ne dissimulaient qu'à grand-peine.

Maman se trouvait près de la porte en compagnie de William Witt. Jo-Beth décida de renoncer aux présentations, Ruth n'étant de toute façon pas en état d'y réagir, et de se contenter de dire à Maman qu'elle la retrouverait à la librairie, laquelle était encore fermée lors de leur arrivée. Pour la première fois de sa vie, Lois était en retard pour l'ouverture. Mais ce fut Maman qui prit l'initiative.

— Mr Witt va me ramener à la maison, Jo-Beth, dit-elle. Ne t'inquiète pas pour moi.

Jo-Beth jeta un regard en coin à Witt, qui ressemblait à un homme presque hypnotisé.

— Tu es sûre ? dit-elle.

Elle n'y avait jamais pensé jusqu'ici, mais le toujours onctueux Mr Witt était le portrait craché de l'homme contre lequel Maman l'avait mise en garde durant tant d'années. Le genre d'homme sombre et silencieux dont les secrets étaient toujours les plus pervers. Mais Maman insistait ; elle fit au revoir à Jo-Beth d'un geste presque machinal.

Dingue, pensa Jo-Beth en escortant Ruth jusqu'à sa voiture, le monde entier est en train de devenir dingue. Les gens changent d'un moment à l'autre, comme si leur conduite passée n'avait été qu'un faux-semblant : Maman malade, Mr Witt propre sur lui, Ruth Gilford efficace et responsable. Étaient-ils tout simplement en train de se réinventer, ou bien avaient-ils toujours été ainsi ?

Lorsqu'elles arrivèrent près de la voiture de Ruth Gilford, celle-ci eut une nouvelle crise de larmes, encore plus désespérée que la précédente, et voulut à toutes forces retourner au supermarché, affirmant qu'elle ne pouvait pas rentrer chez elle sans avoir acheté des céréales. Jo-Beth la persuada du contraire avec gentillesse et lui proposa de la reconduire chez elle, une offre qui fut acceptée avec gratitude.

Jo-Beth repensa à Maman une fois qu'elle fut au volant, mais ces pensées furent chassées de son esprit lorsqu'un convoi de quatre longues limousines noires les doubla pour se diriger vers le sommet de la Colline, imposant une présence si étrangère aux lieux qu'elles auraient tout aussi bien pu surgir d'une autre dimension.

Des visiteurs, pensa-t-elle. Comme s'il n'y en avait pas déjà assez.

III

— Et ça commence, dit le Jaff.

Il observait l'allée conduisant à Coney Eye depuis la fenêtre la plus élevée du bâtiment. Il était presque midi et les limousines qui approchaient annonçaient la venue des premiers invités de la fête. Le Jaff aurait préféré que Tommy-Ray soit à ses côtés en cet instant crucial, mais l'adolescent n'était pas encore revenu de la Mission. Aucune importance. Lamar s'était révélé être un remplaçant plus qu'adéquat. Le Jaff avait connu un instant inconfortable lorsqu'il avait jeté bas le masque de Buddy Vance pour dévoiler son véritable visage au comique, mais il ne lui avait pas fallu longtemps pour rallier l'homme à sa cause. D'une certaine façon, sa compagnie était préférable à celle de Tommy-Ray ; il était plus sensuel, plus cynique. De plus, il avait une parfaite connaissance des invités qui allaient se rassembler pour célébrer le souvenir de Buddy Vance ; une connaissance plus approfondie, en tout cas, que celle dont jouissait la veuve, Rochelle. Celle-ci se trouvait depuis la veille dans un profond état de stupeur dû à la drogue ; un état dont Lamar avait profité sans le moindre scrupule, au grand amusement du Jaff. Il fut un temps (oh ! il y avait si longtemps) où il aurait peut-être agi de même, bien sûr. Non, pas peut-être, *sûrement*. Rochelle Vance était une femme superbe, et sa dépendance, due à la permanence de sa rage sous-jacente, la rendait encore plus séduisante. Mais ces plaisirs-là étaient purement charnels, et relevaient d'une autre vie. Il avait plus urgent à faire : récolter une moisson de puissance parmi les invités qui se rassemblaient au rez-de-chaussée. Lamar en avait parcouru la liste avec lui, offrant un commentaire pernicieux sur pratiquement chaque nom. Avocats marrons, acteurs drogués, putes repenties, maquereaux, obsédés, tueurs à gages, hommes blancs à l'âme noire, hommes chauds à l'âme glacée, lèche-bottes, renifleurs de coke, la haute misérable, la plèbe plus misérable encore, égotistes, onanistes et hédonistes jusqu'au dernier. Quel meilleur cheptel où traire les forces destinées à le protéger lorsque l'Art s'ouvrirait à lui ? Il trouverait dans ces âmes droguées, égarées et bouffies, des terreurs inconnues des simples bourgeois. A partir d'elles, il créerait des *teratas* comme le monde n'en avait jamais vu. Ensuite, il serait prêt. Fletcher était mort, et son armée, si elle s'était seulement manifestée, conservait un profil bas.

Il n'y avait plus aucun obstacle entre le Jaff et Quiddity.

Tandis qu'il observait ses victimes descendre de voiture, se saluer avec des sourires clinquants et des baisers pincés, il se surprit à repenser à la Salle des Lettres Mortes d'Omaha où, tant d'existences auparavant, il avait pour la première fois entr'aperçu le moi secret de l'Amérique. Il se souvint d'Homer, qui lui avait ouvert la porte de cette chambre au trésor et qui était mort adossé à elle, privé de vie par le couteau émoussé que le Jaff conservait encore dans la poche de sa veste. La mort avait signifié quelque chose alors. Avait été une expérience qui suscitait l'angoisse. C'était seulement lorsqu'il avait pénétré dans la Boucle qu'il s'était rendu compte que de telles terreurs étaient risibles, étant donné que le temps pouvait être suspendu, même par un charlatan minable tel que Kissoon. Le chaman était sans doute encore à l'abri dans son refuge, aussi loin que possible de ses créanciers spirituels ou de la foule enragée qui voulait le lyncher. Confiné dans sa Boucle, complotant de s'emparer du pouvoir. Ou le tenant en respect.

Cette dernière idée lui vint à l'esprit pour la première fois, comme la solution longtemps retardée d'une énigme sur laquelle il n'avait même pas eu conscience de buter. Kissoon avait retardé l'instant présent car, si jamais il le laissait survenir, il causerait sa propre mort...

— Eh bien..., murmura-t-il.

Lamar était derrière lui.

— Eh bien quoi ?

— Je songeais, dit le Jaff. (Il s'écarta de la fenêtre.) La veuve est-elle déjà en bas ?

— J'essaie de la réveiller.

— Qui accueille les invités ?

— Personne.

— Allez-y.

— Je croyais que vous aviez besoin de moi ici.

— Plus tard. Quand ils seront tous arrivés, vous pourrez me les amener un par un.

— Comme vous voudrez.

— Une question.

— Une seule ?

— Pourquoi n'avez-vous pas peur de moi ?

Lamar plissa ses yeux déjà bien plissés. Puis :

— J'ai conservé le sens du ridicule.

Sans attendre la riposte du Jaff, il ouvrit la porte et alla accomplir son devoir d'hôte. Le Jaff se tourna de nouveau vers la fenêtre. Une nouvelle limousine arrivait devant le portail, blanche celle-ci, et son chauffeur montrait un carton d'invitation aux gardes.

— Un par un, murmura le Jaff pour lui-même. Un par un, les misérables.

Grillo avait reçu son invitation en milieu de matinée, et elle lui avait été délivrée en mains propres par Ellen Nguyen. Celle-ci s'était montrée amicale mais sèche ; on ne discernait plus aucune trace de l'intimité qui s'était épanouie entre eux durant l'après-midi de la veille. Il l'invita à monter dans sa chambre, mais elle affirma avec insistance qu'elle n'en avait pas le temps.

— On a besoin de moi à Coney Eye, dit-elle. Rochelle semble être complètement défoncée. Je pense que tu ne cours aucun risque d'être reconnu. Mais tu auras besoin de cette invitation. Complète-la avec le nom de ton choix. La sécurité a été renforcée, alors ne perds pas ce carton. Ce ne sont pas tes belles phrases qui te permettront d'entrer.

— Où seras-tu ?

— Je pense que je ne serai nulle part.

— Je croyais que tu allais retourner là-bas.

— Seulement pour les préparatifs. Dès que la fête commence, je m'en vais. Je ne veux pas me mêler à ces gens. Ce sont tous des parasites. Aucun d'eux n'aimait Buddy. Ils veulent seulement se montrer.

— Eh bien, je raconterai ce que je verrai.

— N'y manque pas, dit-elle en se retournant pour partir.

— On ne pourrait pas discuter quelques instants ? dit Grillo.

— A quel sujet ? Je n'ai pas beaucoup de temps.

— Au sujet de toi et moi, dit Grillo. Au sujet de ce qui est arrivé hier.

Elle le regarda sans le voir.

— Ce qui est arrivé est arrivé, dit-elle. Nous étions là tous les deux. Qu'y a-t-il à rajouter ?

— Eh bien, pour commencer : si on remettait ça ?

De nouveau ce regard vague.

— Je ne pense pas, dit-elle.

— Tu ne m'as pas donné la chance..., dit-il.

— Oh non, répondit-elle, impatiente de corriger l'erreur qu'il allait commettre. Tu as été très bien... mais les choses ont changé.

— Depuis hier ?

— Oui, dit-elle. Je ne peux pas te dire pourquoi... (Elle laissa sa phrase inachevée, puis partit dans une autre direction :) Nous sommes adultes, tous les deux. Nous savons comment ça se passe dans ces cas-là.

Il allait lui répondre que non, il ne savait pas comment ça se passait dans ces cas-là, ni dans les autres, mais après cette conversation, l'estime qu'il avait pour lui-même était suffisamment blessée pour qu'il redoute de l'achever par une nouvelle confession.

— Sois prudent pendant la fête, dit-elle en se retournant une nouvelle fois pour partir.

Il ne put s'empêcher de lui dire :

— Merci au moins pour ça.

Elle lui répondit par un petit sourire énigmatique, puis s'en fut.

IV

Tommy-Ray avait mis longtemps pour revenir au Grove, mais Tesla et Raul mirent plus longtemps encore, bien que pour des raisons moins métaphysiques. D'abord, la voiture de Tesla était en piètre état et elle avait beaucoup souffert du voyage ; il fallait désormais la ménager. Ensuite, bien que le Nonce ait sauvé la jeune femme de la mort, son action avait des effets secondaires dont elle ne comprit la gravité qu'en atteignant la frontière. Bien qu'elle fût en train de conduire une voiture des plus solides sur une autoroute des plus solides, l'appréhension qu'elle avait de cette solidité n'était plus ce qu'elle avait été. Elle se sentait attirée par d'autres lieux et par d'autres états d'esprit. Il lui était déjà arrivé de rouler bourrée ou défoncée, mais l'expérience qu'elle faisait à présent la secouait bien davantage, comme si son cerveau avait invoqué le souvenir de tous les trips qu'elle avait jamais faits, aux hallucinogènes ou aux tranquillisants, et les lui injectait l'un après l'autre en succession rapide. A un instant donné, elle avait conscience de hurler comme une bête sauvage (elle entendait sa voix, telle celle d'une autre), puis l'instant suivant elle flottait dans l'éther tandis que l'autoroute se dissolvait devant elle, et l'instant d'après ses pensées étaient encore plus crasseuses que le métro de New York et elle envisageait sérieusement de mettre fin à cette farce qu'était la vie en donnant un brusque coup de volant vers la droite. Deux faits saillants dans tout cela. Le premier : Raul assis à côté d'elle, agrippant le tableau de bord de ses mains aux phalanges blanches, puant la peur. Le second : l'endroit qu'elle avait visité lors de son rêve induit par le Nonce, la Boucle de Kissoon. Bien qu'il fût moins réel que la voiture dans laquelle elle se trouvait et que l'odeur de Raul, il insistait pour se rappeler à elle. Elle portait son souvenir en elle durant chaque kilomètre parcouru. Cet endroit, à en croire Kissoon, s'appelait Trinité, et Trinité, ou Kissoon lui-même, souhaitait son retour. Elle sentait son attraction, dont la nature était presque physique. Tout heureuse qu'elle ait été de revenir à la vie, ce qu'elle avait vu et entendu dans

Trinité lui inspirait une certaine curiosité à l'idée d'y retourner ; voire même une certaine impatience. Plus elle résistait à cette envie, plus elle se sentait épuisée, si bien qu'en arrivant dans la banlieue de L.A., elle avait l'impression d'être une insomniaque, dont les rêves éveillés menaçaient de faire irruption dans la texture de la réalité.

— On va être obligés de souffler un peu, dit-elle à Raul, consciente de sa voix traînante. Sinon, je vais nous tuer tous les deux.

— Tu veux dormir ?

— Je ne sais pas, dit-elle, craignant que le sommeil ne lui cause autant de problèmes qu'il en résoudrait. Me reposer, au moins. Boire un peu de café et remettre de l'ordre dans mon esprit.

— Ici ? dit Raul.

— Ici quoi ?

— On s'arrête ici ?

— Non, dit-elle. On va à mon appartement. C'est à une demi-heure d'ici. A vol d'oiseau...

Tu voles déjà, bébé, dit son esprit, et tu ne cesseras probablement jamais. Tu es une femme ressuscitée. Que crois-tu donc ? Que la vie va continuer comme si rien ne s'était passé ? Laisse tomber. Les choses ne seront plus jamais les mêmes.

Mais West Hollywood n'avait pas changé ; c'était toujours la cité des beaux mecs : les bars, les boutiques de mode où elle achetait ses bijoux. Elle tourna à gauche dans Santa Monica Boulevard pour se diriger vers North Huntley Drive, où elle vivait depuis cinq ans, depuis son arrivée à L.A. Il était presque midi et le smog s'estompait sous l'effet de la chaleur. Elle gara sa voiture dans le parking situé en dessous de l'immeuble et conduisit Raul à l'appartement V. Les fenêtres de son voisin du dessous, un petit homme aigri et refoulé avec lequel elle n'avait pas échangé plus de trois phrases en une demi-décennie, dont deux aigres-douces, étaient ouvertes, et il la vit sûrement passer. Elle estima qu'il lui faudrait tout au plus vingt minutes pour informer tout le quartier que Miss Cœurs Solitaires, comme il l'avait baptisée, était de retour — l'air mal en point et accompagnée de Quasimodo. Tant pis. Elle avait des problèmes plus urgents à résoudre, par exemple comment faire rentrer sa clé dans sa serrure, un tour de magie hors de portée de ses sens déboussolés. Raul vint à son aide, prenant la clé dans ses doigts tremblants, et leur ouvrit la porte. Comme d'habitude, son appartement était un vrai foutoir. Elle laissa la porte grande ouverte et ouvrit également les fenêtres pour changer l'air, puis fit passer les messages enregistrés par son répondeur. Son imprésario l'avait appelé deux fois, pour lui faire savoir qu'il n'avait aucune nouvelle au sujet de son scénario de naufragé; Saralyn avait appelé pour lui demander si elle savait où se trouvait Grillo. Après Saralyn, la mère de Tesla : sa contribution était plus une litanie de péchés qu'un message — des crimes commis par le monde en général et par son père en particulier. Finalement, il y avait un message de Mickey de Falco, qui arrondissait ses fins de mois en doublant des orgasmes défaillants pour des films pornos et avait besoin d'une partenaire. Dans le fond, des aboiements de chien. « Et dès que tu seras revenue, conclut Mickey, viens chercher ce foutu chien avant qu'il m'ait dévoré vivant. » Elle surprit Raul en train de l'observer, franchement déconcerté.

— Mes semblables, mes frères, dit-elle lorsque Mickey lui eut dit adieu. Génial, pas vrai? Écoute, il faut que j'aille m'étendre. Tu vois parfaitement où tout se trouve, d'accord? Le frigo; la télé; les toilettes. Réveille-moi dans une heure, hein?

— Une heure.

— J'aimerais un peu de thé, mais on n'a pas le temps. (Ils se dévisagèrent mutuellement.) Est-ce que tu comprends ce que je raconte?

— Oui..., répondit-il d'une voix dubitative.

— J'ai la voix traînante?

— Oui.

— Je m'en doutais. Okay. La piaule est à toi. Ne réponds pas au téléphone. Rendez-vous dans une heure.

Sans attendre une nouvelle confirmation, elle se dirigea en trébuchant vers la salle de bains, se déshabilla, envisagea de prendre une douche, se contenta de s'asperger le visage, les seins et les bras d'eau froide, puis alla dans sa chambre. Il y régnait une chaleur infernale, mais elle se garda bien d'ouvrir la fenêtre. Lorsque Ron, son voisin mitoyen, se réveillait, à peu près à cette heure-ci, il se mettait à passer des opéras. C'était la chaleur ou *Lucia di Lammermoor*. Elle choisit de transpirer.

Laissé à lui-même, Raul trouva une sélection de plats dans le réfrigérateur, les prit, alla s'asseoir près de la fenêtre et se mit à trembler. Il ne se rappelait pas avoir jamais été aussi effrayé depuis la première crise de folie de Fletcher. Aujourd'hui comme jadis, les règles qui régissaient le monde avaient changé sans prévenir, et il ne savait plus quel était son but dans la vie. Au fond de son cœur, il avait abandonné tout espoir de revoir Fletcher. L'autel qu'il avait gardé à la Mission avait cessé d'être un phare pour devenir un mémorial. Il s'était attendu à mourir là-bas, seul, considéré jusqu'au bout comme un débile léger, ce qu'il était de bien des façons. Il savait à peine écrire, excepté pour gribouiller son nom. Il ne savait pas lire. La plupart des objets qui se trouvaient chez cette femme étaient pour lui un mystère. Il était perdu.

Un cri venu de la chambre l'arracha à sa crise d'apitoiement.

— Tesla ? appela-t-il.

Il ne reçut aucune réponse cohérente : seulement de nouveaux cris étouffés. Il se leva et remonta à leur source. La porte de la chambre était fermée. Il hésita, la main sur le loquet, nerveux à l'idée d'entrer sans permission. Puis une nouvelle salve de cris arriva à ses oreilles. Il poussa la porte.

Jamais de sa vie il n'avait vu une femme nue. Le spectacle de Tesla vautrée sur son lit le figea sur place. Ses bras tendus agrippaient les draps, sa tête roulait de droite à gauche. Mais son corps semblait avoir pris la consistance de la brume, ce qui rappela à Raul les événements survenus près de la Mission. Elle s'éloignait à nouveau de lui. Retournait vers la Boucle. Ses cris s'étaient transformés en gémissements. Ceux-ci n'étaient pas motivés par le plaisir. Elle allait là-bas contre sa volonté.

Il prononça de nouveau son nom, haussant le ton. Soudain, elle se redressa sur sa couche, les yeux grands ouverts et braqués sur lui.

— *Seigneur !* dit-elle. (Elle haletait comme si elle venait de courir un cent mètres.) *Seigneur. Seigneur. Seigneur.*

— Tu criais..., dit-il, essayant d'expliquer sa présence dans la chambre.

Ce fut seulement à ce moment-là qu'elle sembla se rendre compte de la situation : elle, nue ; lui, embarrassé et fasciné. Elle attrapa le drap et fit mine de s'en envelopper, mais l'expérience qu'elle venait de vivre fit avorter ce geste.

— J'étais là-bas, dit-elle.

— Je sais.

— Trinité. La Boucle de Kissoon.

Tandis qu'ils remontaient la côte en voiture, elle s'était efforcée de lui expliquer la vision qu'elle avait eue pendant que le Nonce la soignait, à la fois pour en fixer les détails dans sa tête et pour éviter une répétition de ce voyage, expulsant ce souvenir de la prison scellée de sa vie intérieure afin de le transformer en expérience partagée. Elle avait brossé un portrait assez répugnant de Kissoon.

— Tu l'as vu? dit Raul.

— Je ne suis pas allée jusqu'à sa hutte, répondit-elle. Mais il veut que je retourne là-bas. Je le sens qui *tire*. (Elle posa une main sur son estomac.) Je le sens encore, Raul.

— Je suis là, dit-il. Je ne te laisserai pas partir.

— Je le sais, et j'en suis heureuse.

Elle tendit une main vers lui.

— Donne-moi la main, veux-tu?

Il s'approcha du lit avec hésitation.

— *Je t'en prie,* dit-elle.

Il obéit.

— J'ai encore vu cette ville, continua-t-elle. Elle semblait si réelle, mais il n'y a personne, personne... C'est... c'est comme une scène... comme si on allait jouer une pièce.

— Une pièce?

— Je sais, ça n'a aucun sens, mais c'est l'impression que j'ai eue, je te dis. Il va se passer là-bas quelque chose de terrible, Raul. La pire des choses imaginables.

— Tu ne sais pas quoi?

— Ou peut-être que c'est déjà arrivé? dit-elle. C'est peut-être pour ça qu'il n'y a personne dans cette ville. Non. Non. Ce n'est pas ça. Ce n'est pas fini, ça va commencer.

Elle essaya de dissiper sa confusion par les moyens qu'elle maîtrisait le mieux. Si elle devait situer une scène de cinéma dans cette ville, de quoi s'agirait-il? Un combat au revolver dans Main Street? Les citoyens blottis derrière leurs portes pendant que les Bons et les Méchants s'expliqueraient? Peut-être. Ou bien une ville évacuée alors qu'une créature monstrueuse apparaîtrait à l'horizon? Le scénario classique des films de monstres des années cinquante : une créature réveillée par les essais nucléaires...

— Ça s'en rapproche, dit-elle.

— Quoi donc?

— Peut-être que c'est un dinosaure. Ou une tarentule géante. Je ne sais pas. Mais ça s'en rapproche. Bon Dieu, comme c'est frustrant! Je sais quelque chose au sujet de cet endroit, Raul, et je n'arrive pas à mettre le doigt dessus.

Les accords du chef-d'œuvre de Donizetti montèrent de

l'appartement voisin. Elle le connaissait si bien qu'elle aurait pu chanter en chœur si sa voix avait été à la hauteur de la tâche.

— Je vais faire un peu de café, dit-elle. Essayer de me réveiller. Veux-tu aller demander du lait à Ron?

— Oui. Bien sûr.

— Dis-lui que tu es un de mes amis.

Raul se leva, détachant sa main de la sienne.

— Ron habite au numéro quatre, dit-elle comme il s'éloignait.

Elle alla dans la salle de bains et prit enfin sa douche, toujours frustrée par le problème de la ville. Lorsqu'elle eut fini de se sécher et eut trouvé un tee-shirt et un jeans propre, Raul était de retour et le téléphone sonnait. A l'autre bout du fil, l'opéra et Ron.

— Où as-tu trouvé ce mec? voulut-il savoir. Et est-ce qu'il a un frère?

— C'est donc impossible d'avoir une vie privée par ici? dit-elle.

— Tu n'aurais pas dû *l'exhiber,* ma fille, répondit Ron. Qu'est-ce qu'il fait dans la vie, routier? Ou marine? Il est si *large.*

— En effet.

— S'il s'ennuie chez toi, envoie-le faire un tour ici.

— Il sera flatté, dit Tesla, et elle raccrocha. Tu as un admirateur, dit-elle à Raul. Ron te trouve très sexy.

Le regard que lui lança Raul était moins perplexe qu'elle ne l'aurait cru. Ce qui la poussa à lui demander :

— Tu crois qu'il y a des singes gais?

— Gais?

— Homosexuels. Des hommes qui préfèrent les hommes.

— Ron est comme ça?

— Ron est comme ça? dit-elle en riant. Oui, Ron est comme ça. Ce quartier est réputé pour. C'est pour ça que je m'y plais.

Elle se mit à verser du café lyophilisé dans les tasses. En entendant les granulés glisser de la cuillère, elle sentit la vision reprendre pied en elle.

Elle lâcha la cuillère Se tourna vers Raul. Il était très loin d'elle, à l'autre bout d'une pièce qui semblait s'emplir de poussière.

— Raul? dit-elle.

— Qu'y a-t-il? le vit-elle répondre.

Le vit plutôt que l'entendit; le son avait été réglé à zéro dans le monde qu'elle fuyait. La panique l'envahit. Elle tendit ses deux mains vers Raul.

— *Ne me laisse pas partir...*, hurla-t-elle. *Je ne veux pas partir ! Je ne veux pas...*

Puis la poussière s'interposa entre eux, érodant Raul. Leurs mains se manquèrent dans la tempête, et au lieu de tomber dans ses bras solides, elle se retrouva dans le désert, filant à vive allure dans un territoire désormais familier. La même terre brûlée qu'elle avait déjà par deux fois parcourue.

Son appartement avait complètement disparu. Elle était de retour dans la Boucle, en route vers la ville. Au-dessus d'elle, le ciel avait une teinte délicate, tout comme lors de son premier passage. Le soleil était toujours tout près de l'horizon. Elle le distinguait clairement, contrairement à la première fois. De plus, elle pouvait le regarder fixement sans être obligée de détourner les yeux. Elle pouvait même distinguer des détails. Des flammes jaillissant de sa circonférence comme des bras de feu. Un nuage de taches souillant son visage brûlant. Lorsqu'elle regarda à nouveau la terre, elle s'approchait de la ville.

Son premier accès de panique à présent passé, elle commença à prendre le contrôle de la situation, se rappelant avec sévérité que c'était la troisième fois qu'elle se trouvait ici et qu'elle devait pouvoir maîtriser sa course. Elle s'ordonna de ralentir l'allure et s'aperçut effectivement qu'elle *ralentissait,* ce qui lui donna le temps d'étudier la ville quand elle s'en approcha. Lorsqu'elle l'avait vue pour la première fois, son instinct lui avait dit qu'elle était factice. Cette impression se voyait confirmée. Les planches des maisons n'étaient pas battues par les intempéries, elles n'étaient même pas peintes. Il n'y avait pas de rideaux aux fenêtres ; pas de serrures aux portes. Et derrière ces portes et ces fenêtres ? Elle ordonna à son organisme flottant d'obliquer vers l'une des maisons et regarda par la fenêtre. Le toit de la bâtisse souffrait d'un certain manque de finition ; les rayons du soleil s'insinuaient dans ses fissures pour éclairer l'intérieur. Celui-ci était vide. On n'y voyait aucun meuble, ni aucun signe de présence humaine. Il n'était même pas divisé en *pièces.* Ce bâtiment était foncièrement factice. Et on pouvait en supposer autant de son voisin. Elle se déplaça le long de la rue pour confirmer ses soupçons. La maison voisine était également déserte.

Lorsqu'elle s'éloigna de la seconde fenêtre, elle sentit la traction dont elle avait déjà fait l'expérience dans l'autre monde : Kissoon essayait de l'amener à lui. Elle espéra que Raul ne tenterait pas de la réveiller, si son corps était encore présent dans le monde qu'elle avait quitté. Même si elle redoutait cet endroit, et se méfiait de l'homme qui l'y avait amenée, c'était néanmoins la curiosité qui l'emportait dans son esprit. Les mystères de Palomo Grove étaient déjà bizarres, mais rien dans les informations transmises en hâte par Fletcher au sujet du Jaff, de l'Art et de Quiddity n'aurait pu expliquer cet endroit. C'était Kissoon qui détenait les réponses, cela ne faisait pas le moindre doute pour elle. Si elle pouvait lire entre les lignes de sa conversation, tout ambiguë que fût celle-ci, peut-être aurait-elle un espoir de comprendre. Et sa nouvelle assurance lui rendait moins pénible l'idée de retourner dans la hutte. S'il la menaçait, ou s'il se mettait à bander, elle s'en irait, tout simplement. C'était en son pouvoir. Tout était en son pouvoir si sa volonté était assez forte. Si elle était capable de regarder le soleil sans en être aveuglée, elle était certainement capable de triompher des désirs de Kissoon.

Elle commença à parcourir la ville, consciente d'être à présent en train de *marcher*, ou du moins d'avoir décidé d'entretenir cette illusion. Une fois qu'elle s'était imaginée ici, comme elle l'avait fait la première fois, sa chair l'avait suivie grâce à un processus automatique. Elle ne sentait pas le sol sous ses pieds, et le fait de marcher ne lui occasionnait aucun effort, mais elle avait apporté cette idée de mouvement avec elle depuis l'autre monde, et elle l'utilisait à présent ici, que cela soit nécessaire ou non. Probablement non. Probablement lui suffisait-il de penser pour se déplacer. Mais plus elle importait ici la réalité qu'elle connaissait, raisonna-t-elle, plus elle contrôlait cet endroit. Elle allait opérer suivant les règles qu'elle avait crues universelles jusqu'à une date récente. Si elles venaient à changer, elle saurait que ce n'était pas son œuvre. Plus elle réfléchissait dans cette direction, plus elle se sentait devenir solide. Son ombre se faisait plus nette ; elle commençait à sentir la chaleur du sol sous ses pieds.

Pour rassurante qu'elle fût, la présence de ses sens en ce lieu ne semblait pas approuvée par Kissoon. Elle sentit l'attraction qu'il exerçait sur elle se raffermir, comme s'il avait enfoncé une main dans son estomac pour tirer dessus.

— D'accord..., murmura-t-elle, ...j'arrive. Mais à *mon* heure, pas à la tienne.

Il y avait plus que de l'ombre et du poids dans l'état qu'elle était en train d'apprendre ; il y avait aussi une odeur et un son. Tous deux la surprirent ; tous deux de façon désagréable. A ses narines, une odeur écœurante, qu'elle reconnut aussitôt comme celle de la viande putréfiée. Y avait-il un animal mort quelque part dans cette rue ? Elle ne voyait rien. Mais le son lui donna un second indice. Ses oreilles, plus réceptives qu'elles ne l'avaient jamais été, perçurent le bourdonnement d'une masse d'insectes. Elle écouta plus attentivement pour découvrir son origine et, l'ayant devinée, traversa la rue en direction d'une maison bien précise. Cette bâtisse était aussi quelconque que celle dont elle avait scruté les fenêtres, mais elle n'était pas vide. L'odeur à présent plus forte et le son qui l'accompagnait confirmèrent cette impression. Il y avait quelque chose de mort derrière cette façade banale. Plusieurs choses, soupçonna-t-elle bientôt. L'odeur était presque insoutenable ; ses entrailles en étaient toutes remuées. Mais elle devait voir quel secret dissimulait cette ville.

Arrivée à mi-chemin de son but, elle sentit un nouveau tiraillement à l'estomac. Elle résista, mais Kissoon ne semblait plus disposé à la laisser filer. Il tira de nouveau, plus fort cette fois-ci, et elle se déplaça le long de la rue contre sa volonté. A un instant donné, elle s'approchait de la Maison de la Puanteur ; l'instant d'après, elle était à une vingtaine de mètres de l'endroit où elle s'était trouvée.

— *Je veux voir,* dit-elle en serrant les dents, espérant que Kissoon pouvait l'entendre.

Même si tel était le cas, il tira de nouveau. Cette fois-ci, elle était prête et lutta activement contre l'attraction qu'il exerçait sur elle, exigeant que son corps se dirige vers la Maison.

— Tu ne vas pas m'arrêter, dit-elle.

En guise de réponse, il se mit à tirer de plus belle, et en dépit des efforts de Tesla, l'éloigna encore davantage de sa cible.

— Va te faire foutre ! hurla-t-elle, furieuse de son intervention.

Il utilisa sa colère comme une arme. Alors qu'elle gaspillait son énergie en rage, il tira de nouveau, réussissant cette fois-ci à lui faire parcourir la quasi totalité de la rue en direction de l'autre bout de la ville. Elle était impuissante à lui résister. Il était plus fort qu'elle, tout simplement, et plus elle s'énervait, plus son emprise était forte, si bien qu'elle se retrouva en train de s'éloigner à vive allure de la ville, en proie à son appel comme lors de son premier passage dans la Boucle.

Elle savait que sa colère affaiblissait sa résistance, et s'ordonna calmement de la contrôler alors que le désert défilait autour d'elle.

— Calme-toi, femme, se dit-elle. Ce n'est qu'une brute. Rien de plus. Rien de moins. Reprends-toi.

Cette tactique porta ses fruits. Elle sentit l'assurance s'épa-

nouir de nouveau en elle. Elle ne se permit pas le luxe d'être
satisfaite. Elle se contenta tout simplement d'exercer le pouvoir
qu'elle avait reconquis pour montrer à nouveau sa détermination. Kissoon ne renonça pas à son autorité, bien sûr ; elle sentit
son poing lui serrer les tripes sans fléchir. Ça faisait mal. Mais
elle résista, et continua de résister, jusqu'à ce qu'elle fût
pratiquement immobile.

Il avait cependant concrétisé une de ses ambitions. La ville
n'était plus qu'un point à l'horizon derrière elle. Il lui était
impossible d'y retourner à présent. Même si elle essayait, elle
n'était pas sûre de pouvoir résister assez longtemps à l'attraction
exercée par Kissoon.

Elle se donna un nouveau conseil muet : rester immobile
durant quelques instants et évaluer sa situation présente. Elle
avait perdu la bataille dans la ville, inutile de le nier. Mais elle
avait gagné quelques questions embarrassantes à poser à Kissoon
une fois qu'elle se retrouverait face à face avec lui. Premièrement : quelle était l'origine de cette puanteur ; deuxièmement :
pourquoi avait-il peur qu'elle la voie. Mais vu la force dont il
disposait, même à cette distance, elle savait qu'elle devait se
montrer prudente. La plus grave erreur à commettre dans les
circonstances présentes était de supposer que son indépendance
avait un caractère permanent. C'était Kissoon qui avait exigé sa
présence en ce lieu, et bien qu'il prétendît en être le prisonnier, il
en savait beaucoup plus qu'elle sur les règles qui le régissaient.
Elle était à chaque instant à la merci de son pouvoir, dont elle ne
pouvait que deviner les limites. Elle devait par conséquent faire
preuve de la plus grande prudence, de peur de perdre la faible
maîtrise qu'elle avait de sa condition.

Tournant le dos à la ville, elle prit la direction de la hutte. Elle
jouissait encore de la solidité qu'elle avait conquise dans les rues
de la ville, mais elle se déplaçait avec une légèreté dont elle
n'avait jamais fait l'expérience auparavant. Comme si elle
marchait sur la lune : foulées longues et souples, vitesse hors de
portée du plus rapide des sprinters. Sentant qu'elle s'approchait,
Kissoon avait cessé de lui tirailler les tripes, bien qu'il fît toujours
sentir sa présence, comme pour lui rappeler la force qu'il pouvait
exercer si jamais l'envie lui en prenait.

Elle apercevait à présent son deuxième point de repère : la
tour. Le vent gémissait dans ses câbles. Elle ralentit à nouveau de
façon à mieux étudier sa structure. Il n'y avait pas grand-chose à
voir. La tour avait une trentaine de mètres de haut, était faite

d'acier, et était couronnée d'une petite plate-forme de bois entourée sur trois côtés par des morceaux de tôle ondulée. Sa fonction lui échappa totalement. En tant que poste d'observation, elle semblait singulièrement inutile, étant donné qu'il n'y avait rien à observer. Et elle ne semblait pas non plus remplir un quelconque but technique. Outre la tôle ondulée fixée à son sommet — et une boîte suspendue à la plate-forme —, il n'y avait aucun signe d'appareil de mesure. Bizarrement, elle pensa à Luis Buñuel et à celui de ses films qu'elle préférait, *Simon du désert,* une vision satirique de saint Simon tenté par le Diable alors qu'il était assis au sommet d'une colonne en plein milieu de nulle part. Cette tour avait peut-être été édifiée à l'intention d'un saint également masochiste. Dans ce cas, il n'était plus à présent que poussière, ou que divinité.

Il n'y avait rien de plus à voir ici, décida-t-elle, et elle dépassa la tour, la laissant à sa vie gémissante et énigmatique. Elle ne voyait pas encore la hutte de Kissoon mais savait qu'elle ne devait pas être très loin. Aucune tempête de poussière ne s'élevait à l'horizon pour la dissimuler ; la scène qui se trouvait devant elle — le sable du désert et le ciel au-dessus de sa tête — était exactement identique au souvenir qu'elle en avait gardé. Ce fait lui parut étrange l'espace d'un instant : rien ne semblait avoir changé. Peut-être que rien ne changeait jamais ici, pensa-t-elle. Peut-être que cet endroit était éternel. Ou repassé sans arrêt, comme un film, jusqu'à ce que la pellicule se casse ou prenne feu dans le projecteur.

Elle n'avait pas plus tôt imaginé cette constance qu'un élément perturbateur jusque-là oublié lui apparut. La femme.

La dernière fois, attirée vers la hutte par Kissoon, elle n'avait pas eu l'occasion d'entrer en contact avec cet autre acteur sur la scène du désert. En fait, Kissoon avait tenté de la convaincre que cette femme était un mirage ; une projection de ses rêves érotiques qui devait être évitée à tout prix. Mais à présent que la femme était à portée de voix, Tesla trouva cette explication plus fantasmatique que la femme elle-même. En dépit de la perversité de Kissoon, dont elle n'avait guère de raisons de douter, la silhouette qui apparaissait devant elle n'avait rien d'une vision masturbatoire. Elle était certes presque nue, le corps enveloppé dans de pitoyables lambeaux. Elle avait certes un visage qui rayonnait d'intelligence. Mais ses longs cheveux semblaient avoir été arrachés en plusieurs endroits, et il y avait du sang séché d'un brun sale sur son front et sur ses joues. Son corps était meurtri et émacié, et les estafilades qui striaient ses bras et ses jambes étaient mal soignées. Tesla soupçonna la présence d'une blessure plus profonde sous les morceaux de ce qui avait sans doute été jadis une robe blanche. Le tissu était collé à sa peau et elle avait une main plaquée à son ventre, presque courbée en deux par la douleur. Ce n'était pas une pin-up ; ni un mirage. Elle occupait le même plan d'existence que Tesla, et y souffrait.

Comme elle l'avait soupçonné, Kissoon savait que son avertissement avait été ignoré, et il s'était remis à tirer sur Tesla. Cette fois-ci, elle était prête. Au lieu de réagir avec colère à ses tentatives, elle demeura parfaitement immobile, conservant tout son calme. Les doigts mentaux de Kissoon cherchèrent une prise, puis se glissèrent dans ses entrailles. Il les tirailla une nouvelle fois ; glissa de nouveau, puis serra. Elle ne réagit pas, mais se contenta de maintenir son allure, ne quittant pas un seul instant la femme des yeux.

Celle-ci s'était redressée, et elle avait lâché son ventre pour laisser pendre ses bras à ses côtés. Lentement, Tesla se dirigea vers elle, faisant de son mieux pour conserver le calme qui empêchait Kissoon de s'emparer d'elle. La femme ne fit mine ni d'avancer ni de battre en retraite. A chaque pas, Tesla la distinguait avec un peu plus de netteté. Elle était âgée d'une cinquantaine d'années et ses yeux, bien que profondément enfoncés dans leurs orbites, étaient ce qu'il y avait de plus vivant en elle ; le reste n'était qu'épuisement. Elle portait autour du cou une chaîne à laquelle était accrochée une croix toute simple. C'était tout ce qui restait de la vie qui avait peut-être été la sienne avant qu'elle n'échoue dans cette désolation.

Soudain, elle ouvrit la bouche, le visage empreint d'angoisse. Elle se mit à parler, mais ses cordes vocales n'étaient pas assez fortes, ou ses poumons pas assez larges, pour que ses mots traversent l'espace qui la séparait de Tesla.

— Attendez, lui dit Tesla, ne voulant pas qu'elle épuise le peu d'énergie qui lui restait. Je vais me rapprocher.

Si la femme comprit cette instruction, elle l'ignora, car elle recommença à parler, répétant sans arrêt le même mot.

— Je ne vous entends pas, cria Tesla en réponse, consciente que la détresse que lui inspirait celle de la femme donnait un avantage à Kissoon. Attendez, voulez-vous ? dit-elle en accélérant l'allure.

A ce moment-là, elle se rendit compte que l'expression de la femme ne traduisait pas l'angoisse mais la terreur. Que ses yeux n'étaient plus fixés sur Tesla mais sur autre chose. Et que le mot qu'elle répétait sans arrêt était : « Lix ! Lix ! »

Horrifiée, elle se retourna pour découvrir un désert grouillant de Lix : une douzaine au premier coup d'œil, deux douzaines au second. Ils étaient tous exactement identiques, pareils à des serpents dont tout signe distinctif aurait été gommé, les réduisant à des tuyaux de muscles ondoyants longs de trois mètres qui fonçaient sur elle à toute allure. Elle avait cru que celui qu'elle avait aperçu auparavant, lorsqu'elle avait ouvert la porte de la hutte, était dénué de gueule. Elle s'était trompée. Ils avaient bien des gueules ; des trous noirs entourés de crocs noirs, grands ouverts. Elle se préparait à subir leur assaut lorsqu'elle se rendit compte (trop tard) qu'on ne les avait appelés que pour faire diversion. Kissoon lui saisit les tripes et tira. Le désert se mit à défiler au-dessous d'elle, les Lix s'écartant comme elle fonçait dans leur masse.

Devant elle, la hutte. Elle arriva sur son seuil en quelques secondes, la porte s'ouvrant devant elle comme sur un signal.

— Entre, dit Kissoon. J'ai déjà attendu trop longtemps.

Seul dans l'appartement de Tesla, Raul ne pouvait qu'attendre. Il savait parfaitement où elle était partie, et à l'instigation de qui, mais privé de tout moyen d'accès à la Boucle, il était impuissant. Ce qui ne voulait pas dire qu'il ne la *sentait* pas. Son organisme avait été touché deux fois par le Nonce et il savait qu'elle n'était pas très loin de lui.

Lorsque Tesla avait tenté de lui décrire ce qu'elle avait ressenti en se rendant dans la Boucle, il avait ardemment souhaité formuler une chose qu'il avait fini par comprendre durant les années qu'il avait passées à la Mission. Son vocabulaire n'avait cependant pas été à la hauteur de la tâche. Il ne l'était toujours pas. Mais cette impression n'était pas sans rapport avec la façon dont il sentait à présent Tesla.

Elle se trouvait dans un autre endroit, mais un endroit n'était qu'une autre sorte d'existence, et tous les états d'existence pouvaient communiquer entre eux, à condition que l'on connaisse les moyens adéquats. Le singe avec l'homme, l'homme avec la lune. Cela n'avait rien à voir avec la technologie. C'était en rapport avec le caractère indivisible du monde. Ainsi Fletcher avait-il créé le Nonce à partir d'une mixture de disciplines, indifférent à la transition de la science à la magie, de la logique à l'absurdité ; ainsi Tesla se déplaçait-elle entre les réalités telle une brume rêvante, défiant les lois bien établies ; ainsi lui-même était-il passé d'un état apparemment simiesque à un état apparemment humain, sans savoir quand l'un était devenu l'autre, ni même si un tel phénomène s'était produit. Il se savait donc capable, à condition d'avoir assez d'intelligence ou de connaître les formules appropriées, de rejoindre l'endroit où se trouvait Tesla. Il était tout près, comme le sont tous les espaces et tous les temps ; éléments d'un même paysage de l'esprit. Mais Raul ne pouvait pas transformer ses idées en actions. Cela le dépassait, du moins pour l'instant.

Il ne pouvait que *savoir*, et attendre, ce qui était d'une certaine façon plus douloureux que de se croire abandonné.

— Tu es un salaud doublé d'un menteur, dit-elle après avoir refermé la porte.

Le feu brûlait avec éclat. Il n'y avait que très peu de fumée. Kissoon était assis de l'autre côté des flammes, la regardant avec des yeux plus brillants que dans son souvenir. Il y avait de l'excitation en eux.

— Tu voulais revenir, lui dit-il. Ne le nie pas. Je l'ai senti en toi. Tu aurais pu me résister pendant que tu étais encore dans le Cosme, mais tu ne le voulais pas vraiment. Traite-moi donc de menteur. Je te mets au défi de le faire.

— Non, dit-elle. Je l'avoue. Je suis curieuse.

— Bien.

— Mais ça ne te donne pas le droit de m'attirer ici comme ça.

— Comment aurais-je pu te montrer la voie ? lui demanda-t-il d'un ton léger.

— *Me montrer la voie ?*

Elle savait qu'il tentait délibérément de la mettre en colère, mais elle était incapable de chasser une impression d'impuissance de son esprit. Elle ne détestait rien tant que de ne pas contrôler la situation, et l'emprise qu'il avait sur elle la rendait enragée.

— Je ne suis pas stupide, dit-elle. Et je ne suis pas un jouet que tu peux manipuler à ta guise.

— Je n'ai pas l'intention de te traiter comme tel, dit Kissoon. S'il te plaît, si nous faisions la paix ? Nous sommes du même bord, après tout, non ?

— Vraiment ?

— Tu ne peux pas en douter.

— Ah bon?

— Après tout ce que je t'ai dit, continua Kissoon Tous les secrets que j'ai partagés avec toi.

— Il me semble qu'il y en a quelques-uns que tu n'as pas l'intention de partager.

— Oh? dit Kissoon, détournant les yeux pour contempler les flammes.

— La ville, par exemple.

— Et alors?

— Je voulais voir ce qu'il y avait dans la maison, mais non, tu m'en as éloignée.

Kissoon soupira.

— Je ne le nie pas, dit-il. Si je n'avais pas agi, tu ne serais pas arrivée ici.

— Je ne te suis pas.

— Tu n'as pas senti l'atmosphère là-bas? Je crois bien que si. Cette *angoisse* pure.

Ce fut au tour de Tesla de laisser échapper un soupir entre ses dents.

— Oui, dit-elle. J'ai senti quelque chose.

— Les Iad Uroboros ont des agents partout, dit Kissoon. Je crois que l'un d'entre eux se cache dans cette ville. Je ne sais pas quelle forme il a prise, et je ne veux pas le savoir. Mais je soupçonne sa vue d'être mortelle. Quoi qu'il en soit, je ne vais pas courir le risque, et tu ne devrais pas le courir non plus, en dépit de ta *curiosité*.

Il était difficile à Tesla de discuter ce point de vue si proche de ses propres sentiments. A peine quelques minutes plus tôt, dans son appartement, elle avait dit à Raul qu'elle sentait qu'il allait bientôt se passer quelque chose dans la rue principale. A présent, Kissoon confirmait ses soupçons.

— Je suppose que je dois te remercier, dit-elle à contrecœur.

— Pas la peine, répondit Kissoon. Je ne t'ai pas sauvée pour tes beaux yeux, mais pour que tu puisses accomplir une tâche importante.

Il se mit à attiser le feu avec un bâton calciné. Les flammes se dressèrent et l'intérieur de la hutte fut illuminé plus brillamment encore.

— Je suis désolé si je t'ai effrayée la dernière fois que tu es venue ici, continua-t-il. J'ai dit « si ». Je sais que je t'ai effrayée et je ne m'excuserai jamais assez.

Il ne la regarda pas une seule fois durant ce discours, qui avait
la qualité d'un monologue maintes fois répété. Mais venant d'un
homme qu'elle soupçonnait d'avoir un ego hypertrophié, ces
excuses étaient doublement les bienvenues.

— J'ai été... *affecté*, dirons-nous... par ta présence physique
d'une façon totalement imprévue, et tu as eu raison de mettre
mon mobile en doute. (Il posa sa main entre ses jambes et prit
son pénis entre le pouce et l'index.) Je me repens à présent, dit-il.
Comme tu le vois.

Elle regarda. Son membre était tout à fait flasque.

— Excuses acceptées, dit-elle.

— Bien, j'espère que nous allons pouvoir parler affaires à
présent.

— Je n'ai pas l'intention de te donner mon corps, Kissoon, dit-
elle de but en blanc. Si c'est là ce que tu entends par « affaires »,
pas question.

Kissoon hocha la tête.

— Je ne peux pas dire que je t'en veux. Parfois, les excuses ne
suffisent pas. Mais il *faut* que tu comprennes la gravité de la
situation. En ce moment même, à Palomo Grove, le Jaff se
prépare à utiliser l'Art. Je peux l'en empêcher. Mais pas depuis
ici.

— Enseigne-moi, alors.

— Nous n'avons pas le temps.

— J'apprends vite.

Kissoon leva les yeux vers elle avec sévérité.

— Ton arrogance est vraiment monstrueuse, dit-il. Tu débar-
ques en plein milieu d'une tragédie séculaire et tu penses qu'il
suffit de quelques mots pour changer son déroulement. Ce n'est
pas Hollywood. C'est le monde réel.

La froide colère de Kissoon l'intimida quelque peu ; mais pas
beaucoup.

— D'accord, il m'arrive parfois d'être prétentieuse. Je suis
comme ça. Je t'ai dit que je t'aiderai, mais je ne veux pas de ces
conneries d'échangisme corporel.

— Alors, peut-être...

— Quoi ?

— ... que tu peux trouver quelqu'un qui *est* prêt à se donner à
moi.

— Ce n'est pas une mince affaire. Que suis-je censée lui dire ?

— Tu es persuasive, dit-il.

Elle repensa au monde qu'elle avait quitté. Son immeuble

avait vingt et un occupants. Parviendrait-elle à convaincre Ron, ou Edgar, ou un de ses amis, Mickey de Falco peut-être, de la suivre dans la Boucle ? Elle en doutait. Ce fut seulement lorsque son esprit se fixa sur Raul qu'elle aperçut une lueur d'espoir. Peut-être que *lui* oserait faire ce qu'elle refusait d'envisager ?

— Peut-être que je peux t'aider, dit-elle.

— Vite ?

— Oui. Vite. Si tu peux me renvoyer dans mon appartement.

— Facile à faire.

— Entends-moi bien, je ne te promets rien.

— Je comprends.

— Et je veux quelque chose en échange.

— Quoi donc ?

— La femme à qui j'ai essayé de parler ; celle dont tu m'as dit que c'était un accessoire sexuel.

— Je me demandais quand tu en parlerais.

— Elle est blessée.

— N'y crois pas.

— Je l'ai vue de mes yeux.

— C'est une ruse des Iad ! dit Kissoon. Ça fait un bon moment qu'elle erre dans les parages et qu'elle essaye de se faire ouvrir la porte. Parfois elle fait semblant d'être blessée, parfois elle ronronne comme une chatte en chaleur. Elle se frotte contre la porte. (Il frissonna.) Je l'entends qui se frotte, qui me supplie de la laisser entrer. Ce n'est qu'une ruse.

Comme à chaque affirmation émise par Kissoon, Tesla ne savait pas si elle devait se montrer crédule ou méfiante. Lors de sa précédente visite, il lui avait dit que cette femme était probablement une maîtresse onirique. A présent, il lui affirmait que c'était un agent des Iad. L'un ou l'autre, mais pas les deux.

— Je veux lui parler par moi-même, dit-elle. Prendre une décision toute seule. Elle n'a pas l'air très dangereuse.

— Tu ne sais pas tout, l'avertit Kissoon. Les apparences sont trompeuses. Si je la maintiens à l'écart grâce aux Lix, c'est par crainte de ce qu'elle pourrait faire.

Elle envisagea de lui demander ce qu'il pouvait craindre d'une femme aussi visiblement meurtrie, puis décida que c'était une question à poser lors de circonstances moins désespérées.

— Je vais repartir, alors, dit-elle.

— Tu as bien compris l'urgence de la situation ?

— Tu n'as pas besoin de me le répéter, dit Tesla. Oui, j'ai

compris. Mais comme je te l'ai dit, tu demandes beaucoup. Les gens finissent par être attachés à leur corps. Gag.

— Si tout va bien, et si je peux prévenir l'utilisation de l'Art, alors le volontaire pourra récupérer sa chair. Si j'échoue, c'est la fin du monde de toute façon, alors quelle importance ?

— Sympa, dit Tesla.

— Je fais de mon mieux.

Elle se tourna vers la porte.

— Fais vite, dit-il. Et ne te laisse pas distraire...

La porte s'ouvrit sans qu'elle l'ait touchée.

— Tu es toujours un salaud paternaliste, Kissoon..., répliqua Tesla en guise d'adieu.

Puis elle pénétra dans l'immuable lumière matinale.

A gauche de la hutte, un nuage d'ombre semblait grouiller sur le sol du désert. Elle l'étudia durant quelques instants et vit que le sable battu par le soleil était couvert de Lix, un petit océan de Lix. Sentant son regard posé sur eux, ils cessèrent de bouger et levèrent la tête dans sa direction. Kissoon ne lui avait-il pas dit qu'il avait créé ces monstres ?

— Vas-y, veux-tu ? entendit-elle. Nous n'avons pas beaucoup de temps.

Si elle avait obéi immédiatement à cet ordre, elle n'aurait pas vu la femme apparaître derrière les Lix. Mais elle s'attarda et l'aperçut. Et ce faisant, en dépit des avertissements prodigués par Kissoon, elle demeura sur le seuil. S'il s'agissait vraiment d'un agent des Iad Uroboros, comme l'avait prétendu Kissoon, il faisait preuve d'une intelligence brillante en se présentant dans un état aussi vulnérable. En dépit de tous ses efforts, elle ne parvenait pas à associer un mal aussi vaste et aussi ambitieux que celui des Iad avec un aspect aussi misérable que celui de cette femme. Le mal n'était-il pas trop vaniteux, même lors de ses machinations, pour apparaître aussi nu ? Elle ne pouvait pas ignorer son instinct, qui lui disait sans équivoque que Kissoon se trompait au moins sur ce point. Cette femme n'était pas un agent. C'était un être humain en proie à la souffrance. Tesla pouvait tourner le dos à bien des suppliques, mais pas à celle-ci.

Ignorant un nouvel appel émis par l'homme dans la hutte, elle fit un pas en direction de la femme. Les Lix s'agitèrent en la voyant s'approcher. Ils se mirent à siffler lorsqu'elle se dirigea vers eux, dressant la tête comme des cobras. Ce spectacle la poussa à accélérer l'allure plutôt qu'à la ralentir. S'ils agissaient suivant les instructions de Kissoon, comme c'était sûrement le cas, alors leur attitude ne faisait que renforcer les soupçons de Tesla. Kissoon essayait de les empêcher de se rencontrer ; *pourquoi ?* Parce que cette femme misérable et angoissée était dangereuse ? Non ! Chacune des fibres de l'être de Tesla rejetait cette hypothèse. S'il voulait les empêcher de se parler, c'était de crainte qu'elles n'échangent des informations de nature à jeter le doute sur ses buts.

Les Lix avaient apparemment reçu de nouvelles instructions. Blesser Tesla l'empêcherait de remplir sa mission ; ils se tournèrent donc vers la femme. Celle-ci perçut leur mouvement et la peur envahit son visage. Tesla eut l'idée que leur malice ne lui était pas inconnue ; qu'elle les avait peut-être défiés auparavant, pour tenter d'approcher Kissoon ou un de ses visiteurs. Elle semblait parfaitement savoir comment semer la confusion dans leurs rangs, courant vivement de droite à gauche si bien que les créatures se nouèrent les unes aux autres dans leurs efforts pour décider de la direction à prendre.

Tesla ajouta sa propre contribution à cet exercice défensif en hurlant et en accélérant l'allure, soudain certaine qu'ils n'oseraient pas lui faire du mal tant que Kissoon souhaiterait fuir sa prison, n'ayant qu'elle pour seul espoir.

— *Éloignez-vous d'elle !* hurla-t-elle. *Laissez-la tranquille, saletés !*

Mais ils avaient repéré leur cible et n'allaient pas laisser de simples cris les en détourner. Alors que Tesla arrivait à quelques mètres d'eux, ils se précipitèrent sur leur proie.

— *Fuyez !* hurla Tesla.

La femme suivit son conseil, mais trop tard. Le plus rapide des Lix était déjà sur ses talons ; puis grimpait le long de son corps pour l'envelopper. Ses mouvements n'étaient pas dépourvus d'une certaine élégance vile : il s'enroula autour du torse de la femme et la fit tomber à terre. Les autres Lix furent bientôt sur elle. Lorsque Tesla arriva à quelques mètres de la femme, celle-ci s'était fondue dans la masse de ses agresseurs. Ils l'avaient virtuellement momifiée. Mais elle se débattait encore, déchirant leurs corps comme ils l'enserraient de plus belle.

Tesla ne perdit pas de temps en vaines paroles. Elle se contenta d'attaquer les Lix à mains nues, dégageant d'abord le visage de la femme de peur qu'ils ne l'étouffent puis libéra ses bras. Bien que nombreux, les Lix n'étaient pas particulièrement robustes. Plusieurs se brisèrent entre ses doigts lorsqu'elle tira dessus, leur sang jaune pâle suintant sur ses mains et aspergeant son visage. Elle se laissa aiguillonner par son dégoût, luttant contre leurs formes glissantes, tirant sur leurs corps ondoyants jusqu'à ce qu'elle soit poisseuse de fluides. La femme qu'ils avaient tenté de tuer avait repris courage en se voyant secourue et luttait pour se libérer de l'étreinte de ses assassins.

Voyant la victoire toute proche, Tesla se prépara à l'évasion. Elle ne pouvait pas partir toute seule, elle le savait. La femme devait l'accompagner dans l'appartement de North Huntley Drive, de peur de subir de nouvelles attaques auxquelles elle serait impuissante à résister après celle-ci. Kissoon lui avait appris à s'imaginer pour pénétrer *dans* la Boucle. Pouvait-elle inverser le processus à présent, non seulement pour elle-même mais de plus pour la femme ? Si elle échouait, elles seraient toutes deux à la merci des Lix, qui semblaient à présent apparaître de toutes parts, comme si leur créateur venait de sonner l'alerte. Faisant de son mieux pour chasser leur masse de son esprit, Tesla visualisa la femme qui se trouvait devant elle en train de fuir cet endroit avec elle pour en gagner un autre. Pas n'importe lequel. West Hollywood. North Huntley Drive. Son appartement. Fais-le, pensa-t-elle. Si Kissoon en est capable, toi aussi.

Elle entendit la femme pousser un cri — le premier bruit qu'elle ait émis, en fait. La scène se troubla autour d'elles, mais pas à cause du transfert instantané qu'elle avait espéré effectuer depuis la Boucle de Kissoon jusqu'à West Hollywood ; et les Lix se massaient autour d'elles en nombre sans cesse croissant.

— Encore, dit Tesla pour elle-même. Essaie encore.

Elle se concentra sur la femme devant elle, qui arrachait encore des fragments de Lix de son corps et de ses cheveux. C'était sur ce mirage qu'elle devait se concentrer. L'autre passagère, elle-même, était plus facile à imaginer.

— Vas-y ! dit-elle. Je vous en prie, mon Dieu, vas-y !

Cette fois-ci, les images se concrétisèrent dans sa tête ; non seulement elle visualisa clairement la femme et elle-même, mais de plus elle les vit en vol, le monde se dissolvant autour d'elles pour se recomposer comme un puzzle défait et refait suivant un modèle différent.

Elle connaissait bien cette scène. C'était l'endroit même qu'elle avait quitté. Le café parsemait encore le sol ; le soleil se déversait par la fenêtre ; Raul se tenait debout au centre de la pièce, attendant son retour. Elle sut en voyant son expression qu'elle avait réussi à amener la femme avec elle. Ce qu'elle n'avait pas compris, et elle s'en aperçut en tournant la tête, c'était qu'elle avait amené toute l'image avec elle, y compris les Lix qui étaient en train de l'agresser. Bien que séparés de Kissoon, leur vie surnaturelle n'était pas moins enfiévrée qu'au sein de la Boucle. La femme les laissa tomber sur le sol de l'appartement où ils continuèrent de se tortiller, souillant la moquette de leur sang à l'odeur d'excrément. Mais il ne s'agissait que de morceaux : têtes, queues, sections centrales. Plutôt que de perdre du temps à les écraser, Tesla appela Raul à l'aide et, ensemble, ils conduisirent la femme dans la chambre et l'allongèrent sur le lit.

Elle avait âprement lutté et son état s'était aggravé. Les blessures de son corps s'étaient rouvertes. Mais elle semblait surtout souffrir d'épuisement.

— Surveille-la, dit Tesla à Raul, je vais chercher un peu d'eau pour la laver.

— Que s'est-il passé ? voulut-il savoir.

— J'ai failli vendre ton âme à un salaud doublé d'un menteur, dit Tesla. Mais ne t'inquiète pas. Je viens juste de la racheter.

V

Une semaine plus tôt, la présence d'un nombre aussi élevé d'étoiles du firmament d'Hollywood aurait fait sortir les citoyens de Palomo Grove dans la rue en nombre significatif, mais aujourd'hui, il y avait à peine un témoin sur les trottoirs pour observer leur arrivée. Les limousines grimpèrent au haut de la Colline sans être remarquées, leurs passagers en train de se défoncer ou de se remaquiller derrière des vitres en verre fumé ; les plus âgés d'entre eux se demandaient combien de temps s'écoulerait avant que leurs pairs se rassemblent pour leur rendre un hommage hypocrite comme celui qu'ils rendaient à présent à Buddy Vance, les plus jeunes supposaient qu'on aurait trouvé un remède à la mortalité avant que vienne leur tour. Rares étaient les membres de cette assemblée à avoir sincèrement aimé Buddy. Beaucoup l'avaient envié ; certains l'avaient désiré ; presque tous avaient retiré un certain plaisir de sa disgrâce. Mais l'amour ne faisait que de rares apparitions parmi les représentants de cette espèce. C'était un défaut dans une cuirasse qu'ils ne pouvaient pas se permettre d'ôter.

Les passagers des limousines avaient conscience de la pénurie d'admirateurs. Bien que nombre d'entre eux n'eussent nul désir d'être reconnus, leurs tendres ego s'offusquèrent d'être accueillis avec une telle indifférence. Ils eurent vite fait de mettre cette insulte à profit. Le même sujet fut abordé dans toutes les voitures : pourquoi le défunt avait-il choisi de se retirer dans un bled aussi paumé que Palomo Grove ? Il avait des secrets ; voilà pourquoi. Mais lesquels ? Ses problèmes avec l'alcool ? Tout le monde était au courant. La drogue ? Tout le monde s'en foutait. Les femmes ? Il avait été le premier à se vanter de sa bite et de ses prouesses. Non, c'était sûrement une autre sorte de merde qui l'avait poussé dans ce trou perdu. Les théories coulaient comme du vitriol tandis que les chers endeuillés retournaient les possibilités dans leur esprit, oubliant momentanément leur mesquinerie pour descendre de voiture et offrir leurs sincères condoléances à la veuve sur le seuil de Coney Eye, l'assumant aussitôt qu'ils avaient pénétré à l'intérieur.

La collection de Buddy engendra nombre de commentaires, causant un clivage assez net parmi le public. Beaucoup la considéraient comme un résumé parfait du défunt : vulgaire, opportuniste et, à présent qu'elle était détachée de son contexte, inutile. D'autres y virent une révélation, un aspect du défunt dont ils avaient jusque-là ignoré l'existence. Une ou deux personnes demandèrent à Rochelle si certaines pièces étaient en vente. Elle leur dit que personne ne savait encore à qui le testament les lèguerait, mais que si elles venaient à lui échoir, elle serait heureuse de les offrir gratis.

Lamar, le Roi du Gag, fit le tour des participants avec un sourire qui lui allait d'une oreille à l'autre. Durant toutes les années qui s'étaient écoulées depuis sa rupture avec Buddy, jamais il n'avait imaginé se retrouver dans une telle situation, en train de régner sur la cour de Buddy. Il ne fit aucune tentative pour dissimuler son plaisir. Pourquoi faire ? La vie était trop courte. Mieux valait prendre son plaisir pendant qu'il était encore temps, avant de se le voir arracher. Le fait de savoir que le Jaff se trouvait deux étages plus haut ajoutait encore de l'éclat à son sourire. Il ne savait pas quelles étaient ses intentions exactes, mais il était fort distrayant de considérer ces gens-là comme de la nourriture. Il les méprisait tous jusqu'au dernier, les ayant vus, eux ou leurs semblables, accomplir des numéros d'acrobatie morale qui auraient fait honte à un pape, tout ça pour en retirer du profit, une position supérieure, ou un meilleur profil. Parfois les trois en même temps. Il en était venu à considérer avec dégoût l'obsession de leur ego qui habitait les membres de sa tribu, l'ambition qui entraînait tant d'entre eux à dénigrer leurs supérieurs et à étouffer le peu de bien qui sommeillait en eux. Il n'avait cependant jamais laissé paraître ce mépris. Il devait travailler parmi eux. Mieux valait dissimuler ses sentiments. Buddy (pauvre Buddy) n'avait jamais été capable d'un tel détachement. Lorsqu'il avait un peu trop bu, il déversait toute son ire sur les imbéciles qui lui étaient insupportables. C'était cela, plus que tout le reste, qui avait causé sa chute. Dans une ville où les mots étaient bon marché, parler pouvait coûter cher. On pardonnait à ceux qui détournaient des fonds ou des mineurs, à ceux qui se droguaient, aux violeurs, et même parfois aux assassins. Mais Buddy les avait traités d'*imbéciles*. On ne le lui avait jamais pardonné.

Lamar parcourut la pièce, embrassant les beautés, saluant les étalons, serrant la main de ceux qui les embauchaient et les viraient. Il imagina la répulsion de Buddy devant un tel rituel. Durant les années qu'ils avaient passés ensemble, combien de fois avait-il dû persuader Buddy de quitter une réception comme celle-ci parce qu'il ne parvenait pas à garder ses insultes par-devers lui ! Combien de fois avait-il échoué !

— Tu as l'air en forme, Lam.

Le visage trop bien nourri qui se trouvait devant lui appartenait à Sam Sagansky, un des pontes les plus en vue d'Hollywood. A ses côtés se tenait une gamine aux gros seins, la dernière en date d'une succession de gamines aux gros seins que Sam avait hissées jusqu'à la gloire avant de s'en séparer dans des circonstances aussi publiques que dramatiques, brisant leur carrière et enrichissant sa réputation d'homme à femmes.

— Quel effet ça fait d'être à son enterrement ? voulut savoir Sagansky.

— Ce n'est pas exactement un enterrement, Sam.

— Mais il est mort et pas toi. Ne me dis pas que ça ne te fait pas plaisir.

— Sans doute que non.

— Nous sommes des survivants, Lam. Nous avons le droit de nous gratter les couilles et de rire. La vie est belle.

— Ouais, dit Lamar, je suppose.

— Nous sommes tous des gagnants ici, pas vrai, chérie ? (Il se tourna vers sa femme, qui exhiba ses dents impeccablement refaites.) Je ne connais aucune sensation plus agréable.

— A plus tard, Sam.

— Est-ce qu'il y aura un feu d'artifice ? demanda la gamine.

Lamar pensa au Jaff, qui attendait en haut, et sourit.

Une fois qu'il eut fait le tour de la pièce, il monta voir son maître.

— Quelle foule, dit le Jaff.

— Vous êtes content ?

— Totalement.

— Je voulais vous dire un mot avant que vous soyez trop... occupé.

— A quel sujet ?

— Rochelle.

— Ah !

— Je sais que vous préparez quelque chose de sérieux et, croyez-moi, je ne pourrais pas être plus heureux. Si vous effacez tous ces salauds de la surface de la terre, vous rendrez au monde un signalé service.

— Je suis navré de vous décevoir, dit le Jaff. Ils ne vont pas tous partir vers le Grand Repas d'Affaires du Ciel. Peut-être vais-je prendre certaines libertés avec eux, mais la mort ne m'intéresse pas. C'est davantage du ressort de mon fils.

— Je veux être sûr que Rochelle ne sera pas mêlée à tout cela.

— Je ne poserai pas un doigt sur elle, répondit le Jaff. Eh bien ? Êtes-vous satisfait ?

— Oui. Merci.

— Bien. Et si nous commencions ?

— Quel est votre plan ?

— Je veux que vous m'ameniez tous les invités, un par un. Laissez-les d'abord mettre un peu d'alcool dans leur organisme, puis... montrez-leur la maison.

— Les hommes ou les femmes ?

— Amenez-moi les hommes en premier, dit le Jaff en se dirigeant vers la fenêtre. Ils sont plus malléables. Est-ce mon imagination, ou bien le temps s'assombrit-il ?

— Ce n'est qu'un nuage.

— De la pluie ?

— J'en doute.

— Dommage. Ah, voici de nouveaux invités près du portail. Vous feriez mieux de descendre les accueillir.

VI

Howie savait qu'il était vain de retourner dans les bois situés près de Deerdell. La rencontre qu'il avait faite là ne pouvait pas être répétée. Fletcher était parti, emportant avec lui tant d'explications. Mais il s'y rendit néanmoins, espérant que le fait de retourner à l'endroit où il avait rencontré son père éveillerait en lui un souvenir, même fugace, qui l'aiderait à trouver la vérité.

Le soleil était voilé par un épais rideau de nuages, mais sous les arbres, il faisait aussi chaud que lors de ses deux précédentes visites en ce lieu. Peut-être plus chaud ; certainement plus humide. Bien qu'il ait eu l'intention de se rendre directement là où il avait rencontré Fletcher, le chemin qu'il suivit se révéla aussi tortueux que ses pensées. Il n'essaya pas de le rectifier. En venant ici, il faisait un geste de respect ; se découvrait devant le souvenir de sa mère et devant celui de l'homme qui l'avait engendré à contrecœur.

Mais le hasard, ou un sens dont il n'avait pas conscience, le remit sur le droit chemin, et sans s'en rendre compte, il émergea des arbres pour pénétrer dans un cercle de terre nue où, dix-huit ans plus tôt, sa vie avait été conjurée. C'était le mot juste. Pas conçue ; *conjurée*. Fletcher était un magicien, en quelque sorte. C'était le seul mot que Howie avait pu trouver pour le décrire. Et lui, Howie, était un tour de magie. Excepté que, en guise d'applaudissements et de bouquets de fleurs, la récompense qu'ils avaient retirée — Howie, sa mère et le magicien — avait été la misère et la douleur. Il avait gaspillé des années précieuses en ne venant pas ici plus tôt afin d'apprendre le fait essentiel à propos de lui-même : il n'était pas un desperado. Rien qu'un lapin sortant d'un chapeau, tenu par les oreilles et en train de *gigoter*.

Il se dirigea vers l'entrée de la caverne, qui était toujours entourée de barrières et de pancartes placées par la police afin de tenir les aventuriers à l'écart. Debout près de la barricade, il scruta l'intérieur du trou qui béait dans le sol. Quelque part en bas, dans les ténèbres, son père avait attendu, agrippé à son ennemi comme si sa vie en avait dépendu. A présent, il n'y avait plus que le comique là-dedans, et s'il avait bien compris, son cadavre ne sortirait jamais de là.

Il leva les yeux et tout son organisme fit un bond. Il n'était pas seul. De l'autre côté de cette tombe se trouvait Jo-Beth.

Il la regarda fixement, persuadé qu'elle allait disparaître. Elle ne pouvait pas être ici ; pas après hier soir. Mais ses yeux la voyaient toujours.

Ils étaient trop éloignés l'un de l'autre pour qu'il lui demande ce qu'elle faisait là sans élever la voix, ce qu'il ne souhaitait pas faire. Il voulait préserver le charme. Et de plus, avait-il vraiment besoin d'une réponse ? Elle était là parce qu'il était là parce qu'elle était là ; et ainsi de suite.

Ce fut elle qui bougea la première, levant la main vers les boutons de sa robe noire et commençant à les défaire. L'expression de son visage ne sembla pas changer, mais il ne pouvait pas être certain d'en percevoir toutes les nuances. Il avait ôté ses lunettes en pénétrant parmi les arbres, et ne souhaitant pas les pêcher dans sa poche de poitrine, il ne pouvait que regarder, attendre, et espérer que viendrait un moment où ils pourraient s'approcher l'un de l'autre. En attendant, elle avait déboutonné le haut de sa robe et elle débouclait à présent sa ceinture. Il résista encore au désir de s'approcher d'elle, bien qu'il parvînt à peine à se contrôler. Elle laissait à présent tomber sa ceinture à terre et, croisant les bras, saisissait l'ourlet de sa robe pour la faire passer par-dessus sa tête. Il n'osait pas respirer, de peur de manquer un seul instant de ce rituel. Elle portait un slip blanc, mais ses seins, lorsqu'ils apparurent, étaient nus.

Elle l'avait rendu dur. Il bougea légèrement pour changer de position, un mouvement qu'elle interpréta comme un signal, laissant tomber sa robe sur le sol et se dirigeant vers lui. Un seul pas suffit. Il se mit à son tour à marcher vers elle, chacun restant près de la barricade. Il ôta sa veste tout en marchant, et la laissa choir derrière lui.

Lorsqu'ils furent à moins d'un mètre l'un de l'autre, elle dit :

— Je savais que tu serais ici. Je ne sais pas comment. Je revenais du centre avec Ruth...

— Qui ça ?

— Ça n'a plus d'importance maintenant. Je voulais te demander pardon.

— A quel sujet ?

— Hier soir. Je ne t'ai pas fait confiance et j'ai eu tort.

Elle posa une main sur le visage de Howie.

— Tu me pardonnes ?

— Il n'y a rien à pardonner, dit-il.

— Je veux te faire l'amour.

— Oui, dit-il, comme si elle n'avait pas eu besoin de le lui dire, ce qui était vrai.

Ce fut facile. Après tout ce qui était venu les séparer, ce fut facile. Ils étaient comme deux aimants. En dépit de tous les efforts qu'on faisait pour les séparer, ils étaient obligés de se retrouver, comme ça ; ils ne pouvaient pas s'en empêcher. Ne le voulaient pas.

Elle commença à lui retirer sa chemise. Il l'aida, la passant par-dessus sa tête. Il y eut deux secondes de ténèbres lorsque le tissu masqua son visage, durant lesquelles l'image de Jo-Beth, son visage, ses seins, son slip, resta aussi nette dans son esprit qu'une image illuminée par un éclair. Puis elle fut de nouveau là, débouclant sa ceinture. Il ôta vivement ses souliers, puis dansa sur le pied gauche, sur le pied droit, afin d'enlever ses chaussettes. Finalement, il laissa tomber son pantalon et en sortit.

— J'avais peur, dit-elle.

— Plus maintenant. Tu n'as plus peur maintenant.

— Non.

— Je ne suis pas le Diable. Je n'appartiens pas à Fletcher. Je suis à toi.

— Je t'aime.

Elle posa les mains sur la poitrine de Howie et la caressa, comme si elle brassait un oreiller. Il passa les bras autour d'elle et l'attira contre lui.

Sa bite faisait des pompes contre le tissu de son slip. Il l'apaisa en embrassant Jo-Beth, faisant courir ses mains le long du dos arqué, puis les glissant sous le tissu du slip. Elle le couvrait de baisers du nez au menton, et il lui léchait les lèvres lorsque sa bouche se posait sur la sienne. Elle pressa son corps contre lui.

— Ici, dit-elle doucement.

— Ici ?

— Oui. Pourquoi pas ? Personne ne nous verra. Je le veux, Howie.

Il sourit. Elle s'écarta de lui, s'agenouillant devant lui et faisant glisser son slip le long de ses cuisses, assez bas pour que sa bite apparaisse dans un sursaut. Elle la saisit gentiment, puis avec plus de force, l'utilisant pour le faire descendre au niveau du sol. Il se mit à genoux devant elle. Elle ne le lâcha pas, mais se mit à le caresser jusqu'à ce qu'il pose sa main sur la sienne et desserre doucement l'étau de ses doigts.

— Ce n'est pas bon ? dit-elle.

— C'est trop bon, souffla-t-il. Je ne veux pas cracher.

— Cracher ?

— Venir. Juter. Le perdre.

— Je veux que tu le perdes, dit-elle en se couchant devant lui. (Sa bite était à présent toute dure contre son ventre.) Je veux que tu le perdes en moi.

Il se pencha sur elle et posa ses mains sur ses hanches, puis se mit à lui ôter son slip. Sa toison pubienne était d'un blond plus sombre que ses cheveux, mais à peine. Il plaqua son visage sur sa fente et la lécha entre les lèvres. Le corps de Jo-Beth se tendit sous ses caresses, puis se relaxa.

La langue de Howie parcourut le chemin qui allait de son con à son nombril, de son nombril à ses seins, de ses seins à son visage, jusqu'à ce qu'il se retrouve couché sur elle.

— Je t'aime, dit-il, et il la pénétra.

VII

Ce fut seulement lorsqu'elle pansa les plaies de la femme que Tesla regarda plus attentivement la croix suspendue à son cou. Elle s'aperçut aussitôt que le bijou était identique au médaillon que Kissoon lui avait montré. La même figure centrale, bras et jambes en croix ; les mêmes variations de la figure humaine rayonnant sur ses quatre branches.

— Le Banc, dit-elle.

La femme ouvrit les yeux. Il n'y eut aucune transition visible. A un instant donné, elle semblait parfaitement endormie. L'instant d'après, ses yeux étaient grands ouverts et alertes. Ils étaient gris sombre.

— Où suis-je ? dit-elle.

— Je m'appelle Tesla. Vous êtes chez moi.

— Dans le Cosme ? dit la femme.

Sa voix était très faible ; érodée par le vent, par la chaleur et par la fatigue.

— Oui, dit Tesla. Nous sommes sorties de la Boucle. Kissoon ne peut rien contre nous ici.

Elle savait que ce n'était pas exactement vrai. Le chaman avait par deux fois agressé Tesla dans ce même appartement. Une fois lors de son sommeil ; l'autre pendant qu'elle préparait du café. Rien ne l'empêchait de récidiver. Mais elle n'avait senti aucun signe de sa présence, aucun. Peut-être pensait-il qu'elle s'était mise à l'œuvre, conformément à ses instructions, et redoutait-il d'intervenir. Peut-être avait-il d'autres plans. Qui le savait ?

— Comment vous appelez-vous ? demanda-t-elle.

— Mary Muralles, dit la femme.

— Vous faites partie du Banc, dit Tesla.

Les yeux de Mary se posèrent sur Raul, qui se trouvait debout sur le seuil de la pièce.

— Ne vous inquiétez pas, dit Tesla. Si vous avez confiance en moi, vous pouvez aussi avoir confiance en lui. Si vous n'avez confiance en aucun de nous deux, nous sommes tous perdus. Alors dites-moi...

— Oui. Je fais partie du Banc.

— Kissoon m'a dit qu'il était le dernier.

— Lui et moi.

— Les autres ont été assassinés, comme il me l'a dit ?

Elle hocha la tête. Son regard se dirigea de nouveau vers Raul.

— Ayez confiance, dit Tesla.

— Il y a quelque chose d'étrange chez lui, dit Mary. Il n'est pas *humain*.

— Ne vous inquiétez pas, je le sais, dit Tesla.

— Un Iad ?

— Un singe, dit-elle. (Se tournant vers Raul :) Ça ne te dérange pas que je le lui dise, n'est-ce pas ?

En guise de réponse, Raul resta immobile et muet.

— Comment ? voulut savoir Mary.

— C'est une longue histoire. Je pensais que vous en sauriez plus que moi à ce sujet. Fletcher ? Un type nommé Jaffe ? ou le Jaff ? Ça ne vous dit rien ?

— Non.

— Bien... nous avons beaucoup à apprendre, toutes les deux.

Dans la désolation de la Boucle, Kissoon était assis dans sa hutte et appelait à l'aide. La femme Muralles s'était évadée. Ses blessures étaient certes graves, mais elle avait survécu à pire. Il devait l'atteindre, et pour cela il lui fallait exercer son influence dans le temps réel. Il avait déjà agi ainsi, bien sûr. C'était comme ça qu'il avait conduit Tesla jusqu'à lui. Avant elle, quelques-uns s'étaient égarés lors de la *Jornada del Muerto*. Randolph avait fait partie de ces errants qu'il était parvenu à guider dans la Boucle. Ce n'était guère difficile. Aujourd'hui, cependant, il ne souhaitait pas exercer son influence sur un esprit humain, mais sur des créatures dépourvues d'esprit, dépourvues de vie au sens premier du terme.

Il visualisa les Lix, gisant inertes sur le carrelage. On les avait oubliés. Bien. Ce n'étaient pas des bêtes particulièrement subtiles. Leurs victimes devaient être distraites pour qu'elles soient efficaces. Ce qui était le cas en ce moment. S'il était rapide, il réussirait à réduire le témoin au silence.

On répondait à son appel. Les secours arrivaient, grouillant par centaines en rampant sous la porte. Scarabées, fourmis, scorpions. Il décroisa les jambes et leva les pieds en l'air pour que les arthropodes puissent accéder à ses organes génitaux. Jadis, il avait été capable d'entrer en érection et d'éjaculer par la seule force de sa volonté, mais l'âge et la Boucle l'avaient usé. Il avait besoin d'aide à présent, et comme les lois de son invocation l'empêchaient de se toucher, un petit stimulant artificiel lui était nécessaire. Les bêtes connaissaient leur affaire : elles rampèrent sur lui, et les mouvements de leurs pattes et de leurs mandibules l'excitèrent. C'était ainsi qu'il avait créé les Lix, en éjaculant sur ses propres excréments. Les invocations séminales avaient toujours été ses préférées.

Tandis que les bêtes le besognaient, il laissa ses pensées retourner aux Lix gisant sur le carrelage, permettant aux ondes de sensation de grimper le long de son périnée jusqu'à ses couilles, afin de propulser son intention vers l'endroit où reposaient ses créatures.

Il leur suffisait d'un peu de vie pour dispenser un peu de mort...

Mary Muralles avait exigé que Tesla lui raconte son histoire avant qu'elle fasse de même, et en dépit de sa voix douce, elle s'exprimait comme une femme qui n'avait pas l'habitude de se voir refuser ses requêtes. Celle-ci était d'une urgence indéniable. Tesla fut heureuse de lui raconter son récit, ou plutôt *le* récit (elle n'était qu'un personnage secondaire, après tout), espérant que l'autre lui permettrait d'en élucider les détails les plus troublants. Elle garda cependant le silence jusqu'à ce que Tesla se soit exécutée, ce qui — quand elle lui eut dit ce qu'elle savait de Fletcher, du Jaff, des enfants de ceux-ci, du Nonce et de Kissoon — lui prit une bonne demi-heure. Cela aurait pu durer plus longtemps si elle n'avait pas pris l'habitude de la concision en rédigeant des synopsis à l'intention des studios. Elle s'était entraînée à cette tâche avec les pièces de Shakespeare (pour les tragédies, c'était facile ; pour les comédies, beaucoup moins) jusqu'à ce qu'elle ait réussi à en maîtriser toutes les subtilités. Mais cette histoire-là était bien plus difficile à circonvenir. Lorsqu'elle commença son récit, il se mit à partir dans toutes les directions. C'était une histoire d'amour et celle de l'origine d'une espèce. Il parlait de folie, d'apathie et d'un singe perdu. Lorsqu'il était tragique, lors de la mort de Vance, par exemple, il tenait aussi de la farce. Lorsque ses décors étaient banals, comme dans le centre commercial, sa substance était souvent visionnaire. Elle ne trouva aucun moyen de le raconter clairement. Il s'y refusait.

Chaque fois qu'elle croyait avoir trouvé une ligne de narration bien droite, une autre venait la croiser.

« Tout ceci est connecté... » dit-elle une bonne douzaine de fois au cours de son récit, bien qu'elle ne sût que rarement (sinon jamais) comment ou pourquoi.

Peut-être Mary pourrait-elle lui fournir ces connexions.

— J'ai fini, dit Tesla. A votre tour.

L'autre prit quelques instants pour rassembler ses forces. Puis elle dit :

— Vous avez une vision assez cohérente des événements récents, mais vous voulez savoir comment ces événements ont été façonnés. Bien sûr. Ils vous restent mystérieux. Mais je dois avouer que c'est en grande partie un mystère pour moi aussi. Je ne peux pas résoudre tous vos problèmes. Nombre d'éléments me restent inconnus. Si votre compte rendu prouve une chose, c'est qu'il y a beaucoup d'éléments qui *nous* restent inconnus. Mais je peux vous communiquer quelques faits bruts. Le premier est aussi le plus simple : c'est Kissoon qui a assassiné les autres membres du Banc.

— Kissoon ? Vous plaisantez ?

— J'en faisais partie, rappelez-vous, dit Mary. Cela fait des années qu'il conspire contre nous.

— Pour le compte de qui ?

— Devinez ? Les Iad Uroboros. Ou leurs représentants dans le Cosme. Une fois le Banc décimé, peut-être avait-il l'intention d'utiliser l'Art, et de laisser pénétrer les Iad.

— Merde ! Mais tout ce qu'il m'a dit sur les Iad et sur Quiddity... c'est vrai ?

— Oh oui ! Il ne ment que lorsque c'est nécessaire. Il vous a dit la vérité. Ça fait partie de son génie...

— Je ne vois pas ce qu'il y a de génial à se cacher dans une hutte..., dit Tesla. (Puis :) Attendez une minute. Ça ne colle pas. S'il est responsable de l'anéantissement du Banc, qu'a-t-il à craindre ? Pourquoi se cache-t-il ?

— Il ne se *cache* pas. Il est pris au piège. Trinité est sa prison. La seule façon dont il peut en sortir...

— C'est de trouver un autre corps pour s'y glisser dedans.

— Exactement.

— Moi.

— Ou Randolph Jaffe avant vous.

— Mais nous ne sommes pas tombés dans le panneau.

— Et il n'a pas beaucoup de visiteurs. Un concours de

circonstances extraordinaire est nécessaire pour conduire quelqu'un à portée de la Boucle. Il a créé celle-ci pour dissimuler son
crime. Maintenant, c'est *elle* qui *le* dissimule. De temps en temps,
quelqu'un comme le Jaff — un demi-fou — en arrive au point où
Kissoon peut le contrôler et le guider. Ou quelqu'un comme
vous, avec le Nonce dans votre organisme. Mais sinon, il est seul.

— Pourquoi est-il pris au piège ?

— C'est moi qui l'ai pris au piège. Il me croyait morte. A
amené mon corps dans la Boucle pour le joindre aux autres. Mais
je me suis réanimée. L'ai affronté. L'ai rendu furieux au point
qu'il m'a attaquée, a souillé *ses* mains de *mon* sang.

— Sa poitrine aussi, dit Tesla, se rappelant comment elle avait
entr'aperçu le corps sanguinolent de Kissoon lors de sa première
évasion.

— Les contraintes de l'invocation de la Boucle sont explicites.
On ne peut faire couler le sang dans la Boucle, sinon l'invoquant
devient son prisonnier.

— Qu'entendez-vous par *invocation* ?

— Pétition. Manœuvre. Tour.

— Un tour ? Créer une boucle temporelle, c'est un *tour* ?

— C'est une invocation très ancienne, dit Mary. Un temps
hors du temps. Vous en trouverez des exemples partout. Mais il
existe des lois qui régissent tous les états de la matière, et je l'ai
forcé à violer l'une d'elles. Il est devenu sa propre victime.

— Et vous étiez prise au piège, vous aussi ?

— Pas exactement. Mais je souhaitais sa mort, et je savais
qu'aucun habitant du Cosme ne pouvait le tuer. Pas à présent
que tous les autres membres du Banc avaient péri. Je devais
rester là-bas et espérer pouvoir le tuer.

— Vous auriez fait couler le sang, vous aussi.

— Mieux valait agir ainsi et me retrouver moi-même prise au
piège plutôt que de le laisser vivre. Il a tué quinze hommes et
femmes extraordinaires. Des âmes pures et bonnes. Il les a fait
massacrer. A torturé certains d'entre eux, pour le plaisir. Pas
personnellement, bien sûr. Il avait ses agents. Mais c'est lui qui a
organisé tout cela. Il s'est arrangé pour nous séparer afin de nous
éliminer l'un après l'autre. Puis il a fait expédier nos corps dans
Trinité, où il savait qu'il n'en resterait aucune trace.

— Où sont-ils ?

— Dans la ville. Ce qui en reste.

— Mon Dieu. (Tesla se souvint de la Maison de la Puanteur et
frissonna.) J'ai faillit les voir par moi-même.

— Kissoon vous en a empêchée, bien sûr.

— Pas par la force. C'était davantage une question de *persuasion*. Il est très convaincant.

— Certainement. Il nous a tous trompés pendant des années. Le Banc est — je veux dire *était* — la société la plus difficilement accessible du monde. Il y a des moyens incroyablement complexes pour purifier et mettre à l'épreuve les membres potentiels avant même qu'ils aient conscience de l'existence de la société. Kissoon a réussi à se jouer de toute cette procédure. A moins que les Iad ne l'aient corrompu après son enrôlement, ce qui est possible.

— Est-ce qu'on sait aussi peu de chose sur les Iad qu'il me l'a dit?

— Rares sont les informations qui émergent du Métacosme. C'est un état de l'être presque complètement scellé. Ce que nous savons des Iad peut se résumer en quelques mots. Ils sont nombreux; leur définition de la vie n'a aucun rapport avec celles que vous en avez, vous autres les humains — il s'agit peut-être en fait de son antithèse; et ils veulent le Cosme.

— Que voulez-vous dire, « *vous autres* les humains »? dit Tesla. Vous êtes aussi humaine que moi.

— Oui et non, répondit Mary. J'étais certainement aussi humaine que vous, jadis. Mais la procédure de purification a changé ma nature. Si j'avais été humaine, je n'aurais pas survécu une vingtaine d'années dans Trinité, à manger des scorpions et à boire de la boue. Je serais morte, tout comme le désirait Kissoon.

— Comment se fait-il que vous ayez survécu à sa tentative d'assassinat et pas les autres?

— La chance. L'instinct. Le refus de laisser ce salaud l'emporter. Ce n'est pas seulement Quiddity qui est en jeu, bien que cet enjeu soit néanmoins de taille. C'est le Cosme. Si les Iad franchissent la brèche, rien ne survivra intact sur ce plan de l'existence. Je crois...

Elle cessa soudain de parler et se redressa sur sa couche.

— Qu'y a-t-il? dit Tesla.

— J'ai entendu quelque chose. A côté.

— C'est de l'opéra, dit Tesla.

Lucia di Lammermoor parvenait encore à leurs oreilles.

— Non, dit Mary. Autre chose.

Raul était déjà parti en quête du bruit avant que Tesla ne le lui ait demandé. Elle se retourna vers Mary.

— Il y a encore quelques détails qui m'échappent, dit-elle.

Beaucoup de détails. Pourquoi Kissoon a-t-il pris la peine d'emporter les corps dans la Boucle, par exemple. Pourquoi ne s'est-il pas contenté de les détruire dans le monde normal ? Et pourquoi l'avez-vous laissé s'emparer de vous ?

— J'étais blessée ; presque morte. Assez grièvement blessée pour que lui et ses assassins me *croient* morte. C'est seulement lorsqu'ils m'ont jetée sur la pile de cadavres que j'ai repris conscience.

— Qu'est-il arrivé à ses mercenaires ?

— Connaissant Kissoon, il les a probablement laissés mourir dans la Boucle pendant qu'ils s'efforçaient d'en chercher la sortie. C'est le genre de chose qui l'amuse.

— Donc, pendant une vingtaine d'années, les seuls êtres humains — ou *presque* humains — présents dans la Boucle, c'étaient vous et lui.

— Moi à moitié folle. Et lui complètement.

— Et ces saletés de Lix, quelle que soit leur *nature*.

— Sa merde et son sperme, voilà de quoi ils sont faits, dit Mary. Ses excréments fringants et engraissés.

— Seigneur !

— Ils sont pris au piège, tout comme lui, dit Mary avec une certaine satisfaction. Au Point Zéro, si le Point Zéro peut être...

Le cri poussé par Raul dans la pièce voisine l'empêcha d'achever sa phrase. En quelques secondes, Tesla eut gagné la cuisine, le découvrant en train de lutter avec l'une des créatures fécales de Kissoon. Elle s'était complètement trompée en les croyant incapables de survivre hors de la Boucle. La bête qui gigotait dans les mains de Raul semblait en fait plus forte que celles que Mary et elle avaient combattues, même s'il ne s'agissait que d'une moitié de Lix. Sa gueule béante était dangereusement proche du visage de Raul. Elle l'avait déjà frappé au moins par deux fois. Du sang coulait d'une blessure située au milieu de son front. Elle alla jusqu'à lui et saisit la créature des deux mains, encore plus dégoûtée par son odeur et par sa substance à présent qu'elle connaissait son origine. Empêchée d'agir par les quatre mains qui la saisissaient, la bête n'était cependant pas disposée à se laisser maîtriser. Elle était aussi forte que trois de ses précédentes incarnations. Tesla savait que ce n'était qu'une question de temps avant que ce monstre échappe à leur étreinte et attaque de nouveau le visage de Raul. Cette fois-ci, il ne se contenterait pas de lui arracher quelques rides.

— Je vais le lâcher et attraper un couteau, dit Tesla. D'accord ?

— Fais vite.

— Tu parles. A trois, d'accord ? Prépare-toi à le maîtriser.

— Je suis prêt.

— Un... deux... *trois !*

Elle lâcha la créature et se précipita vers l'évier. Une pile de vaisselle sale l'attendait. Elle farfouilla parmi le chaos en quête d'une arme correcte, les assiettes glissant de tous côtés et tombant parfois à ses pieds. Mais cette avalanche révéla de l'acier ; un couteau de cuisine faisant partie d'un service que sa mère lui avait offert pour Noël. Elle le saisit. Son manche était poisseux de lasagne et piqueté de moisissure, mais sa présence était rassurante au creux de sa main.

Lorsqu'elle se retourna vers Raul pour lui venir en aide, elle se rappela que plusieurs morceaux de Lix les avaient suivies depuis la Boucle — au moins cinq ou six, pensa-t-elle —, et qu'elle n'en voyait plus à présent qu'un seul. Les autres avaient disparu. Elle n'eut pas le temps d'y réfléchir davantage. Raul poussa un cri. Elle se précipita vers lui, poignardant le Lix. La bête réagit instantanément, tordant sa gueule dans sa direction, exhibant ses crocs noirs. Elle la visa à la tête, lui entaillant la mâchoire, d'où une boue jaunâtre qu'elle avait cru être du sang quelques minutes plus tôt jaillit par à-coups graisseux. La bête fut prise de convulsions frénétiques que Raul avait peine à contrôler.

— A trois..., lui dit Tesla.

— Quoi donc, cette fois-ci ?

— Jette-là !

— Elle est encore vive.

— Je m'en occupe, dit-elle. Fais ce que je te dis ! A trois ! Un... deux... trois !

Il s'exécuta. Le Lix s'envola et chut sur le sol. Alors qu'il se préparait à redonner l'assaut, Tesla saisit son arme des deux mains et planta la créature dans le carreau. Sa mère avait un goût parfait en matière de couteaux. La lame s'enfonça dans le Lix et s'enfouit dans le sol de la cuisine, clouant la bête avec efficacité, tandis que ses fluides vitaux continuaient à couler de ses blessures.

— Je t'ai eu, mon salaud, dit Tesla.

Puis elle se tourna vers Raul. L'attaque de la créature l'avait choqué, et le sang coulait toujours copieusement de son visage.

— Tu ferais mieux d'aller nettoyer tes plaies, lui dit Tesla. On ne sait pas quel poison il peut y avoir dans ces bêtes.

Il acquiesça et se dirigea vers la salle de bains, tandis qu'elle contemplait à nouveau les sursauts d'agonie du Lix. Alors qu'elle revenait à l'idée qui l'avait saisie lorsqu'elle avait trouvé le couteau (où donc étaient passés les autres ?), elle entendit Raul dire :

— ... Tesla.

Et elle sut où ils étaient allés.

Il était debout sur le seuil de sa chambre. Vu l'expression d'horreur qui s'était peinte sur son visage, la nature du spectacle qu'il contemplait était évidente. Mais Tesla eut néanmoins un sanglot de révulsion en voyant ce que les bêtes de Kissoon avaient fait à la femme qu'elle avait laissée étendue sur son lit. Les créatures s'affairaient encore à leur besogne meurtrière. Il y en avait six en tout, identiques à celle qui avait attaqué Raul, plus fortes que celles qu'elles avaient affrontées dans la Boucle. La résistance dont avait fait preuve Mary ne lui avait servi à rien. Pendant que Tesla avait cherché une lame pour protéger Raul — une attaque qui n'avait servi que de diversion —, les créatures avaient rampé sur elle et s'étaient enroulées autour de sa tête et de son cou. Elle s'était farouchement débattue, tombant à moitié du lit dans le feu de l'action, et son corps, un sac d'os pitoyable, gisait à présent sur le sol. Un des Lix déroula son corps, révélant le visage de Mary. Ses traits étaient tuméfiés au point d'en être méconnaissables.

Tesla prit soudain conscience de Raul, toujours frissonnant à ses côtés.

— Il n'y a rien à faire, dit-elle. Va te laver.

Il acquiesça d'un air sombre et s'en fut. Les mouvements des Lix se faisaient plus lents, trahissant leur épuisement.

Kissoon préférait sans doute consacrer son énergie à autre chose qu'à pousser ses agents à commettre de nouveaux méfaits. Elle ferma la porte pour occulter le spectacle, complètement écœurée, et se mit à regarder sous les meubles afin de vérifier que d'autres créatures ne s'y cachaient pas. Celle qu'elle avait clouée au sol était à présent complètement morte ; ou du moins inerte. Elle l'enjamba et alla chercher une autre arme avant de fouiller le reste de l'appartement.

Raul fit couler l'eau teintée de sang dans le lavabo de la salle de bains et examina les blessures infligées par le Lix. Elles étaient superficielles. Mais, comme le craignait Tesla, le poison de la créature avait pénétré dans son organisme. Son corps tout entier était agité de tremblements et le bras touché par le Nonce le lançait comme s'il venait de le plonger dans l'eau bouillante. Il baissa les yeux. Son bras était insubstantiel, et le lavabo était visible derrière sa chair et ses os. Pris de panique, il se tourna vers son reflet. Lui aussi était en train de devenir flou, les murs de la salle de bains se brouillaient, et une autre image — crue et brillante — imposait brutalement sa présence derrière elle.

Il ouvrit la bouche pour appeler Tesla à l'aide, mais avant qu'il ait pu prononcer un seul mot, son reflet disparut complètement de la glace ; de même que le miroir lui-même — après un instant de totale dislocation. Il fut enveloppé d'une lueur éclatante et quelque chose saisit son bras noncié. Il se rappela Tesla en train de lui décrire l'emprise de Kissoon sur ses tripes. Ce même esprit était à présent en train de lui prendre la main, et de tirer dessus.

Alors que les dernières traces de l'appartement de Tesla laissaient la place à un horizon brûlant et infini, il tendit son bras vierge vers l'endroit où s'était trouvé le lavabo. Il lui sembla qu'il entrait en contact avec quelque chose situé dans le monde qu'il venait de quitter, mais il ne put en être sûr.

Puis tout espoir disparut et il se retrouva dans la Boucle de Kissoon.

Tesla entendit quelque chose tomber dans la salle de bains.

— Raul ? dit-elle.

Il n'y eut aucune réponse.

— Raul ? Ça va ?

Craignant le pire, elle se précipita vers la salle de bains, l'arme au poing. La porte n'était pas fermée à clé.

— Tu es là ? dit-elle.

Lorsque, pour la troisième fois, elle ne reçut pas de réponse, elle ouvrit la porte. Une serviette ensanglantée était tombée sur le sol, emportant dans sa chute plusieurs produits de toilette : le bruit qu'elle avait entendu. Mais Raul n'était pas là.

— Merde !

Elle ferma le robinet, qui coulait toujours, et fit demi-tour, appelant Raul une nouvelle fois, puis fit le tour de l'appartement, redoutant à chaque instant de le découvrir en proie à l'horreur qui avait déjà emporté Mary. Mais il n'y avait aucun signe de lui ; ni des Lix. Finalement, rassemblant ses forces en prévision du spectacle qui l'attendait, elle ouvrit la porte de sa chambre. Il ne s'y trouvait pas non plus.

Tesla, debout sur le seuil, revit l'expression horrifiée de Raul quand il avait découvert le cadavre de Mary. Se pouvait-il qu'il n'ait pas pu supporter cela ? Elle détourna les yeux du corps qui gisait sur le lit et alla jusqu'à la porte d'entrée. Elle était entrouverte, comme elle l'avait laissée lors de leur arrivée. Sans prendre la peine de la fermer, elle descendit l'escalier et fit le tour de l'immeuble, ne cessant d'appeler Raul et craignant qu'il n'ait fui cette folie pour errer dans les rues de West Hollywood. En ce cas, il avait simplement troqué une folie pour une autre, mais si tel était son choix, elle ne pouvait être tenue pour responsable de ses conséquences.

Il n'était pas dans la rue lorsqu'elle y arriva. Deux jeunes hommes, assis sur le porche de la maison d'en face, profitaient du soleil de cette fin d'après-midi. Elle ne les connaissait ni l'un ni l'autre, mais elle traversa la rue et leur demanda :

— Avez-vous vu un homme ?

Tous deux levèrent les sourcils et eurent un sourire.

— Récemment ? dit le premier.

— A l'instant. Il sortait en courant de l'immeuble en face.

— Désolé, dit le second. On vient juste d'émerger.

— Qu'est-ce qu'il a fait ? dit le premier en regardant le couteau que Tesla tenait toujours à la main. Trop ou pas assez ?

— Pas assez, dit Tesla.

— Qu'il aille se faire foutre. Un de perdu, dix de retrouvés.

— Il n'y en a pas dix comme lui, répondit-elle. Croyez-moi. Pas comme lui. Merci quand même.

— A quoi ressemblait-il ? lui demanda-t-on comme elle retraversait la rue.

Une partie vengeresse de Tesla, une partie dont elle n'était pas fière mais qui prenait toujours le dessus lorsqu'on lui jouait un tour semblable, répondit d'une voix que l'on dut entendre jusqu'à Santa Monica Boulevard d'un côté et Melrose Boulevard de l'autre :

— A un foutu singe. Il ressemblait à un foutu singe.

Et alors, Tesla mon chou, qu'est-ce que tu fais maintenant ?

Elle se servit un verre de tequila, s'assit et passa la situation en revue. Raul disparu ; Kissoon allié aux Iad ; Mary Muralles

morte dans sa chambre. Tout ça n'était guère réconfortant. Elle
se servit un deuxième verre, consciente que l'alcool, comme le
sommeil, la rendait plus proche de Kissoon qu'elle ne le voulait,
mais désireuse de sentir sa brûlure dans sa gorge et dans son
ventre.

Il ne lui servirait à rien de rester ici. C'était à Palomo Grove
que se déroulait l'action principale.

Elle appela Grillo. Il ne se trouvait pas à son hôtel. Elle pria la
standardiste de lui passer la réception, où elle demanda si
quelqu'un savait où il se trouvait. Personne. Il était parti en
milieu d'après-midi, lui dit-on. Il était à présent quatre heures
vingt-cinq. Cela faisait environ une heure qu'il était parti. Elle
devina qu'il avait dû se rendre à la fête en haut de la Colline.

Comme il ne restait plus rien pour la retenir dans North
Huntley Drive, excepté le chagrin d'avoir soudain perdu deux
alliés, la meilleure chose à faire, décida-t-elle, était d'aller
retrouver Grillo, avant que les circonstances ne l'aient arraché à
elle, lui aussi.

VIII

Grillo n'était pas venu au Grove avec la tenue appropriée au genre de fête qui se déroulait à Coney Eye, mais comme on était en Californie, un endroit du globe où le jeans et les baskets passent pour une tenue de soirée, il ne pensait pas se faire remarquer. Ce fut la première des erreurs qu'il commit cet après-midi-là. Même les gardes en poste près du portail étaient en smoking et cravate noire. Mais il avait une invitation, sur laquelle il avait gribouillé un faux nom (Jon Swift), et on le laissa passer sans problème.

Ce n'était pas la première fois qu'il s'introduisait dans une réunion privée sous une fausse identité. Durant sa grande époque de journalisme d'investigation (avant qu'il ne devienne un vulgaire fouille-merde), il avait assisté à un congrès néo-nazi à Detroit en se faisant passer pour un parent éloigné de Goebbels, avait été le témoin sceptique de plusieurs guérisons miraculeuses effectuées par un prêtre défroqué dont il avait par la suite dénoncé les escroqueries dans une série d'articles qui lui avaient valu d'être sélectionné pour le Prix Pulitzer, et, lors de sa plus mémorable aventure, avait assisté à une orgie sado-masochiste, pour voir ensuite ses révélations étouffées par un sénateur qu'il avait vu enchaîné et mangeant de la pâtée pour chiens. Il s'était chaque fois senti dans la peau d'un homme juste en dangereuse compagnie, un homme en quête de la vérité : Philip Marlowe armé d'un stylo. Ici, il se sentait tout simplement nauséeux. Un mendiant écœuré par un festin. D'après les indications fournies par Ellen, il s'était attendu à découvrir des visages célèbres ; il ne s'était pas attendu à l'étrange autorité qu'ils exerçaient sur lui, une autorité hors de proportion avec leur talent. Certains des visages les plus connus du monde s'étaient rassemblés aujourd'hui sous le toit de Buddy Vance ; des légendes, des idoles, des arbitres de l'élégance. Autour d'eux, d'autres visages dont les noms lui étaient inconnus mais qu'il reconnaissait pour les avoir aperçus dans *Variety* et dans le *Hollywood Reporter*. Les magnats de l'industrie cinématographique : imprésarios, avocats, directeurs de studio. Tesla, lors de ses fréquentes diatribes contre le Nouvel Hollywood, décochait ses flèches les plus venimeuses sur ces derniers, les commerciaux qui avaient remplacé les patrons à l'ancienne mode tels que Warner, Selznick et Goldwyn, pour régner sur l'usine à rêves à coups de statistiques et de calculettes. C'étaient ces hommes et ces femmes qui choisissaient les déités de l'année prochaine et mettaient leurs noms sur les lèvres des spectateurs du monde entier. Ça ne marchait pas toujours, bien sûr. Le public se montrait volage, voire même pervers, et décidait parfois de déifier un inconnu contre toute attente. Mais le système était conçu pour récupérer de telles anomalies. L'outsider rejoignait bien vite le panthéon des favoris, et tout le monde prétendait avoir toujours su qu'il avait l'étoffe d'une star.

Nombre de ces stars se trouvaient parmi les personnes rassemblées ici, des jeunes acteurs qui n'avaient sûrement jamais connu Buddy Vance mais qui étaient sans doute accourus parce que c'était la Fête de la Semaine ; l'endroit où il fallait être vu, les gens avec lesquels il fallait être vu.

Il aperçut Rochelle à l'autre bout de la pièce, mais elle était monopolisée par une cour de flatteurs — toute une basse-cour d'admirateurs rassemblés autour d'elle pour se repaître de sa beauté. Elle ne regarda pas dans la direction de Grillo. Même si elle l'avait vu, il ne pensait pas qu'elle l'aurait reconnu. Elle avait l'air rêveur et distrait de quelqu'un qui planait sous l'effet de substances sans rapport avec l'admiration. De plus, Grillo savait par expérience que son visage était interchangeable avec quantité d'autres. Il y avait dans son allure quelque chose de quelconque qu'il attribuait au mélange racial qui avait abouti à sa petite personne. Dans ses veines coulait du sang suédois, russe, lituanien, juif et anglais. Toutes ces influences s'éliminaient mutuellement. Il était à la fois tout le monde et personne. Dans de telles circonstances, cela lui conférait une étrange assurance. Il pouvait se faire passer pour toutes sortes de personnages sans se faire repérer, à moins de commettre un *faux pas** d'importance, dont il parvenait en général à se dépêtrer.

Acceptant un verre de champagne d'un garçon, il se mêla à la foule, notant mentalement les noms des visages qu'il reconnaissait ; et les noms de ceux qu'ils fréquentaient. Bien que personne, excepté Rochelle, n'eût une idée précise de son identité, il reçut un hochement de tête de tous ceux dont il croisa le regard, parfois

* En français dans le texte. *(N.d.T.)*

même un salut amical de la part de certains individus désireux d'étaler leurs relations devant leur entourage. Il ne fit rien pour les contrarier, hochant la tête et saluant pour rendre la pareille, si bien que, lorsqu'il eut fait le tour de la pièce, ses références étaient établies de façon impeccable : il faisait partie de la bande. Ce qui fit qu'il fut abordé par une femme d'une cinquantaine d'années, qui lui lança un regard perçant et lui demanda de but en blanc :

— Qui êtes-vous donc ?

Il ne s'était pas préparé une biographie détaillée, comme il l'avait fait lors de l'affaire des néo-nazis et de celle du prêtre guérisseur, aussi se contenta-t-il de dire :

— Swift. Jonathan Swift.

Elle hocha la tête, comme si elle savait.

— Je suis Evelyn Quayle, dit-elle. Je vous en prie, appelez-moi Ève. Tout le monde m'appelle ainsi.

— Ève, donc.

— Comment vous appelle-t-on ?

— Swift, dit-il.

— Bien, dit-elle. Voulez-vous m'attraper ce garçon au passage et me donner un autre verre de champagne ? Ils courent trop vite pour moi.

Ce ne fut pas le dernier verre qu'elle but. Elle avait quantité d'informations sur les personnes présentes, qu'elle dispensa avec de plus en plus de détails à mesure que Grillo lui offrait verres de champagne et compliments. Un de ceux-ci fut sincère. Il avait cru Ève âgée d'une cinquantaine d'années. Elle lui avoua en avoir soixante et onze.

— Vous ne les faites pas.

— Le contrôle, mon cher, dit-elle. J'ai tous les vices mais ne fais aucun excès. Voulez-vous m'attraper un autre verre avant qu'ils ne s'enfuient ?

C'était la parfaite commère : sa méchanceté était utile. Rares étaient les personnes présentes sur lesquelles elle n'avait aucun détail croustillant à fournir. La femme anorexique vêtue d'écarlate, par exemple, était la sœur jumelle d'Annie Kristol, la coqueluche des émissions-jeux pour célébrités. Elle s'étiolait à un rythme qui se révélerait fatal dans moins de trois mois, estima Ève. Par contraste, Merv Turner, un des gros pontes récemment virés par Universal, avait pris tellement de poids depuis son départ de la Tour Noire que sa femme refusait de faire l'amour avec lui. Quant à Liza Andreatta, la pauvre enfant, elle avait été hospitalisée pendant trois semaines après la naissance de son second enfant, son analyste l'ayant persuadée que la nature voulait que la parturiente mange toujours le placenta. Elle s'était exécutée et avait été si traumatisée que son fils avait failli devenir orphelin avant même d'avoir posé les yeux sur sa mère.

— C'est un monde fou, n'est-ce pas ? dit Ève en souriant d'une oreille à l'autre.

Grillo fut bien obligé d'en convenir.

— Un monde fou et merveilleux, continua-t-elle. J'en ai fait partie durant toute ma vie et c'est toujours aussi dingue aujourd'hui. Je commence à avoir chaud ; si nous allions faire un tour dehors ?

— Entendu.

Elle prit Grillo par le bras.

— Vous êtes un excellent auditeur, dit-elle comme ils pénétraient dans le jardin. Ce qui est inhabituel dans ce genre de compagnie.

— Vraiment ? dit Grillo.

— Qu'est-ce que vous êtes ? un écrivain ?

— Oui, dit-il, soulagé de ne pas devoir mentir à cette femme qu'il commençait à apprécier. Ce n'est pas un métier bien reluisant.

— Aucun de nous n'a un métier véritable, dit-elle. Soyons honnêtes. Nous ne cherchons pas un remède contre le cancer. Nous nous *amusons*, mon cher. Nous nous amusons, c'est tout.

Elle traîna Grillo jusqu'à la locomotive qui trônait dans le jardin.

— Vous avez vu ça ? dit-elle. C'est laid, non ?

— Je ne sais pas. Je trouve que ces objets ont une certaine séduction.

— Mon premier mari collectionnait les expressionnistes abstraits américains. Pollock, Rothko. Glaçant. J'ai fini par divorcer.

— A cause des tableaux ?

— A cause de sa collection, de sa manie de la collection. C'est une maladie, Swift. Sur la fin, je lui ai dit : « Ethan, je ne veux pas être une de tes possessions. C'est *elles* ou *moi*. » Il a choisi de rester en compagnie de ses tableaux, qui n'étaient pas doués de la parole. C'était un homme de ce genre-là. Cultivé mais stupide.

Grillo sourit.

— Vous vous moquez de moi, le taquina-t-elle.

— Absolument pas. Je suis enchanté.

Elle pétilla devant ce compliment.

— Vous ne connaissez personne ici, n'est-ce pas ? dit-elle soudain.

Cette remarque le prit de court.

— Vous êtes un pique-assiette. Je vous ai observé quand vous êtes arrivé, en train de regarder l'hôtesse au cas où elle vous aurait vu. J'ai pensé — enfin ! — quelqu'un qui ne connaît *personne* et voudrait connaître tout le monde, et moi qui connais *tout le monde* et qui souhaiterais ne connaître personne. Un mariage voulu par le Ciel. Quel est votre vrai nom ?

— Je vous ai dit...

— Ne soyez pas insultant, dit-elle.

— Je m'appelle Grillo.

— Grillo.

— Nathan Grillo. Mais je vous en prie... appelez-moi Grillo. Je suis journaliste.

— Oh, quel dommage ! Je pensais que vous étiez un ange descendu des cieux pour nous juger. Vous savez... comme à Sodome et Gomorrhe. Dieu sait que nous le méritons.

— Vous n'aimez guère ces gens, dit-il.

— Oh, mon cher, je préfère être ici que dans l'Idaho, mais seulement à cause du temps. La conversation est puante. (Elle se pressa contre lui.) Ne vous retournez pas, mais nous avons de la compagnie.

Un petit homme chauve et vaguement familier s'approchait d'eux.

— Qui est-ce ? murmura Grillo.

— Jimmy Lamar. C'était le partenaire de Buddy.

— Un comique ?

— Son imprésario prétend que oui. Avez-vous vu ses films ?

— Non.

— Il y a plus de gags dans *Mein Kampf*.

Grillo s'efforçait encore d'étouffer son rire lorsque Lamar se présenta à Ève.

— Vous avez l'air en pleine forme, dit-il. Comme toujours. (Il se tourna vers Grillo.) Et qui est votre ami ?

Ève regarda Grillo en coin, un petit sourire aux lèvres.

— Mon honteux secret, dit-elle.

Lamar dirigea son sourire éclatant vers Grillo.

— Je suis navré, je n'ai pas bien entendu votre nom.

— Les secrets ne devraient pas avoir de nom, dit Ève. Cela gâche tout leur charme.

— Considérez-moi comme remis à ma place, dit Lamar.

Permettez-moi de me faire pardonner en vous faisant visiter la maison.

— Je ne pense pas pouvoir affronter ces escaliers, mon cher, dit Ève.

— Mais c'était le palais de Buddy. Il en était fier.

— Il n'a jamais été assez fier pour m'y inviter, répliqua-t-elle.

— C'était sa retraite, dit Lamar. C'est pour ça qu'il s'en occupait avec tant de soin. Vous devriez venir jeter un coup d'œil, ne serait-ce que pour lui. Tous les deux.

— Pourquoi pas ? dit Grillo.

Evelyn poussa un soupir.

— Quelle curiosité, dit-elle. Eh bien... nous vous suivons.

Lamar ouvrit la marche, les précédant dans le salon, où le rythme de la soirée s'était subtilement altéré. Une fois le buffet ravagé et la réserve d'alcool entamée, les invités s'installaient dans une ambiance plus calme, entretenue entre autres par un petit orchestre interprétant des versions languides de quelques standards. Quelques couples dansaient. La conversation ne se faisait plus sur un ton rauque mais sur un mode feutré. On passait des contrats ; on tramait des intrigues.

Grillo trouva cette atmosphère troublante, ce qui fut aussi le cas d'Evelyn. Elle lui prit le bras lorsqu'ils franchirent les fourches caudines des chuchoteurs pour suivre Lamar jusqu'à l'escalier. La porte d'entrée était fermée. Deux des gardes qui s'étaient trouvés près du portail s'étaient mis en faction devant elle, dissimulant leur bas-ventre de leurs poings. En dépit de la mélodie qui planait au-dessus de l'assemblée, celle-ci avait perdu ses airs de fête. Ne restait que la paranoïa.

Lamar avait déjà gravi une demi-douzaine de marches.

— Venez, Evelyn..., dit-il en lui faisant un petit signe encourageant. Ce n'est pas si dur à monter.

— A mon âge, si.

— Vous ne faites même pas...

— Pas de flatteries, dit-elle. J'y mettrai le temps, mais j'y arriverai.

Grillo à ses côtés, elle entreprit d'escalader les marches, et son âge devint apparent pour la première fois. Grillo vit que quelques invités s'étaient rassemblés sur le palier, un verre vide à la main. Aucun d'eux ne parlait, même par murmures. Son instinct lui souffla que tout n'était pas clair ici ; un soupçon qui fut confirmé lorsqu'il tourna la tête vers le pied de l'escalier. Rochelle se tenait debout en bas des marches. Elle le regarda droit dans les yeux.

Persuadé d'avoir été reconnu et d'être sur le point de se voir dénoncer, il lui rendit son regard. Mais elle ne dit rien. Elle le fixa jusqu'à ce qu'il ait détourné les yeux. Lorsqu'il regarda de nouveau dans sa direction, elle avait disparu.

— Il y a quelque chose qui cloche ici, murmura-t-il à l'oreille d'Ève. Je pense que nous devrions faire demi-tour.

— Je suis déjà à mi-chemin, chéri, répondit-elle à voix haute en lui tirant le bras. Ne m'abandonnez pas.

Grillo se tourna vers Lamar, découvrant que le comique le regardait avec une expression identique à celle de Rochelle. *Ils savent*, pensa-t-il. *Ils savent, mais ils ne disent rien.*

Il tenta une nouvelle fois de dissuader Ève.

— On ne peut pas remettre ça à plus tard? dit-il.

Elle n'était pas décidée à renoncer.

— J'y vais, avec vous ou sans vous, dit-elle, et elle continua de monter.

— Voici le premier étage, annonça Lamar lorsqu'ils furent arrivés.

Excepté les invités curieusement silencieux, il n'y avait pas grand-chose à voir, étant donné qu'Ève avait déjà exprimé son aversion pour la collection de Vance. Elle connaissait quelques-uns de ces badauds par leurs noms et les salua. Ils ne lui répondirent que de façon distraite. Quelque chose dans la langueur qu'ils manifestaient rappela à Grillo des drogués venant tout juste de se trouver une dose. Ève n'était pas d'humeur à se laisser traiter avec autant de légèreté.

— Sagansky, dit-elle à l'un des invités.

Il ressemblait à un jeune premier sur le déclin. A ses côtés, une femme qui semblait avoir été vidée de tout signe d'animation.

— Que faites-vous ici? demanda Ève.

Sagansky leva les yeux vers elle.

— Chut..., dit-il.

— Est-ce que quelqu'un est mort? dit Ève. A part Buddy.

— C'est triste, dit Sagansky.

— Ça nous arrive à tous, répliqua Ève sans la moindre trace de sentiment. A vous aussi. Vous verrez. Vous avez déjà fait le tour de la maison?

Sagansky hocha la tête.

— Lamar..., dit-il. (Ses yeux roulèrent en direction du comique puis, ayant manqué leur cible, finirent quand même par se poser sur lui.) Lamar nous a fait visiter.

— J'espère que ça en vaut la peine, dit Ève.

— Oui, lui répondit Sagansky. Vraiment... oui. Surtout l'étage supérieur.

— Ah oui, dit Lamar. Pourquoi n'allons-nous pas directement là-haut?

La paranoïa de Grillo n'avait pas été atténuée d'un iota par sa rencontre avec Sagansky et avec sa femme. Il se passait ici quelque chose de profondément bizarre.

— Je pense que nous en avons assez vu, dit-il à Lamar.

— Oh, excusez-moi, répliqua le comique. Je ne pensais plus à Ève. Pauvre Ève. Cela doit être épuisant pour vous.

Cette manifestation de condescendance, parfaitement calculée, produisit exactement l'effet désiré.

— Ne soyez pas ridicule, rétorqua-t-elle avec un reniflement de mépris. Peut-être ne suis-je plus toute jeune, mais je ne suis pas encore sénile. Allons-y!

Lamar haussa les épaules.

— Vous êtes sûre?

— Bien sûr que je suis sûre.

— Eh bien, si vous insistez..., dit-il, et il les précéda vers l'escalier qui conduisait à l'étage supérieur.

Grillo le suivit. En passant devant Sagansky, il l'entendit marmonner des fragments de la conversation qu'il avait eue avec Ève. Poissons morts flottant au fond de son crâne.

— ... oui... vraiment, oui... surtout l'étage supérieur...

Ève avait déjà entamé l'escalade, résolue à ne pas concéder une seule marche à Lamar.

Grillo l'appela.

— Ève. N'allez pas plus loin.

Elle l'ignora.

— *Ève?* répéta-t-il.

Cette fois-ci, elle se tourna vers lui.

— Vous venez, Grillo? dit-elle.

Si Lamar se rendit compte qu'elle avait laissé échapper le nom de son secret, il n'en laissa rien paraître. Il se contenta de la conduire jusqu'au palier et derrière un coin de mur, hors de vue.

Lors de sa carrière, Grillo avait souvent évité un passage à tabac en tenant compte de signaux d'alarme identiques à ceux qu'il avait perçus depuis qu'ils avaient commencé leur montée. Mais il ne voulait pas voir Ève vaincue par son propre ego. En moins d'une heure, il s'était pris d'affection pour elle. Se maudissant autant qu'il la maudissait, il la suivit là où son séducteur l'avait emmenée.

Près du portail se déroulait un cataclysme mineur. Tout avait commencé lorsqu'un vent avait surgi de nulle part, balayant le feuillage des arbres plantés sur la Colline comme une marée. Ce vent était sec et poussiéreux, et il poussa plusieurs retardataires à regagner leurs limousines pour mettre de l'ordre dans leur mascara.

Une voiture émergea de la trombe ; dans cette voiture se trouvait un jeune homme fort sale qui demanda à entrer sur un ton indolent.

Les gardes conservèrent tout leur calme. Ils avaient eu à s'occuper de quantité de pique-assiette de ce genre ; des gamins aux couilles plus grosses que le cerveau qui voulaient seulement apercevoir les grands de ce monde.

— Tu n'as pas d'invitation, fiston, dit l'un d'eux à l'adolescent.

Le pique-assiette descendit de voiture. Il y avait du sang sur lui ; pas le sien. Et dans ses yeux une lueur féroce qui poussa les mains des gardes à fouiller sous leurs vestes à la recherche d'une arme.

— Il faut que je voie mon père, dit le garçon.

— C'est un des invités ? voulut savoir le garde.

Il n'était pas impossible qu'il ait affaire à un gosse de riche complètement défoncé venu de Bel Air à la recherche de son papa.

— Ouais, c'est un des invités, dit Tommy-Ray.

— Comment s'appelle-t-il ? demanda le garde. Passe-moi la liste, Clark.

— Il n'est pas sur votre liste, dit Tommy-Ray. Il habite ici.

— Tu t'es trompé de maison, fiston, lui dit Clark, élevant la voix pour couvrir le rugissement du vent qui agitait toujours les frondaisons. Ici, c'est la maison de Buddy Vance. A moins que tu sois un de ses bâtards.

Il sourit à l'adresse d'un troisième homme, qui ne lui rendit pas son sourire. Ses yeux étaient fixés sur les arbres, ou sur l'air qui les agitait. Il les plissa, comme s'il pouvait presque voir quelque chose dans le ciel sali par la poussière.

— Tu vas le regretter, sale nègre, disait le gamin au premier garde. Je vais revenir, et je te le dis — tu seras le premier à y passer. (Il désigna Clark du doigt.) Tu m'as entendu ? Il sera le premier. Ensuite, ce sera ton tour.

Il remonta dans sa voiture, passa en marche arrière, fit un demi-tour, puis descendit la route de la Colline. Coïncidence troublante, le vent sembla le suivre en direction de Palomo Grove.

— Foutrement bizarre, dit le garde qui était en train d'observer le ciel, alors que tout mouvement cessait dans les frondaisons.

— Va faire un tour à la maison, dit le premier garde à Clark. Vérifie que tout va bien là-haut...

— Pourquoi faire?

— Tais-toi et fais ce que je te dis, tu veux? répondit l'homme, suivant toujours des yeux le garçon et le vent qui dévalaient le flanc de la Colline.

— Perds pas la boule, répondit Clark, et il s'exécuta.

Une fois le vent disparu, les deux gardes restés en faction prirent conscience d'un calme soudain. Aucun bruit en provenance de la ville au-dessous d'eux. Aucun bruit en provenance de la maison au-dessus d'eux. Ils étaient plantés entre deux rangées d'arbres muets.

— T'as déjà été au combat, Rab? demanda celui qui avait observé le ciel.

— Non. Et toi?

— Oh oui!

Le garde éternua un nuage de poussière dans le mouchoir que sa femme Marci avait repassé exprès pour qu'il lui serve de pochette. Puis, reniflant, il examina le ciel.

— Entre deux attaques..., dit-il.

— Ouais?

— On a exactement la même impression.

Tommy-Ray, pensa le Jaff, renonçant momentanément à sa tâche pour se diriger vers la fenêtre. Il avait été distrait par son travail et ne s'était rendu compte de la présence de son fils que lorsque celui-ci s'était éloigné de la Colline. Il essaya d'adresser un appel mental à l'adolescent, mais son message ne fut pas reçu. Les pensées que le Jaff avait manipulées avec tant de facilité n'étaient désormais plus aussi simples. Quelque chose avait changé; quelque chose dont le Jaff était incapable d'interpréter la signification, tout en reconnaissant son importance. L'esprit de l'adolescent avait cessé d'être un livre ouvert pour lui. Les signaux qu'il en recevait était déconcertants. Il y avait en son fils une terreur qu'il n'avait jamais ressentie auparavant ; et une *froideur,* une froideur fondamentale.

Il était inutile de chercher à interpréter ces signaux ; pas alors que tant de choses revendiquaient son attention. Le garçon reviendrait. En fait, tel était le seul message que le Jaff recevait haut et clair : Tommy-Ray avait l'intention de revenir.

En attendant, il avait plus urgent à faire. L'après-midi s'était révélé riche de profits. En moins de deux heures, il avait réalisé toutes les ambitions qu'il entretenait pour son armée. Il avait désormais des alliés d'une pureté comme jamais les *teratas* du Grove n'en avaient rêvé. Les ego qui les lui avaient fournis avaient commencé par résister à sa persuasion. Il fallait s'y attendre. Plusieurs d'entre eux, se croyant sur le point d'être assassinés, avaient sorti leur portefeuille et tenté de monnayer leur survie. Deux femmes avaient dénudé leurs seins de silicone et offert leur corps pour ne pas mourir ; un homme avait tenté de passer avec lui un marché similaire. Mais leur narcissisme s'était effondré comme une muraille de sucre ; menaces, négociations, suppliques et numéros d'acteur se voyant réduits au silence dès qu'ils avaient commencé à transpirer leurs peurs. Il les avait tous renvoyés à la fête, pressés comme des citrons et à présent passifs.

L'armée qui était alignée contre les murs avait été purifiée par ces nouvelles recrues, un message d'entropie étant passé d'un *terata* à l'autre, leur multiplicité leur faisant effectuer au sein des ombres une évolution à rebours vers quelque chose de plus ancien ; de plus sombre, de plus simple. Ils avaient perdu toute individualité. Le Jaff ne pouvait plus leur accoler le nom de leur créateur. Gunther Rothbery, Christine Seapard, Laurie Doyle, Martine Nesbitt : où étaient-ils à présent ? Ils ne formaient plus qu'une seule argile.

Sa légion était aussi grande qu'il pouvait le souhaiter ; quelques soldats de plus et elle deviendrait indisciplinée. Peut-être était-ce déjà le cas, en fait. Mais il continuait de reculer l'instant où il laisserait ses mains accomplir ce pour quoi elles avaient été créées et recréées : utiliser l'Art. Vingt années s'étaient écoulées depuis ce jour fatidique où il avait trouvé le symbole du Banc, perdu en transit dans les plaines du Nebraska. Il n'était jamais retourné là-bas. Même durant la guerre qui l'avait opposé à Fletcher, leur bataille mobile ne l'avait jamais ramené à Omaha. Il ne pensait pas que ses connaissances fussent encore en vie. La maladie et le désespoir avaient dû en emporter une bonne moitié. L'âge, l'autre moitié. Lui-même, bien sûr, était invulnérable à de telles forces. Le passage des ans n'exerçait aucune autorité sur lui. Seul le Nonce jouissait de ce privilège, et cette altération-là était irréversible. Il devait aller de l'avant, pour que soit réalisée cette ambition qui lui était échue ce jour-là et durant les jours suivants. Il avait fui la banalité de sa vie pour pénétrer dans d'étranges territoires, et n'avait que rarement regardé en arrière. Mais aujourd'hui, devant ce défilé de visages célèbres qui apparaissaient devant lui, pleurant, frissonnant, dénudant leurs seins puis leur âme devant lui, il ne pouvait s'empêcher de se tourner vers l'homme qu'il avait été, un homme qui n'aurait jamais osé espérer se retrouver en si prestigieuse compagnie. Et ce faisant, il retrouvait en lui quelque chose qu'il s'était presque complètement dissimulé durant toutes ces années. La chose même qu'il extrayait de la sueur de ses victimes : la peur.

Bien qu'il eût changé au point d'en être méconnaissable, une petite partie de lui-même était encore et serait toujours Randolph Jaffe, et cette partie lui murmurait à l'oreille, lui disait : *C'est dangereux. Tu ne sais pas ce que tu fais. Ça pourrait te tuer.*

Après tant d'années, ce lui fut un choc d'entendre cette vieille voix dans sa tête, mais ce fut aussi étrangement rassurant. Et il ne pouvait pas non plus l'ignorer complètement, car son avertissement était fondé : il ne savait pas ce qu'entraînait l'utilisation de l'Art. Personne ne le savait vraiment. Il avait entendu toutes les histoires ; il avait étudié toutes les métaphores. Quiddity n'était pas un océan au sens littéral ; l'Éphéméride n'était pas une île au sens littéral. Ceci n'était qu'une façon matérialiste de décrire un *état d'esprit*. Peut-être l'État d'Esprit par excellence. Et à présent, voilà qu'il n'était qu'à quelques minutes du moment où il ouvrirait la porte donnant sur cette condition, et il ignorait presque complètement sa véritable nature.

Cela risquait de le conduire à la démence, à l'enfer et à la mort, aussi facilement qu'au paradis et à la vie éternelle. Il ne le saurait qu'en utilisant l'Art.

Pourquoi utiliser l'Art ? murmura l'homme qu'il avait été trente ans plus tôt. *Pourquoi ne pas jouir du pouvoir dont tu disposes ? Il est plus absolu que dans tes rêves les plus fous, n'est-ce pas ? Des femmes qui viennent t'offrir leur corps. Des hommes qui tombent à genoux devant toi, le nez plein de morve, et qui implorent ta pitié. Que désires-tu de plus ? Que pourrait-on désirer de plus ?*

Des raisons, voilà la réponse. Un sens par-delà les seins et les larmes ; un aperçu du secret derrière tout cela.

Tu as déjà tout, dit la voix ancienne. *Tu ne pourras jamais mieux faire. Il n'y a rien de plus.*

On frappa doucement à la porte : le code de Lamar.

— Attendez, murmura-t-il, essayant de s'accrocher à la discussion qui se déroulait dans sa tête.

Derrière la porte, Ève tapa sur l'épaule de Lamar.

— Qui est là-dedans ? dit-elle.

Le comique lui adressa un sourire en coin.

— Quelqu'un que vous devriez rencontrer, dit-il.

— Un ami de Buddy ? dit-elle.

— Tout à fait.

— Qui ?

— Vous ne le connaissez pas.

— Pourquoi le déranger, dans ce cas ? dit Grillo.

Il saisit le bras d'Ève. Le soupçon avait laissé la place à la certitude. Il y avait une odeur âcre à cet étage, et plusieurs personnes se trouvaient derrière la porte, à en juger par les bruits qui parvenaient jusqu'à lui.

On les invita à entrer. Lamar tourna le loquet et ouvrit la porte.

— Venez, Ève, dit-il.

Elle dégagea son bras de l'étreinte de Grillo et laissa Lamar l'escorter tandis qu'elle faisait un pas dans la pièce.

— Il fait noir, dit-elle.

— Ève, dit Grillo.

Il écarta Lamar et franchit le seuil derrière elle. Comme elle l'avait dit, il faisait très noir. Le soir était tombé sur la Colline, et la chiche lumière qui pénétrait par la fenêtre réussissait à peine à éclairer l'intérieur. Mais la silhouette d'Ève était visible devant lui. Il lui saisit à nouveau le bras.

— Ça suffit, dit-il, et il fit mine de se tourner vers la porte.

A ce moment-là, le poing de Lamar entra en contact avec son visage, un coup violent et inattendu. Le bras d'Ève glissa de sa main ; il tomba à genoux, sentant l'odeur de son sang dans ses narines. Derrière lui, le comique claqua la porte.

— Que se passe-t-il ? demanda Ève. Lamar ! Que se passe-t-il ?

— Ne vous inquiétez pas, murmura l'homme.

Grillo leva la tête, laissant un flot de sang chaud couler de son nez. Il porta la main à son visage pour l'interrompre et jeta un regard circulaire sur la pièce. Durant le bref instant qu'il avait consacré à l'examiner, il l'avait crue emplie de meubles. Il s'était trompé. Ces masses étaient vivantes.

— Lam..., dit Ève d'une voix d'où toute bravade était désormais absente. Lamar... qui est là ?

— Jaffe..., dit une voix douce. Randolph Jaffe.

— Est-ce que j'allume la lumière ? dit Lamar.

— Non, lui répondit-on dans la pénombre. Non. Pas encore.

En dépit des bourdonnements qui lui emplissaient la tête, Grillo reconnut cette voix et ce nom. Randolph Jaffe : le Jaff. Ce qui lui permit de deviner l'identité des silhouettes tapies dans les coins les plus sombres de cette pièce immense. Elle grouillait de ses *teratas*.

Ève aussi les avait aperçus.

— Mon Dieu..., murmura-t-elle. Mon Dieu, mon Dieu, que se passe-t-il ?

— Les amis des amis, dit Lamar.

— Ne lui faites pas mal, ordonna Grillo.

— Je ne suis pas un assassin, dit la voix de Randolph Jaffe. Tous ceux qui sont montés ici en sont redescendus vivants. Je ne veux qu'une infime partie de vous...

Sa voix avait perdu l'assurance qui l'avait animée lorsque Grillo l'avait entendue devant le centre commercial. Il avait passé la majeure partie de sa vie professionnelle à écouter les gens parler ; à guetter des signes de vie derrière leur vie. Comment Tesla l'avait-elle formulé ? Il avait toujours su percevoir le sens caché des choses, ou quelque chose comme ça. Il y avait un courant sous-jacent dans la voix du Jaff. Une ambiguïté qui ne s'y était pas trouvée auparavant. Lui offrait-elle un espoir de s'en sortir ? Ou du moins de retarder son exécution ?

— Je me souviens de vous, dit Grillo.

Il fallait faire sortir cet homme de sa réserve : lui faire exprimer cette ambiguïté. Le forcer à formuler ses doutes.

— Je vous ai vu prendre feu, continua-t-il.

— Non..., dit la voix dans les ténèbres, ... ce n'était pas moi.

— Mes excuses. Alors qui... si je peux me permettre ?...

— Non, dit Lamar derrière lui. Lequel voulez-vous en premier ? demanda-t-il au Jaff.

Sa requête fut ignorée.

— Qui suis-je ? dit le Jaff d'une voix presque rêveuse. Étrange que vous posiez cette question.

— Je vous en prie, murmura Ève. Je n'arrive pas à respirer ici.

— Silence, dit Lamar.

Il s'était placé derrière elle pour la maîtriser. Dans l'obscurité, le Jaff s'agita sur son siège comme un homme ne parvenant pas à trouver une position confortable.

— Personne ne sait..., commença-t-il, ... à quel point c'est horrible.

— Quoi donc ? dit Grillo.

— J'ai l'Art, répondit le Jaff. J'ai l'Art. Je dois donc l'utiliser. Ce serait un gâchis de n'en rien faire, après cette *attente*, après ces *changements*.

Il est en train de chier dans son froc, pensa Grillo. Il est au bord du gouffre et il est terrifié à l'idée de tomber dedans. Dans quoi, il n'en savait rien, mais il parviendrait sûrement à exploiter la situation. Il décida de rester couché sur le sol, là où il ne représentait aucune menace pour l'autre. Très doucement, il dit :

— L'Art. Qu'est-ce que *c'est ?*

Si le Jaff avait eu l'intention de lui donner une réponse, celle-ci se révéla fort ambiguë.

— Tout le monde est perdu, vous savez. C'est ce que j'utilise. La peur qui est en eux.

— Pas vous ? dit Grillo.

— Pas moi ?

— Vous n'êtes pas perdu ?

— Je pensais avoir trouvé l'Art... mais peut-être que c'est l'Art qui m'a trouvé.

— C'est bien.

— Vraiment ? dit-il. Je ne sais pas ce qu'il va faire...

C'est donc *ça*, pensa Grillo. Maintenant qu'il a reçu son cadeau, il a peur de le déballer.

— Cela pourrait nous détruire tous.

— Ce n'est pas ce que vous avez dit, marmonna Lamar. Vous avez dit que nous aurions des rêves. Tous les rêves que l'Amérique a rêvés ; que le *monde* a rêvés.

— Peut-être, dit le Jaff.

Lamar lâcha Ève et fit un pas vers son maître.

— Mais maintenant, vous dites qu'on pourrait *mourir ?* dit-il. Je ne veux pas mourir. Je veux Rochelle. Je veux cette maison. J'ai un avenir. Je ne vais pas y renoncer.

— N'essayez pas d'échapper à la laisse, dit le Jaff.

Pour la première fois depuis le début de ce dialogue, Grillo perçut un écho de l'homme qu'il avait vu au centre. La résistance manifestée par Lamar lui faisait reprendre ses esprits. Grillo maudit le comique saisi par la rébellion. Celle-ci eut une seule conséquence utile : elle permit à Ève de faire un pas vers la porte. Grillo ne quitta pas sa position. Toute tentative de sa part ne ferait qu'attirer l'attention sur eux deux et réduire à néant leurs chances de s'échapper. Si elle parvenait à s'enfuir, elle donnerait sûrement l'alarme.

Pendant ce temps, les récriminations de Lamar s'étaient multipliées.

— Pourquoi m'avez-vous menti ? dit-il. J'aurais dû savoir dès le début que vous ne me serviriez à rien. Eh bien, allez vous faire foutre...

Grillo l'encouragea en silence. Le crépuscule s'était assombri à mesure qu'il s'efforçait de le percer, et il ne distinguait pas mieux son geôlier que lors de son entrée, mais il vit sa silhouette se dresser. Ce mouvement causa quelque consternation parmi les ombres lorsque les bêtes qui s'y dissimulaient réagirent à la déconfiture de leur créateur.

— Comment osez-vous ? dit le Jaff.

— Vous m'aviez dit que nous serions en sécurité, dit Lamar.

Grillo entendit la porte grincer derrière lui. Il désirait ardemment se retourner, mais résista à la tentation.

— En sécurité !

— Ce n'est pas aussi simple ! dit le Jaff.

— Je fous le camp ! dit Lamar, et il se tourna vers la porte.

Il faisait trop sombre pour que Grillo déchiffre l'expression de son visage, mais l'éclat de lumière derrière lui ainsi que le bruit des pas précipités d'Ève qui s'enfuyait étaient amplement suffisants. Grillo se releva tandis que Lamar se ruait vers la porte en jurant. Le coup de poing l'avait étourdi et il chancela dès qu'il fut debout, mais il arriva à la porte avec un pas d'avance sur Lamar. Les deux hommes entrèrent en collision, l'addition de leurs poids faisant à nouveau claquer la porte. Il y eut un instant de confusion qui tenait presque de la farce, durant lequel tous deux luttèrent pour s'emparer du loquet. Puis quelque chose intervint, se dressant derrière le comique. C'était une masse pâle dans les ténèbres ; gris sur noir. Lamar eut un petit bruit de gorge lorsque la créature le saisit par-derrière. Il tendit une main vers Grillo, qui l'esquiva pour regagner le centre de la pièce. Il ne distinguait pas les détails de leur lutte, et il en fut heureux. Les bruits gutturaux émis par Lamar et ses gestes saccadés lui suffisaient. Il vit la masse du comique s'effondrer contre la porte, puis glisser le long du panneau, son corps disparaissant derrière celui du *terata*. Puis tous deux se figèrent.

— Mort ? souffla Grillo.

— Oui, dit le Jaff. Il m'a traité de menteur.

— Je tâcherai de m'en souvenir.

— Avec raison.

Le Jaff fit un geste dans les ténèbres, que Grillo ne put interpréter. Mais ses conséquences expliquèrent bien des choses. Des perles de lumière suintèrent de ses doigts, illuminant son visage émacié, son corps vêtu comme il l'était au centre mais semblant exsuder les ténèbres, et la pièce elle-même, peuplée de *teratas* qui avaient perdu toute leur complexité pour devenir des ombres épineuses alignées contre les murs.

— Eh bien, Grillo..., dit le Jaff, ... je vais le faire, apparemment.

IX

Après l'amour, le sommeil. Ni l'un ni l'autre ne l'avaient prévu, mais Jo-Beth et Howie n'avaient pas dormi plus de quelques heures depuis leur rencontre, et le sol sur lequel ils avaient fait l'amour était assez doux pour les tenter. Même lorsque le soleil sombra derrière les arbres, ils ne se réveillèrent pas. Quand Jo-Beth finit par ouvrir les yeux, ce ne fut pas à cause du froid : la nuit était douce. Autour d'eux, les criquets jouaient de la musique dans l'herbe. Une légère agitation parcourait les frondaisons. Mais par-delà ce spectacle et ce bruit rassurants, une étrange et fugace lueur illuminait les arbres.

Elle réveilla Howie le plus gentiment possible. Il ouvrit les yeux à contrecœur, et ils se posèrent sur celle qui l'avait tiré de son sommeil.

— Salut, dit-il. (Puis :) On a dormi trop longtemps, hein ? Quelle heure...

— Il y a quelqu'un ici, Howie, murmura-t-elle.

— Où ça ?

— Je ne vois que des lumières. Tout autour de nous. Regarde !

— Mes lunettes, murmura-t-il. Elles sont dans ma chemise.

— Je vais les chercher.

Elle s'éloigna, partant en quête des habits qu'il avait effeuillés. Il plissa les yeux pour observer la scène. Les barrières de la police, et la caverne derrière elles : le gouffre où gisait toujours Buddy Vance. Cela lui avait semblé si naturel de faire l'amour ici, en plein jour. A présent, il trouvait cela pervers. Il y avait un mort quelque part là-dedans, dans ces mêmes ténèbres où leurs pères avaient attendu durant tant d'années.

— Tiens, dit-elle.

Sa voix le fit sursauter.

— Ça va, murmura-t-il.

Il récupéra ses lunettes dans la poche de sa chemise et les mit. Il y avait effectivement des lumières entre les arbres, mais leur source était indéfinie.

Non seulement Jo-Beth avait eu la chance de retrouver sa chemise, mais elle avait également ramassé le reste de leurs vêtements. Elle commença à enfiler son slip. Même à présent que son cœur battait fort pour une tout autre raison, la vue de son amante excita Howie. Elle surprit son regard et l'embrassa.

— Je ne vois personne, dit-il à voix basse.

— Peut-être que je me suis trompée, dit-elle, mais j'ai cru entendre quelqu'un.

— Des fantômes, dit-il, regrettant aussitôt d'avoir évoqué cette idée.

Il commença à remettre ses sous-vêtements. A ce moment-là, il perçut un mouvement entre les arbres.

— Oh merde, murmura-t-il.

— J'ai vu, dit Jo-Beth.

Il se tourna vers elle. Elle regardait dans la direction opposée. Suivant son regard, il vit un mouvement là aussi, dans l'ombre du feuillage. Et un autre mouvement. Et un autre encore.

— Ils sont partout, dit-il, enfilant sa chemise et attrapant son jeans. Qui qu'ils soient, ils nous ont encerclés.

Il se releva, les jambes engourdies, l'esprit désespérément à la recherche d'une arme. Pouvait-il démolir l'une des barrières et utiliser un bout de bois en guise d'épée ? Il jeta un regard à Jo-Beth, qui avait presque fini de s'habiller, puis se tourna de nouveau vers les arbres.

Une petite silhouette émergea du feuillage, traînant derrière elle une lueur spectrale. Soudain, tout devint clair. Cette silhouette n'était autre que Benny Patterson, que Howie avait vu pour la dernière fois devant la maison de Lois Knapp, en train de lui dire au revoir. Il n'y avait pas de sourire pour éclairer son visage. En fait, celui-ci était quelque peu flou, et ses traits évoquaient l'œuvre d'un photographe atteint de la maladie de Parkinson. Sa lumière télévisuelle ne l'avait cependant pas quitté. C'était ses rayons qui hantaient les arbres.

— Howie, dit-il.

Sa voix, tout comme son visage, avait perdu son individualité. Il s'accrochait à son identité de Benny, mais à peine.

— Que veux-tu ? demanda Howie.

— Nous vous cherchions.

— Ne t'approche pas de lui, dit Jo-Beth. C'est un des rêves.

— Je sais, dit Howie. Ils ne nous veulent pas de mal. Pas vrai, Benny ?

— Bien sûr que non.

— Alors, montrez-vous, dit Howie en s'adressant à tous les arbres. Je veux vous voir.

Ils s'exécutèrent, émergeant du bois de toutes parts. Comme Benny, ils avaient tous changé depuis que Howie les avait vus chez les Knapp, leurs personnalités polies et éclatantes s'étaient brouillées, leurs sourires rayonnants s'étaient ternis. Ils se ressemblaient beaucoup les uns les autres, silhouettes de lumière diffuse qui ne s'accrochaient que faiblement aux restes de leur identité. L'imagination collective des citoyens du Grove les avait conçus et façonnés, mais une fois éloignés de leurs créateurs, ils retrouvaient une condition bien plus simple : celle de la lumière qu'avait émise le corps de Fletcher lorsqu'il avait péri devant le centre. C'étaient ses soldats, ses *hallucigenias,* et Howie n'avait pas besoin de leur demander ce qu'ils étaient venus chercher ici. Lui, il était le lapin sorti du chapeau de Fletcher ; la création la plus pure de l'invoquant. La nuit précédente, il avait fui devant leurs exigences, mais ils étaient néanmoins venus le chercher, résolus à faire de lui leur chef.

— Je sais ce que vous voulez de moi, dit-il. Mais je ne peux pas vous le fournir. Cette guerre n'est pas la mienne.

Tout en parlant, il examina l'assemblée, reconnaissant certains visages aperçus chez les Knapp en dépit de leur décomposition lumineuse. Cow-boys, chirurgiens, reines de séries-TV, présentateurs de jeux. Il y en avait beaucoup d'autres, qu'il n'avait pas vus lors de la fête chez Lois. Une forme de lumière avait été un loup-garou ; plusieurs avaient sans doute été des héros de bandes dessinées ; plusieurs autres, quatre en tout, avaient été des incarnations de Jésus-Christ, et deux d'entre elles saignaient de la lumière au front, au flanc, aux mains et aux pieds ; une douzaine semblaient sorties tout droit d'un film classé X, le corps moite de sperme et de sueur. Il y avait un homme-ballon couleur écarlate ; et Tarzan ; et Krazy Kat. Et, mêlées à ces déités identifiables, d'autres qui étaient surgies d'imaginaires plus privés, suscitées, devina-t-il, par les vœux de ceux qui avaient été touchés par la lumière de Fletcher. Époux et épouses perdus, dont nul amant n'avait pu compenser le trépas ; un visage aperçu au coin d'une rue, que son rêveur n'avait jamais osé aborder. Tous, réels ou irréels, en noir et blanc ou en technicolor, étaient des *pierres de touche.* L'essence même de l'adoration. Leur existence avait indéniablement quelque chose d'émouvant. Mais Jo-Beth et lui désiraient ardemment rester à l'écart de ce conflit ;

préserver leur amour de la souillure et de la peine. Cette ambition demeurait présente en eux.

Avant qu'il ait pu réitérer son refus, une silhouette qu'il ne put nommer, une femme âgée d'une trentaine d'années, sortit des rangs pour prendre la parole.

— L'esprit de votre père nous anime tous, dit-elle. Si vous nous reniez, vous le reniez aussi.

— Ce n'est pas aussi simple que ça, lui dit-il. J'ai d'autres personnes à considérer. (Il tendit la main vers Jo-Beth, qui se leva pour se placer à ses côtés.) Vous savez qui elle est. Jo-Beth McGuire. La fille du Jaff. L'ennemi de Fletcher et par conséquent, si je vous ai bien compris, *votre* ennemi. Mais laissez-moi vous dire une chose... c'est la première personne que j'ai rencontrée... dont je puisse vraiment dire que je l'aime. Je la place au-dessus de tout. De vous. De Fletcher. De cette foutue guerre.

Une troisième voix s'élevait à présent.

— C'est de ma faute...

Howie découvrit le cow-boy aux yeux bleus, la création de Mel Knapp, qui se dirigeait vers lui.

— C'est ma faute : j'ai cru que vous vouliez sa mort. Je le regrette. Si vous ne voulez pas qu'on lui fasse du mal...

— *Si je ne veux pas qu'on lui fasse du mal ?* Mon Dieu, elle en vaut dix comme Fletcher ! Estimez-la autant que *je* l'estime, sinon allez au Diable.

Il y eut un lourd silence.

— Personne ne le discute, dit Benny.

— J'ai entendu.

— Vous allez donc nous conduire à la bataille ?

— Oh mon Dieu !

— Le Jaff est en haut de la Colline, dit la femme. Prêt à utiliser l'Art.

— Comment le savez-vous ?

— Nous sommes l'esprit de Fletcher, dit le cow-boy. Nous connaissons les intentions du Jaff.

— Et vous savez comment l'en empêcher ?

— Non, répliqua la femme. Mais nous devons essayer. Quiddity doit être préservé.

— Et vous pensez que je peux vous aider ? Je n'ai rien d'un tacticien.

— Nous nous étiolons, dit Benny. (Durant le bref intervalle de temps qui avait suivi son apparition, ses traits s'étaient encore un peu plus brouillés.) Nous ressemblons de plus en plus à... des rêves. Nous avons besoin de quelqu'un pour nous guider.

— Il a raison, dit la femme. Nous n'en avons plus pour longtemps Nombre d'entre nous ne survivront pas jusqu'au matin. Nous devons faire ce que nous pouvons. Et vite.

Howie soupira. Il avait lâché la main de Jo-Beth lorsqu'elle s'était levée. Il la reprit dans la sienne.

— Que dois-je faire ? lui demanda-t-il. Aide-moi.

— Fais ce qui te semble bon.

— Ce qui me semble bon...

— Tu m'as dit que tu regrettais de ne pas avoir mieux connu Fletcher. Peut-être que...

— Quoi ? Dis-le.

— Je n'aime pas l'idée d'avoir à affronter le Jaff avec cette... cette armée de rêves... mais peut-être qu'agir à la place de ton père est la seule façon pour toi de lui être fidèle. Et... de t'en *libérer*.

Il la regarda avec une compréhension nouvelle. Elle avait su aller au cœur de sa confusion pour lui montrer le chemin qui le conduirait à la sortie du labyrinthe, là où ni Fletcher ni le Jaff n'auraient de prise sur eux deux. Mais il fallait d'abord payer. Elle avait payé : elle avait perdu sa famille pour lui. A présent, c'était son tour.

— D'accord, dit-il à l'assemblée. Nous irons en haut de la Colline.

Jo-Beth étreignit sa main.

— Bien, dit-elle.

— Tu veux venir ?

— Je dois venir.

— Je voulais tellement qu'on reste en dehors de tout ça.

— Ne t'inquiète pas, dit-elle. Et si nous n'en réchappons pas.. s'il t'arrive quelque chose ou s'il nous arrive quelque chose... nous avons eu du bon temps.

— Ne dis pas ça.

— C'est plus que n'en a eu ta maman, ou la mienne, lui rappela-t-elle. Plus que n'en ont eu la plupart des gens. Howie, je t'aime.

Il lui passa les bras autour de la taille et la serra contre lui, heureux de savoir que l'esprit de Fletcher, même disséminé en une centaine de formes, était là pour les voir.

Je suppose que je suis prêt à mourir, pensa-t-il. Ou du moins aussi prêt que je le serai jamais.

X

Eve était essoufflée et terrifiée en quittant la pièce. Elle avait aperçu Grillo en train de se lever pour courir vers la porte et intercepter Lamar. Puis on lui avait claqué la porte au nez. Elle s'attarda assez longtemps pour entendre le râle d'agonie poussé par le Roi du Gag, puis descendit l'escalier en hâte afin de donner l'alerte.

En dépit de l'obscurité qui s'était abattue sur la maison, les lumières brillaient en plus grand nombre à l'extérieur qu'à l'intérieur : des projecteurs colorés illuminant les pièces de musée au milieu desquelles Grillo et elle avaient erré un peu plus tôt. Une mixture de couleurs vives — écarlate, vert, jaune, bleu et violet — la guida jusqu'au palier où elle était tombée sur Sam Sagansky. Celui-ci s'y trouvait encore, ainsi que sa femme. Il ne semblait pas avoir bougé d'un pouce, excepté pour lever les yeux vers le plafond.

— Sam! dit Ève en se ruant vers lui. Sam!

La panique et la précipitation lui avaient coupé le souffle. Lorsqu'elle voulut décrire les horreurs auxquelles elle avait assisté, seul un flot d'absurdités sortit de sa bouche.

— ... Il faut l'arrêter... Jamais rien vu de pareil... horrible... Sam, regardez-moi... Sam, regardez!...

Sam n'en fit rien. Son attitude exprimait la passivité la plus complète.

— Pour l'amour de Dieu, Sam, à quoi vous êtes-vous *shooté?*

Renonçant à le faire réagir, elle alla chercher de l'aide parmi les autres invités. Il s'en trouvait peut-être une vingtaine sur le palier. Aucun d'eux n'avait fait un geste depuis son arrivée, que ce soit pour l'aider ou pour la maîtriser. Aucun d'eux, vit-elle à présent, ne regardait dans sa direction. Imitant Sagansky et sa femme, ils avaient les yeux levés vers le plafond, comme dans l'attente d'une révélation. La panique n'avait pas privé Ève de tous ses moyens. Il lui suffit d'un examen superficiel pour comprendre que ce groupe de badauds ne lui serait d'aucune utilité. Ils savaient parfaitement ce qui était en train de se passer à l'étage au-dessus : c'est pour ça qu'ils tournaient leurs yeux vers lui comme des chiens attendant le jugement de leur maître. Le Jaff les tenait en laisse.

Elle descendit au rez-de-chaussée, s'accrochant à la rampe de l'escalier, l'essoufflement et les rhumatismes l'obligeant finalement à ralentir l'allure. L'orchestre avait fini de jouer mais quelqu'un pianotait encore, ce qui la réconforta. Plutôt que de gaspiller son énergie à ameuter l'assemblée depuis l'escalier, elle attendit d'avoir descendu celui-ci pour aborder quelqu'un. La porte d'entrée était ouverte. Rochelle se tenait debout sur le seuil. Une demi-douzaine de personnes — Merv Turner et sa femme, Gilbert Kind et sa petite amie du moment, plus deux femmes qu'elle ne reconnut pas — étaient en train de prendre congé. Turner la vit s'approcher et une expression de dégoût se dessina sur ses traits bouffis. Il rendit son regard à Rochelle, pressé de lui faire ses adieux.

— ... si triste, entendit Ève. Mais très émouvant. Merci *beaucoup* d'avoir partagé ceci avec nous.

— Oui..., commença sa femme.

Mais Turner l'interrompit avant qu'elle ait pu émettre ses propres platitudes et, jetant un regard en direction d'Ève, se précipita à l'air libre.

— Merv..., dit sa femme, de toute évidence irritée.

— Pas le temps! répliqua Turner. C'était *merveilleux*, Rochelle. Dépêchez-vous, Gil. Nos voitures nous attendent. Nous partons devant.

— Non, attendez, dit la petite amie de Gilbert. Oh, merde, il va partir sans nous!

— Veuillez nous excuser, dit Kind à Rochelle.

— Attendez! cria Ève. Gilbert, *attendez!*

Son appel était trop pressant pour être ignoré, bien qu'à en juger par le regard que Kind lui retourna, celui-ci eût préféré ne pas avoir à en tenir compte. Il plaqua un sourire moins que radieux sur ses traits et ouvrit les bras, non pour l'accueillir mais pour pouvoir mieux hausser les épaules.

— C'est toujours la même chose, n'est-ce pas? lui dit-il. On n'a même pas pu se parler, Ève. Je suis *si* désolé. *Si* désolé. La prochaine fois. (Il agrippa le bras de sa petite amie.) On vous appellera, dit-il. Pas vraie, chérie? (Il lui lança un baiser.) Vous avez l'air éblouissante! dit-il, et il s'empressa de rejoindre Turner.

Les deux femmes le suivirent sans prendre la peine de faire leurs adieux à Rochelle. Celle-ci ne sembla pas en prendre ombrage. Si le bon sens n'avait pas déjà soufflé à Ève que Rochelle était alliée aux monstres de l'étage supérieur, elle en découvrait à présent la preuve. Dès que les invités se furent éloignés, elle roula les yeux d'une façon bien trop révélatrice, et ses muscles se détendirent tant et si bien qu'elle s'appuya contre le chambranle de la porte comme si elle pouvait à peine tenir debout. Aucun secours à espérer de ce côté-là, pensa Ève, et elle repartit vers le salon.

Les seules lumières étaient celles qui provenaient de l'extérieur de la maison, les couleurs crues du Musée Forain. Ève y voyait assez pour se rendre compte que, durant la demi-heure qu'elle avait passée aux mains de Lamar, la fête avait presque achevé de s'éteindre. Une bonne moitié des invités était partie, percevant peut-être le changement qui avait frappé l'assemblée à mesure que ses membres étaient touchés par le mal tapi à l'étage supérieur. Un nouveau groupe se préparait au départ lorsqu'elle arriva sur le seuil, dissimulant son anxiété par le bavardage et par l'agitation. Elle ne connaissait aucun de ses membres mais n'allait pas se laisser arrêter par ce genre de détail. Elle saisit le bras d'un jeune homme.

— Il faut que vous m'aidiez, dit-elle.

Elle avait déjà vu ce visage sur les affiches de Sunset Boulevard. Ce garçon était Rick Lobo. Sa joliesse avait fait de lui une star du jour au lendemain, bien que ses scènes d'amour évoquassent le saphisme.

— Qu'y a-t-il? dit-il.

— Il y a quelque chose là-haut, dit-elle. Un de mes amis est prisonnier...

Ce visage n'était capable que d'un sourire et d'une moue boudeuse; ces deux réactions n'étant pas appropriées à la situation, il ne pouvait que la regarder d'un air inexpressif.

— Je vous en prie, venez, dit-elle.

— Elle est ivre, dit un des compagnons de Lobo, sans même essayer d'être discret.

Ève regarda dans sa direction. Ce n'était qu'une bande de morveux. Aucun d'eux ne semblait avoir plus de vingt-cinq ans. Et la plupart, devina-t-elle, étaient défoncés. Mais vierges de l'influence du Jaff.

— Je ne suis pas ivre, dit Ève. Je vous en prie, écoutez-moi...

— Viens, Rick, dit une fille.

— Vous voulez venir avec nous? demanda Rick.

— Rick! dit la fille.

— Non. Je veux que vous m'accompagniez en haut...

La fille éclata de rire.

— Ça ne m'étonne pas, dit-elle. Viens, Ricky.

— Il faut que je m'en aille. Désolé, dit Lobo. Vous devriez partir, vous aussi. Cette soirée est ratée.

L'incompréhension du garçon était aussi solide qu'un mur de briques, mais Ève n'était pas décidée à renoncer.

— Faites-moi confiance, dit-elle. Je ne suis pas ivre. Il se passe quelque chose d'horrible ici.

Elle jeta un regard circulaire sur le petit groupe. Elle se faisait l'impression d'être une Cassandre au rabais, mais elle ne voyait aucune autre façon de formuler ses craintes.

— Vous l'avez tous senti, continua-t-elle. Il se passe quelque chose ici...

— Ouais, dit la fille. En effet. On fiche le camp.

Ses paroles avaient cependant réussi à toucher Lobo.

— Vous devriez venir avec nous, dit-il, ça devient foutrement bizarre ici.

— Elle ne veut pas partir, dit une voix. (Sam Sagansky en train de descendre l'escalier.) Je vais m'occuper d'elle, Ricky, ne vous faites pas de souci.

Lobo était de toute évidence ravi de se voir soulagé de cette responsabilité. Il dégagea son bras de l'étreinte d'Ève.

— Mr Sagansky va s'occuper de vous, dit-il.

— Non..., dit Ève.

Mais le petit groupe se dirigeait déjà vers la sortie, poussé par la même anxiété qui avait animé Turner et ses compagnons. Ève vit Rochelle émerger de sa langueur pour accepter leurs remerciements. Sam s'interposa pour empêcher Ève de les suivre. Il ne lui restait plus qu'à chercher de l'aide dans la pièce qui se trouvait derrière elle.

Les perspectives qui s'offraient à elle n'étaient guère encourageantes. Sur la trentaine d'invités restants, la plupart semblaient incapables de venir en aide à quiconque. Le pianiste exécutait une série de mélodies sirupeuses destinées à faire danser les couples dans le noir, ce que quatre échantillons étaient occupés à faire, joue contre joue, ventre contre ventre, traînant les pieds et faisant du surplace. Le reste des occupants de la pièce étaient ivres, défoncés ou atteints par la torpeur induite par le Jaff, tantôt assis, tantôt couchés sur les meubles, à peine conscients de ce qui les entourait. Belinda Kristol, l'anorexique, était du nombre, mais sa carcasse émaciée était par essence inefficace. Assis à côté d'elle sur le canapé, la tête sur son giron, se trouvait le fils de l'imprésario de Buddy, également dans les vapes.

Ève regarda vivement vers la porte. Sagansky la suivait. Elle scruta la pièce, cherchant désespérément un atout dans cette donne lamentable, et se décida pour le pianiste. Elle s'insinua entre les danseurs, se laissant à nouveau gagner par la panique.

— Cessez de jouer, dit-elle une fois parvenue à son but.

— Vous voulez autre chose ? dit le pianiste en se tournant vers elle.

Il avait les yeux brouillés par l'alcool, mais au moins ne roulaient-ils pas.

— Ouais, quelque chose de fort. De vraiment fort, dit-elle. Et rapide. Mettons un peu d'animation, hein ?

— Il est un peu tard, dit-il.

— Comment vous appelez-vous ?

— Doug Frankl.

— D'accord, Doug. Continuez de jouer... (Elle jeta un regard en direction de Sagansky, qui l'observait derrière les danseurs.) J'ai besoin de votre aide, Doug.

— Et moi, j'ai besoin d'un verre, graillonna-t-il. Vous pouvez aller m'en chercher un ?

— Dans un instant. D'abord, vous avez vu cet homme à l'autre bout de la pièce ?

— Ouais, je le connais. Tout le monde le connaît. C'est une ordure.

— Il vient de tenter de me violer.

— Non ? dit Doug en plissant le front. C'est dégoûtant.

— Et mon compagnon... Mr Grillo... se trouve au dernier étage...

— C'est vraiment dégoûtant, répéta Doug. Vous pourriez être sa mère.

— Merci, Doug.

— C'est vraiment dégoûtant.

Ève se pencha vers son improbable chevalier servant.

— *J'ai besoin de votre aide,* murmura-t-elle. *Et j'en ai besoin tout de suite.*

— Faut que je continue de jouer, dit Doug.

— Vous reviendrez à votre piano quand nous aurons trouvé un verre pour vous et Mr Grillo pour moi.

— J'ai vraiment besoin d'un verre.

— En effet. Je le vois bien. Et vous le méritez. Jouer comme ça. Vous méritez bien un verre.

— Oh oui! Vraiment.

Elle se tendit vers Frankl, lui enserra les poignets et arracha ses mains aux touches d'ivoire. Il ne protesta pas. Bien que la musique se fût tue, les danseurs continuèrent de faire du surplace.

— Levez-vous, Doug, murmura-t-elle.

Il se redressa à grand-peine, renversant la tabouret dans ses efforts.

— Où est le bar? dit-il.

Il était plus ivre qu'elle ne l'aurait cru. Il avait dû jouer en pilotage automatique, car il était à peine capable de mettre un pied devant l'autre. Mais c'était une compagnie qui en valait bien une autre. Elle le prit par le bras, espérant que Sagansky penserait que c'était Doug qui la soutenait et non l'inverse.

— Par ici, murmura-t-elle, et elle le guida vers le périmètre de la piste de danse, et de là vers la porte.

Elle vit du coin de l'œil Sagansky en train de se diriger vers eux, et elle tenta de presser le pas, mais il s'interposa entre la porte et eux.

— On ne joue plus, Doug? dit-il.

Le pianiste fit un effort surhumain pour fixer le visage de Sagansky.

— Qui êtes-vous, bordel? dit-il.

— C'est Sam, lui dit Ève.

— Remettez-vous au piano, Doug. Je veux danser avec Ève.

Sagansky fit mine de saisir Ève, mais Frankl avait d'autres projets pour lui.

— Je sais ce que vous pensez, lui dit-il. J'ai entendu ce que vous avez dit, et vous savez ce que j'en pense? Je n'en ai rien à foutre. Si je veux sucer des bites, je sucerai les bites que je veux, et si vous ne voulez pas m'engager, la Fox m'engagera! Alors, allez vous faite foutre!

Un frisson d'espoir parcourut Ève. Devant elle se déroulait un psychodrame inattendu. Sagansky était un homophobe notoire. De toute évidence, il avait récemment insulté Doug.

— Je veux cette femme, dit Sagansky.

— Eh bien, vous ne l'aurez pas, lui répondit Doug en saisissant son bras pour l'écarter d'Ève. Elle a mieux à faire.

Sagansky n'était pas disposé à renoncer à sa proie. Il tenta une seconde fois de s'emparer d'Ève, reçut une gifle pour sa peine, et leva la main sur Doug, l'éloignant d'Ève.

Celle-ci saisit la chance qui lui était offerte, s'éclipsant en direction de la porte. Elle entendit les deux hommes élever la voix derrière elle et découvrit en se retournant qu'ils étaient en train de disperser les danseurs dans leur lutte vacillante. Le poing de Sagansky fut le premier à trouver sa cible, catapultant Frankl en direction du piano. Les verres vides qu'il avait alignés devant le pupitre s'envolèrent vers la gauche, se fracassant à grand bruit sur le sol. Sagansky bondit en direction d'Ève.

— *On vous demande,* dit-il en cherchant à la saisir.

Elle recula d'un pas pour lui échapper et sentit ses jambes la trahir. Avant qu'elle ait atteint le sol, deux bras vinrent la sauver et elle entendit Lobo lui dire :

— Vous devriez venir avec nous.

Elle essaya de protester, mais sa voix était incapable d'articuler un seul mot entre deux hoquets. Elle fut emportée vers la sortie tandis qu'elle s'efforçait de dire qu'elle ne pouvait pas partir, qu'elle ne pouvait pas abandonner Grillo, sans toutefois y parvenir. Elle vit le visage de Rochelle dériver devant elle, puis l'air nocturne vint la rafraîchir, ce qui ne fit que la désorienter davantage.

— Aidez-la... aidez-la..., disait Lobo.

Et avant d'avoir su ce qui lui arrivait, elle se retrouva dans la limousine de l'acteur, étendue sur une banquette en fourrure factice. Il monta derrière elle.

— Grillo..., réussit-elle à dire avant que la portière ne se ferme.

Son poursuivant était sur le perron, mais la limousine s'éloignait déjà en direction du portail.

— C'est la fête la plus foutrement bizarre que j'aie jamais vue, dit Lobo. Foutons le camp d'ici.

Désolée, Grillo, pensa-t-elle en s'évanouissant. Porte-toi bien.

Près du portail, Clark fit signe à la limousine de Lobo de passer, puis se retourna vers la maison.

— Combien en reste-t-il ? demanda-t-il à Rab.

— Environ quarante, répondit Rab en consultant sa liste. On ne passera pas la nuit ici.

Les voitures qui attendaient le reste des invités n'avaient pas eu la place de se garer en haut de la Colline, aussi tournaient-elles dans les rues du Grove, attendant qu'un message radio les invite à récupérer leurs passagers. Les chauffeurs avaient l'habitude de ce cas de figure, et ils trompaient généralement leur ennui en communiquant d'une voiture à l'autre. Mais cette nuit, aucun d'eux ne papotait sur la vie sexuelle de ses passagers, aucun d'eux ne racontait les prouesses érotiques qu'ils accompliraient une fois leur travail fini. L'éther restait le plus souvent silencieux, comme si les chauffeurs ne voulaient pas révéler l'endroit où ils se trouvaient. Lorsque le silence était rompu, c'était le plus souvent pour faire une observation machinale au sujet de la ville.

— Deadwood Gulch, la baptisa un chauffeur. On dirait un foutu cimetière.

Ce fut Rab qui lui intima l'ordre de faire silence.

— Si tu n'as rien d'intéressant à dire, ferme-la, lui dit-il.

— Qu'est-ce qui t'arrive? lui répondit l'homme. Tu as les foies?

La réponse de Rab fut interrompue par un appel en provenance d'une autre voiture.

— Tu es là, Clark?

— Ouais. Qui est là?

— *Tu es là?*

La liaison était mauvaise, et elle empira encore, la voix du chauffeur se transformant en grésillement de parasites.

— Il y a une tempête de sable qui se lève ici..., disait-il. Je ne sais pas si vous m'entendez, mais elle semble sortie de nulle part.

— Dis-lui de foutre le camp, dit Rab. Clark! Dis-lui!

— J'ai entendu! Chauffeur? *Éloignez-vous! Éloignez-vous!*

— Est-ce que quelqu'un me reçoit? hurla l'homme, dont la voix était presque étouffée par le hurlement du vent.

— Chauffeur! Foutez le camp!

— Est-ce que quelqu'un...?

La question resta inachevée, et on entendit un bruit de tôle froissée qui occulta complètement la voix du chauffeur.

— Merde! dit Clark. Est-ce que l'un de vous sait qui c'était? *Où* il était?

Les autres voitures gardèrent le silence. Même si l'un de leurs chauffeurs connaissait la réponse, aucun d'eux ne se portait volontaire pour aller secourir son collègue. Rab examina les arbres qui encadraient la route descendant vers la ville.

— Ça suffit, dit-il. J'en ai assez de cette merde. Je me casse.

— Il ne reste plus que nous, lui rappela Clark.

— Si tu avais deux doigts de jugeote, tu te tirerais, toi aussi, dit Rab en tirant sur sa cravate pour la dénouer. Je ne sais pas ce qui se passe ici, mais je préfère laisser les richards se débrouiller tout seuls.

— On est en service.

— Je viens juste de finir le mien ! dit Rab. Je ne suis pas assez payé pour m'occuper de cette merde ! Attrape !

Il lança sa radio à Clark. Elle cracha des parasites.

— T'as entendu ? dit-il. Le chaos. Voilà ce qui va nous tomber dessus.

En bas, dans la ville, Tommy-Ray ralentit pour mieux voir la limousine fracassée. Les spectres l'avaient tout simplement soulevée dans les airs avant de la renverser. A présent, ils étaient en train d'arracher le chauffeur à son volant. S'il ne faisait pas déjà partie de leurs rangs, cela ne tarderait guère : ils réduisirent son uniforme en lambeaux, puis firent de même avec sa chair.

Il avait conduit son train-fantôme loin de la Colline afin de réfléchir au meilleur moyen de s'introduire dans la maison. Il ne voulait pas être humilié comme il l'avait été dans le bar, ne voulait pas que les gardes le passent à tabac et déchaînent l'enfer sur eux. Il souhaitait contrôler la situation au moment où son père le découvrirait dans sa nouvelle incarnation de Death Boy. Mais cet espoir-là s'amenuisait bien vite. Plus il retardait son retour, plus ses spectres se montraient indisciplinés. Ils avaient déjà démoli l'Église Luthérienne du Prince de la Paix, prouvant si besoin était que la pierre était aussi vulnérable à leurs assauts que la chair. Une partie de lui-même, celle qui détestait le Grove jusque dans ses fondations, voulait les laisser ravager la ville. Qu'ils la démolissent de fond en comble. Mais il savait que, s'il se laissait aller à cette impulsion, il perdrait tout pouvoir sur eux. De plus, quelque part dans le Grove se trouvait le seul être humain qu'il désirait préserver du mal : Jo-Beth. Une fois déchaînée, la tempête ne ferait pas de détails. La vie de sa sœur serait perdue, comme toutes les autres.

Sachant qu'il ne lui restait que peu de temps avant que les spectres ne succombent à leur impatience et ne détruisent le Grove, il alla jusqu'à la maison de sa mère. Si Jo-Beth était en ville, c'était là qu'elle se trouvait ; et si le pire venait à se produire, il s'emparerait d'elle et la ramènerait au Jaff, qui saurait bien comment calmer la tempête.

La maison de Mrs McGuire, comme la plupart des maisons de la rue, du Grove en fait, était plongée dans les ténèbres. Il se gara et descendit de voiture. La tempête ne se contenta pas de le suivre mais le rejoignit, lui coupant le souffle.

— Arrière, dit-il aux visages béants qui voletaient devant lui. Vous aurez ce que vous voulez. Tout ce que vous voulez. Mais laissez cette maison et ses occupants *tranquilles*. Vous avez compris ?

Ils sentirent la force de ses sentiments. Il entendit leur rire, qui se moquait de sa sensibilité pitoyable. Mais il était encore Death Boy. Ils lui étaient encore un peu dévoués. La tempête s'éloigna de quelques dizaines de mètres dans la rue, puis attendit.

Il claqua la portière de la voiture et se dirigea vers la maison, jetant un bref regard derrière lui afin de vérifier que son armée ne s'apprêtait pas à le trahir. Elle resta immobile. Il frappa à la porte.

— Maman ? cria-t-il. C'est Tommy-Ray. Maman, j'ai ma clé mais je n'entrerai que si tu me le demandes. Tu m'entends, Maman ? Tu n'as aucune raison d'avoir peur. Je ne te ferai aucun mal. (Il entendit un bruit de l'autre côté de la porte.) C'est toi, Maman ? S'il te plaît, réponds-moi.

— Qu'est-ce que tu veux ?

— Laisse-moi te voir, s'il te plaît. Laisse-moi te voir.

La porte fut déverrouillée et s'ouvrit devant lui. Maman était vêtue de noir, et ses cheveux étaient défaits.

— Je priais, dit-elle.

— Pour moi ? dit Tommy-Ray.

Maman ne répondit pas.

— Tu ne priais pas pour moi, n'est-ce pas ? dit-il.

— Tu n'aurais pas dû revenir, Tommy-Ray.

— C'est chez moi ici, dit-il.

Il n'avait pas cru qu'il aurait aussi mal en revoyant sa mère. Après les révélations survenues lors de son périple (le chien et la femme), puis les événements de la Mission et les horreurs de son voyage retour, il s'était cru au-delà de ce qu'il ressentait à présent : un chagrin étouffant.

— Je veux entrer, dit-il, sachant alors même qu'il prononçait ces mots qu'il lui était impossible de revenir en arrière.

Le cocon familial n'avait jamais été son abri préféré. C'était celui de Jo-Beth. C'était vers elle qu'allaient à présent ses pensées.

— Où est-elle ? dit-il.

— Qui ça ?

— Jo-Beth ?

— Elle n'est pas ici.

— Où est-elle, alors ?

— Je ne sais pas

— Ne me raconte pas de mensonges. *Jo-Beth !* se mit-il à hurler. *Jo-Beth !*

— Même si elle était ici...

Tommy-Ray ne la laissa pas achever sa phrase. Il l'écarta de son chemin et franchit le seuil de la maison.

— Jo-Beth ! C'est Tommy-Ray ! J'ai besoin de toi, Jo-Beth ! J'ai besoin de toi, bébé !

Peu importait désormais qu'il l'appelle bébé, qu'il lui dise qu'il voulait l'embrasser et lui lécher le con : c'était okay. C'était l'amour, et l'amour était sa seule défense, *la* seule défense, contre la poussière, le vent, et ce qui hurlait en leur sein : il avait plus que jamais besoin d'elle. Ignorant les cris de Maman, il se mit à fouiller la maison à sa recherche, pièce par pièce. Chaque pièce avait son propre parfum, évoquant en lui une foule de souvenirs — les choses qu'il avait faites, dites ou senties ici ou là — qui déferlèrent sur lui à chaque porte.

Jo-Beth n'était pas au rez-de-chaussée, aussi se précipita-t-il à l'étage, ouvrant grandes toutes les portes du palier : d'abord celle de Jo-Beth, puis celle de Maman. Finalement, la sienne. Sa chambre était telle qu'il l'avait laissée. Le lit en bataille, l'armoire ouverte, sa serviette par terre. Debout sur le seuil, il se rendit compte qu'il contemplait les possessions d'un garçon qui pouvait être considéré comme mort. Le Tommy-Ray qui s'était couché dans ce lit, qui y avait transpiré, qui s'y était branlé, qui y avait dormi et rêvé de Zuma et de Topanga, avait disparu à jamais. La crasse sur la serviette et les cheveux sur l'oreiller étaient tout ce qui restait de lui. Il ne laisserait guère de bons souvenirs.

Des larmes coulèrent sur ses joues. Comment se faisait-il que, quelques jours plus tôt, il ait été vivant et plein de projets, et qu'il ait à présent changé au point de ne plus jamais avoir sa place ici ? Qu'avait-il donc désiré à ce point pour se voir ainsi arraché à lui-même ? Rien de ce qu'il avait obtenu. Être Death Boy ne lui rapportait rien : que de la terreur et des os scintillants. Et connaître son père : à quoi cela lui servait-il ? Le Jaff l'avait bien traité au début, mais ce n'était qu'une ruse pour faire de lui son esclave. Seule Jo-Beth l'aimait. Jo-Beth était venue à lui, avait essayé de le guérir, avait essayé de lui dire ce qu'il ne voulait pas entendre. Elle seule pouvait rétablir la situation. Lui trouver un sens. Le sauver.

— *Où est-elle ?* demanda-t-il.

Maman était en bas de l'escalier. Ses mains étaient jointes devant elle lorsqu'elle leva les yeux vers lui. Encore des prières. Toujours des prières.

— *Où est-elle, Maman ? Il faut que je la voie.*

— Elle n'est pas à toi, dit Maman.

— *Katz !* hurla Tommy-Ray en descendant vers elle. *C'est Katz qui la tient !*

— Jésus a dit... Je suis la résurrection et la vie...

— Dis-moi où ils se trouvent, ou alors je ne serai pas responsable de ce qui...

— Celui qui croit en Moi...

— *Maman !*

— ... même s'il est mort...

Elle avait laissé la porte ouverte et la poussière avait commencé à souffler sur le seuil, en quantité insignifiante tout d'abord, puis de plus en plus importante. Il savait ce que ça voulait dire. Le train-fantôme se mettait en branle. Maman regarda en direction de la porte, et des ténèbres au-delà. Elle sembla comprendre la gravité du danger qui la menaçait. Ses yeux, lorsqu'ils se reposèrent sur son fils, étaient emplis de larmes.

— Pourquoi est-ce que ça doit se passer ainsi ? dit-elle doucement.

— Je ne l'ai pas voulu.

— Tu étais si beau, mon fils. J'ai parfois pensé que c'était ça qui te sauverait.

— Je suis toujours beau, dit-il.

Elle secoua la tête. Les larmes, délogées de ses paupières, coulèrent le long de ses joues. Il se retourna vers la porte, que le vent avait commencé à secouer.

— Arrière, lui dit-il.

— Qu'y a-t-il là dehors ? dit Maman. Est-ce ton père ?

— Tu ne veux pas le savoir, répondit-il.

Il descendit les marches quatre à quatre pour essayer de fermer la porte, mais le vent rassemblait ses forces, se ruait dans la maison. Les lampes se mirent à osciller. Les bibelots s'envolèrent des étagères. Lorsqu'il arriva en bas de l'escalier, les fenêtres explosèrent sur le devant de la maison, puis derrière.

— *Arrière !* hurla-t-il une nouvelle fois, mais les spectres s'étaient lassés d'attendre.

La porte sortit de ses gonds, traversa l'entrée sur toute sa longueur pour aller se fracasser contre le miroir. Les spectres la suivirent en hurlant. Maman poussa un cri strident en les apercevant, leurs visages émaciés et affamés, souillures de désir au sein de la tempête. Orbites béantes, gueules béantes. En entendant crier la chrétienne, ils braquèrent tout leur venin sur elle. Tommy-Ray l'avertit d'un cri, mais des doigts de poussière transformèrent ses mots en absurdités, puis s'écartèrent de lui pour fondre sur la gorge de Maman. Il se précipita vers elle, mais la tempête le tenait, et elle le poussa violemment vers la porte. Les fantômes accouraient toujours. Il débaula au milieu de leurs visages vifs, remontant leur flux pour franchir le seuil et sortir. Derrière lui, il entendit Maman pousser un nouveau cri, et toutes les fenêtres restées intactes se fracassèrent à l'unisson. Une averse de verre tomba sur lui. Il tenta de fuir cette ondée, mais ne put lui échapper indemne.

Ses blessures étaient cependant superficielles comparées aux dommages infligés à la maison et à son occupante. Lorsqu'il atteignit l'abri tout relatif du trottoir, il se retourna pour découvrir la tempête en train de tisser une toile par toutes les ouvertures de l'édifice. Celui-ci ne put résister à cet assaut. Ses murs se striaient de fissures, son sol se crevassait tandis que les spectres semaient la panique dans sa cave. Il se tourna vers sa voiture, redoutant que leur impatience ne les ait poussés à la détruire. Mais elle était encore intacte. Il courut vers elle alors que la maison se mettait à gémir, jetant son toit au loin en signe de reddition, laissant ployer ses murs. Même si Maman avait été en vie et l'avait rappelé, il n'aurait pu entendre sa voix dans ce vacarme, ni voir sa silhouette au sein de cette confusion.

Il regagna sa voiture en sanglotant. Il y avait sur ses lèvres des mots dont il ne prit conscience qu'au moment où il démarra.

— ... Je suis la résurrection et la vie...

Il aperçut la maison s'effondrer dans le rétroviseur, explosant sous les assauts du tourbillon qui lui secouait les tripes. Briques, ardoises, poutres et poussière s'envolèrent dans toutes les directions.

— ... celui qui croit en Moi... *mon Dieu, Maman, Maman...* celui qui croit en Moi...

Des morceaux de brique vinrent fracasser la lunette arrière et tambouriner sur le toit. Il appuya sur le champignon et s'en fut, à demi aveuglé par des larmes de chagrin et de terreur. Il avait déjà tenté de les semer, et il avait échoué. Il espérait néanmoins y parvenir cette fois-ci, en traversant la ville par la route la plus tortueuse possible, priant pour les égarer. Les rues n'étaient pas tout à fait vides. Il croisa deux limousines longues et noires qui tournaient dans la ville, pareilles à des requins. Puis, à la lisière d'Oakwood, titubant au milieu de la chaussée, quelqu'un qu'il connaissait. Bien qu'il répugnât à s'arrêter, il avait besoin plus que tout du réconfort que pourrait lui apporter un visage familier, même si c'était celui de William Witt. Il ralentit.

— Witt?

William mit quelque temps à le reconnaître. Lorsqu'il y parvint, Tommy-Ray s'attendait à le voir battre en retraite. Leur dernière rencontre, dans la maison de Wild Cherry Glade, avait abouti à un plongeon dans la piscine pour Tommy-Ray, qui avait dû se battre avec le *terata* de Martine Nesbitt, et à une fuite éperdue pour Witt. Mais les événements qui s'étaient ensuivis avaient secoué Witt autant qu'ils avaient marqué Tommy-Ray. L'agent immobilier ressemblait à un clochard : mal rasé, la chemise sale et en bataille, le visage empreint d'une expression de désespoir total.

— Où sont-ils? fut sa première question.

— Qui ça? demanda Tommy-Ray.

William passa une main par la fenêtre et caressa le visage de Tommy-Ray. Sa paume était moite. Son haleine sentait le bourbon.

— C'est toi qui les as? demanda-t-il.

— Qui ça? redemanda Tommy-Ray.

— Mes... visiteurs, dit William. Mes... rêves.

— Désolé, dit Tommy-Ray. Vous voulez faire un tour?

— Où vas-tu?

— Je fous le camp d'ici, dit Tommy-Ray.

— Ouais. Je veux faire un tour.

Witt monta. Alors qu'il claquait la portière, Tommy-Ray aperçut un spectacle familier dans le rétroviseur. La tempête le suivait. Il se tourna vers William.

— Ça ne sert à rien, dit-il.

— Quoi donc? demanda Witt, dont les yeux voyaient à peine son interlocuteur.

— Ils me suivront partout où j'irai. Impossible de les arrêter. Ils seront toujours à mes trousses.

William jeta un regard par-dessus son épaule, vers le mur de poussière qui avançait le long de la rue en direction de la voiture.

— Est-ce que c'est ton père? dit-il. Est-ce qu'il est quelque part là-dedans?

— Non.

— Qu'est-ce que c'est, alors?

— Quelque chose de pire.

— Ta mère..., dit Witt, ... j'ai parlé avec elle. Elle dit que ton père est le Diable.

— J'aimerais bien que ça soit le Diable, dit Tommy-Ray. On peut tromper le Diable.

La tempête gagnait sur la voiture.

— Il faut que je retourne en haut de la Colline, dit Tommy-Ray, autant pour lui-même que pour Witt.

Il donna un coup de volant et prit la direction de Windbluff.

— C'est là que se trouvent les rêves? dit Witt.

— C'est là que tout se trouve, répondit Tommy-Ray, inconscient de la vérité qu'il proférait.

XI

— La fête est finie, dit le Jaff à Grillo. Le moment est venu de descendre.

Ils ne s'étaient pas dit grand-chose depuis le départ précipité d'Ève. L'autre s'était contenté de se rasseoir sur le siège qu'il n'avait quitté que le temps de s'occuper de Lamar, et il avait attendu pendant que des bruits de voix leur parvenaient depuis le rez-de-chaussée et que des limousines venaient prendre leurs passagers devant la porte, jusqu'à ce que — finalement — toute musique cesse. Grillo n'avait pas tenté de s'enfuir. Tout d'abord, le cadavre de Lamar bloquait la porte, et les *teratas,* tout indistincts qu'ils fussent, l'auraient sûrement saisi avant qu'il ait pu faire un geste. Ensuite, et ceci était bien plus important, le hasard l'avait mis en présence de la *cause première,* de l'entité responsable des mystères qu'il avait découverts depuis son arrivée à Palomo Grove. Là, affalé devant lui, se trouvait l'homme qui avait façonné ces horreurs et qui était par conséquent le seul à comprendre les visions lâchées dans la ville. Tenter de s'enfuir serait contraire à son devoir. Bien que sa performance d'amant d'Ellen Nguyen ait été fort divertissante, il n'avait qu'un seul rôle à jouer dans cette histoire. Il était un reporter ; un point de passage entre le monde connu et l'inconnu. En tournant le dos au Jaff, il commettrait le plus grave des crimes : refuser d'être un témoin.

Quoi que l'on puisse dire de cet homme (dément ; dangereux ; monstrueux), il avait une qualité dont étaient dépourvus la plupart des gens que Grillo avait rencontrés ou interviewés lors de sa vie professionnelle : l'authenticité. Grillo n'avait qu'à se tourner vers les créatures nées du Jaff ou par son intermédiaire pour se rendre compte qu'il était en présence d'une puissance susceptible de transformer le monde. Il n'osait pas tourner le dos à une telle puissance. Il la suivrait où qu'elle aille, espérant parvenir à comprendre ses rouages.

Le Jaff se leva.

— Ne vous avisez pas d'intervenir, dit-il à Grillo.

— Je n'en ferai rien, lui dit Grillo. Mais laissez-moi vous accompagner.

Le Jaff le regarda pour la première fois depuis le départ d'Ève. Il faisait trop sombre pour que Grillo voie ses yeux, mais il les sentit, pointus comme des aiguilles, en train de le fouiller.

— Déplacez le corps, ordonna le Jaff.

— Entendu, dit Grillo, et il se dirigea vers la porte.

Il n'avait nul besoin du cadavre de Lamar pour se rappeler la force du Jaff. Il était chaud et humide. Lorsque Grillo le laissa retomber, ses mains étaient poisseuses du sang du comique. Cette sensation, ainsi que l'odeur, lui donna la nausée.

— Rappelez-vous..., dit le Jaff.

— Je sais, répliqua Grillo. N'intervenez pas.

— Bien. Ouvrez la porte.

Grillo s'exécuta. Il ne prit conscience de l'odeur fétide qui régnait dans la pièce que lorsqu'un courant d'air frais et pur vint lui caresser le visage.

— Je vous suis, dit le Jaff.

Grillo fit un pas sur le palier. La maison était complètement silencieuse, mais elle n'était pas vide. Il vit un petit groupe d'invités qui les attendaient en bas de l'escalier. Leurs yeux étaient tous tournés vers la porte. Il n'émanait d'eux ni bruit ni mouvement. Grillo reconnut nombre de leurs visages ; ils se trouvaient déjà ici lorsque Ève et lui avaient monté les marches. A présent, l'instant tant attendu était arrivé. Il commença à descendre vers eux, pensant vaguement que le Jaff l'avait envoyé se faire massacrer par ses adorateurs. Mais il entra dans leur champ de vision et en ressortit sans qu'ils aient posé les yeux sur lui. C'était le joueur d'orgue de Barbarie qu'ils étaient venus voir, pas son singe.

De la pièce émergea un bruit de mouvement : les *teratas* arrivaient en masse. Une fois sur le palier de l'étage inférieur, Grillo se retourna pour regarder le spectacle. La première des créatures franchissait le seuil. Il avait déjà vu qu'elles avaient changé, mais il n'était pas préparé à l'ampleur de leur changement. Elles avaient été purgées de leur horrible laideur. Elles s'étaient simplifiées et émettaient des ténèbres qui occultaient en grande partie leurs traits.

Le Jaff émergea à la suite du premier groupe. Les événements survenus depuis son ultime confrontation avec Fletcher l'avaient marqué. Il semblait épuisé, presque squelettique. Il commença à descendre, traversant des flaques de couleur en provenance des projecteurs du jardin, ses traits pâles barbouillés de teintes vives. Ce soir, on jouait *Le Masque de la Mort Rouge,* pensa Grillo ; et le nom qui figurait au haut de l'affiche était : *Le Jaff.*

La troupe de *teratas* le suivit, franchissant parfois à grand-peine le seuil et titubant derrière leur créateur.

Grillo parcourut du regard l'assemblée silencieuse. Les invités dévoraient toujours le Jaff des yeux. Il reprit sa descente. Une autre assemblée attendait en bas des marches, et Rochelle en faisait partie. En apercevant son extraordinaire beauté, Grillo se rappela brièvement sa première rencontre avec elle, en train de descendre l'escalier que le Jaff descendait à présent. Sa découverte avait été une révélation pour lui. Elle lui avait semblé inviolable dans sa beauté. Il avait appris à quel point cette impression était fausse. D'abord de la bouche d'Ellen, qui lui avait révélé l'ancienne profession de Rochelle et sa dépendance présente, et maintenant de ses propres yeux, qui lui montraient cette femme vaincue par la perversité du Jaff tout autant que ses autres victimes. La beauté n'était pas une défense efficace. Probablement n'existait-il *aucune* défense. Il arriva en bas des marches et attendit que le Jaff ait fini de descendre, suivi par ses légions. Depuis qu'il était apparu en haut de l'escalier, un changement subtil mais troublant l'avait affecté. Son visage, qui avait été agité de tics d'appréhension, était à présent aussi inexpressif que ceux de ses ouailles, ses muscles étaient si flasques que sa descente n'était qu'une chute à peine contrôlée. Toute sa force, toute sa puissance, s'était concentrée dans sa main gauche, la main qui — devant le centre commercial — avait saigné les grains de poussière qui avaient failli détruire Fletcher. Elle s'était remise à les produire, des perles de corruption scintillante qui gouttaient d'elle comme de la sueur tombant de son bras ballant. Il ne s'agissait pas du pouvoir lui-même, présumait Grillo, seulement de son résidu, car le Jaff ne faisait rien pour empêcher ces perles de tomber en petites taches noires sur les marches.

La main se chargeait, absorbant le pouvoir des autres parties de son possesseur (et peut-être, qui sait, des autres membres de l'assemblée) ; rassemblait ses forces en prévision de la tâche qui l'attendait. Grillo tenta d'étudier le visage du Jaff, en quête d'un signe de ses sentiments, mais ses yeux étaient sans cesse attirés par la main, comme si toutes les lignes de force du monde y conduisaient, rendant insignifiants tous les autres éléments de la scène.

Le Jaff pénétra dans le salon. Grillo le suivit. La légion d'ombres demeura dans l'escalier.

Le salon était toujours occupé, en majorité par des invités allongés. Certains d'entre eux étaient des disciples, les yeux fixés sur le Jaff. D'autres étaient tout simplement inconscients, affalés sur les meubles, vaincus par leurs excès. Sam Sagansky gisait sur le tapis, chemise et visage ensanglantés. Non loin de lui, une main agrippant toujours la veste de Sagansky, se trouvait un autre homme. Grillo n'avait aucune idée des raisons pour lesquelles ces deux-là s'étaient battus, mais leur pugilat s'était terminé par un double KO.

— Allumez les lumières, dit le Jaff. (Sa voix avait aussi peu d'expression que son visage.) Allumez-les toutes. Plus de mystère à présent. Je veux y voir *clair*.

Grillo repéra les interrupteurs dans la pénombre et les actionna tous. La scène perdit brusquement tout caractère théâtral. La lumière arracha des grognements de protestation à deux ou trois fêtards, qui se dissimulèrent les yeux du bras pour s'abriter de son éclat. L'adversaire de Sagansky ouvrit les paupières et gémit, mais il ne bougea pas, sentant le danger. Le regard de Grillo retourna vers la main du Jaff. Les perles de pouvoir avaient cessé de couler de ses doigts. Il était mûr. Il était prêt.

— Inutile d'attendre plus longtemps..., dit le Jaff.

Grillo le vit lever le bras gauche à hauteur de ses yeux, la main ouverte. Puis il se dirigea vers un mur et y posa sa paume.

Puis, la main toujours pressée contre la réalité, il commença à serrer le poing.

Près du portail, Clark vit les lumières s'allumer dans la maison, et il poussa un soupir de soulagement. C'était sûrement le signal de la fin des festivités. Il lança un appel radio à tous les chauffeurs (ceux qui n'avaient pas pris peur et ne s'étaient pas enfuis), leur ordonnant de regagner le sommet de la Colline. Leurs passagers allaient bientôt sortir de la maison.

Alors que Tesla sortait de l'autoroute pour se diriger vers Palomo Grove, dont une demi-douzaine de kilomètres la séparaient encore, elle sentit un frisson la parcourir. Le genre de frisson qui, à en croire sa mère, signifiait que quelqu'un était en train de marcher sur votre tombe. Elle était plus avisée à présent. Les nouvelles étaient encore pires.

Je suis en train de rater le clou du spectacle, pensa-t-elle. Il a commencé sans moi. Elle perçut un changement autour d'elle, un changement immense, comme si les partisans de la terre plate avaient raison, comme si le monde entier venait soudain de basculer de quelques degrés, laissant glisser tout ce qu'il supportait. Pas un seul instant elle ne se flatta d'être la seule personne assez sensible pour faire une telle expérience. Peut-être jouissait-elle d'une perspective qui lui permettait d'articuler son impression, mais elle était sûre qu'en cet instant, dans le pays tout entier, voire dans le monde entier, des gens se réveillaient en sueur, ou pensaient à leurs êtres chers et craignaient pour eux. Des enfants pleuraient sans savoir pourquoi. Des vieillards croyaient leur dernière heure venue.

Elle entendit un bruit de collision sur l'autoroute qu'elle venait de quitter, suivi par un autre et par un autre encore, comme les voitures — dont les conducteurs avaient été distraits par cet instant de terreur — s'encastraient les unes dans les autres. Des klaxons se mirent à hurler dans la nuit.

La terre est ronde, se dit-elle, ronde comme le volant que je tiens dans mes mains. *Je ne peux pas tomber. Je ne peux pas tomber.* S'accrochant avec le même désespoir à cette pensée et à son volant, elle roula vers la ville.

Guettant le retour des voitures, Clark vit des lumières monter le flanc de la Colline. Elles avançaient cependant trop lentement pour être issues de phares. Curieux, il quitta son poste et s'avança sur la route. Il parcourut peut-être une vingtaine de mètres avant qu'un virage lui révèle la source de ces lumières. Elle était humaine. Un groupe d'une cinquantaine de personnes, ou peut-être plus, montant vers le sommet, aux visages et aux corps également flous mais brillant dans le noir comme des masques d'Halloween. En tête du groupe marchaient deux gamins qui avaient l'air normal. Mais vu l'aspect de la bande qui les suivait, il en doutait fortement. Le garçon leva les yeux vers lui. Clark recula, faisant demi-tour pour s'éloigner de cette bande qui approchait.

Rab avait eu raison. Il aurait dû filer beaucoup plus tôt et laisser cette foutue ville à ses mystères. On l'avait engagé pour tenir les pique-assiette à l'écart, pas pour arrêter des tourbillons et des torches vivantes. Ça suffisait comme ça.

Il jeta sa radio à terre et enjamba la barrière de l'autre côté de la maison. Les broussailles étaient touffues et le sol fort pentu, mais il s'enfonça dans les ténèbres sans se soucier du sort qu'il infligeait à ses vêtements, souhaitant seulement être le plus loin possible de la maison lorsque la bande arriverait devant le portail.

Grillo avait vu ces derniers jours des spectacles à couper le souffle, mais il était parvenu à les intégrer à sa conception du monde. Mais celui qui se déroulait à présent devant lui était si incompréhensible qu'il ne pouvait que lui dire *non*.

Pas une fois, mais une douzaine.

— Non... non... (etc.) *non*.

Mais tout refus était inefficace. Ce spectacle ne voulait pas s'en aller. Il restait. Exigeait d'être vu.

Les doigts du Jaff avaient pénétré dans le mur pour l'agripper. A présent, il reculait d'un pas, puis d'un autre, tirant vers lui la substance de la réalité comme si elle était faite de pâte de fruits amollie par le soleil. Les affiches foraines accrochées au mur commencèrent à se distordre; l'intersection du mur et du plafond, celle du mur et du plancher rampèrent vers le poing de l'Artiste, perdant toute rigueur.

C'était comme si toute la pièce était projetée sur un écran de cinéma dont le Jaff aurait tout simplement saisi le tissu, le tirant vers lui. L'image projetée, qui avait paru si réaliste quelques instants plus tôt, voyait révélé son caractère factice.

C'est un film, pensa Grillo. *Le monde entier n'est qu'un foutu film.* Et l'Art était le moyen de révéler cet artifice. Le moyen d'écarter le voile, le linceul, l'écran.

Il n'était pas le seul à vaciller devant cette révélation. Parmi les amis éplorés de Buddy Vance arrachés à leur stupeur, certains avaient ouvert les yeux pour découvrir un spectacle que même leurs trips les plus désastreux ne leur avaient jamais offert.

Même le Jaff semblait choqué par la facilité de sa tâche. Un tremblement parcourait tout son corps, lequel n'avait jamais paru aussi frêle, aussi vulnérable, aussi *humain* qu'à présent. Quelles que fussent les épreuves qu'il avait endurées pour préparer son esprit à cet instant, elles n'avaient pas suffi. Rien n'aurait pu suffire. Cet art-là défiait la condition même de la chair. Il mettait en doute les certitudes les plus profondes de l'être. Grillo entendit un bruit venu de quelque part derrière l'écran, un bruit qui lui emplit le crâne avec autant de force que les battements de son propre cœur. Les *teratas* répondirent à son appel. Il se retourna et les vit franchir le seuil pour venir en aide à leur créateur en prévision d'une crise imminente. Le sort de Grillo leur était indifférent ; il savait qu'il aurait pu s'enfuir sans courir le moindre risque. Mais il ne pouvait pas tourner le dos à ceci, même si ça lui secouait les tripes. Le spectacle qui se déroulait derrière l'écran du monde était sur le point de lui être révélé, et ses yeux refusaient de s'en détourner. S'il fuyait à présent, qu'allait-il faire ? Courir jusqu'au portail et observer les événements à distance, en sécurité ? *Aucune* distance ne lui permettrait d'être en sécurité, sachant ce qu'il savait à présent. Il passerait le restant de ses jours à toucher la solidité du monde tout en sachant que, s'il avait l'Art au bout de ses doigts, ce monde si solide se mettrait à fondre.

Tous n'étaient pas aussi fatalistes. Ceux qui étaient assez conscients pour le faire tentaient de courir vers la porte. Mais la malléabilité qui avait infecté les murs s'était étendue à la moitié du plancher. Celui-ci devint mou sous leurs pieds, encore plus lorsque le Jaff tira à deux mains sur l'étoffe de la pièce.

Grillo chercha un endroit solide dans cet environnement mouvant mais ne put trouver qu'une chaise, qui s'avéra aussi vulnérable que les autres éléments de la pièce. Elle glissa hors de ses doigts et il tomba à genoux, saignant à nouveau du nez sous le choc. Il laissa le sang couler.

Il leva les yeux et vit que le Jaff avait tellement tiré sur le bout de la pièce que celui-ci était à présent méconnaissable. L'éclat des lumières venues du dehors s'était estompé, avait disparu, réduit à un rai sans caractère et si étiré qu'il devait être près de se rompre. Les bruits venus de l'autre côté, sans gagner en intensité, étaient devenus en quelques secondes presque inévitables, comme s'ils avaient toujours été là, inaudibles jusqu'à présent.

Le Jaff attira une nouvelle poignée d'étoffe dans sa main, et ce faisant triompha de la résistance de l'écran. Celui-ci ne se déchira pas en un endroit mais en plusieurs. La pièce bascula une nouvelle fois. Grillo s'accrocha au plancher ondoyant tandis que des corps roulaient autour de lui. Au milieu du chaos, il aperçut le Jaff, qui semblait en cet instant regretter amèrement ses actes, luttant avec la substance crue de la réalité qu'il avait rassemblée dans ses mains, comme s'il avait tenté de la jeter loin de lui. Ou bien ses poings refusèrent de lui obéir et de la lâcher, ou alors elle avait accumulé assez d'énergie pour s'ouvrir sans son aide, car une expression de terreur absolue se peignit sur son visage et il appela ses légions d'un cri. Les créatures se dirigèrent vers lui, leur anatomie semblant trouver quelque justification dans ce chaos mouvant. Grillo fut jeté à terre et elles se mirent à le piétiner. Elles ne s'étaient cependant pas plus tôt mises en branle que quelque chose leur fit faire halte. Grillo se redressa en s'agrippant à leurs corps, ne les redoutant plus à présent qu'il avait vu bien pire, et il se tourna vers la porte. Cette partie de la pièce était encore plus ou moins intacte. Seule une légère altération de son architecture témoignait de ce qui était en train de se passer derrière lui. Il apercevait l'entrée, et la porte de la maison. Celle-ci était ouverte. Devant elle se tenait le fils de Fletcher.

Il existait des appels plus pressants que celui d'un maître ou d'un créateur, comprit Howie. Il y avait l'appel qu'une chose exerçait sur son contraire, sur son ennemi naturel. C'était cet appel qui animait les *teratas* lorsqu'ils se tournèrent vers la porte, laissant au Jaff le soin de contrôler le chaos qui se déchaînait à l'intérieur de la maison.

— Ils arrivent ! cria-t-il à l'armée de Fletcher, s'écartant comme la marée de *teratas* déferlait sur la porte.

Jo-Beth, qui avait pénétré dans la maison à ses côtés, s'attarda sur le seuil. Il la prit par le bras et l'attira contre lui.

— Il est trop tard, dit-elle. Tu as vu ce qu'il a fait ? Mon Dieu ! Tu as vu ?

Cause perdue ou non, les créatures oniriques étaient prêtes à affronter les *teratas,* bondissant sur eux dès que leur flot émergea de la maison. Howie s'était attendu à ce que cet affrontement soit en quelque sorte *raffiné :* une bataille d'esprits ou de volontés. Mais la violence qui faisait éruption autour de lui était purement physique. Les guerriers n'avaient que leur corps à jeter dans la bataille, et ils se mirent à l'œuvre avec une férocité dont il aurait cru incapables les âmes mélancoliques qui s'étaient rassemblées dans les bois — et encore moins les gens civilisés qu'elles avaient été chez Lois Knapp. Il n'y avait aucune différence entre les enfants et les héros. Ils étaient à peine reconnaissables à présent, et les dernières traces des identités oniriques qu'ils avaient endossées s'estompaient devant un adversaire également épuré.

Désormais, ils n'étaient plus qu'essence. L'amour de Fletcher pour la lumière contre la passion du Jaff pour les ténèbres. Pardelà ces deux sentiments les unifiait une même intention. La destruction de l'autre.

Il avait exaucé leur souhait, pensa-t-il ; il les avait conduits en haut de la Colline, rappelant les égarés lorsque ceux-ci s'oubliaient et commençaient à se dissoudre. Il avait perdu nombre d'entre eux, peut-être ceux qui avaient été invoqués avec le moins de cohérence. Leurs corps s'étaient dissipés avant qu'il ait pu les amener à portée de leur ennemi. Quant au reste, l'apparition des *teratas* avait suffi à les stimuler. Ils lutteraient jusqu'à l'anéantissement.

Les deux camps se voyaient déjà infliger des pertes considérables. Des fragments de ténèbres luisantes arrachés aux corps des *teratas* ; des flots de lumière jaillissant des guerriers oniriques lorsqu'ils étaient blessés. Il n'y avait aucun signe de douleur parmi eux. Aucun sang coulant de leurs blessures. Ils accusaient coup après coup, luttant alors même que n'importe quel être même vaguement vivant aurait succombé à leur place. C'était seulement lorsque la moitié de leur substance s'était enfuie qu'ils commençaient à se défaire et à se dissiper. Et quand bien même, l'air dans lequel ils se dissolvaient n'était pas vide. Il frémissait et bourdonnait comme si le conflit se poursuivait au niveau subatomique, énergies positive et négative s'affrontant jusqu'à l'impasse, ou jusqu'à l'extinction mutuelle.

Cette dernière hypothèse était sans doute la bonne, à en juger par l'intensité de l'affrontement devant la maison. De force égale, les deux armées étaient tout simplement en train de s'anéantir l'une l'autre, rendant coup pour coup, voyant constamment diminuer leur nombre.

Le conflit avait gagné le portail lorsque Tesla arriva au sommet de la Colline, et il menaçait de s'étendre jusqu'à la route. Des formes qui avaient peut-être été naguère reconnaissables mais qui n'étaient plus que des abstractions, flaques de ténèbres, flaques de lumière, s'entre-déchiraient avec joie. Elle arrêta sa voiture et se dirigea vers la maison. Deux combattants émergèrent des arbres qui bordaient l'allée et tombèrent à terre quelques mètres devant elle, les membres entremêlés — et, semblait-il, *en fusion*. Elle contempla la scène, consternée. Était-ce ça que l'Art avait libéré ? Comment étaient-ils sortis de Quiddity ?

— *Tesla !*

Elle leva les yeux. Howie était devant elle. Ses explications furent rapides et essoufflées.

— Ça a commencé, dit-il. Le Jaff utilise l'Art.

— Où ?

— Dans la maison.

— Et ceux-là ? dit-elle.

— Nos dernières défenses, répondit-il. Nous sommes arrivés trop tard.

Et maintenant, bébé ? pensa-t-elle. Tu n'as aucun moyen d'arrêter ça. La terre a basculé et tout le monde glisse.

— Il faut qu'on foute tous le camp d'ici, dit-elle à Howie.

— Vous croyez ?

— Que peut-on faire d'autre ?

Elle se tourna vers la maison. Grillo lui avait dit que c'était une folie, mais elle ne s'était pas attendue à découvrir une architecture aussi démente. Ces angles aussi subtilement décalés, cette absence de toute verticalité. Puis elle comprit. Ce n'était pas un gag post-moderniste. C'était quelque chose *à l'intérieur* de la maison qui était en train de la distordre.

— Mon Dieu, dit-elle. Grillo est toujours là-dedans.

Alors même qu'elle prononçait ces mots, la façade se déforma encore un peu plus. Devant une telle étrangeté, même la bataille qui achevait de se dérouler autour d'elle était sans grandes conséquences. Rien que deux tribus en train de s'entre-déchirer comme des meutes de chiens enragés. Des histoires d'hommes. Elle la contourna, l'ignora.

— Où allez-vous ? dit Howie.

— Dedans.

— C'est le chaos.

— Pas dehors ? J'ai un ami là-dedans.

— Je vous accompagne, dit-il.

— Est-ce que Jo-Beth est ici ?

— Elle y était.

— Trouvez-la. Moi, je trouve Grillo, et ensuite on fout le camp.

Sans attendre une réponse, elle se dirigea vers la porte.

La troisième force en présence dans le Grove était à mi-hauteur de la Colline lorsque Witt se rendit compte que, pour profonde que fût sa peine à l'idée d'avoir perdu ses rêves, il ne voulait pas mourir cette nuit. Il commença à secouer la poignée de la portière, prêt à se jeter hors du véhicule, mais la tempête de poussière qui soufflait dans leur sillage l'en dissuada. Il se tourna vers Tommy-Ray. Le visage de l'adolescent n'avait jamais respiré l'intelligence, mais sa flaccidité était à présent choquante. Il semblait presque atteint de débilité mentale. La salive maculait sa lèvre inférieure, son visage était luisant de sueur. Mais il réussit à prononcer un nom tout en conduisant.

— Jo-Beth, dit-il.

Elle n'entendit pas *cet* appel, mais elle en entendit un autre. Venu de l'intérieur de la maison, un cri, courant d'un esprit à l'autre, poussé par l'homme qui l'avait créée. Ce cri ne lui était pas destiné, devina-t-elle. Il ne savait même pas qu'elle était tout près. Mais elle le perçut : une expression de terreur qu'elle ne pouvait ignorer. Elle traversa l'air encombré de matière jusqu'à la porte, dont les montants étaient en train de ployer.

Dedans, la scène était encore pire. Tout l'intérieur de la maison avait perdu sa solidité et était inexorablement attiré vers un point central. Il ne fut pas difficile de le trouver. Tout le monde amolli se mouvait dans sa direction.

Le Jaff était là, bien sûr, au cœur. Devant lui, un trou percé dans la substance même de la réalité, qui exerçait son emprise sur l'animé comme sur l'inanimé. Quand à ce qui se trouvait de l'autre côté de ce trou, elle ne pouvait pas le voir mais elle pouvait le deviner. *Quiddity* ; l'océan onirique ; et sur ses flots une île dont lui avaient parlé à la fois Howie et son père, un endroit où l'espace et le temps n'étaient que des lois risibles, un endroit peuplé d'esprits.

Mais si les apparences ne la trompaient pas, si le Jaff avait assouvi son ambition, s'il avait utilisé l'Art pour accéder à ce miracle, pourquoi alors avait-il si *peur* ? Pourquoi essayait-il de battre en retraite devant ce spectacle, déchirant ses mains de ses dents afin de leur faire lâcher la matière que ses doigts avaient pénétrée ?

Toute sa raison lui disait : Va-t'en. Va-t'en tant que tu le peux. L'attraction de ce qui se trouvait derrière le trou l'avait déjà saisie. Elle pouvait y résister pendant quelques moments, mais cette issue s'amenuisait déjà. Ce à quoi elle était impuissante à résister, cependant, c'était à l'appétit qui l'avait initialement conduite dans la maison. *Elle voulait voir son père souffrir.* Ce désir-là n'était ni doux ni filial, mais lui-même n'était pas non plus le plus doux des pères. Il l'avait fait souffrir, ainsi que Howie. Il avait corrompu Tommy-Ray au point de le rendre méconnaissable. Il avait brisé le cœur et la vie de Maman. A présent, elle voulait le voir souffrir, et elle ne pouvait pas détourner les yeux de ce spectacle. Il se mutilait avec de plus en plus de frénésie. Il recrachait des lambeaux de chair, secouant la tête d'avant en arrière dans une tentative désespérée pour nier ce qu'il apercevait de l'autre côté du trou créé par l'Art.

Elle entendit une voix prononcer son nom derrière elle, et se retourna pour découvrir une femme qu'elle n'avait jamais rencontrée mais que Howie lui avait décrite, en train de lui faire signe de regagner la sécurité toute relative du seuil. Elle ignora cet appel. Elle voulait voir le Jaff s'anéantir complètement ; ou être emporté et détruit par sa propre malice. Elle ne s'était pas rendu compte jusque-là à quel point elle le détestait. A quel point elle se sentirait purifiée lorsqu'il aurait quitté ce monde.

La voix de Tesla avait trouvé d'autres oreilles que celles de Jo-Beth. Accroché au sol deux mètres derrière le Jaff, sur l'île de solidité en voie d'érosion qui entourait l'Artiste, Grillo entendit l'appel de Tesla et — ignorant celui de Quiddity — regarda dans sa direction. Il avait l'impression que son visage était bouffi de sang, car le trou attirait ses fluides vers cette extrémité de son corps. Sa tête battait, comme sur le point d'éclater. Les larmes étaient arrachées à ses yeux, les cils à ses paupières. Deux cascades de sang jaillissaient de son nez pour couler directement de son visage au trou.

Il avait déjà vu la plupart des occupants de la pièce emportés vers Quiddity. Rochelle avait été une des premières à partir, renonçant à la faible emprise qu'avait sur le monde son corps de droguée. Sagansky et son adversaire assommé avaient disparu. Les autres fêtards les avaient suivis, en dépit de leurs tentatives pour gagner la porte. Les affiches avaient été arrachées des murs, puis le plâtre de la charpente ; c'était à présent au tour du bois de répondre à l'appel. Grillo les aurait rejoints, les murs, les invités et le reste, si l'ombre du Jaff ne lui avait pas offert un îlot de solidité ténue dans cet océan de chaos.

Non, pas un *océan*. C'était ce qu'il avait aperçu de l'autre côté du trou, et cet océan-là faisait paraître pitoyables toutes les autres images du monde.

Quiddity était la mer essentielle ; la première, l'insondable. Il avait abandonné tout espoir d'échapper à son appel. Il s'était approché trop près de son rivage pour s'en détourner. Son flux avait déjà emporté la majeure partie de la pièce. Il ne tarderait pas à l'emporter, lui aussi.

Mais en voyant Tesla, il osa soudain espérer qu'il survivrait pour raconter son histoire. S'il voulait profiter de cette ultime chance, il devait se montrer rapide. L'abri que lui offrait le Jaff s'érodait un peu plus à chaque instant. En voyant Tesla se tendre vers lui, il se tendit dans sa direction. La distance qui les séparait était trop grande. Elle ne pouvait pas pénétrer davantage dans la pièce sans perdre son emprise sur la solidité toute relative qui régnait derrière la porte.

Elle renonça à sa tentative et s'écarta de l'ouverture.

Ne m'abandonne pas, pensa-t-il. Ne me donne pas de l'espoir pour m'abandonner ensuite.

Il aurait dû être plus avisé. Elle s'était tout simplement éloignée pour déboucler sa ceinture, puis elle était revenue à la porte, laissant l'appel de Quiddity dérouler la ceinture et l'amener à portée de main de Grillo.

Il la saisit.

Dehors, sur le champ de bataille, Howie avait retrouvé les restes de la lumière qui avait été Benny Patterson. Elle avait perdu presque toute trace du garçonnet qu'elle avait été, mais il en demeurait assez pour que Howie la reconnaisse. Il s'agenouilla auprès d'elle, pensant qu'il était ridicule de pleurer le trépas d'un être aussi transitoire, puis corrigeant cette pensée par une autre. Lui aussi était transitoire, et guère plus conscient de ses buts que ce rêve, Benny Patterson, l'avait été.

Il posa une main sur le visage du garçonnet, mais celui-ci était déjà en train de se dissoudre, et il se dispersa sous ses doigts comme une nuée de pollen. Troublé, il leva les yeux pour découvrir Tommy-Ray devant le portail de Coney Eye, les yeux tournés vers la maison. Derrière lui, un peu en retrait, se trouvait un homme que Howie ne connaissait pas. Et derrière eux deux, une muraille de poussière gémissante qui suivait Tommy-Ray dans un tourbillon.

Ses pensées allèrent de Benny Patterson à Jo-Beth. Où était-elle? Dans la confusion de ces dernières minutes, il l'avait négligée. C'était elle la cible de Tommy-Ray, il n'en doutait pas un seul instant.

Il se leva et se prépara à intercepter son ennemi, qui était à présent aussi différent que possible du héros bronzé et souriant qu'il avait rencontré jadis devant le centre commercial. Sanguinolent, les yeux enfoncés dans leurs orbites, il rejeta la tête en arrière et hurla :

— *Père !*

La poussière qui voletait sur ses talons se précipita sur Howie dès qu'il fut à portée de poing de Tommy-Ray. Les visages qui la hantaient, bouffis de haine, aux bouches vastes comme des tunnels, l'écartèrent de leur route et s'éloignèrent, indifférents à sa petite existence. Il tomba à terre, serrant sa tête dans ses bras jusqu'à ce qu'ils fussent passés. Puis il se releva. Tommy-Ray et le nuage qui le suivait avaient disparu dans la maison.

Il entendit la voix de Tommy-Ray s'élever au-dessus du vacarme produit par l'Art.

— *Jo-Beth !* hurla-t-il.

Elle était dans la maison, comprit-il. Pourquoi elle y était entrée, cela le dépassait, mais il devait la retrouver avant Tommy-Ray, sinon ce salaud allait s'emparer d'elle.

Alors qu'il se précipitait vers la porte, il vit les résidus de la tempête de poussière emportés hors de vue par la force qui se déchaînait à l'intérieur.

Ce pouvoir lui fut visible dès qu'il franchit le seuil ; il vit les dernières volutes du nuage se fondre dans un maelström qui s'était emparé de la maison tout entière. Devant lui, les mains à peine reconnaissables, se trouvait le Jaff. Howie eut à peine le temps d'enregistrer la scène que Tesla lui lança un cri pour attirer son attention.

— Au secours ! Howie ? *Howie ?* Pour l'amour de Dieu, au secours !

Elle s'accrochait d'une main à la porte, dont la géométrie avait perdu toute cohérence, et de l'autre à quelqu'un qui était sur le point d'être englouti par le maelström. Il la rejoignit en trois enjambées, une grêle de débris s'envolant autour de lui (le sol qu'il venait d'arpenter), et agrippa sa main. A ce moment-là, il reconnut la silhouette qui se trouvait un mètre derrière Tesla, plus proche d'un mètre du gouffre ouvert par le Jaff. Jo-Beth !

Il poussa un cri en la voyant. Elle se tourna dans sa direction, à moitié aveuglée par les débris qui l'assaillaient. Comme leurs regards se croisaient, il vit Tommy-Ray se diriger vers elle. La machine avait fort souffert ces derniers temps, mais elle avait encore de l'énergie. Il attira Tesla contre lui, la traînant, ainsi que l'hommé qu'elle voulait sauver, hors de la zone la plus chaotique et en direction de l'entrée. Tommy-Ray saisit alors sa chance et se précipita sur Jo-Beth, la heurtant avec assez de force pour la renverser.

Il vit la terreur envahir ses yeux lorsqu'elle perdit l'équilibre. Vit les bras de Tommy-Ray se refermer autour d'elle dans la plus intime des étreintes. Puis Quiddity s'empara d'eux, les faisant traverser toute la longueur de la pièce, passer devant leur père et s'enfoncer au sein du mystère.

Howie poussa un hurlement.

Derrière lui, Tesla cria son nom. Il ignora son appel. Les yeux braqués sur l'endroit où Jo-Beth avait disparu, il fit un pas vers la porte. Le pouvoir l'encouragea à poursuivre. Il fit un autre pas, vaguement conscient que Tesla lui hurlait de s'arrêter, de faire demi-tour avant qu'il ne soit trop tard.

Ne savait-elle pas qu'il était trop tard depuis l'instant où il avait vu Jo-Beth ? Dès ce moment-là, tout avait été perdu.

Un troisième pas, et le tourbillon le saisit. La pièce se mit à tournoyer sur elle-même. L'espace d'un instant, il vit l'ennemi de son père, la bouche grande ouverte, suivi par le trou, plus grand ouvert encore.

Puis il disparut, là où avait disparu sa belle Jo-Beth, dans Quiddity.

— Grillo ?

— Ouais ?

— Tu peux tenir debout ?

— Je crois.

Il avait essayé deux fois de se redresser, sans succès, et Tesla n'avait plus assez de force pour le soulever et le traîner jusqu'au portail.

— Une minute, dit-il.

Ses yeux se tournèrent une nouvelle fois vers la maison dont ils s'étaient échappés de justesse.

— Il n'y a rien à voir, Grillo, dit-elle.

Ce n'était pas exact, loin de là. La façade ressemblait à un décor du *Cabinet du Docteur Caligari*, la porte était à moitié enfoncée dans le mur, les fenêtres en voie de l'être. Et à l'intérieur, qui savait ce qui se passait ?

Lorsqu'ils arrivèrent près de la voiture, une silhouette vacillante émergea du chaos et pénétra dans le clair de lune. C'était le Jaff. Le fait qu'il ait arpenté les rives de Quiddity et ait résisté à

son flux témoignait de son pouvoir, mais il avait payé le prix de
cette résistance. Ses mains n'étaient plus qu'une masse de chair
rongée, ce qui restait de la gauche pendait en lambeaux aux os de
son poignet. Son visage avait été dévoré avec autant de brutalité,
non par des dents mais par ce qu'il avait vu. Brisé, les yeux vides,
il se dirigea en trébuchant vers le portail. Des volutes de ténèbres,
ce qui restait des *teratas,* le suivaient.

Tesla désirait ardemment interroger Grillo sur ce qu'il avait
aperçu de Quiddity, mais ce n'était pas le moment. Il lui suffisait
de savoir qu'il était vivant. Chair dans un monde où la chair était
à chaque instant en péril. Vivant, alors que la vie s'achevait avec
chaque expiration, pour recommencer avec chaque souffle péniblement arraché.

Dans le fossé qui les séparait se trouvait un tel *danger*. Et
maintenant plus que jamais. Elle avait la certitude que le pire
s'était produit et que, quelque part sur les rivages les plus
lointains de Quiddity, les Iad Uroboros aiguisaient leur envie et
se préparaient à traverser l'océan onirique.

SEPTIÈME PARTIE

Âmes au Point Zéro

I

Au fil des millénaires, présidents, messies, chamans, papes, saints et déments avaient essayé l'argent, le meurtre, la drogue et la flagellation pour gagner Quiddity. Ils avaient presque tous échoué. L'océan onirique avait été plus ou moins préservé, son existence était demeurée une rumeur exquise, d'autant plus puissante qu'elle n'était jamais prouvée. L'espèce dominante du Cosme avait conservé le peu de raison qu'elle possédait grâce au droit qui était accordé à ses membres de visiter l'océan lors de leur sommeil, trois fois dans l'espace d'une vie, pour le quitter ensuite sans cesser d'en désirer davantage. C'était cet appétit qui les nourrissait. Qui les faisait souffrir ; qui les rendait furieux. Qui leur faisait faire le bien dans l'espoir, souvent inconscient, de se voir accorder un droit d'accès régulier. Qui leur faisait faire le mal de par le soupçon stupide que leurs ennemis conspiraient contre eux, qu'ils connaissaient le secret mais refusaient de le partager. Qui leur faisait créer des dieux. Qui leur faisait détruire des dieux.

Les rares personnes qui avaient fait le voyage qu'entreprenaient à présent Howie, Jo-Beth, Tommy-Ray et vingt-deux invités venus de la maison de Buddy Vance ne l'avaient pas fait par hasard. Elles avaient été choisies, à l'initiative de Quiddity, et s'étaient (en majorité) préparées à partir.

Howie, en revanche, n'était pas préparé à ce qui lui arrivait. Il roula tout d'abord à travers des boucles d'énergie, pour se retrouver ensuite dans ce qui semblait être l'œil d'un cyclone, où l'éclair vif faisait naître des brasiers tout autour de lui. Toute trace de bruit en provenance de la maison avait disparu dès qu'il était entré dans cette gorge. Ainsi que les débris divers qui l'avaient suivi dans son envol. Incapable de diriger sa course, il ne pouvait que tournebouler dans les nuages, tandis que les éclairs se faisaient moins fréquents et moins brillants, les intervalles de ténèbres de plus en plus profonds, jusqu'à ce qu'il se demande si ses yeux n'étaient pas en train de se fermer et si les ténèbres — ainsi que la sensation de chute qui les accompagnait

— ne régnaient pas seulement dans sa tête. En ce cas, il était heureux de se trouver dans leurs bras, les pensées elles aussi en chute libre, se fixant momentanément sur des images surgissant des ténèbres, apparemment des plus solides bien qu'il fût presque certain qu'elles ne se trouvaient que dans son esprit.

Il ne cessa d'invoquer le visage de Jo-Beth, toujours en train de le regarder par-dessus son épaule. Il lui récita des mots d'amour ; des mots tout simples qu'il espérait qu'elle entendait. Si tel était le cas, ces paroles furent impuissantes à les rapprocher. Il n'en fut pas surpris. Tommy-Ray s'était dissous dans le même nuage mental que Jo-Beth et lui traversaient dans leur chute, et un frère jumeau exerçait sur sa sœur une influence qui remontait au ventre de leur mère. Ils avaient flotté ensemble sur cet océan premier, après tout, leurs esprits et leurs cordons ombilicaux également confondus. Howie n'enviait strictement rien à Tommy-Ray — ni sa beauté, ni son sourire, rien —, excepté cette période d'intimité qu'il avait partagée avec Jo-Beth, avant le sexe, avant la faim, avant même le souffle. Il ne pouvait qu'espérer la rejoindre à la fin de sa vie comme Tommy-Ray l'avait rejointe au commencement, lorsque l'âge lui aurait ôté son sexe, sa faim, et finalement son souffle.

Puis son visage et le désir disparurent en lui, et de nouvelles pensées vinrent emplir sa tête, ou des aperçus de pensées. Pas des gens, mais des endroits, apparaissant et disparaissant comme si son esprit les feuilletait en quête de l'un d'entre eux en particulier. Il finit par trouver ce qu'il cherchait. Une nuit bleutée et floue, qui se solidifiait autour de lui. La sensation de chute disparut en un battement de cœur. Il était solide en un lieu solide, en train de courir sur des planches bruyantes, et un vent frais soufflait sur son visage. Derrière lui, il entendit Lem et Richie qui l'appelaient. Il continua de courir tout en jetant un regard par-dessus son épaule. Ce coup d'œil résolut le mystère du lieu. Derrière lui se trouvait Chicago, dont les lumières brillaient dans l'air nocturne, ce qui signifiait que le vent qui caressait son visage venait du lac Michigan. Il courait le long d'une jetée, bien qu'il ne sût pas laquelle, et les eaux du lac clapotaient autour de ses piles. C'était la seule étendue d'eau qui lui fût familière. Le lac influençait le climat de la ville, ainsi que son humidité ; il donnait à l'atmosphère de Chicago un parfum qui lui était unique ; il engendrait des tornades et les jetait contre le rivage. En fait, le lac était *si* constant, *si* inévitable, qu'il n'y pensait que rarement. Et quand il y pensait, c'était comme à un endroit où les riches se promenaient en bateau et où les pauvres allaient se noyer.

Mais à présent qu'il courait le long de la jetée, la voix de Lem s'estompant derrière lui, l'idée que le lac l'attendait en bout de course l'émouvait comme jamais. Il était petit ; le lac était vaste. Il était plein de contradictions ; le lac accueillait tout être et toute chose, ne prononçant aucun jugement sur les marins ni sur les suicidés.

Il pressa le pas, sentant à peine la pression de ses semelles sur les planches, de plus en plus persuadé que cette scène, pour réaliste qu'elle fût, n'était qu'une nouvelle invention de son esprit, façonnée à partir des fragments de sa mémoire pour lui faciliter une transition qui aurait pu le rendre fou : une étape entre l'état de rêve éveillé qu'avait été sa vie et les paradoxes inconnus qui l'attendaient. Plus il s'approchait de l'extrémité de la jetée, plus il était sûr de ne pas se tromper. Son pas, déjà léger, devint plus léger encore, sa course de plus en plus rapide. La durée s'adoucit, s'étira. Il eut le temps de se demander si l'océan onirique existait bel et bien, du moins de la façon dont existait Palomo Grove, ou si la jetée qu'il avait créée ne débouchait que sur la *pensée pure*.

Dans ce cas, nombreux étaient les esprits qui se rassemblaient en ce lieu ; des dizaines de milliers de lumières se déplaçaient dans les eaux devant lui, certaines émergeant à la surface comme des feux d'artifice, d'autres plongeant dans les profondeurs. Howie s'aperçut qu'il avait trouvé sa propre incandescence. Pas de quoi se vanter, mais sa peau émettait un halo indiscutable, comme l'écho ténu de la lumière de Fletcher.

La barrière à l'extrémité de la jetée n'était plus qu'à quelques mètres de lui. Derrière elle, les eaux de ce à quoi il avait cessé de penser comme à un lac. Ceci était Quiddity et, dans quelques instants, ceci se refermerait au-dessus de sa tête. Il n'avait pas peur. Au contraire. Il se hâta d'atteindre la barrière, se jetant sur elle plutôt que de perdre du temps à la sauter. S'il avait eu besoin d'une preuve de la totale irréalité de cette scène, il la reçut au moment de l'impact, la barrière éclatant en échardes rieuses dès qu'il la toucha. Lui aussi s'envola. Un vol qui s'acheva en chute dans l'océan onirique.

L'élément dans lequel il plongea ne ressemblait pas à de l'eau, en ce sens qu'il n'était ni froid ni humide. Mais Howie flotta néanmoins en lui, son corps remontant à la surface dans un nuage de bulles brillantes sans le moindre effort de sa part. Il ne craignait nullement la noyade. Il n'éprouvait qu'un profond sentiment de gratitude à l'idée de se trouver ici, là où était sa place.

Il regarda par-dessus son épaule (que de regards jetés en arrière !) en direction de la jetée. Elle avait accompli son but, transformant en jeu ce qui avait été une terreur. A présent, elle volait en éclats, tout comme la barrière.

Il la regarda disparaître, heureux. Il était libéré du Cosme et flottait dans Quiddity.

Jo-Beth et Tommy-Ray avaient plongé ensemble dans l'abîme, mais leurs esprits n'avaient pas visualisé leur voyage et leur plongée de la même façon.

L'horreur que Jo-Beth avait éprouvée en se sentant emportée disparut de sa tête lorsqu'elle se retrouva dans le cyclone. Elle oublia le chaos pour ne sentir que le calme. Ce n'était plus Tommy-Ray qui lui agrippait le bras, mais Maman, comme par le passé, quand elle avait encore été capable de regarder le monde en face. Elles s'avançaient au sein d'un crépuscule apaisant, foulant l'herbe des pieds. Maman chantait. C'était un hymne, dont elle avait oublié les paroles. Elle inventait des absurdités pour accompagner sa mélodie, dont le rythme semblait suivre celui de leurs pas. De temps en temps, Jo-Beth répétait quelque chose qu'elle avait appris à l'école, afin que Maman sache que c'était une bonne élève. Toutes les leçons portaient sur l'eau. Il y a des marées partout, même dans les larmes, l'océan est le lieu de naissance de la vie, le corps est en majorité composé d'eau. Ce contrepoint de chansons dura un long et calme moment, mais elle perçut des changements subtils dans l'air. Le vent se fit plus fort et elle sentit la mer. Elle lui offrit son visage, oubliant ses leçons. L'hymne de Maman s'était adouci. Si elles se tenaient toujours par la main, Jo-Beth n'en avait plus conscience. Elle continua de marcher sans regarder en arrière. Il n'y avait plus d'herbe sur le sol et, quelque part devant elles, il plongeait dans la mer, sur laquelle flottaient apparemment d'innombrables bateaux, des cierges allumés à leur proue et sur leurs mâts.

Soudain, le sol disparut sous ses pieds. Elle ne ressentit aucune crainte, même dans sa chute. Rien que la certitude d'avoir laissé Maman derrière elle.

Tommy-Ray se retrouva à Topanga, à l'aube ou au crépuscule, il n'en était pas sûr. Bien que le soleil fût absent du ciel, il n'était pas seul. Il entendit des filles glousser et parler en murmures essoufflés dans la pénombre. Sous ses pieds nus, le sable était chaud et poisseux d'huile solaire là où elles s'étaient allongées. Il ne voyait pas l'océan, mais il savait de quel côté se tourner. Il se dirigea vers l'eau, sachant que les filles le regardaient. Elles le regardaient toujours. Il prit soin de ne pas réagir à leur observation. Lorsqu'il serait sur les rouleaux, en plein mouvement, peut-être leur adresserait-il un sourire éclatant. Puis, une fois de retour sur la plage, il donnerait sa chance à l'une d'elles.

A présent que les vagues lui apparaissaient, il se rendait compte que quelque chose clochait. Non seulement la plage était plongée dans la pénombre, et la mer fort sombre, mais il semblait y avoir des corps flottant dans les rouleaux et, pis encore, leur chair était phosphorescente. Il ralentit l'allure, tout en sachant qu'il ne pouvait pas faire demi-tour. Il ne voulait pas que quelqu'un se trouvant sur la plage, et en particulier les filles, pense qu'il avait peur. Mais il avait peur ; horriblement peur. Il y avait une saloperie radioactive dans la mer. Les surfers étaient tombés de leurs planches, empoisonnés, et ils étaient rejetés vers le rivage par les vagues mêmes qu'ils étaient partis chevaucher. Il les voyait distinctement à présent, leur peau tantôt noire, tantôt argentée, leurs cheveux pareils à des halos blonds. Leurs petites amies étaient à leurs côtés, mortes comme les surfers dans l'écume souillée.

Il savait qu'il n'avait pas le choix et qu'il devait les rejoindre. La honte qui serait la sienne s'il faisait demi-tour vers la plage serait pire que la mort. Ils feraient partie de la légende par la suite. Lui et les surfers morts, emportés par le même reflux. Rassemblant son courage, il pénétra dans la mer, qui devint aussitôt insondable, comme si la plage venait de se dérober sous ses pas. Le poison consumait déjà son organisme ; il voyait son corps devenir plus brillant. Il se mit à haleter, et chaque souffle était plus douloureux que le précédent.

Quelque chose lui frôla le flanc. Il se tourna, pensant qu'il s'agissait d'un surfer mort, mais c'était Jo-Beth. Elle prononça son nom. Il ne put trouver aucun mot pour lui répondre. Tout désireux qu'il fût de ne pas montrer sa peur, il ne put s'en empêcher. A présent, il pissait dans l'océan ; ses dents claquaient.

— Aide-moi, dit-il. Jo-Beth. Tu es la seule à pouvoir m'aider. Je vais mourir.

Elle regarda son visage tremblant.

— Si tu dois mourir, nous mourrons tous les deux, dit-elle.

— Comment suis-je arrivé ici ? Et pourquoi es-tu ici ? Tu n'aimes pas la plage.

— Ce n'est pas la plage, dit-elle. (Elle lui agrippa le bras, leurs mouvements conjugués les faisant osciller comme des bouées.) Ceci est Quiddity, Tommy-Ray. Tu te rappelles ? Nous sommes de l'autre côté du trou. Tu nous as fait passer de l'autre côté.

Elle vit son visage envahi par les souvenirs lorsqu'il se mit à parler.

— Oh mon Dieu... oh Seigneur..., dit-il.

— Tu te rappelles ?

— Oui. Seigneur, oui.

Ses tremblements devinrent des sanglots et il se plaqua contre elle, l'enveloppant de ses bras. Elle ne lui résista pas. Il ne servait pas à grand-chose de vouloir se venger à présent qu'ils étaient tous deux en danger.

— Chut, dit-elle, le laissant enfouir un visage enfiévré au creux de son épaule. Chut. Il n'y a rien à faire.

Il n'y avait rien à faire. Quiddity le tenait, et il flotterait, flotterait, et peut-être — au bout du compte — finirait par rattraper Jo-Beth et Tommy-Ray. En attendant, il aimait bien se savoir perdu au sein de cette immensité. Cela faisait paraître ses peurs — toute sa vie, en fait — sans conséquence. Il fit la planche et leva les yeux vers le ciel. Ce n'était pas un ciel nocturne, contrairement à ce qu'il avait cru. Il ne s'y trouvait aucune étoile, ni fixe ni filante. Aucun nuage dissimulant une lune. En fait, ce ciel semblait totalement dénué de caractère, mais au fil des secondes — ou des minutes ; ou des heures ; il ne le savait ni ne s'en souciait —, il se rendit compte que de subtiles ondes de couleur se mouvaient au-dessus de lui, larges de plusieurs centaines de kilomètres. L'aurore boréale paraissait ridicule à côté d'un tel spectacle, au sein duquel il crut voir planer et voler des formes confuses, pareilles à des nuées de raies immenses se nourrissant dans la stratosphère. Il espéra qu'elles descendraient un peu afin qu'il puisse les distinguer plus clairement, mais peut-être, songea-t-il, n'avaient-elles aucune clarté à lui révéler. Tout n'était pas à la disposition de l'œil. Certaines choses défiaient la vision, la capture et l'analyse. Comme ses sentiments à l'endroit de Jo-Beth, par exemple. Ils étaient aussi étranges et difficiles à préciser que les couleurs au-dessus de sa tête, que les formes qui gambadaient en leur sein. On les percevait autant grâce aux sentiments que grâce à la rétine. Le sixième sens était la sympathie.

Satisfait de son sort, il tourna doucement sur lui-même dans l'éther et tenta de nager. Les mouvements élémentaires se révélèrent efficaces, bien qu'il lui fût difficile de mesurer sa progression en l'absence de tout point de repère. Les lumières qui flottaient tout autour de lui — des passagers comme lui, supposa-t-il, bien qu'ils fussent dénués de toute forme, contrairement à lui-même — étaient trop indistinctes pour lui permettre de se repérer. S'agissait-il d'âmes rêvantes ? De nouveau-nés, d'amants et de mourants, parcourant les eaux de Quiddity dans leur sommeil, bercés et apaisés, touchés par une paix qui les emporterait avec la marée vers la tempête qu'ils affronteraient à leur réveil ? Une vie à vivre, ou à perdre ; un amour qu'ils redouteraient de voir tourner à l'aigre ou disparaître après cette épiphanie. Il immergea son visage. Plusieurs formes lumineuses nageaient au-dessous de lui, certaines à une profondeur telle qu'elles n'étaient pas plus grosses que des étoiles. Elles ne se déplaçaient pas toutes dans la même direction que lui. Certaines, comme les immenses raies dans le ciel, allaient par groupes, par *bancs*, montant et descendant dans les eaux. D'autres nageaient côte à côte. Les amants, supposa-t-il, bien qu'il fût permis de croire que tous les rêveurs qui dormaient présentement à côté de l'amour de leur vie ne jouissaient pas de sentiments réciproques de la part de celui-ci. Peut-être étaient-ils rares. Cette pensée lui remit en mémoire la nuit où Jo-Beth et lui avaient voyagé de concert en ce lieu ; et la situation présente de son amante. Il devait veiller à ne pas se laisser abrutir par ce calme ; à ne pas l'oublier à cause de lui. Il laissa son visage émerger de l'océan.

Ce faisant, il évita de justesse une collision. Quelques mètres devant lui se trouvait un fragment d'épave aux couleurs violentes en provenance de la maison de Vance, dont l'aspect était choquant au milieu d'une telle tranquillité. Quelques mètres plus loin, encore plus troublante, une autre épave, beaucoup trop laide pour avoir sa place ici sans sembler pour autant être issue du Cosme. Sa partie émergée mesurait un peu plus d'un mètre de haut, ainsi que sa partie immergée ; un îlot cireux et noueux flottant telle une merde pâle dans cet océan de pureté. Il tendit une main et saisit la première épave, se hissant sur elle et donnant un violent coup de pied. Ce geste lui permit d'approcher l'énigme de plus près.

Celle-ci était vivante. Non pas occupée par quelque chose de vivant, mais entièrement composée de matière vivante. Il entendit le bruit de deux battements de cœur provenant de sa masse. Sa surface avait la texture caractéristique de la peau, ou d'une matière dérivée de la peau. Mais ce que *c'était* ne lui apparut que lorsqu'il vint à la frôler. Ce fut seulement à ce moment-là qu'il vit deux minces silhouettes — deux des fêtards — en train de s'empoigner, le visage furieux. Il n'avait pas eu le privilège de fréquenter Sam Sagansky, ni d'entendre les doigts agiles de Doug Frankl courir sur un clavier. Il ne vit là que deux ennemis, accolés non seulement l'un à l'autre mais aussi au cœur d'une île qui semblait issue d'eux-mêmes. De leurs dos, comme d'énormes bosses. De leurs membres, comme des membres supplémentaires qui ne se dressaient pas contre leur ennemi mais se fondaient dans sa chair. Cette structure produisait encore de nouveaux nodules, de nouvelles excroissances qui poussaient le long de leurs membres, et chaque variation ne s'inspirait pas de sa racine — un bras, une échine — mais de son prédécesseur immédiat, si bien que l'ensemble devenait sans cesse un peu moins humain, un peu moins charnel. Cette image était plus fascinante que répugnante, car l'intensité de l'affrontement permettait de supposer que les adversaires ne ressentaient plus aucune douleur. En regardant la structure croître et se développer, Howie comprit vaguement qu'il s'agissait d'une terre ferme en gestation. Peut-être les lutteurs finiraient-ils par mourir et par se décomposer, mais la structure elle-même était bien moins sujette à la corruption. Le périmètre et les sommets de l'île ressemblaient déjà davantage à du corail qu'à de la chair, du corail dur et encroûté. A leur mort, les lutteurs deviendraient des fossiles enfouis au cœur de l'île qu'ils avaient eux-mêmes créée. Celle-ci continuerait de flotter.

Il lâcha son radeau improvisé et s'éloigna de l'île. Des débris divers souillaient à présent la surface de l'océan : meubles, lampes, morceaux de plâtre. Il passa à côté de la tête d'un cheval de manège, dont l'œil peint regardait derrière lui, comme horrifié d'avoir été démembré. Mais il n'y avait aucun signe d'île en gestation parmi ces débris. Quiddity ne créait apparemment rien à partir des choses sans esprit, bien qu'il se demandât si son génie ne réagirait pas — avec le temps — aux traces des esprits qui avaient fabriqué ces objets. Quiddity pouvait-il faire pousser à partir de la tête d'un cheval de bois une île portant la tête du créateur du cheval ? Tout était possible.

Jamais on n'avait dit ou pensé parole plus exacte.

Tout était possible.

Ils n'étaient pas seuls ici, Jo-Beth le savait. Et c'était quand
même un peu réconfortant. De temps en temps, elle entendait
quelqu'un lancer un appel, d'une voix qui traduisait parfois la
détresse mais tout aussi souvent l'extase, comme si toute une
congrégation partagée entre la terreur et l'émerveillement s'était
répandue sur la surface de Quiddity. Elle ne répondit à aucun de
ces appels. D'abord, elle avait vu flotter dans les eaux, toujours à
une certaine distance, des formes qui lui suggéraient que les gens
ne restaient pas toujours humains en ce lieu. Ils devenaient
monstrueux. Elle avait assez de difficulté à s'occuper de Tommy-
Ray (qui constituait la seconde raison de ne pas répondre aux
appels) pour ne pas vouloir s'attirer des ennuis supplémentaires.
Il exigeait d'elle une attention de tous les instants ; il lui parlait
d'une voix dénuée de toute émotion tandis qu'ils continuaient à
flotter. Il avait beaucoup de choses à lui dire, entre les excuses et
les sanglots. Elle en connaissait déjà la plupart. Comme il s'était
senti heureux lorsque leur père était revenu, et comme il s'était
senti trahi lorsqu'elle les avait reniés tous les deux. Mais il y en
avait d'autres, et certaines d'entre elles lui brisèrent le cœur. Il
lui fit d'abord le récit de son voyage à la Mission, un récit
décousu qui se transforma soudain en une description ininter-
rompue des horreurs qu'il avait vues et accomplies. Peut-être
aurait-elle été tentée de ne pas croire aux pires d'entre elles — les
meurtres, les visions de sa propre décomposition — s'il n'avait
pas été aussi lucide. Jamais de sa vie elle ne l'avait entendu
s'exprimer avec autant de précision que lorsqu'il lui décrivit ses
sentiments quand il était devenu Death Boy.
— Tu te souviens d'Andy ? lui demanda-t-il à un moment
donné. Il avait un tatouage... un crâne... sur sa poitrine, au-
dessus de son cœur.
— Je me souviens, dit-elle.
— Il disait qu'un jour, il irait chevaucher les rouleaux de
Topanga — pour la dernière fois — et qu'il ne reviendrait jamais.
Il disait qu'il aimait la Mort. Mais il mentait, Jo-Beth...
— Oui.
— C'était un lâche. Il remuait beaucoup de vent, mais c'était
un lâche. Je ne suis pas un lâche, n'est-ce pas ? Je ne suis pas le
chéri à sa maman...
Il recommença à pleurer, plus violemment que jamais. Elle

essaya de le faire taire, mais toutes ses tentatives pour l'apaiser échouèrent.

— Maman..., entendit-elle, Maman...

— Pourquoi parles-tu de Maman ? dit-elle.

— Ce n'était pas ma faute.

— Quoi donc ?

— J'étais seulement venu te chercher. Ce n'était pas ma faute.

— J'ai dit *quoi donc ?* répéta Jo-Beth, l'écartant un peu d'elle. Tommy-Ray, *réponds-moi.* Est-ce que tu lui as fait mal ?

Il ressemblait à un enfant pris en faute, pensa-t-elle. Tout semblant de machisme l'avait abandonné. Ce n'était qu'un gosse morveux et turbulent. Pathétique et dangereux : une combinaison inévitable.

— Tu lui as fait mal, dit-elle.

— Je ne veux pas être Death Boy, protesta-t-il. Je ne veux tuer personne...

— Tuer ? dit-elle.

Il la regarda en face, comme si sa sincérité avait pu la convaincre de son innocence.

— Ce n'est pas moi. C'est les morts. Je suis allé te chercher et ils m'ont suivi. Je n'ai pas pu les chasser. J'ai essayé, Jo-Beth, j'ai vraiment essayé.

— Mon Dieu ! dit-elle en le rejetant hors de l'abri de ses bras.

Son geste ne fut guère violent, mais il secoua l'élément de Quiddity d'une façon disproportionnée à son amplitude. Elle eut vaguement conscience que sa répugnance était la cause de cette agitation ; que Quiddity reproduisait dans ses flots le tourbillon de son esprit.

— Ça ne serait pas arrivé si tu étais restée avec moi, protesta-t-il. Tu aurais dû rester, Jo-Beth.

Elle s'écarta de lui, ses sentiments faisant bouillir les eaux de Quiddity.

— *Salaud !* hurla-t-elle dans sa direction. *Tu l'as tuée ! Tu l'as tuée !*

— Tu es ma sœur, dit-il. Tu es la seule qui puisse me sauver !

Il tendit une main vers elle, et son visage était noué par le chagrin, mais elle ne pouvait voir dans ses traits que ceux de l'assassin de Maman. Même s'il proclamait son innocence jusqu'à la fin du monde (s'ils ne s'y trouvaient pas déjà), jamais elle ne lui pardonnerait. S'il perçut sa révulsion, il choisit de l'ignorer. Il commença à lutter avec elle, ses mains lui agrippant le visage puis les seins.

— Ne me quitte pas ! hurla-t-il soudain. Je ne te laisserai pas me quitter !

Combien de fois lui avait-elle cherché des excuses parce que leurs œufs avaient été jumeaux dans la même matrice ? Combien de fois lui avait-elle tendu une main indulgente après avoir vu sa corruption ? Elle avait même persuadé Howie d'oublier par amour pour elle le dégoût que lui inspirait Tommy-Ray. Ça suffisait comme ça. Cet homme était peut-être son frère, son jumeau, mais il était coupable de matricide. Maman avait survécu au Jaff, au Pasteur John et à Palomo Grove, pour être ensuite tuée dans sa propre maison, par son propre fils. Son crime était impardonnable.

Il chercha de nouveau à la saisir, mais cette fois-ci, elle était prête. Elle le frappa au visage, une fois, deux fois, aussi violemment qu'elle en était capable. Le choc lui fit lâcher prise l'espace d'un instant et elle se mit à nager, lui aspergeant le visage d'eau bouillonnante. Il leva les bras devant lui pour se protéger et elle s'enfuit hors d'atteinte, vaguement consciente que son corps avait perdu de sa souplesse, mais elle ne s'attarda pas pour en découvrir la raison. Le plus important était de s'éloigner le plus possible de lui ; de l'empêcher de la toucher à tout jamais ; *à tout jamais*. Elle nagea avec vigueur, ignorant ses sanglots. Cette fois-ci, elle ne regarda pas derrière elle, du moins pas avant de ne plus l'entendre. Puis elle ralentit l'allure et jeta un coup d'œil par-dessus son épaule. Il avait disparu. Le chagrin l'envahit — la secoua de souffrance —, mais une horreur plus immédiate fondit sur elle avant qu'elle ait pu assimiler toutes les conséquences de la mort de Maman. Ses bras lui semblaient lourds lorsqu'ils émergèrent de l'éther. A moitié aveuglée par les larmes, elle leva ses mains devant elle. A travers un brouillard flou, elle vit que ses doigts étaient encroûtés, comme si elle avait plongé les mains dans un mélange d'huile et de céréales ; ses bras étaient déformés par la même fange.

Elle se mit à pleurer, ne sachant que trop clairement ce que signifiait cette horreur. Quiddity était à l'œuvre sur elle. D'une façon indéfinie, l'océan rendait sa fureur *solide*. La mer avait transformé sa chair en glèbe fertile. Des formes surgissaient d'elle, aussi laides que la rage qui les inspirait.

Ses pleurs se transformèrent en hurlements. Elle avait presque oublié ce que c'était que de pousser de pareils hurlements, dressée comme elle l'avait été au fil des ans à être la fille domestiquée de Maman, qui souriait au Grove le lundi matin. A présent, Maman était morte et le Grove était probablement en ruine. Et lundi ? Qu'est-ce que c'était que lundi ? Rien qu'un nom arbitrairement accolé à un jour et à une nuit dans la longue histoire des jours et des nuits qui racontaient l'existence du monde. Ils ne signifiaient plus rien à présent : les jours, les nuits, les noms, les villes ou les mères mortes. Howie restait la seule chose sensée à ses yeux. Il était tout ce qui lui restait.

Elle tenta de le visualiser, essayant avec désespoir de s'accrocher à quelque chose au milieu de cette folie. Son image glissa tout d'abord hors de portée de son esprit — elle ne pouvait voir que le visage misérable de Tommy-Ray —, mais elle persévéra, l'invoquant détail par détail. Ses lunettes, sa peau si pâle, sa démarche bizarre. Ses yeux, pleins d'amour. Son visage, envahi par la rougeur comme lorsqu'il parlait avec passion, ce qui lui arrivait souvent. Son sang et son amour, en une seule pensée brûlante.

— Sauve-moi, sanglota-t-elle, espérant contre tout espoir que les étranges eaux de Quiddity apporteraient son angoisse jusqu'à lui. Sauve-moi, ou tout est fini.

II

— Abernethy ?

A Palomo Grove, l'aube se lèverait dans une heure et Grillo avait un sacré papier à dicter.

— Je suis surpris d'apprendre que vous êtes encore vivant, grogna Abernethy.

— Surpris ou déçu ?

— Grillo, vous êtes un connard. Je n'entends pas parler de vous pendant plusieurs jours, et voilà que vous m'appelez à six heures du matin, bordel !

— J'ai un scoop, Abernethy.

— J'écoute.

— Je vais vous raconter l'histoire telle qu'elle s'est déroulée. Mais je ne crois pas que vous allez l'imprimer.

— Laissez-moi en juger. Accouchez.

— Ouvrez les guillemets : « La nuit dernière, dans la ville de Palomo Grove (Comté de Ventura), une communauté résidentielle bien tranquille nichée dans les collines de Simi Valley, notre réalité, connue par ceux qui jonglent avec de tels concepts sous le nom de Cosme, a été déchirée par un pouvoir qui a prouvé à l'auteur de ces lignes que la vie n'est qu'un film... »

— *Qu'est-ce que c'est que ces conneries ?*

— Taisez-vous, Abernethy. Je ne le répéterai pas deux fois. Où en étais-je ? Ah, oui : « ... qu'un film. Cette force, brandie par un nommé Randolf Jaffe, a fait basculer les frontières de ce que la majorité d'entre nous croyait être la seule réalité absolue et a ouvert une porte sur un autre état de l'existence : un océan nommé Quiddity... »

— Est-ce que c'est une lettre de démission, Grillo ?

— Vous vouliez un papier que personne d'autre n'oserait imprimer, pas vrai ? dit Grillo. Le fin du fin en matière de merde Eh bien, le voilà. La grande révélation.

— C'est ridicule.

— Peut-être que les nouvelles réellement extraordinaires paraissent toujours ridicules. Y avez-vous pensé ? Qu'auriez-vous

fait si j'avais essayé de vous écrire un papier sur la Résurrection ?
« Un crucifié sort de son tombeau. » Vous auriez imprimé ça ?

— Ce n'est pas pareil, dit Abernethy. C'est vraiment arrivé.

— Et ça aussi Je le jure devant Dieu. Et si vous voulez une
preuve, vous n'allez pas tarder à l'avoir.

— Une preuve ? Comment ça ?

— Écoutez, dit Grillo, et il reprit sa dictée : « Cette révélation
sur la fragilité de l'état de notre existence a pris place au milieu
d'une des réunions les plus prestigieuses de l'histoire récente du
cinéma et de la télévision, alors qu'environ deux cents invités —
choisis parmi les puissants d'Hollywood — s'étaient rassemblés
dans la demeure de Buddy Vance, décédé cette semaine à
Palomo Grove. Son décès, qui s'est produit dans des circonstances aussi tragiques que mystérieuses, a déclenché une série
d'événements qui ont connu leur point culminant la nuit
dernière, quand plusieurs personnes invitées à célébrer sa
mémoire ont été arrachées au monde tel que nous le connaissons.
Nous n'avons encore aucun détail sur la liste des victimes ; mais
Rochelle Vance, la veuve du comique, en fait certainement
partie. Il n'y a de plus aucun moyen de connaître leur sort exact.
Peut-être sont-elles mortes. Peut-être se trouvent-elles tout
simplement dans un autre état de l'existence dans lequel seuls les
plus téméraires des aventuriers oseraient pénétrer. En tout état
de cause, elles ont purement et simplement disparu de la surface
de la terre. »

Il s'attendait à ce qu'Abernethy l'interrompe à ce moment-là,
mais le silence régnait à l'autre bout du fil. Un silence si profond,
en fait, que Grillo demanda :

— Abernethy, vous êtes toujours là ?

— Vous êtes dingue, Grillo.

— Dans ce cas, raccrochez-moi au nez. Vous n'y arrivez pas,
hein ? Vous voyez, il y a un authentique paradoxe là-dessous. Je
ne peux pas vous sentir, mais je pense que vous êtes le seul à avoir
assez de couilles pour imprimer ça. Et le monde doit être informé.

— Vous *êtes* dingue.

— Regardez bien les informations aujourd'hui. Vous verrez...
il y a pas mal de disparus célèbres ce matin. Des directeurs de
studio, des vedettes, des imprésarios...

— Où êtes-vous ?

— Pourquoi ?

— Laissez-moi donner quelques coups de fil, et ensuite je vous
rappellerai.

— Pour quoi faire ?

— Pour voir s'il y a des bruits qui courent. Donnez-moi cinq minutes. C'est tout ce que je vous demande. Je ne dis pas que je vous crois. Je ne vous crois pas. Mais c'est un scoop de premier ordre.

— C'est la vérité, Abernethy. Et je veux prévenir les gens. Ils doivent savoir.

— Comme je vous l'ai dit, donnez-moi cinq minutes. Vous êtes toujours au même numéro ?

— Ouais. Mais peut-être n'arriverez-vous pas à me joindre. L'endroit est pratiquement désert.

— Je vous joindrai, dit Abernethy, et il raccrocha.

Grillo se tourna vers Tesla.

— J'ai réussi, dit-il.

— Je ne pense toujours pas que ce soit sage d'informer les gens.

— Ne recommence pas, dit Grillo. C'est l'histoire que j'étais né pour raconter, Tesla.

— Cela fait trop longtemps que c'est un secret.

— Ouais, pour le bénéfice de gens comme ton copain Kissoon.

— Ce n'est pas mon copain.

— Ah bon ?

— Pour l'amour de Dieu, Grillo, tu sais très bien ce qu'il a fait...

— Alors, pourquoi parles-tu de lui avec ces accents envieux dans la voix, hein ?

Elle le regarda comme s'il venait de la gifler.

— Tu vas me traiter de menteur ? dit-il.

Elle secoua la tête.

— Qu'est-ce qui te séduit là-dedans ?

— Je ne sais pas. C'est toi qui as regardé le Jaff faire son numéro. Tu n'as même pas tenté de l'arrêter. Qu'est-ce qui t'a séduit *là-dedans* ?

— Je n'avais pas l'ombre d'une chance contre lui, tu le sais très bien.

— Tu n'as même pas essayé.

— Ne change pas de sujet. J'ai raison, n'est-ce pas ?

Tesla était allée près de la fenêtre. Coney Eye était dissimulée par les arbres. De l'endroit où ils se trouvaient, il leur était impossible de dire si les dommages s'étaient étendus.

— Tu crois qu'ils sont vivants ? dit-elle. Howie et les autres ?

— Je ne sais pas.

— Tu as pu voir Quiddity, n'est-ce pas ?

— Je l'ai entrevu, dit Grillo.

— Et ?

— Ça m'a rappelé une de nos conversations téléphoniques. Interrompue avant la fin. Tout ce que j'ai vu, c'est un nuage. Il n'y avait aucun signe de Quiddity proprement dit.

— Ni des Iad ?

— Ni des Iad. Peut-être qu'ils n'existent pas.

— C'est ce que tu souhaites.

— Tu es sûre de tes sources ?

— On ne peut plus sûre.

— J'adore ça, remarqua Grillo avec quelque amertume. Je passe des journées entières à fouiller partout et je ne récolte que des bribes. Mais *toi*... tu es tout de suite branchée.

— C'est tout ce qui t'intéresse ? dit Tesla. Que tu aies un *scoop* ?

— Ouais. Peut-être. Et raconter une histoire. Faire comprendre aux gens ce qui est en train de se passer dans la Vallée du Bonheur. Mais il me semble que ce n'est pas ce que tu veux. Tu serais plus heureuse si le secret restait la propriété exclusive de quelques élus. Toi, Kissoon, ce salaud de Jaff...

— D'accord, tu veux raconter la fin du monde ? Vas-y, Orson Welles. Tous les auditeurs de l'Amérique n'attendent que l'occasion de paniquer. En attendant, j'ai des problèmes...

— Espèce de salope bouffie de suffisance.

— *Je* suis bouffie de suffisance ! *Moi !* Mais écoutez donc Monsieur Grillo : « Je leur dirai la vérité ou bien j'en crèverai ! » Il ne t'est pas venu à l'idée que, si Abernethy publie le récit de ce qui s'est passé ici, cette ville va devenir un haut lieu de l'industrie touristique dans quelques heures ? Les autoroutes bloquées dans toutes les directions ? Et ça sera la situation idéale pour ce qui va sortir de l'autre côté du trou, hein ? C'est l'heure de passer à table !

— Merde.

— Tu n'avais pas pensé à ça, n'est-ce pas ? Et pendant qu'on est en train de s'engueuler, tu...

Le téléphone lui coupa la parole en pleine diatribe. Grillo décrocha.

— Nathan ?

— Abernethy.

Grillo regarda Tesla, qui s'était placée le dos à la fenêtre et le toisait d'un air furibond.

— J'aurai besoin de beaucoup plus que deux paragraphes.

— Qu'est-ce qui vous a convaincu?

— Vous aviez raison. Beaucoup de gens ne sont pas revenus de cette fête.

— Est-ce qu'on en a parlé aux infos de ce matin?

— Non. Vous avez donc une longueur d'avance. Bien sûr, l'explication que vous donnez de leur disparition ne tient pas debout. La plus belle affabulation que j'aie jamais entendu. Mais ça ferait une première page terrible.

— Je vous recontacte dès que j'ai écrit la suite.

— Dans une heure.

— Dans une heure.

Il reposa le combiné.

— D'accord, dit-il en se tournant vers Tesla. Suppose que je le fasse mariner jusqu'à midi? Que pouvons-nous faire en attendant?

— Je ne sais pas, avoua Tesla. Peut-être retrouver le Jaff.

— Et que diable peut-il faire, lui?

— Il ne peut pas *faire* grand-chose. Mais il peut en *défaire* beaucoup.

Grillo se leva et alla dans la salle de bains, ouvrit le robinet et s'aspergea le visage d'eau froide.

— Tu crois qu'on peut refermer le trou? dit-il en revenant dans la chambre, de l'eau gouttant de son visage.

— Je ne sais pas, je te dis. Peut-être. Je n'ai pas d'autres réponses, Grillo.

— Et que va-t-il arriver aux gens qui sont là-dedans? Les jumeaux McGuire. Katz. Tous les autres.

— Ils sont sans doute déjà morts, soupira-t-elle. Nous ne pouvons rien pour les aider.

— Facile à dire.

— Eh bien, tu semblais prêt à te jeter là-dedans il y a quelques heures, alors peut-être devrais-tu les suivre. Je te trouverai un bout de ficelle pour que tu t'y accroches.

— D'accord, dit Grillo, je n'ai pas oublié que tu m'as sauvé la vie, et je t'en suis reconnaissant.

— Que d'erreurs ai-je commises dans ma vie...

— Écoute, je suis désolé. Je m'y prends très mal. Je le sais. Je devrais élaborer un plan quelconque. Me conduire en héros. Mais, tu vois... je ne suis pas un héros. Ma seule réaction devant cette situation, c'est une réaction de Grillo. Je ne peux pas changer. Dès que je vois quelque chose, je veux que le monde entier soit au courant.

— Il le sera, dit vivement Tesla. Il le sera.

— Mais toi... *tu* as changé.

Elle acquiesça.

— Tu ne te trompes pas, dit-elle. J'y pensais quand tu as dit à Abernethy qu'il n'aurait pas imprimé un reportage sur la Résurrection : c'est *moi*. Je suis ressuscitée. Et tu sais ce qui me panique ? C'est que je ne suis pas paniquée. Je suis cool. Je suis bien. Je vais faire un tour dans une foutue boucle temporelle et c'est comme...

— Comme quoi ?

— ... comme si j'étais née pour ça, Grillo. Comme si je pouvais être... oh, merde, je ne sais pas.

— Dis-le. Dis ce que tu penses.

— Tu sais ce que c'est qu'un chaman ?

— Bien sûr, dit Grillo. Un homme-médecine. Un sorcier.

— Plus que ça, dit-elle. C'est un guérisseur de l'esprit. Il pénètre dans la psyché collective et l'explique. Il l'agite. Je pense que tous les acteurs principaux de cette histoire — Kissoon, le Jaff, Fletcher — sont des chamans. Et Quiddity... est l'espace onirique de l'Amérique. Peut-être du monde. J'ai vu ces hommes y foutre le bordel, Grillo. Tous motivés par leur désir de pouvoir. Même Fletcher était incapable de dominer la situation.

— Donc, peut-être qu'on a besoin de changer de chaman, dit Grillo.

— Ouais. Pourquoi pas ? répliqua Tesla. Je ne peux pas faire pire qu'eux.

— C'est pour ça que tu veux garder tout ça pour toi.

— Bien sûr, entre autres raisons. Je peux le *faire*, Grillo. Je suis assez bizarre, et la plupart de ces chamans, tu sais, étaient un peu décalés. Des travestis ; des transsexuels. Tout pour tous. Animaux, végétaux et minéraux. C'est ce que je veux être. J'ai toujours voulu... (Elle s'interrompit durant quelques instants.)... tu sais ce que j'ai toujours voulu.

— Je ne le savais pas avant maintenant.

— Eh bien, maintenant, tu le sais.

— Ça n'a pas l'air de t'enchanter.

— Je suis passée par la résurrection. C'est une des étapes que les chamans doivent franchir. Mourir et se relever. Mais je n'arrête pas de penser... que ce n'est pas fini. Il me reste encore quelque chose à prouver.

— Tu crois que tu dois mourir de nouveau ?

— J'espère que non. Une fois m'a suffi.

— C'est ce qui se passe en général, dit Grillo.

Cette remarque fit naître un sourire sur les lèvres de Tesla.

— Qu'est-ce qu'il y a de drôle ? dit-il.

— Tout ça. Toi. Moi. Les choses ne peuvent pas devenir plus bizarres, n'est-ce pas ?

— On peut le parier sans crainte.

— Quelle heure est-il ?

— Environ six heures.

— Le soleil va bientôt se lever. Je pense que je devrais partir à la recherche du Jaff, avant que la lumière du jour ne le force à se cacher.

— S'il n'a pas déjà quitté le Grove.

— Je ne l'en crois pas capable, dit-elle. Le cercle se referme. Il est de plus en plus étroit. Coney Eye est soudain devenu le centre de l'univers connu.

— Et inconnu.

— Je ne pense pas qu'il soit *si* inconnu, dit Tesla. Je pense que Quiddity ressemble beaucoup plus à chez nous que nous ne le croyons.

Le jour était déjà en chemin lorsqu'ils sortirent de l'hôtel, les ténèbres laissant la place à un no man's land imprécis entre la lune et le soleil. Comme ils traversaient le parking, un individu sale et mal en point sortit de la pénombre, le visage couleur de cendre.

— Il faut que je vous parle, dit-il. Vous êtes Grillo, n'est-ce pas ?

— Ouais. Et vous ?

— Je m'appelle Witt. J'avais un bureau dans le centre. Et des amis ici, à l'hôtel. Ils m'ont parlé de vous.

— Que voulez-vous ? dit Tesla.

— J'étais à Coney Eye, dit-il. Quand vous en êtes sortis. Je voulais vous parler à ce moment-là, mais je me cachais... Je n'ai pas pu bouger. (Il baissa les yeux vers son pantalon, qui était mouillé.) Que se passe-t-il ici ?

— Je vous conseille de quitter le Grove le plus vite possible, l'avertit Tesla. Le pire est encore à venir.

— Il n'y a plus rien à quitter, répliqua Witt. Le Grove a disparu. Fini. Les gens sont partis en vacances et je ne pense pas qu'ils reviendront. Mais je ne vais pas partir. Je n'ai nulle part où aller. De plus... (il paraissait au bord des larmes)... c'est ma ville. Si elle doit se faire engloutir, je veux être là quand ça se produira. Même si le Jaff...

— Une minute ! dit Tesla. Que savez-vous du Jaff ?

— Je l'ai... rencontré. Tommy-Ray McGuire est son fils, vous le saviez ? (Tesla acquiesça.) Eh bien, c'est McGuire qui m'a présenté au Jaff.

— Ici, dans le Grove ?

— Bien sûr.

— Où ça ?

— Dans Wild Cherry.

— Alors, c'est par là que nous commençons, dit Tesla Pouvez-vous nous y conduire ?

— Bien sûr.

— Tu penses qu'il est retourné là-bas ? dit Grillo.

— Tu as vu dans quel état il était, répondit Tesla. Je pense qu'il est parti à la recherche d'un endroit *familier,* d'un lieu où il se sentirait en sécurité.

— Ça paraît sensé, dit Grillo.

— Dans ce cas, dit Witt, c'est le premier événement sensé de la nuit.

L'aube leur révéla un spectacle que William Witt leur avait déjà décrit : celui d'une ville pratiquement désertée, vidée de ses occupants. Une meute de chiens domestiques rôdaient dans les rues, lâchés par leurs maîtres ou bien enfuis pendant que ceux-ci ne se préoccupaient que de leur départ paniqué. En l'espace d'un jour ou deux, ils formeraient une petite horde de charognards. Witt les reconnut. Les caniches de Mrs Duffin étaient de leur nombre ; ainsi que deux bassets appartenant à Blaze Hebbard, les arrière-petits-enfants des chiens ayant appartenu à un citoyen du Grove décédé alors que Witt était enfant, un nommé Edgar Lott. A sa mort, il avait demandé que son argent soit consacré à l'édification d'un mémorial à la Ligue des Vierges.

Outre les chiens, il y avait d'autres signes de départ précipité, des signes peut-être encore plus troublants. Des portes de garage laissées ouvertes ; des jouets répandus sur les pelouses ou sur les allées par des enfants endormis jetés dans une voiture en plein milieu de la nuit.

— Tout le monde le savait, dit Witt tandis qu'ils roulaient. Ils le savaient tous, mais personne ne disait rien. C'est pour ça que la plupart d'entre eux se sont éclipsés en pleine nuit. Ils pensaient être les seuls à perdre l'esprit. Ils pensaient *tous* être les seuls.

— Vous avez dit que vous travailliez ici, dit Grillo.

— Ouais, lui dit Witt, dans l'immobilier.

— On dirait que les affaires vont marcher du tonnerre dès demain. Beaucoup de maisons à vendre.

— Et qui va les acheter ? dit Witt. Cette terre va être maudite.

— Ce qui est arrivé n'est pas de la faute du Grove, intervint Tesla. C'est un accident.

— Vraiment ?

— Bien sûr. Si Fletcher et le Jaff ont atterri ici, c'est parce qu'ils avaient épuisé leur énergie, pas parce que le Grove avait été en quelque sorte *choisi*.

— Je pense néanmoins que cette terre sera maudite, commença Witt, s'interrompant pour donner ses instructions à Grillo : Wild Cherry est au prochain tournant. Et la maison de Mrs Lloyd est la quatrième ou la cinquième à droite.

La maison semblait inoccupée, du moins de l'extérieur. Cette impression se vit confirmée lorsqu'ils y pénétrèrent. Le Jaff n'était pas venu ici depuis qu'il s'était moqué de Witt à l'étage supérieur.

— Ça valait la peine d'essayer, dit Tesla. Je pense qu'il ne nous reste plus qu'à continuer les recherches. La ville n'est pas si grande. Nous irons de rue en rue jusqu'à ce que nous l'ayons reniflé. Quelqu'un a une meilleure idée ? (Elle se tourna vers Grillo, qui regardait ailleurs et pensait à autre chose.) Qu'y a-t-il ? dit-elle.

— Hein ?

— Quelqu'un a laissé couler l'eau, dit Witt en suivant le regard de Grillo.

En effet, l'eau coulait sous la porte d'entrée d'une maison située en face de celle de Mrs Lloyd, un courant régulier qui coulait le long de l'allée et traversait le trottoir avant de se jeter dans le caniveau.

— Qu'est-ce que ça a de si intéressant ? dit Tesla.

— Je viens juste de comprendre..., dit Grillo.

— Quoi donc ?

Il gardait les yeux fixés sur l'eau, qui disparaissait dans une grille.

— Je crois que je sais où il est. (Grillo se tourna vers Tesla.)

Un endroit familier, as-tu dit. L'endroit qu'il connaît le mieux dans le Grove n'est pas au-dessus du sol, il est *au-dessous*.

Le visage de Tesla s'éclaira.

— Les cavernes. Ouais. Ça colle à merveille.

Ils remontèrent en voiture et, Witt leur indiquant les raccourcis, traversèrent la ville — sans se soucier des feux rouges ni des sens interdits — en direction de Deerdell.

— La police ne va pas tarder à débarquer, fit remarquer Grillo. En quête des stars disparues.

— Je devrais remonter à la maison pour les prévenir, dit Tesla.

— Tu ne peux pas être en deux endroits à la fois, dit Grillo. A moins que ce ne soit un de tes nouveaux talents, encore inconnu de moi.

— Ah ah, elle est bien bonne !

— Ils seront bien obligés de se débrouiller tout seuls. Nous avons plus urgent à faire.

— Exact, concéda Tesla.

— Si le Jaff *est* dans les cavernes, dit Witt, comment allons-nous le trouver ? Je ne pense pas qu'il va accourir si nous l'appelons.

— Connaissez-vous un homme nommé Hotchkiss ? dit Grillo.

— Bien sûr. Le père de Carolyn ?

— Ouais. Il peut nous aider. Je vous parie qu'il est encore en ville. Il peut nous faire descendre. Pourra-t-il nous faire remonter, c'est une autre histoire, mais il semblait en être assez sûr il y a deux jours de ça. Il a essayé de me persuader de le suivre dans les cavernes.

— Pourquoi ?

— Il est obsédé par les choses *enfouies* sous le Grove.

— Je ne vous suis pas.

— Je ne suis pas sûr de me suivre moi-même. Laissez-le-nous l'expliquer.

Ils étaient arrivés devant le bois. On n'entendait aucun chœur d'oiseaux s'élever, même avec hésitation, pour saluer l'aube. Ils s'engagèrent parmi les arbres dans un silence oppressant.

— Il est passé par ici, dit Tesla.

Personne n'eut besoin de lui demander comment elle le savait. Même pour ceux dont les sens n'avaient pas été aiguisés par le Nonce, il était évident que l'atmosphère de la forêt était chargée d'attente. Les oiseaux ne s'étaient pas enfuis, ils étaient simplement trop terrifiés pour chanter.

Ce fut Witt qui les conduisit jusqu'à la clairière, et son sens de l'orientation était celui d'un homme qui savait exactement où il allait.

— Vous venez souvent ici? dit Grillo, plaisantant à moitié.

— Presque jamais, répliqua Witt.

— Stop, murmura soudain Tesla.

La clairière était devant eux, visible entre les arbres. Elle eut un mouvement de menton dans sa direction.

— Regardez, dit-elle.

Un ou deux mètres derrière la barricade érigée par la police, en train de se tourner et de se retourner dans l'herbe, se trouvait la preuve irréfutable du fait que le Jaff était bien venu se réfugier ici. Un des *teratas*, trop faible et trop meurtri pour couvrir les derniers mètres qui le séparaient de l'abri des cavernes, était en train de vivre ses derniers instants, sa dissolution produisant une sinistre luminescence.

— Il ne nous fera aucun mal, dit Grillo, déjà prêt à avancer vers lui.

Tesla le retint par le bras.

— Peut-être peut-il alerter le Jaff, dit-elle. Nous ignorons quelle est la nature de ses relations avec ces créatures. Inutile d'aller plus loin. Nous savons qu'il est ici.

— Exact.

— Allons chercher Hotchkiss.

Ils rebroussèrent chemin.

— Savez-vous où il habite? demanda Grillo à Witt une fois qu'ils furent assez loin de la clairière.

— Je sais où tout le monde habite, dit Witt. Ou habitait.

La vision des cavernes semblait l'avoir secoué, augmentant les soupçons de Grillo : bien qu'il ait affirmé ne s'aventurer que rarement par ici, c'était de toute évidence un lieu de pèlerinage pour lui.

— Emmenez Tesla chez Hotchkiss, dit Grillo. Je vous retrouverai là-bas.

— Où vas-tu? voulut savoir Tesla.

— Je veux m'assurer qu'Ellen a bien quitté le Grove.

— C'est une femme raisonnable, je suis sûre qu'elle est partie.

— Je vais quand même aller vérifier, dit Grillo, refusant de se laisser dissuader.

Il les quitta près de la voiture et se mit en route vers la maison des Nguyen, laissant à Tesla le soin d'arracher Witt à l'attrait hypnotique du bois. Lorsque Grillo disparut au coin de la rue, elle n'y était toujours pas parvenue. Il contemplait les arbres comme si la clairière l'implorait de revenir vers un passé partagé, et il avait toutes les peines du monde à ignorer cet appel.

III

Ce ne fut pas Howie qui vint à l'aide de Jo-Beth en cet instant de terreur solitaire, mais la marée, qui la souleva et l'emporta — les yeux souvent fermés, et inondés de larmes quand ils venaient à s'ouvrir — vers un endroit qu'elle n'avait aperçu que brièvement lorsque Howie et elle avaient nagé ensemble dans les eaux de Quiddity : l'Éphéméride. Il y avait des signes de trouble dans l'élément qui la portait, mais elle en était aussi peu consciente que de la proximité de l'île. Tous n'étaient pas dans ce cas. Si elle avait examiné ce qui l'entourait, elle aurait perçu une agitation subtile mais indéniable parcourir les âmes qui nageaient dans l'éther de Quiddity. Leurs mouvements avaient perdu de leur régularité. Certaines — peut-être les plus sensibles à la rumeur portée par l'éther — cessèrent d'avancer et demeurèrent immobiles dans les ténèbres, telles des étoiles englouties. D'autres plongèrent dans les profondeurs, espérant éviter le cataclysme annoncé par ces murmures. D'autres encore, fort rares pour le moment, disparurent totalement pour se réveiller dans le Cosme, au creux de leur lit, soulagées d'être hors de danger. Pour la plupart d'entre elles, cependant, ce message était trop confus pour être bien entendu ; ou si elles l'entendaient, le plaisir qu'elles avaient à se trouver dans Quiddity l'emportait sur l'angoisse. Elles montaient et descendaient, montaient et descendaient, suivant un chemin qui les conduisait grosso modo vers la destination qu'avait prise Jo-Beth : l'île qui flottait sur l'océan onirique.

L'Éphéméride.
Les échos de ce nom avaient résonné dans la tête de Howie depuis qu'il avait entendu Fletcher le prononcer.

« Qu'y a-t-il sur l'Éphéméride ? » avait-il demandé, imaginant quelque île paradisiaque. La réponse de son père n'avait guère été riche d'enseignements. « *Le Grand Show Secret* », avait-il dit, une réponse qui ne faisait que poser une douzaine de questions supplémentaires. A présent que l'île apparaissait devant ses yeux, il regretta de ne pas avoir questionné Fletcher avec plus d'insistance. Même à cette distance, il était évident que l'image qu'il s'était faite de ce lieu était tout à fait erronée. Tout comme Quiddity n'était pas un océan au sens conventionnel du terme, l'Éphéméride exigeait une nouvelle définition du mot « île ». Tout d'abord, il ne s'agissait pas d'une seule masse de terre, mais de plusieurs, peut-être des centaines, reliées par des arches de roc, tout un archipel ressemblant à une immense cathédrale flottante, dont ces ponts étaient les contreforts, dont ces îles étaient les tours, de plus en plus hautes à mesure qu'elles se rapprochaient de l'île centrale, de laquelle des colonnes de fumée solide montaient à la rencontre du ciel. Cette ressemblance était trop affirmée pour n'être qu'une coïncidence. Cette image avait sûrement inspiré l'inconscient des architectes du monde entier. Les bâtisseurs de cathédrales, les constructeurs de tours, et même — qui sait ? — les enfants qui jouaient avec des cubes, avaient eu au fond de leur esprit cette image de rêve et s'étaient efforcés de lui rendre hommage. Mais leurs chefs-d'œuvre ne pouvaient être que des approximations, des compromis passés avec la pesanteur et avec les limites de leur art. Et jamais ils n'auraient pu concevoir une œuvre aussi massive. L'Éphéméride était large de plusieurs kilomètres, estima Howie, et la moindre portion de l'ensemble avait été touchée par le génie. S'il s'agissait là d'un phénomène naturel (et qui pouvait dire ce qui était *naturel* dans un lieu de l'esprit ?), alors c'était l'œuvre d'une nature atteinte de frénésie d'invention. Ici, la matière jouait à des jeux qui étaient l'apanage des nuages et de la lumière dans le monde qu'il avait quitté. Elle édifiait des tours aussi fines que des roseaux, au sommet desquelles se tenaient des globes gros comme des maisons ; elle créait des falaises irisées comme des coquillages et des murailles qui semblaient se gonfler comme les rideaux d'une fenêtre ; elle faisait des collines en spirale ; elle faisait des rochers semblables à des seins, ou à des chiens, ou aux reliefs d'une table inconcevable. Tant de ressemblances, mais aucune qu'il pût croire intentionnelle. Un fragment dans lequel il voyait un visage lui évoquait l'instant d'après un dessin plus complexe et chacune de ses interprétations était d'un instant à l'autre sujette au changement. Peut-être ces ressemblances étaient-elles toutes bonnes, toutes intentionnelles. Peut-être qu'aucune ne l'était et que ce petit jeu était, tout comme la création de la jetée qu'il avait accomplie au moment de s'approcher de Quiddity, la façon qu'avait son esprit de dompter cette immensité. En ce cas, il était impuissant à maîtriser un de ses éléments : l'île située au centre de l'archipel, qui se dressait comme un pic au-dessus de Quiddity, aussi verticale que la fumée qui coulait des fissures innombrables de ses flancs. Son sommet était complètement dissimulé par la fumée, mais le mystère qu'il abritait, quel qu'il fût, était un nectar pour les lumières d'esprits qui montaient vers lui, insensibles au poids de la chair et du sang, sans pénétrer la fumée mais effleurant son bouquet. Il se demanda si c'était la peur qui les empêchait de plonger dans la fumée, ou s'il existait une barrière plus solide qu'il n'y paraissait. Peut-être trouverait-il la réponse à sa question une fois qu'il se serait rapproché. Impatient de parvenir au but, il battit des bras pour aider le mouvement de la marée, si bien que, à peine un quart d'heure après avoir aperçu l'Éphéméride, il abordait son rivage. Le sol était sombre, mais pas aussi sombre que Quiddity, et il était dur au toucher, encroûté comme du corail. Était-il possible, se demanda-t-il soudain, que l'archipel ait été créé de la même manière que l'île qu'il avait vue flotter au milieu des débris venus de la maison de Buddy Vance, formée autour d'êtres humains présents dans Quiddity ? Dans ce cas, à quelle époque avaient-ils échoué dans l'océan onirique pour que l'île soit aujourd'hui aussi massive ?

Il commença à longer la plage, choisissant de partir sur sa gauche car il avait pour habitude de toujours prendre la route de gauche lorsqu'un tel choix s'imposait à lui. Il ne s'éloigna pas du rivage, espérant retrouver Jo-Beth sur la berge, amenée là par le même courant qui l'avait porté. Une fois qu'il eut quitté les eaux apaisantes, une fois que celles-ci eurent cessé de porter et de caresser son corps, il refit connaissance avec les angoisses que la mer lui avait fait oublier. La première : il risquait de fouiller l'archipel pendant plusieurs jours, voire plusieurs semaines, sans jamais retrouver Jo-Beth. La deuxième : même s'il y parvenait, il lui faudrait encore affronter Tommy-Ray. Et Tommy-Ray n'était pas seul ; des spectres le suivaient quand il était entré dans la maison de Buddy Vance. La troisième (il s'agissait pour l'instant du moindre de ses soucis, mais il prenait sans cesse de l'ampleur) : quelque chose était en train de changer dans Quiddity. Il lui était indifférent de savoir que les mots étaient incapables de décrire cette réalité : qu'il s'agisse d'une autre dimension ou d'un état de l'esprit, cela n'avait aucune importance. C'était probablement la même chose, de toute façon. L'important, c'était la *sainteté* de cet endroit. Tout ce qu'on lui avait dit de Quiddity et de l'Éphéméride était vrai, il n'en doutait pas une seule seconde. Ici était la source de toute la gloire à laquelle pouvait prétendre son espèce. Un lieu constant ; un lieu de réconfort, où le corps était oublié (sauf par les intrus comme lui) et où l'âme rêvant goûtait au vol et au mystère. Mais certains signes subtils — parfois si subtils qu'il pouvait à peine les percevoir — lui indiquaient que ce lieu onirique n'était pas en sécurité. Les vaguelettes qui venaient mourir sur la plage dans une mousse d'écume bleue avaient vu leur rythme s'altérer depuis qu'il était sorti de l'eau. Le mouvement des lumières dans Quiddity semblait également avoir changé, comme si quelque chose les troublait. Il doutait que seule l'intrusion de chair et de sang venus du Cosme fût responsable de cet état de fait. Quiddity était immense et avait les moyens de s'occuper de ceux qui résistaient à ses eaux apaisantes : il avait vu ce processus à l'œuvre. Non, ce qui souillait cette tranquillité devait être plus significatif que sa seule présence, ou que celle de n'importe quel envahisseur venu de l'autre côté.

Il découvrit des témoignages de cette intrusion, échoués sur le rivage. Un montant de porte, des morceaux de meubles brisés, des coussins et, comme de bien entendu, des fragments de la collection de Vance. A faible distance de ces pitoyables débris, derrière un coude de la plage, il trouva une raison d'espérer que la marée ait rejeté Jo-Beth ici : une autre survivante. Elle se tenait debout au bord de Quiddity, en train de contempler l'océan. Si elle l'entendit approcher, elle ne daigna pas se retourner. Sa position (les bras ballants, les épaules voûtées) et la fixité de son regard donnaient l'impression qu'elle était hypnotisée. Si c'était ainsi qu'elle avait choisi de surmonter le choc, l'idée d'interrompre sa transe répugnait à Howie, mais il n'avait pas le choix.

— Excusez-moi, dit-il, sachant que sa politesse était grotesque dans de telles circonstances. Êtes-vous seule ici ?

Elle se tourna vers lui et il eut une seconde surprise. Il avait vu ce visage des douzaines de fois, souriant sur un écran de télé, vantant les vertus d'une marque de shampooing. Il ne connaissait pas le nom de cette femme. C'était simplement Mme Silksheen. Elle le regarda en plissant le front, comme si elle avait des difficultés à fixer son visage. Il lui reposa sa question sous une autre forme.

— Y a-t-il d'autres survivants ? dit-il. Venus de la maison ?

— Oui, dit-elle.

— Où sont-ils ?

— Un peu plus loin.

— Merci.

— Ce n'est pas vraiment arrivé, n'est-ce pas ? dit-elle.

— J'ai bien peur que si, dit-il.

— Qu'est-il arrivé au monde ? Est-ce qu'ils ont lâché la bombe ?

— Non.

— Quoi, alors ?

— Le monde est toujours là, dit-il. De l'autre côté de Quiddity. De l'autre côté de l'océan.

— Oh, dit-elle, bien qu'elle n'ait sûrement rien compris aux informations qu'il venait de lui donner. Est-ce que vous avez de la coke ? Ou des pilules ? Quelque chose ?

— Désolé.

Elle reprit sa contemplation, le laissant suivre ses instructions et reprendre la route. Les vagues étaient un peu plus agitées à chacun de ses pas. Ou alors, il devenait de plus en plus sensible à leur agitation. Cette dernière hypothèse était sans doute la bonne, car il remarquait à présent d'autres signes en plus de l'altération du rythme des vagues. Une sorte d'impatience dans l'air autour de lui, comme si des êtres invisibles étaient en train de converser hors de portée de son ouïe. Dans le ciel, les vagues de couleur se brisaient, formant des nuages en arête, et leur progression tranquille était remplacée par la même agitation qui souillait Quiddity. Des lumières flottaient toujours au-dessus de lui, se dirigeant vers la tour de fumée, mais elles se faisaient de plus en plus rares. De toute évidence, les rêveurs se réveillaient.

Devant lui, la plage était en partie bloquée par une formation rocheuse en maillons, qu'il dut escalader avant de continuer ses recherches. Mme Silksheen l'avait cependant bien orienté. Un peu plus loin, derrière un nouveau coude du rivage, il trouva plusieurs survivants des deux sexes. Apparemment, aucun d'eux n'avait eu assez de force pour faire plus de quelques mètres sur la plage. L'un d'eux gisait encore les pieds dans l'eau, aussi immobile que s'il était mort. Personne ne lui venait en aide. La même langueur qui avait plongé Mme Silksheen dans sa contemplation les avait affectés, mais plusieurs d'entre eux se retrouvaient inertes pour une tout autre raison. Ils étaient sortis *transformés* des eaux de Quiddity. Leurs corps étaient difformes et encroûtés, comme si le même processus qui avait changé les deux lutteurs en île était à l'œuvre sur eux. Howie ne pouvait que deviner quelle qualité, ou quelle absence de qualité, distinguait ces intrus des autres. Pourquoi ceux-ci, ainsi que lui-même, avaient-ils franchi la même distance en nageant dans le même élément et avaient-ils émergé indemnes de Quiddity? Les victimes de la mer avaient-elles été les proies d'une émotion dont Quiddity se nourrissait, tandis que lui-même avait dérivé ainsi que les âmes rêvantes, laissant derrière lui sa vie, ses ambitions et ses obsessions — tout sentiment en fait, excepté le calme induit en lui par Quiddity? Il avait même failli en oublier tout désir de retrouver Jo-Beth. C'était à présent son seul but. Il erra à sa recherche parmi les survivants, mais sans succès. Elle ne se trouvait pas parmi eux, pas plus que Tommy-Ray.

— Est-ce qu'il y en a d'autres? demanda-t-il à un homme massif affalé sur la berge.

— D'autres?

— Vous savez bien... comme nous.

L'homme avait la même expression, mi-intriguée, mi-distraite, que Howie avait vue sur le visage de Mme Silksheen. Il semblait lutter pour relier ensemble les mots qu'il venait d'entendre.

— *Nous,* dit Howie. Ceux qui viennent de la maison.

Aucune réponse ne venait. L'homme continuait de le regarder, les yeux vitreux. Howie renonça et partit en quête d'une source d'informations plus fiable, choisissant le seul survivant qui n'était pas en train de contempler Quiddity. Il se tenait debout loin de la berge et avait les yeux fixés sur la tour de fumée au cœur de l'archipel. Il n'était pas sorti indemne de ses épreuves. Quiddity avait laissé ses marques sur son cou, sur son visage et le long de son échine. Il avait ôté sa chemise pour en envelopper sa main gauche. Howie s'approcha de lui.

Pas d'excuses cette fois-ci, rien qu'une déclaration brute :

— Je cherche une jeune fille. Elle est blonde. Environ dix-huit ans. Est-ce que vous l'avez vue?

— Qu'est-ce qu'il y a là-haut? répliqua l'homme. Je veux y aller. Je veux voir.

Howie essaya une nouvelle fois.

— Je cherche...

— J'ai entendu.

— Est-ce que vous l'avez vue?

— Non.

— Savez-vous s'il y a d'autres survivants?

En guise de réponse, la même syllabe prononcée d'une voix morne. Howie se mit en colère.

— Qu'est-ce qui vous prend à tous, bordel ? dit-il.

L'homme le regarda. Son visage était piqueté par la petite vérole et loin d'être beau, mais il avait un sourire en coin que l'œuvre de Quiddity n'avait pu lui ôter.

— Ne vous énervez pas, dit-il. Ça n'en vaut pas la peine.

— *Elle* en vaut la peine.

— Pourquoi ? Nous sommes tous morts, de toute façon.

— Pas nécessairement. On est entrés, on peut ressortir.

— Quoi, vous voulez dire *nager* ? Pas question, mec. Je ne vais pas retourner plonger dans cette foutue soupe. Je préférerais crever. Quelque part là-haut. (Il se retourna vers la montagne.) Il y a quelque chose là-haut. Quelque chose de merveilleux. Je le sais.

— Peut-être.

— Vous voulez m'accompagner ?

— Grimper, vous voulez dire ? Vous n'y arriverez jamais.

— Pas jusqu'au sommet, peut-être, mais je peux m'en rapprocher. Le renifler d'un peu plus près.

L'appétit que lui inspirait le mystère de la tour était le bienvenu, comparé à la léthargie des autres survivants, et Howie regrettait amèrement de se séparer de lui. Mais où que se trouve Jo-Beth, ce n'était pas sur la montagne.

— Faites un bout de chemin avec moi, dit l'homme. Vous aurez une meilleure vue un peu plus haut. Peut-être que vous pourrez voir votre copine.

L'idée n'était pas mauvaise, vu le peu de temps qui leur restait. L'agitation dans l'air était un peu plus palpable à chaque minute qui s'écoulait.

— Pourquoi pas ? dit Howie.

— J'ai cherché le chemin le plus facile. Il me semble qu'on aurait intérêt à commencer par remonter un peu la plage. Qui êtes-vous, au fait ? Je m'appelle Garrett Byrne. Garrett avec deux « r ». Byrne avec un « y ». Au cas où vous rédigeriez ma notice nécrologique. Et vous ?

— Howie Katz.

— Je vous serrerais bien la main, mais la mienne n'est pas en état de le faire. (Il leva son avant-bras bandé.) Je ne sais pas ce qui s'est passé, mais je ne signerai plus jamais un contrat. Peut-être que j'en suis content, vous savez ? C'était un boulot de con, de toute façon.

— Quoi donc ?

— Le boulot d'avocat dans le show-biz. Vous connaissez cette histoire ? Trois avocats spécialisés dans le show-biz se retrouvent dans la merde jusqu'au cou. Que leur manque-t-il ?

— Je ne sais pas.

— Un peu plus de merde.

Byrne éclata de rire.

— Vous voulez voir ? dit-il en défaisant son bandage improvisé.

Sa main était à peine reconnaissable. Tous ses doigts avaient enflé et s'étaient fondus les uns aux autres.

— Vous savez quoi ? dit-il. Je crois bien qu'elle essaye de se transformer en bite. Toutes ces années que j'ai passées à baiser les gens avec ma main, à les enculer, et elle a finalement compris. C'est bien une bite, non ? Non, ne répondez pas. Grimpons.

Tommy-Ray sentit l'océan onirique accomplir son œuvre sur lui tandis qu'il flottait, mais il ne prit pas la peine d'examiner les changements qu'il lui imposait. Il se contenta de laisser rugir la colère qui les inspirait.

Ce fut peut-être cette colère qui causa le retour des spectres. Il eut d'abord conscience d'eux en tant que souvenir, les revoyant en train de le poursuivre sur les autoroutes désertes de la Basse Californie, leur nuage pareil à un chapelet de boîtes de conserve attachées à la queue d'un chien. Sitôt pensé, sitôt *ressenti*. Une bise glacée vint frapper son visage, qui était la seule partie émergée de son corps. Il savait ce qui arrivait. Il sentait les tombes, et la poussière des tombes. Ce fut seulement lorsque l'océan se mit à bouillonner autour de lui qu'il ouvrit les yeux et vit le nuage tournoyer au-dessus de sa tête. Ce n'était plus la grande tempête qui avait dévasté le Grove ; la tempête qui détruisait églises et mamans. C'était une ridicule spirale de poussière en folie. Mais l'océan savait qu'elle lui appartenait, et il se remit à l'œuvre sur son corps. Il sentit ses membres s'alourdir. Son visage le grattait furieusement. Il voulait dire : « Ce n'est pas ma légion. Ne me blâmez pas pour leurs sentiments. » Mais à quoi lui aurait-il servi de nier ? Il était Death Boy, maintenant et à jamais. Quiddity le savait et œuvrait en conséquence. Il n'y avait pas de mensonges en ce lieu. Pas de faux-semblants. Il regarda les esprits descendre vers la surface des eaux, formant un cercle dont il était le centre. L'éther de Quiddity s'anima d'une fureur nouvelle. Il tourna sur lui-même comme une toupie, s'enfonçant dans l'eau. Il tenta de lever les bras au-dessus de la tête, mais ses bras étaient de plomb et la mer se referma sur lui. Sa bouche était grande ouverte. Quiddity s'engouffra dans sa gorge ; dans son organisme. Au sein de cette confusion, un fragment de savoir tout simple — porté par Quiddity, puis avalé dans toute son amertume — le toucha. Un mal approchait, un mal tel qu'il n'en avait jamais connu ; tel que personne n'en avait jamais connu. Il le sentit tout d'abord dans sa poitrine, puis dans son estomac et dans ses entrailles. Finalement, dans sa tête, comme une nuit épanouie. Elle s'appelait *Iad*, cette nuit, et le frisson qu'elle apportait était sans égal sur toutes les planètes de ce système solaire ; même sur celles qui se trouvaient si loin du soleil qu'elles ne pouvaient abriter la vie. Aucune ne possédait de ténèbres aussi profondes, aussi meurtrières.

Il remonta à la surface. Si les spectres avaient disparu, ils n'étaient pas pour autant *partis* : ils étaient en lui, incorporés à son anatomie transformée par Quiddity. Il en fut soudain perversement satisfait. Il n'y aurait aucun salut au sein de la nuit à venir, excepté pour ceux qui en seraient les alliés. Mieux valait pour lui être un mort parmi tant d'autres morts, ses chances d'échapper à l'holocauste n'en seraient que plus élevées.

Il inspira, puis expira dans un rire, portant ses mains transformées, pour lourdes qu'elles fussent, à son visage. Celui-ci avait enfin pris la forme de son âme.

Howie et Byrne grimpèrent durant plusieurs minutes, mais quelle que fût leur altitude, la plus belle vue qui s'offrait à eux était toujours au-dessus de leurs têtes : le spectacle de la tour de fumée. Plus ils s'en approchaient, plus Howie était ému par l'obsession qu'elle inspirait à Byrne. Il se demanda, tout comme il l'avait fait lorsque la marée l'avait amené à portée de vue de l'Éphéméride, quel grand inconnu se dissimulait là-haut, si puissant qu'il attirait tous les rêveurs du monde vers son seuil. Byrne n'était guère agile, n'ayant qu'une main valide. Il ne cessait de glisser. Mais il ne se plaignait jamais, même par murmures, bien que les égratignures qui ornaient son corps augmentent sans cesse en nombre. Les yeux fixés sur les hauteurs, il progressait avec entêtement, apparemment insouciant des dommages qu'il s'infligeait tant que ceux-ci lui permettaient de réduire l'intervalle le séparant du mystère.

Howie n'avait guère de difficulté à suivre son allure, mais il s'arrêtait régulièrement pour examiner la plage à mesure de leur ascension. Il n'y avait toujours aucun signe de Jo-Beth, et il commençait à se demander s'il avait eu raison d'accompagner Byrne. La montée devenait périlleuse, les formations rocheuses étant de plus en plus à pic et les arches les surplombant de plus en plus étroites. L'abîme était béant sous leurs pieds, leur offrant une vue imprenable sur des rochers acérés. De temps en temps, toutefois, ils apercevaient Quiddity au fond d'un gouffre, et ses eaux étaient aussi agitées qu'elles l'avaient été près de la plage.

Il y avait de moins en moins d'esprits dans l'air, mais comme les deux hommes franchissaient une arche à peine plus large qu'une planche, un essaim de lumières vola au-dessus de leurs têtes, et Howie vit que chacune d'elles abritait une forme sinueuse, pareille à un serpent scintillant. La Genèse ne pouvait pas être plus erronée, ou plus trompeuse, pensa-t-il, que lorsqu'elle avait décrit un serpent piétiné par le talon de l'homme. Ce serpent, c'était l'âme, et il pouvait voler.

Ce spectacle l'incita à faire halte et à prendre une décision.

— Je ne vais pas plus loin, dit-il.

Byrne se tourna vers lui.

— Pourquoi ?

— Je n'aurai jamais une aussi bonne vue de la plage.

Cette vue n'était pas complète, mais elle ne s'améliorerait pas avec l'altitude. En outre, les silhouettes qui parsemaient la plage étaient à présent si petites qu'elles étaient à peine reconnaissables. Encore quelques minutes d'ascension et il lui serait impossible de distinguer Jo-Beth des autres survivants.

— Vous ne voulez pas voir ce qu'il y a là-haut ? dit Byrne.

— Bien sûr que si, répondit Howie. Mais une autre fois.

Il savait que cette réponse était ridicule. Il n'y aurait pas d'autre fois avant son lit de mort.

— Alors, je vous laisse, dit Byrne.

Il ne gaspilla pas son souffle en adieux, émus ou non. Au lieu de cela, il se remit à grimper. Son corps était luisant de sang et de sueur, et il trébuchait à chaque pas, mais Howie savait qu'il serait vain de sa part de tenter de le dissuader. Vain et présomptueux. Quelle que soit la vie qu'il avait vécue — et elle ne semblait guère avoir été inspirée par la charité —, Byrne avait saisi sa dernière chance d'être touché par la sainteté. La mort était peut-être la conséquence inévitable d'une telle quête.

Howie se tourna de nouveau vers le panorama au-dessous de

lui. Il suivit des yeux la ligne de la plage, cherchant la moindre trace de mouvement. A sa gauche se trouvait l'étendue qu'il avait déjà parcourue. Il apercevait encore le groupe de survivants sur le rivage, toujours en état de transe. Un peu plus loin, la silhouette solitaire de Madame Silksheen, sur le point d'être emportée par les brisants dont le bruit de tonnerre parvenait à ses oreilles. Encore un peu plus loin, la plage sur laquelle il avait échoué.

Elle n'était pas déserte. Son cœur se mit à battre plus vite. Quelqu'un avançait en vacillant le long du rivage, restant à l'écart de la mer montante. Même à cette distance, ses cheveux étaient luisants. Ce ne pouvait être que Jo-Beth. En la reconnaissant, il eut soudain peur pour elle. On aurait dit que chacun de ses pas la mettait au supplice.

Immédiatement, il rebroussa chemin, foulant du pied des rochers souvent maculés par le sang de Byrne. Au bout d'une dizaine de minutes, il se retourna et essaya d'apercevoir celui-ci, mais les hauteurs étaient fort sombres et, pour autant qu'il pût en juger, désertes. Les dernières âmes restantes s'étaient éloignées de la tour de fumée ; et avec elles la lumière. Il n'y avait aucun signe de Byrne.

Il y en eut un lorsqu'il se retourna. L'homme se trouvait deux ou trois mètres plus bas. Les blessures multiples qu'il avait récoltées lors de sa montée n'étaient rien comparées à la plus récente d'entre elles. Elle courait de sa tempe à sa hanche et s'ouvrait sur ses entrailles.

— Je suis tombé, se contenta-t-il de dire.

— Jusqu'ici ? dit Howie, s'émerveillant du simple fait que l'autre pût encore tenir debout.

— Non. Je suis venu ici de ma propre volonté.

— Comment ?

— C'était facile, répliqua Byrne. Je suis une *larve* à présent.

— Quoi ?

— Un fantôme. Un esprit. Je croyais que vous m'aviez vu tomber.

— Non.

— Ce fut une longue chute, mais elle s'est bien terminée. Je ne pense pas que quiconque ait déjà péri sur l'Éphéméride. Cela fait de moi quelqu'un d'unique. Je peux édicter mes propres règles. Jouer le jeu comme je l'entends. Et j'ai pensé que je ferais mieux de venir à l'aide de Howie... (L'obsession qui l'animait avait laissé la place à une autorité tranquille.) Vous devez faire vite, dit-il. J'ai soudain compris bien des choses, et les nouvelles ne sont pas bonnes.

— Il se passe quelque chose, n'est-ce pas ?

— Les Iad, dit Byrne. Ils sont en train de traverser Quiddity.

Des termes qui lui étaient inconnus à peine quelques minutes plus tôt franchissaient à présent ses lèvres sans problèmes.

— Qu'est-ce que c'est que les Iad ? demanda Howie.

— Le mal absolu, dit Byrne, je n'essaierai donc pas de le décrire.

— Ils se dirigent vers le Cosme ?

— Oui. Peut-être que vous pourrez y parvenir avant eux.

— Comment ?

— Fiez-vous à l'océan. Il souhaite la même chose que vous.

— A savoir ?

— Votre *départ*, dit Byrne. Donc, partez. Et vite.

— J'ai entendu.

Byrne s'écarta pour laisser passer Howie. Ce faisant, il saisit le bras du jeune homme avec sa main valide.

— Il faut que vous sachiez..., dit-il.

— Quoi donc ?

— Ce qu'il y a sur la montagne. C'est *merveilleux*.

— Ça vaut la peine de mourir ?

— Une centaine de fois.

Il lâcha Howie.

— Je suis heureux de l'apprendre.

— Si Quiddity survit, dit Byrne. Si *vous* survivez à ça, essayez de me retrouver. J'aurai quelques mots à vous dire.

— Entendu, répondit Howie.

Il se mit à descendre la pente à vive allure, adoptant une technique à la fois maladroite et suicidaire. Il hurla le nom de Jo-Beth dès qu'il estima se trouver à portée de voix, mais ses appels restèrent sans réponse. La tête blonde ne se redressa pas, absorbée par ce qu'elle examinait. Peut-être le bruit des vagues étouffait-il ses cris. Il arriva en sueur au niveau de la mer et courut vers elle.

— *Jo-Beth* ! C'est moi ! *Jo-Beth* !

Cette fois-ci, elle l'entendit, et elle leva les yeux. Même à plusieurs mètres de distance, il distinguait clairement l'origine de sa démarche disgracieuse. Horrifié, il ralentit le pas, à peine conscient de ses actes. Quiddity avait accompli son œuvre sur elle. Le visage dont il était tombé amoureux dans le Steak House Budrick, le visage dont la vision avait signalé sa seconde naissance, était une masse d'excroissances acérées qui s'étendaient jusqu'à son cou et défiguraient même ses bras. Il y eut un instant, un instant qu'il ne se pardonnerait jamais tout à fait, durant lequel il souhaita qu'elle ne le reconnaisse pas et qu'elle le laisse s'éloigner d'elle. Mais elle le reconnut ; et la voix qui s'élevait de ce masque était la même voix qui lui avait dit qu'elle l'aimait.

Et cette voix disait :

— Howie... aide-moi...

Il ouvrit les bras et la laissa se blottir entre eux. Son corps était enfiévré, secoué de spasmes.

— Je croyais que je ne te reverrais jamais, dit-elle en dissimulant son visage de ses mains.

— Je ne t'aurais jamais quittée.

— Au moins pouvons-nous mourir ensemble à présent.

— Où est Tommy-Ray ?

— Il est parti, dit-elle.

— Il faut faire pareil, dit Howie. Quitter cette île le plus vite possible. Il va arriver quelque chose d'horrible.

Elle osa lever les yeux vers lui, des yeux plus bleus et plus clairs que jamais, le regardant comme un trésor dans une gangue de boue. La voyant ainsi, il la serra un peu plus fort, comme pour lui prouver (ainsi qu'à lui-même) qu'il avait surmonté son horreur. Il n'en était rien. C'était la beauté de Jo-Beth qui lui avait coupé le souffle à l'origine. A présent, elle avait disparu. Il devait regarder par-delà son absence pour essayer de distinguer la Jo-Beth qu'il avait fini par aimer. Ça n'allait pas être facile.

Il se détourna d'elle, regardant la mer. Les vagues étaient rugissantes.

— Nous devons retourner dans Quiddity, dit-il.

— On ne peut pas ! dit-elle. *Je* ne peux pas !

— *Nous n'avons pas le choix.* C'est le seul moyen de repartir.

— C'est l'océan qui m'a fait ça, dit-elle. Il m'a changée !

— Si nous ne partons pas tout de suite, dit Howie, nous ne partirons jamais. C'est aussi simple que ça. Nous resterons ici et nous mourrons ici.

— Peut-être que ça vaut mieux, dit-elle.

— Comment est-ce possible ? dit Howie. Comment la mort pourrait-elle être la meilleure solution ?

— L'océan nous tuera, de toute façon. Il nous rendra difformes.

— Pas si nous lui faisons confiance. Pas si nous nous donnons à lui.

Il se rappela brièvement le voyage qui l'avait amené ici, flottant sur le dos, contemplant les lumières. S'il pensait que le retour serait aussi calme, il se trompait. Quiddity avait cessé d'être un océan d'âmes tranquille. Mais quel autre choix avaient-ils ?

— Nous pouvons rester, répéta Jo-Beth. Nous pouvons mourir ici, ensemble. Même si nous réussissions... (elle recommença à sangloter)... même si nous réussissions, je ne pourrais pas vivre comme ça.

— Arrête de pleurer, lui dit-il. Et arrête de parler de mort. Nous allons retourner au Grove. Tous les deux. Si ce n'est pour nous, au moins pour avertir les gens.

— De quoi ?

— Quelque chose est en train de traverser Quiddity. Une invasion. En direction de chez nous. C'est pour ça que la mer est si agitée.

Cette agitation était tout aussi violente dans le ciel au-dessus de leurs têtes. Il n'y avait aucun signe des lumières d'esprits, ni dans l'air ni dans l'eau. Même si chaque instant passé sur l'Éphéméride était précieux, tous les rêveurs avaient écourté leur voyage pour se réveiller. Howie leur envia la facilité de leur transition. Pouvoir fuir cette horreur et se retrouver dans son lit. En sueur, peut-être ; terrifié, certainement. Mais chez soi. En sécurité. La tâche était plus difficile pour les intrus tels qu'eux deux, êtres de chair et de sang dans ce lieu de l'esprit. Et aussi, maintenant qu'il y pensait, pour les autres. Il se devait de les prévenir, se doutant néanmoins que ses paroles resteraient ignorées.

— Suis-moi, dit-il.

Il prit Jo-Beth par la main et ils marchèrent le long de la plage en direction des autres survivants. La scène n'avait guère changé, bien que l'homme gisant parmi les vagues ait à présent disparu, emporté, présuma Howie, par la violence des rouleaux. Apparemment, personne n'était allé le secourir. Ils étaient toujours aussi immobiles, contemplant Quiddity avec indolence. Howie se dirigea vers le plus proche d'entre eux, un homme guère plus âgé que lui et dont le visage était né pour la vacuité qui était à présent la sienne.

— Vous devez partir d'ici, dit-il. Nous devons tous partir d'ici.

Le caractère pressant de son appel réussit à extraire l'homme de sa torpeur, mais à peine. Il réussit à articuler un « Ouais ? » méfiant, mais ne fit pas un geste.

— Vous allez mourir si vous restez, lui dit Howie, puis il éleva la voix pour s'adresser au groupe tout entier. *Vous allez mourir !* dit-il. Vous devez plonger dans Quiddity et laisser l'océan vous emporter.

— Où ça ? dit le jeune homme.

— Que voulez-vous dire, « où ça » ?

— Nous emporter *où ça* ?

— A Palomo Grove. L'endroit dont vous venez. Vous ne vous rappelez pas ?

Aucun des survivants ne fit mine de lui répondre. La seule façon de déclencher un exode était peut-être de donner le signe du départ, raisonna Howie.

— C'est maintenant ou jamais, dit-il à Jo-Beth.

Il y avait encore des signes de résistance, dans son expression comme dans son corps. Howie dut saisir fermement sa main et la traîner en direction des vagues.

— Fais-moi confiance, dit-il.

Elle ne lui répondit pas, mais ne lutta pas non plus pour rester sur la plage. Une docilité troublante l'avait envahie, la seule garantie, pensa-t-il, que Quiddity la laisserait peut-être tranquille cette fois-ci. Il n'était pas sûr que lui-même serait traité avec la même indifférence. Il n'était pas aussi détaché de ses émotions que lors du voyage qui l'avait amené ici. Toutes sortes de sentiments s'agitaient en lui, et c'étaient autant de jouets potentiels pour Quiddity. La peur prédominait, bien sûr, la peur pour leur vie à tous deux. En seconde position, la répugnance que lui inspirait l'état de Jo-Beth, inextricablement mêlée à la honte née de cette répugnance. Mais l'urgence du message murmuré par l'air était telle que ces angoisses furent impuissantes à ralentir sa course. A présent, c'était presque une sensation physique, qui lui rappelait un autre moment de sa vie, et bien sûr un autre endroit ; un souvenir qu'il n'arrivait pas à identifier. Peu importe. Le message était dénué de toute ambiguïté. Quelle que soit la nature des Iad, ils n'apportaient que la douleur : impitoyable, insoutenable. Un holocauste au cours duquel toutes les propriétés de la mort seraient explorées et célébrées, excepté sa seule vertu, à savoir la cessation de l'existence, laquelle serait retardée jusqu'à ce que le Cosme soit réduit à un unique sanglot implorant la pitié. Il avait déjà connu un avant-goût de cette horreur, quelque part à Chicago. Peut-être que son esprit lui rendait service en refusant de s'en souvenir avec plus de précision.

Les vagues étaient à un mètre devant lui, s'élevant en courbes lentes et se brisant avec un bruit de tonnerre.

— On y est, dit-il à Jo-Beth.

Sa seule réaction — dont il lui fut grandement reconnaissant — fut de raffermir son étreinte sur sa main, et ils pénétrèrent ensemble dans la mer transformatrice.

IV

Lorsque Grillo frappa à la porte de la maison d'Ellen Nguyen, ce ne fut pas elle qui lui ouvrit, mais son fils.

— Ta maman est là? demanda-t-il.

Le petit garçon ne semblait pas rétabli, bien qu'il ne fût plus vêtu de son pyjama mais d'un jeans sale et d'un tee-shirt encore plus sale.

— Je croyais que vous étiez parti, dit-il à Grillo.

— Pourquoi?

— Tout le monde est parti.

— C'est vrai.

— Vous voulez entrer?

— J'aimerais voir ta maman.

— Elle est occupée, dit Philip, mais il lui ouvrit quand même la porte.

La maison était encore plus en désordre que lors de sa précédente visite, peuplée de restes de repas improvisés. Les créations d'un gourmet en culottes courtes, devina Grillo : hot-dogs et crème glacée.

— Où *est* ta maman? demanda-t-il à Philip.

Celui-ci lui indiqua la direction de la chambre, ramassa une assiette à moitié vidée, et s'en fut.

— Attends, dit Grillo. Elle est malade?

— Non, dit le petit garçon. (On aurait dit qu'il n'avait pas connu une seule nuit de sommeil durant plusieurs semaines, pensa Grillo.) Elle ne sort plus de la maison, continua-t-il. Sauf la nuit.

Il attendit que Grillo lui ait répondu d'un hochement de tête, puis se dirigea vers sa chambre, ayant fourni toutes les informations qu'il se sentait obligé de fournir. Grillo entendit une porte se refermer, et il se retrouva seul pour réfléchir à ce nouveau problème. Les récents événements ne lui avaient guère laissé de temps pour les rêves érotiques, mais les heures qu'il avait passées ici, dans la chambre même où Ellen s'était retranchée, exerçaient une forte emprise sur son esprit et sur son sexe. En dépit de l'heure matinale, de sa fatigue générale et du caractère désespéré de la situation, une partie de lui-même souhaitait conclure l'affaire laissée en suspens lors de sa précédente visite : faire l'amour à Ellen, ne fût-ce qu'une fois, avant de s'aventurer sous terre.

Il se dirigea vers la chambre d'Ellen et toqua à la porte. Le seul bruit en provenance de l'intérieur fut un gémissement.

— C'est moi, dit-il. Grillo. Je peux entrer ?

Sans attendre une réponse, il tourna le loquet. La porte n'était pas fermée à clé — elle s'ouvrit de quelques centimètres —, mais quelque chose l'empêcha de l'ouvrir en grand. Il poussa un peu plus fort, puis un peu plus encore. Une chaise, qui bloquait le loquet de l'autre côté, tomba à grand bruit. Grillo ouvrit la porte.

Il crut tout d'abord qu'elle était toute seule dans la chambre. Malade et toute seule. Elle était allongée sur son lit défait, vêtue de son peignoir ouvert sur son corps. Elle était nue en dessous. Ce fut fort lentement qu'elle se tourna vers lui, et lorsqu'elle le fit — les yeux luisant dans la pénombre sale —, il lui fallut plusieurs secondes pour réagir à son apparition.

— C'est vraiment toi ? dit-elle.

— Bien sûr. Oui. Qui d'autre... ?

Elle se redressa sur sa couche et referma son peignoir. Elle ne s'était pas rasée depuis la dernière fois, vit-il. En fait, il ne pensait pas qu'elle soit très souvent sortie de sa chambre. Celle-ci avait l'odeur d'un lieu occupé en permanence.

— Il ne faut pas que tu... *voies,* dit-elle.

— Je t'ai déjà vue nue, murmura-t-il. Je voulais te revoir.

— Je ne parle pas de *moi,* répliqua-t-elle.

Il ne comprit pas cette remarque, jusqu'à ce qu'Ellen détourne les yeux en direction du coin le plus éloigné de la pièce. Le regard de Grillo suivit le sien. Une chaise était placée dans l'ombre. Sur la chaise se trouvait ce qu'il crut tout d'abord être un tas de vêtements. Ce n'en était pas un. Cette pâleur n'était pas celle du lin, mais celle de la peau, ces formes étaient celles d'un homme assis tout nu sur une chaise, presque plié en deux, le front posé sur ses mains jointes. Elles étaient ligotées au niveau des poignets. La corde qui les immobilisait descendait jusqu'à ses chevilles, également ligotées.

— Ceci, dit doucement Ellen, est Buddy.

En entendant prononcer son nom, l'homme leva la tête. Grillo n'avait fait qu'apercevoir ce qui restait de l'armée de Fletcher, mais cela lui avait suffi pour reconnaître le regard qui signalait la fin de leur vie éphémère. Il voyait ce regard à présent. Ceci n'était pas le vrai Buddy Vance, mais une fiction née de l'imagination d'Ellen, invoquée et façonnée par ses désirs. Le visage du comique était en grande partie intact : peut-être l'avait-elle imaginé avec plus de précision que le reste de son anatomie. Il était profondément ridé — presque sillonné de rides —, mais indéniablement charismatique. Lorsqu'il se redressa sur son siège, l'autre partie précisément reconstruite de son anatomie apparut à la vue. Les ragots rapportés par Tesla étaient dignes de foi, comme d'habitude. L'*hallucigenia* était monté comme un âne. Grillo le regarda avec fascination, oubliant son envie lorsque l'homme prit la parole.

— Qui êtes-vous pour venir ici sans y être invité ? dit-il.

Le fait que cet artefact ait assez de volonté pour parler le choqua.

— Silence, lui dit Ellen.

L'homme la regarda, luttant pour se libérer de ses liens.

— Il voulait partir la nuit dernière, dit-elle à Grillo. Je ne sais pas pourquoi.

Grillo le savait, mais il ne dit rien.

— Je ne l'ai pas laissé faire, bien sûr. Il aime bien être attaché comme ça. On jouait souvent à ce petit jeu-là.

— Qui est-ce ? dit Vance.

— Grillo, répondit Ellen. Je t'ai parlé de Grillo.

Elle acheva de se redresser, s'adossant au mur, les bras reposant sur ses genoux relevés. Elle présentait son con aux yeux de Vance. Celui-ci le reluqua, reconnaissant, tandis qu'elle continuait de parler.

— Je t'ai parlé de Grillo, répéta-t-elle. Nous avons fait l'amour, n'est-ce pas, Grillo ?

— Pourquoi ? dit Vance. Pourquoi me punis-tu ainsi ?

— Dis-lui, Grillo, ordonna Ellen. Il veut savoir.

— Oui, dit Vance d'une voix soudain hésitante. Dites-le-moi. Je vous en prie, dites-le-moi.

Grillo ne savait pas s'il devait vomir ou éclater de rire. La scène qu'il avait jouée dans cette chambre lui était déjà apparue comme perverse, mais celle-ci la surpassait. Le rêve d'un mort, ligoté, suppliant d'être puni par un compte rendu des prouesses sexuelles de sa maîtresse.

— Dis-lui, répéta Ellen.

L'étrange insistance de cette demande donna de la voix à Grillo.

— Ce n'est pas le vrai Vance, dit-il, jubilant intérieurement à l'idée de la priver de son rêve.

Mais elle avait une longueur d'avance sur lui.

— Je le sais, dit-elle, dodelinant de la tête lorsqu'elle se tourna vers son prisonnier. Il sort de mon esprit. (Elle garda les yeux fixés sur lui.) Et j'ai perdu l'esprit.

— Non, dit Grillo.

— Il est mort, répondit-elle d'une voix douce. Il est mort, mais il est toujours là. Je sais qu'il n'est pas réel, mais il est là. Donc, je dois être folle.

— Non, Ellen... c'est seulement à cause de ce qui s'est passé devant le centre commercial. Tu te rappelles ? L'homme en flammes ? Tu n'es pas la seule.

Elle hocha la tête, fermant à demi les yeux.

— Philip..., dit-elle.

— Que lui est-il arrivé ?

— Il a eu des rêves, lui aussi.

Grillo revit en esprit le visage du petit garçon. Son air pincé ; ses yeux vides.

— Si tu sais que cet... *homme* n'est pas réel, pourquoi ce petit jeu ? dit-il.

Elle laissa ses yeux se fermer tout à fait.

— Je ne sais plus..., dit-elle, ... ce qui est réel et ce qui ne l'est pas. (*Ça*, pensa Grillo, c'était un sentiment partagé par nombre de gens.) Quand il est apparu, je savais qu'il n'était plus tout à fait *le même*. Mais peut-être que ça n'a pas d'importance.

Grillo continua d'écouter Ellen, ne souhaitant pas briser l'enchaînement de ses pensées. Il avait vu tant de choses confondantes ces derniers temps — des miracles et des mystères —, et, animé par l'ambition d'être le témoin de ces visions, il avait gardé ses distances vis-à-vis d'elles. Ce qui, paradoxalement, lui occasionnait des problèmes pour raconter son histoire. Et peut-être était-ce là *son* problème. Éternel observateur, il tâchait de tenir ses sentiments à l'écart de peur qu'ils ne le touchent trop profondément et n'engloutissent son détachement conquis de haute lutte. Était-ce pour cette raison que ce qui lui était arrivé sur ce lit avait enflammé son imagination ? Être déconnecté de l'acte essentiel ; agir en fonction du désir de l'autre, de la chaleur et des intentions de l'autre ? Enviait-il cela plus que les trente centimètres de Buddy Vance ?

— C'était un amant fabuleux, Grillo, disait Ellen. Surtout

quand il bouillait parce que quelqu'un d'autre avait pris sa place. Rochelle n'aimait pas jouer à ce jeu-là.

— Elle ne comprenait pas la plaisanterie, dit Vance, les yeux toujours fixés sur ce que Grillo ne pouvait pas voir. Elle n'a jamais...

— Mon Dieu ! dit Grillo, qui venait soudain de comprendre. Il était *là*, n'est-ce pas ? Il était là lorsque toi et moi... (Cette idée lui ôta les mots de la bouche. Tout ce qu'il réussit à dire fut :) ... derrière la porte.

— Je ne le savais pas à ce moment-là, dit doucement Ellen. Ce n'était pas préparé.

— Seigneur ! dit Grillo. Ce n'était qu'un numéro monté à son intention. Tu t'es servie de moi. Tu t'es servie de moi pour concrétiser tes fantasmes.

— Peut-être que... j'avais des soupçons, concéda-t-elle. Pourquoi es-tu aussi furieux ?

— Ce n'est pas évident ?

— Non, dit-elle d'une voix pleine de raison. Tu ne m'aimes pas. Tu ne me connais même pas, car sinon tu ne serais pas aussi choqué. Tu voulais quelque chose de moi, tout simplement, et tu l'as eu.

Son interprétation des faits était exacte ; et elle faisait mal. Grillo se sentit devenir méchant.

— Tu sais que cette *chose* ne sera pas là éternellement, dit-il, désignant du pouce le prisonnier d'Ellen — ou, plus précisément, la trique de celui-ci.

— Je le sais, dit-elle avec une certaine tristesse dans la voix. Mais aucun de nous n'est *éternel,* n'est-ce pas ? Même pas toi.

Grillo la regarda fixement, essayant de la forcer à le voir ; à voir sa douleur. Mais elle n'avait d'yeux que pour son œuvre de chair. Il renonça à cette possibilité et lui donna le message dont il était porteur.

— Je te conseille de quitter le Grove, dit-il. Prends Philip et va-t'en.

— Pourquoi donc ? dit-elle.

— Crois-moi sur parole. Il y a de grandes chances pour que, demain, le Grove ait cessé d'exister.

Elle daigna à présent se tourner vers lui.

— J'ai compris, dit-elle. Ferme la porte en repartant, veux-tu ?

Chez Hotchkiss, ce fut Tesla qui lui ouvrit la porte.

— Grillo, dit-elle. Certaines de tes connaissances sont des gens foutrement bizarres.

Il n'avait jamais considéré Hotchkiss comme un type bizarre. Un homme habité par le deuil, oui. Un ivrogne à l'occasion ; qui ne l'était pas ? Mais il n'était pas préparé à l'étendue de son obsession.

Une pièce entière de sa maison était consacrée au Grove et au sol sur lequel la ville était bâtie. Les murs étaient couverts de cartes géologiques et de photographies — prises sur une période de plusieurs années et toutes soigneusement datées — représentant des fissures sur les routes et sur les trottoirs. Des coupures de journaux étaient épinglées à côté d'elles. Leur unique sujet : les séismes.

Quant à l'obsédé, il était assis au milieu de sa documentation, les joues mal rasées, une tasse de café à la main, et un air de satisfaction lasse sur le visage.

— Je vous l'avais bien dit, furent les premiers mots qu'il adressa à Grillo. Je vous l'avais bien dit. La véritable histoire se déroule sous nos pieds. Depuis toujours.

— Vous êtes toujours décidé ? lui demanda Grillo.

— A quoi faire ? A descendre ? Bien sûr. (Il haussa les épaules.) Qu'est-ce qu'on en a à foutre ? Ça nous tuera tous, mais qu'est-ce qu'on en a à foutre. La question est : êtes-*vous* décidé ?

— Pas vraiment, dit Grillo. Mais c'est dans mon intérêt. Je veux connaître toute l'histoire.

— Hotchkiss dispose d'un indice supplémentaire qui t'est inconnu, dit Tesla.

— Lequel ?

— Un peu plus de café, demanda Hotchkiss à Witt. J'ai besoin de me dégriser.

Obéissant, Witt alla lui remplir sa tasse.

— Je n'ai jamais aimé cet homme, remarqua Hotchkiss.

— Pourquoi, c'était l'exhibitionniste du coin ? dit Tesla.

— Merde, non. C'était Monsieur Propre. Tout ce que je méprisais dans le Grove.

— Il revient, dit Grillo.

— Et alors ? continua Hotchkiss comme Witt entrait dans la pièce. Il le sait. Pas vrai, William ?

— Quoi donc ? dit Witt.

— Quel connard vous êtes.

Witt accusa le coup sans broncher.

— Vous ne m'avez jamais aimé, exact ?

— Exact.

— Et je ne vous ai jamais aimé, répliqua Witt. Pour ce que ça vaut.

Hotchkiss sourit.

— Content d'avoir réglé ce problème, dit-il.

— Je veux savoir ce que c'est que cet *indice,* dit Grillo.

— C'est tout simple, dit Hotchkiss. J'ai reçu un coup de fil de New York, en plein milieu de la nuit. Un type que j'avais engagé pour retrouver ma femme quand elle est partie. Ou pour essayer de la retrouver. Il s'appelle D'Amour. Sa spécialité — je pense — est le surnaturel.

— Pourquoi l'avez-vous engagé?

— Ma femme s'est mise à fréquenter des types plutôt bizarres après la mort de notre fille. Elle n'a jamais vraiment accepté la disparition de Carolyn. Elle a essayé de la contacter grâce à un médium. Finalement, elle a adhéré à une secte spirite, et elle est partie.

— Pourquoi aller la chercher à New York? demanda Grillo.

— C'est là qu'elle est née. Ça semblait être la destination la plus probable pour elle.

— Et D'Amour l'a retrouvée?

— Non. Mais il a obtenu plein de renseignements sur la secte à laquelle elle avait adhéré. Je veux dire... ce type connaît son boulot.

— Pourquoi vous a-t-il appelé cette nuit?

— On y arrive, dit Tesla.

— Je ne sais pas de quel genre de contact dispose D'Amour, mais il voulait *m'avertir.*

— A quel sujet?

— Au sujet de ce qui est en train de se passer ici, à Palomo Grove.

— Il était au courant?

— Oh que oui, il était au courant!

— Je crois que je ferais mieux de le rappeler, dit Tesla. Quelle heure est-il à New York?

— Midi passé, dit Witt.

— Vous deux, commencez à préparer votre expédition, dit-elle. Où est le numéro de D'Amour?

— Ici, dit Hotchkiss en tendant un bloc-notes à Tesla.

Elle arracha une feuille où figuraient un nom (Hotchkiss avait écrit « Harry M. D'Amour ») et un numéro de téléphone, puis elle laissa les hommes à leurs préparatifs. Il y avait un téléphone dans la cuisine. Elle s'assit et composa le numéro à onze chiffres. La sonnerie se déclencha à l'autre bout du fil. Puis un répondeur :

— *Personne n'est ici pour répondre à votre appel. Veuillez laisser un message après le bip.*

Elle s'exécuta.

— Je suis une amie de Jim Hotchkiss, de Palomo Grove. Mon nom est...

Une voix l'interrompit.

— Hotchkiss a des amis ? lui demanda-t-on.

— Harry D'Amour ?

— Ouais. Qui est là ?

— Tesla Bombeck. Et, ouais, il *a* des amis.

— On en apprend tous les jours. Que puis-je faire pour vous ?

— Je vous appelle de Palomo Grove. Hotchkiss m'a dit que vous saviez ce qui se passait ici.

— J'en ai une bonne idée, ouais.

— Comment ?

— J'ai des amis, dit D'Amour. Des gens branchés. Ça fait plusieurs mois qu'ils me disent qu'il va se passer quelque chose sur la côte Ouest, et personne n'est surpris. Tout le monde prie, mais personne n'est surpris. Et vous ? Vous faites partie des élus ?

— Des extra-lucides, vous voulez dire ? Non.

— Alors, qu'est-ce que vous avez à faire dans cette histoire ?

— C'est une longue histoire, justement.

— Alors, passez directement à la scène de poursuite, dit D'Amour. Comme on dit dans le cinéma.

— Je sais, dit Tesla. Je travaille dans le cinéma.

— Ah ouais ? Quel est votre boulot ?

— Scénariste.

— Vous avez écrit un film que j'ai vu ? Je vois beaucoup de films. Ça m'empêche de trop penser à mon boulot.

— Peut-être qu'on se rencontrera un jour, dit Tesla. Pour parler de cinéma. En attendant, j'aimerais que vous répondiez à quelques questions.

— Lesquelles ?

— Eh bien, premièrement : avez-vous jamais entendu parler des *Iad Uroboros* ?

Il y eut un long silence à l'autre bout du fil.

— D'Amour ? Vous êtes toujours là ? *D'Amour ?*

— Harry, dit-il.

— Harry. Bien... vous en avez entendu parler, oui ou non ?

— Il se trouve que oui.

— Par qui?

— Est-ce que c'est important?

— Il se trouve que oui, rétorqua Tesla. Il y a source et source. Vous le savez bien. Certaines sont fiables et d'autres non.

— Je travaille avec une femme nommée Norma Paine, dit D'Amour. Elle fait partie des gens dont je vous parlais tout à l'heure. Elle est branchée.

— Que sait-elle au sujet des Iad?

— Une chose, d'abord, dit D'Amour. Aux environs de l'aurore, il s'est passé quelque chose sur la côte Est, dans le pays des rêves. Vous savez pourquoi?

— Je m'en doute.

— Norma n'arrête pas de parler d'un endroit appelé Oddity *.

— Quiddity, le corrigea Tesla.

— Ainsi, vous *savez*.

— Inutile de me poser des questions pièges. Oui, je sais. Et je dois savoir ce qu'elle vous a dit au sujet des Iad.

— Que ces trucs-là vont bientôt passer la porte. Elle ne sait pas où. Elle reçoit des messages assez confus.

— Ont-ils des points faibles? dit Tesla.

— Pas que je sache.

— Que savez-vous à leur sujet, exactement? Je veux dire, à quoi va ressembler une invasion des Iad? Vont-ils envoyer une armée depuis Quiddity? Allons-nous devoir affronter des engins de guerre, des bombes, *quoi d'autre?* Est-ce qu'on ne devrait pas avertir le Pentagone?

— Le Pentagone est déjà au courant, dit D'Amour.

— Hein?

— Nous ne sommes pas les seuls à avoir entendu parler du Iad, madame. Toutes les cultures du monde contiennent son image. C'est l'*ennemi*.

— Un peu comme le Diable, vous voulez dire? C'est ça qui va franchir la porte? Satan?

— J'en doute. Je crois que nous avons toujours été un peu naïfs, nous autres les chrétiens, dit D'Amour. J'ai déjà rencontré des démons, et ils ressemblent à tout sauf à l'idée qu'on s'en fait.

— Vous plaisantez? Des démons? En chair et en os? A New York?

* Littéralement : étrangeté. *(N.d.T.)*

— Écoutez, ça ne me paraît pas plus sensé qu'à vous, Madame...

— Je m'appelle Tesla.

— Chaque fois que je conclus une de ces foutues enquêtes, j'en arrive à penser : « Peut-être que ce n'est pas vraiment arrivé. » Jusqu'à l'enquête suivante. Ensuite, je me tiens le même raisonnement débile. On refuse la bonne hypothèse jusqu'à ce qu'elle essaie de mordre.

Tesla pensa aux spectacles qu'il lui avait été donné de contempler ces derniers jours : les *teratas,* la mort de Fletcher, la Boucle et Kissoon dans celle-ci ; les Lix grouillant sur son lit ; et finalement, la maison de Buddy Vance et la brèche qu'elle contenait. Elle ne pouvait rien nier de tout cela. Elle avait vu ces spectacles, et en gros plan. Ils avaient bien failli la tuer. Lorsque D'Amour parlait de démons, cela la choquait surtout en raison du caractère archaïque de son vocabulaire. Elle ne croyait ni au Diable ni à l'Enfer. L'idée qu'il puisse y avoir des démons à New York lui paraissait donc fondamentalement absurde. Mais si ces êtres qu'il appelait des démons étaient les produits d'hommes corrompus par le pouvoir comme Kissoon ? Des choses comme les Lix, faits de merde, de sperme et de cœurs de bébés ? Elle était capable de croire à *ça,* n'est-ce pas ?

— Bien, dit-elle. Si *vous* êtes au courant, et si le Pentagone est au courant, comment se fait-il que personne n'ait débarqué à Palomo Grove pour contenir l'invasion des Iad ? Nous n'avons presque plus de munitions, D'Amour...

— Personne ne savait où la crise se produirait. Je suis sûr qu'il existe quelque part un dossier sur Palomo Grove, comme il en existe un sur tous les endroits où il s'est passé des choses pas tout à fait *naturelles.* Mais la liste des endroits de ce type est très longue.

— On peut donc s'attendre à l'arrivée imminente des secours ?

— Je le pense. Mais l'expérience m'a prouvé que les secours arrivaient toujours trop tard.

— Et vous ?

— Quoi, moi ?

— Pouvez-vous nous aider ?

— J'ai déjà assez de problèmes ici, dit D'Amour. C'est la panique. On a signalé cent cinquante cas de double suicide à Manhattan durant les huit dernières heures.

— Des amants ?

— Des amants. Qui dormaient ensemble pour la première

fois. Qui ont commencé à rêver de l'Éphéméride pour finir en plein cauchemar.

— *Seigneur.*

— Peut-être ont-ils bien fait, dit D'Amour. Au moins, ils sont hors du coup.

— Qu'est-ce que c'est censé vouloir dire ?

— Je pense que, quel que ce soit ce qu'ont vu ces pauvres diables, nous l'avons tous *deviné,* pas vrai ?

Elle se rappela la douleur qu'elle avait ressentie en sortant de l'autoroute la veille au soir. Le monde en train de tomber dans une gueule ouverte.

— Ouais, dit-elle. Nous l'avons deviné.

— Pas mal de gens vont réagir de la même façon dans les jours qui viennent. L'équilibre de nos esprits est très précaire. Il ne faut pas grand-chose pour les faire basculer. Je suis dans une ville peuplée de gens prêts à tomber. Je dois rester ici.

— Et si la cavalerie arrive trop tard ? dit Tesla.

— Alors celui qui donne les ordres au Pentagone est un incroyant — et ça ne manque pas —, ou bien il travaille pour les Iad.

— Ils ont des agents ?

— Oh oui ! Pas beaucoup, mais en nombre suffisant. Il existe des gens qui *vénèrent* les Iad, sous d'autres noms. Pour eux, c'est le Second Avènement qui approche.

— Il y en a eu un premier ?

— C'est une autre histoire, mais apparemment, oui.

— Quand ?

— Il n'existe pas de compte rendu digne de foi, si c'est ça que vous voulez savoir. Personne ne sait à quoi ressemblent les Iad. Prions pour qu'ils ne soient pas plus gros que des souris.

— Je ne prie jamais, déclara Tesla.

— Vous devriez, répliqua D'Amour. A présent que vous savez que nous ne sommes pas seuls au monde, ça paraît sensé. Écoutez, il faut que j'y aille. Je regrette de ne pas pouvoir vous être plus utile.

— Je le regrette aussi.

— Mais d'après ce qu'on m'a dit, vous n'êtes pas toute seule.

— J'ai Hotchkiss, et deux autres...

— Non. Je veux dire, Norma affirme qu'il y a un sauveur près de vous.

Tesla garda son rire pour elle-même.

— Je ne vois aucun sauveur dans le coin, répliqua-t-elle. A quoi ressemble-t-il?

— Norma n'en est pas sûre. Elle dit parfois que c'est un homme, parfois que c'est une femme. Et parfois que ce n'est même pas un être humain.

— Voilà qui nous permettra de l'identifier aisément.

— Qui qu'il soit, ou qui qu'elle soit, c'est peut-être une chance de rétablir l'équilibre en votre faveur.

— Et dans le cas contraire?

— Quittez la Californie. Et vite.

Elle se permit à présent d'éclater de rire.

— Merci mille fois, dit-elle.

— Ne perdez pas le moral, répliqua D'Amour. Comme le disait mon père, il ne fallait pas adhérer si vous ne compreniez pas la plaisanterie.

— Adhérer à quoi?

— A la race humaine, dit D'Amour, et il raccrocha.

Le téléphone bourdonnait à l'oreille de Tesla. Elle écouta ce bruit monotone, entrecoupé de conversations lointaines. Grillo apparut à la porte.

— Ça ressemble de plus en plus à une expédition suicide, annonça-t-il. On n'a pas l'équipement adéquat et on n'a pas de carte du réseau de galeries.

— Pourquoi?

— Il n'en existe pas. Apparemment, cette ville est édifiée sur un sol qui n'arrête pas de bouger.

— Est-ce qu'on a vraiment le choix? dit Tesla. Le Jaff est le seul homme qui...

Elle s'interrompit.

— Quoi donc? dit Grillo.

— Je ne pense pas que ce soit vraiment un homme, n'est-ce pas?

— Je ne te suis pas.

— D'Amour a dit qu'il y avait un sauveur dans les parages. Quelqu'un qui n'était pas humain. C'est forcément le Jaff, n'est-ce pas? Personne d'autre ne répond à cette description.

— Je ne lui trouve guère l'allure d'un sauveur, dit Grillo.

— Alors, il faudra le persuader d'en être un, lui répondit-on. Même s'il faut le crucifier.

V

Pendant que Tesla, Witt, Hotchkiss et Grillo faisaient leurs préparatifs, la police avait débarqué à Palomo Grove. Au sommet de la Colline, les girophares tournaient et les sirènes hurlaient. En dépit de ce vacarme et de cette activité, il n'y avait aucun signe des habitants de la ville, bien que certains d'entre eux fussent sûrement présents. Soit ils étaient en train de veiller leurs rêves en voie de décomposition, tout comme l'avait fait Ellen Nguyen, soit ils s'étaient enfermés chez eux pour pleurer leur disparition. Le Grove était devenu une ville fantôme. Lorsque les sirènes se turent, le silence qui pesait sur les quatre villages était plus lourd que celui de minuit. Le soleil tapait sur des trottoirs vides, des jardins vides, des allées vides. On ne voyait aucun enfant jouer sur les balançoires ; on n'entendait aucun bruit de télévision, de radio, de tondeuse à gazon, de mixer ou de conditionneur d'air. Aux carrefours, les feux changeaient encore de couleur, mais — excepté les ambulances et les voitures de police, dont les chauffeurs les ignoraient — il n'y avait personne dans les rues. Même les meutes de chiens aperçues avant l'aube avaient opté pour la discrétion. Le spectacle du soleil éclatant qui tombait sur la ville déserte avait terrifié même les animaux.

Hotchkiss avait dressé une liste de l'équipement nécessaire à la bonne marche de leur expédition : des cordes, des lampes-torches, et quelques vêtements chauds. Le centre commercial fut donc leur première halte. William fut le plus bouleversé des quatre lorsqu'ils y arrivèrent. Durant toute sa vie de labeur, il avait vu le centre plein d'animation de l'aube au crépuscule. A présent, il ne s'y trouvait personne. Les vitres remplacées après l'intrusion de Fletcher étaient étincelantes, les piles de produits attiraient l'œil derrière les vitrines, mais il n'y avait ni vendeurs ni acheteurs. Les portes étaient toutes verrouillées ; les boutiques toutes silencieuses.

Il y avait une exception : la boutique d'animaux. Contrairement à tous les autres commerces du centre, elle était ouverte comme en temps normal, et ses articles faisaient entendre une cacophonie d'aboiements et de glapissements. Tandis que Hotchkiss et Grillo se livraient joyeusement au pillage, Witt conduisit Tesla vers la boutique. Ted Elizando était au travail, affairé à remplir les abreuvoirs des cages à chatons. Il ne parut pas surpris de voir arriver des clients. En fait, son visage n'exprimait pas la moindre émotion. Il ne fit même pas mine de reconnaître William, dont le visage lui était pourtant familier, comme le devina Tesla en écoutant leur dialogue.

— On est tout seul ce matin, Ted ? dit Witt.

L'autre acquiesça. Cela faisait bien deux ou trois jours qu'il ne s'était pas rasé ; ni douché.

— Je... ne voulais pas me lever, pas vraiment... mais il le fallait. Pour les bêtes.

— Bien sûr.

— Elles mourraient si je n'étais pas là pour m'occuper d'elles, continua-t-il.

Il parlait lentement, soigneusement, comme s'il avait du mal à ordonner ses pensées. Il ouvrit la cage qui se trouvait devant lui et cueillit un chaton dans un nid de bandes dessinées. L'animal se coucha le long de son bras, enfouissant sa tête dans la saignée du coude. Il le caressa. Ravi, le chaton arqua le dos pour mieux apprécier les lents mouvements de sa main.

— Je pense qu'il ne reste plus personne en ville pour les acheter, dit William.

Ted gardait les yeux fixés sur le chaton.

— Que vais-je faire ? demanda-t-il doucement. Je ne peux pas les nourrir éternellement, n'est-ce pas ? (Sa voix diminuait de volume à chaque mot, jusqu'à ce qu'elle ne soit plus qu'un murmure.) Qu'est-il arrivé à tout le monde ? dit-il. Où sont-ils allés ? Où est allé tout le monde ?

— Ils sont partis, Ted, dit William. Loin d'ici. Et je ne pense pas qu'ils reviendront un jour.

— Vous croyez que je devrais m'en aller, moi aussi ? dit Ted.

— Je pense que oui, répondit William.

L'homme avait l'air bouleversé.

— Que vont devenir les bêtes ? dit-il.

Pour la première fois — en découvrant la misère de Ted Elizando —, Tesla fut frappée par l'ampleur de la tragédie qui avait dévasté le Grove. Lorsqu'elle avait parcouru ses rues, porteuse du message de Grillo, elle avait élaboré sa destruction fictive. Le scénario de la bombe dans la valise, le prophète chassé par les citoyens apathiques au moment de l'explosion. Ce récit se révélait prémonitoire. L'explosion avait été lente et subtile, et non vive et violente, mais elle était néanmoins survenue. Elle avait vidé les rues, ne laissant qu'une poignée de survivants — comme Ted — en train d'errer dans les décombres. En élaborant ce scénario, elle avait voulu se venger en imagination de cette ville assoupie et suffisante. Mais, avec le recul, elle s'apercevait qu'elle-même était aussi coupable de suffisance que le Grove, aussi certaine de sa supériorité morale que la ville l'avait été de son invulnérabilité. Ici régnait une souffrance bien réelle. Un deuil bien réel. Les gens qui avaient vécu dans le Grove, et qui l'avaient fui, n'étaient pas des figurants interchangeables. Ils avaient une vie, des amours, des familles, des animaux familiers ; ils avaient fondé un foyer en ce lieu, pensant y avoir trouvé la sécurité et une place au soleil. Elle n'avait pas le droit de les juger.

Ted continuait de caresser tendrement le chaton, comme si cet animal était tout ce qui lui restait de sa raison, et Tesla trouva ce spectacle insoutenable. Elle laissa Witt tenter de le consoler et sortit au soleil, faisant le tour de l'immeuble afin d'essayer de localiser Coney Eye parmi les arbres. Elle scruta le sommet de la Colline jusqu'à ce qu'elle ait repéré l'allée de palmiers hirsutes qui conduisait à la maison de rêve de Buddy Vance. Sa façade violemment colorée était visible à travers les frondaisons. Ce n'était guère réconfortant, mais au moins l'édifice était-il toujours debout. Elle avait craint que le trou qui se trouvait à l'intérieur ne continue de s'agrandir, défaisant la trame de la réalité jusqu'à consumer la maison. Elle n'osait pas espérer qu'il se soit tout simplement fermé — ses tripes lui disaient que tel n'était pas le cas. Mais tant qu'il était stabilisé, c'était déjà ça. S'ils réussissaient à localiser le Jaff assez vite, peut-être trouveraient-ils un moyen de réparer les dommages qu'il avait causés.

— Tu vois quelque chose ? lui demanda Grillo.

Il sortait du centre commercial, Hotchkiss sur ses talons, tous deux ployant sous leur butin : rouleaux de corde, lampes-torches, piles de rechange, une sélection de pull-overs.

— Il fera froid en bas, expliqua Hotchkiss lorsqu'elle lui demanda pourquoi ils étaient aussi chargés. Foutrement froid. Et sans doute humide.

— On n'aura que l'embarras du choix, dit Grillo avec une bonne humeur forcée. Se noyer, geler ou tomber.

— J'aime ce genre d'options, dit Tesla.

Elle se demanda si une seconde mort serait aussi pénible que la première. N'y pense même pas, se morigéna-t-elle. Il n'y aura pas de seconde résurrection pour toi.

— Nous sommes prêts, dit Hotchkiss. Ou aussi prêts que nous le serons jamais. Où est Witt ?

— Il est à la boutique d'animaux, lui dit-elle. Je vais le chercher.

Lorsqu'elle retourna vers le bâtiment, ce fut pour s'apercevoir que Witt était sorti du magasin et était plongé dans la contemplation d'une autre vitrine.

— Vous avez vu quelque chose ? demanda-t-elle.

— C'est mon bureau, dit-il. Ou c'était mon bureau. Je travaillais *là*. (Il désigna la vitrine du doigt.) A côté de la plante verte.

— Elle est morte, fit remarquer Tesla.

— Tout est mort, dit Witt avec une certaine véhémence dans la voix.

— Ne soyez pas si défaitiste, lui dit-elle, et elle le poussa jusqu'à la voiture, que Hotchkiss et Grillo avaient fini de charger.

En chemin, Hotchkiss leur fit part de ses doutes en termes clairs :

— J'ai déjà dit à Grillo que cette entreprise était complètement suicidaire. Surtout pour vous, dit-il en croisant le regard de Tesla dans le rétroviseur. (Il ne s'attarda pas sur cette dernière remarque, mais passa à des considérations d'ordre pratique.) Nous ne disposons pas de l'équipement nécessaire. Les articles que nous avons trouvés sont uniquement destinés à un usage domestique ; ils ne nous seront d'aucun secours en cas de danger. Et nous n'avons aucun entraînement. Aucun de nous. En ce qui me concerne, j'ai fait de l'escalade, mais c'était il y a longtemps. Je ne suis qu'un théoricien. Et ces cavernes ne sont pas faciles d'accès. Ce n'est pas sans raison qu'il a été impossible de remonter le corps de Vance. Des hommes sont morts là-dessous...

— Ce n'était pas à cause des cavernes, dit Tesla. C'était le Jaff.

— Mais ils n'y sont pas retournés, fit remarquer Hotchkiss. Dieu sait que personne ne souhaitait laisser pourrir un homme là-dedans et le priver de sépulture décente, mais ça leur a suffi.

— Vous étiez prêt à m'y emmener, lui rappela Grillo. Il y a à peine quelques jours.

— C'était vous et moi, dit Hotchkiss.

— Ce qui signifie que vous n'aviez pas de femme sur les bras ?

dit Tesla. Eh bien, mettons les choses au point. Faire de la spéléo en amateur au moment où le monde semble s'effondrer ne correspond pas à l'idée que je me fais d'une sortie entre copains, mais je suis aussi efficace qu'un homme à condition qu'on ne me demande pas de me servir d'une bite. Je ne suis pas plus un fardeau que Grillo. Désolée, Grillo, mais c'est vrai. On arrivera à descendre, et sans danger. Le problème, ce n'est pas les cavernes, mais ce qui se cache dedans. Et je suis plus à même d'affronter le Jaff que n'importe lequel d'entre vous. J'ai rencontré Kissoon ; j'ai entendu les mêmes mensonges qu'il avait déjà racontés au Jaff. J'ai une bonne idée de la raison pour laquelle il est devenu ce qu'il est. Si nous voulons le convaincre de nous aider, c'est moi qui ai le plus de chances d'y réussir.

Il n'y eut aucune réaction de la part de Hotchkiss. Il garda le silence, du moins jusqu'à ce qu'ils soient arrivés à destination et aient commencé à décharger leur matériel. Ce fut seulement à ce moment-là qu'il se remit à donner des instructions. Cette fois-ci, il ne fit aucune référence précise à Tesla.

— Je vous propose de me laisser prendre la tête, dit-il. Witt me suivra. Ensuite, ce sera vous, Miss Bombeck. Grillo fermera la marche.

Un collier de perles, pensa Tesla, et moi au milieu, sans doute parce que Hotchkiss n'a aucune confiance en ses muscles. Elle ne discuta pas. C'était lui le chef de l'expédition, laquelle était probablement aussi risquée qu'il le pensait, et tenter de contester son autorité au moment du départ aurait été irraisonné.

— Nous avons des lampes-torches, continua-t-il, deux par personne. Une dans la poche, l'autre attachée autour du cou. Nous n'avons pas pu trouver de casques de protection ; nous nous contenterons de bonnets de laine. Nous avons des gants, des bottes, et deux pull-overs et deux paires de chaussettes par personne. Allons-y.

Ils portèrent le matériel jusqu'à la clairière, puis s'équipèrent. La forêt était aussi silencieuse que durant la matinée. Le soleil qui tapait dur sur leurs dos, les faisant transpirer dès qu'ils se furent recouverts d'une couche supplémentaire de vêtements, ne parvenait pas à faire chanter un seul oiseau. Une fois habillés, ils s'encordèrent, mesurant environ deux mètres de corde entre chacun d'eux. Hotchkiss le théoricien connaissait ses nœuds sur le bout des doigts, et il ne se priva pas de faire la démonstration de son savoir, en particulier lorsqu'il s'occupa de Tesla. Grillo fut le dernier maillon à être relié à la chaîne. Il transpirait plus abondamment que ses compagnons, et les veines qui battaient à ses tempes étaient presque aussi épaisses que la corde enroulée autour de sa taille.

— Est-ce que ça va ? lui demanda Tesla tandis que Hotchkiss s'asseyait au bord de la crevasse et balançait ses pieds dans le trou.

— Oui, répondit Grillo.

— Tu n'as jamais su mentir, répliqua-t-elle.

Hotchkiss avait une dernière instruction à leur donner.

— Quand nous serons en bas, dit-il, évitons les bavardages dans la mesure du possible, hein ? Nous devons conserver notre énergie. Rappelez-vous, la descente n'est que la moitié du parcours.

— On va toujours plus vite pour rentrer au bercail, dit Tesla.

Hotchkiss lui jeta un regard méprisant, puis entama la descente.

Celle-ci sembla tout d'abord facile, mais les difficultés commencèrent dès qu'ils eurent atteint trois mètres de profondeur quand, comme ils abordaient un couloir difficile d'accès, le soleil disparut avec une soudaineté telle qu'il leur sembla qu'il n'avait jamais existé. Leurs lampes-torches n'étaient que de pauvres substituts.

— Nous allons faire halte un instant, dit Hotchkiss. Laissons à nos yeux le temps de s'habituer à l'obscurité.

Derrière elle, Tesla entendait Grillo respirer avec difficulté, près de suffoquer.

— Grillo, murmura-t-elle.

— Ça va. Ça va.

C'était facile à dire, mais il était loin de se sentir bien. Plusieurs attaques lui avaient rendu ces symptômes familiers : dans un ascenseur bloqué entre deux étages, au milieu de la foule du métro. Son cœur battait la chamade et il avait l'impression qu'un nœud coulant lui enserrait la gorge. Mais ce n'étaient là que des signes externes. Il redoutait surtout la panique qui allait monter en lui et atteindre une intensité telle que sa raison s'éteindrait aussi brusquement qu'une lampe, laissant les ténèbres régner, au-dedans comme au-dehors. Il avait plusieurs remèdes à sa disposition — des pilules, des exercices respiratoires ; la prière, en dernière extrémité —, mais ils ne lui étaient d'aucun secours à présent. Il ne pouvait que tenir le coup. Il prononça ces mots pour lui-même. Tesla les entendit.

— Je te tire sur le cou ? dit-elle. Tu parles d'une promenade.

— Du calme, derrière ! hurla Hotchkiss. On est repartis.

Ils continuèrent leur progression dans un silence qui ne fut interrompu que par leurs grognements, puis par un avertissement de Hotchkiss leur signalant de nouvelles difficultés devant eux. Jusque-là, ils étaient descendus en zigzag, se faufilant entre des rochers soulevés par le geyser lors de l'échappée des Nonciés, mais ils se trouvaient à présent dans un puits vertical dont les rayons de leurs torches étaient impuissants à éclairer le fond. Il faisait un froid mortel, et ils étaient reconnaissants à Hotchkiss de leur avoir fait enfiler des vêtements chauds, même si leur masse rendait les mouvements plus difficiles. Le roc était parfois humide sous leurs gants et, à deux reprises, ils durent franchir des petits jets d'eau traversant le puits sur toute sa largeur.

Ces obstacles successifs poussèrent Tesla à se demander quel impératif bizarre conduisait les hommes (c'étaient sûrement tous des hommes ; les femmes n'étaient pas aussi perverses) à se livrer à ce type d'activité pour le plaisir. Était-il exact, comme l'avait dit Hotchkiss lorsque Witt et elle étaient arrivés chez lui, que tous les grands secrets de ce monde étaient *sous terre* ? Dans ce cas, elle était en bonne compagnie. Ces trois hommes avaient les meilleures raisons du monde pour découvrir ces secrets et peut-être les hisser jusqu'à la lumière. Grillo, avec son acharnement passionné à raconter toute l'histoire au monde. Hotchkiss, toujours hanté par le souvenir de sa fille, qui était morte suite à des événements survenus ici. Et Witt, qui avait connu le Grove jusque dans ses moindres recoins, mais jamais dans ses profondeurs, et qui recevait ici une vision fondamentale de la ville qu'il avait aimée comme une épouse. Hotchkiss leur lança un nouvel appel, plus agréable à entendre celui-ci.

— Il y a une corniche, dit-il. On va pouvoir se reposer un peu.

Un par un, ils descendirent pour le rejoindre. La corniche était humide, et fort étroite, et elle n'aurait pas accueilli une cinquième personne. Ils se perchèrent dessus en silence. Grillo sortit un paquet de cigarettes de sa poche-revolver et en alluma une.

— Je croyais que tu avais arrêté, fit remarquer Tesla.

— En effet, dit-il

Il lui passa la cigarette. Elle en tira une bouffée, la savourant, puis la rendit à Grillo.

— Est-ce qu'on a une idée du chemin qui nous reste à faire ? demanda Witt.

Hotchkiss secoua la tête.

— Mais il y a bien un fond, quelque part en bas.

— Je n'en suis même pas sûr.

Witt s'accroupit et fouilla la terre sur la corniche.

— Qu'est-ce que vous cherchez ? dit Tesla.

Il se redressa avec la réponse en main. Un caillou gros comme une balle de tennis, qu'il jeta dans les ténèbres. Il y eut un silence qui dura plusieurs secondes, puis un bruit sec lorsque le caillou se fracassa contre la paroi, ses fragments s'envolant dans toutes les directions. Les échos de ce bruit mirent un long moment avant de mourir, ce qui rendit quasi impossible toute évaluation de la distance séparant le quatuor de l'endroit où le caillou s'était brisé.

— Bien essayé, dit Grillo. Ça marche dans les films.

— Attends, dit Tesla, j'entends de l'eau.

Durant le silence qui suivit, son impression fut confirmée. Non loin de là, on entendait un courant.

— Est-ce que c'est au-dessous de nous, ou derrière une des parois ? dit Witt. Je n'arrive pas à le localiser.

— Peut-être les deux, dit Hotchkiss. Il y a deux obstacles qui peuvent nous barrer définitivement la route. Un éboulis et l'eau. Si le réseau de galeries est inondé, nous ne pourrons jamais continuer.

— Ne soyons pas pessimistes, dit Tesla. On continue.

— On dirait que ça fait des heures qu'on est là, fit remarquer Witt.

— Le temps s'écoule d'une façon différente ici, dit Hotchkiss. Nous n'avons pas nos points de repère habituels. Comme le soleil, par exemple.

— Ce n'est pas le soleil qui me donne l'heure.

— Il la donne à votre corps.

Grillo fit mine d'allumer une seconde cigarette, mais Hotchkiss lui dit : « Pas le temps », et il se laissa glisser sur le bord de la corniche. Le puits dans lequel ils descendaient n'était pas tout à fait vertical. S'il l'avait été, leur manque d'expérience et d'équipement ne leur aurait pas permis de tenir plus de quelques mètres. Mais sa pente était néanmoins déjà proche des quatre-vingt-dix degrés, et s'en rapprocha de plus en plus, les parois tantôt leur offrant des fissures et des prises qui facilitaient leur descente, et tantôt se révélant lisses, mouillées et dangereuses. Ils progressaient alors centimètre par centimètre, Hotchkiss signalant les meilleures prises à Witt, celui-ci passant le message à Tesla, qui le transmettait finalement à Grillo. Ces dialogues étaient d'une brièveté extrême : il leur fallait économiser tout leur souffle et toute leur concentration.

Ils atteignaient le bout d'une portion de puits particulièrement lisse lorsque Hotchkiss ordonna une halte.

— Qu'y a-t-il? demanda Tesla en se tournant vers lui.

Pour toute réponse, il n'eut qu'un seul et sinistre mot :

— Vance.

Elle entendit Witt prier dans les ténèbres.

— On est arrivés au fond, alors, dit Grillo.

— Non, lui répondit-on, ce n'est qu'une autre corniche.

— Merde.

— Il y a un moyen de la contourner? demanda Tesla.

— Donnez-moi un peu de temps, aboya Hotchkiss en réponse, la voix nouée par l'émotion.

Il s'écoula apparemment plusieurs minutes (mais probablement moins d'une seule), durant lesquelles ils s'accrochèrent à la paroi pendant que Hotchkiss examinait les routes qui s'offraient à eux. Il en sélectionna une, puis leur ordonna de reprendre la descente.

La faible lumière dispensée par les torches leur avait paru frustrante, mais elle leur révélait trop de choses à présent. Lorsqu'ils passèrent devant la corniche, il leur fut impossible de ne pas regarder dans sa direction. Là, étalé sur le rocher luisant, se trouvait un tas de viande morte. Le crâne de l'homme s'était ouvert comme un œuf en heurtant la paroi. Ses membres étaient tordus suivant des angles bizarres, probablement fracturés en de multiples endroits. Une de ses mains reposait sur son cou, la paume levée vers le ciel. L'autre était devant son visage, les doigts entrouverts, comme s'il jouait à cache-cache.

Ce spectacle leur rappela, s'il en était besoin, quelles seraient les conséquences d'une chute. Ils progressèrent avec encore plus de précautions.

Le bruit du courant s'était quelque peu estompé depuis un moment, mais il se faisait de nouveau entendre. Cette fois-ci, il n'était pas étouffé par les murailles de roc. De toute évidence, le ruisseau coulait au-dessous d'eux. Ils continuèrent de descendre, s'arrêtant tous les trois mètres afin que Hotchkiss puisse scruter les ténèbres. Il n'eut rien à leur signaler jusqu'à la quatrième halte, où il leur hurla que les nouvelles étaient bonnes et mauvaises. Le puits s'achevait ici, c'était la bonne nouvelle. La mauvaise : il était inondé.

— Il n'y a pas de terre ferme en bas? voulut savoir Tesla.

— Pas des masses, répondit Hotchkiss. Et elle n'a pas l'air très solide.

— On ne va quand même pas remonter ! rétorqua Tesla.

— Ah non ?

— Non, insista-t-elle. On n'a pas fait tout ce chemin pour rien.

— Il n'est pas ici, hurla Hotchkiss en réponse.

— Je veux le vérifier par moi-même.

Il ne réagit pas, mais elle n'avait aucune peine à l'imaginer en train de la maudire dans l'obscurité. Au bout de quelques instants, cependant, il recommença à descendre. Le courant émit bientôt un tel vacarme que toute conversation devint impossible, puis ils se retrouvèrent tous les quatre côte à côte au fond du puits.

Hotchkiss n'avait pas menti. La petite plate-forme sur laquelle ils se trouvaient n'était guère plus qu'un amas de détritus, que le torrent emportait à vive allure.

— C'est arrivé récemment, dit-il.

Comme pour confirmer cette observation, la paroi s'effrita un peu plus au-dessus de la résurgence alors même qu'il parlait, et l'eau emporta une large portion de terre dans les ténèbres rugissantes. Le flot vint battre la rive sur laquelle ils se tenaient avec un enthousiasme renouvelé.

— Si on ne fiche pas le camp en vitesse, hurla Witt pour couvrir le vacarme, on va être emportés par le torrent.

— Je pense que nous ferions mieux de remonter, acquiesça Hotchkiss. L'escalade va être longue et difficile. Nous sommes tous fatigués et transis de froid.

— Attendez ! protesta Tesla.

— Il n'est pas ici ! répliqua Witt.

— Je crois que si.

— Que proposez-vous, Miss Bombeck ? hurla Hotchkiss.

— Eh bien, on pourrait commencer par laisser tomber les politesses, d'accord ? Il est possible que ce flot finisse par se tarir, n'est-ce pas ?

— Peut-être. Dans quelques heures. En attendant, on risque de crever de froid. Et même s'il se tarit...

— Oui ?

— Même s'il se tarit, nous n'avons aucune idée de la direction prise par le Jaff.

Hotchkiss explora les lieux avec le rayon de sa torche. Celui-ci était juste assez fort pour éclairer les parois, mais il était évident que plusieurs tunnels prenaient naissance à ce point.

— Vous voulez jouer aux devinettes ? hurla Hotchkiss.

Le spectre de l'échec apparut dans l'esprit Tesla. Elle fit de son mieux pour l'ignorer, mais c'était difficile. Elle avait péché par optimisme en pensant que le Jaff — telle une grenouille au fond d'un puits — serait assis là à les attendre. Il avait pu emprunter n'importe lequel de ces tunnels. Certains étaient probablement des culs-de-sac ; d'autres conduisaient à des cavernes à l'abri des eaux. Mais même s'ils pouvaient marcher sur l'eau (et elle manquait d'entraînement), lequel devaient-ils choisir ? Elle voulut allumer sa lampe-torche pour se livrer à son propre examen, mais ses doigts étaient engourdis par le froid et la lampe glissa de sa main lorsqu'elle voulut la saisir, tombant sur le roc et roulant en direction de l'eau. Elle se baissa pour la récupérer et faillit perdre l'équilibre, son pied — perché sur le bord en érosion de la plate-forme — glissant sur la roche mouillée. Grillo se précipita vers elle, l'agrippa par la ceinture et l'aida à se redresser. La lampe-torche coula. Elle la regarda s'enfuir, puis se tourna vers Grillo pour le remercier, mais baissa les yeux vers le sol en découvrant son visage alarmé, et les remerciements qu'elle allait proférer se transformèrent en cris. Lesquels ne furent jamais poussés, car les eaux emportèrent leur plage précaire, en trouvant la pierre angulaire qui, une fois engloutie, déclencha la capitulation des autres.

Elle vit Hotchkiss se jeter sur la paroi, cherchant à trouver une prise avant que les flots ne les emportent. Mais il ne fut pas assez rapide. Le sol se déroba sous ses pieds, sous leurs pieds, et ils plongèrent tous dans les eaux glacées. Elles étaient aussi violentes qu'elles étaient froides, les saisissant en un instant pour les emporter, les précipitant dans un tourbillon fait de liquide et de rocs acérés.

Tesla réussit à saisir un bras dans le torrent — celui de Grillo, pensa-t-elle. Elle parvint à s'y accrocher pendant deux bonnes secondes — ce qui ne fut pas une mince affaire —, puis le torrent s'agita de plus belle en franchissant un coude et ils furent séparés. Il y eut un intervalle de confusion totale au sein des eaux frénétiques, puis — soudain — celles-ci s'apaisèrent en atteignant un tunnel calme et peu profond, et leur vitesse diminua suffisamment pour que Tesla tende les bras vers les parois et se redresse. Aucune lumière n'était visible, mais elle sentit le poids d'un corps sur la corde passée autour de sa taille, et elle entendit Grillo hoqueter derrière elle.

— T'es encore vivant ? dit-elle.

— A peine.

— Witt ? Hotchkiss ? Vous êtes là ?

Witt lui répondit par un gémissement et Hotchkiss par un cri.

— J'ai rêvé de ceci..., disait Witt. J'ai rêvé que je nageais.

Elle ne souhaitait pas penser à ce que signifiait cette remarque, car si Witt avait rêvé de Quiddity... mais la pensée envahit néanmoins son esprit. Trois voyages dans l'océan onirique : à la naissance, dans l'amour, et aux portes de la mort.

— J'ai rêvé de ceci..., répéta-t-il, plus doucement cette fois-ci.

Avant qu'elle ait pu censurer ses prophéties, elle se rendit compte que l'eau avait à nouveau pris de la vitesse, et qu'un rugissement montait des ténèbres devant elle.

— Oh merde ! dit-elle.

— Quoi ? hurla Grillo.

L'eau coulait à vive allure, avec de plus en plus de bruit.

— Une chute d'eau, dit-elle.

Il y eut une traction sur sa corde, et Hotchkiss poussa un cri, d'horreur plutôt que de mise en garde. Elle eut le temps de penser *Fais comme si tu étais à Disneyland,* puis la traction devint irrésistible et son univers de ténèbres bascula. L'eau se referma sur elle, une camisole de glace qui lui arracha le souffle et la conscience. Lorsqu'elle revint à elle, Hotchkiss était en train de la repêcher. La cataracte qu'ils avaient chevauchée rugissait tout près d'eux, blanchissant l'eau dans sa fureur. Elle ne se rendit pas compte qu'elle y voyait, prenant conscience de ce fait seulement lorsque Grillo émergea à côté d'eux en crachant et dit :

— De la lumière !

— *Où est Witt ?* hoqueta Hotchkiss. *Où est Witt ?*

Ils scrutèrent la surface de la mare où ils avaient échoué. Il n'y avait aucun signe de William. Il y avait, cependant, un bout de terre ferme. Ils nagèrent vers ce havre tant bien que mal ; des brasses saccadées et maladroites qui les conduisirent vers une roche sèche. Hotchkiss fut le premier à l'aborder, et il tira Tesla jusqu'à la berge. La corde qui les reliait, via Witt, s'était rompue lors de leur chevauchée. Le corps de Tesla était une masse engourdie et agitée de frissons, et elle parvenait à peine à se mouvoir.

— Rien de cassé ? dit Hotchkiss.

— Je ne sais pas, dit-elle.

— Nous sommes foutus à présent, murmura Grillo. Seigneur, nous sommes dans les entrailles de cette foutue terre.

— Il y a de la lumière quelque part, hoqueta Tesla.

Elle rassembla le peu d'énergie qui lui restait et leva la tête pour chercher du regard la source de cette lumière. Ce mouvement anodin lui apprit que son organisme n'était pas sorti indemne de ces épreuves. Il y eut un spasme dans son cou, qui se propagea jusqu'à son épaule. Elle poussa un cri.

— Vous avez mal ? dit Hotchkiss.

Elle s'assit avec prudence.

— J'ai mal partout, dit-elle.

La douleur perçait sa chair engourdie en une douzaine d'endroits : la tête, le cou, les bras, le ventre. A en juger par le gémissement que poussa Hotchkiss en se redressant, il avait les mêmes problèmes. Grillo se contentait de claquer des dents et de regarder fixement l'eau qui avait englouti Witt.

— Derrière nous, dit Hotchkiss.

— Quoi donc ?

— La lumière. Elle vient de derrière nous.

Tesla se retourna, sentant la douleur la poignarder au flanc. Elle s'efforça de garder ses gémissements pour elle, mais Hotchkiss l'entendit retenir son souffle.

— Vous pouvez marcher ? dit-il.

— Et vous ? rétorqua-t-elle.

— L'esprit de concurrence, hein ? dit-il.

— Ouais.

Elle lui jeta un regard en coin. Du sang coulait près de son oreille droite, et il tenait son bras gauche dans sa main droite.

— Vous avez l'air en piteux état, dit-elle.

— Vous aussi.

— Grillo ? Tu viens ?

Il n'y eut aucune réponse ; rien que le bruit de ses dents qui claquaient.

— Grillo ? dit-elle.

Il avait cessé de regarder l'eau pour se tourner vers le plafond de la caverne.

— Elle est au-dessus de nous, murmura-t-il. Toute cette terre. Au-dessus de nous.

— Elle ne va pas nous tomber dessus, dit Tesla. Nous allons sortir d'ici.

— Non, nous ne sortirons jamais. Nous sommes enterrés vivants, bordel ! Nous sommes enterrés vivants !

Soudain, il fut debout, et ses claquements de dents s'étaient transformés en sanglots.

— Je veux sortir d'ici ! Je veux sortir d'ici !

— Taisez-vous, Grillo, dit Hotchkiss.

Mais Tesla savait que les mots étaient impuissants à endiguer la panique qui montait en lui. Elle le laissa sangloter et se dirigea vers la brèche d'où provenait la lumière.

C'est le Jaff, pensa-t-elle tout en avançant. Ça ne peut pas être la lumière du jour, donc c'est forcément le Jaff. Elle avait réfléchi à ce qu'elle allait lui dire, mais toutes ses bonnes paroles avaient disparu de sa tête. Elle ne pouvait que travailler au jugé. Affronter l'homme et espérer que sa langue ferait le reste.

Derrière elle, elle entendit les sanglots de Grillo s'interrompre brusquement, et Hotchkiss dit :

— C'est Witt.

Elle jeta un regard par-dessus son épaule. Le corps de Witt était remonté à la surface de la mare, non loin de la berge, et gisait la face dans l'eau. Elle ne s'attarda pas, mais se tourna vers la brèche et se remit en marche d'un pas lent et douloureux. Elle avait l'impression fort claire d'être *attirée* par cette lumière, une impression qui s'accentuait un peu plus à chaque pas, comme si ses cellules touchées par le Nonce sentaient la proximité d'un être également touché. Son corps harassé puisa dans cette sensation les réserves de force nécessaires pour parvenir à la brèche. Elle se pencha contre la pierre et regarda par l'ouverture. La caverne qu'elle découvrit était plus petite que celle qu'elle venait de quitter. En son milieu se trouvait ce qu'elle crut tout d'abord être un feu, mais qui s'avéra n'être qu'un phénomène apparenté. La lumière qu'il dispensait était glacée et ses fluctuations étaient loin d'être régulières. Il n'y avait aucun signe de son créateur.

Elle pénétra dans la petite caverne, annonçant sa présence pour s'assurer que son arrivée ne serait pas interprétée comme une agression.

— Il y a quelqu'un ? dit-elle. Je veux parler à... à *Randolph Jaffe*.

Elle choisit de le désigner par ce nom dans l'espoir d'en appeler à l'homme qu'il avait été plutôt qu'à l'Artiste qu'il avait aspiré à être. Cette tactique porta ses fruits. Une voix aussi épuisée que la sienne émergea d'une fissure creusée dans le coin le plus éloigné de la caverne.

— Qui êtes-vous ?

— Tesla Bombeck.

Elle se dirigea vers le feu, l'utilisant comme une excuse pour entrer.

— Ça ne vous dérange pas, n'est-ce pas ? dit-elle en ôtant ses gants trempés et en tendant ses paumes vers les flammes sans joie.

— Il n'y a pas de chaleur, dit Jaffe. Ce n'est pas un vrai feu.

— En effet, dit-elle.

Les braises semblaient être faites de matière morte. Les *teratas*. La lueur diffuse qu'elle avait prise pour une flamme n'était que l'ultime vestige de leur décomposition.

— On dirait bien que nous sommes tout seuls, dit-elle.

— Non, dit-il. *Je* suis tout seul. Vous avez amené des gens.

— Oui. En effet. Vous connaissez l'un d'eux. Nathan Grillo?

Ce nom fit sortir Jaffe de sa cachette.

Elle avait vu par deux fois la folie dans ses yeux. La première fois devant le centre, où Howie la lui avait signalée. La deuxième fois quand il était sorti en vacillant de la maison de Buddy Vance, laissant la brèche qu'il avait ouverte rugir derrière lui. Elle la vit à présent une troisième fois, mais cette démence avait gagné en intensité.

— Grillo est ici? dit-il.

— Oui.

— Pourquoi?

— Pourquoi quoi?

— Pourquoi êtes-vous venus ici?

— Pour vous retrouver, expliqua-t-elle. Nous avons besoin... nous avons besoin de votre aide.

Les yeux fous se tournèrent lentement vers Tesla. Elle crut distinguer une vague forme flottant autour de lui, comme une ombre projetée sur un écran de fumée. Une tête si enflée qu'elle en prenait des proportions grotesques. Elle s'efforça de ne pas penser à ce que c'était, ni à ce que signifiait son aspect. Il n'y avait qu'un seul problème à résoudre ici : persuader cet homme de se défaire du lourd fardeau de ses secrets. Peut-être valait-il mieux qu'elle prenne l'initiative.

— Nous avons quelque chose en commun, dit-elle. Plusieurs choses, en fait, mais une en particulier.

— Le Nonce, dit-il. Fletcher vous a envoyée le chercher, et vous n'avez pas pu lui résister.

— C'est vrai, dit-elle, préférant s'abstenir de discuter avec lui de peur de perdre son attention. Mais ce n'est pas le plus important de nos points communs.

— Et qu'est-ce donc?

— *Kissoon*, dit-elle.

Les yeux de Jaffe cillèrent.

— C'est *lui* qui vous envoie, dit-il.

Merde, pensa-t-elle, j'ai gaffé.

— Non, dit-elle en hâte. Absolument pas.

— Que veut-il de moi ?

— Rien. Je ne suis pas son intermédiaire. Il m'a attirée dans la Boucle pour la même raison qu'il vous y avait attiré, il y a bien longtemps. Vous vous en souvenez ?

— Oh oui, dit-il d'une voix blanche. Difficile de l'oublier.

— Mais vous savez pourquoi il a voulu vous attirer dans la Boucle ?

— Il avait besoin d'un acolyte.

— Non. Il avait besoin d'un *corps*.

— Oh, oui. Il voulait aussi ça.

— Il est pris au piège là-dedans, Jaffe. La seule façon dont il peut en sortir, c'est en volant un corps.

— Pourquoi me racontez-vous tout ça ? dit-il. N'avons-nous pas mieux à faire avant la fin ?

— La fin ?

— Du monde, dit-il. (Il s'adossa au mur et laissa la pesanteur le faire glisser vers une position accroupie.) C'est bien ce qui va se passer, n'est-ce pas ?

— Qu'est-ce qui vous fait croire ça ?

Jaffe leva les mains devant son visage. Elles n'avaient nullement guéri. La chair avait été arrachée à l'os en plusieurs endroits. Trois de ses doigts, dont le pouce de sa main gauche, avaient disparu.

— J'arrive à entrevoir ce que voit Tommy-Ray, dit-il. Il y a quelque chose qui *arrive*...

— Est-ce que vous distinguez ce que *c'est ?* lui demanda-t-elle, à l'affût d'un indice, même mince, sur la nature des Iad — apportaient-ils des bombes ou des verroteries ?

— Non. Rien qu'une horrible nuit. Une nuit éternelle. Je ne veux pas voir ça.

— Vous devez voir ça, dit Tesla. N'est-ce pas ce que les Artistes sont censés faire ? Voir et continuer de voir, même lorsque le spectacle devient insoutenable. Vous êtes un Artiste, Randolph...

— Non. C'est faux.

— Vous avez ouvert la brèche, n'est-ce pas ? dit-elle. Je ne dis pas que j'approuve vos méthodes, loin de là, mais vous avez accompli ce que personne n'avait *osé* accomplir. Ce que personne n'était capable d'accomplir, peut-être.

— C'était ce que Kissoon avait prévu, dit Jaffe. Je m'en rends compte à présent. Il a fait de moi son acolyte sans même que je le sache. Il s'est servi de moi.

— Je ne le pense pas, dit Tesla. Je ne pense pas que même lui ait pu concevoir un plan aussi complexe. Comment pouvait-il savoir que Fletcher et vous alliez découvrir le Nonce? Non. Ce qui vous est arrivé n'était prévu par personne... vous étiez votre propre agent, pas celui de Kissoon. Le pouvoir vous appartient. Et la responsabilité aussi.

Elle interrompit là sa plaidoirie, en grande partie parce qu'elle était vraiment épuisée. Jaffe ne réagit pas à ses arguments. Il se contenta de regarder fixement le pseudo-feu, qui ne tarderait pas à mourir, puis ses mains. Ce fut seulement au bout d'une minute qu'il dit :

— C'est pour me dire ça que vous êtes descendue jusqu'ici?

— Oui. Ne me dites pas que je suis venue en vain.

— Que voulez-vous que je fasse?

— Nous aider.

— Il n'existe aucun moyen de vous aider.

— Vous avez ouvert le trou, vous pouvez le refermer.

— Je ne mettrai plus les pieds dans cette maison.

— Je croyais que vous vouliez vous emparer de Quiddity, dit Tesla. Je croyais que telle était votre grande ambition.

— Je me trompais.

— Vous avez fait tous ces efforts rien que pour vous apercevoir que vous vous étiez *trompé?* Qu'est-ce qui vous a fait changer d'avis?

— Vous ne comprendriez pas.

— Essayez quand même.

Il se tourna de nouveau vers le feu.

— C'était le dernier, dit-il. Quand la lumière disparaîtra, nous serons dans le noir.

— Il doit exister d'autres chemins pour sortir d'ici.

— Il y en a.

— Alors, nous prendrons l'un d'entre eux. Mais d'abord... *d'abord*... dites-moi pourquoi vous avez changé d'avis.

Il mit un long moment à réfléchir à sa réponse, ou bien tout simplement à se décider à la donner.

Puis il dit :

— Lorsque je me suis lancé dans la quête de l'Art, tous les indices avaient rapport avec des carrefours. Pas tous. Mais nombre d'entre eux. Oui, nombre d'entre eux. Ceux qui paraissaient sensés à mes yeux. Et je suis parti à la recherche d'un carrefour. Je croyais que c'était là que je trouverais la réponse. Puis Kissoon m'a attiré dans sa Boucle, et j'ai pensé : le voilà, le dernier représentant du Banc, et il est dans une hutte en plein milieu de nulle part. Pas de carrefour. J'avais dû me tromper. Et tout ce qui est arrivé depuis : à la Mission, dans le Grove... rien ne s'est passé à un carrefour. J'étais trop *littéral,* vous voyez. J'ai toujours été trop foutrement littéral. Concret. A ras de terre. Pendant que Fletcher pensait à l'air et au ciel, je pensais au pouvoir et à l'os. Il façonnait des rêves à partir de l'esprit des gens, je façonnais des terreurs à partir de leurs tripes et de leur sueur. Je ne voyais que l'évidence. Et durant tout ce temps-là... (sa voix était chargée d'émotion ; toute sa haine était dirigée contre lui-même)... durant tout ce temps-là, je ne *voyais* rien. Jusqu'à ce que j'utilise l'Art et me rende compte de ce qu'était vraiment le carrefour...

— Quoi ?

Il glissa la moins blessée de ses mains sous sa chemise. Un médaillon était pendu à son cou, accroché à une chaîne. Il tira violemment dessus. La chaîne se brisa et il lança le symbole à Tesla. Elle sut ce que c'était avant même de l'avoir attrapé. Elle avait déjà joué cette scène, avec Kissoon. Mais elle n'avait pas été à même de comprendre ce qu'elle comprenait à présent que le signe du Banc reposait dans sa main.

— Le carrefour, dit-elle. Ceci est son symbole.

— Je ne sais plus ce que c'est qu'un symbole, répliqua-t-il.. Tout ne fait qu'un.

— Mais ceci *représente* quelque chose, dit-elle, examinant de nouveau les formes gravées sur la croix.

— Le *comprendre,* c'est le *posséder,* dit Jaffe. Dès l'instant où on . le comprend, cela cesse d'être un symbole.

— Alors... aidez-moi à comprendre, dit Tesla. Parce qu'en regardant ceci, je ne vois qu'une croix. Je veux dire, c'est un bel objet, mais ça ne veut pas dire grand-chose. Il y a ce type au centre, on dirait qu'il est crucifié, sauf qu'il n'y a pas de clous. Et puis il y a toutes ces créatures.

— Ça n'a donc aucun *sens* pour vous ?

— Si seulement je n'étais pas aussi épuisée.

— Devinez.

— Je ne suis pas d'humeur à jouer aux devinettes.

Le visage de Jaffe prit un air rusé.

— Vous voulez que je vous suive — que je vous aide à stopper ce qui vient de Quiddity —, mais vous ne comprenez strictement rien à ce qui se passe. Dans le cas contraire, vous comprendriez ce que vous tenez dans votre main.

Elle comprit la proposition qu'il était en train de lui faire avant même qu'il l'ait formulée.

— Si j'arrive à trouver, vous viendrez?

— Ouais. Peut-être.

— Laissez-moi quelques minutes, dit-elle, regardant le symbole du Banc avec des yeux neufs.

— Quelques? dit-il. Que veut dire « quelques »? *Cinq,* peut-être. Disons *cinq.* Mon offre est valable pendant cinq minutes.

Elle retourna le médaillon dans sa main, se sentant soudain tout empruntée.

— Ne me regardez pas comme ça, dit-elle.

— J'aime bien regarder les gens.

— Ça me distrait.

— Vous n'êtes pas obligée de rester, répliqua-t-il.

Elle le prit au mot et se releva, les jambes vacillantes, pour se diriger vers la brèche par laquelle elle était entrée.

— Ne le perdez pas, dit-il d'une voix presque sarcastique. C'est le seul que j'ai.

Hotchkiss l'attendait près de l'entrée.

— Vous avez entendu? lui dit-elle.

Il acquiesça. Elle ouvrit la main et le laissa regarder le médaillon. La lumière dispensée par le *terata* en décomposition était chiche, mais ses yeux s'y étaient habitués. Elle déchiffra sans peine l'expression déconcertée du visage de Hotchkiss. Aucune révélation à attendre de ce côté-là.

Elle lui reprit le médaillon et se tourna vers Grillo, qui n'avait pas bougé depuis son départ.

— Il a craqué, dit Hotchkiss. Claustrophobie.

Elle se dirigea néanmoins vers lui. Il ne contemplait plus le plafond, ni le corps flottant dans l'eau. Ses yeux étaient clos. Ses dents claquaient.

— Grillo.

Il continua de claquer des dents.

— *Grillo.* C'est Tesla. J'ai besoin de ton aide.

Il secoua la tête; un mouvement sec et violent.

— Je dois savoir ce que ce truc veut dire.

Il n'ouvrit même pas les yeux pour voir de quoi elle parlait.

— Mille mercis, Grillo.

Tu es toute seule, bébé. Personne ne peut t'aider. Hotchkiss ne pige rien, Grillo ne veut rien piger ; et Witt est mort. Elle jeta un bref regard au cadavre. Le visage dans l'eau, les bras en croix. Pauvre diable. Elle ne l'avait pas vraiment connu, mais il avait l'air d'un brave type.

Elle se détourna, ouvrit sa main et regarda de nouveau le médaillon, sentant sa concentration s'effilocher sous l'effet de l'impitoyable compte à rebours.

Qu'est-ce que ça voulait dire ?

La silhouette au centre de la croix était humaine. Les formes qui rayonnaient à partir d'elle ne l'étaient pas. Étaient-ce ses familiers ? Ou ses enfants, peut-être ? C'était plus sensé. Entre ses jambes écartées se trouvait une créature qui ressemblait à un singe stylisé ; au-dessous, quelque chose de reptilien ; encore au-dessous...

Merde ! Ce n'étaient pas ses enfants, c'étaient ses *ancêtres*. Une évolution à rebours. L'homme au centre ; le singe au-dessous ; puis le lézard, le poisson et le protoplasme (un œil, ou une cellule). *Le passé est au-dessous de nous,* lui avait dit Hotchkiss. Peut-être avait-il eu raison.

En supposant que cette hypothèse soit correcte, qu'est-ce que cela entraînait pour les dessins figurant sur les trois autres branches ? Au-dessus de la tête de l'homme, quelque chose semblait danser, une chose à la tête énorme. Au-dessus, la même forme, plus simplifiée ; et encore au-dessus, une nouvelle simplification, la progression se concluant par un autre œil (ou une autre cellule) similaire à son symétrique. Vu son hypothèse de départ, ces images-ci n'étaient pas difficiles à interpréter. En dessous : l'évolution de la vie vers l'homme ; en dessus, son évolution *au-delà* de l'homme, une vision de la perfection spirituelle qui attendait l'espèce.

Deux sur quatre.

Combien de temps lui restait-il ?

Ne pense pas à ça, se dit-elle, contente-toi de résoudre ton problème.

Lorsque ses yeux parcoururent la croix de droite à gauche, ce fut pour découvrir une séquence bien plus énigmatique que celle qui allait de bas en haut. A l'extrême gauche se trouvait un cercle contenant ce qui ressemblait à un nuage. A côté de lui, plus près du bras tendu de la silhouette humaine, un carré divisé en quatre parties ; encore plus près, une sorte d'éclair ; puis des gouttes (de sang ?) jaillissant de la main ; finalement, la main elle-même. De l'autre côté, une série de symboles encore plus incompréhensibles. Une nouvelle giclée émanant de la main gauche ; puis une onde, peut-être, ou des serpents (était-elle en train de commettre le péché de Jaffe ? était-elle trop littérale ?) ; puis ce qui ne pouvait être décrit que comme un gribouillis, comme si un signe avait été effacé ; et finalement, le quatrième et dernier cercle, qui était un trou creusé dans le médaillon. Du solide à l'absence de solide. D'un cercle contenant un nuage à un espace vide. Qu'est-ce que cela voulait dire, bon sang ? Étaient-ce le jour et la nuit ? Non. Le connu et l'inconnu, peut-être ? C'était plus sensé. *Dépêche-toi, Tesla, dépêche-toi.* Qu'est-ce qui était rond, nuageux, et *connu* ?

Rond et nuageux. Le monde. Et connu. *Oui.* Le monde ; le *Cosme !* Ce qui entraînait que l'espace vide sur l'autre branche, l'*in*connu, était le Métacosme ! Restait la silhouette au centre : le cœur de l'ensemble.

Elle se dirigea vers la caverne où l'attendait Jaffe, sachant qu'il ne lui restait sûrement que quelques secondes.

— J'ai trouvé ! cria-t-elle. J'ai trouvé !

Ce n'était pas tout à fait exact, mais son instinct se chargerait du reste.

A l'intérieur de la caverne, le feu était presque éteint, mais une horrible lueur éclairait les yeux de Jaffe.

— Je sais ce que c'est, dit-elle.

— Vraiment ?

— Sur l'axe vertical, l'évolution, de l'amibe à la Divinité.

Le regard qu'il lui lança lui confirma qu'elle avait au moins raison sur ce point.

— *Continuez,* dit-il. Et l'autre axe ?

— C'est le Cosme et le Métacosme. C'est ce que nous connaissons et ce que nous ignorons.

— *Très bien,* dit-il. Très bien. Et au centre ?

— Nous. Les êtres humains.

Le sourire de Jaffe s'élargit.

— *Non,* dit-il.

— Non ?

— C'est une erreur très ancienne, n'est-ce pas ? Ce n'est pas aussi simple que ça.

— Mais c'est bien un être humain ! dit-elle.

— Vous ne voyez toujours que le symbole.

— Merde. J'ai horreur de ça ! Vous êtes si suffisant. Aidez-moi !

— Votre temps est écoulé !

— J'y suis presque ! J'y suis presque, n'est-ce pas ?

— Vous voyez ? Vous n'y arriverez jamais. Même si vos amis vous donnaient un coup de main.

— Ils ne peuvent pas. Hotchkiss en est incapable. Grillo a perdu l'esprit. Et Witt...

Witt flotte dans l'eau, pensa-t-elle. Mais elle ne le dit pas, car cette image venait de la frapper avec la force d'une révélation. Il flottait dans l'eau, les bras tendus et les mains ouvertes.

— Mon Dieu, dit-elle. C'est Quiddity. Ce sont nos rêves. Ce ne sont pas la chair et le sang qu'on trouve au carrefour, c'est *l'esprit.*

Le sourire de Jaffe s'effaça et la lumière se fit plus brillante dans ses yeux ; un éclat paradoxal qui n'illuminait rien mais qui attirait en lui toute la lumière de la caverne.

— C'est ça, n'est-ce pas ? dit-elle. Quiddity est le centre de tout. C'est le *carrefour.*

Il ne lui répondit pas. C'était inutile. Elle savait sans le moindre doute qu'elle avait raison. La silhouette *flottait* dans Quiddity, les bras tendus tandis qu'elle rêvait dans l'océan onirique. Et, d'une façon indéfinie, ce rêve était le lieu où tout trouvait son origine : la cause première.

— Pas étonnant, dit-elle.

Il avait à présent une voix d'outre-tombe.

— Quoi donc ?

— Pas étonnant que vous n'y soyez pas arrivé, répondit-elle. Quand vous vous êtes rendu compte de ce que vous affrontiez dans Quiddity. Pas étonnant.

— Peut-être regretterez-vous un jour ce savoir, dit-il.

— Je n'ai jamais regretté de savoir quoi que ce soit.

— Vous changerez d'avis, dit-il. Je vous le garantis.

Elle n'insista pas sur ce point. Mais un marché était un marché, et elle était prête à lui rappeler celui qu'il avait passé.

— Vous avez dit que vous viendriez avec nous.

— Je le sais.

— Vous allez venir, n'est-ce pas ?

— Ça ne servira à rien, dit-il.

— N'essayez pas de vous défiler. Je sais aussi bien que vous ce qui est en jeu.

— Et que vous proposez-vous de faire ?

— Retourner chez Buddy Vance et essayer de refermer la brèche.

— Comment ?

— Peut-être aurons-nous besoin de l'avis d'un expert.

— Il n'y en a pas.

— Il y a Kissoon, dit-elle. Il a une dette envers nous. En fait, il en a plusieurs. Mais d'abord, il faut sortir d'ici.

Jaffe la regarda longuement, comme s'il n'était pas encore sûr d'avoir accepté.

— Si vous ne faites pas ça, dit-elle, vous finirez vos jours ici, dans le noir, là où vous avez déjà passé... combien de temps? vingt ans? Les Iad vont franchir la barrière et vous resterez ici, sous terre, sachant que la planète est envahie. Peut-être ne vous retrouvera-t-on jamais. Vous ne mangez pas, n'est-ce pas? Vous êtes au-dessus de ça. Vous pouvez survivre une centaine d'années, peut-être un millier d'années. Mais vous serez tout seul. Rien que vous, les ténèbres, et la conscience de ce que vous avez fait. Est-ce que cette perspective vous séduit? Personnellement, je préférerais mourir en tentant de stopper l'invasion...

— Vous n'êtes guère convaincante, dit-il. Je n'ai aucun mal à vous percer à jour. Vous avez la langue bien pendue, mais le monde est plein de petites salopes comme vous. Vous vous croyez maligne. Vous vous trompez. Vous ne savez rien sur le sort qui nous attend. Mais *moi*? Je les vois, j'ai les yeux de mon salaud de fils. Il se dirige vers le Métacosme et je sens ce qui se trouve par là. Je ne peux pas le voir. Je ne veux pas le voir. Mais je le sens. Et laissez-moi vous dire une chose : nous n'avons pas une seule chance de nous en tirer.

— C'est une dernière tentative pour rester planqué ici?

— Non. Je viens. Rien que pour voir la tête que vous ferez quand vous échouerez, je viens.

— Alors, allons-y, dit-elle. Vous connaissez un moyen de sortir d'ici?

— Je peux en trouver un.

— Bien.

— Mais d'abord...

— Oui?

Il tendit la moins meurtrie de ses mains.

— Mon médaillon.

Avant de pouvoir commencer l'ascension, elle devait faire sortir Grillo de sa catatonie. Il était toujours assis au bord de l'eau, les yeux clos, quand elle émergea de la caverne de Jaffe.

— On va sortir d'ici, lui dit-elle doucement. Grillo, tu m'entends? On va sortir d'ici.

— Mort, dit-il.

— Non, lui dit-elle. Tout ira bien. (Elle le prit par le bras, sentant la douleur la poignarder un peu plus à chacun de ses mouvements.) Lève-toi, Grillo. J'ai froid et il va bientôt faire noir. (Comme dans un four, en fait ; la luminescence émise par les *teratas* en décomposition perdait rapidement de son intensité.) Il y a du soleil là-haut, Grillo. Il fait chaud. Il fait jour.

Il ouvrit les yeux en entendant ces mots.

— Witt est mort, dit-il.

Les vagues nées de la cataracte avaient poussé le cadavre jusqu'à la berge.

— Nous n'allons pas mourir, nous, dit Tesla. Nous allons vivre, Grillo. Alors secoue-toi, bordel.

— On ne... pourra pas... *nager...*, dit-il en regardant la cataracte.

— Il y a d'autres sorties, dit Tesla. Plus faciles. Mais il faut faire vite.

Elle se tourna vers Jaffe, qui examinait les fissures dans le roc de l'autre côté de la caverne, en quête, présuma-t-elle, de la sortie la plus praticable. Il n'était pas en meilleur état que le reste d'entre eux, et une ascension trop pénible serait hors de question. Elle le vit appeler Hotchkiss et lui ordonner de déblayer les débris. Puis il alla examiner d'autres fissures. Il ne savait sans doute pas plus qu'eux comment sortir d'ici, pensa brièvement Tesla, mais elle s'efforça d'oublier cette idée angoissante en essayant à nouveau de remonter le moral de Grillo. Il lui fallut dépenser des trésors de persuasion, mais elle finit par y parvenir. Il se releva, ses jambes manquèrent de se dérober sous lui et il les frictionna vigoureusement.

— Bien, dit-elle. Bien. Allons-y, maintenant.

Elle jeta un dernier regard au cadavre de Witt, espérant que, où qu'il se trouve, il se trouvait bien. Si chacun se voyait récompensé par le Paradis de son choix, elle savait où était Witt à présent. Dans un Palomo Grove céleste : une petite ville tranquille nichée au cœur d'une petite vallée tranquille, où le soleil brillait toujours et où l'immobilier était en plein boum. Elle lui souhaita bon voyage en silence, puis tourna le dos à ses restes, se demandant s'il n'avait pas toujours su qu'il allait mourir ce jour-là, et s'il était heureux de faire partie des fondations du Grove plutôt que d'être devenu un nuage de fumée au-dessus d'un colombarium.

Hotchkiss avait laissé tomber la fissure qu'il était en train de dégager pour se mettre au travail près d'une autre fissure, et Tesla se surprit de nouveau à soupçonner Jaffe d'ignorer le chemin à suivre pour parvenir à la sortie. Elle alla aider Hotchkiss, secouant Grillo pour le pousser à faire de même. Ça sentait le renfermé dans ce trou. Aucune bouffée d'air frais ne leur parvenait de l'extérieur. Mais peut-être étaient-ils tout simplement descendus trop bas.

Le travail était pénible, et plus pénible encore l'obscurité montante. Elle ne s'était jamais sentie aussi près de l'effondrement total. Il n'y avait plus aucune sensation dans ses mains ; son visage était engourdi ; son corps fonctionnait au ralenti. Elle était sûre qu'il existait des cadavres plus chauds. Mais une éternité plus tôt, quelque part au soleil, elle avait dit à Hotchkiss qu'elle était aussi efficace qu'un homme, et elle était résolue à le lui prouver. Elle redoubla d'efforts, calquant ses mouvements sur les siens. Mais ce fut Grillo qui fit le plus gros du travail, manifestant une résolution sans doute née du désespoir. Il dégagea un roc énorme avec une force dont elle ne l'aurait pas cru capable.

— Bien, dit-elle à Jaffe. On y va ?

— Oui.

— C'est la sortie ?

— Celle-ci en vaut une autre, dit-il, et il ouvrit la marche.

Commença alors un périple qui était à sa façon plus terrifiant que leur descente. Tout d'abord, ils ne disposaient que d'une seule lampe, portée par Hotchkiss qui venait derrière Jaffe. Elle était pitoyablement inadéquate, servant davantage à indiquer une direction à Tesla et à Grillo qu'à véritablement éclairer leur chemin. Ils trébuchaient, se relevaient, trébuchaient à nouveau, accueillant leur engourdissement avec joie car il retardait toute sensation de douleur qu'ils auraient pu éprouver.

La première partie de ce périple ne les rapprocha même pas de la surface mais leur fit traverser une série de galeries et de petites chambres, dans les parois desquelles rugissait le bruit du courant. Ils franchirent un tunnel qui avait récemment abrité une rivière souterraine. La boue leur arrivait en haut des cuisses ; et elle coulait sur leurs têtes depuis le plafond, ce qui s'avéra un avantage quelque temps plus tard, lorsqu'ils traversèrent une galerie si étroite qu'elle aurait été infranchissable s'ils n'avaient pas été ainsi lubrifiés. Après cet obstacle, ils commencèrent à grimper, suivant une inclinaison de plus en plus forte. Bien que le bruit de l'eau eût diminué, les parois recelaient une nouvelle menace : le frottement de la terre sur la terre. Personne ne commenta ce phénomène. Ils étaient trop épuisés pour gaspiller leur souffle à énoncer l'évidence : le sol sur lequel le Grove était bâti était en train de se révolter. Plus ils gagnaient de l'altitude, plus les bruits se faisaient violents, et la poussière tomba à plusieurs reprises du plafond du tunnel, les éclaboussant dans les ténèbres.

Ce fut Hotchkiss qui sentit le premier la brise.

— De l'air frais, dit-il.

— Bien sûr, dit Jaffe.

Tesla se tourna vers Grillo. Elle était si harassée qu'elle n'était plus sûre de ses sens.

— Tu le sens ? lui demanda-t-elle.

— Je crois bien, dit-il d'une voix à peine audible.

Cette promesse leur fit accélérer l'allure, bien que leur progression fût de plus en plus hasardeuse, les murs du tunnel se mettant à trembler plusieurs fois tant les mouvements telluriques étaient violents. Mais il y avait davantage que des traces d'air frais pour les pousser à monter ; il y avait le plus ténu des soupçons de lumière au-dessus d'eux, qui se transforma peu à peu en certitude jusqu'à ce qu'ils arrivent à distinguer les rochers qu'ils escaladaient, ainsi que Jaffe, qui progressait à l'aide d'une seule main avec une étrange aisance, comme si son corps ne pesait presque rien. Les autres grimpèrent derrière lui, à peine capables de suivre son rythme en dépit des giclées d'adrénaline qui secouaient à présent leurs organismes épuisés. La lumière se faisait plus distincte, et ce fut elle qui les poussa à continuer, clignant des yeux sous ses feux. Elle devint de plus en plus brillante, de plus en plus éclatante. Ils montaient vers elle avec ferveur, oubliant toute précaution chaque fois qu'ils saisissaient une prise.

L'esprit de Tesla était un maelström d'absurdités, de rêves éveillés plutôt que de pensées. Il était trop épuisé pour s'organiser. Mais il revenait fréquemment aux cinq minutes qui lui avaient été accordées pour résoudre l'énigme du médaillon. Elle en comprit la raison lorsque le ciel devint enfin visible à ses yeux : cette ascension depuis les ténèbres était pareille à une ascension depuis le passé ; depuis la mort, aussi. De la créature à sang froid à la créature à sang chaud. De l'aveugle et de l'immédiat à la vision prophétique. C'est pour ça que les hommes vont sous terre, pensa-t-elle vaguement. Afin de se rappeler pourquoi ils vivent au soleil.

Au dernier moment, alors que l'éclat venu d'en haut se faisait triomphant, Jaffe fit halte et laissa Hotchkiss passer devant lui.

— Vous avez changé d'avis ? dit Tesla.

Il y avait cependant plus que du doute sur son visage.

— Qu'est-ce qui vous fait peur ? lui demanda-t-elle.

— Le soleil, dit-il.

— Vous avancez, tous les deux ? dit Grillo.

— Dans un instant, lui dit Tesla. Passe devant.

Il les dépassa tous les deux, parcourant en quelques secondes les derniers mètres qui le séparaient de la surface. Hotchkiss s'y trouvait déjà. Elle l'entendit rire tout seul. Il était dur de retarder le plaisir de le rejoindre, mais ils n'avaient pas fait tout ce chemin pour abandonner leur trophée derrière eux.

— Je déteste le soleil, dit Jaffe.

— Pourquoi ?

— Il me déteste.

— Vous voulez dire qu'il vous fait mal ? Êtes-vous un genre de vampire ?

Jaffe plissa les yeux en se tournant vers la lumière.

— C'était Fletcher qui aimait le ciel.

— Eh bien, peut-être a-t-il encore quelque chose à vous apprendre.

— Il est trop tard.

— Non. Vous avez commis des atrocités, mais vous avez à présent une chance de vous racheter. Ce qui nous attend est pire que vous. Réfléchissez-y.

Il ne réagit pas.

— Écoutez, continua-t-elle, le soleil se fiche de ce que vous avez fait. Il brille pour tout le monde, les bons et les méchants. Je le regrette, mais c'est comme ça.

Il hocha la tête.

— Vous ai-je déjà parlé..., dit-il, ... d'Omaha ?

— Ne cherchez pas à temporiser, Jaffe. On y va.

— Je vais mourir, dit-il.

— Alors, ce sera la fin de tous vos ennuis, n'est-ce pas ? dit-elle. *Venez !*

Il lui lança un regard dur, mais la lueur qu'elle avait vue dans ses yeux lorsqu'ils s'étaient trouvés dans la caverne avait entièrement disparu. Il n'y avait sur sa personne aucun signe d'un quelconque pouvoir surnaturel. Il était complètement ordinaire : un homme gris, misérable, une épave, qu'elle n'aurait jamais regardé à deux fois si elle l'avait croisé dans la rue, sauf peut-être pour se demander quel traumatisme avait pu le faire descendre aussi bas. Ils avaient consacré beaucoup de temps et d'efforts (ainsi que la vie de Witt) à le faire sortir de terre. Il ne ressemblait guère à l'idée qu'on se faisait d'une récompense. Courbant la tête pour se protéger de l'éclat du jour, il escalada les derniers mètres et émergea en plein soleil. Elle le suivit, la lumière lui donnant le vertige, presque la nausée. Elle ferma les yeux, jusqu'à ce qu'un bruit de rire les lui fasse rouvrir.

C'était plus que le soulagement qui poussait Hotchkiss et Grillo à glousser ainsi. Le chemin qu'ils avaient suivi les avait conduits en plein milieu du parking du Terrace Motel.

« *Bienvenue à Palomo Grove*, proclamait un panneau. *Havre de prospérité.* »

VI

Bien des années auparavant, Carolyn Hotchkiss aimait à rappeler à ses trois meilleures amies que la croûte terrestre était fort mince, et que le Grove avait été bâti sur une faille dans cette croûte, une faille qui finirait un beau jour par craquer et par précipiter la ville dans l'abîme. Durant les deux décennies qui s'étaient écoulées depuis que des pilules avaient fait taire ses prophéties, les outils technologiques conçus pour prédire cet instant avaient progressé à pas de géant. Il était désormais possible de cartographier les fêlures les plus fines et d'enregistrer avec précision leur activité. Au cas où l'holocauste viendrait à se produire, on espérait que l'alarme serait donnée assez vite pour sauver des millions de vies, non seulement à San Francisco et à Los Angeles, mais aussi dans des communautés de moindre importance comme le Grove. Aucun sismographe n'aurait cependant pu prévoir la soudaineté des événements survenus à Coney Eye, ni l'ampleur de leurs conséquences. Le basculement qui s'était produit dans la maison de Buddy Vance avait émis un message subtil mais persuasif au sein de la Colline, et de là à travers les cavernes et les galeries qui couraient sous la ville, incitant aux hurlements et aux convulsions un réseau qui s'était jusque-là contenté de murmurer. Les conséquences les plus spectaculaires de cette mutinerie eurent lieu au pied de la Colline, où la terre s'entrouvrit comme si le jour de l'holocauste était effectivement arrivé, plongeant l'un des Croissants dans une fissure longue de deux cents mètres et large de vingt-cinq, mais aucun village ne fut épargné. La vague de destruction ne s'estompa pas après la première onde de choc, comme d'un séisme normal. Elle prit de l'ampleur, répandant son message d'anarchie, suscitant des glissements de terrain assez importants pour dévorer maisons, garages, trottoirs et boutiques. Dans Deerdell, les rues les plus proches de la forêt furent les premières à être touchées, et leurs rares résidents furent avertis de la destruction à venir par un exode massif d'animaux, qui s'enfuirent avant que les arbres essaient de se déraciner pour les suivre.

Ils y échouèrent et s'effondrèrent. Les maisons suivirent bientôt leur exemple, les rues tombant les unes après les autres comme des dominos. Stillbrook et Laureltree souffrirent de dommages également considérables, mais sans avoir eu le bénéfice d'un avertissement ni celui d'une apocalypse ordonnée. Des crevasses s'ouvrirent soudain au milieu des rues et des jardins. Des piscines se vidèrent de leur eau en quelques secondes ; des allées se transformèrent en répliques du Grand Canyon. Mais que la catastrophe soit soudaine ou annoncée, le résultat final fut le même d'un village à l'autre. Le Grove était englouti par le sol même sur lequel il avait été édifié.

Il y eut des morts, bien sûr ; de nombreux morts. Mais pour la plupart, ils passèrent inaperçus, car ceux qui périrent s'étaient enfermés chez eux durant plusieurs jours, entretenant au sujet du monde des soupçons qu'ils n'osaient pas examiner à la lumière du jour. Personne ne remarqua leur trépas, car personne ne savait qui avait quitté la ville et qui y était resté. Après les événements survenus devant le centre commercial, les citoyens du Grove n'avaient fait preuve que d'une solidarité strictement superficielle. On n'avait organisé aucune réunion d'urgence ; on n'avait pas tenté de partager ses peurs. A mesure que la situation se détériorait, les familles avaient tout simplement pris la fuite, souvent de nuit, encore plus souvent sans en informer leurs voisins. Les solitaires qui étaient restés furent ensevelis sous les décombres de leur toit sans que quiconque ait conscience de leur présence. Lorsque les autorités finirent par mesurer l'ampleur de la catastrophe, nombre des rues étaient devenues des zones interdites, et la recherche des victimes fut reportée à une date ultérieure : il était beaucoup plus urgent de déterminer ce qui s'était passé (ce qui se passait encore) dans la résidence de Buddy Vance.

Les premiers enquêteurs — des flics blasés qui croyaient avoir tout vu — avaient eu vite fait de comprendre qu'une puissance s'était déchaînée dans Coney Eye et qu'il ne serait pas facile de la définir. Une heure et demie après l'arrivée de la première voiture et le premier rapport radio des policiers, plusieurs agents du FBI étaient sur les lieux et deux hommes de science — un physicien et un géologue — se mettaient en route depuis L.A. On pénétra dans la maison, on observa le phénomène présent à l'intérieur — un phénomène qui défiait toute explication —, et on le jugea potentiellement dangereux. Une chose était claire au milieu de cette confusion : les citoyens du Grove avaient su qu'un bouleversement fondamental était en train de se produire (ou allait se produire) dans leur ville. Ils avaient commencé à déserter celle-ci plusieurs heures ou plusieurs jours auparavant. Pourquoi aucun d'eux n'avait-il eu l'initiative d'alerter qui que ce soit une fois sorti du périmètre du Grove, tel était l'un des innombrables mystères que recelait ce lieu.

Si les enquêteurs avaient su où les trouver, ils auraient obtenu toutes les réponses souhaitables des trois individus qui se hissaient à la surface dans le parking du Terrace Motel. Probablement auraient-ils considéré ces réponses comme inspirées par la démence, mais même Tesla — qui avait naguère tenté de persuader Grillo de ne pas raconter son histoire — les aurait à présent volontiers données, si elle en avait eu la force. La chaleur du soleil, la vue du soleil en fait, l'avait quelque peu ravivée, mais elle avait aussi séché la boue et le sang qui maculaient son visage et son corps, et scellé le frisson qui lui imprégnait la moelle des os. Jaffe avait été le premier à rechercher les ombres du motel. Au bout de quelques minutes, elle le suivit. L'établissement avait été déserté par ses clients et par son personnel, et ce pour de bonnes raisons. La fissure qui parcourait le parking n'était qu'une parmi des dizaines, dont la plus large s'étendait sur toute la façade du bâtiment, se séparant en de multiples embranchements comme un éclair surgi des profondeurs. A l'intérieur les attendaient des traces du départ précipité des derniers occupants du lieu, bagages et effets personnels répandus le long de l'escalier, portes grandes ouvertes là où les secousses ne les avaient pas fait sortir de leurs gonds. Elle erra dans les chambres vides jusqu'à ce qu'elle en trouve une où gisaient des vêtements abandonnés, fit couler de l'eau, la plus chaude possible, se dévêtit et entra dans la douche. La chaleur la fit rêvasser, et elle eut toutes les peines du monde à quitter cette extase et à se sécher. Malheureusement, il y avait des miroirs. Son corps meurtri et douloureux lui offrait un bien pitoyable spectacle. Elle le couvrit le plus rapidement possible de vêtements qui ne lui allaient guère et qui s'accordaient encore moins entre eux, ce qui n'était pas pour lui déplaire : à ses yeux, excentricité avait toujours été synonyme d'esthétique. Tout en s'habillant, elle but un peu du café froid qui se trouvait dans la chambre. Il était trois heures vingt lorsqu'elle émergea : il s'était écoulé presque sept heures depuis que le quatuor s'était dirigé vers Deerdell pour descendre dans les profondeurs de la terre.

Grillo et Hotchkiss se trouvaient dans le bureau du directeur. Ils avaient préparé du café chaud. Ils s'étaient également lavés, mais avec moins d'acharnement qu'elle, dessinant des masques de peau récurée sur leur visage de boue. Ils avaient ôté leurs pull-overs trempés pour enfiler chacun un veston abandonné. Tous deux fumaient une cigarette.

— Tout y est, dit Grillo, de toute évidence profondément embarrassé mais résolu à surmonter son embarras. Café. Cigarettes. Gâteaux trop secs. Il ne nous manque que des drogues dures.

— Où est Jaffe ? voulut savoir Tesla.

— Sais pas, dit Grillo.

— Qu'est-ce que tu veux dire, tu ne sais pas ? dit Tesla. Bon sang, Grillo, il ne faut pas le perdre de vue !

— Il nous a suivis jusqu'ici, pas vrai ? répliqua Grillo. Il ne va pas se défiler à présent.

— Peut-être, concéda Tesla. (Elle se servit du café.) Il y a du sucre ?

— Non, mais il y a des pâtisseries et du gâteau au fromage. Un peu sec, mais comestible. Quelqu'un avait la dent sucrée, ici. Tu en veux ?

— J'en veux, dit Tesla. (Elle sirota son café.) Sans doute as-tu raison...

— Au sujet de la dent sucrée ?

— Au sujet de Jaffe.

— Il se fout complètement de notre sort, dit Hotchkiss. Ça me rend malade rien que de le regarder.

— Enfin, vous avez vos raisons, dit Grillo.

— Foutre oui, dit Hotchkiss. (Il jeta un regard en coin à Tesla.) Quand tout ceci sera fini, dit-il, je le veux pour moi tout seul. D'accord ? On a un compte à régler.

Il n'attendit pas de réponse. Il alla prendre le soleil, emportant sa tasse de café.

— Qu'est-ce que ça voulait dire ? demanda Tesla.

— Carolyn.

— Bien sûr.

— Il en veut à Jaffe pour ce qui est arrivé à sa fille. Et il a raison.

— Ça doit être l'enfer pour lui.

— Je ne pense pas que ce soit une expérience inédite, dit Grillo.

— Sans doute que non. (Elle vida sa tasse.) Ça m'a bien requinquée, dit-elle. Je vais chercher Jaffe.

— Avant de partir...

— Ouais ?

— Je voulais te dire... ce qui m'est arrivé en bas... je suis navré de n'avoir pas été plus utile. J'ai toujours eu la trouille d'être enterré vivant.

— Ça m'a l'air raisonnable, dit Tesla.

— Je veux me racheter. Je veux faire tout mon possible pour t'aider. Je ferai tout ce que tu veux. Je sais que tu piges ce qui se passe. Pas moi.

— Moi non plus, pas vraiment.

— Tu as persuadé Jaffe de nous suivre. Comment as-tu fait ?

— Il avait une énigme. Je l'ai résolue.

— A t'entendre, ça paraît si simple.

— Tu sais, je crois que tout ceci est tout simple. Grillo, ce que nous devons affronter est si énorme que nous sommes obligés de nous fier à notre instinct.

— Tu as toujours eu plus d'instinct que moi. Je préfère les faits.

— Les faits aussi sont tout simples, dit-elle. Il y a un trou et quelque chose de l'autre côté qui cherche à le franchir, quelque chose que les gens comme toi et moi sont incapables d'imaginer. Si on ne referme pas ce trou, on est tous baisés.

— Et le Jaff sait comment faire ?

— Comment faire quoi ?

— Refermer le trou.

Tesla le regarda longuement.

— A mon avis, dit-elle, non.

Elle le trouva sur le toit, ce qui était vraiment le dernier endroit où elle aurait pensé à le chercher. De plus, il était occupé à la dernière activité à laquelle elle se serait attendue de sa part. Il contemplait le soleil.

— Je croyais que vous nous aviez laissés nous débrouiller tout seuls, dit-elle.

— Vous aviez raison, répliqua-t-il sans la regarder. Il brille pour tout le monde, les bons et les méchants. Mais il ne me réchauffe pas. J'ai oublié ce que c'est que d'avoir chaud ou d'avoir froid. Ou d'avoir faim. Ou d'être rassasié. Comme cela me manque !

L'assurance teintée d'amertume qu'il avait manifestée dans sa caverne l'avait quasiment déserté. Il était presque humble.

— Peut-être retrouverez-vous ces sensations, dit-elle. Les sensations humaines, je veux dire. Peut-être déferez-vous ce qu'a fait le Nonce.

— Cela me plairait, dit-il. J'aimerais bien être Randolph Jaffe, citoyen d'Omaha (Nebraska). Remonter le cours du temps et ne jamais entrer dans cette salle.

— Quelle salle ?

— La Salle des Lettres Mortes du Bureau de Poste, dit-il, là où tout a commencé. Je devrais vous raconter ça.

— J'aimerais l'entendre. Mais d'abord...

— Je sais. Je sais. La maison. La brèche.

Il la regardait à présent ; ou plutôt, il regardait derrière elle, en direction de la Colline.

— Nous devrons y retourner tôt ou tard, lui rappela-t-elle. Je préférerais que nous y allions tout de suite, tant qu'il fait encore jour et tant qu'il me reste un peu d'énergie.

— Et quand nous serons là-bas ?

— Espérons que nous aurons une inspiration.

— L'inspiration doit venir de quelque part, dit-il. Et ni vous ni moi n'avons de dieux, n'est-ce pas ? C'est ça qui m'a servi durant toutes ces années, le fait que les hommes n'aient plus de dieux. Et à présent, nous sommes comme eux.

Elle se rappela ce que D'Amour lui avait dit lorsqu'elle lui avait déclaré qu'elle ne priait jamais. La prière était sensée une fois qu'on savait tout ce qui existait de par le monde, ou quelque chose comme ça.

— Je commence à me sentir croyante, dit-elle. Lentement.

— Et vous croyez en *quoi* ?

— En des forces supérieures, dit-elle avec un haussement d'épaules quelque peu embarrassé. Les membres du Banc avaient des aspirations, pourquoi n'en aurais-je pas ?

— Vraiment ? dit-il. Gardaient-ils l'Art parce que Quiddity devait être préservé ? Je ne le crois pas. Ils avaient peur de ce qui pouvait en surgir, c'est tout. Ce n'étaient que des chiens de garde.

— Peut-être leur devoir les a-t-il aidé à se transcender.

— Pour devenir quoi ? Des saints ? Ce n'est pas le cas de Kissoon, n'est-ce pas ? Il ne vénérait que lui-même. Et les Iad.

C'était là une bien sombre pensée. Quel plus parfait démenti aux propos pleins de foi de D'Amour que la révélation de Kissoon, selon laquelle toutes les religions n'étaient que des paravents pour le Banc ; des leurres destinés à empêcher le commun des mortels d'accéder au plus grand des secrets.

— Je reçois des aperçus de l'endroit où se trouve Tommy-Ray, dit Jaffe.

— A quoi ça ressemble ?

— C'est de plus en plus sombre, répondit Jaffe. Il s'est déplacé pendant un long moment, mais il est à présent immobile. Peut-être que la marée a changé. Je crois bien que quelque chose arrive des ténèbres. Ou peut-être *est-ce* les ténèbres, je ne sais pas. Mais ça s'approche.

— Dès qu'il verra quelque chose, dit Tesla, faites-le-moi savoir. Je veux des détails.

— Je ne veux pas voir ça, ni avec ses yeux ni avec les miens.

— Peut-être n'aurez-vous pas le choix. C'est votre fils.

— Il n'a pas cessé de me trahir. Je ne lui dois plus rien. Il a ses propres fantômes.

— La cellule familiale dans toute sa perfection, dit Tesla. Le Père, le Fils, et...

— ... le Saint-Esprit, dit Jaffe.

— C'est vrai, dit-elle, sentant un écho du passé résonner dans son esprit. La *Trinité*.

— Et alors ?

— C'était ça qui terrifiait Kissoon.

— Trinité ?

— Ouais. La première fois qu'il m'a attirée dans la Boucle, il a prononcé ce nom. Ce fut une erreur, je crois. Quand je l'ai mis au défi de me dire ce que ça signifiait, il a tellement perdu les pédales qu'il m'a laissée partir.

— Je n'aurais jamais cru que Kissoon soit un bon chrétien, fit remarquer Jaffe.

— Moi non plus. Peut-être parlait-il d'un autre dieu. Ou d'autres dieux. Une force que le Banc pouvait invoquer. Où est le médaillon ?

— Dans ma poche. Il vous faudra l'attraper vous-même. Mes mains sont trop faibles.

Il les sortit de ses poches. A la chiche lumière de la caverne, leur mutilation avait paru écœurante, mais ici, en plein soleil, elles étaient encore plus répugnantes, leur chair était flasque et noircie, les os qu'elle recouvrait s'effritaient.

— Je tombe en morceaux, dit-il. Fletcher a utilisé le feu. J'ai

utilisé mes dents. Nous nous sommes suicidés, tous les deux.
Mais il a fait plus vite.

Elle plongea une main dans sa poche et en sortit le médaillon.

— On dirait que ça vous est égal, dit-elle.

— Quoi donc?

— De tomber en morceaux.

— Oui, admit-il. J'aimerais bien mourir, comme j'aurais fini
par mourir si j'étais resté à Omaha pour y vieillir. Je ne veux pas
vivre éternellement. A quoi ça sert de continuer de vivre si plus
rien n'a de sens?

Le flot de plaisir qu'elle avait éprouvé en résolvant l'énigme du
médaillon l'envahit de nouveau comme elle l'étudiait. Mais il n'y
avait rien dans sa conception, même si on l'examinait à la
lumière du jour, qui pût être interprété comme une Trinité. Il y
avait des quatuors, certes. Quatre branches, quatre cercles. Mais
pas de trio.

— Ça ne sert à rien, dit-elle. On risque de gaspiller plusieurs
jours à essayer de la trouver.

— A trouver quoi? dit Grillo en émergeant au soleil.

— La Trinité, dit-elle. As-tu une idée de ce que ça veut dire?

— Le Père, le Fils, et...

— A part cette solution évidente.

— Alors, *non*. Pourquoi?

— Oh, rien, on a le droit d'espérer.

— Combien existe-t-il de Trinités? dit-il. Ça ne devrait pas
être difficile à trouver.

— Auprès de qui? D'Abernethy?

— Je pourrais commencer par lui, dit Grillo. C'est un homme
qui craint Dieu. Ou du moins le prétend-il. Est-ce si important?

— A ce stade des événements, tout est important, dit-elle.

— Je m'en occupe tout de suite, dit-il, à condition que le
téléphone marche encore. Tu veux juste savoir...

— Tout ce qui concerne la Trinité. *Tout.*

— Des faits bruts, voilà ce que j'aime, dit-il. Des faits bruts.

Il redescendit l'escalier. A ce moment-là, Tesla entendit Jaffe
murmurer:

— Ne regarde pas, Tommy. Ne regarde pas...

Il avait fermé les yeux. A présent, il se mettait à trembler.

— Vous les voyez? lui dit-elle.

— Il fait si noir.

— *Vous les voyez?*

— Je vois quelque chose qui bouge. Quelque chose d'énorme.

D'énorme. Pourquoi ne fuis-tu pas, mon garçon ? Va-t'en avant qu'ils t'aient vu. *Fuis !*

Soudain, ses yeux s'ouvrirent en grand.

— Assez ! dit-il.

— Vous l'avez perdu ? dit Tesla.

— Je vous ai dit : *assez !*

— Il n'est pas mort ?

— Non, il... il chevauche les vagues.

— Il fait du surf sur Quiddity ? dit-elle.

— Comme à la parade.

— Et les Iad ?

— Derrière lui. J'avais raison, la marée a changé. Ils arrivent.

— Décrivez-moi ce que vous avez vu, dit-elle.

— Je vous l'ai dit. Ils sont immenses.

— C'est tout ?

— Comme des montagnes mouvantes. Des montagnes couvertes de sauterelles, ou de mouches. Grandes et petites. Je ne sais pas. Rien de tout cela n'est sensé.

— Il faut refermer la brèche le plus vite possible. Les montagnes, ça va. Mais empêchons les mouches d'entrer, d'accord ?

Lorsqu'ils descendirent, Hotchkiss les attendait devant la porte de l'hôtel. Grillo lui avait déjà parlé de la Trinité, et il avait trouvé mieux qu'Abernethy comme source d'informations.

— Il y a une librairie dans le centre, dit-il. Voulez-vous que j'aille jeter un coup d'œil là-bas ?

— Ça ne peut pas faire de mal, dit Tesla. Si la Trinité a fait peur à Kissoon, peut-être qu'elle fera peur à ses commanditaires. Où est Grillo ?

— Parti chercher une voiture. Il va vous ramener au haut de la Colline. C'est là que vous allez, tous les deux ?

Il regarda en direction de Jaffe, le visage empreint de répugnance.

— C'est là que nous allons, dit Tesla. Et c'est là que nous resterons. Vous savez donc où nous trouver.

— Jusqu'au bout ? dit Hotchkiss sans quitter Jaffe des yeux.

— Jusqu'au bout.

Grillo avait réussi à faire démarrer une voiture abandonnée sur le parking du motel.

— Où as-tu appris ce truc-là ? lui demanda Tesla tandis qu'ils roulaient vers la Colline.

Le Jaff s'était affalé sur la banquette arrière, les yeux clos.

— Durant ma grande époque de journalisme d'investigation, répondit Grillo, j'ai écrit un article...

— Sur les voleurs de voitures ?

— Exact. J'ai appris quelques-uns de leurs trucs et je ne les ai jamais oubliés. Je suis une mine d'informations inutiles. On trouve toujours quelque chose de nouveau dans la tête de Grillo.

— Mais rien sur la Trinité ?

— Tu n'arrêtes pas de revenir là-dessus.

— C'est le désespoir, dit-elle. On n'a rien d'autre à quoi se raccrocher.

— Peut-être que ça a un rapport avec ce que disait D'Amour, au sujet du Sauveur.

— Une intervention d'en haut à la dernière minute ? dit Tesla. Ne compte pas là-dessus.

— Merde !

— Un problème ?

— Droit devant.

Une crevasse s'était ouverte dans le croisement dont ils approchaient. Elle courait sur le trottoir et sur la chaussée. Il n'y avait aucun moyen de la franchir.

— Il va falloir essayer un autre chemin, dit Grillo.

Il passa en marche arrière, fit demi-tour, et emprunta une rue transversale durant trois pâtés de maisons. On voyait de toutes parts des signes de l'instabilité sans cesse croissante du Grove. Arbres et réverbères abattus, trottoirs déformés, geysers jaillissant des conduits fracassés.

— Ça ne va pas tarder à sauter, dit Tesla.

— Tu l'as dit.

La rue qu'il essaya ensuite était dégagée jusqu'à la Colline, et ils se dirigèrent vers son sommet. Alors qu'ils commençaient à prendre un peu d'altitude, Tesla aperçut une voiture en provenance de l'autoroute. Ce n'était pas une voiture de police, à moins que les flics du coin n'aient adopté des Volkswagen peintes en jaune fluorescent comme véhicules de patrouille.

— Ridicule et dangereux, dit-elle.

— Quoi donc ?

— Il y a quelqu'un qui revient en ville.

— Sans doute une opération de récupération, dit Grillo. Des gens venus ramasser ce qu'ils peuvent *pendant* qu'ils le peuvent.

— Ouais.

La couleur du véhicule, si peu appropriée aux circonstances, s'attarda quelque temps dans l'esprit de Tesla. Elle ne savait pas exactement pourquoi ; peut-être parce que cette voiture lui rappelait West Hollywood et qu'elle doutait de revoir un jour son appartement de North Huntley Drive.

— On dirait qu'il y a un comité d'accueil, dit Grillo.

— On se croirait au cinéma, dit Tesla. Foncez, chauffeur.

— Ton dialogue est nul.

— Tais-toi et roule.

Grillo donna un coup de volant pour éviter la voiture de patrouille qui venait d'apparaître devant eux, appuya sur le champignon, et dépassa le véhicule avant que son conducteur ait eu le temps de lui faire barrage.

— Il y en aura d'autres en haut, dit-il.

Tesla se tourna vers la voiture qu'ils avaient laissée derrière eux. Elle ne tenta même pas de se lancer à leur poursuite. Son conducteur se contenterait certainement d'alerter le reste de l'unité par radio.

— N'hésite pas à employer les grands moyens, dit-elle à Grillo.

— Ce qui veut dire ?

— Ce qui veut dire : fonce dans le tas s'ils nous barrent la route. On n'a pas le temps de faire dans la dentelle.

— La maison va grouiller de flics, dit-il.

— J'en doute. Je pense qu'ils vont rester à distance.

Elle avait raison. Lorsqu'ils arrivèrent en vue de Coney Eye, ce fut pour constater que les patrouilleurs avaient apparemment décidé que cette affaire dépassait leurs compétences. Leurs voitures étaient garées loin du portail, et les hommes se tenaient encore un peu plus en retrait. La plupart se contentaient de garder les yeux fixés sur la maison, mais quatre officiers montaient la garde près d'une barricade montée sur la chaussée de façon à empêcher quiconque d'accéder à la Colline.

— Tu veux que je fonce là-dedans ? dit Grillo.

— Foutre oui !

, Il appuya sur le champignon. Deux des membres du quatuor saisirent leur arme ; les deux autres s'écartèrent vivement. Grillo emboutit la barricade à pleine vitesse. Elle se brisa et un éclat de bois vint fracasser le pare-brise. Il crut entendre un coup de feu dans la confusion qui s'ensuivit, mais comme il était toujours en train de conduire, il supposa qu'il n'était pas touché. Sa voiture

alla heurter un des véhicules de patrouille, rebondit, entra en
collision avec un second, puis Grillo reprit le contrôle et se dirigea
vers le portail grand ouvert de la maison de Buddy Vance. Ils
s'engagèrent dans l'allée à plein régime.

— Personne ne nous suit, dit Tesla.

— Je ne leur en veux pas, bon sang, répliqua Grillo. (Il freina
en abordant un virage de l'allée.) On est assez près comme ça,
dit-il. Bon Dieu. *Tu as vu ça ?*

— J'ai vu.

La façade de la maison évoquait un gâteau que l'on aurait
laissé sous la pluie durant toute une nuit, amollissant sa pâte et
détruisant ses formes. Il ne restait plus une seule ligne droite aux
portes, plus un seul angle droit aux fenêtres — même à celles du
dernier étage. Le pouvoir que Jaffe avait déchaîné ici avait tout
aspiré vers sa gueule, distordant les briques, les tuiles et les
vitres ; la maison tout entière *tendait* vers la brèche. Lorsque Tesla
et Grillo en étaient sortis à grand-peine, l'édifice avait été un
véritable maelström, mais le trou, une fois ouvert, semblait avoir
atteint une certaine stabilité. On ne voyait aucun nouveau signe
de violence. La proximité de la brèche ne faisait cependant aucun
doute. Quand ils descendirent de voiture, ils sentirent son énergie
dans l'air. Elle leur faisait dresser les cheveux sur la nuque et
frémir les tripes. Cet endroit était aussi calme que l'œil d'un
cyclone. Un calme tendu qui ne demandait qu'à se dissiper.

Tesla jeta un regard en direction de leur passager. Jaffe, se
sentant examiné, ouvrit les yeux. La peur qui l'habitait était
parfaitement visible. En dépit du talent dont il avait fait preuve
par le passé pour dissimuler ses sentiments — et elle soupçonnait
ce talent d'être considérable —, il était à présent incapable d'une
telle prouesse.

— Vous voulez venir voir ? dit-elle.

Comme il ne réagissait pas à cette proposition, elle le planta là.
Elle avait une tâche à accomplir avant de s'aventurer dans la
maison, et il aurait le temps de rassembler son courage pendant
qu'elle s'y attelait. Elle rebroussa chemin vers le portail jusqu'à
ce qu'elle soit arrivée près des rangées de palmiers qui bordaient
l'allée. Les flics avaient suivi leur voiture jusqu'au portail, mais
pas plus loin. Il lui vint à l'idée que ce n'était pas seulement la
peur qui les avait empêchés de les suivre, mais des ordres donnés
par leurs supérieurs. Elle n'osait pas espérer l'arrivée imminente
de la cavalerie au haut de la Colline, mais peut-être qu'elle était
en train de rassembler ses forces et que ces fantassins avaient

reçu l'ordre d'attendre son intervention. Ils semblaient bien nerveux. Tesla apparut les mains en l'air devant leurs canons levés.

— Cette propriété est interdite au public, cria quelqu'un. Venez ici, les mains en l'air. Tous.

— C'est impossible, j'en ai peur, répliqua Tesla. Mais *veillez* à ce qu'elle reste interdite au public, voulez-vous ? Nous avons à faire ici. Qui dirige les opérations ? demanda-t-elle, se sentant dans la peau d'un visiteur extra-terrestre exigeant d'être conduit à leur chef.

Un homme vêtu d'un costume de bonne coupe apparut derrière l'un des véhicules. Ce n'était pas un policier, devina-t-elle. Plus probablement un agent du FBI.

— C'est moi, dit-il.

— Est-ce que vous attendez des renforts ? demanda-t-elle.

— Qui êtes-vous ? exigea-t-il de savoir.

— *Est-ce que vous attendez des renforts ?* répéta-t-elle. Ces quelques voitures ne seront pas suffisantes, croyez-moi. Une invasion massive va se déclencher à partir de cette maison.

— Qu'est-ce que vous racontez ?

— Faites encercler la Colline. Et faites isoler le Grove. Nous n'aurons pas de seconde chance.

— Je vous le demande une nouvelle fois..., commença le chef, mais elle ne lui laissa pas le temps d'achever sa phrase et disparut à sa vue.

— Tu te débrouilles sacrément bien, dit Grillo.

— Question d'entraînement.

— Ils auraient pu t'abattre, fit-il remarquer.

— Mais ils ne l'ont pas fait, dit-elle, retournant vers la voiture et ouvrant la portière. On y va ? dit-elle à Jaffe.

Il fit mine d'ignorer son invitation.

— Plus tôt on aura commencé, plus tôt on aura fini.

Il descendit en soupirant.

— Je veux que tu restes ici, dit-elle à Grillo. Si l'un d'entre eux se pointe, hurle.

— Tu ne veux pas que j'entre là-dedans ? dit-il.

— Ça aussi.

— Est-ce que tu as la moindre idée de ce que tu vas faire ?

— Nous allons nous conduire comme des critiques, dit Tesla. Nous allons baiser l'Art.

Hotchkiss avait été un grand lecteur dans sa jeunesse, mais la mort de Carolyn avait sonné le glas de son goût pour la fiction. Pourquoi prendre la peine de lire des thrillers écrits par des hommes n'ayant jamais entendu un coup de feu de leur vie ? Tous les livres étaient des mensonges. Et pas seulement les romans. Ces livres-là aussi, pensa-t-il en fouillant dans les rayons de la librairie mormone. Une pléiade de conneries sur la révélation et l'œuvre de Dieu sur terre. Le nom de Trinité figurait dans l'index de quelques-uns d'entre eux, mais c'était toujours sous la forme d'une vague référence qui ne lui apprenait rien. La seule satisfaction qu'il retira de ses fouilles fut le plaisir d'éparpiller les livres dans le magasin et d'y semer le désordre. Leurs certitudes suffisantes le dégoûtaient. S'il avait eu le temps, il y aurait mis le feu.

Alors qu'il se dirigeait vers l'arrière-boutique, il vit une Volkswagen jaune vif s'engager dans le parking. Deux hommes en descendirent. Ils n'auraient pas pu être plus dissemblables. Le premier était vêtu de haillons hétéroclites et son visage — même vu de loin — était assez laid pour faire pleurer sa mère. Par contraste, son compagnon était un Adonis bronzé habillé dans un style à la fois flamboyant et décontracté. Ni l'un ni l'autre, jugea Hotchkiss, ne savaient où ils se trouvaient ni quel danger ils couraient. Ils examinèrent le parking désert d'un air déconcerté. Hotchkiss se dirigea vers la porte.

— Vous devriez fiche le camp d'ici, leur dit-il.

Le paon se tourna vers lui.

— On est *bien* à Palomo Grove ?

— Ouais.

— Qu'est-ce qui s'est passé ici ? Un tremblement de terre ?

— C'est pour bientôt, dit Hotchkiss. Écoutez, rendez-vous un service. Foutez le camp d'ici.

Le laideron prit la parole, et son visage était encore plus contrefait vu de près.

— Tesla Bombeck, dit-il.

— Et alors ? dit Hotchkiss.

— Il faut que je la voie. Je m'appelle Raul.

— Elle est en haut de la Colline, dit Hotchkiss.

Il avait entendu Tesla mentionner le nom de *Raul* lors d'une conversation avec Grillo ; il ne se rappelait pas dans quel contexte.

— Je suis venu l'aider, dit Raul.

— Et vous ? demanda Hotchkiss à l'Adonis.

— Moi, c'est Ron, lui répondit-on. Je ne suis que le chauffeur de Monsieur. (Il haussa les épaules.) Hé, si vous voulez que je me casse, ce sera avec joie.

— Ça ne regarde que vous, dit Hotchkiss en retournant dans la librairie. Cet endroit n'est pas sûr. C'est tout.

— J'ai entendu, dit Ron.

Raul avait perdu tout intérêt pour leur conversation et examinait les boutiques. On aurait dit qu'il reniflait.

— Qu'est-ce que tu veux que je fasse ? lui demanda Ron.

L'homme se retourna vers son ami.

— Rentre chez toi, dit-il.

— Tu ne veux pas que je t'emmène là-haut pour chercher Tesla ? répliqua Ron.

— Je la trouverai tout seul.

— C'est pas tout près, mec.

Raul jeta un regard en direction de Hotchkiss.

— Nous nous débrouillerons, dit-il.

Hotchkiss ne daigna pas se proposer pour l'aider mais reprit ses recherches, n'accordant qu'une attention distraite à la conversation qui se poursuivait dans le parking.

— Tu es sûr que tu ne veux pas qu'on aille chercher Tesla ensemble ? Je croyais que c'était urgent ?

— C'était urgent. *C'est* urgent. Mais... il faut d'abord que je reste ici quelque temps.

— Je peux attendre. Ça ne me dérange pas.

— Non, je t'ai dit.

— Tu ne veux pas que je te raccompagne ? Je croyais qu'on allait sortir ensemble ce soir. Tu sais, faire la tournée des bars...

— Une autre fois, peut-être.

— Demain ?

— Une autre fois, c'est tout.

— J'ai pigé. Au revoir et merci, pas vrai ?

— Si tu le dis.

— T'es foutrement bizarre, mec. D'abord, tu me dragues comme une bête. Maintenant, tu ne veux plus rien savoir. Eh bien, va te faire foutre. J'irai me faire sucer ailleurs.

Hotchkiss se retourna pour découvrir l'Adonis en train de regagner sa voiture à grands pas. L'autre homme était déjà hors de vue. Soulagé de voir disparaître cette source de distraction, il se remit à fouiller les rayonnages. La section consacrée à la Maternité ne semblait guère prometteuse, mais il se força néanmoins à l'examiner. Tout comme il s'y était attendu, il n'y trouva que bons conseils et platitudes. Aucun de ces livres ne contenait une référence, même indirecte, à la Trinité. Rien que des descriptions de la maternité considérée comme une vocation divine, la femme faisant office de partenaire de Dieu en mettant au monde une nouvelle vie, ce qui était sa plus grande et sa plus noble tâche. Et des conseils éculés pour ses rejetons : *Enfant, obéis à tes parents dans le Seigneur : car tel est ton devoir.*

Il passa chaque titre en revue, jetant les volumes au loin à mesure qu'ils se révélaient inutiles, jusqu'à ce qu'il ait épuisé le rayon. Il lui restait deux sections à fouiller. Aucune des deux ne semblait très prometteuse. Il se redressa et s'étira, se tournant vers le parking chauffé par le soleil. Ses tripes étaient nouées par la sensation d'une catastrophe imminente. Le soleil brillait, mais pour combien de temps ?

Derrière le parking — très loin derrière —, il aperçut la coccinelle jaune en train de sortir du Grove pour se diriger vers l'autoroute. Il n'enviait pas sa liberté à l'Adonis. Il ne souhaitait nullement prendre le volant et rouler. S'il fallait choisir un endroit pour mourir, le Grove lui convenait à merveille : confortable, familier, désert. S'il devait mourir en hurlant, personne n'entendrait le bruit de sa lâcheté. S'il devait mourir en silence, personne ne le pleurerait. Que l'Adonis s'en aille. Sans doute avait-il sa vie à vivre quelque part. Et elle serait brève. S'ils venaient à échouer dans leur entreprise — et si la nuit envahissait le monde —, elle serait *très* brève. S'ils réussissaient (mince espoir), elle serait quand même brève.

Et la fin en serait meilleure que le commencement, l'intervalle qui les séparait étant ce qu'il était.

Si l'extérieur de Coney Eye était l'œil d'un cyclone, son intérieur était un reflet dans cet œil. Un calme encore plus aigu, au sein duquel Tesla avait conscience du moindre tic animant ses joues et ses tempes, du moindre écho rauque de son souffle. Suivie de Jaffe, elle traversa l'entrée pour se diriger vers le salon où il avait commis son crime contre nature. Les traces de ce crime les entouraient de toutes parts, mais elles étaient à présent figées, comme des figures de cire refroidies après avoir été fondues.

Elle pénétra dans la pièce. La brèche était toujours en place : tous les éléments attirés vers un trou large d'à peine deux mètres. Il était inactif. Il ne semblait pas tenter de s'élargir. Si les Iad venaient à atteindre le seuil du Cosme, ils devraient s'y faufiler un par un, à moins que, une fois cette lésion ouverte, ils ne décident de l'agrandir à coups de hache.

— Ça n'a pas l'air très dangereux, dit-elle à Jaffe. Nous avons encore une chance, à condition d'agir vite.

— Je ne sais pas comment le sceller.

— *Essayez*. Vous avez su comment l'ouvrir.

— J'y suis arrivé par instinct.

— Et que vous dit votre instinct à présent?

— Que je n'ai plus une once de pouvoir en moi, répondit-il. (Il leva les mains.) Je l'ai mangé et je l'ai recraché.

— Il se trouvait dans vos mains?

— Je le pense.

Elle se rappela ce qui s'était passé devant le centre commercial : le Jaff diffusant son poison dans l'organisme de Fletcher, grâce à ses doigts d'où semblait suinter la puissance. Ces mêmes mains étaient à présent des ruines. Mais elle ne pouvait se résoudre à croire que le pouvoir n'était qu'une question d'anatomie. Kissoon n'était pas un demi-dieu, mais son corps étique était un réservoir d'invocations sinistres. La *volonté* était la clé de l'assurance, et Jaffe semblait en être totalement dépourvu.

— Donc, vous ne pouvez pas le faire, dit-elle tout simplement

— Non.

— Alors, peut-être le puis-je.

Il plissa les yeux.

— J'en doute, dit-il avec une infime trace de condescendance dans la voix.

Elle fit semblant de ne pas avoir entendu.

— Je peux essayer, dit-elle. Le Nonce est aussi en moi, vous vous souvenez? Vous n'êtes pas le seul dieu dans notre escouade.

Cette remarque porta les fruits qu'elle était censée produire.

— *Vous?* dit-il. Vous n'avez aucune chance de réussite. (Il regarda ses mains, puis se tourna de nouveau vers la brèche.) C'est moi qui l'ai ouverte. Je suis le seul à avoir osé l'ouvrir. Et je suis le seul à pouvoir la refermer.

Il écarta Tesla pour se diriger vers la brèche, du même pas léger qui avait été le sien lorsqu'ils étaient sortis des cavernes. Ce pas lui permit de négocier le sol inégal avec une certaine aisance. Ce fut seulement lorsqu'il arriva à un mètre du trou qu'il ralentit l'allure. Puis il s'immobilisa complètement.

— Qu'y a-t-il? dit-elle.

— Venez voir par vous-même.

Elle traversa la pièce dans sa direction. Elle se rendit compte que le monde visible n'était pas le seul à être distordu et attiré vers le trou ; le monde invisible aussi. L'air et les minuscules particules de poussière qu'il portait étaient déformés. L'espace lui-même se nouait, en des circonvolutions assez malléables pour être franchies, mais avec la plus grande difficulté. Cet effet devint plus sensible à mesure qu'elle se rapprocha du trou. Son corps, déjà meurtri et aux portes de sa seconde mort, était à peine capable de relever ce défi. Mais elle persévéra. Et, pas à pas, elle atteignit son but, s'approchant assez près du trou pour voir le fond de sa gorge. Ce spectacle n'était pas des plus agréables. Le monde que, durant toute sa vie, elle avait cru complet et compréhensible, était ici en train de se défaire. Elle ressentit une détresse qu'elle n'avait pas connue depuis le jour où quelqu'un (elle avait oublié qui) lui avait appris à regarder l'infini en disposant deux miroirs face à face, chacun fixant son reflet dans l'autre. Elle avait douze ou treize ans et avait été terrifiée par l'idée de ce vide répondant à l'écho du vide, dans un sens, puis dans l'autre, jusqu'aux limites de ses capacités visuelles. Elle s'était rappelé durant des années cet instant au cours duquel elle avait été confrontée à la représentation physique d'une notion qui révoltait son esprit. Le même processus était à l'œuvre ici. La brèche défiait toutes les conceptions qu'elle se faisait du monde. Relativité de la réalité.

Elle regarda dans la gueule ouverte. Rien de ce qu'elle vit n'était certain. Si c'était un nuage, alors c'était un nuage à moitié transformé en pluie. Si c'était de la pluie, alors c'était de la pluie au bord de la combustion, une chute de feu en gestation. Et au-delà du nuage, de la pluie et du feu, un tout autre lieu, aussi ambigu que la confusion d'éléments qui le dissimulait à moitié : un océan qui devenait un ciel sans horizon pour diviser ou définir l'ensemble. *Quiddity*.

Elle fut saisie par un violent désir, à peine contrôlable, *d'être* là-bas, de franchir la brèche et de goûter les mystères auxquels elle donnait accès. Combien de milliers d'esprits en quête d'absolu ayant aperçu, dans les rêves engendrés par la fièvre ou par la drogue, la possibilité de se trouver là où elle se trouvait, s'étaient réveillés en proie au désir de mourir plutôt que de vivre une heure de plus en sachant que cet accès leur serait refusé ? Ils s'étaient réveillés, avaient pleuré, et avaient néanmoins continué de vivre, espérant, de cet espoir horrible et héroïque qui était l'apanage de son espèce, que les miracles étaient possibles ; que l'épiphanie de la musique et celle de l'amour étaient plus que des illusions, étaient les indices d'un état supérieur, un état où l'espoir était récompensé par des clés et par des baisers, où s'ouvraient des portes donnant sur l'éternité.

Quiddity était cette éternité. C'était l'éther d'où était sorti *l'être*, tout comme l'humanité était sortie de la soupe d'un océan plus simple. L'idée que Quiddity puisse être souillé par les Iad lui fut soudain plus insupportable que l'imminence de leur invasion. Elle repensa à la phrase qu'elle avait entendue pour la première fois de la bouche de Kissoon. *Quiddity doit être préservé.* Comme l'avait dit Mary Muralles, Kissoon ne mentait que lorsque cela lui était nécessaire. Cela faisait partie de son génie : dire la vérité tant que cela servait son but. Et Quiddity *devait* être préservé. Sans rêves, la vie n'était rien. Peut-être n'aurait-elle jamais existé.

— Je suppose que je dois essayer, dit Jaffe.

Il fit un pas de plus vers la gueule ouverte, arrivant assez près d'elle pour pouvoir la toucher. Ses mains, qui avaient paru privées de force une minute plus tôt, conservaient encore une parcelle de pouvoir, d'autant plus visible qu'elle suintait d'une chair si meurtrie. Il les leva vers la brèche. Celle-ci sentit sa présence et ses intentions avant même qu'il ait pris contact avec elle. Un spasme franchit ses lèvres, traversant la pièce qu'elle avait commencé à attirer vers elle. Les distorsions figées frémirent, puis s'apaisèrent.

— Nous sommes repérés, dit Jaffe.

— Il faut quand même essayer, répliqua Tesla.

Le sol s'agita soudain sous leurs pieds ; des fragments de plâtre tombèrent des murs et du plafond. A l'intérieur de la gueule, les nuages de pluie enflammée se gonflèrent vers le Cosme.

Jaffe posa les mains sur l'intersection amollie, mais la brèche ne s'en laissa pas conter. Elle émit un second spasme, dont la violence rejeta Jaffe dans les bras de Tesla.

— C'est inutile ! dit-il. C'est inutile !

Pire qu'inutile. Si une preuve de la proximité des Iad avait été nécessaire, ils la reçurent lorsque le nuage s'assombrit, fonçant dans leur direction. Comme l'avait deviné Jaffe, la marée avait changé. La gorge de la brèche ne se souciait plus d'avaler, mais de vomir ce qui était en train de l'étouffer. Pour ce faire, elle entreprit de s'élargir.

Avec ce mouvement débuta le commencement de la fin.

VII

L e livre que Hotchkiss tenait dans ses mains s'intitulait *Préparatifs pour l'Harmaguédon* et il s'agissait d'un manuel rédigé à l'intention des fidèles afin de les aider à survivre à l'Apocalypse imminente. Ses chapitres étaient consacrés à des sujets tels que le Bétail, l'Eau et le Grain, les Vêtements et le Linge, le Carburant, la Chaleur et la Lumière. Il y figurait des listes détaillées intitulées *Produits Alimentaires les Plus Fréquemment Conservés*, qui allaient de la Mélasse au Corned-Beef. Et comme pour emplir de peur les fidèles les moins prévoyants qui seraient tentés de remettre leurs préparatifs à une date ultérieure, ces listes étaient accompagnées de photographies de calamités survenues un peu partout en Amérique. La plupart d'entre elles étaient des phénomènes naturels. Incendies de forêt incontrôlables et incontrôlés ; ouragans dévastant des villes entières sur leur passage. Plusieurs pages étaient consacrées à une inondation qui avait ravagé Salt Lake City en mai 1983, illustrées par des photos montrant les citoyens de l'Utah en train d'ériger des barrières de sacs de sable pour contenir les flots. Mais l'image la plus impressionnante de ce catalogue d'actes ultimes était un nuage en forme de champignon. La photographie de ce nuage figurait en plusieurs exemplaires, et ce fut sous l'un d'eux que Hotchkiss trouva la légende suivante :

La première bombe atomique explosa le 16 juillet 1945 à 5 h 30, en un lieu baptisé Trinité par Robert Oppenheimer, le créateur de la bombe. Avec cette explosion commença le dernier âge de l'Humanité.

Il n'y avait aucune explication supplémentaire. Le but de ce livre n'était pas d'expliquer la bombe atomique ou sa conception, mais de proposer aux membres de l'Église de Jésus-Christ des Saints des Derniers Jours des moyens pour survivre à son avènement. Aucune importance. Il n'avait pas besoin de détails. Il n'avait besoin que de ce mot, *Trinité*, associé à un autre concept que celui du Père, du Fils et du Saint-Esprit. Et il l'avait trouvé. Les Trois-en-Un ramenés à un lieu précis — à un événement précis, en fait. Cette Trinité dominait toutes les autres. Dans l'imagination du vingtième siècle, le nuage en forme de champignon avait une place plus importante que Dieu.

Il se redressa, *Préparatifs pour l'Harmaguédon* à la main, et se dirigea vers la porte de la librairie, se frayant un chemin parmi les monceaux de livres éparpillés. Le spectacle qui l'attendait au dehors le figea sur place. Des douzaines d'animaux gambadaient en toute liberté sur le parking. Chiots courant dans tous les sens, souris fuyant les attaques des chats ; lézards paressant au soleil. Il se retourna vers l'allée du centre. Un perroquet s'envola de la boutique de Ted Elizando. Hotchkiss ne connaissait pas personnellement ce dernier, mais il avait entendu les histoires qui circulaient à son sujet. Étant lui-même une source de ragots, il avait toujours été attentif à ce qu'on racontait sur les autres. Elizando avait perdu l'esprit avant de perdre sa femme et son bébé. Aujourd'hui, il perdait également sa petite arche de Noé ; libérait ses prisonniers.

Sa tâche la plus importante était de faire parvenir à Tesla Bombeck cette information sur Trinité et non d'aller offrir des paroles de consolation ou de mise en garde à Elizando, à supposer qu'il en ait été capable. De toute évidence, Ted savait quel danger il courait, car sinon il n'aurait pas libéré son cheptel. Et quant au réconfort : quelles paroles aurait-il pu lui offrir ? Ayant pris sa décision, Hotchkiss se dirigea vers sa voiture, mais il fut à nouveau immobilisé, non pas par un nouveau spectacle mais par un bruit : un cri humain, bref et angoissé. Il provenait de la boutique d'animaux.

Il fut devant sa porte en dix secondes. A l'intérieur, il trouva une nouvelle foule de bêtes, mais aucun signe de leur libérateur. Il appela celui-ci.

— Elizando ? Ça va ?

Il n'y eut aucune réponse, et Hotchkiss craignit que l'autre ne se fût tué. Qu'il ne se soit tailladé les veines après avoir relâché ses bêtes. Il pressa le pas, slalomant entre les aquariums, les perchoirs et les cages. Arrivé au milieu du magasin, il vit le corps d'Elizando affaissé contre une cage de belle taille. Les occupants de celle-ci, une petite colonie de canaris, étaient pris de panique et volaient dans tous les sens, seules les plumes détachées de leurs ailes réussissant à franchir le grillage.

Hotchkiss laissa tomber son livre et alla secourir Ted.

— Qu'avez-vous fait ? dit-il en s'approchant de lui. Seigneur, qu'avez-vous fait, malheureux ?

Comme il arrivait près du corps, il se rendit compte de son

erreur. Ceci n'était pas un suicide. Les blessures du visage — qui était pressé contre le grillage — avaient été infligées par un tiers. Elles étaient atroces ; on avait arraché des pans entiers de chair à ses joues et à son cou. Son sang avait coulé à travers le grillage pour maculer le bas de la cage des canaris, mais il avait cessé de jaillir. Cela faisait plusieurs minutes que Ted était mort.

Hotchkiss se redressa, très lentement. Si ce n'était pas Elizando qui avait poussé ce cri, d'où provenait-il donc ? Il fit un pas vers son livre, mais alors qu'il se baissait pour le ramasser, un mouvement derrière les cages attira son attention. Ce qui semblait être un serpent noir rampait sur le sol juste derrière le cadavre d'Elizando. Il se déplaçait vite, cherchant de toute évidence à s'interposer entre lui et la sortie. S'il n'avait pas dû ramasser son livre, Hotchkiss l'aurait sûrement pris de vitesse, mais lorsqu'il eut récupéré *Préparatifs pour l'Harmaguédon*, le serpent était déjà sur le seuil. A présent que la créature était visible, plusieurs choses s'éclaircirent. Elle ne provenait pas de la boutique (aucun foyer du Grove n'aurait accepté de l'accueillir). Elle ressemblait autant à une murène qu'à un serpent, mais même cette ressemblance était vague : en fait, elle ne ressemblait à rien de connu. Et finalement, elle avait laissé un sillage de sang sur le carrelage pour marquer son passage ; et l'intérieur de sa gueule était également sanguinolent. C'était l'assassin d'Elizando. Hotchkiss battit en retraite devant la créature, invoquant le nom du Sauveur qu'il avait depuis longtemps renié :

— Seigneur Jésus.

Ces mots déclenchèrent l'hilarité quelque part au fond du magasin. Il se retourna. La porte donnant sur le bureau de Ted était grande ouverte. Bien que cette pièce fût dépourvue de fenêtre, et bien que les lumières ne fussent pas allumées, il pouvait distinguer la silhouette d'un homme assis en tailleur sur le sol. Il pouvait même deviner son identité : les traits difformes de Raul, l'ami de Tesla Bombeck, étaient aisément reconnaissables, même dans la pénombre. Il était nu. Ce fut ce fait — sa nudité, et par conséquent sa vulnérabilité — qui poussa Hotchkiss à faire un pas vers la porte ouverte. Obligé de choisir entre le serpent et son charmeur — car ils étaient sûrement alliés —, il choisit le charmeur. Un homme nu et assis n'était sûrement pas très dangereux.

— Qu'est-ce qui se passe ici, bordel ? demanda Hotchkiss tout en s'approchant.

L'homme sourit dans l'obscurité. Son sourire était large et humide.

— Je fabrique des Lix, répliqua-t-il.

— Des Lix ?

— Derrière vous.

Hotchkiss n'avait pas besoin de se retourner pour constater que la sortie était toujours bloquée. Il n'avait pas le choix et resta immobile, bien qu'il fût de plus en plus écœuré par le spectacle qui se déroulait devant lui. Non seulement cet homme était nu, mais son corps, du sternum au milieu des cuisses, grouillait d'insectes, les provisions de bouche des lézards et des poissons du magasin, qui assouvissaient présentement un tout autre appétit. Leurs mouvements faisaient bander l'homme nu, et son membre tordu était le point focal de leur activité. Mais sur le sol, devant Hotchkiss, se trouvait un spectacle au moins aussi répugnant : un petit tas d'excréments d'animaux, récoltés dans les cages, au milieu duquel se nichait une créature. Non, elle ne s'y nichait pas, elle y *naissait,* croissant et se déployant sous ses yeux. Elle leva la tête au-dessus de la merde, et il vit qu'il s'agissait d'un de ces êtres que le faiseur de monstres avait baptisés Lix.

Et ce n'était pas le seul. Des formes luisantes ondoyaient dans tous les coins de la pièce, cordes de muscles dont toutes les contorsions exprimaient le mal pur. Deux d'entre elles émergèrent derrière leur créateur. Une autre grimpait le long du mur à droite de Hotchkiss, sinuant dans sa direction. Il fit un pas en arrière afin de l'éviter, et comprit trop tard que cette manœuvre l'avait placé à la portée d'une autre créature. Elle sauta sur sa jambe en deux battements de cœur, l'escalada durant le troisième. Il laissa de nouveau tomber *l'Harmaguédon* et voulut frapper la chose, mais la gueule de celle-ci fut plus rapide, et il perdit l'équilibre. Il alla heurter une rangée de cages, faisant choir plusieurs d'entre elles en agitant les bras. Il tenta de s'accrocher à l'étagère sur laquelle elles étaient rangées, mais sans succès. Conçue uniquement pour supporter le poids des chatons et de leurs cages, elle s'effondra sous le sien et il tomba à terre, suivi par l'étagère et par les cages qui s'y trouvaient encore. Sans ces dernières, il aurait été immédiatement massacré, mais elles retardèrent la progression des Lix qui convergeaient vers lui de toutes parts. Il lui fut accordé un répit de dix secondes tandis que les créatures se frayaient un chemin entre les cages, durant lequel il réussit à rouler sur lui-même et à essayer de se relever, mais la créature accrochée à sa jambe sonna le glas de ses espoirs en enfonçant ses mâchoires dans la chair de sa hanche. La douleur l'aveugla pendant quelques instants, et lorsqu'il recouvra la vue, les autres bêtes étaient sur lui. Il sentit l'une d'elles sur sa nuque ; une autre s'enveloppa autour de son torse. Il se mit à appeler à l'aide avant d'avoir perdu le souffle.

— Il n'y a que moi, lui répondit-on.

Il leva les yeux vers l'homme nommé Raul, qui n'était plus assis dans les déjections mais se tenait debout au-dessus de lui — toujours bandant, toujours grouillant —, un Lix drapé autour de son cou. Il avait glissé deux doigts dans la gueule ouverte de la créature et lui caressait le fond de la gorge.

— Vous n'êtes pas Raul, hoqueta Hotchkiss.

— Non.

— Qui... ?

Le dernier mot qu'il entendit avant que le Lix resserre son étreinte autour de son torse était la réponse à cette question. Un nom composé de deux douces syllabes. *Kiss* et *soon*. Ce fut à ces deux mots qu'il pensa lors de ses derniers instants, comme s'il s'était agi d'une prophétie. *Kiss ; soon* *. Carolyn l'attendait de l'autre côté de la mort, les lèvres prêtes à se poser sur ses joues. Après toutes ces horreurs, cela rendit son agonie supportable.

— A mon avis, c'est une cause perdue, dit Tesla à Grillo lorsqu'elle sortit de la maison.

Elle tremblait de tous ses membres, ressentant finalement les effets de ses blessures et de ses efforts. Elle souhaitait ardemment dormir, mais redoutait de faire le même rêve que Witt : une visite à Quiddity qui aurait signifié que sa mort était proche. Peut-être était-ce le cas, mais elle ne voulait pas y penser.

Grillo la prit par le bras, mais elle l'écarta d'un geste.

— Tu n'arriveras pas à me soutenir, pas plus que je n'arriverai à te soutenir...

— Qu'est-ce qui se passe là-dedans ?

— Le trou a commencé à se rouvrir. On dirait un barrage sur le point de craquer.

— Merde !

La maison tout entière était à présent en train de grincer ; les palmiers qui bordaient l'allée tremblaient tellement que leurs

---

* *Kiss* : embrasser ; *soon* : bientôt. *(N.d.T.)*

feuilles tombaient sur le sol, lequel tressautait comme s'il avait subi l'assaut de marteaux-piqueurs souterrains.

— Il faudrait prévenir les flics, dit Grillo. Leur dire ce qui va leur tomber dessus.

— Je crois bien qu'on a perdu ce round-ci, Grillo. Sais-tu ce qu'est devenu Hotchkiss ?

— Non.

— J'espère qu'il réussira à fuir avant leur arrivée.

— Il ne fuira pas.

— Il devrait. Aucune ville ne vaut la peine qu'on meure pour elle.

— C'est le moment de passer mon coup de fil, tu ne crois pas ?

— Quel coup de fil ? demanda-t-elle.

— Abernethy. Il faut que je lui transmette les mauvaises nouvelles.

Tesla eut un bref soupir.

— Ouais, pourquoi pas ? Le Dernier Scoop.

— Je reviens tout de suite, dit-il. Et ne te mets pas dans l'idée de partir toute seule. On partira ensemble.

— Je reste ici.

Il se mit au volant, et ne prit conscience de la violence des secousses que lorsqu'il essaya de mettre la clé de contact. Lorsqu'il eut enfin réussi à faire démarrer la voiture et eut reculé le long de l'allée jusqu'au portail, il s'aperçut qu'il était inutile de prévenir les flics. Le gros de leurs troupes avait battu en retraite sur le flanc de la Colline, ne laissant devant le portail qu'un seul véhicule, occupé par deux observateurs. Ceux-ci ne prêtèrent pas attention à Grillo. Leurs deux préoccupations — l'une professionnelle, l'autre personnelle — étaient d'observer la maison et de se préparer à fuir si jamais les fissures venaient à se diriger vers eux. Grillo les dépassa et descendit la Colline. En bas de celle-ci, un officier tenta sans trop y croire de l'obliger à faire halte, mais il continua de rouler en direction du centre commercial. Il espérait y trouver une cabine téléphonique depuis laquelle appeler Abernethy. Il espérait également y trouver Hotchkiss et l'informer, s'il ne le savait pas déjà, que la partie était jouée. Tout en progressant dans un labyrinthe de rues bloquées, labourées ou transformées en gouffres, il chercha une manchette appropriée pour son dernier reportage. *La fin du monde est proche* tenait trop du lieu commun. Il ne voulait pas faire partie de la théorie des prophètes ayant annoncé l'Apocalypse, même si, cette fois-ci (enfin), elle s'annonçait pour de bon. Lorsqu'il arriva près du parking du centre, juste avant qu'il ne le découvre peuplé d'animaux en fête, il eut une inspiration. Ce fut la collection de Buddy Vance qui la lui souffla. Tout en étant conscient qu'il aurait des difficultés à la vendre à Abernethy, il savait qu'il n'y avait pas de manchette plus appropriée à son reportage que *La fête est finie*. L'espèce humaine avait bien joui de son aventure, mais celle-ci approchait de sa fin.

Il arrêta sa voiture à l'entrée du parking et en descendit pour examiner le spectacle bizarre offert par les animaux. En dépit de lui-même, un sourire lui vint aux lèvres. Heureux ceux-là, qui ne savaient rien : qui gambadaient au soleil sans savoir que leur vie serait courte. Il traversa le parking pour se diriger vers la librairie, mais Hotchkiss ne s'y trouvait pas. Les livres gisaient éparpillés sur le sol, témoignage de recherches qui avaient sans doute abouti à un échec. Il se dirigea vers la boutique d'animaux, espérant y trouver une compagnie humaine ainsi qu'un téléphone. Des cris d'oiseaux montaient de l'intérieur : les derniers captifs du magasin. S'il en avait le temps, il les libérerait lui-même. Aucune raison de les priver de soleil.

— Il y a quelqu'un ? dit-il en passant la tête par l'entrebâillement de la porte.

Un gecko lui passa entre les jambes. Il le regarda s'enfuir, prêt à répéter sa question. Il n'en fit rien. Le gros lézard avait marché dans du sang en courant vers la porte ; il y avait des taches et des traînées de sang dans tout le magasin. Il vit tout d'abord le corps d'Elizando, puis le second cadavre, à moitié enseveli sous les cages.

— Hotchkiss ? dit-il.

Il entreprit de dégager le corps. Il y avait davantage qu'une odeur de sang dans l'air, il y avait aussi la puanteur de la merde. Grillo en eut bientôt les mains maculées, mais il s'attela à sa tâche jusqu'à ce qu'il se soit assuré du décès de Hotchkiss. Ce qu'il fit en découvrant sa tête. Son crâne avait été réduit en pièces, et des esquilles d'os jaillissaient comme des fragments de poterie du réceptacle de son esprit et de ses sens. Aucun animal susceptible d'être proposé à la vente dans un magasin de cette taille n'aurait pu commettre un acte aussi violent ; de plus, il était malaisé de déterminer quel genre d'arme en aurait été capable. Il ne s'attarda pas à réfléchir à ce problème, car il était fort probable que les responsables de cette atrocité se trouvaient encore dans les parages. Il fouilla le sol du regard, en quête d'une arme quelconque. Une laisse, un collier clouté, n'importe quoi pour éviter d'être massacré à son tour. Il découvrit un livre, abandonné sur le sol à quelque distance du corps de Hotchkiss.

Il en lut le titre à haute voix :

— *Préparatifs pour l'Harmaguédon.*

Puis il le ramassa et le feuilleta hâtivement. Il s'agissait apparemment d'un manuel sur les façons de survivre à l'Apocalypse. Ces paroles pleines de sagesse étaient adressées par l'Église des Mormons à ses fidèles et leur disaient que tout irait bien ; que les oracles vivants de Dieu, la Première Présidence et le Conseil des Douze Apôtres, étaient là pour veiller sur eux et leur dispenser leurs conseils. Il leur suffisait de suivre ces conseils, spirituels et pratiques, pour survivre aux aléas du futur.

« *Si vous êtes préparés, vous n'avez rien à craindre* », tel était l'espoir — non, la *certitude* — de ces pages. « *Ayez le cœur pur, aimez votre prochain, soyez justes, et honorez les lieux sacrés. Faites toujours des provisions pour un an.* »

Il continua de feuilleter le livre. Pourquoi Hotchkiss l'avait-il sélectionné ? Ouragans, feux de forêt, inondations ? Quel rapport avec Trinité ?

Puis il trouva : une photo grenue représentant un nuage en forme de champignon et la légende identifiant l'endroit où la bombe avait explosé.

Trinité, Nouveau-Mexique.

Il n'alla pas plus loin. Le livre à la main, il sortit du parking en courant, dispersant les animaux devant lui, et remonta dans sa voiture. Son coup de fil à Abernethy devrait attendre. Il ne savait absolument pas quelle importance pouvait avoir le fait que Trinité soit le lieu de naissance de la bombe, mais peut-être Tesla le saurait-elle. Et même dans le cas contraire, il aurait au moins la satisfaction de lui avoir apporté cette nouvelle. Il savait bien qu'il était absurde de se sentir ainsi *content* de lui-même, comme si cette information avait pu avoir une quelconque influence sur le déroulement des événements. Le monde approchait de sa fin *(La fête est finie)*, mais le simple fait d'avoir en main cette pièce du puzzle suffisait à chasser de son esprit la terreur que lui inspirait ce fait. Il ne connaissait pas de plaisir plus grand que celui d'être un porteur de nouvelles, un messager, un *Nonce*. Jamais il n'avait été aussi près de comprendre le sens du mot *heureux*.

En dépit de la brièveté — quatre ou cinq minutes tout au plus — de son arrêt au centre, la stabilité du Grove s'était visiblement détériorée durant cet intervalle. Deux rues qui étaient encore accessibles lorsqu'il avait descendu la Colline avaient à présent cessé de l'être. La première avait virtuellement disparu — la terre s'était tout simplement ouverte pour l'engloutir —, la deuxième était encombrée des débris de deux maisons effondrées. Il trouva une troisième rue encore franchissable et commença son ascension, sur une chaussée secouée par des tremblements si violents qu'il avait parfois toutes les peines du monde à contrôler son véhicule. Quelques observateurs avaient fait leur apparition pendant son absence, à bord de trois hélicoptères sans immatriculation dont le plus gros faisait du surplace au-dessus de la maison de Buddy Vance, ses occupants étant de toute évidence affairés à tenter de se faire une idée de la situation. Sans doute avaient-ils à présent deviné que ce phénomène-là n'avait rien de naturel. Peut-être en connaissaient-ils même la cause. D'Amour avait dit à Tesla que l'existence des Iad était connue des puissants de ce monde. Mais dans ce cas, il aurait dû trouver une véritable armée en position autour de la maison, et non pas quelques flics terrifiés. Les généraux et les politiciens avaient-ils refusé de croire aux preuves qu'on leur avait présentées ? Étaient-ils trop pragmatiques pour penser que leur empire pouvait être mis en danger par quelque chose venu de l'autre côté des rêves ? Il ne pouvait pas leur en vouloir. Soixante-douze heures plus tôt, lui-même n'aurait jamais accepté d'envisager cette idée. Il l'aurait considérée comme absurde : comme les histoires d'oracles vivants de Dieu racontées dans le livre posé près de lui, une fable éculée. Si les observateurs restaient là où ils se trouvaient, juste au-dessus de la brèche, ils auraient une chance de changer d'avis. Voir, c'est croire. Et ils allaient en voir.

Le portail de Coney Eye avait été mis à bas ; ainsi que le mur qui entourait la propriété. Il laissa sa voiture à côté de la pile de gravats et, saisissant le livre, grimpa en direction de la maison, sur la façade de laquelle était assis ce qu'il prit pour un nuage d'ombre. L'agitation sismique avait élargi les fissures de l'allée, et il dut progresser avec prudence, sentant sa concentration distraite par une qualité troublante de l'atmosphère autour de la maison. Plus il s'approchait de la porte, plus l'ombre semblait s'accentuer. Le soleil lui tapait toujours sur la nuque, ainsi que sur le gâteau mouillé qu'était devenue la façade de Coney Eye, mais toute la scène était floue, comme si on l'avait recouverte d'une couche de vernis sale. Ce spectacle lui donnait mal à la tête ; ses sinus le démangeaient, ses oreilles se bouchaient. Plus troublante que ces désagréments somme toute mineurs, une sensation d'angoisse quasi palpable montait en lui à chacun de ses pas. Sa tête commença à s'emplir d'images écœurantes, rassemblées durant les années qu'il avait passées dans des salles de rédaction, à regarder des photographies qu'aucun rédacteur en chef, même le plus avide de sensation, n'aurait osé imprimer. Il y avait des accidents d'automobile, bien sûr, et des accidents d'avion — des corps en morceaux qui ne pourraient jamais être rassemblés. Il y avait inévitablement des scènes de meurtre. Mais ce n'étaient pas celles-ci qui conduisaient l'assaut. C'étaient des images d'innocents, des images du mal qui leur avait été infligé. Bébés et enfants battus, mutilés, jetés à la poubelle ; vieillards et malades brutalisés ; débiles mentaux humiliés. Tant de cruautés qui emplissaient sa tête.

— *Les Iad,* entendit-il.

C'était la voix de Tesla, et il se tourna dans la direction dont elle provenait. L'air qui les séparait était épais, son visage était grenu, comme s'il était reproduit sur une image de mauvaise qualité. Il n'était pas réel. Rien n'était réel. Images sur un écran.

— Ce sont les Iad qui arrivent, dit-elle. C'est ça que tu sens. Tu devrais partir d'ici. Il est inutile que tu restes...

— Non, dit-il. J'ai... un message.

Il avait des difficultés à s'accrocher à cette idée. Les innocents ne cessaient d'apparaître l'un après l'autre, porteurs de toutes sortes de blessures.

— Quel message ? dit-elle.

— Trinité.

— Et alors ?

Il se rendit compte qu'elle hurlait, mais sa voix était néanmoins à peine audible.

— Tu as dit Trinité, Grillo.

— Oui ?

— *Et alors ?*

Tous ces yeux qui le regardaient. Il ne pouvait penser qu'à eux ; ne pouvait penser qu'à leur douleur et à leur impuissance.

— *Grillo !*

Il fit tout son possible pour concentrer son attention sur la femme qui hurlait son nom dans un murmure.

— *Trinité,* répéta-t-elle.

Le livre qu'il tenait à la main contenait la réponse à sa question, il le savait, mais les yeux et la peine qu'ils exprimaient ne cessaient de l'en distraire. Trinité. Qu'est-ce que c'était que Trinité ? Il leva le livre et le lui donna mais, alors même qu'elle le prenait, il se rappela.

— La bombe, dit-il.

— Quoi ?

— Trinité est l'endroit où on a fait exploser la première bombe atomique.

Il vit le visage de Tesla s'illuminer.

— Tu as compris ? dit-il.

— Oui. Seigneur ! *Oui !*

Elle ne prit pas la peine d'ouvrir le livre qu'il venait de lui tendre, mais se contenta de lui ordonner de reculer jusqu'à la route. Il fit de son mieux pour l'écouter, mais il savait qu'il devait lui transmettre une autre information. Quelque chose de presque aussi vital que Trinité ; et qui avait également rapport avec la mort. En dépit de tous ses efforts, il ne parvint pas à s'en souvenir.

— Va-t'en, lui répéta-t-elle. Fuis ces horreurs.

Il acquiesça, ayant conscience de son inutilité, et s'avança en trébuchant à travers l'air sale, le soleil se faisant de plus en plus brillant à mesure qu'il s'éloignait de la maison, les images d'innocents morts cessant peu à peu de dominer ses pensées. Lorsqu'il franchit le tournant de l'allée et arriva en vue de la Colline, il se rappela l'information qu'il n'avait pas pu transmettre. *Hotchkiss était mort ;* assassiné ; la tête broyée. Quelqu'un ou quelque chose avait commis ce meurtre, et rôdait encore dans le Grove. Il devait retourner en arrière pour le dire à Tesla ; la prévenir. Il attendit quelques instants, nettoyant son cortex des images induites par la proximité des Iad. Elles ne disparurent pas entièrement ; il savait que, dès qu'il se rapprocherait à nouveau de la maison, elles reviendraient l'assaillir avec encore plus d'intensité. L'air empoisonné qui les avait suscitées étendait son emprise et l'avait déjà rattrapé. Avant leur nouvelle invasion, il attrapa un stylo qu'il avait amené du motel au cas où il aurait eu besoin de prendre des notes. Il avait aussi pris un bloc sur le bureau du réceptionniste, mais le défilé de cruautés avait repris dans sa tête et il redouta de perdre le fil de ses pensées pendant qu'il chercherait le bloc, aussi se contenta-t-il de gribouiller le nom sur le dos de sa main.

« Hotch... » Ce fut tout ce qu'il réussit à épeler. Puis ses doigts perdirent tout pouvoir d'écrire, et son esprit tout pouvoir de s'accrocher à autre chose qu'à la peine que lui inspiraient ces innocents morts et la volonté de revoir Tesla. Message et messager ne faisant qu'une chair, il fit demi-tour et pénétra en vacillant dans la nuée sous l'influence des Iad. Mais lorsqu'il atteignit l'endroit où s'était trouvée la femme qui criait par murmures, celle-ci s'était encore rapprochée de la source de ces cruautés, et il doutait que sa raison pût survivre s'il décidait de la suivre.

Tant de choses s'éclaircissaient à présent pour Tesla, la moindre d'entre elles n'étant pas l'impression d'attente qu'elle avait toujours sentie dans la Boucle, en particulier lorsqu'elle avait traversé la ville. Elle avait vu des documentaires sur Oppenheimer montrant l'explosion de la bombe et la destruction de la ville. Les maisons et les boutiques qui l'avaient tant intriguée avaient été édifiées à seule fin d'être réduites en cendres, de sorte que les créateurs de la bombe puissent observer la colère de leur bébé à l'œuvre. Pas étonnant qu'elle ait imaginé de situer un film de dinosaures dans cet endroit. Son instinct de scénariste ne l'avait pas trompée. *C'était* une ville qui attendait le jugement dernier. Elle s'était seulement trompée de monstre. Quel endroit plus approprié Kissoon aurait-il pu trouver pour dissimuler les preuves de ses crimes ? Lorsque viendrait l'éclair, les cadavres seraient entièrement consumés. Elle n'avait aucune peine à imaginer le plaisir pervers qu'il avait ressenti en élaborant une création aussi complexe, sachant que le nuage qui détruirait le Banc était une des images les plus indélébiles de ce siècle.

Mais il avait été pris à son propre jeu. Mary Muralles l'avait emprisonné dans la Boucle et, tant qu'il n'aurait pas trouvé un corps d'emprunt pour la quitter, il y était pris au piège, reculant sans cesse le moment de la détonation par la seule force de sa volonté. Son existence avait été pareille à celle d'un homme au doigt planté dans la fissure d'un barrage, sachant que, dès qu'il négligerait son devoir, le barrage cèderait et l'engloutirait. Pas étonnant que le mot Trinité ait plongé ses pensées dans la confusion. C'était le nom de sa terreur.

Y avait-il un moyen d'utiliser cette information aux dépens des Iad ? Une possibilité démentielle lui vint à l'esprit alors qu'elle regagnait la maison, mais elle aurait besoin de l'aide de Jaffe.

Il était difficile de garder l'esprit cohérent au sein du bouillonnement de fange qui jaillissait de la brèche, mais elle avait déjà lutté contre des influences diverses, du producteur au chaman, et elle parvint à tenir celle-ci à l'écart. Ses assauts se faisaient cependant de plus en plus insistants à mesure que les Iad se rapprochaient du seuil. Tesla s'efforça de ne pas penser à l'étendue que devait avoir leur corruption, à en juger par la façon dont l'esprit était déjà affecté par la rumeur ténue de leur approche. Chaque fois qu'elle avait tenté d'imaginer la nature de leur invasion, elle n'avait jamais envisagé la possibilité que leur arme de prédilection puisse être la folie. Mais c'était peut-être le cas. Bien qu'elle fût capable de résister temporairement à cet assaut de bassesse, elle savait qu'elle finirait tôt ou tard par capituler devant lui. Aucun esprit humain n'aurait pu lui résister indéfiniment et son seul choix devant de telles horreurs serait de se réfugier dans la folie. Les Iad Uroboros régneraient sur une planète de déments.

Jaffe était déjà sur la voie de l'effondrement mental, bien sûr. Elle le trouva debout sur le seuil de la pièce où il avait utilisé l'Art. L'espace qui se trouvait derrière lui avait été entièrement revendiqué par la brèche. Lorsqu'elle regarda par l'entrebâillement de la porte, elle comprit vraiment pour la première fois pourquoi Quiddity avait reçu le nom d'océan. Des vagues d'énergie sombre s'écrasaient sur le rivage du Cosme, et leur écume se déversait à travers la brèche. Au-delà, elle vit un autre mouvement, dont elle n'eut qu'un bref aperçu. Jaffe avait parlé de montagnes mouvantes ; et de mouches. Mais l'esprit de Tesla trouva une autre image pour caractériser les envahisseurs. C'étaient des géants. La terreur vivante de ses tout premiers cauchemars. Lors de ces rencontres enfantines, ils avaient souvent le visage de ses parents, un fait qui avait grandement inspiré son analyste. Mais ces géants-ci étaient d'une tout autre nature. S'ils avaient un visage, ce dont elle doutait, il était impossible à assimiler en tant que tel. Elle était sûre d'un fait : ce n'étaient pas des parents aimants.

— Tu as vu ? dit Jaffe.

— Oh oui, dit-elle.

Il lui reposa la même question, et sa voix était plus insouciante qu'elle ne l'avait jamais été.

— Tu as vu, Papa ?

— *Papa ?* dit-elle.

— Je n'ai pas peur, Papa, continua la voix qui sortait de la bouche du Jaff. Ils ne me feront pas mal. Je suis Death Boy.

Elle comprenait à présent. Jaffe ne se contentait pas de voir à travers les yeux de Tommy-Ray, il parlait avec la voix de l'adolescent. Elle avait troqué le père contre le fils.

— Jaffe ! dit-elle. Écoutez-moi. J'ai besoin de votre aide. *Jaffe ?*

Il ne lui répondit pas. S'efforçant autant que possible d'éviter de regarder la brèche, elle alla jusqu'à lui et saisit sa chemise en lambeaux, le tirant vers la porte d'entrée.

— *Randolph !* dit-elle. Parlez-moi, je vous en prie.

L'homme eut un large sourire. C'était une expression pour laquelle son visage n'avait jamais été conçu. Ce sourire tout en dents ne pouvait appartenir qu'à un Californien. Elle le lâcha.

— Vous ne me servirez à rien, dit-elle.

Elle ne pouvait pas se permettre de perdre du temps à tenter de l'arracher à l'aventure qu'il partageait avec Tommy-Ray. Il lui fallait agir seule. Le plan qu'elle avait élaboré était d'une conception relativement simple mais, pensait-elle, d'une exécution extrêmement difficile — sinon carrément impossible. Mais elle n'avait pas le choix. Elle n'avait rien d'un chaman de premier ordre. Elle ne pourrait pas sceller la brèche. Mais peut-être pourrait-elle la *déplacer*. Elle avait prouvé par deux fois qu'elle avait le pouvoir d'entrer et de sortir de la Boucle. De se dissoudre — elle ainsi que d'autres — dans la pensée et de plonger dans Trinité. Pouvait-elle aussi faire faire le saut à de la matière inerte ? A du bois, à du plâtre ? A la pièce d'une maison, par exemple ? A *cette* partie de *cette* maison, par exemple ? Pouvait-elle dissoudre la tranche de Cosme occupée par la brèche et par elle-même et la conduire au Point Zéro, où se déroulait un compte à rebours dont l'issue pouvait terrasser les géants avant qu'ils ne commencent à répandre leur folie ?

Le seul moyen qu'elle avait de répondre à cette question était de tenter l'invocation. Si elle échouait, la réponse serait non. Aussi simple que ça. Elle disposerait de quelques instants pour être enrichie en sagesse par son échec, puis sa sagesse, son échec et son aspiration à la condition de chaman perdraient toute importance.

Tommy-Ray s'était remis à parler, et son monologue se transformait rapidement en tissu d'absurdités.

— ... en haut comme Andy..., disait-il..., mais encore plus haut... me vois, Papa ?... en haut comme Andy... Je vois le rivage ! Je vois le rivage !

Ceci au moins était sensé. Il était en vue du Cosme, ce qui signifiait que les Iad en étaient presque aussi proches.

— ... Death Boy..., commença-t-il à répéter..., je suis Death Boy...

— Vous ne pouvez pas le débrancher ? dit-elle à Jaffe, sachant que l'autre restait sourd à ses paroles.

— Wha-ouu ! hurlait le garçon. On arrive ! On-arri-*ve !*

Elle ne se tourna pas vers la brèche pour voir si les géants étaient visibles, bien qu'elle en fût fortement tentée. Viendrait un moment où elle serait bien obligée de la regarder en face, mais elle n'était pas encore prête ; pas assez calme, pas assez *résolue*. Elle fit un nouveau pas vers la porte d'entrée et saisit son chambranle à pleine main. Il semblait si solide. Son bon sens se révolta à l'idée de projeter par la pensée une telle solidité vers un autre point de l'espace-temps. Elle dit à son bon sens d'aller se faire foutre. Lui et la folie qui se déversait de la brèche n'étaient pas des ennemis naturels. La raison pouvait être cruelle ; la logique pouvait être folle. Il existait un autre état d'esprit qui permettait d'écarter des dichotomies aussi naïves ; qui permettait au pouvoir de jaillir de ce qui se trouvait *entre*.

Tout pour tous.

Elle se rappela soudain ce qu'avait dit D'Amour, les rumeurs au sujet d'un Sauveur. Elle avait cru qu'il voulait parler de Jaffe, mais elle avait cherché bien trop loin. Ce Sauveur, c'était *elle*. Tesla Bombeck, la femme extravagante de West Hollywood, inversée et ressuscitée.

Cette prise de conscience l'investit d'une foi nouvelle ; et avec cette foi, d'une idée toute simple sur la façon de faire fonctionner l'invocation. Elle n'essaya pas de chasser de son esprit les glapissements idiots de Tommy-Ray, ni le spectacle de Jaffe effondré et vaincu, ni la possibilité absurde que le solide devienne pensée et que la pensée déplace le solide. Tout ceci était une partie d'elle-même, y compris le doute. Et peut-être surtout le doute. Elle n'avait nul besoin de nier confusions et contradictions pour être puissante ; elle avait besoin de les étreindre. De les dévorer avec la bouche de son esprit, de les mâcher, de les avaler. Ils étaient tous mangeables. Le solide et l'éthéré, ce monde et l'autre. A présent qu'elle savait cela, rien n'aurait pu l'empêcher de se mettre à table.

Elle regarda la brèche en face.

— Même pas toi, dit-elle, et elle se mit à manger.

Lorsque Grillo était arrivé à deux pas de la maison, les innocents étaient revenus l'assaillir, plus impitoyables que jamais à une distance aussi faible de la brèche. Il perdit tout pouvoir d'avancer ou de reculer tandis que la violence s'élevait autour de lui. Il lui semblait qu'il piétinait des petits corps ensanglantés. Ils tournèrent vers lui leurs visages en larmes, mais il savait qu'il ne pourrait pas leur venir en aide. Pas maintenant. L'ombre qui planait au-dessus de Quiddity apportait avec elle la fin de toute pitié. Et son règne serait éternel. Elle ne serait jamais jugée ; elle n'aurait jamais à rendre compte de ses actes.

Quelqu'un le dépassa pour se diriger vers la porte, forme à peine visible dans l'air épaissi par la souffrance. Grillo s'efforça d'apercevoir cet homme en détail, mais ne distingua qu'un visage sinistre, aux traits épais et à la mâchoire prognathe. Puis l'inconnu pénétra dans la maison. Un mouvement sur le sol, non loin de ses pieds, lui fit quitter la porte des yeux. Les visages des enfants étaient encore visibles, mais l'horreur avait à présent changé de nature. Des serpents noirs aussi épais que son bras rampaient sur les enfants à la suite de l'homme. Écœuré, il avança d'un pas, dans le vain espoir d'écraser au moins l'un d'entre eux. Ce pas le rapprocha encore plus du seuil de la démence, ce qui, paradoxalement, accrut encore sa résolution. Il fit un deuxième pas, puis un troisième, essayant de poser le pied sur ces créatures noires. Son quatrième pas lui fit franchir le seuil de la maison et le fit pénétrer dans une tout autre folie.

— Raul ?

Entre toutes les personnes possibles, Raul.

Au moment précis où elle s'attelait à sa tâche, le voilà qui faisait son apparition sur le seuil, la choquant à tel point qu'elle aurait pu attribuer sa présence à une quelconque aberration mentale si elle n'avait pas été plus sûre que jamais du bon fonctionnement de son esprit. Ce n'était pas une hallucination. Il était bien ici, en chair et en os, le nom de Tesla sur les lèvres et la joie sur le visage.

— Qu'est-ce que tu fais ici ? dit-elle, sentant l'invocation lui échapper.

— Je suis venu te voir, lui répondit-il.

Elle comprit aussitôt la signification de cette phrase. Une masse grouillante de Lix s'agitait sur le seuil.

— Qu'est-ce que tu as fait ? dit-elle.

— Je viens de te le dire, répliqua-t-il. Je suis venu te voir. Nous sommes tous venus te voir.

Elle recula d'un pas, mais comme la brèche occupait à présent la moitié de la maison et comme les Lix lui bloquaient tout accès à la porte, l'escalier était la seule issue qui se présentait à elle. Le répit qui lui serait accordé serait court. Là-haut, elle serait prise au piège, obligée d'attendre leur bon vouloir, si tant est qu'ils se donnent la peine d'aller la chercher. Dans quelques minutes, les Iad auraient pénétré dans le Cosme. Après cela, la mort serait sans doute désirable. Elle devait tenir bon, Lix ou pas Lix. Elle devait rester ici pour accomplir sa tâche, et elle devait faire vite.

— Éloigne-toi de moi, dit-elle à Raul. Je ne sais pas pourquoi tu es venu ici, mais *garde tes distances !*

— Je suis venu voir leur arrivée, répliqua Raul. Nous pouvons les attendre ensemble, si tu veux.

Raul n'avait pas boutonné sa chemise, et elle aperçut un objet familier accroché à son cou : le médaillon du Banc. Un soupçon naquit en elle : ce n'était pas Raul. Ses manières étaient différentes de celles du Noncié terrifié qu'elle avait rencontré à la Mission de Santa Catrina. Quelqu'un d'autre se dissimulait derrière ce visage quasi simiesque : l'homme qui avait été le premier à lui montrer le sceau énigmatique du Banc.

— *Kissoon,* dit-elle.

— Quel dommage, tu as gâché ma surprise, répliqua-t-il.

— Qu'as-tu fait de Raul ?

— Je l'ai délogé. J'ai occupé son corps. Ce n'était pas difficile. Il avait beaucoup de Nonce en lui. Ça l'a rendu disponible. Je l'ai attiré dans la Boucle, tout comme je t'y avais attirée. Mais il n'était pas assez intelligent pour me résister, contrairement à Randolph ou à toi. Il a eu vite fait de se rendre.

— Tu l'as assassiné.

— Oh non, dit Kissoon d'un ton enjoué. Son esprit est bien vivant. Il empêche ma chair de se brûler en attendant que j'aille la récupérer. J'en reprendrai possession dès qu'elle sera sortie de la Boucle. Je n'ai aucune intention de demeurer *là-dedans.* C'est répugnant.

Soudain, il bondit sur elle, agile comme seul Raul pouvait l'être, et lui saisit le bras d'un geste vif. Elle poussa un cri de douleur. Il lui sourit à nouveau, se rapprochant d'elle en deux pas, plaquant son visage contre le sien en un battement de cœur.

— *Je te tiens,* dit-il.

Elle se tourna en direction du seuil où se tenait Grillo, les yeux fixés sur la brèche sur laquelle les vagues de Quiddity se jetaient avec une férocité croissante. Elle l'appela au secours mais il ne réagit pas. Son visage était inondé de sueur ; la salive coulait de sa mâchoire flasque. Il semblait avoir complètement perdu l'esprit.

Si Tesla avait pu se glisser dans le crâne de Grillo, elle aurait compris pourquoi il était aussi fasciné. Une fois qu'il avait eu franchi la porte de la maison, les innocents avaient disparu de son esprit, pour être remplacés par une détresse plus aiguë. Ses yeux étaient attirés par les vagues, et par les horreurs qu'il voyait en elles. Tout près du rivage se trouvaient deux corps, tantôt rejetés vers le Cosme et tantôt emportés par le reflux qui menaçait de les engloutir. Il les reconnut, bien que leurs visages aient considérablement changé. Le premier était celui de Jo-Beth McGuire. Le second celui de Howie Katz. Il crut apercevoir une troisième silhouette un peu plus loin sur les flots. Il ne la reconnaissait pas. Son visage semblait privé de toute chair reconnaissable comme telle. Ce n'était qu'une tête de mort chevauchant l'écume.

C'était cependant encore plus loin que commençait la véritable horreur. Des formes massives et pourrissantes, enveloppées d'un nuage grouillant, comme si des mouches aussi grosses que des oiseaux escortaient leur corruption. Les Iad Uroboros. Paralysé par sa fascination, son esprit (inspiré par Jonathan Swift) cherchait quand même des mots dignes de ce spectacle, mais son vocabulaire était fort pauvre quand il s'agissait de décrire le mal. Dépravé, inique, blasphématoire : que recouvraient de tels termes face à des essences aussi étrangères à la rédemption ? De simples distractions sans lendemain. De faibles entremets dans un festin d'horreur. Il enviait presque à ceux qui se trouvaient plus près de ces abominations la compréhension qui était sans doute la leur...

Howie, bousculé dans le tumulte des flots, aurait pu lui préciser un ou deux détails. Lorsque les Iad s'étaient approchés d'eux, il s'était rappelé où il avait senti une horreur comparable : dans les abattoirs de Chicago où il avait travaillé deux ans auparavant. C'étaient des souvenirs de ce mois-là qui emplissaient à présent sa tête. Les abattoirs en été, le sang qui se coagule dans les rigoles, les bêtes qui vident leur vessie et leurs entrailles en entendant les bruits de mort qui les entourent. La vie transformée en viande en un seul coup de marteau. Il tenta de chasser ces images de son esprit et de se tourner vers Jo-Beth, qui était restée près de lui grâce aux flots qui conspiraient pour les garder réunis mais qui ne parvenaient pas à les conduire sur la berge assez vite pour les sauver des bouchers lancés à leur poursuite. Cette vision, qui aurait pu adoucir ses derniers instants, lui fut refusée. Il ne voyait que le bétail que l'on conduisait vers la mort, la merde et le sang que l'on chassait à grands jets d'eau, les carcasses agitées de soubresauts que l'on

accrochait par une patte brisée avant de les envoyer se faire
étriper. La même horreur emplissait sa tête, maintenant et à
jamais.

Le rivage était pour lui aussi invisible que Jo-Beth, aussi
n'avait-il aucune idée de la distance — ou de la *proximité* — qui
les en séparait. S'il avait pu le voir, il aurait aperçu le père de Jo-
Beth, en pleurs, il l'aurait entendu parler avec la voix de Tommy-
Ray :

— ... *on arrive !... on arrive...*

... et il aurait vu Grillo, fasciné par les Iad; et Tesla, sur le
point de perdre la vie aux mains d'un homme qu'elle appelait..

— *Kissoon !* Pour l'amour de Dieu ! Regarde-les ! *Regarde !*

Kissoon jeta un bref regard vers la brèche, et vers ce
qu'amenait la marée.

— Je les vois, dit-il.

— Tu crois qu'ils se soucient de toi ? S'ils arrivent à passer, tu
seras aussi mort que nous !

— Non, dit-il. Ils amènent avec eux un nouveau monde, et j'ai
mérité ma place dans ce monde. Une place élevée. Sais-tu
combien d'années j'ai attendu cet instant ? Combien de plans j'ai
élaborés ? Combien d'hommes et de femmes j'ai assassinés ? Ils
vont me récompenser.

— Tu as signé un contrat, hein ? Un contrat écrit ?

— Je suis leur libérateur. C'est moi qui ai rendu possible leur
venue. Tu aurais dû te joindre à notre équipe dans la Boucle. Tu
aurais dû me prêter ton corps quelque temps. Mais non. Tu avais
tes propres ambitions. Comme *lui.* (Il se tourna vers Jaffe.)
C'était pareil avec lui. Il voulait un morceau du gâteau. Et le
gâteau vous a étouffés tous les deux.

Sachant que Tesla ne pouvait plus partir, toute fuite étant à
présent impossible, il la lâcha et fit un pas vers Jaffe.

— Il est allé plus loin que toi, dit-il, mais lui, il avait des
couilles.

La bouche de Jaffe avait cessé d'émettre les cris de joie poussés
par Tommy-Ray. Il n'en sortait plus qu'un sourd gémissement,
qui pouvait provenir du père, du fils, ou des deux.

— Il faut que tu *voies* ça, dit Kissoon au visage tourmenté.
Jaffe. Regarde-moi. *Je veux que tu voies ça !*

Tesla se tourna de nouveau vers la brèche. Combien de vagues
se briseraient sur la berge avant que les Iad l'atteignent ? Une
douzaine ? Une demi-douzaine ?

Jaffe irritait de plus en plus Kissoon. Il se mit à le secouer

— *Regarde-moi, bon sang !*

Tesla le laissa à sa rage. Celle-ci lui accordait quelques instants de répit ; quelques instants durant lesquels elle pourrait tenter une nouvelle fois de projeter toute la scène dans la Boucle.

— Réveille-toi et regarde-moi, connard. C'est Kissoon. Je suis sorti ! *Je suis sorti !*

Elle laissa ses harangues s'intégrer à la scène qu'elle était en train de visualiser. Rien ne devait en être exclu. Jaffe, Grillo, la porte sur le Cosme, et la porte sur Quiddity, bien sûr, tout devait être dévoré. Même elle, la dévoratrice, devait être évacuée. Mâchée et recrachée dans un autre temps.

Les cris de Kissoon s'interrompirent soudain.

— Qu'est-ce que tu es en train de faire ? dit-il en se tournant vers elle.

Ses traits d'emprunt, guère habitués à exprimer la rage, étaient noués de façon grotesque. Elle ne se laissa pas distraire par ce spectacle. Cela aussi faisait partie de la scène à ingérer. Elle se montra à la hauteur de la tâche.

— *Tu n'oseras pas !* dit Kissoon. *Tu m'entends ?*

Elle entendit et mangea.

— Je te préviens, dit-il en se dirigeant vers elle. *Tu n'oseras pas !*

Quelque part au fond de la mémoire de Randolph Jaffe, ces mots et la façon dont ils étaient prononcés éveillèrent un écho. Jadis, il s'était trouvé dans une hutte avec l'homme qui les avait prononcés ainsi. Il se rappelait l'odeur de renfermé qui régnait dans la hutte, et le parfum de sa propre sueur. Il se rappelait le vieil homme étique assis en tailleur derrière le feu. Et il se rappelait surtout le dialogue suivant, qui surgissait de son passé pour lui emplir la tête :

— *Tu n'oseras pas.*

— *Prononcer le mot oser devant moi, c'est comme agiter un chiffon rouge devant un taureau. J'ai vu des choses... J'ai fait des choses...*

Le souvenir de ces paroles suscita celui d'un mouvement. Sa main qui plonge dans la poche de sa veste, à la recherche du couteau émoussé qui l'y attend. Un couteau impatient d'ouvrir des choses scellées et secrètes. Comme des lettres ; ou des crânes.

Il entendit à nouveau ces mots...

— *Tu n'oseras pas.*

... et ouvrit les yeux sur la scène qui se déroulait devant lui. Son bras — parodie grotesque d'un membre jadis robuste — plongea dans sa poche. Il avait gardé ce couteau en sa possession durant toutes ces années. Il était encore émoussé. Il était encore affamé.

Ses doigts flétris se refermèrent autour du manche. Ses yeux se braquèrent sur la tête de l'homme qui avait formulé ses souvenirs à voix haute. C'était une cible facile à atteindre.

Tesla aperçut la tête de Jaffe qui bougeait à la lisière de son champ de vision ; le vit s'écarter du mur et lever son bras droit, vit sa main émerger de sa poche. Elle ne vit pas ce qui s'y trouvait, pas avant le moment où les doigts de Kissoon lui enserrèrent le cou tandis que les Lix lui enveloppaient les chevilles. Elle ne laissa pas cette agression interrompre le processus d'évacuation. Elle aussi s'intégra à l'image en cours de dévoration. Et à présent, Jaffe. Et sa main levée. Et le couteau que Tesla voyait finalement luire dans cette main levée. Cette main qui s'abaissait pour enfoncer la lame dans la nuque de Kissoon.

Le chaman poussa un cri, et ses mains lâchèrent la gorge de Tesla pour se porter sur sa nuque afin de la protéger. Elle aima ce cri. C'était la douleur de son ennemi, et cette douleur sembla renforcer son pouvoir, rendre plus facile que jamais la tâche qu'elle avait entreprise, comme si ce cri portait jusqu'à elle une partie de la force de Kissoon. Elle sentit dans sa bouche mentale l'espace qu'ils occupaient, et elle le mâcha. La maison trembla sur ses fondations alors qu'une partie significative de son espace lui était arrachée pour être évacuée dans la durée close de la Boucle.

Aussitôt, la lumière.

La lumière de l'aube perpétuelle de la Boucle se déversait par la porte. Et avec elle ce même vent qui avait soufflé sur le visage de Tesla à chacune de ses visites. Il soufflait à présent par l'entrée, emportant vers le désert une portion de la souillure des Iad. Sur son passage, elle vit le visage de Grillo perdre son expression hagarde. Il saisit le montant de la porte, plissa les yeux pour se protéger de la lumière et secoua la tête comme un chien infesté de puces.

Les Lix avaient interrompu leur attaque dès que leur maître avait été frappé, mais Tesla ne pensait pas que ce répit durerait très longtemps. Avant qu'il ait eu le temps de les lancer à nouveau sur elle, elle se précipita vers la porte, ne s'arrêtant que pour pousser Grillo devant elle.

— Au nom de Dieu, qu'est-ce que tu as fait ? dit-il lorsqu'ils émergèrent sur le sable blanc du désert.

Elle le força à s'éloigner des pièces évacuées qui, sans structure autour d'elles pour répartir la pression des vagues de Quiddity, commençaient à se désagréger de toutes parts.

— Tu veux les bonnes nouvelles ou les mauvaises ? dit-elle.

— Les bonnes.

— Ceci est la Boucle. J'y ai amené une partie de la maison...

A présent que sa tâche était accomplie, elle parvenait à peine à croire à sa réussite.

— J'y suis arrivée, dit-elle, comme si Grillo avait cherché à la contredire. Bordel, j'y suis *arrivée* !

— Y compris les Iad ? dit Grillo.

— Y compris la brèche et ce qu'il y a de l'autre côté.

— Quelles sont les mauvaises nouvelles, alors ?

— Ceci est Trinité, tu te rappelles ? Le Point Zéro ?

— Oh Seigneur !

— Et ça... (elle désigna la tour d'acier, qui ne se trouvait qu'à quatre ou cinq cents mètres d'eux)... c'est la bombe.

— Quand est-ce qu'elle va sauter ? Est-ce qu'on a le temps de... ?

— Je ne sais pas, dit-elle. Peut-être qu'elle n'explosera pas tant que Kissoon sera en vie. Il a retardé cet instant durant tant d'années.

— Est-ce qu'on peut sortir d'ici ?

— Oui.

— Où est la sortie ? Filons vite.

— Ne perds pas de temps en souhaits inutiles, Grillo. On ne sortira pas d'ici vivants.

— Tu peux nous *faire* sortir d'ici. C'est toi qui nous y a amenés.

— Non. Je reste. Je dois m'occuper de tout jusqu'à la fin.

— *C'est* la fin, dit-il en désignant le fragment de maison. Regarde.

Les murs s'effondraient dans des nuées de plâtre, comme si les vagues de Quiddity avaient décidé de leur donner l'assaut.

— Ça ne te suffit pas comme *fin ?* Foutons le camp d'ici.

Tesla fouilla le chaos du regard, en quête d'un signe de Kissoon ou de Jaffe, mais l'éther de l'océan onirique jaillissait dans toutes les directions, trop épais à présent pour être dispersé par le vent. Ils se trouvaient bien quelque part là-dedans, mais hors de vue.

— Tesla ? Tu m'écoutes ?

— La bombe n'explosera pas tant que Kissoon ne sera pas mort, dit-elle. C'est lui qui retarde le moment...

— C'est toi qui le dis.

— Si tu veux sortir d'ici, tu y arriveras peut-être. C'est par là. (Elle désigna la ville du doigt.) Tu ferais mieux d'y aller.

— Tu penses que je suis un lâche.

— Ai-je dit ça ?

Une vague d'éther roula vers eux.

— Si tu dois partir, *pars*, dit-elle, les yeux fixés sur les décombres.

Au-dessus de ce qui restait du salon et de l'entrée de Coney Eye, vaguement visible au milieu de l'éther issu de Quiddity, la brèche était suspendue dans l'air. En l'espace d'un battement de paupière, elle doubla de taille et se déchira. Tesla se prépara à l'apparition des géants. Mais ce furent des formes humaines qu'elle aperçut, deux silhouettes rejetées par les eaux sur ce rivage aride.

— Howie ? dit-elle.

C'était lui. Et à ses côtés, Jo-Beth. Tesla vit qu'il leur était arrivé quelque chose. Leurs visages et leurs corps n'étaient qu'une masse d'excroissances, comme si d'horribles fleurs avaient poussé dans leur chair. Elle se dirigea vers eux, remontant la nouvelle vague d'éther qui déferlait sur elle, et les appela. Jo-Beth fut la première à réagir. Tenant Howie par la main, elle chercha à rejoindre Tesla au milieu de la tourmente.

— Par ici, dit Tesla. Éloignez-vous du trou...

L'éther souillé créait des cauchemars. Ils exigeaient d'être vus. Mais Jo-Beth réussit apparemment à se frayer un chemin à travers eux et à poser une question toute simple :

— Où sommes-nous ?

Il n'existait aucune réponse toute simple.

— Grillo vous le dira, répondit Tesla. Plus tard. *Grillo ?*

Il était là, les yeux déjà empreints de cette expression distraite que Tesla les avait vus prendre dans Coney Eye.

— Des enfants, dit-il. Pourquoi faut-il toujours que ce soient des enfants ?

— Je ne comprends rien à ce que tu racontes, lui dit-elle. Écoute-moi, Grillo.

— Je... t'écoute, dit-il.

— Tu voulais sortir d'ici. Je t'ai montré le chemin, tu te rappelles ? Il faut traverser la ville.

— Traverser la ville.

— Et aller de l'autre côté.

— D'accord.

— Emmène Howie et Jo-Beth avec toi. Peut-être que vous arriverez à les distancer.

— A distancer quoi ? dit Howie.

Il ne soulevait sa tête qu'avec difficulté. Elle pliait sous le poids de ses excroissances monstrueuses.

— Les Iad ou la bombe, lui dit Tesla. A vous de choisir. Vous pouvez courir ?

— On peut essayer, dit Jo-Beth. (Elle se tourna vers Howie.) On peut essayer.

— Alors, allez-y. Tous.

— Je ne... comprends pas..., commença Grillo, dont la voix trahissait l'influence des Iad.

— Pourquoi je dois rester ?

— Oui.

— C'est simple, dit-elle. Ceci est la dernière épreuve. Tout pour tous, tu te rappelles ?

— Foutrement stupide, dit-il en gardant les yeux fixés sur elle, comme si ce spectacle l'aidait à tenir la folie en respect.

— Foutrement vrai, dit-elle.

— Tant de choses..., dit-il.

— Quoi ?

— Que je n'ai pas pu te dire.

— Tu n'en avais pas besoin. Et moi non plus, j'espère.

— Tu avais raison.

— Sauf une. Il y a une chose que j'aurais dû te dire.

— Laquelle ?

— J'aurais dû te dire..., commença-t-elle.

Puis elle eut un large sourire, un sourire presque extatique qu'elle n'avait pas besoin de simuler car il provenait d'un endroit situé au fond de son cœur ; et elle acheva sa phrase avec ce sourire, tout comme elle avait achevé avec lui tant de communications téléphoniques, et elle fit demi-tour pour se diriger vers les rouleaux déferlant de la brèche, là où elle savait qu'il ne pourrait pas la suivre.

Quelqu'un s'avançait vers elle ; un autre nageur de l'océan onirique, rejeté sur la plage.

Tommy-Ray, alias Death Boy. Jo-Beth et Howie avaient subi de profonds changements, mais ils étaient bénins comparés à ceux qui lui avaient été infligés. Ses cheveux avaient toujours les reflets dorés des dieux de Malibu, et son visage rayonnait toujours du sourire qui avait charmé la moitié de Palomo Grove. Mais ses dents n'étaient pas les seules à luire. Quiddity avait délavé sa chair pour lui donner la couleur de l'os. Son front et ses joues s'étaient gonflés, engloutissant ses yeux. Il ressemblait à un crâne vivant. Il essuya du dos de la main la salive qui coulait sur son menton, et son regard acéré se porta vers sa sœur, négligeant Tesla.

— Jo-Beth..., dit-il en s'avançant dans l'air sombre et mouvant.

Tesla vit Jo-Beth se tourner vers lui, puis s'éloigner d'un pas de Howie, comme si elle était prête à se détacher de son amant. En dépit de l'urgence du moment, Tesla ne pouvait s'empêcher d'observer la scène. Tommy-Ray s'avançait pour revendiquer sa sœur. La passion qui était née entre Howie et Jo-Beth avait signalé le début de toute cette histoire, ou du moins de son dernier chapitre. Était-il possible que Quiddity ait causé la fin de leur amour ?

Elle eut la réponse à sa question un battement de cœur plus tard, lorsque Jo-Beth fit un nouveau pas qui l'éloignait de Howie, jusqu'à ce qu'une longueur de bras les sépare, la main droite de la jeune fille tenant toujours la main gauche du jeune homme. Tesla comprit dans un frisson ce que Jo-Beth était en train de montrer à son frère. Howie Katz et elle ne se tenaient pas par la main. *Ils étaient unis par la chair.* Quiddity les avait réunis, leurs doigts noués étaient devenus un nœud de formes qui les liait ensemble.

Toute parole était inutile. Tommy-Ray poussa un cri de dégoût et s'arrêta net. Tesla ne pouvait pas distinguer l'expression de son visage. Il n'y en avait probablement aucune. Les crânes ne pouvaient que sourire et grimacer ; deux expressions opposées réunies en une seule. Elle vit cependant le regard de Jo-Beth, en dépit de l'éther qui brouillait l'air devant elle. Il y avait un peu de pitié dans les yeux de la jeune fille. Mais rien qu'un peu. Le reste n'était qu'indifférence.

Tesla vit Grillo prendre la parole pour encourager les amants à partir. Ils s'en furent aussitôt ; tous les trois. Tommy-Ray ne fit pas mine de les suivre.

— Death Boy ? dit-elle.

Il se tourna vers elle. Le crâne était encore capable de pleurer. Des larmes perlaient au bord de ses orbites.

— Est-ce qu'ils sont loin derrière vous ? lui demanda-t-elle. Les Iad ?

— Les Iad ? dit-il.

— Les géants.

— Il n'y a pas de géants. Seulement les ténèbres.

— Très loin ?

— Tout près.

Lorsqu'elle se retourna vers la brèche, elle comprit ce qu'il avait voulu dire. Des caillots de ténèbres en émergeaient, portés par les vagues comme des agrégats de goudron aussi gros que des bateaux, puis s'élevaient dans les airs au-dessus du désert. Ils semblaient doués de vie et se propulsaient par mouvements rythmés qui faisaient ondoyer les douzaines de tentacules pendant à leurs flancs. Des filaments de matière aussi sombres que leurs corps traînaient derrière eux, pareils à des cordeaux de tripe pourrissante. Ceci n'était pas les Iad à proprement parler, elle le savait ; mais ils n'étaient sûrement pas loin derrière.

Elle détourna les yeux de ce spectacle et regarda en direction de la tour et de la plate-forme qui la surmontait. La bombe était la manifestation suprême de l'idiotie de son espèce, mais peut-être justifierait-elle son existence si elle daignait exploser bientôt. Il n'y eut cependant aucune étincelle sur la plate-forme. La bombe reposait dans son berceau comme un bébé bien enveloppé, refusant de se réveiller.

Kissoon était encore vivant ; il retardait encore le moment. Elle s'avança au milieu des décombres, espérant le retrouver et interrompre sa vie de ses mains. Alors qu'elle s'approchait de la brèche, elle se rendit compte que les caillots de ténèbres ne se déplaçaient pas au hasard. Ils étaient en train de s'assembler en couches, et leurs filaments se nouaient pour former un immense rideau. Celui-ci faisait déjà une dizaine de mètres de haut, et chaque vague franchissant la brèche amenait davantage de caillots, dont le nombre croissait de façon exponentielle à mesure que l'ouverture s'élargissait.

Elle fouilla le maelström du regard en quête de Kissoon et le trouva, ainsi que Jaffe, de l'autre côté des décombres qui avaient été le salon de Coney Eye. Les deux hommes étaient face à face, chacun tenant son adversaire à la gorge d'une main. Jaffe avait encore son couteau, mais Kissoon l'empêchait de s'en servir. Il lui avait déjà fait bien de l'usage. Ce qui avait été le corps de Raul était couvert de plaies, d'où le sang coulait en abondance. Ces blessures ne semblaient pas avoir amoindri les forces de Kissoon. Alors même que Tesla découvrait les deux antagonistes, le chaman déchira la gorge de Jaffe. Des lambeaux de chair s'en détachèrent. Kissoon profita aussitôt de son avantage, ouvrant un peu plus la blessure. Elle poussa un cri afin de le distraire.

— *Kissoon !*

Le chaman jeta un regard dans sa direction.

— Trop tard, dit-il. Les Iad sont presque là.

Elle s'efforça de trouver quelque réconfort dans le mot *presque*.

— Vous avez perdu, tous les deux, dit Kissoon.

Il assena à Jaffe une gifle qui lui fit lâcher prise et le jeta à terre. Son corps frêle et osseux ne fit guère de bruit en tombant ; il n'avait pas assez de masse. Mais il roula sur quelques mètres et le couteau s'échappa de sa main. Kissoon accorda à son adversaire un regard méprisant, puis éclata de rire.

— Pauvre salope, dit-il à Tesla. Qu'espérais-tu donc ? Un répit ? Un éclair aveuglant pour les anéantir ? N'y pense plus. Ça n'arrivera jamais. Le moment est figé.

Il se dirigea vers elle tout en prononçant ces mots, d'une allure trahissant la gravité des blessures qui lui avaient été infligées.

— Tu voulais une révélation, dit-il. Et maintenant, tu l'as. Elle est presque arrivée. Je crois que tu devrais lui manifester ta dévotion. Oui, cela conviendrait à merveille. Montre-lui ta chair.

Il leva ses mains sanglantes, aussi sanglantes qu'elles l'avaient été lorsque Tesla avait entendu le mot Trinité pour la première fois et les avait aperçues maculées du sang de Mary Muralles.

— Tes seins, dit-il. Montre-lui tes seins.

Tesla aperçut Jaffe en train de se relever. Kissoon ne remarqua rien. Il n'avait d'yeux que pour elle.

— Je crois que c'est à moi de les dénuder, dit-il. Laisse-moi te manifester ma *tendresse*.

Elle ne recula pas ; ne résista pas. Au lieu de cela, elle effaça toute expression de son visage, sachant à quel point il appréciait la docilité. Ses mains ensanglantées étaient répugnantes, et sa trique pressée contre le tissu souillé de son pantalon plus répugnante encore, mais elle réussit à dissimuler son dégoût.

— Bien, dit-il. Bien.

Il posa les mains sur ses seins.

— Et si on baisait pour célébrer leur avènement ? dit-il.

Elle ne parvint pas tout à fait à réprimer le frisson qui la parcourut à cette idée et à ce contact.

— Tu n'aimes pas ça ? dit-il, soudain soupçonneux.

Ses yeux se tournèrent vers la gauche lorsqu'il comprit la nature de la conspiration menée contre lui. Il y avait une lueur de crainte en eux. Il commença à se retourner. Jaffe était à deux mètres de lui, et il s'approchait, le couteau levé au-dessus de sa tête, l'éclat de sa lame reflétant l'éclat dans les yeux de Kissoon. Ces deux lueurs-là ne demandaient qu'à être unies.

— Tu n'oseras..., commença Kissoon.

Mais le couteau osa descendre avant qu'il n'ait pu le lui interdire, plongeant dans son œil droit grand ouvert. Cette fois-ci, Kissoon ne cria pas, mais il exhala un long soupir qui ressemblait à un gémissement. Jaffe dégagea son couteau et frappa une deuxième fois, de façon aussi nette que la première, et lui creva l'œil gauche. Il enfonça la lame jusqu'à la garde, puis la retira. Kissoon vacilla, ses gémissements se transformant en sanglots tandis qu'il tombait à genoux. Tenant son couteau serré dans ses deux poings, Jaffe décocha au chaman un troisième coup, au sommet du crâne, puis entreprit de le poignarder à plusieurs reprises, lui infligeant une multitude de blessures.

Les sanglots de Kissoon s'interrompirent aussi brusquement qu'ils avaient commencé. Ses mains, qui s'étaient agitées autour de sa tête pour la protéger de nouveaux coups, retombèrent le long de ses flancs. Son corps resta dressé durant deux battements de cœur. Puis il tomba de tout son long.

Un spasme de plaisir parcourut Tesla, un spasme impossible à distinguer de celui de l'extase. Elle voulut que la bombe explose en cet instant, mêlant son orgasme au sien. Kissoon était mort, et cela lui était égal de mourir à présent, car elle savait que les Iad seraient balayés en même temps qu'elle.

— *Vas-y*, dit-elle à la bombe, s'efforçant de retenir son bonheur jusqu'à l'instant où sa chair serait consumée. *Vas-y, veux-tu ? Vas-y.*

Mais il n'y eut aucune explosion. Elle sentit sa vague de plaisir refluer, laissant la place à une certitude : elle avait négligé de prendre en compte un élément vital. A présent que Kissoon était mort, l'événement qu'il s'était efforcé de retarder durant toutes ces années allait sûrement survenir, n'est-ce pas ? Tout de suite ; au moment prévu. Mais il ne se passait rien. La tour d'acier était toujours debout.

— Qu'est-ce que j'ai oublié ? se demanda-t-elle. Au nom de Dieu, qu'est-ce que j'ai oublié ?

Elle se tourna vers Jaffe, toujours en train de contempler le cadavre de Kissoon.

— Synchronicité, dit-il.

— Quoi ?

— Je l'ai tué.

— Ça ne semble pas avoir résolu le problème.

— Quel problème ?

— Ceci est le Point Zéro. Il y a une bombe qui n'attend que d'exploser. C'est lui qui retardait le moment de l'explosion.

— Qui ça ?

— *Kissoon !* N'est-ce pas évident ?

Non, bébé — se dit-elle —, ce n'est pas évident. Bien sûr que non. Tout s'éclaircit dans sa tête : lorsque Kissoon avait quitté la Boucle dans le corps de Raul, il avait eu l'intention de revenir pour récupérer le sien. Une fois dans le Cosme, il ne pouvait plus retarder le moment. Quelqu'un d'autre avait dû accomplir cette tâche à sa place. Cette personne, ou plutôt cet *esprit*, était encore à l'ouvrage.

— Où allez-vous ? voulut savoir Jaffe.

Tesla se dirigeait vers le désert qui s'étendait derrière la tour. Arriverait-elle seulement à retrouver la hutte ? Il la suivit sans cesser de lui poser des questions.

— Comment nous avez-vous amenés ici ?

— J'ai mangé la scène et je l'ai recrachée.

— Comme mes mains ?

— Non, pas comme vos mains. Pas du tout.

Le soleil disparaissait peu à peu derrière la trame formée par les caillots, que la lumière ne traversait que par endroits.

— Où allez-vous ? répéta-t-il.

— A la hutte. La hutte de Kissoon.

— Pourquoi faire ?

— Suivez-moi. J'aurai besoin d'aide.

Un cri poussé dans la pénombre les ralentit quelques instants.

— *Papa ?*

Elle se retourna pour découvrir Tommy-Ray émergeant de l'obscurité pour pénétrer dans une flaque de lumière. Le soleil était étrangement tendre envers lui, son éclat délavait les détails les plus atroces de sa physionomie transformée.

— Papa ?

Jaffe cessa de suivre Tesla.

— Venez, lui dit-elle.

Mais elle savait déjà qu'elle l'avait perdu au bénéfice de Tommy-Ray. La première fois, c'étaient les pensées de son fils qui l'avaient arraché à elle. Cette fois-ci, c'était sa présence.

Death Boy avança en trébuchant vers son père.

— Aide-moi, Papa, dit-il.

L'homme lui ouvrit les bras sans rien dire, sans avoir besoin de rien dire. Tommy-Ray s'effondra contre lui, le serrant dans ses bras en retour.

Tesla lui proposa une dernière fois de venir à son aide.

— Vous venez, oui ou non?

Sa réponse fut toute simple :

— *Non,* dit-il.

Elle ne prit pas la peine d'insister davantage. L'adolescent avait plus de droits qu'elle sur son père. Elle regarda leur étreinte se resserrer, comme si chacun d'eux avait cherché à couper le souffle à l'autre, puis se retourna vers la tour et se mit à courir

Elle s'était interdit de regarder derrière elle, mais lorsqu'elle arriva près de la tour — ses poumons lui faisaient mal, et il lui restait un long chemin à parcourir avant d'atteindre la hutte —, elle le fit néanmoins. Père et fils n'avaient pas bougé. Ils se tenaient au milieu d'une flaque de lumière, enveloppés l'un autour de l'autre, et les caillots continuaient de s'assembler derrière eux. A cette distance, leur structure évoquait l'œuvre d'une gigantesque et funèbre dentellière. Elle étudia le rideau durant quelques instants, s'efforçant de l'interpréter et trouvant à son existence une solution à la fois grotesque et plausible : ceci était un voile derrière lequel les Iad allaient s'élever. En fait, il lui semblait déjà percevoir un mouvement derrière les plis; des ténèbres plus vastes en train de se former.

Elle se détourna de ce spectacle, jeta un bref regard à la tour et à son contenu létal, puis se remit à courir en direction de la hutte.

Les voyageurs qui avaient pris la direction opposée à celle de Tesla, traversant la ville vers le périmètre de la Boucle, avaient autant de peine qu'elle à avancer. Ils avaient tous déjà trop voyagé : dans la terre, sur la mer, sur les îles, dans les cavernes, et aux frontières de leur raison. Cet ultime voyage exigeait d'eux une énergie qu'ils étaient quasiment incapables de fournir. Leurs corps menaçaient de succomber à chaque pas, et le sol sec et dur du désert leur paraissait confortable comparé au supplice de leur marche forcée. Mais la peur la plus ancienne que l'homme ait jamais connue les poussait de l'avant : la peur de la bête en chasse. Cette bête-là n'avait ni crocs ni griffes, bien sûr, mais elle n'en était pas moins létale. C'était une bête de feu. Ce fut seulement lorsqu'ils atteignirent la ville qu'ils ralentirent leur allure assez longtemps pour échanger quelques mots.

— C'est encore loin? voulut savoir Jo-Beth.

— De l'autre côté de la ville.

Howie examinait le rideau des Iad, dont la hauteur atteignait à présent une trentaine de mètres.

— Vous croyez qu'ils peuvent nous voir ? dit-il.

— Qui ça ? dit Grillo. Les Iad ? S'ils nous voient, ils ne semblent pas vouloir nous suivre.

— Ce n'est pas eux, dit Jo-Beth. Ce n'est que leur voile.

— On a donc encore une chance, dit Howie.

— Saisissons-la, dit Grillo, et il accéléra l'allure pour les mener le long de la rue principale.

Ce n'était pas une question de chance. L'esprit de Tesla, tout déboussolé qu'il fût, gardait présent en lui le chemin qui conduisait à la hutte. Tout en trottinant (elle était désormais incapable de courir), elle se repassa mentalement la conversation qu'elle avait eue avec Grillo dans sa chambre d'hôtel et au cours de laquelle elle lui avait confessé l'étendue de ses ambitions spirituelles. Si elle devait mourir ici, dans la Boucle — et c'était quasi inévitable —, elle savait qu'elle aurait compris plus de choses sur les rouages du monde depuis son arrivée à Palomo Grove que durant toutes les années précédentes. Elle avait eu des aventures au-delà de sa chair. Elle avait rencontré des incarnations du bien et du mal, et appris quelque chose sur sa propre condition car elle ne ressemblait ni aux unes ni aux autres. Si elle devait bientôt quitter cette vie, soit au moment de la détonation soit à celui de l'arrivée des Iad, elle n'aurait aucune raison de se plaindre.

Mais il existait tant d'âmes qui n'avaient pas encore accepté l'idée de leur mort, et qui n'avaient pas à le faire. Des nouveau-nés, des enfants, des amants. Des gens pacifiques dispersés sur toute la planète, dont la vie était encore riche de potentialités et qui, si elle échouait, se réveilleraient demain privés de toute chance de goûter à ces aventures de l'esprit qu'elle-même avait vécues. Des esclaves des Iad. Quelle justice y avait-il là ? Avant de venir au Grove, elle aurait donné à cette question la réponse toute faite qui était celle du vingtième siècle. Il n'y a pas de justice, parce que la justice est une fabrication de l'esprit humain et n'a aucune place dans un système matériel. Mais l'esprit est dans la matière, toujours. Telle était la révélation de Quiddity. L'océan était le carrefour dont étaient issues toutes les possibilités. Avant toute chose, Quiddity. Avant la vie, le rêve de la vie. Avant la solidité, le rêve de la solidité. Et l'esprit, rêvant ou éveillé, connaissait la justice, qui était par conséquent aussi naturelle que la matière, et dont l'absence méritait plus qu'un haussement d'épaules fataliste. Elle méritait un cri d'indignation ; et une quête passionnée du *pourquoi*. Si elle souhaitait vivre au-delà de l'holocauste imminent, c'était afin de pouvoir pousser ce cri. De chercher quel crime contre l'esprit universel son espèce avait pu commettre pour se retrouver ainsi sur le point d'être exécutée. Savoir ceci, voilà qui valait la peine de vivre.

La hutte était en vue. Tesla se retourna et vit ses soupçons confirmés : les Iad s'élevaient derrière le voile de caillots. Les géants de ses cauchemars enfantins émergeaient de la brèche et écarteraient bientôt leur voile. A ce moment-là, ils ne pourraient manquer de la voir et descendraient sur elle. Mais ils ne se pressaient pas. Il leur fallait du temps pour faire sortir leurs immenses membres de Quiddity ; leurs têtes (grosses comme des maisons, aux fenêtres étincelantes) étaient titanesques. Lorsqu'elle se remit à courir vers la hutte, l'aperçu qu'elle avait eu de ces êtres en émergence grandit en cohérence dans son esprit, et elle fut sur le point de percer leur mystère.

La porte de la hutte était fermée, bien sûr. Mais elle n'était pas fermée à clé. Tesla l'ouvrit en grand.

Kissoon l'attendait. Le choc qu'elle éprouva en le voyant lui coupa le souffle, et elle allait battre en retraite au soleil lorsqu'elle se rendit compte que ce corps adossé au mur était vide de tout esprit, et que son organisme fonctionnait au ralenti pour l'empêcher de périr. Il n'y avait personne derrière ces yeux vitreux. La porte se referma en claquant et, sans perdre de temps, Tesla prononça le nom du seul esprit qui avait pu prendre la place de Kissoon pour retarder le moment.

— *Raul ?*

L'air las de la hutte gémit de sa présence invisible.

— Raul ? Pour l'amour de Dieu, je sais que tu es là. Je sais que tu as peur. Mais si tu peux m'entendre, montre-le-moi, veux-tu ?

Le gémissement s'intensifia. Elle eut l'impression qu'il tournait en rond dans la hutte, comme une mouche emprisonnée dans un bocal.

— Raul, il faut que tu laisses aller le moment. Aie confiance en moi et *laisse-le aller*.

Le gémissement commençait à lui faire mal.

— Je ne sais pas ce qu'il t'a fait pour t'obliger à renoncer à ton corps, mais je sais que ce n'était pas de ta faute. Il t'a trompé. Il t'a menti. Il a fait la même chose avec moi. Tu as compris ? Ce n'est pas de ta faute.

L'air se calma quelque peu. Elle inspira profondément et reprit sa supplique, se rappelant comment elle l'avait persuadé de la suivre, d'abandonner la Mission.

— Si c'est la faute de quelqu'un, c'est la mienne, dit-elle. Pardonne-moi, Raul. C'est la fin pour nous deux. Mais si ça peut te consoler, c'est aussi la fin pour Kissoon. Il ne reviendra pas. Ton corps... ne reviendra pas. Il a été détruit. Il n'y avait pas d'autre moyen de le tuer.

La douleur que lui causait le gémissement avait été remplacée par une douleur bien plus profonde : celle qu'elle éprouvait devant la souffrance de cet esprit, désincarné et terrifié, incapable de renoncer à la tâche qui lui avait été fixée. Une victime de Kissoon, tout comme elle-même. Ils étaient si semblables, de bien des façons. Nonciés tous les deux, cherchant à dépasser leurs limites. Un couple fort étrange, mais un couple quand même. Cette pensée lui en inspira une autre.

Elle la formula.

— Deux esprits peuvent-ils occuper le même corps ? dit-elle. Si tu as peur... *viens en moi.*

Elle laissa cette idée planer dans le silence, sans insister de peur de le paniquer davantage. Elle attendit auprès des cendres froides du feu, sachant que chaque seconde d'hésitation de la part de Raul accordait un nouvel avantage aux Iad, mais vide de tout nouvel argument ou de toute nouvelle invite. Elle lui avait offert plus que ce qu'elle avait jamais offert à quiconque durant toute sa vie : la totale possession de son corps. S'il refusait cette offre, il n'y avait plus rien à faire.

Au bout de quelques secondes de silence, quelque chose sembla venir frôler sa nuque, comme les doigts d'un amant, une caresse qui se transforma soudain en piqûre.

— C'est toi ? dit-elle.

Durant le battement de cœur qui lui fut nécessaire pour poser cette question, elle s'aperçut que c'était à elle-même qu'elle l'adressait, car l'esprit de Raul venait d'entrer dans sa tête.

Aucun dialogue ne fut nécessaire entre eux, et il n'y en eut aucun. Ils étaient deux spectres jumeaux occupant la même machine, en communication totale dès l'instant de l'entrée de Raul. Elle lut dans ses souvenirs la façon dont Kissoon s'était emparé de lui, l'arrachant à la salle de bains de North Huntley Drive pour l'attirer dans la Boucle et utilisant sa confusion pour le soumettre. Il avait été une proie facile. L'esprit alourdi par la fumée, forcé par hypnose à accomplir une seule et unique tâche, retarder le moment de l'explosion, puis extirpé de son corps pour accomplir cette tâche au sein d'une terreur aveugle qui n'avait cessé que lorsque Tesla avait ouvert la porte de la hutte. Elle n'eut pas plus besoin de l'instruire de ce qu'ils devaient faire ensemble qu'il n'eut besoin de lui faire ce récit. Il partageait sa compréhension.

Elle retourna vers la porte et l'ouvrit.

Le voile des Iad était à présent assez grand pour toucher la hutte de son ombre. Quelques rayons de soleil traversaient encore sa trame, mais aucun n'éclairait le seuil sur lequel se tenait Tesla. Là régnaient les ténèbres. Elle se tourna vers le voile, percevant les Iad qui s'assemblaient derrière lui. Leurs silhouettes avaient la taille d'un cyclone, leurs membres étaient pareils à des fouets conçus pour meurtrir les montagnes.

Maintenant, pensa-t-elle. *Ou jamais. Laisse aller le moment.*

Laisse... le... aller.

Elle sentit Raul s'exécuter, sentit sa volonté relâcher son emprise et se débarrasser du fardeau que lui avait imposé Kissoon. Une vague sembla se diriger vers eux depuis la tour au-dessus de laquelle flottait la masse des Iad. Après des années de suspension, le temps prenait son vol. Le 16 juillet à 5 h 30 n'était qu'à quelques instants, ainsi que l'événement qui avait fait de ce moment innocent le début de la Dernière Folie de l'Homme.

Les pensées de Tesla se tournèrent vers Grillo, vers Jo-Beth et vers Howie, et elle les pressa de regagner l'abri du Cosme, mais ses supplies furent interrompues lorsqu'un éclat naquit au cœur de l'ombre. Elle ne voyait pas la tour, mais elle aperçut le choc jaillir de la plate-forme, la boule de feu qui devenait visible et le second éclat qui apparaissait l'instant d'après, la lumière la plus brillante qu'elle ait jamais vue, du jaune au blanc en un clin d'œil...

Nous pouvons en faire plus, pensa-t-elle alors que le feu enflait de façon obscène. *Je pourrais être chez moi.*

Elle se visualisa — femme, homme et singe en un seul corps meurtri — debout sur le seuil de la hutte, le visage éclairé par la lueur de la bombe. Puis elle imagina ce même visage et ce même corps en un autre lieu. Elle ne disposait que de quelques secondes. Mais sa pensée était rapide.

Elle vit les hordes de Iad écarter leur voile de caillots au-dessus du désert alors que le nuage étincelant croissait jusqu'à les cacher. Leurs visages ressemblaient à des fleurs grandes comme des montagnes et ils ne cessaient de s'ouvrir, succession infinie de gorges. C'était une démonstration étourdissante, leur immensité semblait receler des labyrinthes qui tournaient sur eux-mêmes tout en se révélant. Des tunnels qui devenaient des tours de chair, s'il s'agissait bien de chair, tournant et tournant sans cesse, si bien que chaque parcelle de leur être était en constante transformation. S'ils avaient effectivement quelque appétit pour la singularité, alors c'était pour se sauver de ce flux prodigieux.

Des montagnes et des mouches, avait dit Jaffe, et elle comprenait à présent ce qu'il avait voulu dire. Les Iad étaient soit une nation de léviathans, en proie à d'innombrables parasites et constamment en train d'ouvrir leurs tripes dans le vain espoir de s'en défaire, soit les parasites eux-mêmes, si nombreux qu'ils passaient pour des montagnes. Elle ne le saurait jamais, ni dans cette vie ni dans Trinité. Avant qu'elle ait pu interpréter leurs innombrables configurations, l'explosion les cacha, réduisant leur mystère en cendres.

Au même instant, la Boucle de Kissoon, ayant rempli sa tâche d'une façon que son créateur n'aurait jamais pu concevoir, disparut. Si le mécanisme létal de la tour échouait à les consumer, ils étaient néanmoins perdus, leur folie et leur appétit scellés au sein d'un moment de temps perdu.

VIII

Lorsque Howie, Jo-Beth et Grillo avaient abordé le périmètre incertain de la Boucle — ce bref intervalle de temps
autour du 16 juillet 1945, 5 h 30, que Kissoon avait créé,
sur lequel il avait régné et dont il avait fini par devenir le
prisonnier —, une lumière s'était épanouie derrière eux. Non, pas
épanouie. Les champignons n'ont pas de fleurs. Ils n'avaient pas
regardé derrière eux, mais avaient obligé leurs organismes
épuisés à accomplir un dernier effort surhumain, grâce auquel ils
avaient regagné l'abri du temps réel. Incapables de faire un
mouvement de plus, ils s'étaient allongés sur le sol du désert
durant un long moment, ne se relevant que lorsqu'il leur devint
impossible de négliger le risque de rôtir au soleil.

Le retour en Californie s'avéra long et pénible. Ils trouvèrent
une autoroute au bout d'une heure d'errance, et un garage
abandonné au bout d'une seconde heure. Grillo y laissa les deux
amants, sachant qu'il lui serait impossible de faire du stop en
compagnie de ces monstres. Après une longue attente, il trouva
un automobiliste compatissant et, arrivé dans une petite ville,
consacra tout le contenu de son portefeuille, y compris ses cartes
de crédit, à l'achat d'un camion déglingué, au volant duquel il
alla chercher Jo-Beth et Howie pour les ramener dans le comté de
Ventura. Les deux jeunes gens s'allongèrent à l'arrière et
plongèrent dans un profond sommeil, si épuisés que rien n'aurait
pu les réveiller. Ils arrivèrent au Grove à l'aube du jour suivant,
mais tous les accès à la ville étaient bloqués. Les mêmes autorités
qui avaient fait preuve de lenteur, de négligence, voire — comme
le soupçonnait Grillo — de complicité en refusant de défendre le
Grove contre les forces qui s'étaient déchaînées dans ses rues
faisaient montre, à présent que ces forces s'étaient éclipsées,
d'une prudence obsessionnelle. La ville faisait l'objet d'un
véritable blocus. Grillo ne tenta pas de le forcer. Il se contenta de
faire demi-tour dès qu'il aperçut les barricades, et roula sur
l'autoroute jusqu'à ce qu'il ait trouvé une aire de repos pour le
camion et pour ses passagers. Le sommeil de ces derniers ne fut

pas interrompu. Lorsque Grillo se réveilla quelques heures plus tard, ce fut pour découvrir que le camion était vide. Il en descendit, sentant la douleur sourde dans toutes ses articulations, alla pisser, puis partit à la recherche des deux amants. Il les trouva assis au soleil sur un talus. Les transformations que leur avait infligées Quiddity étaient déjà en train de s'estomper. Leurs mains n'étaient plus réunies et les formes bizarres qui avaient remodelé leurs visages avaient brûlé au soleil, ne laissant que des taches sur leur peau jadis parfaite. Avec le temps, ces taches finiraient probablement par disparaître. Ce qui ne disparaîtrait sans doute jamais, pensa-t-il, c'était la lueur qu'il vit dans leurs yeux lorsqu'il croisa leur regard : ces deux êtres avaient partagé une expérience que nul n'avait jamais connu auparavant et, grâce à ce partage, ils étaient à présent possédés l'un par l'autre. Au bout d'une minute passée en leur présence, il avait l'impression d'être un intrus. Ils discutèrent brièvement de la suite des événements, arrivant à la conclusion qu'il valait mieux rester dans les environs du Grove. On ne parla pas une seule fois de ce qui s'était passé dans la Boucle et dans Quiddity, bien que Grillo brûlât du désir de demander aux deux jeunes gens quel effet ça faisait de flotter dans l'océan onirique. Une fois leur plan arrêté, Grillo retourna dans le camion et attendit que les autres le rejoignent. Ce qu'ils firent quelques minutes plus tard, la main dans la main.

Nombreux avaient été les témoins de l'évacuation partielle de Coney Eye effectuée par Tesla. Observateurs et photographes, garés sur la Colline ou volant au-dessus d'elle, virent la façade de la maison devenir peu à peu transparente avant de s'évanouir dans la fumée. Privée d'une portion substantielle de sa structure, la maison succomba aux effets de la pesanteur. S'il ne s'était trouvé que deux ou trois témoins, on aurait pu mettre en doute la véracité de leurs dires. C'était seulement dans les pages du *National Enquirer** et de ses émules que la matière solide, bois et ardoise, s'enfuyait vers un autre plan de l'existence. Mais il y avait eu en tout vingt-deux spectateurs. Chacun d'eux avait son vocabulaire — tantôt sobre, tantôt fleuri — pour décrire ce qu'il avait vu, mais les faits saillants demeuraient immuables. Une partie substantielle du musée de l'Authentique Art Américain

---

* Célèbre journal à sensation américain. *(N.d.T.)*

fondé par Buddy Vance avait été emportée dans une autre réalité.

Certains de ces témoins (les plus fatigués d'entre eux) prétendirent même avoir eu un bref aperçu de cet endroit. Un horizon blanc et un ciel éclatant; un nuage de poussière. Le Nevada, peut-être; ou l'Utah. Un endroit désert à choisir parmi des milliers. L'Amérique en était amplement pourvue. Ce pays était immense et encore plein de vide. Des endroits où une maison pouvait réapparaître sans jamais être retrouvée; ou des mystères pouvaient survenir chaque jour de la semaine sans que quiconque en ait connaissance. Après avoir vu ce qu'ils avaient vu, quelques-uns de ces témoins, pour la première fois de leur existence, prirent conscience du fait qu'un pays pouvait parfois être *trop* grand, *trop* plein d'espaces vides. Cette idée en vint à les hanter.

Le sol sur lequel Palomo Grove avait été édifié allait devenir l'un de ces espaces, du moins pour un certain temps.

Le processus régulier de destruction ne prit pas fin avec l'évacuation de Coney Eye dans la Boucle. Loin de là. La terre avait attendu un signe, et elle venait de le recevoir. Les fissures devinrent des crevasses, et les crevasses devinrent des gouffres, bouleversant des rues entières. Les plus affectés des quatre villages furent Windbluff et Deerdell, ce dernier se faisant quasiment laminer par des ondes de choc en provenance de la forêt, laquelle disparut entièrement pour laisser la place à une zone de terre brûlée. La Colline et ses propriétés somptueuses furent les victimes d'un assaut tout aussi grave; voire même de plusieurs assauts. Les maisons situées immédiatement au-dessous de l'endroit où s'était trouvé Coney Eye ne furent pas les plus atteintes (de toute façon, cela n'avait guère d'importance : leurs propriétaires avaient été parmi les premiers à partir, jurant de ne plus jamais revenir). Ce furent les Croissants qui souffrirent. Emerson se déplaça de deux cents mètres vers le sud, transformant ses maisons en accordéons. Whitman alla vers l'ouest, à la suite de quoi ses maisons furent englouties dans leurs piscines respectives. Les trois autres Croissants furent tout simplement laminés, ce qui déclencha une avalanche de débris sur le flanc de la Colline, causant des dommages considérables. Mais ces détails n'avaient aucune importance. Personne ne reviendrait jamais essayer de sauver ce qui pouvait l'être; toute la région fut décrétée instable pendant une durée de six jours, au cours desquels les incendies firent rage, détruisant en grande partie les propriétés que le sol n'avait ni abattues ni englouties. A cet égard, le village le plus infortuné fut Stillbrook, dont les occupants auraient pu un jour récupérer quelques-unes de leurs possessions si un incendie ne s'était pas déclaré dans une maison de Fellowship Street, un soir où soufflait le vent qui avait jadis apporté l'odeur de l'océan jusqu'aux jardins du Grove, un vent grâce auquel les flammes se répandirent dans le village à une vitesse dévastatrice. Le lendemain matin, la moitié du village était réduite en cendres. Le soir venu, l'autre moitié avait subi le même sort.

Ce fut ce soir-là, après l'incendie de Stillbrook, six jours après les événements survenus sur la Colline, que Grillo revint à Palomo Grove. Il avait dormi durant la moitié de ce temps, mais ne se sentait pas reposé pour autant. Le sommeil n'était plus le palliatif qu'il avait été. Grillo n'y trouvait plus ni paix ni réconfort. Lorsqu'il fermait les yeux, son esprit revoyait sans cesse des scènes du passé. Du passé récent, surtout. Ellen Nguyen y était souvent présente, lui demandant sans cesse d'abandonner les baisers en faveur des morsures ; son fils était là aussi, couché dans son lit et entouré de Balloon Men. Plus des apparitions attendues de Rochelle Vance, qui ne disait rien et ne faisait rien, mais qui agrémentait le défilé de sa beauté. Il y avait le Bon Fletcher, devant le centre commercial. Il y avait le Jaff au dernier étage de Coney Eye, en train de suinter le pouvoir. Et Witt vivant. Et Witt mort, le visage dans l'eau.

Mais la véritable vedette de ce film était Tesla, qui lui avait joué son dernier tour lorsqu'elle lui avait souri en refusant de lui dire adieu, bien qu'elle ait su que c'était un adieu. Ils n'avaient jamais été amants ; n'avaient même pas cherché à l'être. Dans un sens, il n'avait jamais compris la nature du sentiment qu'elle lui inspirait. De l'amour, sans aucun doute, mais un genre d'amour difficile à exprimer ; peut-être impossible à exprimer. Ce qui rendait sa peine également problématique.

C'était cette sensation d'inachevé qui l'avait empêché de réagir aux innombrables messages qu'Abernethy avait laissés sur son répondeur téléphonique, bien que l'idée de raconter son histoire ne cessât de le démanger. Tesla avait toujours fait montre d'une certaine ambiguïté à l'idée de rendre publique la vérité, même si elle avait fini par l'autoriser à le faire. Mais c'était seulement parce qu'elle avait estimé que ça n'avait plus aucune importance, que le monde approchait de sa fin et qu'il n'y avait que peu d'espoir de le sauver. Mais la fin n'était pas venue et Tesla avait péri en sauvant le monde. L'honneur de Grillo l'obligeait à garder le silence. En dépit de cette discrétion, cependant, il n'avait pas pu s'empêcher de revenir au Grove pour observer les progrès de son trépas.

Lorsqu'il arriva, la ville était toujours zone interdite et encerclée par les barricades. Celles-ci n'étaient pas difficiles à franchir. Les gardiens du Grove commençaient à négliger leurs obligations car rares étaient ceux — touristes, pillards ou résidents — qui étaient assez téméraires pour oser arpenter ses rues turbulentes. Il franchit sans peine le cordon et commença à explorer la ville. Le vent qui, la veille, avait répandu les flammes dans Stillbrook était complètement retombé. La fumée de l'incendie s'était à présent calmée, et le goût en était presque rafraîchissant dans sa bouche, évoquant celui d'un bon feu de bois. Cette ambiance aurait pu être bucolique dans d'autres circonstances, mais il en savait trop sur le Grove et sur ses tragédies pour se laisser aller. Il était impossible de contempler cette scène de destruction sans regretter la mort du Grove. Le pire de ses péchés avait été l'hypocrisie : la ville avait vécu heureuse au soleil sans cesser de dissimuler son moi secret. Ce moi avait sué des peurs et rendu réels des rêves éphémères, et c'étaient ces peurs et ces rêves, et non Jaffe et Fletcher, qui avaient finalement déchiré le Grove. Les Nonciés avaient utilisé la ville comme arène, mais ils n'avaient inventé aucune arme que le Grove n'eût auparavant nourrie dans son sein.

Tout en errant dans les rues, il se surprit à se demander s'il n'existait pas un moyen de raconter l'histoire du Grove sans enfreindre la volonté de Tesla. Peut-être en renonçant à Swift et en essayant de trouver un mode poétique grâce auquel narrer ses expériences. C'était une route sur laquelle il avait déjà tenté de s'engager mais, aujourd'hui comme hier, il savait que pour lui ce serait une impasse. Il était venu à Palomo Grove, avec son esprit terre à terre, et rien de ce qu'il avait vu ne le persuaderait de renier le culte du fait brut.

Il fit un tour complet de la ville, n'évitant que les zones où toute exploration aurait été suicidaire, notant mentalement tout ce qu'il observait bien qu'il sût qu'il ne pourrait jamais utiliser ses observations. Puis il s'éclipsa sans être remarqué et retourna à L. A., vers d'autres nuits emplies de souvenirs rediffusés.

Jo-Beth et Howie ne connurent pas le même sort. Ils avaient vécu la nuit noire de l'âme dans les eaux de Quiddity, et les nuits qui suivirent au sein du Cosme furent pour eux sans rêves. Du moins, ils ne se souvenaient de rien à leur réveil.

Howie essaya de convaincre Jo-Beth de l'accompagner à Chicago, mais elle affirma qu'un tel projet était prématuré. Tant que le Grove resterait une zone dangereuse, et tant qu'on n'aurait pas retrouvé tous les corps, elle ne quitterait pas les lieux. Maman était morte, cela ne faisait aucun doute. Mais tant qu'on ne l'aurait pas retrouvée et évacuée, tant qu'on ne lui aurait pas donné une sépulture chrétienne, il leur serait impossible de faire des plans sur ce qu'allait être leur vie après cette tragédie.

En attendant, ils avaient bien des plaies à panser, ce qu'ils firent derrière des portes closes dans un motel de Thousand Oaks, assez près du Grove pour que Jo-Beth soit parmi les premiers à y retourner lorsque tout danger serait passé. Les marques que Quiddity avait laissées sur eux finirent par s'estomper, et ils se retrouvèrent plongés dans d'étranges limbes. Tout était fini, mais rien de nouveau ne pouvait commencer. Et durant cette attente, une certaine distance crût entre eux, qu'ils ne souhaitaient pas encourager mais qu'ils ne pouvaient pas non plus empêcher. L'amour qui était né dans le Steak House Budrick avait déclenché une série de cataclysmes dont ils savaient pertinemment qu'ils n'étaient pas responsables, mais qui ne cessaient néanmoins de les hanter. Leur honte pesait de plus en plus sur eux tandis qu'ils attendaient la suite des événements, son influence croissant à mesure que progressait leur guérison et à mesure qu'ils prenaient conscience du fait que, contrairement à des douzaines, peut-être à des centaines d'innocents, ils s'en étaient tirés sans la moindre blessure.

Le septième jour après leur sortie de la Boucle de Kissoon, la radio les informa que les sauveteurs commençaient à pénétrer dans la ville. La destruction du Grove avait fait la une des journaux, bien entendu, et d'innombrables théories avaient été émises afin d'expliquer pourquoi la ville avait subi de tels dommages alors que le reste de la vallée n'avait eu à déplorer que de rares secousses et quelques fissures. Aucun de ces comptes rendus ne mentionna le phénomène survenu à Coney Eye ; les pressions exercées par le gouvernement avaient réduit au silence les témoins de l'impossible.

Les survivants pénétrèrent dans la ville avec une certaine circonspection mais, à la fin de la journée, bon nombre d'entre eux étaient de retour pour fouiller les décombres et tâcher de récupérer possessions et souvenirs. Certains eurent de la chance. Pas la majorité. Pour chaque citoyen du Grove découvrant sa maison intacte, il y en avait six qui ne trouvaient plus que des ruines dans leur rue. Tout avait disparu ; tout était réduit en pièces ou simplement enseveli. Le quartier le moins endommagé était paradoxalement le moins habité : le centre commercial et ses environs immédiats. Le panneau en bois de pin planté à l'entrée du parking et annonçant *Centre Commercial de Palomo Grove* avait été englouti par un trou, ainsi qu'une bonne partie du parking lui-même, mais les magasins étaient intacts, ce qui entraîna l'ouverture d'une enquête (jamais résolue) dès que l'on découvrit les cadavres dans la boutique d'animaux. Mais excepté ce détail, si des clients s'étaient montrés, le centre aurait pu rouvrir ce jour-là sans autre formalité qu'un coup de chiffon à poussière. Marvin Junior, de l'épicerie Marvin, fut le premier à organiser l'évacuation de son stock. Son frère tenait un magasin à Pasadena, et ses clients étaient indifférents à l'origine géographique de leurs achats en solde. Il ne chercha même pas à s'excuser pour la hâte avec laquelle il retira un profit de la situation. Les affaires sont les affaires, après tout.

Les autres objets qui furent évacués du Grove, dans une ambiance bien plus sobre, furent des cadavres. On amena sur les lieux un équipement de détection et des chiens entraînés à retrouver des survivants, sans succès. Puis commença le sinistre exode. On ne retrouva pas tous les citoyens du Grove qui avaient perdu la vie. Lors du recensement final, presque deux semaines après le début des recherches, quarante et un habitants étaient encore portés disparus. La terre s'était emparée d'eux, puis s'était refermée sur leurs corps. A moins que les individus en question ne se soient éclipsés à la faveur de la nuit, saisissant cette chance pour commencer ailleurs une nouvelle vie. Parmi ces derniers, à en croire la rumeur, figurait William Witt, dont le corps ne fut jamais retrouvé mais dont la maison se révéla receler assez de livres et de vidéo-cassettes pornographiques pour approvisionner durant plusieurs mois les quartiers chauds de pas mal de grandes villes. Il avait eu une vie secrète, ce William Witt, et on le soupçonnait d'avoir choisi d'aller la vivre ailleurs.

Lorsqu'un des deux cadavres retrouvés dans la boutique d'animaux fut identifié comme étant celui de Jim Hotchkiss, deux ou trois journalistes parmi les plus astucieux firent remarquer à quel point sa vie avait été marquée par la tragédie. Ils rappelèrent à leurs lecteurs que sa fille avait fait partie de ce qu'on avait baptisé la Ligue des Vierges, et consacrèrent un paragraphe à commenter les peines qui avaient affligé le Grove durant sa brève existence. Cette ville était-elle condamnée depuis sa fondation ? se demandèrent les plus imaginatifs. Était-elle bâtie sur un sol maudit ? Cette idée était de nature à fournir quelque réconfort. Dans le cas contraire, si le Grove avait été simplement une victime du hasard, combien de communautés américaines semblables étaient-elles vulnérables à de pareils outrages ?

Durant la deuxième journée de recherches, on retrouva le corps de Joyce McGuire dans les ruines de sa maison, laquelle avait subi considérablement plus de dommages que les propriétés avoisinantes. Il fut évacué, ainsi que la majorité des autres, vers une chapelle ardente de fortune aménagée à Thousand Oaks. Ce fut à Jo-Beth qu'incomba le pénible devoir de l'identifier, car son frère était destiné à figurer parmi les quarante et un disparus. Ceci fait, elle prit ses dispositions pour l'enterrement. L'Église de Jésus-Christ des Saints des Derniers Jours prenait soin de ses fidèles. Le Pasteur John avait survécu à l'anéantissement de la ville (en fait, il avait quitté le Grove dès le soir où le Jaff avait attaqué la maison des McGuire, et n'y était revenu que lorsque la poussière avait fini de flotter au-dessus des ruines), et ce fut lui qui organisa les funérailles de Maman. Howie et lui ne se croisèrent qu'une seule fois, et Howie eut vite fait de rappeler au Pasteur comment il s'était réfugié derrière le frigo durant cette nuit mémorable. Le Pasteur affirma avec insistance qu'il ne se souvenait de rien.

— Dommage que je n'aie pas pris de photo, dit Howie. Pour vous rafraîchir la mémoire. Mais j'en ai une là-dedans. (Il désigna sa tempe, sur laquelle les dernières traces de l'œuvre de Quiddity achevaient de s'effacer.) Au cas où je serais tenté un jour.

— Tenté de quoi ? demanda le Pasteur.

— D'être croyant.

Maman McGuire fut confiée aux bras du Dieu qu'elle s'était choisi deux jours après cette conversation. Howie n'assista pas à la cérémonie, mais il attendait Jo-Beth à la sortie. Ils partirent pour Chicago vingt-quatre heures plus tard.

Ils n'en avaient cependant pas fini avec cette histoire. Deux ou trois jours après leur arrivée à Chicago, le premier indice du statut d'élus que leur avaient conféré leurs aventures dans le Cosme et dans Quiddity apparut à leur porte, sous la forme d'un inconnu de haute taille, bien fait de sa personne mais paraissant épuisé, qui leur déclara se nommer D'Amour.

— J'aimerais vous parler au sujet de ce qui s'est passé à Palomo Grove, dit-il à Howie.

— Comment nous avez-vous retrouvés ?

— C'est mon boulot de retrouver les gens, expliqua Harry. Tesla Bombeck a dû vous parler de moi, non ?

— Non, je ne crois pas.

— Eh bien, vous pouvez vous adresser à elle.

— Non, lui rappela Howie. Elle est morte.

— C'est vrai, dit D'Amour. C'est vrai. Mes excuses.

— Et même si vous la connaissez, Jo-Beth et moi n'avons rien à vous dire. Nous voulons oublier le Grove, un point c'est tout.

— Il y a peu de chances pour que nous y arrivions, fit remarquer une voix derrière lui. Qui est-ce, Howie ?

— Il dit qu'il connaissait Tesla.

— D'Amour, dit l'inconnu, Harry D'Amour. J'aimerais m'entretenir avec vous. Rien que deux ou trois minutes. C'est très important.

Howie jeta un regard en coin à Jo-Beth.

— Pourquoi pas ? dit-elle.

— Il fait sacrément froid dehors, remarqua D'Amour en entrant. Qu'est-il arrivé à l'été ?

— Ça va mal partout, dit Jo-Beth.

— Vous aviez remarqué, répliqua D'Amour.

— Qu'est-ce que vous racontez, tous les deux ?

— Les informations, dit-elle. Je les ai suivies, pas toi.

— On dirait que c'est la pleine lune chaque nuit, dit D'Amour. Pas mal de gens se conduisent de façon bizarre. Le taux de suicide a doublé depuis la Percée du Grove. Il y a des émeutes dans tous les asiles du pays. Et je parierais qu'on ne sait pas tout ce qui se passe. Pas mal de choses sont étouffées.

— Par qui ?

— Le gouvernement. L'Église. Je suis le premier à vous avoir retrouvés ?

— Oui, dit Howie. Pourquoi ? Pensez-vous qu'il y en aura d'autres ?

— Sûrement. Vous êtes au centre de toute l'histoire, tous les deux...

— Ce n'était pas de notre faute ! protesta Howie.

— Ce n'est pas ce que j'ai dit, répliqua D'Amour. S'il vous plaît. Je ne suis pas venu ici pour vous accuser de quoi que ce soit. Et je suis sûr que vous méritez qu'on vous fiche la paix et qu'on vous laisse vivre votre vie. Mais ça ne se passera pas comme ça. C'est la vérité. Vous êtes trop importants. Vous en avez trop vu. Nous le savons, et eux aussi.

— *Eux ?* dit Jo-Beth.

— Les agents des Iad. Ceux qui ont empêché l'armée d'agir lorsque l'invasion des Iad semblait sur le point de réussir.

— Comment savez-vous tout ça ? voulut savoir Howie.

— Pour le moment, je dois me montrer prudent en ce qui concerne mes sources, mais j'espère pouvoir éventuellement vous les révéler.

— A vous entendre, nous sommes à vos côtés dans cette histoire, dit Howie. C'est faux. Vous avez raison, nous voulons vivre notre vie, ensemble. Et nous sommes prêts à aller n'importe où pour y parvenir : en Europe, en Australie, n'importe où.

— Ils vous retrouveront, dit D'Amour. Ils ont été trop près de la réussite pour baisser les bras à présent. Ils savent qu'ils nous ont foutu la trouille. Quiddity est souillé. Désormais, personne ne fera plus de beaux rêves. Nous sommes une proie facile, et ils le savent. Peut-être désirez-vous vivre une vie ordinaire, mais c'est impossible. Pas avec des pères comme les vôtres.

Ce fut au tour de Jo-Beth d'être choquée par ses paroles.

— Que savez-vous de nos pères ? dit-elle.

— Qu'ils ne sont pas au Ciel, déjà, dit D'Amour. Excusez-moi. C'était de mauvais goût. Comme je vous l'ai dit, j'ai mes sources, et j'espère vous les révéler bientôt. En attendant, je dois mieux comprendre ce qui s'est passé au Grove afin que nous puissions en retirer des enseignements.

— C'est ce que j'aurais dû faire, dit doucement Howie. J'avais la possibilité d'apprendre bien des choses auprès de Fletcher, mais je n'en ai jamais profité.

— Vous êtes le fils de Fletcher, dit D'Amour. Son esprit est en vous. Vous n'avez qu'à l'écouter.

— C'était un génie, dit Howie. Je le crois sincèrement. Je suis sûr qu'il était complètement défoncé à la mescaline la moitié du temps, mais c'était quand même un génie.

— Je veux vous entendre, dit D'Amour. Voulez-vous me parler ?

Howie le regarda durant un long moment. Puis il soupira et, d'un ton qui ressemblait à celui de la surprise, lui dit :

— Oui. Je le pense.

Grillo était assis dans le *50's Café* de Van Nuys Boulevard, à Sherman Oaks, et essayait de se souvenir des plaisirs de la table, lorsque quelqu'un vint s'asseoir en face de lui dans son box. On était en milieu d'après-midi et le café était loin d'être complet. Il leva la tête pour demander à ce qu'on respecte sa solitude, mais au lieu de cela dit :

— Tesla ?

Sa tenue était la quintessence du bombeckisme : un groupe de cygnes en céramique épinglés à un chemisier bleu nuit, un bandeau rouge autour du crâne, des lunettes noires. Son visage était pâle, mais son rouge à lèvres, qui jurait avec son bandeau, était livide. Elle fit glisser ses lunettes le long de son nez, et son rimmel était de la même nuance criarde.

— Oui, dit-elle.

— Oui quoi ?

— Oui *Tesla*.

— Je te croyais morte.

— J'ai fait la même erreur. Elle est facile à faire.

— Ce n'est pas une illusion ? dit-il.

— Enfin, tout n'est qu'illusion, n'est-ce pas ? Tout n'est que spectacle. Mais sommes-nous plus illusoires que toi ? Non.

— *Nous ?*

— J'y viendrai dans une minute. Toi d'abord. Comment ça va ?

— Pas grand-chose à raconter. Je suis retourné deux ou trois fois au Grove, pour voir qui avait survécu.

— Ellen Nguyen ?

— On ne l'a pas retrouvée. Philip non plus. J'ai personnellement fouillé les décombres. Dieu sait où elle est partie.

— Tu veux que nous la recherchions ? Nous avons des *contacts* à présent. Le retour au bercail n'a pas été facile. J'avais un cadavre dans mon appartement. Et bien des gens sont venus me poser des questions embarrassantes. Mais nous avons une certaine influence à présent, et je n'hésite pas à l'utiliser.

— Mais que veut dire ce *nous*?

— Est-ce que tu vas manger ce cheeseburger?

— Non.

— Bien. (Elle attira l'assiette vers elle.) Tu te souviens de Raul? dit-elle.

— Je n'ai jamais rencontré son esprit, seulement son corps.

— Eh bien, tu l'as devant toi.

— Pardon?

— Je l'ai retrouvé dans la Boucle. Du moins j'ai retrouvé son esprit. (Elle eut un sourire enrobé de ketchup.) C'est difficile à dire sans avoir l'air *pervers*... mais il est en moi. Lui, et le singe qu'il était, et moi, réunis dans un seul corps.

— Ton rêve s'est réalisé, dit Grillo. Tout pour tous.

— Oui, je le suppose. Je veux dire : *nous* le supposons. J'oublie tout le temps de nous inclure tous les deux. Peut-être vaut-il mieux que j'arrête d'essayer.

— Tu as du fromage sur le menton.

— C'est ça, cherche à nous déprécier.

— Ne le prends pas mal. Je suis heureux de te revoir. Mais... je commençais tout juste à m'habituer à l'idée de ton absence. Est-ce que je dois encore t'appeler Tesla?

— Pourquoi pas?

— Eh bien, tu n'es plus Tesla, n'est-ce pas? Tu es plus que cela.

— Tesla ira très bien. Un corps est appelé selon son apparence, pas vrai?

— Je le suppose, dit Grillo. Est-ce que j'ai l'air de flipper devant cette situation?

— Non. Tu flippes?

Il secoua la tête.

— Bizarrement, non. Je reste cool.

— Je retrouve mon Grillo.

— *Notre* Grillo, tu veux dire.

— Non. J'ai bien dit mon Grillo. Même si tu allais baiser toutes les créatures de rêve de Los Angeles, tu m'appartiendrais toujours. Je suis le grand impondérable de ta vie.

— C'est une conspiration.

— Tu n'aimes pas ça?

Grillo sourit.

— Ce n'est pas mal, dit-il.

— Ne fais pas la sainte nitouche, dit-elle. (Elle s'empara de sa main.) Les temps s'annoncent difficiles, et j'ai besoin de savoir que tu es avec moi.

— Tu le sais parfaitement.

— Bien. Comme je te l'ai dit, la fête n'est pas finie.

— Bien. D'où sors-tu ça ? C'était mon titre.

— Synchronicité, dit Tesla. Où en étais-je ? D'Amour pense qu'ils vont essayer New York ensuite. Ils ont une tête de pont là-bas. Depuis des années. Donc, je rassemble la moitié de l'équipe pendant qu'il se charge de l'autre moitié.

— Que puis-je faire ? dit Grillo.

— Que dis-tu de Omaha (Nebraska) ?

— Pas grand-chose.

— C'est là que commence la dernière phase, incroyable mais vrai. Dans le Bureau de Poste d'Omaha.

— Tu me fais marcher.

— C'est là que le Jaff a déniché l'idée débile qu'il se faisait de l'Art.

— Que veux-tu dire : débile ?

— Il n'avait que des bribes du problème et non toute la solution.

— Je ne te suis pas.

— Kissoon lui-même ne savait pas ce que c'est que l'Art. Il avait des indices, mais rien que des indices. L'Art est quelque chose d'immense. Il fait s'effondrer l'espace et le temps. Il refait de toutes choses *une seule. Le passé, l'avenir, et le moment de rêve entre eux... une seule et immortelle journée...*

— Magnifique, dit Grillo.

— Swift approuverait-il ?

— Que Swift aille se faire foutre.

— Quelqu'un aurait dû s'en occuper.

— Donc... *Omaha ?*

— C'est là que nous commençons. C'est là qu'échoue tout le courrier égaré de l'Amérique, et peut-être y trouverons-nous des indices. Les gens savent des choses, Grillo. Même sans s'en rendre compte, ils en *savent*. C'est ça qui fait de nous des êtres merveilleux.

— Et ils les écrivent ?

— Oui. Puis ils postent des lettres.

— Et ces lettres échouent à Omaha.

— Quelques-unes. Paie le cheeseburger. Je t'attends dehors. Il paya. Elle l'attendait.

— J'aurais dû manger, dit-il. Voilà que j'ai faim.

D'Amour ne s'en alla que tard dans la soirée, laissant derrière lui deux conteurs épuisés. Il prit quantité de notes, ne cessant de feuilleter son bloc dans un sens et dans l'autre afin de mettre en relation des fragments d'informations hétéroclites.

Lorsque Howie et Jo-Beth eurent fini de parler, il leur donna sa carte de visite, sur laquelle figuraient son adresse new-yorkaise et son numéro de téléphone, et griffonna au dos un autre numéro.

— Quittez la ville dès que possible, leur conseilla-t-il. Ne dites à personne où vous allez. A personne. Et quand vous serez arrivés — où que ce soit —, changez de nom. Faites-vous passer pour un couple marié.

Jo-Beth éclata de rire.

— C'est démodé, mais pourquoi pas? dit D'Amour. On ne raconte pas de ragots sur les couples légitimes. Et dès que vous serez arrivés, appelez-moi et dites-moi où je peux vous trouver. A partir de ce moment-là, je serai en contact permanent avec vous. Je ne vous promets pas d'anges gardiens, mais il existe des forces qui pourront veiller sur vous. J'ai une amie qui s'appelle Norma, et j'aimerais que vous la rencontriez. Elle n'a pas son pareil pour trouver des chiens de garde.

— Nous pourrons nous en acheter un nous-mêmes, dit Howie.

— Pas un chien de garde comme les siens. Merci pour tout ce que vous m'avez dit. Il faut que j'y aille. La route est longue.

— Vous retournez à New York en voiture?

— J'ai horreur de voler, dit-il. Un jour, j'ai eu une expérience désagréable dans les airs, et ce n'était pas dans un avion. Rappelez-moi de vous en reparler. A présent que je sais tout sur votre passé sordide, il faut que vous sachiez tout sur le mien.

Il alla jusqu'à la porte et sortit, laissant derrière lui une atmosphère empestant le tabac européen.

— J'ai besoin d'un peu d'air frais, dit Howie à Jo-Beth après son départ. Tu veux venir te promener avec moi?

Il était minuit passé, et la froidure dont D'Amour s'était plaint cinq heures plus tôt avait encore empiré, mais elle leur fit oublier leur fatigue. Peu à peu, ils se mirent à parler.

— Tu as raconté à D'Amour beaucoup de choses que j'ignorais, dit Jo-Beth.

— Par exemple?

— Ce qui t'est arrivé sur l'Éphéméride.

— Byrne, tu veux dire ?

— Oui. Je me demande ce qu'il a vu là-haut.

— Il a dit qu'il viendrait me le raconter, si nous survivions.

— Je ne veux pas d'un témoignage de seconde main. J'aimerais voir par moi-même.

— Retourner sur l'Éphéméride ?

— Oui. Ça me plairait, à condition que ce soit avec toi.

Peut-être était-il inévitable que leurs pas les conduisent jusqu'au lac. Le vent avait des dents, mais son souffle était frais.

— N'as-tu pas peur de ce que Quiddity pourrait nous faire, dit Howie, si jamais nous y retournions ?

— Pas vraiment. Pas si nous sommes ensemble.

Elle le prit par la main. Tous deux se mirent soudain à transpirer en dépit du froid, et leurs entrailles se nouèrent comme elles l'avaient fait la première fois que leurs regards s'étaient croisés dans le Steak House Budrick. Une éternité avait passé depuis lors, durant laquelle tous deux avaient été transformés.

— Nous sommes des desperados à présent, murmura Howie.

— Sans doute, dit Jo-Beth. Mais c'est très bien comme ça. Personne ne peut nous séparer.

— J'aimerais bien que ce soit vrai.

— *C'est* vrai. Tu le sais.

Elle leva la main, qui était toujours nouée à celle de Howie.

— Tu te rappelles ? dit-elle. C'est ça que Quiddity nous a montré. Quiddity nous a réunis.

Les frissons qui parcouraient le corps de Jo-Beth traversèrent sa main, puis la sueur qui coulait entre leurs paumes, et se transmirent à Howie.

— Nous devons être fidèles à cette promesse.

— Épouse-moi, dit-il.

— Trop tard, répliqua-t-elle. C'est déjà fait.

Ils étaient à présent au bord du lac, mais ce ne fut pas le Michigan qu'ils virent en scrutant la nuit, ce fut Quiddity. Il était douloureux de penser à ce lieu. C'était cette même douleur qui touchait une âme vivante lorsqu'un murmure venu de l'océan onirique venait à frôler sa conscience. Mais elle était bien plus aiguë pour eux, qui ne pouvaient oublier leur nostalgie et savaient que Quiddity était bien réel ; un lieu où l'amour pouvait trouver des continents.

L'aube ne tarderait pas, et les premiers rayons du soleil leur signaleraient que le moment était venu de dormir. Mais jusqu'à la venue de la lumière — jusqu'à ce que la réalité s'impose à leurs imaginations —, ils resteraient là à observer les ténèbres, à attendre, partagés entre l'espoir et la crainte, que l'autre océan monte des rêves et vienne les emporter loin du rivage.

TABLE

La composition de ce livre
a été effectuée par Bussière à Saint-Amand,
l'impression et le brochage ont été effectués
sur presse CAMERON
dans les ateliers de la S.E.P.C.
à Saint-Amand (Cher)
pour les Éditions Albin Michel

Achevé d'imprimer en octobre 1991
N° d'édition : 11934. N° d'impression : 2077-1583
Dépôt légal : novembre 1991